Assiette en faïence fine de Choisy-le-Roi
Paris, M.V.H.

Encrier en faïence polychrome. Vers 1840
Paris, M.V.H.

*Bouteille d'encre. 1882 (cat. 305)
Paris, M.V.H.

*Buste-charge (cat. 244)
Paris, M.V.H.

*Boîtier de montre (cat. 295)
Besançon, Musée des Beaux-Arts et d'Archéologie

*Tête de pipe « Gambier » (cat. 288)
Paris, Musée Carnavalet

*Assiette en faïence fine de Longwy (cat. 262)
Paris, M.V.H.

*Assiette en faïence fine de Bordeaux (cat. 274)
La Rochelle, Musée d'Orbigny-Bernon

*Coupe (cat. 301)
Paris, M.V.H.

*Paire de chenêts (cat. 297)
Paris, M.V.H.

*Auguste Rodin
Buste en bronze. 1883 (cat. 190)
Paris, Musée d'Orsay

Zacharie Astruc
Masque en bronze, d'après Le marchand de masques (cf. cat. 4)
Paris, M.V.H.

*J. P. Dantan
Buste en plâtre patiné. Vers 1832 (cat. 20)
Paris, M.V.H.

*C.-F. Venot
Buste en plâtre. 1830 (cat. 6)
Paris, M.V.H.

*Jules Dalou
Buste en marbre. 1901 (cat. 12)
Paris, Comédie-Française

*Laurent Marqueste
Buste en plâtre. Vers 1901 (cat. 13)
Paris, M.V.H.

P.-J. David d'Angers
Buste en marbre. 1838
Paris, M.V.H.

*Antonin Mercié
Buste en marbre. 1889 (cat. 11)
Paris, Sénat, Palais du Luxembourg

*J. A. Injalbert
Buste en plâtre. Vers 1902 (cat. 14)
Béziers, Musée des Beaux-Arts

*Henri Bouchard
Buste en plâtre. 1936 (cat. 15)
Paris, Atelier-Musée Henri Bouchard

*Gustave Deloye
Buste en plâtre. 1881 (cat. 10)
Paris, M.V.H.

Victor Vilain
Buste en plâtre. 1882
D'après *Le livre d'or de Victor Hugo,* Paris, Launette, 1883

Le prototype :

Étienne Carjat
Photographie. 1873

Les « multiples » :

de haut en bas puis de gauche à droite :

Paul Avril
Gravure sur bois pour la couverture de *Victor Hugo,* dans la série « Célébrités contemporaines ». 1883

Anonyme
Gravure sur bois pour la couverture de *La vie de Victor Hugo* par Alfred Barbou. 1881

Alexandre Legenisel
Eau-forte. 1877

Héritier
Lithographie, d'après un dessin d'Henri Demare. 1881

H. U.
Gravure sur bois pour *L'Univers Illustré,* 20 oct. 1877

Eugène Courboin
Lithographie. 1881

Debebricon
« Glyptographie »

H. U.
Gravure sur bois
Le Courrier Illustré de la Nouvelle-Calédonie, 7 sept. 1878

Anonyme
Gravure sur bois

Anonyme
Lithographie publiée dans la série *Les personnages du jour appartenant à l'Histoire.* 1875

Anonyme
Gravure sur bois pour la couverture d'*Extraits de prose de Victor Hugo*

Paris, M.V.H.

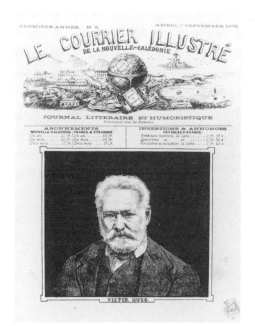

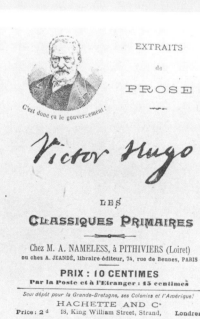

Le prototype :

*Léon Bonnat
Portrait de Victor Hugo. 1879 (cat. 96)
Versailles, Musée National du Château

Les « multiples » :

De haut en bas puis de gauche à droite :
Léopold Massard
Gravure sur acier. 1879

Braun et Cie
Photographie. 1879

Paul Rajon
Eau-forte
L'Art, 1879

Phototypie d'après une gravure sur bois de
Maurice Valette
Supplément de *La Chronique Parisienne*

« Gillotage » d'après un dessin de Léon
Bonnat
La Vie Moderne, 15 mai 1879

Le Reverend Dochy
Gravure sur bois
L'Illustration, 10 mai 1885

Auguste Trichon
Gravure sur bois
Le Supplément Illustré des Annales, 31 mai
1885

Maurice Valette
Gravure sur bois d'après la photographie de
Braun
Le Monde Illustré, 2 août 1879

Anonyme
Gravure sur bois
Journal Amusant, juil. 1879

Auguste Trichon
Gravure sur bois
Les Beaux-Arts Illustrés, 24 mai 1879

Braun et Cie
Photographie. 1879

Paris, M.V.H.

Thiers, de Lesseps, Victor Hugo, voilà pour M. Bonnat des modèles illustres
dans des genres bien différents. Avec son talent on est *bon à tout faire*.

VICTOR HUGO

Galeries nationales du Grand Palais, Paris
1er octobre 1985 – 6 janvier 1986

La gloire de Victor Hugo

Ministère de la Culture

Éditions de la Réunion des musées nationaux

Cette exposition a été organisée par la Réunion des musées nationaux avec le concours des services techniques du Musée d'Orsay et des galeries nationales du Grand Palais.

La présentation a été conçue et réalisée sous la direction de Pierre Georgel, par Jean-Paul Boulanger et Geneviève Renisio.

L'exposition a bénéficié du concours d'American Express.

Audio-visuels :

Victor Hugo dans la ville
réalisation : Jacques Faujour

Les éditions
réalisation : Michel Cazaubiel-Cinémages
conseiller scientifique : Guy Rosa

« Les misérables » au cinéma
montage : Michel Melot
réalisatrice : Danièle Jaeggi
productrice déléguée du service audiovisuel du Centre Georges Pompidou :
Martine Debarre

La carrière politique de Victor Hugo vue par la caricature
conception : Chantal Martinet

Les hommages de la Troisième République
conception : Chantal Martinet

Une grand'messe républicaine : les funérailles de Victor Hugo
conception : Chantal Martinet

Monuments et décors publics
conception : Chantal Martinet

Les reprises du théâtre : 1867-1914
conception : Véronique Wiesinger

Hugo à la scène depuis 1914
conception : Véronique Wiesinger

Programme d'enregistrements musicaux
conception : Arnaud Laster

Pendant la durée de l'exposition, la Cinématèque Française présente un festival
de films d'après les œuvres de Victor Hugo.
conception : Vincent Pinel

Que toutes les personnalités qui ont permis par leur généreux concours la réalisation de cette exposition trouvent ici l'expression de notre gratitude :

Mme A. Chauvac-Claretie
M. Alain Gesgon
M. André Masson
Mlle Yolande Osbert
M. Jacques Seebacher
M. Kai Stage

ainsi que toutes celles qui ont préféré garder l'anonymat.

Nos remerciements s'adressent également aux responsables des collections suivantes :

Argentine
Buenos Aires — Museo Nacional de Bellas Artes

Australie
Sydney — Art Gallery of New South Wales

Belgique
Bruxelles — Musées royaux des Beaux-Arts de Belgique
Musée Antoine Wiertz

Danemark
Maribo — Musée des Beaux-Arts de Lalande-Falster

États-Unis d'Amérique
Philadelphie — Philadelphia Museum of Art

France
Angers — Musée des Beaux-Arts
Galerie David d'Angers
Autun — Musée Rolin
Avignon — Association pour une Fondation Jean Vilar
Bagnères-de-Bigorre — Musée Salies
Bergerac — Musée d'Intérêt National du Tabac
Besançon — Musée des Beaux-Arts et d'Archéologie
Béziers — Musée des Beaux-Arts
Bordeaux — Musée des Arts Décoratifs
Musée des Beaux-Arts
Calais — Musée des Beaux-Arts
Châteauroux — Musée Bertrand
Compiègne — Musée National du Château
Dijon — Musée des Beaux-Arts
Musée Rude
Épinal — Musée Départemental des Vosges
Ivry-sur-Seine — Dépôt des œuvres d'art de la Ville de Paris
Langres — Musées de Langres
La Rochelle — Musée d'Orbigny-Bernon
Les Epesses — Château du Puy du Fou, Écomusée de la Vendée
Lille — Musée des Beaux-Arts
Lyon — Musée des Beaux-Arts
Marseille — Musée des Beaux-Arts
Montpellier — Musée Fabre
Mont-Saint-Aignan — Institut National de Recherche Pédagogique, Musée National de l'Éducation
Mulhouse — Musée des Beaux-Arts
Nantes — Musée des Beaux-Arts
Nice — Musée des Beaux-Arts Jules Chéret
Nîmes — Musée des Beaux-Arts
Paris — Académie Française
Bibliothèque Forney
Bibliothèque Nationale
Bibliothèque de l'Opéra
Cabinet des Estampes
Cabinet des Médailles
Département des Arts du Spectacle

Département des Imprimés
Département des Manuscrits
Comédie-Française
Fonds National d'Art Contemporain
Maison de Victor Hugo
Mobilier National
Musée des Arts Décoratifs
Atelier-Musée Henri Bouchard
Musée Carnavalet
Musée du Cinéma et Cinémathèque Française
Musée Grévin
Musée du Louvre, Cabinet des Dessins
Musée National d'Art Moderne/Centre Georges Pompidou
Musée National Jean-Jacques Henner
Musée d'Orsay
Musée du Petit-Palais
Musée de la Poste
Musée de la Publicité
Musée Rodin
Réunion des Musées Nationaux, Atelier des Moulages
Sénat
Théâtre National de Chaillot

Pontoise	Musées de Pontoise
Rouen	Musée des Beaux-Arts
Saint-Étienne	Musée d'Art et d'Industrie
Saint-Omer	Musée de l'hôtel Sandelin
Saint-Sauveur-le-Vicomte	Musée Barbey d'Aurevilly
Saulieu	Musée François Pompon
Strasbourg	Cabinet des Estampes et des Dessins de Strasbourg
Thionville	Musée de Thionville
Toulouse	Musée des Augustins
Tours	Musée des Beaux-Arts
Trélon	Mairie
Troyes	Musée des Beaux-Arts
Valence	Musée des Beaux-Arts
Versailles	Musée National du Château
Vienne	Musée des Beaux-Arts et d'Archéologie
Villequier	Musée Victor Hugo
Villeurbanne	Mairie

Italie

Torino	Galleria d'Arte Moderna

Japon

Suwa	Musée Kitazawa

Nous exprimons enfin une gratitude particulière pour l'aide qu'ils nous ont apportée à :

M. le Directeur des Affaires culturelles de la Ville de Paris

M. l'Administrateur général de la Bibliothèque Nationale

M. l'Administrateur de la Comédie-Française

Sommaire

Introduction (Pierre Georgel)
L'image de soi (Jacques Seebacher)

La « figure » de Victor Hugo (Maurice Agulhon, Evelyn Blewer, Pierre Georgel, Martine Mantelet, Chantal Martinet, Madeleine Rebérioux, Nicole Savy)

64	— Les images
88	. Le surhomme
90	. « Voir mon nom se grossir »
92	. « L'antéchrist littéraire »
95	. Hugoïsme et hugolâtrie
102	. Le géant Lumière
104	. De l'inspiré au voyant
110	. Le démiurge
113	. La Conscience
119	. Le père Hugo
125	. Le charlatan
128	. Déboires, éclipses, déboulonnages
131	. Portraits de famille
140	. Objets de masse, objets populaires
146	. Hugo fait main
147	. Jouons avec Hugo
148	. Hugo dans l'assiette
150	. Fumées
152	. Le temps passe, Hugo reste
153	. Hugo fait vendre
154	. Images « populaires »
156	. Hugo-enseigne
158	— La presse et les biographies
186	. Un des premiers grands reportages de presse : les funérailles de Victor Hugo
190	— Hugo dans le débat politique et social
246	. Hugo « quarante-huitard » ?
250	. Les vicissitudes d'un prophète au temps de la République monarchiste
253	. Un dieu chasse l'autre : la « Ford » sur le piédestal de Victor Hugo
254	. Hugo-de Gaulle : rencontres au sommet
256	— Les hommages publics
306	. Hugo fêté et pleuré en musique
308	. Charles Garnier et le décor de l'Arc de Triomphe
310	. « Le siècle de Victor Hugo » : autour du panorama de Gervex et Stevens
312	. Plafonds
314	. Une « somme » : le monument de Barrias
316	. Du nu au drapé : le monument de Besançon
318	. Rodin et Hugo, histoire d'un monument
324	. L'hommage de l'Alsace

La lecture (Josette Acher, Marie-Christine Bellosta, Pascale Devars, Roger Fayolle, Pierre Georgel, Roselyne Laplace, Arnaud Laster, Danielle Leclère, Gilles Mourier, Laurence Olivieri, Edgar Petitier, Guy Rosa, Alain Vaillant)

328	— Si Hugo était compté
392	— La critique et le rayonnement littéraire
440	. La critique caricaturale
446	— Les parodies
472	— Le Victor Hugo de la jeunesse
482	— Les avatars du « peintre malgré lui »

« *Victor Hugo illustré* » (Jean Gaudon, Pierre Georgel, Geneviève Lacambre, Ségolène Le Men, Philippe Thiébault, Corinne Van Eecke)

498 — A travers le xixᵉ siècle
510 — La lettre et l'esprit
526 — L'édition illustrée, un musée pour lire
569   . Le rêve du condamné
570   . Bandes dessinées avant la lettre
573   . Quasimodo
578   . Esméralda, ange ou démon ?
582   . La procession du pape des fous
584   . La Cour des Miracles
586   . Le pilori
588   . Notre-Dame et Paris à vol d'oiseau
590   . La cellule de Claude Frollo
591   . Sara la baigneuse
595   . Cosette
600   . Les pauvres gens
602   . Les chevaliers errants
605   . Booz endormi
608   . Hugo illustrateur de lui-même : autour de « L'homme qui rit »
610   . Les travailleurs de la mer
613   . L'année terrible
616   . Souvenir de la nuit du 4
619   . Quatrevingt-treize
625   . Le « Caïn » de Cormon
628   . Les hommages d'Emile Gallé

La musique, la scène, le cinéma (Arnaud Laster, Henri Loyrette, Jean Mitry, Anne Ubersfeld)

632 — La musique
658 — La scène
739   . Frédérick-Lemaître interprète de Victor Hugo
740   . Sarah Bernhardt interprète de Victor Hugo
745   . Victor Hugo librettiste : « La Esméralda » de Louise Bertin
751   . « Rigoletto » à Paris
758   . Adaptations théâtrales des romans de Victor Hugo
770 — Le cinéma

Pièces originales exposées : liste sommaire (Claudie Barral, Jonas Storsve, Georges Vigne, avec le concours de Martine Mantelet et Corinne Van Eecke)
Index des artistes

Dans les légendes des illustrations, les titres précédés d'un astérique (*) sont ceux des pièces figurant à l'exposition. Le numéro de catalogue (cat.) renvoie à la liste des *Pièces originales exposées*. La Maison de Victor Hugo est désignée par l'abréviation « M.V.H. » et la Bibliothèque Nationale par l'abréviation « B.N. ».
Les références à l'édition chronologique des *Œuvres complètes* de Victor Hugo publiée sous la direction de Jean Massin (Paris, Club français du Livre, 1967-1970) sont indiquées sous la forme abrégée « éd. Massin ».

Cet ouvrage a été réalisé sous la direction de Pierre Georgel, qui en a conçu l'organisation et la présentation et en a composé l'illustration.

Maquette : Le Coin du Miroir, Dijon
(Xavier Douroux, Franck Gautherot)

Collaborateurs du catalogue :
Josette Acher
Maurice Agulhon
Claudie Barral
Marie-Christine Bellosta
Evelyn Blewer
Pascale Devars
Roger Fayolle
Jean Gaudon
Pierre Georgel
Isabelle Jan
Geneviève Lacambre
Roselyne Laplace
Arnaud Laster
Danielle Leclère
Ségolène Le Men
Henri Loyrette
Martine Mantelet
Chantal Martinet
Michel Melot
Jean Mitry
Gilles Mourier
Laurence Olivieri
Edgar Petitier
Madeleine Rebérioux
Guy Rosa
Nicole Savy
Jacques Seebacher
Myriam Stern
Jonas Storsve
Philippe Thiébaut
Anne Ubersfeld
Alain Vaillant
Corinne Van Eecke
Georges Vigne

La gloire de Victor Hugo

Pierre Georgel **Introduction**

Un « lieu de mémoire »

Il y a encore des hugolâtres et même quelques hugophobes, mais l'hugolâtrie et l'hugophobie ne sont plus des passions publiques. Pour beaucoup d'entre nous, ceux qui n'ont rien reçu du patrimoine commun de naguère, le nom de Victor Hugo n'évoque sans doute que des plaques de rues, des noms de groupes scolaires et de magasins ; pour toute une génération d'écoliers, c'est seulement celui d'un classique : à peine plus qu'un nom. Pourtant, Jeanne au pain sec, Cosette et son seau, la cabane pauvre mais bien close, « Et s'il n'en reste qu'un, je serai celui-là », « Cette faucille d'or dans le champ des étoiles », appartiennent encore, dans une certaine mesure, au livre d'or des Français ; et le vieux barbu peint par Bonnat reste un des points de ralliement de notre mémoire nationale. Il faudrait des statistiques et une analyse anthropologique pour évaluer plus finement cette présence de Hugo dans l'imaginaire collectif, mais elle relève de l'expérience courante, et ce qui importe est justement sa qualité de vécu.

Cette popularité affaiblie mais persistante, surtout circonscrite aux générations scolarisées sous la Troisième République, s'accompagne d'un intérêt renouvelé de la part des créateurs et des critiques, auquel répond, dans le public, une curiosité sans préjugés. La célébration officielle du Centenaire ne suffit pas à expliquer l'abondance, et souvent la qualité, des éditions, expositions, productions théâtrales et télévisées d'après Hugo au cours des années récentes, ni le travail approfondi des « hugoliens », qui s'emploient à faire connaître et à éclairer cet œuvre complexe avec une rigueur et une intelligence critique bien différentes des anciens partis-pris. Hugo demeure ainsi, dans notre culture, à la fois par tradition et par rayonnement direct, une force active. Cette vitalité après tant de « Hugo, hélas ! », cette sérénité après tant de louanges, d'invectives et de détournements par tous les bords, opposent 1985 à 1902, l'année du centenaire de la naissance, où l'hommage au poète national avait surtout accusé sa position d'enjeu dans les débats politiques et esthétiques.

L'exposition du Grand Palais prend acte de cette situation qui est aujourd'hui celle de Hugo : « entre mémoire et histoire » (pour reprendre la formule de Pierre Nora dans un beau livre, récemment publié, dont le propos nous paraît converger avec le nôtre), et aussi, car il s'agit d'abord d'un écrivain, entre l'émotion et le détachement critique. *Sur* la gloire et non *à* la gloire de Victor Hugo — mais nous ne serions pas fâchés si elle y contribuait un peu —, elle cherche à mettre le phénomène en perspective tout en invitant les visiteurs à feuilleter un grand livre d'images familières.

Un parcours signifiant

La gloire, c'est la « célébrité grande et honorable » dont parle le dictionnaire de Littré, et c'en est aussi la contre-épreuve : déboires, haines, malentendus, distorsions... Ce sont les hommages officiels et la reconnaissance de l'élite, consignés dans les annales de l'Histoire, mais c'est aussi la ferveur populaire, qui ne laisse guère de traces. Cela tient du latent et du manifeste, de l'imaginaire et de l'ordre des faits. C'est un phénomène quantitatif et c'est l'impondérable même, l'élection personnelle et la propagation tous azimuts. C'est une multiplicité presque inconcevable de facteurs et de supports. L'histoire intellectuelle offre sans doute peu d'objets plus révélateurs d'une société, de ses structures, motivations et modalités les plus diverses. Il serait naïf de prétendre saisir tous les aspects d'un aussi vaste et mouvant domaine. L'exposition voudrait du moins donner la sensation physique de cette prolifération et de cet entrelacement, tout en dégageant clairement les directions dans lesquelles ils s'exercent. Ce programme a été rendu possible par l'étroite collaboration d'hugoliens et de spécialistes de tous les secteurs de l'histoire culturelle, politique et sociale aux XIXᵉ et XXᵉ siècles.

La visite s'articule sur des notions simples, permettant au visiteur de s'orienter aisément : la « figure » imaginaire de Hugo (les représentations qu'on s'en est données, les forces qui les ont modelées et utilisées), puis les principaux vecteurs de la « réception » de l'œuvre : la lecture, ses aspects quantitatifs : les éditions, et qualitatifs : la critique et ses alentours ; la scène, la musique, le cinéma et l'illustration, autres modes de lecture. En même temps, l'itinéraire est jalonné par tout un jeu de rappels, d'échos et d'interférences, soulignant l'interaction de ces différents niveaux. L'agencement de l'exposition est donc à la fois progressif et circulaire ; le visiteur est entraîné dans un parcours signifiant, dont les accessoires et le rythme même ne sont pas dépourvus d'implications. Ainsi, la perspective de bustes officiels aboutissant au modèle réduit de l'arc de l'Étoile, sur laquelle s'ouvre la première partie, répond à l'étalage final d'objets populaires ; la topographie de la section centrale, dominée par les monuments de Rodin, rappelle à dessein le cœur monumental d'une ville... Mais on espère avoir évité tout effet de dramatisation gratuite.

Le champ de l'exposition se limite à la France, et, pour certains secteurs, ne dépasse guère le début du xxᵉ siècle. Ce parti, au demeurant inévitable, vu la difficulté d'évoquer de façon rigoureuse le rayonnement international de Hugo, se justifie par le point de vue historique que nous avons adopté. L'image dominante qui se dégage de cet énorme corpus déroulé sur trois étages est précisément *située* ; elle ne manquerait pas de se diluer dans une perspective trop élargie. Cette image, pour l'essentiel, est solidaire des valeurs qui lui ont longtemps conféré son attrait sentimental et sa vertu polémique. Celles-ci ont plus ou moins survécu jusqu'à nous, parfois même repris vigueur — pendant le Front populaire, la Résistance, la guerre froide, dont nous signalons les contrecoups sur la fortune posthume de Hugo —, mais le « Victor Hugo » des contemporains de Gambetta et de Jules Ferry n'est plus le nôtre : plus tout à fait pour beaucoup, et probablement plus du tout pour les autres.

Pour toutes sortes de raisons (notamment le déclin de la vieille démarche idéaliste qui consistait, selon la formule d'André Chastel, à « ramasser le savoir humain dans des figures et à placer l'intelligible dans des personnalités »), rien de notable, tout au moins dans l'expression plastique, n'est venu remplacer ce Hugo-là. En revanche, l'interprétation critique a beaucoup évolué, et c'est ce qui explique le décalage entre la première partie de l'exposition, qui se termine grosso modo avant 1914 et n'indique au-delà que des résurgences, et celles qui traitent notamment de l'édition et de la scène. Le Hugo dessiné par Jean Effel vers 1960 n'est pas substantiellement différent de celui que dessinait André Gill vers 1880, mais on ne peut en dire autant des *Burgraves* de Vitez et de ceux que Mme Segond-Weber jouait en 1902 à la Comédie-Française.

Les véritables lacunes de l'exposition (outre ses lacunes et ses déficiences involontaires) tiennent à la fois au genre qui est le sien, et dont elle partage les limites, et à son propos spécifique. Séquence physique d'objets, une exposition ne peut donner à voir que le plein, et le plein, le trop-plein, de la gloire de Hugo se découpe constamment sur le vide : la célébrité sur l'ignorance, l'adhésion et le rejet sur l'indifférence, les discours sur le silence, le souvenir sur l'oubli.

Hugo ailleurs ?

Est-ce trahir le « vrai » Hugo que de présenter de lui ces images datées, gauchies, réductrices ? Soulignons d'abord que le titre de l'exposition — « La gloire de Victor Hugo » et non « Victor Hugo » — en indique précisément le sujet. Y a-t-il d'ailleurs un vrai Hugo, est-il possible de concentrer dans une interprétation, si globale soit-elle, le sens de cette vie et de cet œuvre qui tend de toute part vers l'illimité ? Les représentations renouvelées qu'en donnent nos contemporains sont certes moins rudimentaires et plus objectives, en tout cas moins partisanes, que celles qui les ont précédées, elles n'en sont pas moins empreintes d'idéologie. Hugo, le Hugo complet, est toujours ailleurs. Comme l'écrit Henri Meschonnic, il « traverse nos modes ». Et c'est bien pourquoi nous avons pensé qu'une perspective historique, donnant ces représentations pour ce qu'elles sont et les replaçant autant que possible dans leur « contexte », serait au moins la plus honnête. Du reste, ce parti même a sa date : l'exposition n'est que le dernier épisode de son propre sujet !

Les grilles interposées entre Hugo et ses lecteurs, dans le passé comme aujourd'hui, et dont l'exposition cherche à rendre compte, ne sont d'ailleurs pas toutes si trompeuses. Auprès de contre-vérités et de contresens, elles offrent bien des aperçus pénétrants. La puissance et la démesure, la générosité et l'autorité morale, « l'écho sonore » qui donne une voix à ce qui n'en a pas, à la misère et au bonheur, à la nature et à l'Histoire, tout cela est enregistré et répercuté par la gloire de Victor Hugo. La lecture des romans que les illustrations populaires des éditions publiées par Hetzel ont pour longtemps imposée est incomplète mais forte, à certains égards profonde ; Hugo l'a approuvée et s'y est expressément reconnu. De tels schémas d'interprétation ménageaient des voies d'accès pertinentes — bien que restreintes, répétons-le — vers un œuvre immense et multiple, que son énormité même risquait de rendre inaccessible. Ils étaient aussi les plus appropriés à leurs différents publics : l'anthologie civique, laïque et familiale proposée par la Troisième République et l'anthologie visionnaire en faveur dans les années 1950 (mais simultanément, et avec tout autant de pertinence, Aragon proposait sa propre anthologie « réaliste ») s'adressaient à des générations et à des couches sociales bien différentes.

La place considérable, excessive en apparence, que nous avons faite au premier de ces clichés, souvent réputé « primaire » — celui, pour schématiser encore, du Victor Hugo humanitaire et sentimental — s'explique simplement par sa vigueur dans l'imagerie. La France du XIXe siècle pense par l'image et y exprime ses valeurs — notamment, après 1870, pour en faire l'auxiliaire de la pédagogie républicaine. Des thèmes comme ceux du proscrit et du grand-père (un grand-père bien édulcoré par rapport à l'original…), de Caïn fuyant devant la Conscience, de Cosette et des « pauvres gens », ont donné lieu à une immense exploitation iconographique et marqué la mémoire collective de façon incomparable.

A travers le XIXe siècle

Cette exposition devrait être l'occasion d'aborder le XIXe siècle, et ses prolongements au début du XXe, de l'intérieur, dans leur foisonnement, sans y projeter d'a priori, sans subordonner automatiquement le significatif à l'esthétique ni privilégier le point de vue traditionnel de l'histoire de l'art, que nous n'avons pas ignoré. Une telle perspective, légitime ailleurs, serait incompatible avec la nôtre. En prenant Hugo et son œuvre pour fils conducteurs à travers le XIXe siècle, il fallait éviter de rechercher exclusivement les « belles œuvres ». Si, à cet égard, l'exposition doit apporter une révélation, celle-ci tiendra surtout à la convergence de tant d'objets différents par leur forme, leur style, leur destination. Le phénomène intéresse autant l'histoire des sensibilités que l'histoire de l'art proprement dite, mais il n'est pas dépourvu d'enseignements pour celle-ci, car il fait paraître bien relatives certaines de ses catégories (nous renvoyons sur ce point à l'étude liminaire du chapitre « Victor Hugo illustré »), notamment la répartition entre « grand art » et « arts mineurs ».

Les « belles œuvres », parfois signées de « grands noms », ne manquent cependant pas. La qualité esthétique et la personnalité des auteurs (ou celle des interprètes, dans le cas des arts d'interprétation), leur confèrent un supplément incalculable de poids et de sens. Nous avons le bonheur d'en présenter un certain nombre. *Page d'Histoire* de Daumier, le *Ruth et Booz* de Bazille, l'admirable suite des bustes, eaux-fortes et projets monumentaux de Rodin, et pourquoi pas le *Caïn* de Cormon, *La charrette du condamné* de Boulanger ou certains dessins de Brion pour *Les misérables* et de Chifflart pour *Les travailleurs de la mer,* comptent parmi les créations émouvantes et mémorables du siècle. Dans les autres sections, le rappel de cette dimension est introduit par des enregistrements musicaux, un montage de séquences filmées et l'évocation de grandes mises en scène et de grands acteurs du théâtre de Hugo. Il faudrait pouvoir y ajouter quelques-uns des textes majeurs où se marque en profondeur son action sur le cours des lettres françaises. Le « Souvenir des noces » de Lamartine, « Le cygne » de Baudelaire, le *Victor-Marie, comte Hugo* de Péguy, le discours prononcé par Claudel pour le Cent-cinquantenaire de 1952, le *Hugo poète réaliste* d'Aragon et bien d'autres pages du même auteur nous paraissent de ce nombre.

« Je suis une chose publique », observait Hugo, mais il connaissait aussi d'expérience la communication intime, presque toujours secrète, qui s'établit entre un écrivain de son envergure et ses lecteurs connus ou inconnus. Nos principaux objectifs seraient atteints si l'exposition parvenait à rendre sensible ce brassage continu du public et du privé qui caractérise la gloire de Hugo, et d'où émergent son nom, sa figure, celle de son œuvre, « référence » sonore ou tacite par rapport à laquelle s'oriente et se définit une société tout entière.

Le présent ouvrage, inventaire, commentaire et prolongement de l'exposition, dont il épouse la formule et le plan, réunit une somme d'informations et de réflexions, en grande partie inédites. Il indique — il voudrait indiquer — dans quelle direction « interdisciplinaire » peut se renouveler l'approche du XIXᵉ siècle, rejoignant ainsi d'autres entreprises animées par le même projet, comme la revue *Romantisme*, le recueil collectif *Les lieux de mémoire*, déjà cité, et le futur Musée d'Orsay.

Les grandes lignes nous paraissent en place et chaque étude vaut la peine d'être lue pour elle-même, mais il reste bien des lacunes, dues à l'ampleur du sujet, dont le moindre repli ne se laisse éclairer que moyennant des dépouillements gigantesques. Nous regrettons l'absence d'une étude sur les recueils de morceaux choisis, d'un recensement des établissements et institutions diverses — maisons de commerce, marques industrielles, associations, chaires, canons, bateaux, périodiques... — portant le nom de Victor Hugo ou d'un de ses personnages, d'une enquête plus poussée sur l'illustration de l'œuvre au XXᵉ siècle, notamment dans la bande dessinée et, mis à part le cinéma, dans l'audiovisuel. Nous aurions aimé élargir à toute la vie de Hugo l'étude de sa présence dans la presse, dont un chapitre offre toutefois un échantillon significatif... Nous aurions voulu mettre à profit les publications innombrables qui se sont succédées ces derniers mois, lorsque nous approchions nous-mêmes du but. Nous aurions enfin souhaité disposer de plus de temps pour les tâches de coordination et de normalisation, qui étaient à elles seules écrasantes. Mais toutes les compétences disponibles ont donné le meilleur d'elles-mêmes... et le Centenaire n'attendait pas.

P. G.

Une exposition de cette nature, reposant sur des recherches souvent inédites, utilisant des sources dispersées et mettant en œuvre une grande variété de techniques et de disciplines, requiert un tel nombre de concours qu'il serait bien impossible de les mentionner tous.

J'aimerais rappeler le souvenir de mes amis Valentine Hugo et Jean Hugo, et celui de Pierre Albouy, auprès de qui j'ai beaucoup appris et commencé à travailler sur Hugo. Je tiens aussi à dire ma dette envers Martine Ecalle, ancien conservateur de la Maison de Victor Hugo et Elisabeth Chirol, conservateur du Musée Victor Hugo de Villequier, ainsi qu'envers tous les camarades « hugoliens » avec qui j'ai réfléchi et travaillé pendant vingt ans. Beaucoup sont réunis dans cette entreprise.

Les membres du comité d'organisation, ainsi que les autres collaborateurs, ont donné leur temps, leur savoir, leurs idées, à toutes les étapes et à tous les niveaux de l'exposition et du catalogue. Leur amitié m'a été constamment précieuse.

Plusieurs m'ont apporté leur aide bien au-delà de ce qui leur était demandé : Claudie Barral, Ségolène Le Men, Corinne Van Eecke, enfin Chantal Martinet, dont je dirai seulement que, sans elle, je ne serais pas allé jusqu'au bout de ce travail. Trois jeunes collaborateurs, Jonas Storsve, Georges Vigne et Véronique Wiesinger, m'ont secondé dans les derniers mois — les plus éprouvants.

L'Association Française pour les Célébrations Nationales et sa présidente, Madeleine Rebérioux, ont chaleureusement soutenu le projet de l'exposition et permis le financement du montage sur les adaptations cinématographiques des *Misérables*. Celui-ci, conçu par Michel Melot, a été pris en charge par la Bibliothèque Publique d'Information du Centre Georges Pompidou.

Je remercie l'ensemble des prêteurs, dont les prêts se sont souvent accompagnés de recherches particulières. Et je tiens à dire que, parmi eux, la préparation de l'exposition a lourdement pesé, pendant plus de deux ans, sur la Maison de Victor Hugo, dont le conservateur, Henri Cazaumayou, nous a accueillis avec patience et amitié, puis a accepté de nous confier un nombre très exceptionnel de pièces de toutes techniques. Qu'il me permette de lui associer dans ma gratitude ses adjointes successives, particulièrement Jacqueline Lafargue.

Parmi les autres collections publiques dont nous avons abondamment utilisé la documentation et sollicité les prêts, je dois citer la Bibliothèque Nationale, la Comédie-Française, la Cinémathèque Française et le Musée Victor Hugo de Villequier. Leurs responsables sont souvent allés au-devant de nos demandes. Je suis heureux de pouvoir remercier publiquement mes collègues Laure Beaumont, Claude Bouret, Elisabeth Chirol, Marie-Françoise Christout (qui a bien voulu se charger notamment de la présentation des costumes de théâtre, avec l'aide de Michel Brunet), Noëlle Giret, Cécile Giteau, Noëlle Guibert, Martine Kahane, Roger Pierrot et Emmanuelle Toulet, ainsi que les responsables du Dépôt Légal. Des remerciements particuliers sont dus en outre à Anne Pingeot et Jacques Foucart et aux services de documentation dont ils ont la charge au Département des Peintures du Louvre et au Musée d'Orsay, ainsi qu'à M. Poirot et au personnel de la Bibliothèque Municipale de Dijon.

Michel Laclotte, inspecteur général des musées, chargé du Musée d'Orsay, a autorisé et encouragé plusieurs de ses collaborateurs à participer à l'exposition. Je lui en suis profondément reconnaissant.

Mes collaborateurs du Musée des Beaux-Arts de Dijon m'ont aidé de leur mieux à porter la charge de l'exposition, venue s'ajouter à celle du musée. Outre Claudie Barral, je tiens à citer parmi eux Martine Billot, Michel Bourquin, Dominique Fattelay, Adrienne Ogorzalek et André Sanoner, et particulièrement Daniel Le Garrec et Rodolphe Roussel, qui ont accepté de réaliser, en supplément à leur travail ordinaire, le montage et l'encadrement de plusieurs centaines de pièces.

Qu'Irène Bizot, administrateur délégué de la Réunion des Musées nationaux, et ses adjointes Claire Filos-Petit et Catherine Chagneau, sachent combien j'ai apprécié leur soutien. Et que les architectes de l'exposition, Jean-Paul Boulanger et Geneviève Renisio, les maquettistes du catalogue, Xavier Douroux et Franck Gautherot, le chef du service audio-visuel des Musées de France, Gérard Turpin, et enfin Germaine Pellegrin, ancien administrateur des galeries nationales du Grand Palais, et son successeur, Marie-Ange Laumonnier, sachent combien j'ai pris plaisir à travailler avec eux.

Mes collaborateurs se joignent à moi pour remercier les personnes et institutions suivantes, qui nous ont aidés à des titres divers, notamment en nous fournissant des informations et des photographies : A. Abdul-Halk, L. Abélès, G. Ackerman, F. Albouy, A. Amandry, A.-H. Amann, A. Apsis, A. Auclaire, T. Bajou, F. Baligand, L. Bardury, G. Barret, M. Bascou, A.-S. Baudry, J. Beauffet, M. Beaumez, F. Belin, Ch. Bell, A. Ben-Amos, J. Benoit, M.-L. Bernadac, G. Blazy, P. Blociszewski, M. Blondel, P. Bordes, M. Bouchard, M.-C. Boucher, A. et A. Bourrut-Lacouture, J. Bousquet, P. Bouteiller, P. Brame, E. Bréon, B. Bringuier, G. Brunel, M. Brunet, J.-M. Bruson, M. Bussac, M. Cafford, J.-P. Camard, E. Cantarel-Besson, S. Cassagne, N. Chabert, P.-G. Chabert, A.-M. Chabour, M. Chagot, M° G. Champlin, M. Charaoui, Abbé J. Charay, F.-T. Charpentier, F. Cheval, C. Chevillot, C. Chevrel, G. Chovin, F. Cohen, R. Couard, J. Coural, C. Courtoy, D. Coutagne, G. Dargent, F. Debaisieux, X. Dejean, M. Demassieux, J. Dervisnes, A. Distel, C. Dossier, P.-N. Drain, J. de Dryver, R. Dufet-Bourdelle, J. Dupont, C. Durand-Ruel, Mme J. Effel, A.-M. Esquirol, J. Favière, M. Feneyras, L. Ficat, Gal M. Flavian, M. de Fleury, E. Fontan, J. Fontseré, S. Forestier, G. Forneris, B. Foucart, J. Foucart, S. Fournier, R. Frée, M. Fuchs, P. Fusco, J. L. Gaillemin, M. N. de Gandry, S. Gaudon, M. Geiger, C. Gendron, L. Gerke, M. Germain, A. Gesgon, Y. Goldenberg, F. Goy, C. Gras, M. Gudin, M. Guérif, M. Guillaume, S. Guillaume, G. Guillot-Chène, J. Hahn, F. d'Hautpoul, K.-B. Hiesenger, V. Huchard, B. Huin, O. Houg, R. Isaacson, D. Imbert, S. Janin, M. Jardot, C. Join-Diéterle, R. Jouvenot, C. Judrin, I. Julia, J. Kuhnmunch, G. Lacambre, L. Laffitte-Larnaudie, J. Lalouette, J. Lanfranchi, I. de Lannoy, V. Lapointe, V. Lassalle, M. Laurent, C. Lauriol, R. Lauxerois, M. Lavallée, O. Le Bihan, C. Legrand, N. Lehni, I. Lemaistre, P. Lemoine, M. Le Pelley-Fonteny, M. Levey, G. Lévy, J. Ligou, Gal Lissarrague, R. Loche, R. Lodré, S. Loste, J.-D. Ludman, J. Lugand, C. Macary, I. Machy, E. Maillet, M.-C. Marchand, F. Marcilhac, G. Martin-Méry, S. Meloni, A. Mergnat, A. Meunier, L. Michel, D. Milhau, P. Miquel, A.-A. Moerman, E. Mognetti, M. Mosser, H. Moulin, A. Mousseigne, M. et Mme C. Nanquette, I. Neto, J. Nicourt, O. Norembuena, D. Ojalvo, C. Olsen, Y. Osbert, J.-M. Osbert, C.-M. Osborne, H. Oursel,

P. Pagnotta, J. du Pasquier, R. Pasteur, G. Pesson, A. Philippon, M. Pichenal, M. Pinette, F. Poiré, E. Pommier, D. Ponnau, M.-A. Poridaens, P. Pournin, C. Prieur, H. Prouté, P. Provoyeur, F. Pruner, M. Pulh, Rijksbureau voor Kunsthistorische Documentatie (La Haye), E. Robert, M. Rocher-Jauneau, M. Roland-Michel, J. Rollin, J.-B. Roy, D. Saillard, J.-P. Sainte-Marie, E. Salmon, C. Schaettel, A. Scottez, H. et J. Seckel, A. Sheon, J.-H. T. Sillevis, Sotheby Parke Bernet and Co., P. Soulier, P. Sourget, C. Souviron, J. Souvyron, K. Stage, M. Stahl-Weber, D. Ternois, M. Thévoz, P. Thiébault, M. Tissier de Mallerais, M. Tollet, J. Toulet, H. Toussaint, V. Turpin, N. Vaillant, P. Vaisse, C. Van Hasselt, J.-P. Vandersfelden, D. Viéville, C. Viguier, J. Vilain, C. Vincent, H. Vincent, B. Voile, R. Walker, A. Watteau, G. Weisberg, F. Werkstein, H. Westergaard, H. Wytenhove, M. Wittek, ainsi que MM. les inspecteurs d'académie, qui ont répondu à notre enquête sur les établissements scolaires portant le nom de Victor Hugo.

P. G.

Jacques Seebacher **L'image de soi**

On peut appliquer à ce prêtre illustre ce qu'on a dit poétiquement de je ne sais quel écrivain, que *la gloire est pour lui une mission.*
V.H., sur Lamennais, dans *La Muse Française,* août 1823.

Henri Guillemin a composé, voici trente-cinq ans, un *Victor Hugo par lui-même* qui ouvrait d'un coup une collection fameuse dans l'histoire de l'essai en France, et la renaissance des études hugoliennes. Le genre de l'autobiographie mêlée naissait ainsi dans la fidélité à la préface des *Contemplations,* à l'effarement rimbaldien et à ce jeu complexe de provocation et de dénégation que constitue la pratique du masque. « Ah ! insensé qui crois que je ne suis pas toi » exprime sans doute la communauté de la condition humaine plus encore que la « forme entière de l'humaine condition » comme disait Montaigne ; mais le lyrisme de la formule impose que tu n'es pas toi tout seul, que ton Je est un autre, de même que « Je suis un homme qui pense à autre chose. » Fraternité de coup de force, humilité royale : Hugo prête à ses héros, Marius, Valjean, Gwynplaine, Lethierry, beaucoup de sa substance, mais comment fait-il pour s'inventer au travers de Louis-Philippe ? Le texte des *Misérables* que cite Guillemin répond du début : « Louis-Philippe était un homme rare » à la fin : « il est tout simple qu'un homme, fantôme lui-même aujourd'hui,... vienne déposer pour lui devant l'histoire ». De la singularité à l'exténuation, l'unité du portrait se fait de paradoxe, de contradiction, d'ambiguïté fortement ancrée par le fond de l'histoire.

La constitution du moi, de cette conscience indissociablement psychologique et morale, éthique parce que thétique, personnelle parce que politique, a dû se faire, dans une exemplaire alliance de l'intelligence et de la volonté, au modèle des grands maîtres, au miroir des figures du génie. « Être Chateaubriand ou rien », ce n'est seulement le programme ni du littérateur en herbe, ni du politique à venir, ni de l'homme à femmes, ni de l'exilé : c'est l'ordre du jour de la souveraineté du génie, de cette égalité royale que symbolise l'archaïsme de la Pairie, de cette région où le mentir vrai d'un an vous sacre *alter ego* de Napoléon pour l'un, et du siècle pour l'autre. Chateaubriand est la référence absolue du désir de gloire non tant parce que sa gloire sous la Restauration fut sans pareille, que pour la manière dont il est le triomphe de l'échec napoléonien, le retournement véritablement significatif, pleinement historique, enfin réel du rêve impérial. Le contre-type d'un écroulement d'orgueil. C'est dans cette revendication, et sous ce patronage, que « l'enfant sublime » place son entrée dans la carrière sous le signe de la « poésie », comme forme essentielle de la littérature, laquelle est elle-même pour Hugo l'exercice suprême de la vérité et de la liberté, de la philosophie et de l'action. C'est sous ce signe, dont les diverses préfaces proclament la nature profondément sociale, que *Le Conservateur Littéraire* peut être examiné comme une espèce de préface générale à l'œuvre, comme le préalable critique à la cohérence de toute une vie.

La découverte de Chénier, en 1819, éclate comme une reconnaissance, un programme, une théorie. La présentation du poète martyr de la Terreur vaut en effet autoportrait : « un jeune homme d'un caractère noble et modeste, enclin à toutes les douces affections de l'âme, ami de l'étude, enthousiaste de la nature ». À cette conformité heureuse aux idéaux de la sociabilité ultra et de l'intérêt bien compris, il faut ajouter une étrange revendication d'indépendance virile : « cette fierté d'idées d'un homme qui pense par lui-même » ; la fierté est moins dans la nature ou le caractère que dans les idées elles-mêmes. Le tête-à-tête de Chénier et de Hugo produit une métamorphose moderniste, poétique, politique et, conjoncturellement, glorieusement conservatrice de l'héritage des Lumières. Un appétit vorace pour les idées, pour la production des idées et leur élaboration en système ne va pas sans « cette sensibilité profonde, sans laquelle il n'est point de génie, et qui est peut-être le génie elle-même. Qu'est-ce en effet qu'un poète ? un homme qui sent fortement, exprimant ses sensations dans une langue plus expressive ».

On comprend que la Société des Bonnes Lettres et surtout le public de Chateaubriand ou de Lamennais aient fait bel accueil à un intellectualisme aussi sensible, à une écoute aussi volontaire, à une exécution qui fonde la liberté en rigueur. La théorie de la poésie — ou du génie, c'est tout un — est une théorie supérieure du pouvoir, une sorte de physique des hautes énergies historiques et linguistiques. La figure de référence, Corneille, sert même en quelque sorte d'assurance contre toute décadence, et de réserve pour les futures audaces de la préface de *Cromwell* : « comme si le génie qui, dans ses écarts, peut être monstrueux et ridicule, pouvait jamais être médiocre ! » C'est qu'il a une pertinence propre, une propreté comme une propriété singulière : « il sait se rendre maître de la langue qu'il a créée ». De cette efficacité quasi naturelle, de cette souveraineté heureuse, c'est jeu d'enfant que de dire la « légitimité » et de proclamer avec insolence qu'on y est « puérilement attaché ».

Entre le jeune poète et le grand ancêtre, il convient de déblayer le terrain, d'évacuer le paysage. Trop de vieillards de tous âges encombrent de leurs prudences, de leurs règles, de leurs stérilités ornementales la scène littéraire, et si le fringant critique, thuriféraire enthousiaste de Chateaubriand et de Lamennais, sait fort bien prodiguer son respect à des héritiers de Voltaire comme François de Neufchâteau, la polémique et la satire lui sont indispensables. L'étrangeté de sa jeune gloire de champion royaliste contre les libéraux réside dans l'importance attachée aux phénomènes de masse, qui mettent en communication le dedans et le dehors, les « grandes passions » et les « grands événements », si bien que, comme pour les « objets inanimés » de Lamartine, les choses ont une âme, une voix, des larmes : *sunt lacrymae rerum*. Dans la France révolutionnée, le deuil est pour ainsi dire affaire d'intimité publique, et le poète comme *naturellement* « l'écho sonore » d'une possible unanimité nationale : « il est des moments où toutes les âmes se comprennent, où Israël se lève tout comme un seul homme ». Mais cette union sacrée, qui fait fictivement fi des factions, ne méconnaît nullement la grande leçon de Diderot : « aussi voyons-nous la plupart des grands hommes apparaître au milieu des grandes fermentations populaires ». Plutôt que d'une « élévation », le travail du génie poétique est celui d'une descente dans les dessous de la société, dans le tréfonds de ce qu'on appelle emblématiquement le cœur humain.

Ici encore, l'intelligence est mise au service de la volonté, l'analyse se sacrifie à l'élan. Reconnaître que les passions sont des désirs, c'est-à-dire des espèces de volontés, c'est retourner l'étymologie et l'idéologie passives de la passion classique au bénéfice de l'action, et transformer une théorie des émotions de l'âme en pratique systématique du mouvement. Ainsi réordonnée parmi ses volontés sœurs, la passion se trouve mobilisée, vouée à se vouloir elle-même comme intensité de volonté. Il faudrait ici paraphraser en « vouloir la volonté de volonté » le fameux « aimer l'amour d'amour » qu'écrivait justement Péguy dans cette tradition hugolienne de la gloire de Corneille. On assiste alors à une sorte de sublimation sans censure sinon sans douleur, à une unification oblative de l'être qui va jusqu'à le déposséder de ses propriétés accidentelles, à le dépouiller de ses qualités épithètes, à l'insurger selon sa transcendance : « jusqu'à cette volonté ferme et constante par laquelle on désire une chose de toute sa vie, tout ou rien, comme César, levier terrible par lequel l'homme se brise lui-même... le Génie, c'est la Vertu ». Cette « vérité ravissante devant laquelle toute la philosophie antique et le grand Platon lui-même avaient reculé » était proposée en d'autres termes à la fiancée : « la Poésie, c'est la Vertu ».

Une telle exigence est vite taxée de présomption, si ce n'est de folie. Pareille juvénilité, semblable raideur ne peuvent que susciter des sourires au mieux de compassion du côté de ceux qui ont l'expérience de la vie, et le malheur de le savoir. D'où la fureur méprisante du jeune Hugo contre les gens du monde et les hommes de lettres, ceux qu'on appellera plus tard les habitués ou les assis et que dès 1820, sans distinction de parti, ce nouveau Daniel traite en termes de festin de Balthazar, foudroie pour leurs reniements et leur amour de la tyrannie. Mais l'inspiration biblique, prophétique, de la satire, si elle aboutit bien à la figure évangélique du Précurseur (« Il s'est formé dans mon imagination un modèle idéal que je voudrais dépeindre et, comme Milton aveugle, je suis tenté quelquefois de chanter ce soleil que je ne vois pas »), ne se dérobe pas à l'insolence cynique de Diogène cherchant un homme : « j'ai cherché jusqu'ici autour de moi un poète, et je n'en ai pas rencontré ». Tout cela pour saluer l'irruption de Lamartine sur la scène littéraire, pour l'associer à Chénier dans une généalogie du génie moderne et, prenant hauteur, champ et distance envers les « distinctions du reste assez insignifiantes » du classique et du romantique, d'un coup affirmer sa force de bretteur : le génie du *chant* lamartinien est de découvrir Byron, de faire de la lyre apollinienne l'instrument de connaissance, de conscience et de salut dont s'arme cette première matrice de la « fin de Satan » :

Courage ! enfant déchu d'une race divine...
Roi des chants immortels, reconnais-toi toi-même...
La gloire ne peut être où la vertu n'est pas.
Viens reprendre ton rang dans ta splendeur première...

Que dire alors de l'intelligence critique de celui qui découvre Lamartine découvrant Byron, et fait brutalement surgir cette fatalité de la vocation poétique, l'exil :
« Courage, jeune homme, vous êtes de ceux que Platon voulait combler d'honneurs et bannir de sa république. Vous devez vous attendre aussi à vous voir banni de notre terre d'anarchie et d'ignorance. »

Le poète est ainsi victime de son dévouement, et paie de son propre exil l'œuvre de réintégration luciférienne à laquelle il s'adonne. Qu'il s'agisse de transmuer les passions en volonté et vertu, ou le satanisme byronien en lumière, c'est le même mouvement de ruse et de force qui lie indissolublement l'intelligence à la poésie, la contemplation à l'expression, la mobilisation des extrêmes à la critique du milieu, le retournement du mal en principe universel de compréhension. La « connexité des révolutions poétiques avec les révolutions sociales » relie « l'histoire de la poésie et la poésie de l'histoire ». Ajoutant Vigny à Chénier et Lamartine dans cette « fraternité » de talents, Hugo salue ces « quelques jeunes hommes qui semblent appelés à renouveler notre gloire littéraire... Cette nation, après avoir nié et haï, sent impérieusement un besoin secret de croire et d'aimer. » Gloire, mission, vocation : cet article du *Réveil* (25 septembre 1822) s'achève sur une définition militante de la littérature, « cette voix puissante au moyen de laquelle un individu parle à une société ».

A ce point de la constitution publique du moi, on peut se demander si la littérature est moyen ou fin. Il y a plus que de la provocation antilibérale dans cette déclaration du *Conservateur Littéraire :* « Les rédacteurs... voulant défendre les intérêts de la littérature, n'ont pu s'empêcher de manifester en même temps un esprit général de conservation, qui a donné à leur ouvrage une couleur monarchique et religieuse. » Le principal défaut de l'athéisme risque bien d'être qu'il « tue l'imagination », tandis que « toutes les religions sont essentiellement poétiques ». Et si l'on peut hésiter sur la portée à donner au mépris de Hugo pour les libéraux, « faction qui est antipoétique parce qu'elle est antireligieuse et antisociale », la préface des *Odes* de 1822 règle la question. Le primat de la littérature, de la poésie, sa nature déterminante, sont clairement affirmés : l'intention politique est la conséquence de l'intention littéraire car « l'histoire des hommes ne présente de poésie que jugée du haut des idées monarchiques et des croyances religieuses ». Comme les croyances sont le propre de toute religion, on est tenté de soupçonner que les idées sont l'apanage du principe monarchique. Ou même que la réciproque est encore plus vraie : que le principe monarchique n'est pas autre chose qu'un synonyme symbolique de l'unité de pensée, laquelle se revendique intellectuellement et spirituellement comme l'idéal du moi, comme le gage du génie.

Les textes de cette époque de romantisme militant répètent en tous domaines cette obsession de l'unité. Si la critique théâtrale ne comprend pas suffisamment le *Saül* de Soumet, en 1822, le jeune Hugo adresse au *Moniteur* une analyse de « la conception et la conduite du drame » fondée sur l'appréhension de son « idée mère, primitive, unique ». S'agit-il du roman de Walter Scott, *Quentin Durward,* le même type d'analyse combinatoire s'applique à « l'idée unique de l'ouvrage », dans l'étude que publie *La Muse Française* en 1823, pour son premier numéro. Et la Notice sur Voltaire propose une distinction éclairante : « Sa gloire est beaucoup moins grande qu'elle ne devait l'être, parce qu'il a tenté toutes les gloires, même celle d'Erostrate. Il a défriché tous les champs... Si Voltaire eût compris la véritable grandeur, il eût placé sa gloire dans l'unité plutôt que dans l'universalité. » Ce n'est alors pas seulement par goût des hyperboles et de l'éloquence quasi sacrée que pour le jeune monarchiste la Révolution se trouve « placée par la providence entre le plus dangereux des sophistes et le plus formidable des despotes » : l'universalité voltairienne et l'unité mythique de la figure de l'Empereur sont violemment antithétiques, à un égal niveau de génie. La Révolution est idéalement leur résultante. Et comme, pour l'essentiel, l'œuvre de la Révolution est intacte, comme son esprit pénètre le siècle, comme elle semble l'Histoire même, Voltaire et Napoléon vont devenir pour Hugo le couple infernal contre lequel son envie fascinée se débattra longtemps. Là-bas, dans l'île, pendant vingt ans, l'antibonapartisme militant sera « l'expiation » de ce culte noir ; et en 1878, le grand discours pour le Centenaire de la mort de Voltaire réalisera enfin cette transparence révolutionnaire d'un génie l'autre. Mais dans l'éclosion du siècle, du romantisme et du poète, le rejet de l'universalité au profit de l'unité impose un extraordinaire effort d'identification du moi et du siècle : « ce serait une erreur presque coupable dans l'homme de lettres que de se croire au-dessus de l'intérêt général et des besoins nationaux, d'exempter son esprit de toute action sur les contemporains, et d'isoler sa vie égoïste de la grande vie du corps social ».

Curieuse et passionnante époque où la jeunesse vit la droite comme une mission et l'arrivisme comme un devoir : « Et qui donc se dévouera si ce n'est le poète ? » La gravité quasi religieuse de ce propos sur l'art, la hauteur austère de ce didactisme, le caractère glacé de cet enthousiasme, la souplesse du sarcasme dans la raideur de la révérence (« le poète... auquel la sagesse antique attribuait le pouvoir de réconcilier les peuples et les rois, et auquel la sagesse moderne a donné celui de les diviser »), autant de contradictions dans l'attitude, qui accompagnent et épousent les tendances contraires d'une sensibilité et d'une pensée avides de saisir l'originalité de l'époque moderne, la singularité fondamentale du siècle et de l'heure, d'un monde propulsé hors du passé et de toute vieillerie, loin des « écrits ineptes et graveleux », par le bouleversement de la société : « averti par l'instinct de sa gloire, il a senti qu'il fallait quelque chose de plus à une génération qui vient d'écrire de son sang et de ses larmes la page la plus extraordinaire de toutes les histoires humaines ». Cette revendication de ce qu'il faut bien appeler une destinée repose d'une part sur un impertinent élan de pertinence (« nous sommes menacés d'une nouvelle *invasion de barbares* et... dix ou douze écrivains s'imaginent, parce qu'ils ont du talent et de la renommée, avoir le droit d'être, en vers comme en prose, de leur pays, de leur siècle et de leur religion ! ») et d'autre part sur un profond sentiment de nécessité : « il est du nombre de ces êtres choisis qui doivent *venir à un jour marqué* ».

On se trouve ici devant un ensemble d'oppositions qu'il faut bien arracher au prétendu démon de l'antithèse. La préface des premières *Odes* met en rapport le dedans et le dehors, l'individuel et le public, le psychologique et l'historique de la même manière que, quarante ans plus tard, *Les misérables*. En 1822 : « Il a semblé à l'auteur que les émotions d'une âme n'étaient pas moins fécondes pour la poésie que les révolutions d'un empire. » En 1862 : « Qu'est-ce que les convulsions d'une ville auprès des émeutes de l'âme ? L'homme est une profondeur plus grande encore que le peuple. » De l'un à l'autre, la métaphore se dégage, l'échange s'accomplit, la litote se renverse, mais le drame de Jean Valjean muré dans sa jalousie possessive au cœur de l'émeute de 1832, et retournant sa haine en salvation, éclaire la fécondité symbolique du fiancé de la monarchie restaurée. Si l'ambition potentielle est l'universalité (« le domaine de la poésie est illimité »), elle ne se soutient que d'un effort de concentration chez « ceux que des méditations graves ont accoutumés à voir dans les choses plus que les choses ». Et c'est cette ténacité à vouloir pénétrer à l'intérieur du réel (« la poésie n'est pas dans la forme des idées, mais dans les idées elles-mêmes ») qui indique superlativement le but à atteindre et la méthode pour y parvenir : « tout ce qu'il y a d'intime dans tout ». L'ambition de totalité fondée sur la reconnaissance analytique mais vivante de la singularité de chaque objet.

On pourrait croire que tout cela se ramène à un exposé bien naïf, sous sa fausse modestie et malgré sa hauteur vaticinatoire, d'une ontologie de lycée et d'un platonisme digne des « saines doctrines ». Ce serait oublier que le lien analogique du moi et du monde, émotions et révolutions à échanger, ne supprime nullement, bien au contraire, la distance du poète à son milieu et à son objet, et que le moi, soucieux de sa gloire comme pierre de touche de sa validité, se refuse autant qu'il se donne. Ce double mouvement de solitude et de solidarité, d'appartenance et d'indépendance, est moins la manifestation contradictoire d'un caractère ou d'une nature que le choix délibéré d'une conduite, d'une méthode. Au point de passage de l'un à l'autre, de la voix unanime au silence secret, ou du lyrisme prophétique à la fusion dans le paysage, une sorte d'anonymat fougueux caractérise cette pratique organiciste de la poésie comme destin commun de l'individu et de la société. Entre un titre splendide et superbe comme « Le Poète dans les révolutions » et une formule quasi interrogative, presque inquiète, telle que « l'auteur de ce livre », il y a un lieu de transmutation où la fixité du « Qui suis-je ? » est emportée par la violence d'une insurrection comme populaire, qui se formulera en devise aristocratique : *Ego*

Hugo. Traduction : « C'est moi Hugo. » On s'en doutait. Dans l'autre sens : « Mon nom ne dit rien d'autre que Je. » Et pour les amateurs de farces et attrapes, à la mode d'*Hernani :* « Je suis un Pégase qui va. »

C'est probablement ce mélange de gravité et de gaminerie, de solidité et de désinvolture qui déconcerte. Même un Nodier s'effare, pour *Han d'Islande,* d'un « frénétisme » dont il porte — assez mal — la responsabilité, sans trop s'apercevoir du goût immodéré de ce jeune lévite pour la jovialité provocatrice. Remodelant, de deux ans en deux ans, ses *Odes,* Hugo leur donne enfin en 1828, avec les *Ballades,* un plan de nature autobiographique. Trois livres scandent aux dates de 1822 et 1824 l'évolution de la poésie solennelle depuis les célébrations officielles du légitimisme jusqu'au libéralisme bonapartiste de 1827, qui est tout le contraire d'un bonapartisme libéral. C'est la part monumentale d'une carrière qui va de la statue de Henri IV à la Colonne de la place Vendôme en passant par l'Arc de Triomphe de l'Étoile. Mais les livres IV et V, datés 1819-1827 et 1819-1828 jouent de leur décalage pour s'enclaver dans l'espace chronologique des premiers livres et, pour ainsi dire, les reprendre en sous-œuvre, chercher dans ces poèmes plus que ces poèmes, découvrir et exprimer leur dynamique, leur principe de dépassement. Si le livre IV réunit dans sa variété les fonctions du poète sous le signe religieux de l'inspiration, le cinquième est tout personnel, familial et familier, rêveur, glissant vers la virtuosité fantastique et bientôt visionnaire des *Ballades.* La Préface accompagne cette entreprise de mise en perspective d'insolentes proclamations de bonne foi et de ce qu'on appelle aujourd'hui « transparence », laissant la critique se débrouiller de « relever… les dates de sa pensée ». La fixité de l'attitude intellectuelle pose la naturalité d'une évolution, et pas seulement de la « manière » : à la « progression de liberté » qu'on est invité à remarquer dans la suite des préfaces correspond l'optimisme final : « une forte école s'élève, une génération forte croît dans l'ombre pour elle ». Mais le mot d'ordre du chef désormais incontesté de cette école affiche la plus superbe des ambiguïtés : « d'un mot : la liberté dans l'ordre, la liberté dans l'art ». Ce double mot ne manque pas de duplicité ; il n'est pas évident que les deux *dans* aient le même sens, ce qui entraîne que l'ordre risque bien de ne pas être plus dans l'ordre que Rome n'est dans Rome. Comme dans le *Sertorius* de Corneille, elle a toute chance d'être « là où je suis », là où l'on peut repérer et reconnaître un moi non pas abstrait et de pur droit, ni non plus gonflé de sa propre enflure, mais à la fois concrètement plein de son rapport généreux à la société, à la « chose publique », aux « affaires », et vide de déterminations préfixes, affranchi des catégorisations toutes faites, des étiquettes comme des héritages, des amitiés pesantes comme des inévitables jalousies.

Cette dialectique du héros, qui repose sur une vue philosophique aiguë des rapports historiques du moi, s'exerce dans une pratique militante de la fraternité littéraire qui s'accommode mieux des morts que des vivants. On ne peut craindre de Chénier les mouvements d'humeur de Vigny ou de Sainte-Beuve. S'étant doté de ce moi missionnaire dont la gloire même s'ingénie et s'enorgueillit à ne point lui appartenir, Hugo n'a jamais pu répondre à la violence d'affection de ceux qu'il fascinait. Il s'est ainsi épargné le bonheur de ces solitudes à deux qui vivent loin des foudres du génie, mais il s'est condamné, sans doute dès l'enfance, en tout cas dès le drame de sa gémellité adolescente avec Eugène, à la solitude des chefs, définis et poussés dans leur fonction moins par le goût du pouvoir que par la coalition des circonstances, des amitiés, de la clientèle. Au moindre soupçon d'éloignement, de trahison, Hugo dispose d'un admirable système de sécurité, d'un disjoncteur que nos techniciens diraient sophistiqué. Quand il s'agit de reprendre en 1834 dans *Littérature et Philosophie mêlées* les articles de la bataille romantique, tout le travail sur l'*Eloa* de Vigny passe au crédit et à l'illustration de Milton. Mais comment le noble comte pourrait-il s'offusquer de la disparition de son nom, puisque la sœur des anges lui vaut ainsi de se fondre dans l'auteur du *Paradis perdu,* lequel est un autre Homère ? Et quand Sainte-Beuve tente de trouver en Madame Hugo une intimité plus étroite avec le grand homme, celui-ci peut bien lui faire cadeau de sa femme, sûr que le futur auteur de *Volupté* n'a de force que dans les titres menteurs.

Si l'on juge à l'aune de la camaraderie littéraire ou de l'adultère bourgeois, il y a donc bien de l'odieux dans l'homme privé au moins autant que dans le personnage, l'un et l'autre commettant à Sainte-Beuve, comme plus tard à sa femme, à Dumas, aux visiteurs, aux secrétaires, le soin, la charge et la responsabilité de faire vendre ses œuvres en mettant en prose sa vie. C'est par là, au moins autant que par le génie, qu'il se sent espagnol, héritier du Cid, voué aux combats. *Hierro* sur un morceau de papier, et voilà la salle du Théâtre-Français pleine de séides pour mettre à mort avec *Hernani* le classicisme des chauves. Nerval, Gautier, tant d'autres encore, comme de nouveaux Eugènes, chercheront dans cette ombre à démêler le son propre de leur voix, le modelé de leur raison. Le conquérant n'a pas le droit d'aimer, si ce n'est par régression à la Germanie paternelle, se nommant alors *Hermann,* ce qui peut vouloir dire aussi bien deux fois homme que homme d'armes, seigneur et maître condamné à régner sur les cœurs, si ce n'est vraiment sur les corps. L'Espagne, l'Allemagne, rimes croisées de ce déchirement entre l'action et l'amour. Il suffira avec *Ruy Blas* de mettre une princesse allemande sur le trône d'Espagne pour renvoyer le futur académicien et Pair de France au rôle de Gil, bachelier et valet chez Lesage.

Tout cela serait tragique, si la géographie symbolique de Hugo ne venait traverser ces antithèses trop apparemment durcies pour être bien nettes. L'italien fournira *Maglia,* personnage du rire, de la pirouette, de la déconstruction virtuose, impalpable résidu moqueur qui s'évapore de la magistrale pratique du grotesque, feu follet du théâtre hugolien comme le rire a toujours été l'antidote de ce bagne de la théâtralité personnelle, à quoi l'avait condamné une conscience — encore l'alpha et l'oméga de cette unité qui bat l'universalité en brèche — trop aiguë et trop grave de sa responsabilité sinon de sa mission. Le combat et l'amour, le monde des hommes et puis celui des femmes, et les masques au travers, le manteau d'Arlequin, l'échange qui donne le change et fait circuler la monnaie de la pièce, l'universelle singerie, le circulus de la mimesis. Voilà notre homme bien triangulé dans son ménage, son métier et ses méfaits. Ce serait oublier que tout cela n'est, en bon droit, que conséquence pratique d'une position première, le parti de la poésie.

Le rire ferait oublier la lyre. Les combats et les femmes — la femme, Juliette, elle d'abord, et les autres autour plutôt qu'ensuite, et beaucoup d'« aumônes », avant, pendant et après, données plutôt que faites à ces êtres au sexe étrange qu'on nomme les « filles » — ont bien failli en effet faire oublier et perdre au poète sa vocation, sa mission et sa gloire. Mais si Espagne et Allemagne s'équilibrent chez lui en une sorte de patrie transversale, en un jeu d'évasion-invasion, ce n'est point une rose des vents qui dote le rire de son vis-à-vis : point d'Angleterre pour dresser Falstaff ou Hamlet face à Maglia. Après *Cromwell,* Shakespeare attendra le creusement de l'exil et le lendemain des *Misérables* pour devenir le nouvel Eschyle et ordonner ainsi moins Hugo lui-même que la place libre et toujours libératrice de la Poésie moderne, du Drame, dans le droit fil de la Grèce, mère et maîtresse des destins de l'Occident. Entre la découverte de la liberté de l'amour et le ralliement à la monarchie louis-philipparde, c'est de la montagne des Dieux, de l'Olympe, que Hugo fait descendre son nom de poète, le blason de son moi lyrique, vers 1835, au cœur des *Voix intérieures.*

Vigny venait de faire descendre son poète des étoiles. Olympio est un autre Stello, qui ne se pliera certainement pas à la consultation du Docteur Noir. Déchu sinon du firmament du moins de l'empyrée, le moi lyrique n'a pas encore assez d'exil pour rêver à son compte la « fin de Satan », ni pour s'unir au rire dans la rébellion apocalyptique et naturaliste du Satyre de la *Légende des Siècles.* Mais avant de recouvrer l'unité panique (encore un moyen de saisir l'universalité sans la poursuivre), c'est dans la déchéance du Zeus Olympien qu'à l'âge de la passion et de la mort du Christ, Hugo donne la dernière façon à ce moi poétique qui commande tout le reste. C'est de ce tremplin que par delà le deuil et l'exil toute une vie s'élance aux *Contemplations.*

C'est cette fameuse « forme entière » de notre tradition moraliste qui trouve avec Hugo ce qu'on osera appeler son objectivité existentielle, cette forme de mort qui transfigure tout en réalisant, cette autodestruction par dialogue avec l'autre et l'ombre, qui fait l'économie du suicide :

> Les Contemplations d'Olympio — Préface
>
> …il vient une certaine heure dans la vie où, l'horizon s'agrandissant sans cesse, un homme se sent trop petit pour continuer de parler en son nom. Il crée alors, poète, philosophe ou penseur, une figure dans laquelle il se personnifie et s'incarne. C'est encore l'homme, mais ce n'est plus le moi.

L'essentiel du poème de 1835 où se joue ce dédoublement illocutoire est un vaste et savant processus de catharsis : la haine de la foule et des envieux purge les fautes de la passion. Les autres (déjà l'enfer sartrien) récompensent — c'est-à-dire châtient — la soif de l'autre, l'adultère. Tout étant ainsi pesé, équilibré dans un paysage de décombre —

> Hélas ! pour te haïr tous les cœurs se rencontrent.
> Tous t'ont abandonné.
> Et tes amis pensifs sont comme ceux qui montrent
> Un palais ruiné —

la seconde partie tire le bénéfice de l'opération : creusement du moi en « abîmes », exorbitation de l'âme en « voûte étoilée », promesse de la métamorphose à venir, « papillon éclatant ». En attendant — troisième partie —, la souffrance fait la contemplation et la connaissance intime —

> Tu mêles ton esprit aux grandes harmonies
> Pleines de sens confus —

D'où, en guise de consolation (le vilain mot, tombé de Malherbe en Sainte-Beuve !) le conseil, somme toute fort proche du *Stello* de Vigny, de se détourner des méchants :

> Loin du sentier banal où la foule se rue
> Sur quelque illusion,
> Laboure le génie avec cette charrue
> Qu'on nomme passion.

La réponse — le refus — surprend :

> Va, nul mortel ne brise avec la passion,
> Vainement obstinée,
> Cette âpre loi que l'un nomme Expiation
> Et l'autre Destinée.

Mais cette résignation contemplative du Poète aux liens et aux outrages, qui déjoue la consolation hypocrite du Tentateur, est le contraire même de l'abaissement :

> Soyons grands. Le grand cœur à Dieu même est pareil.

Au plus fort de le crise de l'âge adulte, dans cet *À Olympio* vertigineux qui constitue le même par l'autre de l'autre, l'avenir comme conscience du passé

> — me crois-tu donc assez fou pour rêver
> L'éternité des roses ? —

la contemplation comme supernaturalisme et Dieu comme homothétique à la Conscience sortie de la forge sociale, tout l'avenir est en place. Le dernier poème des *Voix intérieures* redit, mais à l'envers, et pour ceux qui n'auraient pas compris, ce que cachait le calme olympien de 1835. Un an après, l'expiation subie se retourne en puissance vengeresse, en menace de *Châtiments,* en réintégration à l'histoire, loin de toute tour d'ivoire, si ce n'est de toute rocaille :

> Et que tous ces pervers tremblent dès à présent
> De voir auprès de toi, formidable, et posant
> Son ongle de lion sur ta lyre étoilée,
> Ta colère superbe à tes pieds muselée !

Comme on le voit, ce n'est point tant l'évolution qui s'est faite de retournements, quelque excusable que soit pour les âmes communes le grief de reniement et d'opportunisme. C'est la structure même d'un moi qui n'a jamais réussi à se penser hors de la société et de l'histoire si ce n'est dans des retraits méthodiques, dans des retraites rusées, dans des défilements savants au bout desquels le problème, tout neuf, se laisse surprendre. Le moi de Hugo n'a jamais pactisé avec l'énigme que pour éventrer le Sphinx.

Au demeurant, le meilleur garçon du monde. Sa femme le voit brun, il se sent blond. Car châtain n'est rien, sinon une sorte de gravité de la blondeur aristocratique. Les témoins de sa vie lui trouvent l'œil bleu ; les peintres le traduisent de marron clair. C'est qu'il avait cet iris mordoré qui prend la couleur du paysage ou de l'habit, qui cache le moine plus qu'il ne le fait, et ne laisse de l'œil que le regard, aussi noir que clair. La tradition fait de cet amant un faune en rut, alors qu'il fut très probablement d'une grande chasteté. Il n'était pas grand, mais se sentait si droit que l'élégance et la poésie portaient son front aux étoiles, et si ce parangon du romantisme s'est laissé pousser la barbe sur le coup de la soixantaine, c'est à la fois, sans doute, pour ne pas s'enrouer, et pour se moquer dedans de ceux qui chercheraient à savoir qui diable il pouvait bien être au lieu de lire ce qu'il avait écrit, ce qu'il allait écrire. Tout cela qui suit, et dont sa gloire procède, et qui procède de la pureté initiale qu'il avait mise dans la gloire.

J.S.

Léon Bonnat
Portrait de Victor Hugo. 1879 (cat. 96)
Versailles, Musée National du Château

Grandville
Grande course au clocher académique (cat. 34)
La Caricature Provisoire, n° 60, 1839
Paris, M.V.H.

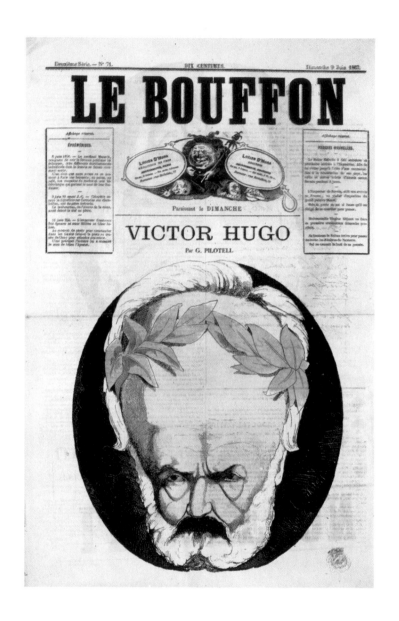

Georges Pilotell
Victor Hugo (cat.81)
Le Bouffon, 9 juin 1867
Paris, M.V.H.

Encrier en faïence (h.t.)
Paris, M.V.H.

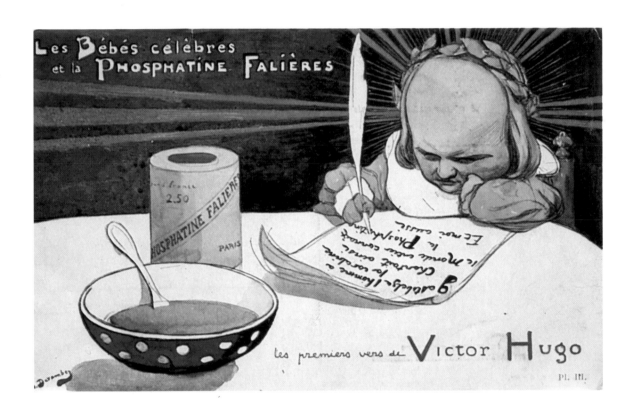

André Devambez
Carte publicitaire pour la « Phosphatine Falières » (cat. 310)
Paris, M.V.H.

Louis Boulanger
Maquette de costumes pour les truands dans
La Esméralda, Opéra, 1836 (cat. 539)
B.N., Musique (Opéra)

Eugène Delacroix
Maquette de costume pour Elisabeth dans *Amy
Robsart*, Odéon, 1829 (cat. 371)
Paris, Louvre, Cabinet des Dessins

Maxime de Thomas
Maquette du costume de la reine dans *Ruy
Blas*, Comédie-Française, 1879 (cat. 436)
Paris, Comédie-Française

Jean Hugo
Deux projets de décor pour *Ruy Blas*,
Comédie-Française, 1938 (cat. 452)
Paris, Comédie-Française

Paul Huet
*Paysage. Le soleil se couche derrière une vieille
abbaye au milieu des bois.* Salon de 1831
(cat. 708)
Valence, Musée des Beaux-Arts

Etiquette pour « Cognac Esméralda » (cat. 789)
Paris, Bibliothèque Forney

Charles de Steuben
La Esméralda. Salon de 1839 (cat. 764)
Nantes, Musée des Beaux-Arts

William Gale
La leçon de lecture (Esméralda et sa chèvre)
(cat. 767)
Sydney (Australie),Art Gallery of New South
Wales

Louis Boulanger
Six personnages de Victor Hugo (cat. 717)
Dijon, Musée des Beaux-Arts

Gustave Doré
La Cour des Miracles. 1882 (cat. 801)
Coll. privée

Alexandre Cabanel
Albaydé. 1848 (cat. 831)
Montpellier, Musée Fabre

Victor Hugo
Dessin sans titre (dit « Le vieux phare »)
Vers 1866 (cat. 873)
Coll. privée

Frédéric Bazille
Ruth et Booz. 1870 (cat. 887)
Coll. privée

Gustave Doré
L'énigme. 1871
Paris, Musée d'Orsay

Fernand Cormon
Caïn. Salon de 1880 (cat. 892)
Paris, Musée d'Orsay

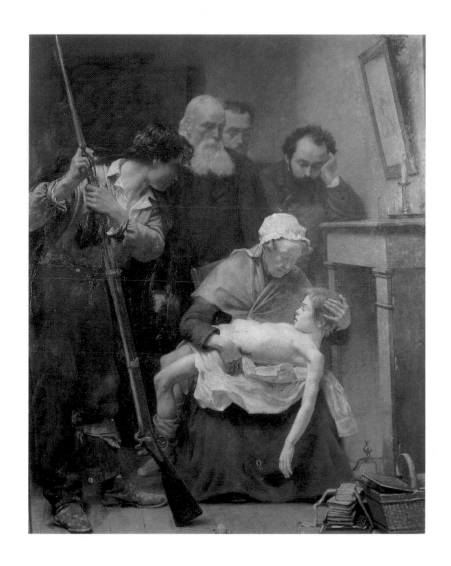

Pierre Langlois
Souvenir de la nuit du 4. Salon de 1880
(cat. 909)
Thionville, Musée (en dépôt à la Mairie)

Léon Comerre
Cosette et sa poupée. 1883 (cat. 842)
Ville de Trélon

Emile Gallé
Vase « Les bleuets ». Vers 1900 (cat. 930)
Philadelphia, Museum of Art

N° 47
26 Février 1902

L'ASSIETTE AU BEURRE

40 centimes

1802-1902

JUSTICE

La vision de HUGO par Steinlen

T. A. Steinlen
La vision de Hugo
L'Assiette au Beurre, 26 fév. 1902

La « figure » de Victor Hugo

Pierre Georgel   # Les images

Clichés

Dans la mémoire des Français, le nom de Victor Hugo évoque d'abord une image, celle du patriarche à barbe blanche peint par Bonnat ou photographié par Nadar ; puis une autre, celle du proscrit photographié sur son rocher d'exil[1] ; plus rarement, une troisième : celle du jeune homme au large front, au regard grave, dessiné par Devéria. La plupart des autres portraits — ainsi, les trois bustes de Duseigneur, Lebœuf et Rodin — se rattachent plus ou moins à ces prototypes, qu'ils soient contemporains ou postérieurs, d'après nature ou imaginaires. Rares sont ceux qui s'en écartent, et ils ne sont guère parvenus à s'imposer, quelle qu'en soit la qualité esthétique. Ainsi, la vie entière de Hugo et les milliers d'images qui ont été données de sa personne s'articulent en une suite contrastée de clichés, cristallisés autour de quelques représentations mémorables. Cette vision des « âges de la vie » est souvent résumée, sur des couvertures ou dans des frontispices de livres, par des montages opposant la jeunesse et la vieillesse[2].

Jean Duseigneur
Buste de Victor Hugo. 1844, d'après une sculpture présentée au Salon de 1833
Coll. privée

*Louis-Joseph Lebœuf
Buste de Victor Hugo.* 1864 (cat. 70)
Paris, M.V.H.

*Auguste Rodin
Buste de Victor Hugo.* 1897 (cat. 5)
Paris, Musée Rodin

Le buste de Victor Hugo par Rodin (1897), dans l'atelier de Rodin à Meudon. 1903-1904
Paris, Musée Rodin

Le premier de ces modèles, qui est aussi le dernier dans le temps, est de loin le plus populaire, comme Henri Rochefort l'observait dès 1902 à propos du monument de Barrias. Ce dernier s'était inspiré, pour le visage, d'un buste de David d'Angers représentant Hugo à trente-cinq ans, imberbe, les cheveux longs, « ce qui, écrivait Rochefort, enlève tout contact avec le public qui n'a gardé que le souvenir du portrait peint par Bonnat »[3]. Il est intéressant de confronter à ce témoignage un commentaire accompagnant, dans un journal de 1869, la reproduction d'une photographie de Pierre Petit, l'une de toutes premières où Hugo apparut avec la barbe blanche et les cheveux courts qu'il allait garder jusqu'à sa mort : « La postérité voudra-t-elle l'accepter définitivement et voir dans cette effigie l'illustre poète des *Odes et Ballades*, des *Feuilles d'automne* et des *Chants du crépuscule* ? Nous en doutons fort ; comme pour les souverains, il y a pour les grands hommes une effigie consacrée. C'est de cette dernière que l'imagination des peuples est frappée, et c'est la vraie, la seule dont il faille garder mémoire. [...] Il n'y aura pour la postérité qu'un seul portrait de Lamartine, ce sera le portrait du chantre d'Elvire, comme il n'y aura qu'un seul Victor Hugo, ce sera le Hugo de la trentième année, le poète d'*Hernani* et de *Ruy Blas*...[4] » Quelques années ont suffi

VICTOR HVGO

*Achille Devéria
Victor Hugo. 1829 (cat. 24)
Paris, M.V.H.

*Léon Noël
Victor Hugo. 1830 (cat. 25)
Paris, M.V.H.

*Adolphe Maurin
Victor Hugo. 1827 (cat. 23)
Paris, M.V.H.

*Alophe-Menut
Victor Hugo. 1838 (cat. 28)
Paris, M.V.H.

Anonyme (Benjamin Roubaud) ?
La plus forte fête romantique.
Le Charivari, 12 oct. 1836
Paris, M.V.H.

pour renverser la perspective, faire adopter le vieil homme à l'imagination populaire, et l'identifier, avec la bénédiction du pouvoir républicain, à la figure démocratique du « père Hugo »[5]. Et cela au point que le poète est souvent figuré barbu et chenu dans des scènes antérieures à 1861, année où il s'est laissé pousser la barbe.

Ainsi, parmi les peintres qui ont illustré l'épisode du Deux Décembre raconté dans « Souvenir de la nuit du 4 »[6], Gervex, s'inspirant de photographies contemporaines, a retenu le Hugo de l'époque, mais d'autres, comme Schuler, n'ont pas hésité à le vieillir de dix ans, préférant à l'exactitude documentaire la vérité morale d'une physionomie symbolique : l'homme qui, au lendemain du coup d'État, s'exposait au danger pour apporter sa sympathie aux malheureux, ressemblait peut-être encore au pair de France, il n'en avait pas moins, déjà, l'âme du « père Hugo ». Mais cette logique même est dépassée quand, par exemple, un Hugo à barbe blanche présente aux visiteurs du Musée Grévin une scène de *Notre-Dame de Paris*, écrite en 1830.

A ces personnages successifs, dont chacun résume schématiquement une phase de la vie du poète — la jeunesse, le romantisme ; l'âge mûr, l'inspiration visionnaire, la lutte politique et l'engagement humanitaire ; la vieillesse républicaine, l'illustration des vertus civiques et de « l'art d'être grand-père » —, s'associe un certain nombre de motifs et de thèmes quasi permanents, dont la convergence dessine une personnalité symbolique. Ces thèmes, étudiés pour la plupart à la suite de ce chapitre, concernent à la fois l'homme et l'œuvre, dont Hugo semble incarner les propriétés dans sa personne. Quelques-uns, d'abord liés à des circonstances précises, les dépassent par leur portée. L'exemple le plus éloquent est celui du rocher, socle de la statue de l'exilé et promontoire du voyant sur l'infini, qui a pour origine l'île de Jersey et son « Rocher des Proscrits », soit la période 1852-1855, mais qu'on retrouve aussi bien associé au jeune poète de Barrias qu'au vétéran de Rodin et de Monchablon.

Ce réseau iconographique enveloppant la vie, l'œuvre, la personnalité de Hugo, recoupe largement celui que dessine la littérature biographique et critique[8], et d'abord ses propres écrits. Textes et images se nourrissent les uns des autres, mais leur échange montre surtout avec quelle cohérence globale Hugo est perçu dans l'opinion. Le ton et le parti d'interprétation varient suivant les circonstances et le point de vue, souvent partial, de l'auteur de l'image, mais les phénomènes enregistrés sont presque toujours les mêmes : ainsi, l'image omniprésente du surhomme, exalté, dénigré ou persiflé, tour à tour menaçant et chaleureux, naïf et artificiel, résume à elle seule le plus large éventail d'idées et de jugements. A cela peut s'ajouter l'ambivalence des jugements mêmes, qui se rejoignent souvent de façon paradoxale. Quoi de plus opposé, en apparence, à un buste de David d'Angers, voué à la glorification du modèle, qu'un buste caricatural de Dantan[9] ? « Il y a, commente David, quelque chose de haineux, de bas, de vil, dans ce plaisir à vous réjouir des infirmités des hommes dont vous êtes forcé d'admirer le

génie… »[10] Mais le statuaire n'a pas compris que la caricature aussi glorifie ses modèles tout en les ridiculisant, comme le souligne un des maîtres du genre, Benjamin, dans son autoportrait caricatural, qui le montre précisément dessinant une charge de Hugo sur la façade d'un « Panthéon charivarique ». Du reste, David et Dantan concentrent tous d'eux leur message sur le motif du front géant, qui les a également fascinés et dont le symbolisme reste le même, malgré le contraste flagrant des intentions et des styles.

De telles interférences vont si souvent se répéter par la suite qu'il est devenu impossible de définir à coup sûr le propos de certaines images sans une connaissance précise de leur histoire. Si les projets de Nadar (d'après une photographie de 1853) pour son célèbre *Panthéon* sont clairement caricaturaux — mais Hugo n'avait pas de plus grand admirateur que Nadar et le *Panthéon* est un monument à sa gloire —, qui pourrait dire, sans enquête préalable, si les croquis de Rodin en vue de son premier buste sont plutôt sérieux ou plutôt comiques ? Inversement, qui pourrait assurer, sans savoir que la sculpture a figuré au Salon et que son auteur vouait un culte à Hugo, que le buste de Victor Vilain[11] n'est pas destiné à faire rire ? Et ce qui est vrai du rapport entre images sérieuses et images comiques l'est encore plus du rapport entre « grand art » et « art populaire », celui-ci ne faisant souvent que reproduire à sa façon les thèmes et les schémas de celui-là. Toute la différence tient au talent de l'artiste. La lourde statue de Bogino, exposée au Salon de 1884, n'en dit pas plus et ne vaut pas mieux que le bonhomme de cire du Musée Grévin.

*Nadar
Victor Hugo sur son lit de mort. 1885 (cat. 95)
Paris, M.V.H.

*Etienne Carjat
Victor Hugo. 1873 (cat. 88)
Paris, M.V.H.

*Charles Gallot
Victor Hugo. 1885 (cat. 94)
Paris, M.V.H.

Benjamin
Autoportrait du « Panthéon charivarique ».
1844
Paris, M.V.H.

*Auguste Rodin
Études de la tête de Hugo sous différents aspects. 1883 (cat. 211)
Paris, Musée Rodin

Nadar
Études pour la tête de Victor Hugo dans le « Panthéon Nadar ». Vers 1854
B.N., Est.

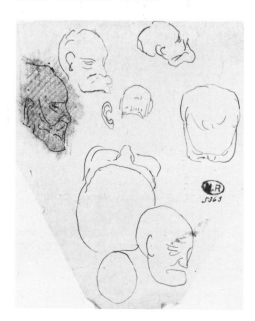

*Nadar
Victor Hugo. 1878 (cat. 91)
Paris, M.V.H.

Les images

F. L. Bogino
Victor Hugo. 1884
Photographie d'une sculpture disparue
Paris, M.V.H.

Le « Victor Hugo » du Musée Grévin. 1983
(Paris, Forum des Halles)
Carte postale

*Attribué à F. J. Heim
Victor Hugo. Vers 1845 (cat. 30)
Compiègne, Musée National du Château

Sous ces feux croisés se profile un Hugo à la fois complexe et gauchi, dont tous les traits sont signifiants et même « surdéterminés ». Figure publique, à demi fantasmatique, figure légendaire, à propos de laquelle on hésite pourtant à parler de « mythe », au sens où Etiemble l'a fait pour Rimbaud, tant elle a de prise sur la réalité concrète, malgré la distance qui l'en sépare : non celle du mensonge à la vérité, mais celle du signe à son contenu, celle aussi du personnage à la personne. On pense à la page de Péguy, dans *Clio*, qui met en parallèle la vieillesse de Hugo et celle de Leconte de Lisle : l'auteur des *Poèmes barbares*, avec sa « tête olympienne », s'est transformé en « face de médaille », et l'on pourrait certes en dire autant du vieil Hugo statufié vivant par la République ; mais Péguy percevait, derrière le cliché ou le monument, ce résidu incompressible d'humanité, si sensible dans les photographies d'extrême vieillesse : « les yeux aux lourdes paupières, aux deux poches dessous, les yeux sinon les plus profonds, du moins les plus profondément voyants qui se soient jamais ouverts sur le monde charnel... »[12]

Le travail de stylisation

C'est bien cette dimension charnelle, vulnérable, enregistrée par l'objectif photographique en deçà de toute mise en scène, qui est généralement occultée dans les images de Hugo. Elles nous montrent le vieillard, l'ancien, dans la majesté d'une éternelle vieillesse ; le jeune homme pur et rayonnant, autre vision d'éternité, étrangère aux attaques du temps, aux troubles de la chair, aux compromis de l'expérience ; la silhouette héroïque du proscrit-contemplateur. Chacun de ces archétypes renvoie à un idéal complet, qui lui-même s'oppose au réel plus mêlé, étalé dans la durée, travaillé par des pulsions, des contradictions, des évolutions. Comme le montre plus loin la séquence sur le « charlatan », les attaques dont Hugo a été et reste l'objet ont souvent pour origine l'écart entre ces personnages idéaux et les « faiblesses » du « vrai » Hugo.

« J'ai enfin commencé le buste de notre Hugo, écrit David d'Angers en 1837 ; je vais faire tout ce qui dépend de moi pour tâcher de laisser une œuvre digne de l'admiration que j'ai pour son génie. Il est temps d'entreprendre ce travail, car la partie sensuelle du visage de notre ami commence à lutter vigoureusement avec la partie intelligente, c'est-à-dire que le bas du visage est presque aussi large que le front. »[13]. On ne peut formuler plus clairement la démarche idéaliste qui préside à tant de portraits de Hugo, et que le public a confirmée en écartant ou en ignorant ceux qui ne lui sont pas conformes. Entre les deux bustes de David (1837 et 1842), le visage n'évolue guère bien qu'ils soient distants de cinq ans. L'élimination de la « partie sensuelle » y devient évidente quand on les compare aux portraits contemporains de Boulanger (vers 1835 et 1843[14]) et de Heim (vers 1845). Ceux-ci

Louis Boulanger
Victor Hugo. Vers 1835
Paris, M.V.H.

transcrivent avec objectivité le regard fiévreux, les traits empâtés. On y reconnaît l'homme de trente-cinq et quarante ans, celui de la réussite sociale et de la souffrance intime, de l'adultère et du culte de la famille, l'homme tiraillé entre la tentation de la révolte et celle de l'acquiescement à l'ordre des choses.

Ces images profondes restent presque inconnues du grand public, et il en va de même des photographies de Jersey où la lassitude et la sensualité désabusée du quinquagénaire s'expriment avec une brutalité presque obscène : seuls émergent l'idéogramme du « Rocher des Proscrits », et, dans une moindre mesure, quelques portraits dont l'expression contrôlée et la vigoureuse organisation graphique répondent à la physionomie qu'on attend du « poëte farouche »[15]. La démonstration se répète avec les dernières effigies : le portrait de Bonnat face aux photographies de Gallot, si proches de la description de Péguy ; le masque moulé sur le cadavre et la version retouchée, ennoblie, que Dalou en donne par la suite[16]... Ce dernier cas éclaire aussi les autres : ce qu'il s'agit avant tout d'effacer, ce sont les traces ou les signes avant-coureurs de la mort, les heures douteuses de la vie et de la conscience, le vieillissement, le péché. Même l'enfance disparaît au profit de la glorieuse jeunesse. Il n'existe aucune représentation contemporaine de Victor Hugo enfant, mais quelques artistes ont essayé de l'imaginer[17] : pas une de ces pages, pas même l'émouvant *Victor Hugo aux Feuillantines* d'Injalbert, n'a retenu l'attention.

Les effigies de Hugo consacrées par la popularité ne montrent que les moments où l'être paraît fixé dans son essence. Centrées sur les attributs emblématiques de l'intellect, le front et le regard, elles ont la qualité d'abstraction requise pour exprimer des idées, celles de profondeur, d'énergie, d'intransigeance. De là, le rejet des rares exemples où le modèle oublie sa gravité, comme le croquis d'Eugène Devéria, dessiné dans l'insouciance des années 1825, exemple unique d'un Hugo riant aux éclats[18]. Quelle tension, en revanche, dans le double portrait de Châtillon[19], qui est censé évoquer la chaleureuse intimité du foyer ! Toutes les images de Hugo qui sont parvenues jusqu'à nous sont marquées par cette tonalité morale et cérébrale : les premières, fraîches mais graves ; celles de la maturité, solennelles, impérieuses ; celles, véhémentes ou vertigineuses, des premières années de l'exil ; mais aussi celles d'après 1860, où l'austérité de l'expression se nuance quelquefois de chaleur, jusqu'à ce qu'une imagerie niaise s'empare du personnage du « grand-père »[20].

Mais Hugo a aussi changé. Il a eu son chemin de Damas, il revendique cet itinéraire : « être né aristocrate et royaliste, et devenir démocrate ; [...] monter de l'erreur à la vérité... »[21]. L'image doit donc à la fois souligner son identité, sa fidélité à lui-même, et marquer clairement son passage d'un état à l'autre. L'expression du visage reste à peu près constante (à l'exception des photographies de Jersey, où elle monte brusquement d'un ton, et de certaines caricatures de Daumier, qui en donnaient l'avant-goût en 1849-51) ; mais les autres accessoires, le costume, les gestes, l'attitude, suivent une évolution caractéristique. Jusqu'en 1851, l'apparence de Hugo reste d'une extrême bienséance : chevelure bien peignée, toilette stricte,

*Charles Hugo
Victor Hugo. 1854 (cat. 66)
Paris, M.V.H.

*Auguste Vacquerie
Victor Hugo. 1853-1854 (cat. 68)
Paris, M.V.H.

*J.-A. Injalbert
Victor Hugo aux Feuillantines. Vers 1912
(cat. 228)
Photographie d'un montage de plâtre réalisé
par Injalbert
Béziers, Musée des Beaux-Arts

Eugène Devéria
Victor Hugo (?). Vers 1827 (?)
Paris, M.V.H.

THE PEACE CONGRESS AT PARIS.

M. VICTOR HUGO, PRESIDENT OF THE CONGRESS.   M. V. MARIE-DOMINIQUE AUGUSTE, ARCHBISHOP OF PARIS, HONORARY PRESIDENT OF THE CONGRESS.

Jules Ziegler
Victor Hugo. 1830
Paris, M.V.H.

Victor Hugo et Mgr Auguste
The Illustrated London News, 1er sept. 1849
Paris, M.V.H.

Charles Hugo
Victor Hugo. 1854
Paris, M.V.H.

légion d'honneur en évidence. Aucune concession aux excentricités vestimentaires des Jeunes-France, ni aux allures prolétariennes adoptées par certains artistes autour de 1848. Puis la rupture du Deux Décembre, la solitude, la fureur poétique et l'immersion dans la nature des premières années de l'exil provoquent un brusque relâchement dans la mise, qui devient parfois à la limite du débraillé. C'est le moment où Hugo bafoue, dans *Châtiments,* la respectabilité pourrie qu'il avait fait plus que frôler dans les années précédant 48. Par la suite, il va garder un équilibre entre la dignité de sa tenue, inséparable de la « fonction du poète », et un certain négligé, traduisant sans affectation son indépendance à l'égard des contraintes sociales. Cette démocratisation vestimentaire, jointe à une allure un peu lourde, presque plébéienne, bien différente des manières empesées du pair de France comme de certaines poses grandiloquentes du proscrit, contribuent à le rapprocher du peuple qu'il aime et dont il veut être aimé. Elle caractérise son ultime personnage et se fait sentir jusque dans la peinture de Bonnat, où le poil dru, la carrure massive, les cuisses écartées — position réputée peu distinguée — contrastent avec la noblesse stéréotypée de l'attitude.

Entre la réserve virginale du jeune homme et la grandiose simplicité du vieillard, le public n'a rien retenu. Il a rejeté, comme souvent les contemporains, les personnages essayés par Hugo dans l'intervalle, qui cadrent mal avec l'image qu'on se fait de lui : l'élégant un peu mièvre de la lithographie de Ziegler — « Toto se frise comme un garçon-tailleur ; Toto à l'air d'une poupée modèle ; Toto est ridicule », commente un peu plus tard Juliette Drouet[24] —, puis le notable frayant avec les pouvoirs, que l'*Illustrated London News* représentait côte à côte avec l'archevêque de Paris et dont une société populaire dénonçait en 1848 les « allures dédaigneuses, hautaines et aristocrates »[25].

« Gilliatt fut pensif quelques instants, tout le coude de son bras gauche dans sa main droite et son front dans sa main gauche.»[26] Ces lignes des *Travailleurs de la mer,* que pourraient compléter bien des pages de l'œuvre poétique où Hugo se met lui-même en scène dans les poses et avec les expressions de ses portraits, décrivent l'attitude traditionnelle de l'introspection, souvent adoptée par Hugo, du frontispice des *Odes et ballades* en 1829[27] aux photographies de l'exil et des années suivantes. Elles confirment, s'il en est besoin, qu'il connaissait et utilisait en toute conscience ce qu'on appelle aujourd'hui la « sémiologie du corps ». Les images proprement dites, peintures, photographies, sculptures…, ne font généralement que recueillir et diffuser les prototypes qu'il a lui-même élaborés. L'ascendant qu'il exerça sur ses premiers portraitistes, souvent recrutés dans son entourage, puis, à Jersey, l'utilisation directe de la photographie, dont il choisit les motifs et règle les mises en scène[28], ne laissaient guère d'initiative aux interprètes. Après 1860, où les voyages d'été sur le continent favorisent les séances de pose, puis dans le tourbillon d'images qui l'environne après l'exil, les modèles mis au point par Hugo s'imposent aux professionnels. Il est loin d'avoir pu contrôler toutes ses représentations, mais comme elles procèdent largement de ces modèles, son influence apparaît

*Maes et Michaux
Victor Hugo. 1862 (cat. 72)
Paris, M.V.H.

T. B. Hutton
Victor Hugo. 1864-65
Paris, M.V.H.

*Arsène Garnier
Victor Hugo dans le jardin d'Hauteville House à Guernesey. 1868
(cat. 77)
Paris, M.V.H.

indiscutable. Et, fait remarquable, ses choix n'ont pas été remis en cause par le public.

La mise en harmonie du personnage et de ce qu'il symbolise — dès le début, par réaction contre l'idée frivole de la littérature qui prévalut dans sa jeunesse, la dignité et l'autorité du « penseur » ; à partir de 1830 et surtout de 1848, l'espérance démocratique, mais qui ne va pas jusqu'à la rupture avec la société bourgeoise ; enfin, l'esthétique de la liberté, voire de la démesure — se vérifie à différents niveaux et dans une multitude de détails. Le coup de génie se situe en 1861, lors de la brusque apparition de la barbe et de la tête blanche, coïncidant avec l'achèvement des *Misérables* et le mort d'ordre de « l'art pour le progrès ». Nous renvoyons plus loin, à la séquence sur « le père Hugo », qui raconte cette métamorphose et en dégage les conséquences, mais il convient de noter ici les retouches qui ont précédé l'« état » définitif : 1861-62, barbe courte, cheveux en brosse, puis plus longs ; 1864-65, la barbe croît « vastement, en éventail, d'une ampleur égale partout. Il a l'air d'un soleil coupé en deux, et il ressemble à Karl Marx. C'est le temps où il écrit les pages de son *William Shakespeare* contre la *sobriété* en littérature. Toute abondance lui est propre » (Henri Guillemin[29]) ; 1867 : retour au point de départ, qui ne variera pratiquement plus. Hugo travaille son personnage comme un acteur travaille son rôle, un graveur sa plaque de cuivre.

Ces tâtonnements dans la recherche d'attitudes et d'accessoires significatifs sont particulièrement sensibles pendant la période indécise de la Monarchie de Juillet. Le masque et le regard ont trouvé presque d'emblée leur expression, mais le corps n'est pas maîtrisé, il hésite entre des poses mondaines (le bras posé sur le rebord du fauteuil dans la lithographie de Léon Noël), certains gestes énergiques (le poing sur la hanche de la peinture de Boulanger, la rude étreinte du tableau de Châtillon), des gestes mous : les bras ballants de la lithographie d'Alophe-Menut et d'un des dessins de Boulanger (1843), les mains gauchement repliées dans le lavis du même artiste qui représente Hugo dans une tour de Notre-Dame[30]... Même les caricaturistes ne font que répéter ces partis contradictoires. Une seule exception : le dessin de 1837, toujours par Boulanger[31], où Hugo apparaît de face, les bras croisés, dans une attitude ferme et réfléchie, un peu affaiblie par la position assise. Mais cette trouvaille reste isolée et il faut attendre onze ans et une révolution pour que Hugo la ressaisisse, la mette au point et en fasse une de ses attitudes-clé, comme le montre plus loin la séquence intitulée « La Conscience ».

Certaines photographies de Jersey, épreuves d'essai tirées à un seul exemplaire, révèlent comment, à l'intérieur du schéma retenu, les solutions intermédiaires sont éliminées au profit de la plus pure[32]: la position verticale et frontale, quasi hiératique, le regard sévère, confrontant le spectateur. On est en 1853-54 et le

message qu'il s'agit de communiquer est celui de *Châtiments* ; l'expression absente qui s'est glissée dans quelques clichés est donc rejetée comme hors de propos. Dans un autre registre, mais avec moins de succès, plusieurs clichés pris au cours de la même séance montrent Hugo cherchant la pose sans peut-être la trouver. Veut-il exprimer l'amertume, la rêverie, la concentration ? Le regard est tour à tour farouche, vague, recueilli ; le bras gauche flotte un peu, puis finit par tenir un livre ; la main droite remonte de la nuque au sommet du crâne, qu'elle paraît à la fois comprimer et soutenir...

Ce travail de stylisation évoque, par exemple, celui d'Ingres, hésitant sur la posture à donner à M. Bertin et commençant par le dessiner debout, accoudé à un meuble, avant l'illumination finale. Il s'appuie sur des procédés plastiques éprouvés, qui graduent les effets en fonction de l'idée centrale, pour concentrer la signification dans une forme pleinement expressive. A cet égard, le caricaturiste dispose d'avantages incomparables car il est libre d'exagérer ce qui lui paraît essentiel, ou d'exploiter hardiment, sans craindre l'invraisemblable, des connotations révélatrices. Mais le portraitiste traditionnel est loin d'être démuni, même dans la photographie. Outre le choix des accessoires et des poses, la composition peut jouer un rôle important, comme le montre la photographie aux bras croisés de Jersey, où la position centrale, la frontalité et la verticalité absolues, soulignant la fixité du regard, introduisent l'accent de rigueur sacrée qui convient au poète de *Châtiments*.

L'imitation de la statuaire se manifeste à maintes reprises, comme Daumier l'observe déjà dans une caricature de 1849[33], mais jamais plus éloquemment que

*Charles Hugo
Victor Hugo. 1854 (cat. 62)
Paris, M.V.H.

*Charles Hugo
Victor Hugo. 1854 (cat. 61)
Paris, M.V.H.

Charles Hugo
Victor Hugo. 1854
Trois photographies réalisées dans la même séance de pose
Paris, M.V.H.

*Charles Hugo
Victor Hugo. 1853 (cat. 59)
Paris, M.V.H.

*Bernard Julien
Victor Hugo. 1834 (cat. 26)
Paris, M.V.H.

Tony Johannot
Les hommes de style après la révolution de Février
De gauche à droite : Hugo, Jules Janin, Dumas, Balzac.
Dans L. Reybaud, *Jérôme Paturot à la recherche de la meilleure des républiques.*
Paris, 1849.
Paris, M.V.H.

dans les photographies du « Rocher des Proscrits », qui inspirent à leur tour de nombreux sculpteurs, et d'abord Rodin. Dans ces exemples, les leçons de la sculpture monumentale se conjuguent à celles d'un autre genre, abondamment pratiqué par Hugo dans son œuvre graphique : la silhouette[34]. Celle-ci est très efficace ; elle dégage de la profusion du réel une forme épurée, qui s'imprime dans la mémoire. Le procédé offre l'intérêt supplémentaire d'être lié à la tradition du portrait de profil, lui-même dérivé des monnaies et médailles antiques. Comme la frontalité, procédé symétrique, il valorise implicitement le modèle en évoquant d'augustes précédents. Tel un imperator (ou comme Crevel, le boutiquier de *La cousine Bette*, qui ne manque pas une occasion de se placer dans cette position !), Hugo découpe volontiers son profil sur un fond qui le met en valeur, souligne la courbe du front, supprime les volumes et les détails qui trahissent l'alourdissement du visage. Les meilleurs exemples ne sont pas les médailles et médaillons proprement dits, médiocres pour la plupart, à l'exception de ceux de David d'Angers, mais des portraits comme celui de Julien, une admirable photographie de Jersey et une caricature de Tony Johannot, publiée en 1849, qui en est comme le négatif comique.

*David d'Angers
Médaillon de Victor Hugo. 1842 (?) (cat. 22)
Dijon, Musée des Beaux-Arts

Adolphe David
Médaillon de Victor Hugo
Musée d'Orsay

Souvent, dans la caricature, mais aussi dans les genres « sérieux », quoique de façon moins explicite, d'autres figures se trouvent assimilées à Hugo : types familiers comme l'aïeul, le penseur, l'orateur, le justicier, ou encore la forte tête, l'arriviste, le hâbleur... ; institutions et formes artistiques comme le monument public ; stéréotypes issus de la tradition astrologique et physiognomonique (avec ses prolongements dans la phrénologie, pseudo-science à la mode autour de 1830,

Carte à jouer. Vers 1904 (cat. 261)
B.N. Est.

Anonyme
Lui !
Caricature de la peinture de Monchablon
(cat. 97)
Coupure de presse non identifiée, 1880
Paris, M.V.H.

qui trouve un objet privilégié dans le crâne fameux du poète[35]) ; archétypes mythiques, religieux, historiques et légendaires, de l'aigle au lion, du cyclope au soleil noir, d'Orphée et de Prométhée à Gulliver, de Moïse à Napoléon et de Jupiter au Père Éternel. Ces rapprochements, dont beaucoup figurent dans l'œuvre de Hugo plus ou moins explicitement, et dont les notes qui suivent offrent de nombreux exemples, sont tantôt flatteurs, tantôt ironiques, parfois les deux à la fois. Ils concourent puissamment au principe de stylisation qui vient d'être dégagé, en introduisant dans l'image des schémas facilement reconnaissables et d'une signification sans équivoque. On verra, notamment dans les séquences sur « le géant Lumière », sur « l'inspiré » et sur « la Conscience », comment ces connotations aboutissent parfois à de remarquables condensations de sens, qui équivalent à un discours critique.

« Remplace le roi »

Comme l'a montré un livre mémorable[36], le romantisme a été marqué par le phénomène du « sacre de l'écrivain », qui a transféré les valeurs du sacré dans la personne de l'homme de lettres et particulièrement du poète, et lui a attribué un sacerdoce au sein de la société. Dans la figure de l'écrivain moderne convergent le prestige irrationnel attribué, depuis l'antiquité, à l'inspiration poétique, et le ministère exercé par les « philosophes » du XVIIIᵉ siècle pour activer l'avènement des Lumières

Le phénomène atteint son point culminant avec Hugo, car celui-ci réunit au plus haut degré les propriétés requises, les amplifie à la mesure de son génie et les prolonge sur la durée de sa longue vie, jusqu'en plein reflux de l'idéologie qu'il incarne. Il est richement illustré par l'image — des monuments et des cérémonies officielles qui, sur le tard, entretiennent autour de Hugo une véritable liturgie laïque[37], aux mille manifestations du culte que nous évoquons plus loin sous l'appellation traditionnelle et ironique d'« hugolâtrie ». Il retentit enfin sur toute l'imagerie consacrée à Hugo, mais rarement de façon aussi directe que dans ce jeu de cartes de 1904 environ[38], où le poète, entouré des attributs de l'inspiration mais avec sa tête de grand-père républicain, « remplace le roi », comme le souligne la légende.

Cette production cohérente par son propos et par son iconographie, mais fort disparate dans la forme, pose un des problèmes centraux de la symbolique et de l'art au XIXᵉ siècle : celui de la figuration du sacré dans la société moderne et de son application aux personnages de l'Histoire contemporaine. Nous en indiquons quelques aspects dans la séquence traitant des représentations de l'inspiré. On y voit les artistes hésiter entre la reprise pure et simple des schémas classiques (Boulanger, Mottez, David d'Angers et les autres sculpteurs qui ceignent l'illustre front des lauriers réglementaires), un compromis entre l'ancien et le moderne (Lecomte du Noüy, Marqueste et Barrias, qui mélangent des fragments de costume contemporain avec une friperie d'un autre âge) et la franche représentation de la réalité moderne. Certains, comme Rodin et Becquet passent d'un registre à l'autre[39].

Toute la question est de savoir si la dignité de l'écrivain et le mystère de la création ne peuvent s'exprimer que dans la « forme vieille » (comme dit alors Rimbaud à propos de Lamartine). Non, répondent en substance Péguy et Claudel, qui n'ont que sarcasmes pour « l'ignoble statufié en redingote » et « la semoule agglomérée »: de Barrias[40], et, avant eux, les caricaturistes qui parodient des formules surannées[41] ou dénoncent, par exemple, les contradictions du tableau de Monchablon, avec ses souliers neufs et sa draperie antique. Mais ces railleries visent moins le classicisme que les médiocres qui le déshonorent. Le Hugo de Péguy n'est-il pas en vérité un poète antique, « grand comme Hésiode, et comme Homère lui-même, et comme le grand Eschyle… »[42] ? C'est bien ainsi que David d'Angers le voyait déjà, et c'est pourquoi, après avoir fait de lui un premier buste en costume moderne, il voulut en faire un second à l'antique, couronné de lauriers : « Oui, mon ami, si je n'eusse connu que vos ouvrages, cette idée d'une couronne me serait venue, et ce sentiment de justice est joint à celui de mon amitié pour vous… »[43] Rodin n'aurait pas désavoué ces lignes, lui qui a représenté Hugo dans la nudité antique. Et Puvis de Chavannes, qui l'aimait et l'admirait, et dont la langue

classique était comme la respiration naturelle, paraît avoir conçu le *Victor Hugo offrant sa lyre à la Ville de Paris* comme un pendant à *L'apothéose d'Homère*[44].

On doit cependant convenir qu'à l'exception de David et de Rodin, la plupart des essais dans ce genre que nous avons rencontrés sont ridicules, ou tout au moins peu convaincants. Surtout quand on les compare aux puissantes photographies de Jersey, qui communiquent les mêmes idées sans aucun déguisement, en jouant seulement du clair-obscur et d'un sublime décor naturel. Le « Victor Hugo écoutant Dieu[45] » (Hugo a lui-même inscrit cette légende sous l'une des épreuves) est un Homère, les paupières closes sur ses visions intérieures, mais un Homère moderne.

On touche ici un aspect particulier de l'opposition entre réalisme et idéalisme, que l'expérience de la photographie fait éclater de façon insupportable. Comme l'a senti Péguy, la *présence réelle* de Hugo s'impose, même filtrée. Elle perce sous les stéréotypes, les airs et les poses nobles, les oripeaux d'atelier, vestiges des conventions des anciens portraits aristocratiques. En peinture ou en sculpture, l'écart peut être voilé par le défaut de ressemblance, mais il saute aux yeux chez un peintre nourri de réalisme comme Bonnat, et surtout dans les photographies de type officiel et les estampes qui les imitent. L'image de Hugo requiert, nous le savons,

*Pierre Puvis de Chavannes
Étude pour la figure de Victor Hugo dans le plafond de l'Hôtel de Ville de Paris.* Vers 1894 (cat. 238)
Dijon, Musée des Beaux-Arts

*David d'Angers
Victor Hugo.* 1837 (cat. 7)
Angers, Musée des Beaux-Arts
(Galerie David d'Angers)

*David d'Angers
Victor Hugo Lauré.* 1842 (cat. 8)
Angers, Musée des Beaux-Arts
(Galerie David d'Angers)

*Bertall
Victor Hugo.* 1867 (cat. 76)
Villequier, Musée Victor Hugo

Anonyme
Victor Hugo, sénateur. 1876
Paris, M.V.H.

une stylisation, et celle-ci peut s'opérer au moyen de références classiques, mais non de références passe-partout, sans rapport intime avec le sujet, desservies de surcroît par leur désuétude. De là, l'inefficacité de tant de productions officielles et apparentées, qui appliquent au poète l'attirail interchangeable des apothéoses. Certaines, pourtant, se recommandent par leurs qualités propres, comme le monument de Barrias, qui méritait mieux que le mépris de Claudel, ou comme le beau plafond de Jean-Paul Laurens à l'Odéon.

Cet idéalisme prétendu est de plus un cache-misère. Il camoufle le refus de voir, dans l'image de Hugo, ce qui rappelle ses engagements et ses luttes, ce qui en fait un symbole militant, pareil à « ce nom militant, ce nom déchiré, ce nom proscrit » qui flamboie dans ses « cartes de visite »[46]. Sous prétexte de rendre hommage, on édulcore. Ou bien, comme le montre l'exemple des monuments publics analysé par Chantal Martinet[47], on élude une référence encombrante et peu utilisable. « Trop républicain pour les uns, pas assez pour les autres »[48], le message de Hugo brûle les mains ; mieux vaut exalter le poète en termes vagues, en oubliant le porte-voix politique, sauf à exhumer çà et là quelques articles isolés de son programme. Et s'il faut absolument parler politique, on s'en tient aux grands principes humanitaires, sur lesquels il n'est pas trop malaisé de réaliser un consensus. La caricature elle-même oscille entre cette attitude, qui rattache un André Gill à la tradition idéaliste (avec de l'esprit en plus), et la polémique. Reste à se demander dans quelle mesure la pensée et le comportement politiques de Hugo, la distance qu'il a presque toujours gardée par rapport à l'action immédiate, ont favorisé, sinon justifié, une telle approche.

Le multiple et l'unique

Les images de Hugo sont donc à la fois signifiantes — schématiques et saturées de sens comme des emblèmes — et diffuses, ce qui conduit à s'interroger sur leur fonction. Pourquoi, pour qui, ce foisonnement, qu'une célébrité exceptionnelle et le développement accéléré des médias ne suffisent pas à expliquer ? Une première réponse est fournie par le culte des grands hommes qui est une des idées-force du siècle, culte largement œcuménique, où Hugo occupe une belle place, comme en témoigne la réouverture du Panthéon en son honneur. L'exemple des panthéons imagés que nous étudions plus loin[49] accuse cependant l'ambiguïté de sa position. Tantôt, il préside à des assemblées littéraires, tantôt il tient une place distinguée mais secondaire dans le panthéon républicain, tantôt il se fond dans la troupe indistincte des grands hommes. Cette qualité de grand homme, doublement fondée sur son génie littéraire et sur sa philanthropie, est assez vague pour faire l'unanimité. Son engagement contre l'Empire, puis au service de la République, lui vaut une clientèle plus circonscrite, mais ne laisse pas de se diluer dans la perspective universelle de la « gloire ».

La propagande n'a, somme toute, tiré parti de son image que dans des circonstances bien précises — l'assaut final des républicains contre l'Empire, le siège de Paris, les lendemains du coup d'État avorté du 16 mai... — ou à un niveau si général qu'elle y perdait ce qui lui était propre. Passé la phase de l'Ordre moral, la Troisième République a formidablement simplifié le personnage et l'œuvre de Hugo, dont elle a tiré l'abrégé schématique et fragmentaire diffusé par l'enseignement primaire, mais sans définir précisément ses objectifs. Grand exemple, mais exemple de quoi ? On ne sait trop, et le vide des discours qui accompagnent, par exemple, l'inauguration des monuments dédiés à Hugo, bien plus nombreux à l'état de projets que de réalisations[50], atteste cet embarras des politiques.

Il serait naïf de tout rapporter au calcul politique, sans tenir compte d'un phénomène essentiel, largement incontrôlable, même dans une époque de dirigisme culturel : la lecture. Hugo est un des écrivains français les plus lus du XIXe siècle, un classique du peuple et un classique tout court ; l'enquête publiée ici même par une équipe de chercheurs[51] confirme, tout en la nuançant, cette évidence. Même si les grilles interposées entre son œuvre et les lecteurs par l'école, la librairie, la critique, l'ont en partie prédéterminée, la lecture publique de Hugo accumule un capital incalculable d'émotions privées. Comme, simultanément, pour des raisons qu'il serait trop long d'exposer, la personne de l'écrivain est devenue publique, avec une biographie, un visage, des portraits, c'est un véritable lien personnel qui s'est ins-

VICTOR HUGO

1857

VICTOR HUGO
— 1851 —

HUGO

Billet de banque de 500 francs,
avec contre-valeur de 5 nouveaux francs. 1959
(cat. 328)
Villequier, Musée Victor Hugo

Achille Ouvré
Projet de timbre. 1935 (cat. 330)
Paris, Musée de la Poste

Le prototype :

Charles Hugo
Photographie de Victor Hugo. 1853 (cat. 59)
Paris, M.V.H.

Les « multiples » :
de haut en bas et de gauche à droite :

Eugène Champollion
Eau-forte

Eugène Gervais
Eau-forte

Paul Chenay
Eau-forte. 1860

Smeeten-Tilly
Gravure sur bois. 1879

Martinez
Eau-forte. 1875

titué entre l'auteur des *Châtiments*, des *Misérables*, de *L'art d'être grand-père*, et les millions de lecteurs anonymes dont il a été le compagnon, le conseiller, le consolateur.

Rappelons donc l'importance de l'intervention politique dans la définition et dans la diffusion de son image : le Hugo de Bonnat a bien été un symbole républicain et même une figure d'État. Rappelons aussi, en regrettant de ne pouvoir étayer cette observation sur une enquête systématique, le rôle objectif, quantitatif, des médias au début de l'ère du « multiple » : journaux, réclames, timbres et billets de banque ont littéralement mis Victor Hugo entre toutes les mains ; les montages réalisés en tête de cet ouvrage, à partir de la peinture de Bonnat et d'une photographie de Carjat, et sur la page ci-contre à partir d'une photographie de Charles Hugo, évoquent à dessein ces compositions d'Andy Warhol, symboles de la société de consommation, où l'image adorée d'une star est répétée mécaniquement, comme s'il s'agissait d'un objet de série. Mais rappelons surtout que les « consommateurs » des innombrables portraits de Hugo ne faisaient pas qu'obéir à ces mobiles.

« Ceci tuera cela » : la désaffection des monuments aux grands hommes, des portraits officiels (depuis combien d'années celui de Bonnat, entré, comme il se devait, à Versailles, au Musée de l'Histoire de France, a-t-il été mis en réserve ?), des statues discréditées par leur académisme — mais qu'on regrette tout de même, comme Aragon et Claudel[52], le jour où elles disparaissent, ce qui atteste un reste de vertu magique —, a pour contre partie la multiplication des images individuelles : quelques-unes, véritables fétiches, faites à la main[53] ; la plupart imprimées, à mi-chemin entre le document et l'objet de dévotion. Le motif, assez fréquent, de « l'image vénérée[54] », entourée de guirlandes de fleurs, déposée sur une sorte d'autel, contemplée par des dévôts, qui introduit dans l'imagerie hugolienne un effet de « mise en abîme », souligne cette fonction cultuelle, bien différente du

Cinquième année — N° 175   Un numéro : 10 centimes. — Tirage, 31,000   Dimanche 3 Mars 1872

RÉDACTEUR EN CHEF
F. POLO
—o—
ABONNEMENTS
PARIS
52 numéros .... 6 fr.
26 numéros .... 3 —

Les abonnements partent du
1er de chaque mois

—o—

BUREAUX
16, rue du Croissant, 16

DIRECTEUR
F. POLO
—o—
ABONNEMENTS
DÉPARTEMENTS
52 numéros .... 8 fr.
26 numéros .... 5 —
—o—
ANNONCES
Fermage exclusif de la publicité
ADOLPHE EWIG
16, rue Taitbout, 16

A PROPOS DE RUY-BLAS, PAR GILL

André Gill
A propos de Ruy Blas
L'Éclipse, 3 mars 1872
Paris, M.V.H.

Anonyme
Victor Hugo. Vers 1881
Paris, M.V.H.

Hymne à Victor Hugo. 1885 (cat. 324)
Couverture de partition
Paris, M.V.H.

Boîte de cigares à l'effigie de Victor Hugo
(cat. 294)
Coll. privée

Georges Meunier
Apothéose du poète. 1885 ?
Coupure de presse non identifiée
Villequier, Musée Victor Hugo

culte officiel. La grande fondatrice de ce culte des images n'est autre que Juliette Drouet, qui déjà, à Jersey, réclamait avidement les portraits de son amant, rêvait de « les confisquer tous », les conservait « avec amour et dévotion », les couvrait de baisers, allait jusqu'à les mettre dans son lit[55]...

Après avoir considéré les destinataires de ces images, tournons-nous pour finir vers leurs auteurs. Il y a les tâcherons, qui ne font que répéter les idées reçues avec de pauvres variantes, et ceux, pas très différents, qui représentent Victor Hugo comme ils feraient de n'importe qui, en adjoignant à son effigie des embellissements hors de propos. Il y a les familiers du modèle, Devéria, Boulanger, Châtillon, Charles Hugo, qui, pour l'essentiel, transmettent fidèlement et intelligemment la vision qu'il leur a communiquée. Il y a surtout ceux qui proposent une interprétation réfléchie et personnelle. D'abord, les caricaturistes, et surtout les deux grands, Daumier et Gill, le premier longtemps mordant, le second pleinement admiratif. Leur témoignage s'exprime sous une forme si aiguë qu'il n'est pas exagéré d'affirmer que Hugo a été l'un de leurs personnages, tout en restant profondément lui-même. On peut en dire autant de David d'Angers, qui voyait « un testament[56] » dans le buste de 1842. Son classicisme n'a rien d'un conformisme ; il repose sur un

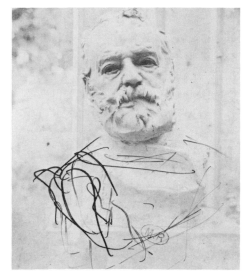

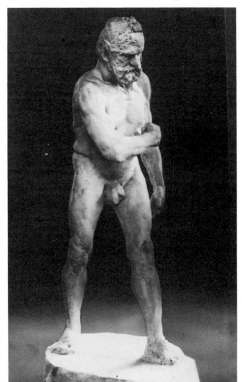

*Auguste Rodin
Buste de Victor Hugo. 1883 (cat. 190)
Paris, Musée d'Orsay

*Trois photographies d'un plâtre pour le buste
de 1883, retouchées par Rodin*
Paris, Musée Rodin

**Victor Hugo marchant* (cat. 197)
Meudon, Musée Rodin

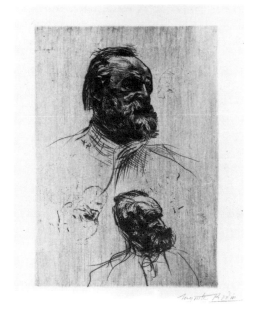

Victor Hugo. 1886 (cat. 189)
Paris, Musée Rodin

Victor Hugo. 1886 (cat. 188)
Paris, Musée Rodin

Buste de Victor Hugo (cat. 191)
Paris, Musée Rodin

F. N. Chifflart
Étude pour le portrait de Victor Hugo. 1868
Photographie d'un dessin disparu
Paris, M.V.H.

Félix Valloton
Victor Hugo. 1893
Paris, M.V.H.

F. N. Chifflart
La conscience. Vers 1885
Paris, M.V.H.

rêve héroïque, à l'antique, dont Hugo est l'une des figures centrales. Celui-ci y a d'ailleurs souscrit dans des épîtres poétiques, dont l'une préfigure le destin monumental que David a rêvé pour lui[57]. Enfin, Rodin, dans sa splendide synthèse de romantisme et de classicisme vécu, a sans aucun doute apporté l'interprétation plastique la plus pénétrante et la plus dense. Ses bustes et ses projets monumentaux, si méconnus, imposent la vision d'un athlète surhumain, plongé dans une stupeur sublime, vaste et mouvant comme la nature à laquelle il reste mêlé, mais profondément vivant, avec ses yeux obscurs et son visage bouleversé. On pense aux plus belles rêveries suscitées par la figure de Hugo dans l'imagination des poètes, à Baudelaire écrivant : « L'excessif, l'immense, sont le domaine naturel de Victor Hugo ; il s'y meut comme dans son atmosphère natale[58] », à Claudel parlant de « l'Inspiré par excellence » et imaginant de remplacer la statue déboulonnée de Barrias par un rocher de Guernesey, « une de ces existences pétrifiées, un de ces prêtres informes à qui le grand Inspiré est venu si souvent associer sa contemplation[59] ».

Ce sont là de grands exemples. D'autres, moins éclatants, sont originaux et émouvants. Deux au moins méritent d'être cités : le dessin de Chifflart, qui, après un portrait assez banal, pour lequel il avait pourtant fait le voyage de Guernesey[60], a cette trouvaille étonnante : Victor Hugo en Caïn, fuyant devant l'œil de Dieu, pour illustrer le poème « La Conscience » dans l'édition Hugues de *La légende des siècles* ; et la gravure toute simple de Vallotton, qui reproduit, d'après une photographie, la bonne tête pensive, et l'introduit dans la série des *Immortels passés, présents et futurs*.

P. G.

1. Voir les photographies repr. p. 107 et 207.
2. Voir notamment la gravure repr. p. 181.
3. Cité par Chantal Martinet, ici même, p. 279.
4. *La Presse Illustrée,* 1er mai 1969. Le portrait commenté est une reproduction de la photographie repr. p. 119.
5. Voir ci-dessous, pp. 119-122.
6. Voir ci-dessous, pp. 616-618.
7. Barrias : repr. p. 278 ; Monchablon : repr. p. 114.
8. Voir ci-dessous, l'étude de Roger Fayolle et Marie-Christine Bellosta, « La critique et le rayonnement littéraire ».
9. Le buste caricatural de Dantan est repr. p. 110.
10. *Les carnets de David d'Angers,* t. I, Paris, 1958, p. 173.
11. Repr. p. 5.
12. Charles Péguy, *Clio, Oeuvres en prose,* Paris, 1958, p. 135.
13. Henri Jouin, *David d'Angers et ses relations littéraires,* Paris, 1890, p. 120 (lettre de David à Victor Pavie, 3 fév. 1837).
14. Le dessin de 1843 est repr. p. 194.
15. « Je suis le poëte farouche,/L'homme devoir... » *Les contemplations,* VI, 2, « Ibo ».
16. Voir les reproductions p. 97.
17. L'aquarelle de Legenisel (Paris, M.V.H.) est une « reconstitution » imaginaire.
18. Il est même si atypique qu'on hésite à reconnaître le modèle.
19. Voir la lithographie repr. p. 121.
20. Voir ci-dessous, pp. 123-124.
21. Préface de 1853 aux *Odes et ballades,* éd. Massin, t. VIII, p. 874.
23. Repr. pp. 114 et 126.
24. Cité par Martine Ecalle et Violaine Lumbroso, *Album Hugo,* Paris, 1964, p. 167.
25. Voir ci-dessous, p. 120.
26. *Les travailleurs de la mer,* II, II, 8, éd. Massin, t. XII, p. 711.
27. Repr. p. 192.
28. Sur les photographies réalisées par l'atelier de Jersey et le rôle de Victor Hugo, voir : Pierre Georgel, Françoise Heilbrun et Philippe Néagu, *Victor Hugo et la photographie,* Paris, 1985.
29. Henri Guillemin, *Victor Hugo par lui-même,* Paris, 1951, p. 8.
30. Repr. éd. Massin, t. IV, pl. I.
31. Repr. éd. Massin, t. V, frontispice.
32. La photographie en question est repr. p. 114.
33. Repr. p. 114.
34. Voir : Pierre Georgel, « La vision en silhouette », *L'Arc,* n° 57, 1974, pp. 25-32.
35. Voir pp. 110-111.
36. Paul Bénichou, *Le sacre de l'écrivain, 1750-1830, Essai sur l'avènement d'un pouvoir spirituel laïque dans la France moderne,* Paris, 1973.
37. Voir ci-dessus l'étude de Chantal Martinet, pp. 282-293
38. Ainsi daté parce qu'il est reproduit dans un article du *Gaulois du Dimanche* de 1904 (lui-même repr. p. 147).
39. Voir ci-dessous, « Du nu au drapé : le monument de Besançon » et « Rodin et Hugo, histoire d'un monument ».
40. Charles Péguy, *Dialogue de l'Histoire et de l'âme charnelle, Oeuvres en prose,* Paris, 1958, p. 316 ; Paul Claudel, discours prononcé à la Société des Gens de Lettres, *Le Figaro Littéraire,* 31 mai 1952.
41. Par exemple Montbard dans la caricature repr. p. 108.
42. Charles Péguy, *Dialogue de l'Histoire..., loc. cit.,* p. 314.
43. *Les carnets de David d'Angers, op. cit.,* t. II, pp. 176-177.
44. Voir : Louise d'Argencourt, Catalogue de l'exposition *Puvis de Chavannes,* Paris, 1976-1977, p. 233.
45. Repr. p. 106.
46. Lettre de Victor Hugo à Jules Janin, 16 août 1856, éd. Massin, t. X, p. 1263. Voir ci-dessous : « Voir mon nom se grossir... »
47. Ci-dessous, pp. 270-282.
48. Chantal Martinet, p. 276.
49. « Portraits de famille », pp. 131-139.
50. Voir l'étude de Chantal Martinet, pp. 275-276.
51. « Si Hugo était compté », pp. 328-366.
52. Sur la réaction d'Aragon, voir ci-dessous : « Un dieu chasse l'autre : la Ford sur le piédestal de Hugo » ; sur Claudel, voir le discours cité dans la note 40.
53. Voir les exemples repr. pp. 120 et 146.
54. Voir Pierre Georgel et Anne-Marie Lecoq, *La peinture dans la peinture,* Dijon, 1982, pp. 226-231 ; et, ici même, des exemples pp. 124, 154 et 306.
55. Voir le livre de Pierre Georgel, Françoise Heilbrun et Philippe Néagu cité dans la note 28.
56. Henri Jouin, *op. cit.,* p. 202 (lettre de David à Victor Pavie, 19 juin 1842).
57. *Les feuilles d'automne,* VIII, « A. M. David, statuaire ». Voir ci-dessous, p. 129.
58. Baudelaire, « Réflexions sur quelques-uns de mes contemporains. I. Victor Hugo », *Curiosités esthétiques* et *L'art romantique,* Paris, 1962, p. 739.
59. Discours de 1852 cité dans la note 40.
60. Repr. et commenté dans le catalogue de l'exposition *Chifflart,* Saint-Omer, 1972.

Le surhomme

L'attribut le plus constamment prêté à Hugo, à tout propos et de toutes parts, c'est la démesure. Depuis ses premières interventions publiques, toutes les métaphores de l'immensité, de l'énormité, de l'altitude, toutes les figures appropriées de la fable et de l'Histoire, ont été utilisées et ressassées pour rendre compte à la fois de sa personnalité, de la nature de son œuvre et de sa place dans le siècle. « Un *grand* homme » : jamais, peut-être, la formule n'a été à ce point prise à la lettre. Et cette grandeur s'impose d'abord en termes matériels, quantitatifs, comme si l'expérience première — élémentaire et prépondérante — que les contemporains eurent de Victor Hugo était un fantastique encombrement, une présence physique et morale sans commune mesure avec celle des simples mortels ou même des autres grands hommes. « Je vais désencombrer mon siècle », disait Hugo quelques années avant sa mort. Pour ses admirateurs, cette échelle surhumaine est le signe absolu du génie ; pour ses détracteurs, c'est au moins l'effet d'une extraordinaire aptitude à s'imposer. Avant tout jugement de valeur, c'est une constatation, que l'image enregistre et propage en d'innombrables variations sur le même thème, tour à tour chaleureuses, familières, mordantes, grandiloquentes...

« A l'étroit en ce monde où rampent les fils d'Ève,/Tandis que, l'œil au ciel, tu montes où t'enlève/Ton essor souverain... » (Sainte-Beuve, 1828) ; « Époque tant étroite/Où Victor Hugo seul porte la tête droite/Et crève le plafond de son crâne géant (Pétrus Borel, 1833) ; « Va ! pour ce siècle étroit ta gloire n'est point faite... » (Louis Bouilhet, 1840)... Longtemps avant les litanies de la Troisième République sur le géant du XIXe siècle, les premiers témoins ont concentré en une image-mère les images suggérées par le phénomène Hugo : celle d'un colosse étouffant dans l'espace ordinaire, dominant ou faisant éclater les édifices les plus grandioses, réduisant à une fourmilière le peuple de ses contemporains. Après la publication de *Notre-Dame de Paris* (1831), la cathédrale, double symbole de grandeur et de sacré, devient l'emblème personnel de Hugo, soit qu'il s'identifie à elle, comme dans le vers d'Auguste Vacquerie : « Les tours de Notre-Dame étaient l'H de son nom », soit même qu'il la dépasse et, nouveau Gulliver, la transforme en trône ou en jouet.

Les connotations s'accumulent et les tonalités varient : formidable envergure intellectuelle, création pléthorique et omniprésente, suprématie reconnue ou imposée, ascendant moral, folie des grandeurs, esthétique du grandiose et de l'outrance... « Grand, terrible, immense comme une nature mythique, cyclopéen pour ainsi dire... » (Baudelaire, 1859), illuminant ou humiliant ses contemporains,

*M. D.
Hugoth (cat. 32)
La Charge, n° 4, 1833
Paris, M.V.H.

*Benjamin
Victor Hugo (cat. 37)
Panthéon Charivarique, 1844
Paris, M.V.H.

Fernand Salatte
*Programme d'une fête annuelle de la société
des Hugophiles,* 1907
Paris, M.V.H.

*André Gill
Auguste Vacquerie (cat. 185)
L'Éclipse, 3 nov. 1872
Paris, M.V.H.

encensé, insulté ou persiflé, Hugo est constamment décrit sous des traits fabuleux, auxquels son apparence physique sert tant bien que mal de support. Il était, en réalité, de taille plutôt moyenne, mais un détail de sa physionomie frappa les imaginations et cristallisa rapidement les idées associées à sa personne. Siège traditionnel de la pensée et symbole du pouvoir (*Caput,* le « chef »), dôme et couronne, le front bombé, largement découvert, est à lui seul un monument et signifie une totale rupture d'échelle entre le surhomme et le commun des mortels. — P. G.

H. Meyer
Victor Hugo
Paris, M.V.H.

« Voir mon nom se grossir... »

Comme son « crâne géant » « crevait le plafond » de l'époque, le nom de Victor Hugo a obstrué l'horizon de trois ou quatre générations. Associant un prénom triomphal à une initiale monumentale, imprimé sur les couvertures de livres, placardé sur les murs, répété à l'infini par les médias et par la rumeur publique, il fait plus qu'identifier celui qui le porte : il le symbolise, le désigne à la fois comme personne et comme écrivain, reprend à son compte les propriétés héroïques qui lui sont attribuées.

« Voir mon nom se grossir dans les bouches de cuivre/De la célébrité » (« A Eugène, vicomte H. », *Les voix intérieures,* XXIX) : conscient du phénomène dès sa prime jeunesse (voir par exemple le poème « A mes odes », 1823, *Odes et ballades,* II, I), Hugo a été le premier à le traduire en images, dans une série de dessins où son nom prend littéralement possession de l'espace. La plupart datent de l'exil et furent envoyés à des amis au nouvel an, en guise de cartes de visite.

Singuliers messages ! La volonté de puissance qui paraît s'y déployer, accusée par le dynamisme des formes et par l'analogie avec les techniques publicitaires, s'accompagne des signes d'une gigantesque souffrance : ruines, chaînes, éclairs, taches de sang... Émile Verhaeren, dans un article de 1888, a bien perçu cette tonalité : « Quelques dessins, barrés de la titanique signature, n'existent que par elle, violente, tragique, pareille à des menaces divines... ».

Souvent interprétées comme les témoignages d'un orgueil délirant (la caricature d'André Gill qui représente Vacquerie adorant le nom divinisé illustre avec bonhomie cette thèse), les

Victor Hugo
« *Carte de visite* »
Paris, M.V.H.

Victor Hugo
« *Carte de visite* »
Paris, M.V.H.

Victor Hugo
« *Carte de visite* » *avec Notre-Dame de Paris*
Coll. privée

« cartes de visite » traduisent en fait un message bien plus complexe, qui prend en compte le tragique de la gloire, les haines, les méprises, les échecs. Dès 1835, Hugo associait ainsi l'image de « son nom ravagé » à celle de « son nom rayonnant », et, dans les années mêmes où il dessine la plupart des « cartes de visite », voici comment il définit son nom, à la fois tout-puissant et persécuté : « … dire mon nom, c'est protester ; dire mon nom, c'est nier le despotisme ; dire mon nom, c'est affirmer la liberté… ce nom militant, ce nom déchiré, ce nom proscrit… ».

Une fois venu le temps des apothéoses, le « nom rayonnant » triomphera sans mélange, comme dans le dessin d'Albert Maignan ou le monotype de Félix Buhot, où son apparition suffit à mettre en fuite « les esprits des villes mortes ». La ressemblance de ces images avec les dessins de Hugo est superficielle et rien ne permet de penser qu'il souscrivait pour sa part à cet optimisme naïf. — P. G.

*Félix Buhot
Les esprits des villes mortes.* 1885 (cat. 231)
B.N., Est

*Albert Maignan
Apothéose du nom de Victor Hugo* (cat. 232)
Coll. privée

« L'antéchrist littéraire »

« Crevant le plafond », escaladant des monuments vénérables, entraînant des hordes à l'assaut des citadelles classiques, le jeune colosse déploie, dans les caricatures des années 30, une agressivité à l'échelle de sa taille, sublimée en dignité hautaine dans des portraits « sérieux » comme celui de Boulanger (1833). Le culte romantique de l'énergie, la « bataille » de 1830, l'exubérance de ses protagonistes et l'autorité de Hugo sur cette fougueuse jeunesse, tout contribue à lui donner dans l'opinion une figure de conquérant et de meneur d'hommes. La note étant pour le moins forcée, Hugo peut opposer, dans « l'espèce de préface en dialogue » qu'il place en tête du *Dernier jour d'un condamné* (1829), sa personne réelle, à peine édulcorée pour les besoins de la cause — « un homme doux, simple, qui vit dans la retraite et passe ses journées à jouer avec les enfants » — à son emploi de croquemitaine qui fait trembler les salons et compose « des odes, des ballades, je ne sais quoi, où il y a des monstres qui ont des *corps bleus* ».

Les caricatures de Hugo en géant vorace ou fonçant sur un Pégase débridé font écho à cette réputation, non sans égratigner les gobeurs qui la propagent. Elles projettent sur sa personnalité, exprimée par son physique, les aberrations attribuées à ses œuvres, directement dénoncées par les auteurs de parodies et d'illustrations comiques (voir plus loin « La critique caricaturale », « Les parodies » et les illustrations des chapitres « La critique et le rayonnement littéraire » et « La scène »). Désormais, l'image de Hugo ne dissociera plus sa personnalité de son esthétique, tout au moins de cette esthétique du choc et de la démesure que la critique continuera obstinément à dénoncer dans son œuvre. Jusqu'à sa mort, les caricaturistes le représenteront brandissant un point d'exclamation !

Le dernier jour d'un condamné, à propos duquel Hugo s'amusait à mettre en scène les champions effarouchés du « bon goût », traite en fait de questions autrement subversives. En choisissant précisément ce livre pour ridiculiser des disputes littéraires, Hugo se montrait conscient de leur véritable enjeu. Quelques mois plus tard, l'interdiction de *Marion de Lorme* par la censure, puis la quasi-coïncidence d'*Hernani* et de la révolution de Juillet, allaient accélérer l'assimilation de la révolution romantique, surtout esthétique à l'origine, à la révolution politique et sociale. Art et politique resteront associés, au moins de façon latente, dans le thème du « danger pour l'ordre » qui ne cessera plus d'accompagner l'image de Hugo dans les milieux conservateurs, malgré les détours apparents de son évolution politique (voir « La critique et le rayonnement littéraire »). Lui-même le constate fièrement à plusieurs reprises, notamment dans le poème des *Contemplations* (I, VII), « Réponse à un acte d'accusation » (1854), où il reprend à son compte les clichés de ses détracteurs :

« Je suis le démagogue horrible et débordé...
Et sur l'Académie, aïeule et douairière,
Cachant sous ses jupons les tropes effarés,
Et sur les bataillons d'alexandrins carrés,
Je fis souffler un vent révolutionnaire.
Je mis un bonnet rouge au vieux
                        dictionnaire... »

C'est donc une interprétation exagérée mais globale et cohérente que traduisent le ton héroïque, les métaphores guerrières, les figures mythologiques terrifiantes, si souvent employés à propos de Hugo, même après la « bataille » historique du romantisme. Le « Titan », le « jeune et illustre Caliban », le « Cyclope », symbole de force brutale pour Sainte-Beuve, de grandiose et d'étrangeté pour Baudelaire et Renan, l'« Attila du vers » et « l'antéchrist littéraire », qu'on s'amusait, en 1841, à voir enlever l'Institut, abritent le militant contre la peine de mort, le dénonciateur des « misères », le combattant de la Tribune, le champion du Droit face au coup d'État, l'élu rouge de Paris, l'avocat de l'amnistie des communards... Dans son principe, sinon dans toutes ses applications, cette fusion de l'esthétique, de l'idéologie et de l'action est fidèle à la démarche de Hugo, et c'est à contresens ou par

*Grandville
Grande course au clocher académique (cat. 34)
La Caricature Provisoire, 23 déc. 1838
Paris, M.V.H.

*Pierre Petit
Victor Hugo. 1861 (cat. 71)
Paris, M.V.H.

P.S.F. Teyssonnières
Le livre du siècle
Paris, M.V.H.

Talp
Victor Hugo au pont d'Arcole
La Comédie Politique, 31 mai 1885
Paris, M.V.H.

J. Blass
Victor Hugo
Le Triboulet, 6 mars 1881
Paris, M.V.H.

*Nadar
Panthéon Nadar. 1854 (cat. 54)
Villequier, Musée Victor Hugo

*Pierre Petit
Victor Hugo.* 1861 (cat. 71)
Paris, M.V.H.

P.S.F. Teysonnières
Le livre du siècle
Paris, M.V.H.

Talp
*Victor Hugo au pont d'Arcole
La Comédie Politique,* 31 mai 1885
Paris, M.V.H.

une distorsion délibérée que les termes en ont souvent été disjoints. Aussi les représentations de Hugo en assaillant ou en chef de bande servent-elles à évoquer aussi bien son œuvre littéraire que son action politique, et rarement l'une sans l'autre. C'est ainsi qu'il apparaît tour à tour, en 1868, en porte-drapeau du romantisme, à la suite de la reprise triomphale d'*Hernani* (la même année, le poète néo-romantique Albert Glatigny salue en vers « le drapeau de mil huit cent trente » et la figure toute guerrière de Hugo, dominant « le vieux château romantique »), puis, quelques mois plus tard, en porte-drapeau de l'opposition républicaine entraînant les collaborateurs du *Rappel*. Le sujet de la première image est « littéraire », celui de la seconde « politique », mais elles sont presque interchangeables.

Parmi les figures sous-jacentes à celle de Hugo, les dessinateurs ont plus d'une fois retenu celle de Moïse, patriarche, prophète et chef du peuple élu qu'il conduit vers la Terre promise, ce qui, pendant la « Traversée du Désert » de l'Empire et de l'Ordre moral, signi-

fiait la République. Ce riche réseau de connotations est certainement présent dans le *Panthéon Nadar* (1854), bien que le cortège dirigé par Hugo se limite en principe aux hommes de lettres, et plus encore dans une gravure de 1877, *Le carnaval des journaux,* où Moïse-Hugo, entraînant Gambetta, Zola et de moindres figures, est travesti en général de carnaval. L'autre figure que l'on attend est celle de Napoléon.

Le rapprochement entre les deux héros du siècle est un lieu commun qui remonte au moins à 1831, quand Hugo appelait lui-même de ses vœux, dans la préface de *Marion de Lorme,* « un poète qui serait à Shakespeare ce que Napoléon est à Charlemagne ». Il se retrouve notamment chez François Coppée, rappelant, dans sa *Bataille d'Hernani* (1880), que « le chef de l'école/Avait l'âge précis du général d'Arcole ». Là encore, l'image emboîte le pas, à commencer par les simples portraits, pour lesquels, consciemment ou non, Hugo prend la pose légendaire de l'Empereur.

P. G.

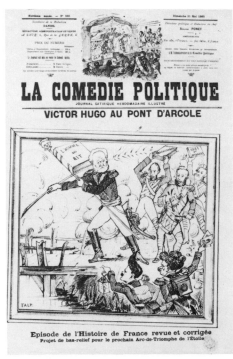

« Hugoïsme » et « hugolâtrie »

La réflexion de Hugo sur la nature et la fonction de son propre génie est au cœur de sa vision du monde. Elle transparaît notamment dans la « somme » de 1864, *William Shakespeare,* qui définit le génie comme un composé de moi et d'infini, de personnalité humaine et de divinité, et désigne la place vacante laissée par le XIXe siècle dans la succession historique des génies. Cette place, le lecteur comprend bien à qui elle revient, mais l'opposition posée par le livre entre l'individu — limité, « égoïste » — et le moi absolu du génie exclut toute interprétation psychologique. Cependant, une lecture hâtive ou de parti-pris risque fort de résumer le livre à une auto-célébration de Hugo, et c'est bien ce que firent la plupart des critiques, rebutés par tant de métaphysique et prévenus contre l'orgueil proverbial de l'auteur : leur position est exprimée par la charge parue dans *La Vie Parisienne* quelques jours après la publication.

La réputation d'orgueil de Hugo a sans aucun doute des fondements objectifs (mais il serait aisé — et superflu — de plaider la thèse opposée) ; elle n'en est pas moins gonflée par la légende, qui place l'ensemble de sa personnalité sous le signe de la démesure. Ses faits et gestes sont tous perçus et retranscrits comme sous l'effet d'une loupe fantastique. Amant, il

ne peut être qu'un satyre (voir l'illustration du chapitre « Les vies d'un homme illustre ») ; gestionnaire efficace de ses biens, il ne peut être qu'un Harpagon (voir : « Le Charlatan ») ; artiste conscient de son génie, il ne peut être qu'un *hugoïste,* selon le mot d'Henri Heine, un mégalomane qui se prend pour Dieu et s'offre à l'admiration de ses dévôts… Les caricaturistes s'en donnent à cœur joie sur ce thème, un des plus tenaces de la légende hugolienne, un des plus pernicieux aussi, car, en réduisant à un schéma grossier l'image que Hugo se fait de lui-même, il interdit par avance toute perception approfondie de sa pensée.

Faute de rien nous apprendre de sérieux sur Hugo, la légende comique du « dieu » peut en revanche nous renseigner sur l'état d'esprit des « fidèles ». Ainsi, la caricature de 1849 parue dans *La Silhouette* à l'occasion du bal des Gens de Lettres enregistre, avec ce qu'il faut d'exagération comique, un phénomène confirmé de longue date. Dès ses premiers succès, Hugo a rallié autour de lui de petits groupes d'enthousiastes qui fournissent les troupes de la « bataille » romantique. Leurs souvenirs de cette époque sont pour beaucoup dans le mythe littéraire de 1830, dominé par sa figure rayonnante. Sainte-Beuve, Gautier, Nerval, Paul Meurice et Auguste Vacquerie, les frères

Anonyme
Entrée solennelle du dieu Hugo au bal des Gens de Lettres
La Silhouette, 11 fév. 1849
Paris, M.V.H.

*Adolphe Willette
« Ah ! mon cher Rodin pour être un dieu, il m'a manqué la croix des incompris ! »
(cat. 216)
Paris, M.V.H.

H. A. Dol
A propos de bottes…
La Vie Parisienne, 30 avril 1864
Paris, M.V.H.

Talp
Le sublime 83e anniversaire
La Comédie Politique, 8 mars 1885
Paris, M.V.H.

Devéria, David d'Angers, Louis Boulanger, Célestin Nanteuil, parmi d'autres plus obscurs, ont appartenu à ces « cénacles », qui, de l'extérieur, pouvaient passer pour des cours d'adulateurs, encouragés par une vanité et une volonté de puissance insatiables.

Tout n'était pas faux dans cette impression. Malgré la relative réserve de Hugo, qui cultiva les disciples mais n'était pas assez naïf pour prendre leurs panégyriques à la lettre, son prestige d'écrivain et sa séduction personnelle suscitèrent de véritables passions. Celles-ci ont parfois tourné au dépit (c'est l'explication la plus plausible de la « trahison » de Sainte-Beuve), mais elles se sont surtout exhalées en confidences publiques, poèmes, articles, dédicaces… Comme il s'agissait souvent d'écrivains de seconde zone, leurs hyperboles ont plutôt desservi Hugo. A ces privilégiés admis dans l'intimité de leur idole s'ajoutait la foule des inconnus qui l'encensaient quotidiennement de louanges épistolaires. Il faut enfin rappeler, à partir de 1832, le rôle de Juliette Drouet, dont l'adoration, d'ailleurs plus lucide qu'on ne croit, le dévouement absolu, les milliers de lettres exprimant une ferveur inextinguible, défrayèrent rapidement la chronique. On conçoit le parti que les esprits caustiques tirèrent de cette effervescence.

Celle-ci fut à peine interrompue par l'exil, car, outre la famille Hugo, Juliette, et pendant quelques années, Vacquerie, qui ne quittèrent pas le poète, beaucoup d'admirateurs firent le voyage de Bruxelles, de Jersey ou de Guernesey. Puis, vers la fin de l'Empire et après le grand retour, les milieux républicains, dont l'essor y coïncida avec un certain réveil du romantisme autour de 1860, vinrent renouveler les troupes, notamment grâce à l'action du journal *Le Rappel,* dirigé par les deux fils Hugo, Meurice et Vacquerie, qui passaient pour les porte-parole de l'oracle.

Les métaphores religieuses qui viennent à l'esprit pour caractériser le phénomène ne sont qu'à demi ironiques. L'histoire du mot « hugolâtre » est mal connue mais Balzac l'utilise déjà et le dictionnaire de Littré l'enregistre en 1863. Si beaucoup de lecteurs et même quelques amis de Hugo ont conservé une certaine distance critique à son égard et évité de confondre l'homme et l'œuvre, il n'en a pas moins été l'objet de ce qu'il faut bien appeler un culte, avec toutes les manifestations collectives et individuelles qui s'y attachent, notamment la littérature hagiographique, la vénération des effigies et des reliques et les pèlerinages aux lieux saints. Ces derniers, pieusement recensés par l'image à destination du public contem-

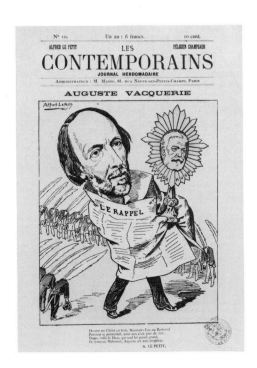

*Alfred Le Petit
Auguste Vacquerie (cat. 186)
Les Contemporains, n° 10, 1878
Paris, M.V.H.

*Henri Demare
Paul Meurice (cat. 187)
Les Hommes d'Aujourd'hui, n° 178, 1883
Paris, M.V.H.

Henri Demare
Catulle Mendès
Les Hommes d'Aujourd'hui, n° 203, 1883
Paris, M.V.H.

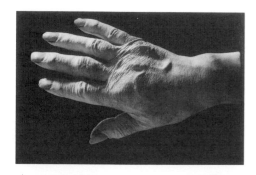

*Girolami
Moulage de la main de Victor Hugo. 1877
(cat. 165)
Paris, Musée Carnavalet

*Jules Dalou
Masque mortuaire de Victor Hugo (cat. 166)
Paris, M.V.H.

*Jules Dalou
Tête de Victor Hugo sur son lit de mort
(cat. 167)
Paris, Musée d'Orsay

*Boîte de cheveux de Victor Hugo ayant
appartenu à Juliette Drouet* (cat. 168)
Paris, M.V.H.

*Gargousse ayant servi à la mise en batterie du
canon « Châtiment » pendant le siège de Paris*
(cat. 171)
Coll. privée

Les images

Maxime Lalanne
La chambre de Victor Hugo à Guernesey
(cat. 173)
Dans *Chez Victor Hugo par un passant,* Paris,
Cadart et Luquet, 1864
Coll. privée

Théobald Chartran
Le bureau de Victor Hugo, avenue d'Eylau
(cat. 174)
Besançon, Musée des Beaux-Arts et d'Archéologie

Jules Laurens
La chambre de Victor Hugo à Jersey. 1855
(cat. 172)
Coll. privée

Régnier
*La maison de Victor Hugo, 11, rue Notre-
Dame des Champs*
Paris, M.V.H.

Auguste Lepère
Les habitations de Victor Hugo
Le Monde Illustré, mai 1885
Paris, M.V.H.

Les images

Besançon. La maison natale (cat. 176)
Paris, M.V.H.

Veules-les-Roses. Maison de Paul Meurice, où Victor Hugo séjourna à plusieurs reprises (cat. 183)
Paris, M.V.H.

Villequier. « En hommage à Victor Hugo » (cat. 182)
Villequier, Musée Victor Hugo

La tombe de Juliette Drouet à Saint-Mandé : Mme Ernest Prévost déclamant des vers. 1953
Paris, M.V.H.

Pasajes. Maison où séjourna Victor Hugo (cat. 181)
Paris, M.V.H.

Pélerinage national et universel à la Maison et au Musée de Victor Hugo
Affiche, 1889 (cat. 175)
Paris, M.V.H.

Les images

E. Dupain et Ch. (?) de Dieudonné
L'apothéose de Victor Hugo
Villequier, Musée Victor Hugo

*Guillaume Dubufe
Esquisse pour Trinité poétique. 1888 (cat. 234)
Coll. privée

N. F. Chifflart
Anniversaire
L'Univers Illustré, 1886
Villequier, Musée Victor Hugo

Ludovic Mouchot
L'apothéose de Victor Hugo
Villequier, Musée Victor Hugo

porain, ont donné lieu, depuis la mort de Hugo, à la création de plusieurs musées-reliquaires, qui restent abondamment fréquentés.

C'est la Troisième République qui, en exploitant à son profit le rayonnement de Hugo et en pratiquant le culte systématique des grands hommes, a transformé en institution ce qui, à l'origine, était surtout — et reste souvent — un ensemble de manifestations personnelles. Les rites de cette liturgie laïque, dont la panthéonisation de Hugo marque le point culminant, sont étudiés dans un autre chapitre (« Les hommages publics »), mais il convient d'en signaler ici les prolongements iconographiques, aussi bien dans les beaux-arts traditionnels que dans les formes populaires (voir la suite de ce chapitre) et dans la caricature. Il n'est pas exagéré de dire que l'apothéose de Victor Hugo — formule longtemps réservée aux princes, saints et héros, dont les fonctions sont cumulées par les nouveaux dieux du panthéon républicain — a été un genre à part entière dans les dernières années du siècle. On ne compte pas alors les peintures, sculptures,

estampes, voire spectacles populaires, qui montrent le dieu Hugo quittant en grande pompe l'espace des vivants pour rejoindre celui des immortels, ou trônant au-dessus de ses propres créatures.

Signalons pour finir un aspect du culte de Hugo qui se situe hors de France et mériterait une étude détaillée : sa place dans la religion caodaïste, fondée en 1919 en Indochine française (voir M.-G. Gobron, *Le caodaïsme,* Paris, 1949, et l'article « Caodaïsme » dans *Encyclopedia Universalis,* vol. 3, Paris, 1980, pp. 894-5). Le panthéon de cette religion syncrétiste groupe autour d'un dieu unique, Cao Daï, un certain nombre de personnages honorés dans d'autres religions, dont les effigies sont offertes à la vénération des fidèles. Hugo y figure aux côtés de Jésus-Christ, de Bouddha, de Confucius, de Lao-Tseu et d'autres grandes figures de l'Extrême-Orient, ainsi que de Jeanne d'Arc, de l'astronome Camille Flammarion et de l'écrivain spirite Alan Kardec.

P. G.

L'APOTHÉOSE DE VICTOR HUGO

Les images

Jam-Her
Essai sur les divinités modernes, idoles et féti-
ches populaires, mars 1885
Paris, M.V.H.

Cérémonie dans un temple caodaïste de
Phnom-Penh. (Noter le portrait de Victor
Hugo d'après Bonnat)
Document communiqué par M. J. Benoit

*Jules Chéret
Apothéose de Victor Hugo
Affiche pour la Galerie des célébrités modernes
au Musée Grévin
Paris, M.V.H.

« Le géant Lumière »

Centre du système cosmique et symbole d'immensité, de puissance, de chaleur, de rayonnement, le soleil est en outre, dans la tradition issue de la « philosophie » du XVIIIe siècle, l'emblème par excellence des « Lumières », principe de lucidité et de justice. Ces différentes valeurs symboliques sont recueillies par l'œuvre de Hugo.

Comme l'écrit Pierre Albouy, « la lumière est, chez Hugo, l'attribut et la manifestation même de la Divinité, et, depuis qu'il est devenu républicain et anticlérical, depuis le discours du 15 janvier 1850 contre la loi Falloux, précisément, le progrès consiste, pour lui, dans la victoire de la lumière dissipant les ténèbres de l'obscurantisme. » Cette pensée a pour couronnement l'image finale du poème « Stella », dans *Châtiments* : l'apparition prophétisée de « l'ange Liberté », du « géant Lumière ».

Les admirateurs de Hugo n'avaient pas attendu sa conversion à la République pour le comparer au soleil. « Soleil de la pensée, astre immense, prophète... » (Alphonse Esquiros, 1840), ces hyperboles à son adresse étaient depuis longtemps monnaie courante ; mais la fonction de porte-voix des Lumières qu'il

assume de plus en plus à partir de 1850 infléchit le symbole dans un sens plus politique, ce qui en explique la fréquence dans les dernières années de l'Empire et sous la Troisième République. Le soleil tend alors à remplacer, pour désigner Hugo, les autres figures colossales, de nature plus menaçante. Installé dans sa suprématie, serein et bienfaisant, il assiste aux manœuvres des lilliputiens et des pygmées qui le contemplent et dirigent vers lui leurs hommages ou leurs flèches.

Cependant, avec les années, le thème prend une coloration mélancolique, qui en nuance et en enrichit le sens. Si le soleil de la démocratie brille à nouveau, il est bien terne aux yeux des nostalgiques du soleil de 1830. Déjà, pour Baudelaire, le progrès, cher aux Lumières, n'était qu'« une lanterne qui jette des ténèbres sur tous les objets de la connaissance » et à laquelle il opposait avec ferveur « le coucher du soleil romantique ». Inlassable champion du progrès mais aussi de la poésie, avec tout ce qu'elle comporte de gratuit et d'irrationnel, le vieil Hugo incarnait à la fois le soleil levant de la démocratie et le soleil couchant du romantisme. C'est à ce dernier titre qu'il figure dans

LA-BAS, DANS L'ILE — PAR GILL

Combien de poux faut-il pour manger un lion ?
VICTOR HUGO (Légende des Siècles.)

André Gill
Là-bas, dans l'île
La Lune Rousse, 22 sept. 1878
Paris, M.V.H.

*Alfred Le Petit
Victor Hugo (cat. 108)
Les Contemporains, n° 16, 1878
Paris, M.V.H.

Victor Collodion
Victor Hugo
Le Gaulois, 10 janv. 1869
Paris, M.V.H.

Alfred Le Petit
Soleil couchant
Le Grelot, 11 mars 1883
Paris, M.H.V.

un dessin d'Alfred Le Petit où son soleil noir éclipse la chandelle du naturalisme, dérisoire caricature des Lumières.

Cette ambivalence ne fait que refléter la complexité profonde de Hugo, bien résumée par le titre du recueil de 1840, *Les rayons et les ombres,* et dont chaque interprétation polémique n'offre qu'un reflet partiel. Le génie de Hugo est tout ensemble idéologie et imagination, claire conscience et révélation obscure, soleil et bouche d'ombre. — P. G.

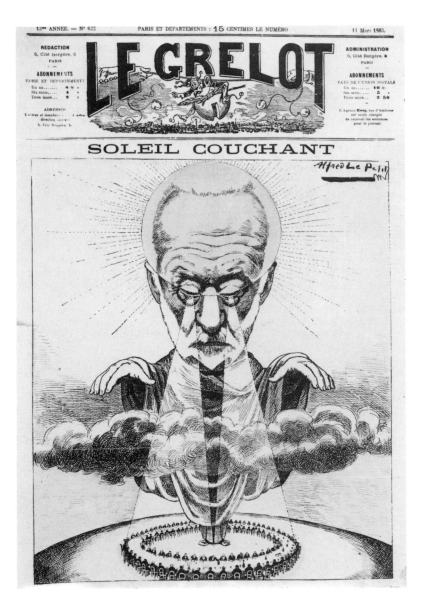

De l'inspiré au voyant

Muses, lyres, flammes, étoiles, plumes, lauriers..., les vieux accessoires de l'inspiration dans l'iconographie idéaliste sont utilisés à satiété par la littérature et l'imagerie cultuelles dédiées à Hugo, le désignant comme le modèle du Poète inspiré et sacré, ou comme la dernière incarnation d'Apollon, dieu de la Poésie, dieu-soleil, dieu prophétique. C'est dans cet appareil qu'il figure dans deux décorations exécutées vers la fin de la Monarchie de Juillet pour les appartements de grands bourgeois parisiens, *La Musique* de Victor Mottez (1846-47, dans le salon d'Armand Bertin), où il paraît en poète lauré et drapé, et *La danse des muses* de Louis Boulanger (1846-51, dans la salle à manger de Pierre Malher), où il prête ses traits à Apollon. Ces compositions préludent à beaucoup d'autres, de qualité variable mais d'une égale pauvreté dans l'invention, dont la plus notoire est le plafond de Puvis de Chavannes à l'Hôtel de Ville de Paris (voir plus loin : « Plafonds »). De même, en sculpture, le buste de David d'Angers (1842), qui ceint pour la première fois le vaste front de lauriers, est suivi de force bustes à l'antique, qui prospèrent au Salon jusqu'à la fin du siècle, comme ceux de Gustave Deloye (1881) et de Victor Vilain (1882). Mais ce sont surtout les statues, les monuments publics et les cérémonies officielles, comme celles du Centenaire de 1902

(voir : « Les hommages publics ») — genres traditionnellement liés à l'iconographie classique — qui font appel au langage allégorique et mythologique, pour magnifier, à travers la personne de Hugo, le mystère et la dignité de l'inspiration poétique.

Ce déploiement de références d'un autre âge illustre avec éclat le phénomène du « sacre de l'écrivain » étudié par Paul Bénichou à l'époque romantique, et en montre les survivances et les déviations jusqu'au début du XXe siècle. Il est loin d'être sans fondements dans l'œuvre même de Hugo, où l'exaltation du sacerdoce poétique a longtemps emprunté les formes de la rhétorique classique, non seulement dans les *Odes* de jeunesse mais dans les recueils des années 30 et 40. Dans cette époque de plénitude créatrice et de gloire presque établie, le registre adopté par David, Mottez ou Boulanger s'accorde à la figure recueillie d'« Olympio » et à son nom évocateur de l'antique séjour des dieux.

Pour délirant qu'il parût après un âge de « lumières » et de bienséances, l'*enthousiasme* romantique ne faisait, à bien des égards, que raviver de vieilles notions, comme celle de *mélancolie,* intégrée de longue date à la définition classique du génie. L'attitude traditionnelle de la Mélancolie — le corps infléchi sur lui-même, la tête penchée, appuyée sur la main,

*Louis Boulanger
La danse des muses. 1846-51 (cat. 17)
Paris, Musée Carnavalet

*Victor Mottez
Portrait de Victor Hugo. Vers 1846 (cat. 31)
Paris, Louvre, Cabinet des Dessins

*Jacques Maillet
Victor Hugo (cat. 240)
Châteauroux, Musée Bertrand

Gaetano Trentanove
Victor Hugo assis
Florence, Galleria d'arte moderna

*Laurent Marqueste
Projet pour le monument de Victor Hugo dans la cour de la Sorbonne. Vers 1901 (cat. 223)
Paris, M.V.H.

le regard fixe — remontait dans la nuit des temps, et la gravure de Dürer, chère aux romantiques, l'avait cristallisée de façon inoubliable. Elle reste un poncif dans les portraits d'artistes et de poètes. C'est elle que Louis Boulanger donne à Hugo dans l'une de ses premières effigies destinées au public, le frontispice des *Odes et ballades* (1829, repr. dans « Hugo dans le débat politique... »), et les portraitistes en tous genres continueront à en user sans vergogne. Dans le frontispice de Boulanger, même les boucles folles et la toilette en désordre sont des conventions, maintes fois utilisées pour souligner la part de l'irrationnel dans la création. Quant à l'image du poète « effaré », dont la pâleur et l'expression hagarde trahissent la proximité du gouffre, image typiquement hugolienne, ébauchée dans les *Odes* de 1823 et appliquée à Hugo par Sainte-Beuve dès le temps des *Consolations* (1829), elle n'est pas moins archaïque que la friperie classique ou biblique des lyres et des langues de feu.

48 et l'exil, l'irruption de l'Histoire dans une existence qu'on peut, dans une certaine mesure, qualifier encore d'académique, le retournement du statut social de Hugo, l'amplification sans précédent de son expérience poétique, accusent brusquement la désuétude de cette imagerie scolaire. Olympio

Jean Lecomte du Nouy
Les contemplations, fragment d'un polyptyque. Salon de 1885
Photographie d'une peinture détruite
Autrefois à Caen, Musée des Beaux Arts

Gustave Deloye
Le poète exilé
Dessin d'après la sculpture du Salon de 1867
Paris, M.V.H.

se transfigure en « contemplateur » ; la mélancolie de bon ton est emportée dans le vertige de la communication avec Dieu, l'Histoire, la Mort, l'Océan... L'œuvre poétique des premières années de l'exil renouvelle de fond en comble le répertoire traditionnel de l'inspiration, opposant un véritable défi à l'imagination des artistes. Rares sont ceux qui cherchent, et surtout parviennent, à le relever. Les essais dans le genre héroïque, comme *Le poète exilé* de Deloye (Salon de 1867) ou *Les contemplations* de Lecomte du Nouy (1885) sont grotesques ; les tentatives pour combiner des attitudes et des expressions codifiées au réalisme contemporain, comme dans le portrait de Hugo par Chifflart (Salon de 1868), ne sont guère plus convaincantes. Mais il y a les photographies prises à Jersey dans les années mêmes de *Châtiments* et des *Contemplations*. D'un seul coup, elles révèlent la capacité d'expression d'une technique méconnue et imposent les seules images du contemplateur dignes d'être placées en regard de ces grands textes. La prise de vue et le tirage sont de Charles Hugo, parfois d'Auguste Vacquerie, mais c'est le poète lui-même qui a réglé les mises en scène. Bien des restes de conventions subsistent — le sublime des paysages, certaines attitudes théâtrales, les regards farouches, jusqu'au négligé du costume et de la coiffure —, mais l'effet de présence physique, presque brutale, l'emporte sur l'impression d'artifice. Les références latentes — explicitées en maints endroits des *Contemplations* — sont vivifiées par l'intensité du vécu. Sans ornements ni emblèmes superflus, avec une éloquence concise et pénétrante, l'échange du moi et de l'infini s'exprime par le regard dilaté, noyé, fourbu, furieux, ou par les paupières closes, version moderne de la cécité du voyant (« Victor Hugo écoutant Dieu », dit la légende d'une des épreuves, et l'on pense aux vers de « Ce que dit la bouche d'ombre » : « Homme ! nous n'approchons que les paupières closes/De ces immensités d'en bas... ») ; ou encore par ces grandioses paysages où l'« habitant du gouffre et de l'ombre sacrée » se fond dans un chaos minéral ou se découpe en silhouette sur le ciel, face à l'océan. Englobant les souvenirs de Pathmos et du Sinaï, la côte de Jersey, avec ses pointes rocheuses qui avancent en saillie sur la mer, préfigure admirablement la métaphore du promontoire, point de rencontre et de fusion de l'atome et de l'abîme, qui deviendra, dans *William Shakespeare,* le symbole complet du génie.

Ces « allégories réelles » (pour reprendre la

Charles Hugo
Victor Hugo. 1853-54
Paris, M.V.H.

*Auguste Vacquerie
« *Victor Hugo écoutant Dieu* ». 1853-54
(cat. 65)
Paris, M.V.H.

*Charles Hugo
Victor Hugo dans les rochers, à Jersey.* 1853-54
(cat. 57)
Paris, M.V.H.

Charles Hugo
*Le « Dicq », à Jersey (avec la silhouette de
Victor Hugo).* 1853
Paris, M.V.H.

Charles Hugo
*Victor Hugo sur le « Rocher des proscrits », à
Jersey.* 1853
Paris, M.V.H.

formule utilisée quelques mois plus tard par
Courbet) fondent leur efficacité sur le réalisme
de la photographie, qu'elles exploitent résolument, sans compromis avec les pauvres
conventions du portrait contemporain, mais
sans trivialité, la force signifiante et la beauté
de l'image tenant à la simplicité des compositions, qui écartent les détails prosaïques.

Une telle réussite est forcément exceptionnelle ; les portraits postérieurs, réalisés dans
des périodes de création moins intense et par
des photographes professionnels, ne répon-
dront plus à l'ambition des prototypes.
Comment retrouver, dans un studio ou dans un

Caricature anonyme
(Hugo, Vacquerie et Zola ?)
La Vie Parisienne, 27 déc. 1873
Paris, M.V.H.

*Montbard
Victor Hugo* (cat. 82)
Le Masque, 20 juin 1867
Paris, M.V.H.

intérieur bourgeois, le sentiment de l'immensité qui animait les sites de Jersey ? La seule exception notable est une photographie des premières années à Guernesey, qui montre Hugo à sa table de travail, dans l'actuelle « antichambre du look-out ». Le contre-jour et la mise en page font oublier la lourdeur du dispositif et concentrent l'attention sur le profil, découpé sur un écran de lumière comme sur le seuil de l'infini. Dans les autres photographies, seul le regard profond continue à désigner le poète par sa qualité de *voyant*.

Mais le motif symbolique du promontoire, poste de vigie du contemplateur, lieu de ses noces avec l'absolu et socle de sa statue solitaire, va rester définitivement attaché à la figure de Hugo, dans le dessin d'humour comme dans les genres nobles, dans le bronze et le marbre de Barrias ou de Rodin comme dans d'humbles spécimens d'imagerie populaire. Une figurine en matière plastique, qu'on distribuait, il y a quelques années, avec des paquets de café, en atteste la survie jusqu'à nos jours. — P. G.

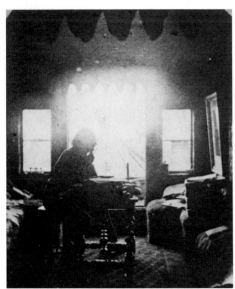

*Anonyme
Victor Hugo à sa table de travail, à Guernesey*
(cat. 69)
Paris, M.V.H.

*Jean Boucher
Projet pour le monument de Victor Hugo à Guernesey.* Vers 1908 (cat. 227)
Ivry-sur-Seine, Dépôt des œuvres d'art de la Ville de Paris

Figure en matière plastique distribuée avec les paquets de café « Mokarex »
Paris, M.V.H.

Le démiurge

Avec sa barbe de Père éternel, le vieux sculpteur dessiné par André Gill, peu avant la publication de *Quatrevingt-treize,* incarne le Créateur dans l'exercice complet de ses fonctions. Les bustes auxquels il met la dernière main sont ceux des trois « géants » de la Révolution, Robespierre, Danton et Marat ; mais de sa poche sort un petit enfant, dont la grâce fait contrepoids à ces redoutables figures. Le message dépasse les épisodes du roman auquel il est fait allusion : l'œuvre de Hugo est un univers total, contenant toute la Création — la Nature et l'Histoire, le Mal et l'Innocence, l'infiniment grand et l'infiniment petit — et rivalisant avec elle... La fécondité et la longévité de Hugo, son universalité quasi-institutionnelle, sa gloire même, qui paraissait multiplier ses œuvres à l'infini, ont donné une singulière consistance au mythe romantique de l'artiste créateur.

Il est significatif que la peinture, vieille métaphore de l'imagination en général et de la création littéraire en particulier (voir P. Georgel et A.-M. Lecoq, *La peinture dans la peinture,*

*André Gill
Victor Hugo (cat. 103)
L'Éclipse, 29 août 1875
Paris, M.V.H.

Marcelin
La légende des siècles
Journal Amusant, 3 déc. 1859
Paris, M.V.H.

*André Devambez
Carte publicitaire pour la « Phosphatine Falières »* (cat. 310)
Paris, M.V.H.

Anonyme
Planche d'un livre de phrénologie. Vers 1830
Paris, M.V.H.

Comédiens célèbres : Bressant (cat. 410)
Le Masque, 27 août 1867
Paris, M.V.H.

Dijon, 1982, pp. 219-222), soit ici remplacée par la sculpture. La *Genèse* et d'autres traditions cosmogoniques enseignent que la Création fut modelée avec de l'argile, et les connotations héroïques liées, à l'époque de Hugo, à la taille du marbre et à la sculpture monumentale, renforcent l'idée de puissance démiurgique. Quand Hugo n'avait pas encore le physique de l'emploi, la caricature le représentait déjà en sculpteur de colosses, hommage ambigu à la stature prométhéenne des personnages des *Burgraves ;* et, dans le même ordre d'idée, le *Journal Amusant* fait de lui, lors de la publication de *La légende des siècles,* un nouveau Moïse faisant surgir de l'abîme toute l'Histoire humaine et mythique. Dans d'autres caricatures, il apparaît en metteur en scène de son propre théâtre, un théâtre vaste comme le monde, ou en montreur de marionnettes géantes, double allusion à son goût du grandiose et à l'invraisemblance souvent reprochée à ses personnages.

Mais le symbole par excellence de cette sublime « créativité » est le crâne fameux, dont la proéminence fut interprétée dès les premiers portraits de Hugo comme le signe de facultés créatrices hors du commun. La phrénologie, alors en pleine vogue (la Société parisienne de

*J.-P. Dantan
Buste-charge de Victor Hugo.* 1832 (cat. 21)
Paris, Musée Carnavalet

André Devambez
*Théâtre Victor Hugo
Le Rire,* n° 382, 1er mars 1902
Paris, M.V.H.

phrénologie fut fondée par Broussais en 1832) rapportait les phénomènes de l'intelligence à l'ampleur des organes cérébraux et le front du poète allait jusqu'à servir d'exemple dans des planches fort sérieuses sur la « bosse » de l'idéalité. Cette notion, discréditée depuis longtemps pour les savants, s'est néanmoins perpétuée dans l'imagination populaire, et c'est ainsi qu'au début du siècle une charmante composition de Devambez utilisait le crâne phénomène pour la publicité d'un produit pour enfants, réputé favorable au développement intellectuel. Plusieurs caricatures donnent même à voir l'intérieur du crâne, gros de personnages

(le modèle mythique est cette fois le crâne de Jupiter, dont Minerve surgit tout armée) ou éclatant comme une marmite, à force de bouillonner d'idées et d'images.

Pour sa part, sans souscrire à toutes les conséquences d'un tel matérialisme appliqué aux choses de l'esprit, Hugo est convaincu que le crâne est bien le siège de la pensée et de l'imagination ; il est même obsédé par cette idée, comme le montre, entre autres exemples, le titre du chapitre I, VII, III des *Misérables,* « Une tempête sous un crâne », parodié par Bertall dans sa caricature de 1862, *Une salade sous un crâne.* Mais ces considérations physio-

logiques le conduisent à une réflexion d'une autre profondeur sur la nature de la création poétique, où, tels des vases communicants, l'univers objectif et l'univers imaginaire se répandent l'un dans l'autre. C'est d'abord en ce sens qu'il convient d'interpréter le vers célèbre de *La légende des siècles :* « Un poète est un monde enfermé dans un homme ». Cette vision de la création se superpose constamment, chez Hugo, à l'image traditionnelle du créateur-auteur, actif et responsable de ses œuvres. En traitant le crâne du poète comme une sorte de paysage naturel peuplé de créatures, les caricaturistes n'en sont guère éloi-

La tête appuyée sur sa main, Victor Hugo méditait.

*Bertall
Une salade dans un crâne (cat. 85)
La Semaine des Familles, 29 nov. 1862
Paris, M.V.H.

*Georges Marquet
Ruy Blas (cat. 417)
Le Sifflet, 25 fév. 1872
Paris, M.V.H.

Victor Adam
Portrait de Victor Hugo avec des scènes de Marie Tudor *et de* Notre-Dame de Paris
Vers 1833
Paris, M.V.H.

gnés, et leur hommage impertinent rappelle la belle image de Baudelaire (1859) : « Victor Hugo, grand, terrible, immense comme une création mythique... ».

Autour de 1830, plusieurs gravures, notamment le frontispice de Célestin Nanteuil pour *Han d'Islande* (reproduit en tête de « L'édition illustrée »), présentent autour d'un portrait de Hugo des personnages et des scènes de son œuvre. Il est clair, d'après la composition, que l'auteur préside aux destinées de ses « créatures », mais celles-ci restent isolées et l'œuvre ainsi évoquée apparaît plutôt comme un assemblage que comme une unité vivante. Le motif revient souvent par la suite, surtout dans la vieillesse de Hugo puis au lendemain de

sa mort, mais avec une « variante » capitale : livres et personnages ont quitté leurs compartiments pour se répandre librement dans l'espace, et le poète se trouve parmi eux, les regardant vivre ou recevant leur hommage filial. Ces images illustrent des idées banales sur l'*autorité* (au sens premier) et la dignité de l'écrivain, sur le lien personnel qui l'unit à ses personnages, sur le fait que les livres d'un grand artiste constituent un « univers » comparable à la création divine, sur l'immortalité de ses œuvres, qui s'intègrent au patrimoine public et survivent à leur « père » de chair... En même temps, elles manifestent une approche spécifique du génie hugolien dont il convient de souligner la pertinence. — P. G.

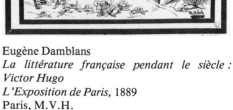

Eugène Damblans
La littérature française pendant le siècle :
Victor Hugo
L'Exposition de Paris, 1889
Paris, M.V.H.

Andriolli (?)
Le maître et son œuvre
Villequier, Musée Victor Hugo

B. Moloch
Victor Hugo mort pleuré par ses personnages
Chronique Parisienne, 31 mai 1885
Villequier, Musée Victor Hugo

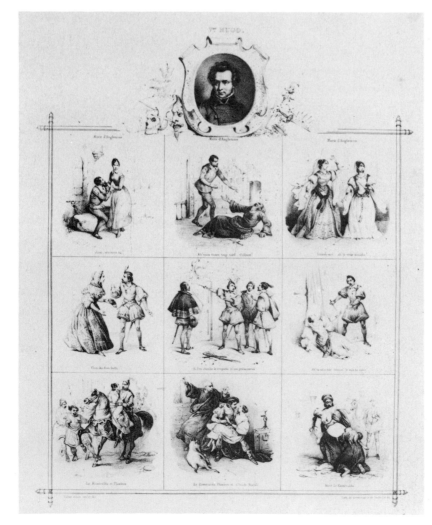

La Conscience

Bras levé et bras croisés

Dans le petit nombre de gestes et d'attitudes associés à la figure de Hugo, il en est deux qui n'apparaissent qu'autour de 1848. Ils relèvent d'une longue tradition et ont une sorte de préhistoire dans l'œuvre littéraire de Hugo, mais ce sont les péripéties dramatiques de la Seconde République et de l'exil qui les ont dégagés d'attitudes plus confuses, les ont pleinement mis en lumière et leur ont donné leur forme et leur sens définitifs. Le geste de l'admoniteur — le bras droit levé, l'index pointé, soulignant un grave message ou désignant un but invisible — appartient au répertoire de l'éloquence, celui du tribun et du prophète, emporté par sa conviction et par la volonté de persuader l'auditoire. Ce geste répond à la « fonction du poëte » définie au temps des *Odes,* quand le « jeune jacobite », se faisant l'exégète de l'Histoire, « parlait aux peuples du monde » (*Odes,* IV, II), puis solennellement exposée au début des *Rayons et les ombres :*

« Le poète en des jours impies
Vient préparer des jours meilleurs.
Il est l'homme des utopies ;
Les pieds ici, les yeux ailleurs.
C'est lui qui, sur toutes les têtes,
En tout temps, pareil aux prophètes,
Dans sa main, où tout peut tenir,
Doit, qu'on l'insulte ou qu'on le loue,
Comme une torche qu'il secoue,
Faire flamboyer l'avenir ! »

La seconde attitude, celle des bras croisés sur la poitrine, exprime aussi la conviction, mais sans discours et sans pantomime. La position frontale et l'aplomb du corps, l'expression concentrée, manifestent une fermeté combative ; le regard fixé sur le spectateur le pénètre et l'interpelle. L'éloquence est ainsi intériorisée, contenue dans le face à face muet de deux consciences. Cette attitude, exceptionnelle avant 1848, s'impose au cours de cette année, très exactement avec la lithographie de Lafosse, offerte en prime aux abonnés de *L'Événement* puis reprise dans une collection de portraits de parlementaires. C'est, si l'on peut dire, le premier portrait officiel du nouveau Victor Hugo, élu pour la première fois le

Anonyme
Mort à la tragédie !
La Silhouette 21 janv. 1849
Paris, M.V.H.

*Gustave Staal
Déchéance de l'Empire prononcée à l'Assemblée nationale à Bordeaux (cat. 114)
La Chronique Illustrée, 12-18 mars 1871
Paris, M.V.H.

*André Gill
Victor Hugo (cat. 113)
Paris, M.V.H.

*J.-B. Lafosse
Portrait de Victor Hugo. 1848 (cat. 39)
Paris, M.V.H.

Honoré Daumier
Victor Hugo (cat. 40)
Le Charivari, 10 juil. 1849
Paris, M.V.H.

Charles Hugo
Victor Hugo. 1853-54 (cat. 58)
Paris, M.V.H.

X. A. Monchablon
Victor Hugo. 1880 (cat. 97)
Épinal, Musée Départemental des Vosges

Charles Hugo
Victor Hugo sur un rocher à Jersey. 1853-54
Paris, M.V.H.

4 juin. Il n'est pas encore républicain et va passer par bien des expériences et des illusions avant de trouver sa voie politique, mais il est en possession des principes qui vont désormais le guider : la foi dans le progrès, la liberté, l'amour, la vertu, la justice sociale, la souveraineté du peuple, la paix civile et la paix entre les nations.

Tel est le message qu'il ne cessera plus de proférer à travers les tribulations de la politique, tantôt haranguant dans l'attitude de l'orateur, à la Tribune des assemblées parlementaires ou depuis une tribune imaginaire, tantôt n'ayant qu'à se dresser, véritable incarnation de la Conscience, face à ceux qui la bafouent. A partir de 1850, année de son adhésion à la République, et surtout à partir de la catastrophe libératrice du Deux Décembre, chaque apparition de « l'homme devoir » dans une de ses poses consacrées équivaut à un rappel à l'ordre, comme une nouvelle Déclaration des Droits de l'Homme. C'est ce qu'ont bien compris les artistes, et d'abord ces maîtres de la « sémiologie du corps » que sont les caricaturistes, mais nul mieux que Hugo lui-même, comme le montrent à la fois ses portraits — surtout les photographies de Jersey, réalisées et diffusées sous son contrôle — et les textes où il se met en scène dans le rôle du Proscrit, du Témoin et du Vengeur. Citons seulement ces vers d'« Ultima Verba », dans *Châtiments :*

« Devant les trahisons et les têtes courbées,
Je croiserai les bras, indigné, mais serein.
Sombre fidélité pour les choses tombées,
Sois ma force et ma joie et mon pilier
d'airain ! »

Peu de motifs complémentaires s'adjoignent à ces archétypes. Daumier, dans une lithographie de 1849, en avait souligné l'essentiel — la signification héroïque et exemplaire —, en dressant un piédestal de livres sous la sombre effigie du « grand homme grave ». A Jersey, le « rocher des proscrits », amplification spectaculaire du piédestal, enrichit le motif de grandioses connotations : le Caucase, le Sinaï, le Golgotha, Pathmos, Sainte-Hélène... Elles expriment la force, la résolution, la souffrance et la solitude sacrées du Prométhée du XIXe siècle. L'image était en gestation dans la métaphore politique de la « Montagne », transférée de la Convention à la Législative de 49, et le caricaturiste Quillenbois en avait sagacement tiré profit au lendemain du grand discours de Hugo sur la liberté de l'enseignement : cette vision — encore ironique — du néophyte, gravissant, les bras croisés, les degrés d'un âpre itinéraire, est la toute première représentation de son « calvaire » politique. Plus tard, des illustrations sans valeur documentaire mais très significatives, évoqueront les persécutions subies par le représentant du peuple, moderne Christ aux outrages, et par

Quillenbois
Un changement de front
Le Caricaturiste, 27 janv. 1850
Paris, M.V.H.

Herman Vogel
Victor Hugo à l'Assemblée Législative le 17 juillet 1851
Dans *Actes et Paroles,* Paris, Librairie du Victor Hugo illustré, 1893
Villequier, M.V.H.

Anonyme
Victor Hugo exilé
Le Petit Journal, 1899
Paris, M.V.H.

Marcelin
La légende des siècles !!!
Le Journal Amusant, 1860
Paris, M.V.H.

le proscrit du Second Empire : on y retrouve l'index prophétique et les bras croisés.

Socle inébranlable du Proscrit, le rocher de Jersey est en même temps, comme on l'a vu plus haut (« De l'inspiré au voyant »), le promontoire du Voyant. C'est là un démenti à l'opposition artificielle entre les deux profils de l'exilé, celui de *Châtiments* et celui des *Contemplations,* qui sert souvent de prétexte à une interprétation fragmentaire de l'œuvre et du personnage. Les attitudes mêmes de la

Conscience militante sont reprises par le contemplateur dans certaines photographies de Jersey ou dans la peinture tardive de Monchablon. De même, pour illustrer le poème « Plein ciel », un des grands textes visionnaires de Hugo mais aussi l'exposé de sa conception des « temps futurs », le caricaturiste Marcelin, plus clairvoyant que bien des critiques littéraires, n'hésite pas à amalgamer les deux figures : celle de l'utopiste de « Lux » et celle du « mage effaré » d' « Ibo ».

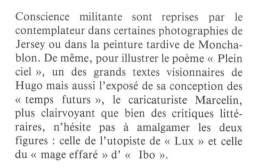

Bertall
Panthéon du diable à Paris. 1844 ?
Paris M.V.H.

Georges Pilotell
Sans titre
Paris, M.V.H.

*Faria
Les silhouettes contemporaines (cat. 321)
Couverture de partition
Villequier, Musée Victor Hugo

« Hugo fantôme »

Mais l'île et le rocher d'exil symbolisent aussi l'éloignement et l'isolement du poète, persistant à clamer, à contre-courant, sa fidélité aux « choses tombées ». La longueur de l'exil, puis la situation en porte-à-faux qui est celle de Hugo dans la République opportuniste, accusent cette perspective admirablement définie par Pierre Albouy : « Ou bien, le poète est le Proscrit, éloigné dans son île, spectre qui hante, à l'horizon, l'Empire ; ou bien, il est celui qui revient de l'exil, de l'au-delà, dirait-on ; ou bien, il est l'homme d'un autre âge, *l'aïeul* qui, dans *L'art d'être grand-père,* ayant « la paternité du siècle sur l'instant », admoneste ceux d'à présent comme, dans *Les burgraves,* Frédéric Barberousse, sorti de la tombe. Dans *Les châtiments, L'année terrible, L'art d'être grand-père,* et, aussi, par le fait même de recueils reliquaires comme les deux séries de *La légende des siècles,* en 1877 et 1883, ou *Les quatre vents de l'esprit,* Hugo — présent, certes, et même encombrant — n'en est pas moins un *revenant.* » (« Hugo fantôme », dans *Mythographies,* Paris, 1976, p. 253).

Ces personnages successifs, endossés par Hugo avec une exacte conscience de leur signification, l'image les recueille et les propage sur tous les tons, pompeux ou bon enfant, naïf ou sarcastique, ou encore tout cela à la fois. A partir des photographies de Jersey et même de la lithographie de Lafosse, la figure héroïsée de Hugo apparaît dans un recul légendaire. Le porte-drapeau de l'idéal, le proscrit, le patriarche, se relaient à l'horizon du siècle, statue du Commandeur visitée par les amateurs de monuments et raillée par les incrédules. Cette position, qui se dessinait dès avant 1848 dans certains groupes humoristiques comme le *Panthéon du « Diable à Paris »* (où Hugo se tient à l'écart de la mêlée, les bras croisés, la mine sévère), est en contradiction avec le personnage de meneur d'hommes que lui attribue le *Panthéon Nadar,* par exemple. Elle se répétera souvent par la suite, surtout dans la caricature. « Les pieds ici, les yeux ailleurs », le géant, du haut de son rocher ou de quelque Panthéon, assiste au grouillement de la tourbe. Parfois, la statue se met en marche et intervient ; elle sermonne les monarques occupés à « pacifier la Hongrie », ou, trente ans plus tard, tente d'apaiser les bêtes fauves acharnées contre les Juifs (Hugo vient de publier un appel en faveur des Juifs de Russie, qui est sa dernière grande prise de position politique : éd. Massin, t. XV, p. 1456) : tout cela en vain.

Les images

Bertall
Heureuse influence du Congrès de la Paix
Le Journal pour Rire, 1 sept.1849
Paris, M.V.H.

*Faustin
Victor Hugo. 1870 (cat. 100)
Paris, M.V.H.

*Charles Gilbert-Martin
Le vieux Orphée (cat. 112)
Le Don Quichotte, 23 juin 1882
Paris, M.V.H.

HEUREUSE INFLUENCE DU CONGRÈS DE LA PAIX,
Par BERTALL. — gravé par RIAULT.

— Je suis le Congrès de la Paix !!!
— Eh bien alors , fichez-nous-la… Vous ne voyez donc pas que nous sommes occupés… k pacifier la Hongrie!

Seule contrepartie à ces constats d'autorité et d'impuissance, les superbes représentations du « justicier », quand la première édition française des *Châtiments,* coïncidant avec la chute de l'Empire, ou la publication d'*Histoire d'un crime* au lendemain du coup d'État manqué du 16 mai, peuvent faire croire à l'efficacité du Verbe. « … Et l'on verra la parole qui tue /Sortir des cieux profonds ! », prophétisait, dans *Châtiments,* le poème « Joyeuse vie ». A quoi Zola répond en 1881, lors de la publication des *Quatre vents de l'esprit,* en dénonçant le « cabotinage » et l'« humanitairerie » du « prophète en zinc ».

En 1879, présidant un banquet commémoratif de l'abolition de l'esclavage, Hugo avait prononcé un *Discours sur l'Afrique* qui s'achevait sur cette péroraison : « Allez, Peuples ! Emparez-vous de cette terre. Prenez-la. A qui ? à personne. Prenez cette terre à Dieu. Dieu offre l'Afrique à l'Europe. […] Prenez-la, non pour le canon, mais pour la charrue ; non pour le sabre, mais pour le commerce ; non pour la bataille, mais pour l'industrie ; non pour la conquête, mais pour la fraternité […] Croissez, cultivez, colonisez, multipliez ; et que, sur cette terre, de plus en plus dégagée des prêtres et des princes, l'esprit divin

VICTOR HUGO par Faustin.

LE VIEUX ORPHÉE, par GILBERT-MARTIN.

André Gill
La Lune, nov. 1877
Paris, M.V.H.

*T. A. Steinlen
La vision de Hugo* (cat. 133)
L'Assiette au Beurre, 26 fév. 1902
Paris, M.V.H.

s'affirme par la paix et l'esprit humain par la liberté ! » (éd. Massin, t. XV, p. 1452). Vingt-trois ans plus tard, en 1902, la République, qui célébrait le centenaire du père fondateur, appliquait étrangement ces préceptes à la colonisation de l'Afrique. A un moment où l'hugophobie de tous bords dénonçait l'idéal humanitaire de Hugo comme une imposture démagogique, c'était une nouvelle occasion de tourner en dérision ses beaux discours. La réaction vint pourtant de l'extrême-gauche anarchiste. Dans un dessin de *La Vie en Rose,* Willette fait surgir le fantôme de Hugo au-dessus des flonflons de la fête : « Hypocrites, vous fêtez mon centenaire et vous laissez la liberté agoniser en Afrique ! » (voir : « Hugo dans le débat politique et social »). Un numéro entier de *L'Assiette au Beurre* composé de féroces dessins de Steinlen sur la « pacification » du Hoggar s'intitule *La vision de Hugo.* Sur la couverture, le revenant drapé et lauré, très proche de la figure du poète dans l'un des monuments de Rodin, se penche sur un fleuve de sang. Seul commentaire, deux dates : « 1802-1902 » et un mot : « Justice ».

P. G.

Le père Hugo

De tous les personnages assumés par Victor Hugo, le plus populaire, pour le meilleur et pour le pire, est incontestablement le dernier : celui du vieil homme trapu, aux cheveux drus, à la barbe blanche, au regard sérieux et doux. Souvent pontifiant dans les genres nobles — monuments, bustes, portraits de type officiel comme celui de Bonnat, du reste beau et mémorable —, il est émouvant, avec un accent de dignité familière, dans les photographies, caricatures, gravures et objets en tous genres qui ont propagé son image au point de lui faire éclipser dans la mémoire collective toutes celles qui l'avaient précédée.

En 1861, brusquement, Hugo avait changé de tête. Ses portraits de 1859-60 trahissaient une sorte d'alourdissement général, le masque vigoureux des photographies de Jersey s'était empâté, la silhouette s'était tassée et, par moments, presque avachie. Le 16 janvier 1861 — la précision figure dans son agenda — il décide de se laisser pousser la barbe pour se protéger contre les maux de gorge. Il fait aussi couper ses cheveux, qu'il avait toujours portés longs, et toute sa personne reprend vigueur. En même temps, son expression perd la pointe de pathos ou d'arrogance qui subsistait souvent dans ses effigies antérieures. La barbe est presque blanche, les cheveux aussi, alors qu'on devinait à peine des racines grisonnantes dans les photographies de 1860. Ce coup de théâtre, enregistré par la photographie dès le mois d'avril et aussitôt répercuté par la gravure et la presse, coïncide avec l'achèvement des *Misérables,* interrompus depuis 1848, et avec l'intensification d'un apostolat politique et social que la production poétique récente avait pu paraître occulter.

Jusque-là, l'image prépondérante de Hugo avait été celle du géant, inaccessible jusque dans son engagement au côté du peuple, statue du Génie et du Droit plutôt que présence vivante. Sans doute, dans sa vie privée et dans la poésie des années 30, avait-il simultanément cultivé un tout autre personnage : celui d'un homme simple et accessible, partageant les expériences et les émotions de ses semblables, tendre, attentif aux humbles, heureux dans le « cercle de famille ». Sainte-Beuve a parlé de cette « saison des *Feuilles d'Automne* », dont le « je ne sais quoi d'attendri » semblait « conjurer les puissances sauvages ». Mais cette inspiration ne passe guère dans les portraits de l'époque, et la plupart, sans parler des caricatures, frappent par leur expression fière et énergique. Dans la peinture de Châtillon (1836) qui représente Hugo en compagnie de son plus jeune fils — belle occasion de mettre en scène un Hugo père de famille —, le fauteuil familier a l'allure d'un trône et l'enfant n'est

Anonyme
Victor Hugo. 1859-60
Paris, M.V.H.

Pierre Petit
Victor Hugo. 1861
Paris, M.V.H.

119

Bisson-Cottard
Gravure sur bois d'après la photographie de Pierre Petit
Paris, M.V.H.

Hippolyte Mailly
Gravure sur bois d'après la photographie de Pierre Petit
Revue pour Tous, 1862
Paris, M.V.H.

J. L. Noble
Victor Hugo
Le Peuple, 2 mai 1868
Paris, M.V.H.

E. Motz
Hommage à Victor Hugo
Paris, M.V.H.

qu'une poupée entre les mains du père dominateur. Vision pénétrante, presque effrayante, qui annonce les futurs conflits du « tyran doux » avec ses enfants et pourrait illustrer par avance le terrible vers de *L'âne* : « Les fils spectres râlant sous les pères vampires... » Les photographies de famille de la première moitié de l'exil, où la vitalité du père fait ressortir l'état d'accablement de son entourage, donnent la même sensation de malaise. Partout ailleurs, Hugo reste isolé, figé dans des poses surhumaines.

Seules, avant l'exil, les caricatures sur le thème du « charlatan » humanisent quelque peu son image, sans la rendre pour autant sympathique. Même les vers simples et touchants qui évoquent sa douleur de père après la mort de Léopoldine ne donnent lieu à aucune illustration avant l'« édition nationale » des *Contemplations* (1886), comme si, malgré l'« insensé qui crois que je ne suis pas toi » de la préface, la figure du Hugo de 1843 ne pouvait s'exposer à la pitié. En revanche, lors des obsèques de Charles Hugo en mars 1871, le peuple de Paris s'amasse fraternellement le long du cortège, les insurgés de la Commune présentent les armes et les journaux illustrés s'attendrissent sur « la douleur du grand poète ». C'est qu'entre-temps le héros et le dignitaire, incarnations du despotisme

patriarcal et paternaliste, celui à qui la Société du Peuple du IXe arrondissement écrivait le 1er mars 1848 : « Nous connaissons depuis longtemps vos allures dédaigneuses, hautaines et aristocrates » (éd. Massin, t. VII, p. 746), est devenu la grande figure populaire du « père Hugo ».

Le moindre prétendant aux suffrages des électeurs sait aujourd'hui que ses paroles et mêmes ses actes n'ont guère de chances de convaincre s'ils ne s'accompagnent de l'« emploi » correspondant. Sans prêter ce calcul à Hugo, encore qu'il ait aimé et recherché la popularité, reconnaissons qu'à partir de 1861, et surtout de son retour en France, il a fait magistralement coïncider son message et son image. A celle du père impérieux, dont l'autorité raidissait tous les gestes, même les plus nobles, et lui aliénait sourdement le peuple qu'il voulait servir, succède l'image du père généreux, toujours capable d'élever la voix et de foudroyer les scélérats mais prêchant surtout la fraternité et l'indulgence.

Le « peuple », la masse obscure envers laquelle il s'est toujours senti investi d'une mission, peut se reconnaître dans ce vieillard légendaire, que l'âge, les épreuves et une douce persévérance ont enfin rapproché de lui. Écoutons Théodore de Banville :

Abolition de la peine de mort !
Abolition de l'Esclavage !

*Gustave Staal
La douleur d'un grand poète
La Chronique Illustrée,* 26 mars 1871
Paris, M.V.H.

*Auguste de Châtillon
Victor Hugo et son fils Victor* (cat. 27)
Lithographie d'après la peinture de 1836
Villequier, Musée Victor Hugo

Tony Robert-Fleury
A celle qui est restée en France
Dans *Les contemplations,* Edition nationale,
Paris, Lemonnyer, Richard, Testard, 1886
Paris, M.V.H.

« ... Ô peuple ! car Hugo le songeur, c'est
toi-même,
Et ton espoir immense a passé dans sa voix.
C'est lui qui te console et c'est lui qui
t'enseigne ;
Sans le courber le temps a blanchi ses cheveux.
Peuple ! On n'a jamais pu te blesser sans
qu'il saigne
Et quand ton pain devient amer, il dit : J'en
veux !... »
(« La centième de *Notre-Dame de Paris* »,
1879.)

Faustin
L'année terrible
La Chronique Illustrée, 20 mai 1872
Paris, M.V.H.

E. Berne-Bellecour
Victor Hugo en garde national pendant le siège
de Paris
Photographie d'un tableau de 1882
Paris, M.V.H.

Certes, ce « tendre et profond amour du peuple » (pour reprendre la devise de *L'Événement* en 1848) reste celui d'un bourgeois — un bourgeois philanthrope et républicain, obsédé par la misère et conscient des abus de sa classe. Peut-être même la longue campagne de Hugo en faveur du progrès social repose-t-elle autant sur la peur de la révolution que sur l'amour de la justice. L'extrême-gauche prolétarienne, à commencer par le propre gendre de Marx, Paul Lafargue, ne s'est pas fait faute de démontrer cette apparente contradiction, oubliant qu'elle n'avait rien de confortable dans la position sociale de Hugo, et que, pour un bourgeois, celui-ci est allé loin, très loin, au point de s'aliéner à jamais les forces conservatrices, en direction de l'autre bord, notamment au lendemain de la Commune. Mais, comme l'écrivait Pierre Albouy, « ces barrières entre le peuple et lui, peut-être bien ne les avait-il pas toutes abattues. Il n'importe. Il avait fait preuve d'assez de bonne volonté pour que la générosité populaire les abatte, elle, ces barrières — et le peuple a reconnu Hugo comme son poète, à lui » (*Mythographies,* Paris, 1976, p. 65). Il y a donc bien eu, moyennant quelques équivoques

et au grand dépit des gardiens de l'orthodoxie, une histoire d'amour entre le public populaire et Hugo, et cet amour s'est cristallisé (avec des précédents épisodiques qu'on ne peut retracer ici) autour du barbu vénérable qui avait publié *Les misérables,* combattu Napoléon le petit, dénoncé en tous lieux l'obscurantisme et naïvement invité la bourgeoisie de son temps à la générosité et à l'audace.

Dans les derniers temps de l'Empire, la libéralisation de la presse et l'essor de nouveaux médias comme les « cartes de visite » photographiques, secondant la propagande républicaine, assurent la diffusion du personnage, qui devient le symbole même de l'espoir pour le peuple de Paris. Mais c'est surtout le retour de l'exilé au lendemain du 4 septembre et sa présence pendant le siège, où il prend sa part de l'épreuve dans un Paris galvanisé par les lectures publiques des *Châtiments,* qui vont faire de lui un fétiche. Il cultive d'ailleurs son image, se mêlant au tout-venant avec son caban et son képi, dont le général Trochu jugea spirituel de se moquer devant l'Assemblée de Versailles, quelques jours après la semaine sanglante (voir *L'année terrible,* « Juin », XVII). Habilement,

L. Mouchot
Rentrée de Victor Hugo à Paris le 5 septembre
1870
Villequier, Musée Victor Hugo

Cham
Imbécile ! pas à lui, Victor Hugo est
immortel !
Le Charivari, 24 janv. 1871
Paris, M.V.H.

Assiette avec Victor Hugo et ses petits-enfants
(cat. 275)
Coll. privée

A. Melandri
Victor Hugo et ses petits-enfants. 1881
Paris, M.V.H.

La Vie Populaire, 27 fév. 1881
Paris, M.V.H.

les gouvernements républicains utiliseront cette popularité en affectant de croire que l'humanisme de Hugo est le leur et que la république de Gambetta et de Jules Ferry réalise son rêve de République Universelle. Mais cette « récupération » n'a pu avoir lieu que parce qu'elle s'appuyait sur la ferveur populaire, et celle-ci, au-delà du personnage officiel, s'adressait au poète fameux qui unissait en sa personne la puissance et la bonté, et qui avait mis son génie et sa gloire au service d'un idéal de progrès.

Car en perdant ce qu'il lui restait d'« allures aristocrates », Hugo n'a rien abdiqué de son aura. Il est le génie familier, le « bon » géant, figure tutélaire, qu'on peut blaguer avec tendresse, mais il reste le génie et le géant : tout ensemble le patriarche et le père Hugo, à mi-chemin entre Moïse et le Père Noël.

La métamorphose physique amorcée en 1861 se précise et s'approfondit jusqu'à une ultime mise au point, consacrée par la publication de *L'art d'être grand-père* en 1877. Cette figure du grand-père est une somme et un dépassement. Elle englobe toutes les autres, l'inspiré, le démiurge, le prophète, le lutteur, le porte-voix de la Conscience, en leur ajoutant la note de complicité chaleureuse acquise depuis les années 60, et surtout en les plaçant sous le signe

d'une démesure qui, pour Hugo, est comme l'apanage de la vieillesse. La perspective de recul propre à l'« exilé volontaire » s'accentue de façon vertigineuse (voir : « La Conscience »). Au-delà des intérêts, des conflits et des concessions, allant jusqu'à oublier par moments sa propre conscience de classe, libéré de l'action immédiate — ce qui ne l'empêche pas d'intervenir à l'occasion — par les « vrais » politiciens et par une nouvelle génération littéraire, il n'a « rien d'autre à faire ici-bas que d'aimer » et il le fait enfin tout son saoul, répétant sans répit son message d'amour, de générosité, de clémence, de liberté créatrice. Telle est la portée profonde du personnage que la photographie, les journaux, l'estampe et l'objet populaires, jusqu'aux rites officiels (c'est entouré de ses petits-enfants que Hugo se montre au peuple lors de la « fête des 80 ans ») ont multiplié trop complaisamment pour ne pas le détourner de son sens.

En fait, le vieillard qui évite la société des « pères pourris » pour se faire complice des « enfants gâtés », le grand-père « anarchique », « passant toutes les bornes », du recueil de 1877 (« Laus puero », I) est un personnage subversif, qu'il parle directement de l'ordre social, de la misère, de la justice, de la religion et de l'amour charnel, ou qu'il désigne

Les images

Adrien Marie
Victor Hugo aux Tuileries (cat. 98)
Pontoise, Musée Tavet

Anonyme
Chanson du grand-père
Couverture de partition
Paris, M.V.H.

A. Michele
Les enfants pauvres
Paris, M.V.H.

Moreau
Victor Hugo et les enfants pauvres de Guernesey. 1868
Paris, M.V.H.

dans « L'auguste armoire où sont les pots de confitures » la Propriété exposée aux « aventures », et la relève du châtiment par la clémence dans la parabole de Jeanne au pain sec. Quel programme pour les misérables, quel défi à la France du positivisme et de l'Ordre moral ! Willette et Geoffroy ne s'y sont pas trompés, quand ils ont imaginé le vieil Hugo en Jean Valjean aidant Cosette-Marianne à porter son seau (voir : « Cosette »). La candeur des uns et l'astuce des autres ont consisté à transformer, avec l'aide puissante de l'image, le perturbateur en bonhomme inoffensif : une espèce de bon Dieu œcuménique, qui porte la bonne parole aux enfants pauvres et visite des orphelinats (on notera, dans la gravure représentant la visite de Hugo à l'Orphelinat des Arts, pavoisé en son honneur, le geste liturgique de l'imposition des mains) ; un vieux monsieur bien propre, et probablement un peu gâteux, traî-

nant sur les bancs des jardins publics parmi les nourrices et les enfants en bas âge… Cette entreprise a été couronnée de succès, puisqu'elle a réussi à occulter pendant un siècle (jusqu'à l'édition de Pierre Albouy en 1974 et à l'étude d'Anne Ubersfeld, reprise en 1985 dans *Paroles de Hugo*) le sens du dernier grand livre de Hugo. La palme nous paraît revenir à l'éditeur d'une romance intitulée *Les enfants pauvres*, avec une musique de « Luigi Bordèse, officier d'Académie » et une « poésie de Victor Hugo ». Il s'agit du poème qui fait suite, dans *L'art d'être grand-père* (XV, V) à l'un des textes les plus violemment anticléricaux de l'auteur, « A propos de la loi dite Liberté de l'enseignement ». La romance, ornée d'une touchante effigie du vieillard saluée par des petits pauvres, est dédiée « aux élèves du Pensionnat du Sacré-Cœur de Bordeaux » !

P. G.

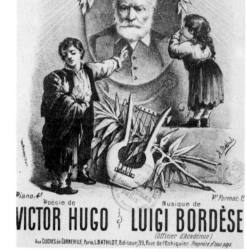

Auguste Léveillé
Visite de Victor Hugo à l'Orphelinat des Arts
L'Univers Illustré, 8 oct. 1881
Paris, M.V.H.

124

Le charlatan

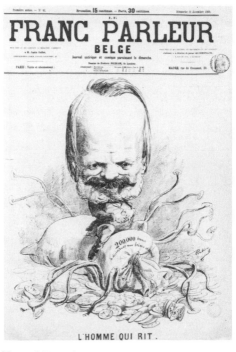

L'HOMME QUI RIT.

Honoré Daumier
*Souvenirs du congrès de la Paix. Ayant terminé
leur travaux...*
Le Charivari, 6 sept. 1849
Paris, M.V.H.

Poublon
L'homme qui rit
Le Franc Parleur Belge, 12 déc. 1869
Paris, M.V.H.

Honoré Daumier
Les saltimbanques
La Caricature, 28 avril 1839
Paris, M.V.H.

« A force d'être charlatan et déclamateur, Hugo a fini par croire à ses propres phrases : il y a été pris » (éd. Massin, t. XIII, p. LXXXI). Cette gentillesse est de Sainte-Beuve, après le Deux Décembre. Dans les circonstances mêmes où Hugo accordait ses actes à ses paroles et s'engageait sans retour, elle donne la mesure de l'incrédulité suscitée par son personnage. Celle-ci répond, si l'on peut dire, à l'idéal de sincérité proclamé par le romantisme et incarné par Hugo avec un retentissement incomparable, dans l'ordre des idées morales et politiques comme dans celui du lyrisme personnel. On verra plus loin (dans les chapitres « Hugo dans le débat politique et social » et « La critique et le rayonnement littéraire ») comment le thème de l'« artisan sans âme », à qui d'habiles assemblages de mots tiennent lieu de cœur et de foi, revient de toutes parts dans les jugements sur Hugo. Prévenus par la publi-cité qui accompagne ses faits et gestes, rebutés par son « je ne sais quoi de puissant et de magnifique, de creux et de sonore », en un mot (pour citer encore Sainte-Beuve), de « théâtral », les mauvais coucheurs flairent l'impos-ture sous chacune de ses démarches : des mal-veillants et des jaloux, mais aussi des hommes de conviction, appartenant pour la plupart aux deux pôles de l'éventail idéologique, rappro-chés dans leur commune aversion pour Hugo.

On interprète son évolution politique comme une suite de trahisons et de volte-face. On lui reproche, non sans quelques raisons, son génie des attitudes signifiantes, son réalisme en affaires, avant l'exil une certaine complaisance envers le pouvoir, après l'exil son empresse-ment à cautionner la République bourgeoise. Ainsi s'est établi et entretenu jusqu'à nous le mythe d'un Hugo charlatan, opportuniste, vaniteux et avide, véritable négatif de sa

LES SALTIMBANQUES.

Vous voyez ici les grandes célébrités de la France littéraire, musicale et artistique, ils ont tous 36 pieds au dessous du niveau de la mer

Honoré Daumier
*Souvenirs du congrès de la Paix. Victor Hugo
dans un discours en trois points... (cat. 44)
Le Charivari, 6 sept. 1849*
Paris, M.V.H.

Quillenbois
*Vente à la tranche, demi-tranche, quart de
tranche... (cat. 51 bis)
Le Caricaturiste, 5 mai 1850*
Villequier, Musée Victor Hugo

Quillenbois
*Les petits cadeaux entretiennent l'amitié
(cat. 51)
Le Caricaturiste, 21 avril 1850*
Paris, M.V.H.

légende dorée. A chacune de ses incarnations avantageuses — le grave notable et l'olympien d'avant 48, l'élu du peuple pénétré de sa mission, le martyr du Devoir, le voyant, le fondateur de la République... — correspond l'un ou l'autre de ces doubles répugnants et grotesques : le courtisan, l'histrion, le bonimenteur ou l'« étalagiste littéraire » (Paul Lafargue), la girouette ou le « tournesol » (Jules Guesde), le « pontife » et le « vaticinateur » (Louis Veuillot), le « flatteur de la populace » (Edouard Drumont), ou, vu de l'autre bord, l'hypocrite et bruyant philantrope qui ne songe qu'à s'enrichir et couvre de beaux discours les massacres de prolétaires. Ce procès s'instruit par l'image comme par le texte.

Tout se joue dans le décalage entre le personnage officiel ou les intentions déclarées et la réalité jugée creuse et mesquine. L'ample production satirique inspirée par Hugo consiste moins, dans l'ensemble, à l'attaquer directement qu'à le mettre en contradiction avec lui-même, à souligner l'inanité de ses positions, à

en découvrir les ressorts clandestins. La tactique, plus insidieuse, est autrement efficace : l'accusation de démesure, par exemple, est flatteuse de la part de réactionnaires et de « classiques », mais celle d'enflure et de forfanterie est meurtrière. « L'antéchrist » n'est qu'un matamore, dont le caricaturiste affecte d'avoir peur tout en faisant savoir qu'il n'en est rien ; « le monstre Antithèse » et les sublimes contrastes du drame romantique sont des oripeaux cousus de fil blanc ; les déclarations d'indépendance et d'abnégation s'accompagnent en sous-main d'intrigues et de flatteries aux puissants ; les poèmes sur le devoir de l'aumône, les appels à la solidarité, les « déjeuners des enfants pauvres » complaisamment photographiés pour les gogos sont des trompe-l'œil : pendant ce temps, « la pieuvre de Guernesey » engrange ses sacs d'écus, fussent-ils à l'effigie de Napoléon le petit...

La dominante est le persiflage bien plus que l'indignation. Sans doute l'extrême-gauche, dans sa rectitude sans humour, s'emploie-t-elle

VENTE A LA TRANCHE, DEMI-TRANCHE, QUART DE TRANCHE...

C'est indigeste, mais pas cher.

SOUVENIRS DU CONGRES DE LA PAIX.

Victor Hugo, dans un discours en trois points démontre le néant de la gloire militaire et il prouve par l'exemple, que la couronne de lauriers peut-être avantageusement remplacée par la couronne de roses ! ce qui lui procure l'avantage de faire un nouvel effet de front.

*Honoré Daumier
Page d'Histoire* (cat. 86)
Le Charivari, 16 nov. 1870
Paris, M.V.H.

Honoré Daumier
*Livre de l'Histoire
Le Charivari,* 4 mars 1871
Paris, M.V.H.

à fustiger le « faux républicain », mais elle s'exprime peu par l'image. Il faut attendre la violence inouïe de l'extrême-droite sous la Troisième République pour rencontrer des charges franchement insultantes (voir l'illustration de « Hugo dans le débat politique et social »). Mais le scepticisme et l'ironie n'étaient-ils pas la pire réplique à l'auteur de *Châtiments ?*

Le Deux Décembre marque pourtant une rupture dans cette veine qui ne s'explique pas seulement par la censure (a priori, l'Empire aurait dû encourager la polémique contre un opposant, mais les talents n'étaient guère de son côté, au moins chez les caricaturistes, formés à l'assaut contre la monarchie). L'attitude de Daumier est exemplaire. Sous Louis-Philippe, il est visiblement agacé par la notorité de mauvais aloi, les grands airs et les petits côtés du personnage. La planche de 1839 intitulée *Les saltimbanques,* où l'on voit Hugo trônant sur les tréteaux de Robert Macaire, parmi d'autres « célébrités de la France littéraire,

musicale et artistique », est drôle mais impitoyable. De 1848 à 1850, Daumier suit d'un œil défiant — et plutôt perspicace — la trajectoire incertaine du poète. D'abord acerbe, quand Hugo, mystifié par Louis-Napoléon, soutient sa candidature à la Présidence, il est ébranlé mais encore narquois après le grand discours sur la misère, peu compatible en apparence avec le concours de Hugo au « parti de l'ordre » ; puis à demi sympathique lors des discours au Congrès de la Paix, dont il approuve certainement le fond mais non le cabotinage qui les accompagne. Cette évolution lui est, en gros, commune avec les autres caricaturistes de l'époque, qui se montrent progressivement intéressés par l'évolution politique de Hugo mais hésitent à prendre au sérieux ce rhéteur impénitent. Quillenbois résume bien leur position dans un dessin d'avril 1850, où il oppose au front résolu et aux emblèmes égalitaires du républicain de fraîche date la légende de sa médaille, présentée par Girardin : « Victor blagator maximus... »

(Voir aussi l'illustration de « Hugo dans le débat politique et social », « Hugo quarante-huitard » et, ci-dessus, « La Conscience »). Par la suite, réduit au silence, Daumier n'aura plus l'occasion d'exprimer ses sentiments envers Hugo avant la chute de l'Empire. Ils éclatent enfin dans *Page d'Histoire,* en novembre 1870 : l'aigle impérial est foudroyé par *Les châtiments,* la vérité était bien du côté des mots.

De fait, à partir de l'Empire « libéral », où Hugo refait quelques apparitions dans la caricature de presse, c'est franchement l'admiration pour le vieux lutteur qui l'emporte. Mais il a fallu qu'il fasse la preuve de son courage au lendemain du coup d'État et manifeste pendant vingt ans sa fidélité à lui-même. A de rares exceptions près, jusqu'aux « lois républicaines » des années 1880, qui vont exaspérer les passions politiques et susciter un regain d'hugophobie, son « charlatanisme » ne sera plus brocardé que dans des caricatures d'œuvres littéraires. — P. G.

« Tu resteras, dehors et cloué sur la porte!... »
1853
(*Les Châtiments.*)
1er mars 1871
(Ordre du jo.. e de l'Assemblée nationale.)

Déboires, éclipses, déboulonnages

Si les vraies épreuves renforcent la stature d'un grand homme, les petits malheurs, qui égratignent son amour-propre et font rire à ses dépens, sont des sujets de satisfaction pour le public. Les revers essuyés par Hugo lors de la « bataille » romantique, dans ses efforts pour enlever les citadelles adverses et faire la conquête du public, excitèrent la verve de la gent littéraire, dont les correspondances et journaux du temps rapportent les rosseries, et surtout celle des caricaturistes. Il en fut ainsi de ses démêlés avec les comédiens et l'administration du Théâtre-Français, de ses candidatures malheureuses à l'Académie, qui lui préféra successivement Dupaty, Mignet et Flourens, avant de se laisser *dépuceler* (le mot est de Sainte-Beuve) par l'impatient, du « four » des *Burgraves,* rendu plus cuisant par le succès de la *Lucrèce* de Ponsard, ce qui permit à Daumier de renverser plaisamment les rôles et de faire des « titans » hugoliens des pygmées.

Les déboires de l'homme politique, soumis au rituel des élections et exposé aux menées des partis et aux impertinences de la presse, sont une autre source d'effets comiques, d'autant plus piquants que l'intéressé, entré de son plein gré dans l'arène, s'est mis de lui-même à la merci de l'adversaire. Or la carrière politique de Hugo n'eut rien de triomphal, même sous la Troisième République, et les caricaturistes n'eurent que l'embarras du choix pour le représenter houspillé par ses collègues, coudoyé par la piétaille ou éclipsé par d'obscurs politiciens, comme lors des élections de janvier 1872 (voir : « Hugo quarante-huitard ? » et « Les vicissitudes d'un prophète... »). Que la victime de ces jeux démocratiques soit un apôtre de la démocratie donne encore plus de sel aux images qui les commentent, et dont la caricature d'André Gill faisant suite à l'échec de 1872 dégage bien le caractère sacrilège : le comique est en quelque sorte proportionnel à la vénération qui est sensée entourer le modèle. Mais tout cela ne doit pas être pris trop au sérieux, aussi longtemps que l'intéressé jouit d'une réelle popularité : le « géant Lumière » offusqué par un M. Vautrain, c'est le monde à l'envers, vieux thème de carnaval.

Aussi éloquent que le motif du soleil éclipsé, celui du monument maltraité ou renversé ren-

*F. Rey
L'éclipse du 7 janvier (cat. 115)
L'Éclipse, 14 janv. 1872
Paris, M.V.H.

*Benjamin
Les romantiques chassés du temple (cat. 33)
La Caricature Provisoire, 23 déc. 1838
Paris, M.V.H.

*Quillenbois
Un grand homme coulé (cat. 52)
Le Caricaturiste, 9 juin 1850
Paris, M.V.H.

G. R.
Qu'est-ce que c'est donc que ce bruit bizarre… ?
Le Pêle-Mêle, 17 déc. 1889
Paris, M.V.H.

*André Gill
Loisirs naturalistes (cat. 109)
La Petite Lune, n° 44, 1878
Paris, M.V.H.

voie à un autre cliché des panégyriques à la gloire de Hugo.

Dans le siècle de la « statuomanie », les références, sérieuses ou comiques, à la statuaire publique touchent une corde sensible ; la pièce VIII des *Feuilles d'automne,* « A M. David, statuaire » (1828), met puissamment en lumière les valeurs héroïques et le rêve d'immortalité qui s'y expriment. C'est dans ce poème qu'apparaît pour la première fois — par prétérition, Hugo laissant entendre qu'il n'en est pas digne — l'idée d'élever un monument au poète :

« … Colosse de bronze ou d'albâtre,
Salué d'un peuple idolâtre,
Je surgirais sur la cité,
Comme un géant en sentinelle,
Couvrant la ville de mon aile,
Dans une attitude éternelle
De génie et de majesté ! »

Et c'est également là qu'apparaît l'idée symétrique :

« … Que, si le hasard les abat,
S'il les détrône de leur sphère,
Du bronze auguste on ne peut faire

Que des cloches pour la prière
Ou des canons pour le combat ! »

A ces nobles statues imaginaires répondent les statues burlesques des caricatures, où le motif revient fréquemment, reflétant dans ses avatars ceux de la gloire même de Hugo. Le premier exemple repéré est, en 1849, la lithographie de Daumier dans la série des « Représentants représentés », avec son piédestal pour statue de chair (repr. dans « La Conscience »). Il est suivi, un an plus tard, par la gravure plus perfide de Quillenbois, *Un grand homme coulé, projet de statue en alliage,* qui joue sur les mots « couler » et « alliage » pour mettre en doute la pureté politique du modèle (l'éternelle accusation d'opportunisme) et prédire un avenir bien compromis : écrivain consacré, personnage officiel de la Monarchie de Juillet, puis député dominant les assemblées de son prestige, Hugo appelle bien la métaphore de la statue, mais il a étourdiment risqué cet acquis dans les turbulences de la politique, par conviction selon les uns, par mauvais calcul selon les autres. Par la suite, l'exil lui ayant rendu son piédestal et l'ayant formidablement exhaussé,

Anonyme
La comédie de la gloire
Coupure de presse d'origine inconnue, 1897
Villequier, Musée Victor Hugo

UN GRAND HOMME COULÉ.

Projet de Statue en *Alliage.*

POUR FAIRE SUITE A LA MÉDAILLE DE PLATINE OFFERTE PAR GIROUETTIN A OLYMPIO.

Victor Hugo sous le pilon
La Petite Gironde, 20 déc. 1941
Paris, Archives Nationales

l'image du monument s'impose à nouveau. Les sculpteurs de la Troisième République multiplient bustes et statues de Hugo, à l'état de réalisation ou de projet (voir « Les hommages publics »), et le motif devient un lieu commun dans l'imagerie et les cérémonies officielles (ainsi, lors du couronnement du buste au Théâtre-Français pour le cinquantenaire d'*Hernani,* rappel de l'hommage fameux rendu à Voltaire en 1778). La caricature elle-même ne l'utilise qu'à l'avantage de Hugo, comme dans le dessin d'André Gill, *Loisirs naturalistes,* qui fait allusion aux attaques répétées de Zola.

C'est encore la caricature qui va enregistrer le reflux amorcé dès ces années d'apothéose. « Jusqu'à Hugo qu'on veut déboulonner... », note Leconte de Lisle en 1891 ! La même année, Edmond Biré entreprend la publication de sa longue biographie, véritable entreprise de démolition du grand homme, et les fielleux souvenirs de Paul Chenay, entre autres, vont jouer les trouble-fête lors du Centenaire de 1902. Entre-temps, une petite « histoire en images » publiée dans un journal comique avait raconté les mésaventures posthumes des

romantiques, déchus de leur piédestal par des révélations sur leur vie privée (il s'agit du livre d'Adolphe Jullien, *Les romantiques et l'éditeur Renduel,* publié en 1897). En 1899, tandis que Rodin et Barrias travaillent à leurs monuments respectifs, *Le Pêle-Mêle* exprime son scepticisme : les hommages sonnent creux, le dieu n'est-il lui-même qu'un laborieux échafaudage ? Le sujet devient plus rare, et pour cause, après 1902, mais il va garder une tonalité bouffonne, comme dans la caricature du *Canard Enchaîné* où Hugo, monument de marbre, et de Gaulle, monument vivant, se font face (voir « Hugo - de Gaulle : rencontres au sommet »).

En réalité, la carrière du motif se poursuit, mais dans les faits, qui parlent d'eux-mêmes. Après avoir tant agité de projets et annoncé de monuments à Hugo, la République en éleva fort peu, non sans peine et pour peu de temps. Celui de Barrias est une des premières statues de Paris mises au pilon et fondues sous l'Occupation. Triste application du rêve des *Feuilles d'automne,* son « bronze auguste » sert aux « canons » de l'agresseur (voir aussi « Un dieu

chasse l'autre : la Ford sur le piédestal de Hugo »). Même le modèle monumental présenté à l'Exposition Universelle de 1900 et offert par Barrias au Musée de Lyon a curieusement disparu... Les grands projets de Rodin avortent ; tout au plus un marbre est-il installé au Palais-Royal pendant quelques années, puis il en est retiré sans retour (voir « Hugo et Rodin, histoire d'un monument »). Pendant plus de vingt ans, Paris demeure sans véritable monument à Hugo. En 1964, on se décide à couler en bronze un des plâtres de Rodin, mais pour l'installer furtivement, derrière un pauvre grillage, dans un quartier que rien de profond ne rattache au souvenir de Hugo. Enfin, à l'occasion du Centenaire de 1985, l'idée est avancée de transférer ce monument au cœur de Paris, devant la gare d'Orsay, où Hugo et Rodin réunis seraient de dignes introducteurs au futur musée du XIXᵉ siècle. L'exécution de ce projet fut même annoncée dans une conférence de presse officielle. Cependant, au moment où nous écrivons, il passe pour avoir peu de chances d'aboutir.

P. G.

Portraits de famille

Planche d'une « Galerie des grands hommes ».
1835
Paris, M.V.H.

Très répandus au XIXᵉ siècle, et dans les registres les plus divers, de l'image populaire au grand décor public, les portraits collectifs d'hommes célèbres répondent à une double visée, caractéristique des aspirations de l'époque : un besoin irrationnel de sacralité — le rassemblement des modèles en un lieu unique, espace consacré de la gloire, fait de chacune de ces images, si modeste soit-elle, une sorte de panthéon, et le terme même leur est fréquemment appliqué — ; un besoin logique de définition et de classement, les regroupements proposés permettant de situer les personnages les uns par rapport aux autres et dessinant les contours de « familles » imaginaires, unies par des rapports historiques ou, le plus souvent, par des valeurs qui se situent au-delà de l'Histoire.

La formule est ambiguë. Tout en offrant le spectacle harmonieux d'une « sainte conversation » laïque, elle repose sur des choix, donc des exclusions, et sur des partis d'interprétation, qui lui confèrent inévitablement une dimension polémique. Autre paradoxe, c'est le caractère exceptionnel des actions, talents ou vertus des protagonistes qui leur ouvre l'accès à ces assemblées, mais le fait même de les réunir et de les répartir par catégories implique une certaine banalisation, difficile à concilier avec des personnalités originales. Ce sont des problèmes permanents du genre, mais ils prennent une acuité particulière avec le romantisme, porteur d'une imagination à la fois héroïque et démocratique.

« Solitaire et solidaire » (selon sa formule), Hugo incarne au plus haut degré ces propriétés contradictoires : son génie, qui s'impose au public malgré les résistances des milieux spécialisés, le situe au-dessus de la mêlée, mais il s'engage dans les débats du siècle au point d'apparaître souvent comme un enjeu. Rien n'illustre mieux cette situation que les controverses qui ont marqué son entrée au Panthéon, conçue comme une manifestation d'unanimité nationale (voir : « Hugo dans le débat politique et social »). Une enquête systématique sur ses présences et absences dans les panthéons imagés (y compris les panthéons satiriques, qui en reprennent les schémas avec un effet d'inversion bouffonne) serait extrêmement révélatrice. Elle s'étendrait utilement à d'autres genres comparables et à tout système de référence renvoyant à Hugo en même temps qu'à d'autres figures, comme les recueils de morceaux choisis ou le corpus des noms attribués aux rues et aux bâtiments publics (voir : « Les hommages publics »).

À l'exception — notable — du bas-relief de David d'Angers, *Les funérailles du général Foy* (repr. au début de « Hugo dans le débat politique et social »), qui, dès la fin de la Restauration, le situe dans l'opposition libérale, les exemples antérieurs à 1848 n'envisagent guère Hugo que comme écrivain et comme romantique. Ainsi, dans la caricature de Benjamin, *Grand chemin de la postérité* (repr. en tête de « La critique et le rayonnement littéraire »), il entraîne dans sa chevauchée une escouade d'écrivains du même bord, tandis que Scribe, juché sur une locomotive, entraîne la « famille » symétrique des vaudevillistes. Autre exemple, l'émouvant *freundschaftsbild* de Dannhauser, *Liszt au piano,* « réunit symboliquement, autour du virtuose interprète de Beethoven (présent par son buste) » Hugo, George Sand et d'autres personnalités romantiques (voir A. Laster, *Victor Hugo,* Paris, 1985, p. 57). Ces rassemblements manifestent, sinon l'existence d'une véritable « école », du moins celle de groupes informels dont les relations concrétisent une sorte d'esthétique commune. En revanche, les cinq écrivains associés en 1835 dans une *Galerie des grands hommes* (Hugo, Delavigne, Chateaubriand, Byron et Lamartine) n'ont jamais formé de groupe et Hugo n'a même jamais eu de relation directe avec Byron. Ils ne sont réunis que par leur appartenance au mouvement romantique : la consistance du groupe est toute morale et repose sur un jugement critique, qui n'a d'ailleurs rien d'original.

Le concept ayant perduré, le type du groupe « romantique » va se prolonger jusqu'à nos jours. Tantôt, Hugo prend place dans une compagnie spécialisée d'écrivains, où il forme une petite chapelle avec Lamartine et Musset, tantôt l'assemblée s'élargit aux musiciens et aux peintres, mais on reste entre hommes de l'art. La composition et l'évolution de ces groupes, les positions respectives et les expressions des personnages, reflètent souvent toute une échelle hiérarchique et suggèrent un jeu changeant d'affinités, de filiations et d'oppositions. Ainsi, l'introduction de Vigny et surtout de Baudelaire auprès du trio Lamartine-Hugo-Musset dans un livre de 1889 souligne l'évolution du goût poétique au lendemain de la mort de Hugo.

Pour la plupart, ces images sont centrées sur le romantisme des années 1820-1830. Quel-

Nadar
Lanterne magique des auteurs et journalistes
Le Journal pour Rire, 24 janv. 1852
Paris, M.V.H.

Poésie : Lamartine, Hugo, Musset
Planche d'un « panthéon » composé de photo-
montages
Paris, M.V.H.

Page du livre de Jules Trousset, *Histoire d'un
siècle,* Paris, Librairie Illustrée, 1889-92
Paris, M.V.H.

ques-unes concernent des groupes plus étroits, comme la « bande Hugo » (selon l'expression de Baudelaire), formée une vingtaine d'années plus tard par Hugo, ses deux fils, Meurice, Vacquerie et des comparses épisodiques. D'autres déroulent un vaste horizon où cohabitent les générations et les mouvements : c'est le cas du *Panthéon Nadar,* qui se limite toutefois au XIXe siècle, ainsi que de nombreux panoramas de la littérature française ou mondiale. Mais toutes ont un point commun : la position éminente de Hugo, qui reste à peu près incontestée jusque vers la fin du siècle, tout au moins dans ce type d'images. Les anthologies

fameuses du siècle suivant, comme celle de Gide, qui, non sans malice, réduiront l'œuvre de Hugo à la portion congrue, prendront le contrepied de cette tradition.

Plus la perspective s'élargit, plus elle tend à occulter les conflits d'idées et de personnes. Hugo peut donc voisiner non seulement avec Dante, Shakespeare ou Beethoven, ce qui ne lui aurait pas déplu, mais avec Racine : dans la république des arts, les valeurs sont d'un ordre supérieur, qui dépasse les péripéties de l'histoire littéraire. Surtout, la gloire même a pour effet d'installer ses élus dans une sorte de cohabitation paisible. Ayant atteint, vers la fin de sa

Les images

Anonyme
*Planche de l'*Almanach du « Drapeau ». 1900
Paris, M.V.H.

*Sauvage
*Panthéon universel des principaux hommes
célèbres* (cat. 255)
Paris, M.V.H.

*H. Grobet
Napoléon, Pasteur, Victor Hugo (cat. 252)
Dans *Le livre du siècle*, 1897
Paris, M.V.H.

Buvons aux Français !
Couverture de partition
Paris, M.V.H.

André Devambez
Sans titre. 1905
D'après une photographie
Villequier, Musée Victor Hugo

vie, le niveau d'universalité requis pour passer des panthéons littéraires aux panthéons tout court, Hugo prend place en effigie dans ces collectivités où écrivains, généraux, savants, hommes d'État, artistes, chefs religieux et autres illustrations du genre humain figurent au coude à coude, même après s'être déchirés de leur vivant. Sérénité factice, dont l'amusante contrépreuve a été imaginée par Devambez dans son club des grands hommes de 1905, où Hugo, Napoléon, Louis XIV, Édouard VII, François Ier, le président Loubet et des vedettes du moment comme Edmond Rostand et Sarah Bernhardt, devisent paisiblement.

Le même esprit de « rassemblement » anime les nombreux panthéons dédiés, comme le musée de Versailles de Louis-Philippe, « à toutes les gloires de la France », ou à celles du

XIXe siècle. Il peut aller jusqu'à marier Pascal et Béranger sur la couverture d'une chanson intitulée *Buvons aux Français !*, ou Louis XIV et David — le conventionnel régicide étant oublié au profit du grand artiste — dans le tableau des « Gloires de la France » de l'*Almanach du « Drapeau »*. Mais cette neutralité est trompeuse et cache souvent des choix politiques plus ou moins conscients. Malgré son éclectisme, la sélection de l'*Almanach du « Drapeau »* révèle au premier coup d'œil son origine nationaliste, confirmée, s'il en est besoin, par le commentaire sur « l'esprit et le génie de notre race ». L'illustration de *Buvons aux Français !* se situe plus « à gauche », mais pas à l'extrême-gauche : on y trouve Danton, non Marat et Robespierre. Le trio Napoléon-Hugo-Pasteur, fréquent autour de 1900, fait intervenir à égalité la gloire du soldat, mais

Plan de la disposition des trois colonnes dédiées à Victor Hugo, Pasteur et Napoléon.
Projet de 1906
Paris, Bibliothèque des Arts Décoratifs

*A. Bourgevin
Salut au génie ! (cat. 107)
Le Carillon, 8 juin 1878
Paris, M.V.H.

Affiche du « *Musée genre Grévin* ». 1894-95
Paris, M.V.H.

*Georges Carré
Aux grands hommes la Patrie reconnaissante
(cat. 253)
Le Petit Parisien, 13 janv. 1907
Paris, M.V.H.

aussi du législateur, celle du savant et celle de l'artiste : gloires universelles, gloires de la France, gloires du siècle, dont la célébration dépasse les clivages politiques, non sans réfléchir, plus ou moins, l'idéologie républicaine modérée, nourrie de patriotisme populaire. On pourrait formuler des observations analogues à propos des dix grands hommes désignés en 1907 par les lecteurs du *Petit Parisien.*

Chaque fois qu'un essai d'organisation se dessine parmi les grands hommes, il traduit une certaine orientation, qui peut être conforme à l'idéologie dominante ou exprimer un parti-pris militant. Ainsi, l'affiche du « Musée genre Grévin » aligne en pyramide, sous le patronage problématique de Voltaire et de Rousseau, bel exemple de mariage posthume, cinq spécimens de monarques, de Louis XIV à l'anti-libéral

François-Joseph, et — pour disparate que soit l'assemblage — sept spécimens de libéraux et de démocrates : Béranger, Thiers, Hugo, Pasteur, Sadi Carnot, Léon XIII et Casimir-Périer (dont le bref passage à la Présidence de la République permet de situer le document en 1895). C'est la polarisation traditionnelle droite-gauche, la référence à la personnalité des modèles permettant toutefois de nuancer ce qu'un tel découpage a de brutal.

L'appréciation de la position de Hugo varie suivant qu'on le considère comme homme politique ou comme écrivain (à supposer que la distinction soit fondée). Cependant, même quand la compagnie est purement littéraire, l'aspect politique est rarement oublié. Ainsi, la caricature du couple Voltaire-Hugo dessinée par Bourgevin à la suite du discours prononcé par

Henri Demare
Les hommes du jour
Le Carillon, 30 juin 1877
Paris, M.V.H.

*Les défenseurs du droit de l'homme (cat. 250)
Paris, M.V.H.

Les hommes célèbres de la République française
Paris, M.V.H.

Henri Demare
Hommage aux morts de la Libre-Pensée
La Semaine Anti-cléricale, 1881
Paris, M.V.H.

Anonyme
L'Adoration des bergers. 14 octobre 1877
D'après une photographie
Paris, M.V.H.

*Le triangle prophétique (cat. 251)
Paris, M.V.H.

Hugo lors du Centenaire de Voltaire en 1878, est d'abord, malgré son titre, un hommage aux ennemis de l'obscurantisme et aux défenseurs des droits de l'homme, non à des génies intemporels.

À partir de 1870, c'est essentiellement le panthéon républicain qui accueille Hugo comme un des « pères » historiques du régime et comme le champion de ses valeurs et institutions. Son programme démocratique, patriotique et anticlérical fait de lui une excellente tête d'affiche pour les grands mots d'ordre républicains, et le rapprochement entre Hugo et Gambetta, Louis Blanc, Ferry et Grévy notamment est une constante de l'imagerie de propagande comme de la caricature politique. Des groupes subsidiaires, se référant globalement au même idéal, s'ouvrent également à lui,

comme celui des libres-penseurs, réunis le jour de la Toussaint 1881 pour une parodie de la communion des saints et dominés par le vieux prophète. À gauche, les morts, philosophes des Lumières, hommes de 89 et de 48 ; à droite, les vivants, Louis Blanc, Schœlcher, Vacquerie, le député Barodet, enfin Benjamin Raspail, qui venait de proposer à la Chambre la laïcisation du Panthéon : voisinage contestable pour celui qui se disait « libre-penseur, mais pas matérialiste ni athée » (éd. Massin, t. XIV, p. 1218), mais n'oublions pas que ces images témoignent avant tout de l'utilisation qui a été faite de Hugo et non de sa propre pensée. Enfin, au XXe siècle, c'est le Parti communiste qui, malgré l'hugophobie de ses pionniers, va intégrer Hugo à son propre panthéon. Il figure ainsi sur les affiches électorales de la Libéra-

Jean Effel
Ces morts qui n'en finissent pas de voter
Les Lettres Françaises, 14 juin 1951
B.N., Périodiques

Gauthier et Deschamps
Cours élémentaire d'Histoire de France.
Paris, Hachette, 1904
B.N., Imprimés

Alfred Le Petit
Au Purgatoire
Le Pétard, 9 déc. 1877
Paris, M.V.H.

Samuel
Carottiers, panés et radicaux
L'Éclipse, 11 fév. 1872
Paris, M.V.H.

Nadar
Déménagement de l'Assemblée Constituante
Le Journal pour Rire, 26 mai 1849
Paris, M.V.H.

tion parmi « les fondateurs de la République » dont le parti se déclare « héritier et continuateur » (repr. dans « Hugo dans le débat politique et social »), puis il est à nouveau mobilisé pendant la guerre froide, notamment dans une caricature des *Lettres Françaises* où « ces morts qui n'en finissent pas de voter » — Hugo, Descartes, Rabelais, Anatole France, Corneille, Rousseau, Pasteur, Rouget de Lisle — forment une chaîne pacifique « contre le pacte atlantique » et « pour l'amitié de tous les peuples ». C'est donc bien sa qualité de porte-voix des Lumières qui introduit Hugo dans les portraits de famille des mouvements démocratiques, au risque de le mêler à des politiciens plus radicaux ou moins désintéressés que lui, ou encore d'écarter abusivement le poète au profit de l'homme politique.

Ce faisant, il perd la position dominante et active qu'il occupait depuis longtemps dans les groupes littéraires, pour devenir une référence prestigieuse mais lointaine ou un rouage de la machine républicaine. La place qui lui est assignée est clairement définie dans les tableaux très hiérarchisés des manuels de l'enseignement primaire : une place périphérique, symétrique de celle de Pasteur d'une part (l'humanisme universel), de Gambetta d'autre part (le mes-

sage républicain et patriotique), la place centrale revenant comme il se doit à l'homme du pouvoir et de l'action, Jules Ferry.

Cette position à la fois secondaire et distinguée est à peu près conforme au rôle politique joué par Hugo sous la Troisième République, surtout à partir de 1879 : celui d'une autorité morale, en marge du pouvoir effectif. Mais les épisodes concrets de sa carrière politique, considérés au jour le jour, étaient moins flatteurs (voir : « Déboires, éclipses, déboulonnages » et « Les vicissitudes d'un prophète... »), et les caricaturistes se sont maintes fois amusés à mêler le grand Victor Hugo à la tourbe des notables républicains. Le panier imaginé par Samuel après l'élection de 1872 (le gouvernement Thiers au pouvoir, les bonapartistes sur le pavé et Hugo dans une botte défraîchie de radicaux), ou la marmite d'Alfred Le Petit, « purgatoire » où il mijote avec Gambetta, Grévy et Clémenceau en attendant le paradis du pouvoir, sont de piquantes contrefaçons des panthéons républicains. Ce nivellement par la base faisait déjà la joie des caricaturistes de 48, comme Nadar, dont le *Déménagement de l'Assemblée constituante* préfigure le *Panthéon* de 1854, à cela près qu'Olympio, le front constellé de points d'exclamation, y

Les images

Guimier
Panthéon historique : auteurs, compositeurs et artistes lyriques et dramatiques depuis Mozart jusqu'à nos jours. 1887
Paris, M.V.H.

H. C. Andersen
« *Le grand paravent* ». 1873-74
Odense (Danemark), Maison d'Andersen

piétine au milieu de l'infanterie parlementaire : conséquence des incursions de l'illustre poète sur le terrain des politiciens, mais aussi, de façon plus générale, de sa chute volontaire du piédestal de l'art pour l'art aux brassages de l'actualité profane.

L'illustration la plus éloquente de ce phénomène se trouve dans ces « mosaïques » de portraits, extrêmement populaires à la fin du siècle, qui annoncent à beaucoup d'égards les photomontages dadaïstes et leur effet de désacralisation. Les grands hommes s'y fondent dans une étrange promiscuité avec les vedettes du jour, et il faut souvent une bonne loupe pour retrouver Hugo dans la mêlée. Citons aussi les « revues » satiriques des chansonniers, qui font malicieusement défiler le patriarche avec le tout-venant de l'actualité. Naïfs ou perfides, ces panthéons désinvoltes sont l'aveu d'une certaine désaffection des grands hommes, qui coexiste alors avec les derniers avatars de leur culte et se confirmera au siècle suivant. Un exemple remarquable est le

*A. Clot
Affiche pour Les hommes du jour, par Vilmain
(cat. 364)
Paris, M.V.H.

**Affiche pour* Paris - Tramway (cat. 365)
Paris, M.V.H.

grand paravent composé en 1875 par Andersen, l'auteur des *Contes,* et conservé dans sa maison d'Odensee. Le portrait de Hugo y est perdu parmi des centaines d'autres, simple fragment du kaléidoscope de l'Histoire. C'est l'exacte contrepartie du *Panorama du siècle* de 1889, émanation de l'idéologie officielle (voir : « Le siècle de Victor Hugo… »).

Mais cette neutralisation de la gloire atteint aussi les « vrais » panthéons, tabernacles d'un patrimoine intemporel. À force de viser à l'uni-versel, ou plus exactement au consensus, ils finissent par vider de son sens le message de leurs élus. Annexée sans trop de nuances par les panthéons militants de la gauche, la figure de Hugo est pour finir diluée dans une sorte de bénitier œcuménique. Ce qui permet au *Figaro* de déclarer, le jour de son entrée effective au Panthéon, que sa mémoire doit « planer au-dessus de tous les partis, comme le patrimoine du peuple français tout entier ».

P. G.

Martine Mantelet

Objets de masse, objets populaires

« De 1872 à sa mort, on peut dire que Victor Hugo fut l'objet d'un culte national. C'était l'aïeul, le prophète. Il passait glorieux devant la foule agenouillée. [...] L'obsession de Victor Hugo vous poursuivait en tous lieux : les journaux ne s'occupaient que de lui, les camelots le débitaient dans les rues, on portait ses couleurs à la boutonnière, on buvait, on mangeait, on se mouchait dans son effigie. »[1]

Adolphe Brisson témoigne dans cet article de *La Vie Illustrée* de 1902 d'une sorte d'omniprésence de Hugo qui se manifesta pendant les trois premières décennies de la IIIᵉ République sous deux formes complémentaires : un « culte » dont l'une des expressions concrètes fut : des objets de diffusion massive.

Un corpus très divers de tels objets a pu être réuni, d'une importance numérique certainement infime par rapport à l'abondance de leur production, mais d'un grand intérêt typologique. Nous reprendrons, pour présenter et classifier ce corpus une excellente définition d'Arsène Alexandre[2].

« Ces mille objets témoins d'un humble culte [...] répondent à deux ordres d'idées : la Gloire et la Publicité. L'ouvrier qui, dans son pauvre logement, se met à modeler, frappé d'une inspiration soudaine, un buste de Victor Hugo

d'après une photographie ou d'après une mauvaise illustration... c'est une façon de culte, un hommage enfantin rendu à la Beauté et à la Force. Le grand industriel qui, d'après l'habitude de supputer ce qui a cours, songe que l'image d'un grand homme peut efficacement "lancer" une plume métallique, une encre, un savon, un chocolat, constate l'apogée d'une gloire. Il y a une grande distance entre ces deux états d'esprit. »

La première catégorie définie par Arsène Alexandre correspond à ce que l'on a coutume d'appeler objet populaire traditionnel, c'est-à-dire un objet créé par la classe populaire elle-même, en fonction de sa sensibilité, de ses connaissances et de son jugement propres, et dont la destination est cette même classe. On doit tenir compte, évidemment, de l'évolution de cette dernière au cours de la deuxième moitié du XIXᵉ siècle, mais de tels types d'objets se situent dans la continuité de l'art populaire dit « classique », soit pré-industriel.

L'autre catégorie est bien différente : elle se compose d'objets provenant du calcul des commerçants et non d'une relative spontanéité de la classe populaire, à laquelle elle n'est destinée que par le biais d'une opération commerciale à grande échelle visant à provoquer une

adhésion massive de la foule et à en recueillir les fruits. On pourrait donc parler d'objet popularisé plutôt que d'objet populaire.

Peut-on considérer, du fait de l'importance sans précédent de cette production que, pour la première fois avec une telle ampleur, un homme et une idée ont été mis au service du commerce et de la propagande politique et imposés aux classes populaires au lieu d'en émaner ?

Le phénomène Hugo : formation et typologie

Si la popularité de Victor Hugo est bien antérieure à l'exil, ses premières manifestations sous forme d'objets n'apparaissent qu'après son retour en France.

L'une des cartes-souvenir de l'Exposition universelle de 1878, qui affirme le redressement économique de la France après la liquidation de sa dette de guerre, est illustrée de la reproduction du buste de Hugo par Schœnewerk, exécuté l'année précédente, accompagnée d'un poème intitulé « À la France », qui exalte la force et le courage du pays.

La première grande fête républicaine organisée après le 14 juillet 1880 est celle de l'anniversaire du poète, le 27 février 1881. Elle appa-

Alfred Le Petit
Paul Beuve
Cet hugolâtre amassa, de 1885 à 1902, une collection unique d'objets populaires de toute sorte sur Victor Hugo, à laquelle il consacra un volume entier, *Victor Hugo par le bibelot, le populaire, l'annonce, la chanson* (Paris, H. Daragon, 1902). Sa collection est aujourd'hui conservée en grande partie dans les réserves de la Maison de Victor Hugo.
Paris, M.V.H.

*Carte-souvenir de l'Exposition Universelle de 1878 (cat. 134).
Villequier, Musée Victor Hugo

raît sans aucun précédent, dans l'histoire politique républicaine comme dans celle de la fête populaire. C'est dès ce moment que l'on relève la principale ambiguïté de cette production d'objets associée aux manifestations Hugo : quelles sont les parts respectives de l'initiative populaire, de la propagande politique et de l'entreprise commerciale ?

L'anniversaire, renouvelé pendant les quatre années suivantes, la célébration des funérailles, puis celle du Centenaire de 1902, ont pour origine l'initiative des autorités gouvernementales ou municipales, à Paris comme dans nombre de villes de province. Il est donc intéressant de situer chronologiquement le corpus établi par rapport à ces manifestations, d'en préciser l'origine, la destination et d'en préciser le contenu idéologique.

Une première partie du corpus, remarquablement bien datée, permet une approche précise : il s'agit des marques commerciales déposées sur les Registres du Commerce. Ce dépôt n'est pas obligatoire, mais les industriels l'utilisent assez régulièrement et les résultats sont donc représentatifs.

On constate de façon évidente la concordance entre les cérémonies officielles et la fréquence des dépôts. La période des funérailles

semble avoir été particulièrement favorable : sept marques ont été déposées entre le 28 mai et le 9 juin 1885. Par l'intermédiaire des marques, les industriels et commerçants cherchent à exploiter l'impact de l'événement. Pourtant, Victor Hugo n'occupe pas une place exceptionnelle dans le domaine des étiquettes : on y relève également la présence de Gambetta et de Thiers, plus tard du Général Boulanger, de Jeanne d'Arc lors de sa canonisation, d'événements tels que l'alliance franco-russe, la construction de la Tour Eiffel ou même de l'affaire Dreyfus. Comme le note Arsène Alexandre, il s'agit bien de la « constatation de l'apogée d'une gloire » et sa mise au service de la vente, car l'acheteur se dirige vers le sujet en vogue.

Les produits « Victor Hugo » sont de nature extrêmement diverse ; si certains présentent un certain rapport avec l'activité littéraire (papier, encre, plumes), d'autres en sont très éloignés : parfumerie, mercerie et articles de mode, ainsi que les produits les plus divers de l'épicerie et du ménage. On y trouve mêlés des produits de luxe — tels les savons Pinaud —, et les marchandises les plus communes. La clientèle est donc très diverse, masculine ou féminine, classes aisées ou populaires.

Un autre groupe, également abondant, est

étroitement lié aux manifestations officielles : celui des petits objets produits en masse à leur occasion, tels que médailles, insignes, épingles de cravate et boutons de manchettes, photographies et images, souvenirs divers qui ne bénéficient pas d'une datation aussi précise mais sont souvent présents dans les réclames des journaux et les témoignages des contemporains. Tous ces objets proviennent d'une fabrication hâtive, d'ailleurs souvent médiocre, commencée dès l'annonce de l'événement par la presse.

Dans son compte rendu de la fête du 27 février 1881, *Le Rappel* indique que « le parisien industrieux a vendu des millions d'emblèmes et de médailles ». En mai 1885, dès l'annonce de la gravité de sa maladie, les journaux publièrent des réclames pour les éditions de Hugo, mais aussi pour des images, médailles ou bustes. Elles se sont multipliées au lendemain de sa mort, ainsi que les propositions de souvenirs mortuaires et les publicités de fabricants de couronnes, « spécialités pour sociétés et délégations ». Paul Lafargue, le gendre de Marx, a pu stigmatiser, à propos de la cérémonie des obsèques, « ce commerce de fleurs et d'emblèmes mortuaires, de journaux et de gravures, de lyres en zinc, en bronze doré ou argenté, de médailles en galvano, d'effigies

montées en épingles, de crêpe noir et de brassards, d'écharpes, de rubans tricolores », voire « de victuailles ».

Tout en manifestant une indulgence attendrie pour « ces mille objets témoins d'un humble enthousiasme, qui furent conçus et œuvrés dans les mansardes de Paris et en ornèrent naïvement d'innombrables..., ces bustes en criarde chromo-lithographie sur la pauvre cheminée de milliers de logis..., cet insigne clinquant piqué sur des milliers de poitrines humaines, sont des signes de ralliement où la beauté du métier importe peu, la beauté de la pensée s'affirmant supérieure » (A. Alexandre, *op. cit.*), la plupart des témoins critiquent assez sévèrement cette exploitation commerciale. D'autres soulignent le caractère « profane », par rapport à la dimension culturelle des cérémonies, de cette activité lucrative, ainsi qu'une certaine indifférence du public, liée à sa perméabilité et à la sollicitation commerciale.

En dépit du caractère superficiel et éphémère de cet enthousiasme populaire, Arsène Alexandre affirme que « l'ouvrier qui a conçu l'idée (celle de ces objets), qui les a construits de ses doigts, le camelot qui les a criés sur la voie publique, le passant qui s'en amusa une heure, étaient pleins de LUI, de son nom, de

son génie, de sa gloire ». Et certes, on ne peut nier la sincérité des acheteurs du « souvenir Hugo », dans une atmosphère d'exaltation collective, entretenue et exploitée par les commerçants.

De nature très différente est la première catégorie définie par Arsène Alexandre. Notre corpus ne comprend qu'un petit nombre d'objets s'y conformant entièrement, c'est-à-dire des objets uniques, créés au sein de la classe populaire. On peut citer une pantoufle de tapisserie inachevée, ainsi qu'une aumônière dédiée au « Génie », très probablement réalisées par des jeunes filles de la petite bourgeoisie, un portrait gravé sur une rondelle de bois blanc, et surtout un tableau de cheveux représentant l'exposition du cercueil sous l'Arc de Triomphe dans la nuit du 31 mai au 1er juin 1885. Cette œuvre remarquable, de dimensions imposantes, a été réalisée par un coiffeur de Saint-Rémy-sur-Avre, près de Dreux, qui s'était rendu à pied à Paris afin d'assister aux obsèques, d'après la tradition familiale.

Nous avons relevé également un carnet, sur la couverture duquel a été collé un chromo publicitaire représentant Victor Hugo, et un tableautin composé d'un médaillon de bronze estampé provenant d'une boîte de plumes

métalliques. Ces quelques objets montrent l'existence et la persistance d'un culte individuel, relativement éloigné des phénomènes de masse.

Entre les deux catégories que nous venons d'étudier se situe une série d'objets manufacturés, donc de caractère industriel, mais que leur qualité, leur fonction et leur nature différencient de la bimbeloterie que nous avons évoquée. Il s'agit d'objets avant tout utilitaires et de plus, historiés : assiettes, carafes, pipes, cannes, mouchoirs, châles..., qui se situent dans la suite d'une longue tradition de faïences parlantes, de bouteilles à portraits ou d'indiennes imprimées. Si leur technique de fabrication a évolué, conformément au développement industriel, leur élaboration et leur diffusion nécessitent un délai beaucoup plus long que celui imparti par l'imminence d'une cérémonie publique. Leurs prix sont également bien supérieurs. Ils sont donc destinés à être utilisés et conservés. Ces critères les différencient nettement des souvenirs achetés à un prix modique, au hasard de la rue, et dont la survivance est brève.

Le seul point commun entre ces deux types de production semble être leur destination : les classes populaires.

*Chenets, bouteille, buste en pâte de verre à l'effigie de Victor Hugo (cat. 297).
Paris, M.V.H.

Les images

Contenu et signification

En ce qui concerne les marques commerciales, le contenu, pour l'essentiel, se rapporte à la nature et aux qualités du produit. Mais le choix du sujet, le nom de la marque, révèlent les référents majeurs du public ; en effet, si une inscription peut suivre immédiatement un événement, la marque elle-même est conduite à perdurer pendant plusieurs mois au moins. Il importe donc que le sujet persiste à être reconnu et privilégié par la clientèle, et comporte donc le minimum de connotations subjectives, de quelque ordre qu'elles soient. On retrouvera invariablement des marques réduites au seul nom de Victor Hugo ou à une dénomination évoquant son activité littéraire : sur les 81 marques répertoriées, 25 n'utilisent que le nom, 13 comportent le mot « poète », grand, français ou national, une seulement fait allusion au grand-père, deux autres au « génie », et une seule, le « père du peuple », esquisse une timide allusion aux idées sociales de Victor Hugo. Les 39 autres marques font référence à des œuvres ou à des personnages de Hugo, avec une assez nette préférence pour le théâtre (20 marques) et le personnage de femme de la Esméralda (11 marques). Les étiquettes illustrées sont relativement peu fré-

quentes, du moins dans les registres du Tribunal de Commerce. Lorsque l'illustration est présente, elle est généralement assez imprécise, qu'elle soit réalisée sur un matériau tel que le biscuit ou le savon, ou qu'elle représente un personnage barbu dont l'identification n'est certifiée que par l'inscription qui l'accompagne.

Les « objets-souvenir » présentent, pour la grande majorité, le même caractère de dilution de la ressemblance, une même primauté du texte associé, même si celui-ci, pour des raisons matérielles, est bref. Ces petits objets vendus au cours de cérémonies officielles, font souvent allusion à la République, non tant par les inscriptions que par les attributs iconographiques : à la lyre, à la palme, au laurier ou à la plume s'ajoutent les faisceaux de licteurs, des drapeaux tricolores ou les initiales R.F., République française. Ces objets apparaissent donc comme les vecteurs les plus évidents de l'idéologie républicaine dominante, par cette abondance d'attributs symboliques qui fait écho à la phraséologie en usage dans les discours accompagnant les mêmes cérémonies.

Le défaut de ressemblance des effigies de Hugo, leur caractère vague et répétitif a été souligné par la plupart des auteurs qui ont

Les images

*Deux interprétations populaires d'une photo-
graphie de Nadar (cat. 283, 257).
Le portrait, signé « M. Gaillard », est formé
par le texte calligraphié de la biographie de
Hugo.
Le châle reproduit en médaillon des scènes
célèbres de l'œuvre.
Paris, M.V.H.

*Trois bustes populaires de Hugo.
De g. à dr. : par Bulio, d'Amore, Erdmann
(cat. 242, 241).
Paris, M.V.H.

évoqué cette production : on retrouve invariablement un visage barbu, généralement de trois
quart, ridé, aux sourcils froncés, qui présente
une ressemblance très vague avec Victor Hugo.
Cette imprécision est imputable, en bonne
partie, aux procédés de reproduction en série, à
leur qualité médiocre. Quant au type adopté,
c'est celui du poète âgé, tel que Paris l'a redécouvert à son retour d'exil : sa barbe symbolise

traditionnellement l'âge et l'expérience, la qualité de sagesse, et à cette époque, elle n'a pas
perdu totalement la connotation d'opposition
politique qu'elle avait sous le Second Empire.
En effet, tous les opposants politiques portaient la barbe et non la moustache ou l'impériale (Blanqui).
Les objets manufacturés de la seconde catégorie véhiculent la même idéologie mais de

façon beaucoup plus discrète : de caractère plus narratif, ils s'apparentent à l'ensemble des biographies populaires publiées vers 1883-1902, telles celles d'Alfred Barbou ou de Louis Réginal, à la fois anecdotiques et édifiantes. Outre des effigies de meilleure qualité, dont les modèles sont des photographies bien connues, les plus fréquents étant les portraits de Nadar, on relève sur ces objets les scènes de la vie de Hugo le plus couramment citées dans ces biographies. La série la plus complète, créée par la faïencerie Vieillard, de Bordeaux, retrace les principaux événements de la vie de Hugo : maison natale, naissance, réception à l'Académie, entrée à la Chambre des Pairs en 1845, expulsion de Jersey en 1855, retour triomphal du 5 septembre 1870, Hugo soignant sa petite-fille pendant le siège de Paris, Hugo avec ses petits-enfants, l'anniversaire, les derniers moments. Une autre assiette réunit plusieurs épisodes : l'exil, le 83e anniversaire, thèmes courants, et un événement bien antérieur, qui est d'ailleurs le résultat d'une confusion entre deux récits : le roi Louis-Philippe raccompagnant Victor Hugo après que celui-ci lui a demandé la grâce de Barbès. Cette dernière a effectivement été réclamée en juillet 1839 par une lettre, mais Louis-Philippe n'a eu l'occa-sion de raccompagner Victor Hugo à travers les Tuileries que plusieurs années plus tard, lorsque le poète fréquentait assidûment le palais royal. Que représente la succession de ces images ? Une longue carrière littéraire et politique, au service du pays, jalonnée de gestes de clémence, de générosité, couronnée par une série d'honneurs dus à l'âge et au mérite. Cela ne correspond-il pas également, et de façon plus subtile, à l'idéal républicain ?

Il est plus difficile d'évoquer, sur ce point, les objets uniques, par essence reflexifs, qui reflètent avant tout une admiration personnelle, mais qui sont également influencés par l'idéologie transmise.

Il s'agit donc bien d'un phénomène de nature industrielle et commerciale, lié à une certaine propagande politique. Par l'intermédiaire de l'initiative gouvernementale, Victor Hugo a, pour la première fois et sans aucune comparaison avec d'autres personnalités républicaines pourtant plus importantes par leur activité politique réelle, cristallisé autour de son nom des manifestations et déclenché autour de la fête publique, un « culte », périodiquement relancé, à travers lequel était diffusée l'idéologie républicaine et auquel ont puisé les industriels de toutes natures. Les classes populaires ont finalement été manœuvrées par ces deux puissances avec un égal succès. Ceci fait basculer la notion d'objet populaire, l'oriente vers une nouvelle définition, celle d'une « série d'objets relevant d'une intention artistique et populaires par leur destination, et dans la production desquels entre un large désir d'édification des masses, les produits proposés étant le plus souvent utilisés à des fins de propagande politique » (D. Gluck).

Le public auquel des objets étaient destinés a également changé : pendant les grandes manifestations tout au moins, ils sont vendus non pas à une classe spécifique, mais à la foule. On atteint donc la notion de phénomène de masse qui a tendance à régir notre culture actuelle.

M.M.

1. Adolphe Brisson, « L'iconographie populaire de Victor Hugo », *La Vie Illustrée*, 1902, p. 352.
2. Arsène Alexandre, *La maison de Victor Hugo*, Paris, 1903, pp. 249 et 59.

Hugo fait main

Pauvres objets, humbles vestiges de vies passées, comment qualifier autrement ces pantoufles, ce modeste carnet et même ce tableau en cheveux ? Pour s'y intéresser et pour les aimer, ne suffit-il pas de se reporter bien en arrière dans le temps, d'imaginer la femme qui tissa patiemment, modèle en mains, la figure du patriarche ; d'imaginer celui ou celle qui souhaita associer le grand poète national à ses intimes pensées en collant son image sur son carnet personnel, devenu talisman ; d'imaginer l'obscur coiffeur qui réalisa avec amour ce tableau en cheveux, matériau à la fois « fétichique » et imputrescible, donc voué à l'éternité, afin de ne jamais oublier la veillée au Panthéon dont l'image avait été diffusée à travers tout le pays par les journaux illustrés. Hugo est présent, d'un art populaire à l'autre, de l'utile au futile, du singulier au collectif, du quotidien au symbolique. — Ch. M.

*Tableau en cheveux représentant l'exposition du catafalque de Victor Hugo dans la nuit du 1er mai au 1er juin 1885 (cat. 303). Œuvre d'un coiffeur nommé E. Flaunet, d'après *Le Monde Illustré* du 6 juin 1885
Villequier, Musée Victor Hugo

*Canevas à l'effigie de Victor Hugo, destiné à une pantoufle (cat. 284). Paris, M.V.H.

*Carnet de poche sur lequel est collé un portrait populaire de Victor Hugo (cat. 302)
Paris, M.V.H.

Jouons avec Hugo

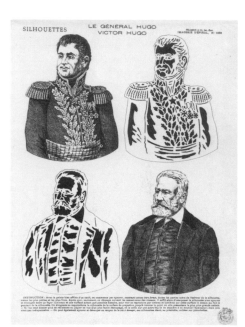

Hugo est de tous les jeux ! Jeux d'adultes et jeux pour enfants, jeux collectifs et jeux individuels, jeux anciens et jeux contemporains, jeux de hasard, jeux de mémoire, jeux éducatifs... Tous supposent que la figure de Hugo soit déjà connue de tous pour être aisément reconnue. Cet appel à la mémoire collective est à la fois le signe et le support de la gloire de Victor Hugo.

Ch. M.

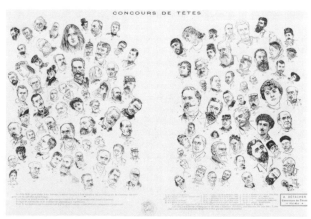

« Cartes à jouer d'hier et d'aujourd'hui ».
Article du *Gaulois du Dimanche*, 24-25 sept. 1904, présentant une carte à l'effigie de Victor Hugo parmi divers jeux de carte. Hugo figure entre Racine et Molière. Autres personnages contemporains : le Prince de Joinville, l'Empereur du Brésil, Garibaldi, Gambetta, Thiers, Mac-Mahon, Grévy.
Paris, M.V.H.

Les trois ne font qu'un : Hugo, Grévy, Gambetta (cat. 260)
Jeu à plier. Paris, M.V.H.

Le Général Hugo, Victor Hugo (cat. 258)
Silhouettes à découper, à ajourer et à projeter (Imagerie Pellerin, Épinal). Paris, M.V.H.

Concours de têtes
Le Pêle-Mêle, 31 janv. 1897
Paris, M.V.H.

L'Histoire de France à travers les siècles en 12 tableaux (cat. 335)
Jeu de loto destiné aux écoliers. Sur le couvercle, Hugo (tout à droite) voisine avec Gambetta et... Napoléon III !
Mont-Saint-Aignan, I.N.R.P., Musée National de l'Éducation

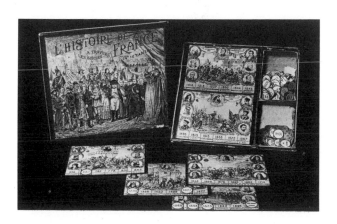

Hugo dans l'assiette

Les arts populaires ou semi-populaires liés à la table, à l'alimentation (assiettes, plats, dessous de plats...), aussi bien qu'à la boisson (bouteilles et verres) sont parmi les plus intéressants, car, plus que tous autres, ils furent prétextes à ornementation. Ainsi, les assiettes historiées, qui sont d'origine aristocratique mais se sont multipliées dans les classes populaires durant tout le XIXe siècle, fournissent un moyen d'expression privilégié, un support idéal pour communiquer un message, proclamer une conviction, afficher son admiration et son amour. Toutes les grandes faïenceries de la fin du siècle (Choisy-le-Roi, Creil-Montereau, Sarreguemines, Bordeaux...) fabriquent alors des séries d'assiettes portant la figure de Hugo, afin de satisfaire une clientèle désireuse d'afficher sur son vaisselier l'image du poète et les scènes exemplaires de sa vie. Le prestige du personnage contribue ainsi à renforcer le prestige de la maison. Plus prosaïquement, Hugo est également présent dans l'assiette quand il parraine des produits alimentaires. Ceci n'est pas négligeable pour sa gloire : elle se trouve diffusée jusque dans les milieux les plus modestes au moyen de l'image publicitaire, que l'on conserve soigneusement après avoir consommé le produit. — Ch. M.

*Bouteille en verre peint à l'effigie de Victor Hugo (cat. 282)
Paris, M.V.H.

Menu à l'effigie de Victor Hugo.
D'après le portrait de Bonnat
Paris, M.V.H.

*Réclame du « Tapioca de l'Abeille » (cat. 309)
De g. à dr. et de dr. à g. : Hugo, Murat, Hoche, Marceau, Kléber, Ney, Chanzy, Charles Martel, Vercingétorix, Lamartine, Vauban, Mérovée
Paris, M.V.H.

*Assiette montrant, autour d'un portrait d'après Nadar, trois scènes de la vie de Victor Hugo : il demande à Louis-Philippe la grâce de Barbès ; il médite sur son rocher d'exil à Jersey ; il reçoit l'hommage des enfants pour son 83e anniversaire (cat. 265).
Villequier, Musée Victor Hugo

Assiette de la fabrique Jules Vieillard (Bordeaux), série « Victor Hugo » : Victor Hugo pair de France en 1845 (cat. 271).
Villequier, Musée Victor Hugo

*Assiette citant le dernier vers composé, selon la légende, par Victor Hugo sur son lit de mort (cat. 264)
Noter le macaron « R.F. », près de la lyre
Paris, M.V.H.

Fumées

Le tabac, qui est resté au XIXe siècle, malgré sa grande consommation, un produit précieux, a provoqué l'invention de nombreux objets : tabatières, blagues à tabac, pipes... : objets personnels, destinés à des hommes, dont la décoration révèle les habitudes, les croyances, les rêves de leur propriétaire. L'iconographie emprunte beaucoup à l'histoire et à la politique, domaines alors réservés aux hommes. Aussi n'est-il pas étonnant d'y retrouver Hugo, personnage essentiel de l'histoire de France et figure politique de premier plan. Par ailleurs, le cigare (objet de luxe) et la cigarette (introduite en France en 1840) connaissent une vogue croissante. Les marques se multiplient. Cette industrialisation du tabac donne lieu à une profusion d'images (emballages, affiches, publicités...). Destinées à conquérir une clientèle, elles assimilent immédiatement les thèmes iconographiques dont la clientèle a l'habitude et auxquels elle est attachée : Hugo figure naturellement parmi eux.

Dans cet univers oscillant en permanence entre le quotidien et le symbolique, Hugo tient une place importante, reflet de la place qu'il occupe effectivement dans l'univers à la fois quotidien et symbolique de son temps.

Ch. M.

*Blague à tabac à l'effigie de Victor Hugo (cat. 291)
Bergerac, Musée du Tabac

Emballage de papier à cigarettes à l'effigie de Victor Hugo
Paris, M.V.H.

*Tête de pipe à l'effigie de Victor Hugo (cat. 286)
Paris, M.V.H.

*Tabatière à l'effigie de Victor Hugo (cat. 292).
D'après le portrait de Bonnat.
Paris, M.V.H.

Cigare « Glorias de Victor Hugo ».
Paris, M.V.H.

*Tête de pipe à l'effigie de Victor Hugo (cat. 289).
Paris, Musée Carnavalet.

Le temps passe, Hugo reste

La montre marque l'heure, le calendrier indique la date, les aiguilles tournent, les jours défilent, le temps passe... et Hugo reste présent dans la mémoire des propriétaires de ces objets, symboles du temps qui fuit, sur lesquels il est comme l'image même de la pérennité.

Ch. M.

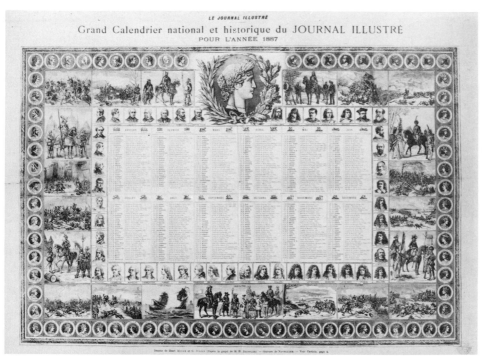

Grand calendrier national et historique.
Le Journal Illustré, 2 janv. 1887.
Hugo figure tout en haut de la bordure entourant immédiatement le calendrier. Il fait pendant à Vercingétorix et a pour voisin Gambetta. Paris, M.V.H.

*Buvard publicitaire pour une fabrique d'horlogerie de Besançon avec calendrier pour l'année 1896 (cat. 308)
Le portrait de Victor Hugo figure sur le boîtier de la montre. Paris, M.V.H.

*Couvertures et feuilles de calendriers à l'effigie de Hugo (cat. 318-320). Paris, M.V.H.

*Boîtier de montre à l'effigie de Victor Hugo, dans une composition allégorique (cat. 295). Besançon, Musée des Beaux-Arts et d'Archéologie

Calendrier Victor Hugo : janvier 1902 (cat. 318). Paris, M.V.H.

Hugo fait vendre

Au XIXᵉ siècle, les images de publicité (affiches, étiquettes) se multiplient. Collées sur un mur, enveloppant un produit, elles ont une double fonction d'information et de séduction. La figure de Hugo est ainsi largement utilisée pour faire vendre des plumes, de l'encre, des élixirs et même des vêtements. L'intention est toujours la même : chaque fois, le producteur joue sur une possible identification du consommateur à l'écrivain et au patriarche, ou plutôt sur un rêve d'identification : quel est l'homme du XIXᵉ siècle qui n'a pas rêvé d'être un aussi grand écrivain que Hugo, d'être fort et bon comme lui, bref de « ressembler » à Hugo, et de pouvoir se dire, au moins secrètement : « Hugo c'est nous », « Hugo c'est moi » ou encore « je serai Hugo ! ». — Ch. M.

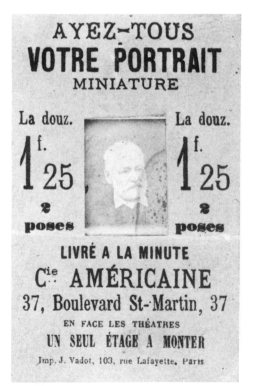

Publicité pour une marque de portraits photographiques « livrés à la minute ».
Paris, M.V.H.

*Boîte de « Plumes Victor Hugo » avec le facsimilé d'une lettre de 1869, envoyée, paraît-il, au fabricant par Victor Hugo (cat. 304).
Paris, M.V.H.

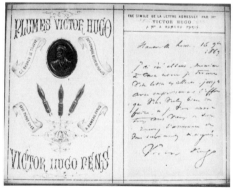

*Prospectus publicitaires de deux magasins de vêtements : « A Victor Hugo » et « A Voltaire » (cat. 313). Le second représente... les funérailles de Hugo.
Paris, M.V.H.

Deux cartes publicitaires de magasins de vêtements : « A Victor Hugo » et « A la Ville de Saint-Denis ».
A gauche, le patriarche ; à droite « l'enfant sublime ».
Paris, M.V.H.

Étiquettes de différentes variétés d'« Encre Victor Hugo ».
Paris, M.V.H.

Images « populaires »

La vie et l'œuvre de Hugo donnèrent naissance à une floraison d'images dites « populaires » car vendues très bon marché et destinées, effectivement, au peuple et à la petite bourgeoisie des villes et des campagnes. Elles sont de toutes sortes : chromos, lithographies, bois gravés, cartes postales, parfois simples reproductions à grand tirage de portraits célèbres. La plupart du temps, ces images ont été spécialement conçues pour une clientèle au goût de laquelle elles passent pour répondre. Ceci explique que la facture en soit souvent proche de celle des estampes populaires tradi-

tionnelles (celles des Pellerin, Wentzel) qui continuent à circuler en grand nombre, bien qu'elles soient fortement concurrencées par la nouvelle imagerie née des techniques modernes de reproduction. Ces images « populaires » offrent à leurs acheteurs des portraits ou des scènes à la composition sommaire, aux couleurs vives et mêmes criardes, posées en aplat, parfois encadrées « naïvement » de guirlandes de fleurs ou de lauriers.

Cet archaïsme est délibéré : il est de tradition dans l'imagerie de propagande diffusée par le pouvoir à l'usage du peuple. — Ch. M.

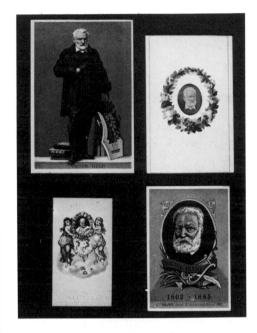

10 CENTIMES

VICTOR HUGO

*Placard de deuil vendu lors des funérailles (cat. 154). Paris, M.V.H.

Quatre images populaires
Paris, M.V.H.

*P. Borie
Victor Hugo (cat. 247)
Portrait lithographié (1881 ?)
Paris, M.V.H.

*Trois cartes publicitaires représentant des scènes d'*Hernani* (cat. 315)
Paris, M.V.H.

Carte postale de la série « Auteurs célèbres ».
Le médaillon de Hugo accompagne une scène de *Marion de Lorme*
Paris, M.V.H.

La distribution des drapeaux à la première célébration du 14 juillet. 1880 (cat. 249).
Dans cette lithographie en couleurs publiée par Wentzel, Hugo assiste entre Jules Ferry et Louis Blanc à l'une des premières grandes fêtes officielles de la « République républicaine ».
Paris, M.V.H.

Hugo - enseigne

Au hasard des rues de Paris et de Lyon
A gauche : photos Martine Mantelet et
Chantal Martinet (1984) ; à droite : photos
Jacques Faujour (1985).

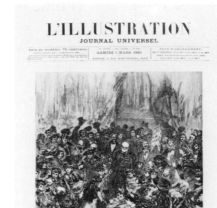

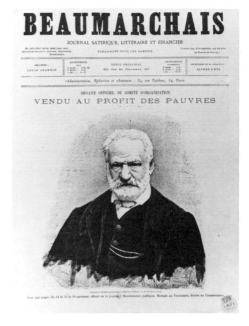

Evelyn Blewer
Nicole Savy

La presse et les biographies

Quinze jours dans la presse parisienne

Une revue de presse complète, faite au moment de la dernière maladie de Victor Hugo ou de ses funérailles dépasserait par son ampleur celle des figures les plus célèbres. Ce que l'on sait moins, c'est que l'engouement — la fascination — de la presse fut une constante de sa vie, et cela dès ses débuts. Sa première publication en librairie, *Les destins de la Vendée,* provoqua, alors qu'il avait dix-sept ans, une polémique[1]. On peut dire qu'à partir de ce moment, il ne cessera pas d'apparaître comme une vedette.

« Le génie est un accusé », dit Hugo dans *William Shakespeare,* en 1864. Cela est vrai. Il y a, dans les attaques, une étonnante continuité, dont il serait bon d'analyser de très près les ressorts. Jamais écrivain ne fut plus haï. Mais cette constante est contrebalancée, sinon équilibrée, par une adulation tout aussi permanente, aussi agaçante parfois que l'autre est injuste. D'ailleurs, ce n'est peut-être pas d'une pesée du pour et du contre qu'il s'agit, car Victor Hugo ne suscite pas toujours des débats très nets. Les témoignages sont hétérogènes : études biographiques, analyses stylistiques, allusions tantôt aptes, tantôt triviales, parfois erronées, où l'on cite souvent, à charge ou à décharge, Hugo lui-même. La presse fait autour de cet écrivain, avant même qu'il ne devienne un personnage politique, du bruit incessant. C'est pour donner une idée de cette célébrité que nous présentons ici un dépouillement complet de la presse parisienne pendant quinze jours. La période concernée s'étend du 24 octobre au 6 novembre 1833. Victor Hugo a alors trente-et-un ans. Il est connu comme poète, comme romancier et comme dramaturge. Il ne publie rien pendant ces quinze jours ; il vit retiré à la Porte-Saint-Martin, où l'on répète *Marie Tudor.* Et pourtant, pendant cette quinzaine sans éclat, plus de soixante-dix articles ou rubriques dans près de quarante journaux et revues, trouvent Victor Hugo propre au reportage. En voici un aperçu :

Jeudi 24 octobre

Une demi-colonne de publicité annonce, parmi les articles principaux de *La Lanterne Magique, journal des choses curieuses et amusantes* (livraison d'octobre), « Victor Hugo *(avec son portrait)* » *(L'Impartial, journal constitutionnel, politique, commercial, industriel et littéraire,* p. 4).

Le Cabinet de Lecture rapporte le remplacement de Bocage par Lockroy dans le nouveau drame de Victor Hugo. « Les répétitions de *Marie d'Angleterre* se poursuivent avec activité. La pièce sera représentée dans les derniers jours du mois » (p. 12).

Fabrice Labrousse cite l'auteur de *Notre-Dame de Paris* (I,1 et 3) dans un article sur « les petits théâtres du boulevard du Temple » : on y trouve un « *populaire bruyant et animé,* pour me servir de l'expression de Victor Hugo » *(Revue des Théâtres de la France et de l'Étranger,* p. 29*)*.

Vendredi 25 octobre

Le *Journal des Dames et des Modes* informe ses lectrices que Hugo a remplacé Bocage par Lockroy dans sa pièce, et les assure qu'on « parle de très-beaux effets de décorations dans cet ouvrage, et surtout d'une ville illuminée qui serait d'un coup d'œil magique » (p. 470).

Le *Nécrologe, journal des morts* publie un article de deux pages sur le dernier jour d'un condamné. Le texte, qui s'achève en réclamant l'abolition de la peine de mort, porte en exergue (p. 96) ces lignes de Victor Hugo : « ... Il paraît qu'il y a une bascule et qu'on vous couche sur le ventre... — Ah ! mes cheveux blanchiront avant que ma tête ne tombe ! » *(Le dernier jour d'un condamné,* XXVII)'.

Le *Journal des Enfans* annonce la publication prochaine de *L'Annuaire des Enfans,* anthologie littéraire à laquelle Hugo devrait collaborer (p. 128).

Samedi 26 octobre

Vert-Vert, quotidien des arts et des spectacles (p. 3), et *Brid'oison, journal des folies du siècle* (p. 4), annoncent la remise à mardi de la première de *Marie d'Angleterre,* retardée par des travaux de mise en scène.

L'anniversaire de Victor Hugo vu par la presse : neuf premières pages de journaux
Huit se rapportent à la « fête des 80 ans » (27 fév. 1885). Le supplément spécial du *Gil Blas* (27 fév. 1881), publié à l'occasion du 83e anniversaire, est un recueil d'hommages reproduits en fac-similé autour d'une composition allégorique. On y relève, parmi bien des noms oubliés, ceux de Pasteur, Berthelot, Renan, Alphonse Daudet, Puvis de Chavannes, Leconte de Lisle, Victorien Sardou, Sacher Masoch, Sarah Bernhardt, de nombreux hommes politiques et... d'un roi.
Paris, M.V.H.

On lit dans *Les Grâces, journal du beau sexe :* « Le public des boulevards attend avec impatience la première représentation de *Marie d'Angleterre*. A droite, on entend dire que l'auteur n'a rien fait d'aussi sublime ; à gauche, d'aussi absurde. Lequel des deux croire ? Aucun, dans l'intérêt de l'art : nous devons attendre de juger par nous-mêmes l'œuvre d'un homme qui a droit à une critique impartiale » (p. 16). Le *Journal des Femmes, gymnase littéraire,* confesse d'emblée le plaisir que suscite la peur devant un bon mélodrame : « *Lucrèce Borgia* m'a fait songer que j'étais mort pendant huit jours de suite ; [...] c'est avec apprêt et sérieux que j'attends la sœur de Lucrèce, la sanglante *Marie* » (p. 242).

Dimanche 27 octobre

Vert-Vert prévoit un succès de vogue à *Marie Tudor* (nommée ainsi pour la première fois), qui devra être représentée, « à moins de mort subite, d'incendie, d'inondation, d'invasion cholérique ou étrangère », jeudi prochain (p. 3). La *Revue des Théâtres* annonce la création de la pièce « probablement » pour samedi (p. 40). Selon le *Journal des Débats,* la pièce paraîtra en librairie le 10 novembre : « Déjà la première édition, tirée à un grand nombre d'exemplaires, est retenue d'avance » (p. 2).

La *Gazette des Théâtres, journal des comédiens,* loue le jeu de l'actrice dans « le rôle si difficile de Lucrèce » dans une représentation récente à Pau du « drame fameux de Victor Hugo » (p. 6).

Le feuilletoniste « J. J. » (Jules Janin ?) du *Journal des Débats* rapporte les jugements littéraires d'une gouvernante anglaise, entendus dans un hôtel à Ostende : « elle parla beaucoup de M. Alexandre Dumas, et elle fit l'éloge de ses drames en femme qui les sait à point. De M. Dumas elle passa à Victor M. Hugo que la dame n'admirait guère, puis j'en suis fâché pour M. Dumas et pour M. Hugo, la dame vanta beaucoup un livre dont je n'avais jamais entendu parler, *Les camisards* de M. Dinocourt » (p. 3)[2].

La *Revue théâtrale, journal littéraire,* non *romantique* publie trois entrefilets concernant Hugo :

« — Le rôle que devait jouer Boccage dans *Marie d'Angleterre* a été retiré, dit-on, à cet acteur par M. Hugo. M. Hugo a trouvé que Boccage ne le comprenait pas ; c'est être aussi trop exigeant : *à l'impossible nul n'est tenu.*

— On a joué *Lucrèce Borgia* sur le théâtre d'Alger ; il y avait là plusieurs Bédouins ; ces messieurs ont trouvé la pièce écrite en fort bon français.

— Pour apprendre aux Arabes la civilisation, l'humanité et le français, on leur donne des représentations de *Lucrèce Borgia ;* il ne leur manque plus que *la Tour de Nesle* pour devenir tout-à-fait aimables » (p. 4).

La même revue publie à cette date *L'amoureux anonyme,* « élégie romantique en vers mussetiens », où des citations de Balzac côtoient d'autres tirées de *Notre-Dame de Paris* (IX,4 et VII,4) et de *Cromwell* (III,8). En voici un fragment (p. 3) :

Ah ! quand la mort est près d'extirper *les racines*
De l'amour verdoyant sur ce cœur en ruines,
A tarir *le grand lac de mes émotions,*
Je cède encor, je cède à tes attractions.
Oh ! ne puis-je trouver, avant de rendre l'âme,
Une femme, une femme, une femme, une femme [...]
Il faut que sur mon sein ma passion l'étreigne,
Fut-ce une peau collée à des os faits en duègne !

L'Europe Littéraire ridiculise le récent article de la *Revue d'Edimbourg* sur la littérature française contemporaine (voir *infra,* annexe 2), et en particulier son jugement que Victor Hugo faisait régresser l'art dramatique : « C'est pour cela sans doute qu'à chaque nouveau drame de lui la foule se porte plus nombreuse au théâtre, et que chaque fois le nom du poète sort plus populaire du creuset où le parterre broie et fait les réputations » (p. 63). Le critique, C. Feuillide, promet de consacrer bientôt à ce sujet un article entier.

Lundi 28 octobre 1833

Un feuilletoniste de *La Tribune Politique et Littéraire* s'étonne, dans son compte rendu de *Sous les toits* de Camille Bernay, des jugements littéraires du protagoniste du roman : celui-ci mettait *Sous les tilleuls* d'Alphonse Karr sur le même plan que *Cinq-Mars* et *Notre-Dame de Paris,* « comparaison maladroite » (p. 2).

L'ouverture éventuelle de l'Odéon au drame romantique commence à susciter des commentaires. Le *Journal du Commerce* frémit à ce triomphe de « l'horrible », genre « dont *Theresa* et *Lucrèce Borgia* n'ont donné jusqu'ici qu'une faible idée » (p. 1). *La Quotidienne,* en revanche, défend le projet : « Le drame moderne ferait tourner sa vogue au profit de la comédie classique, et lui donnerait les moyens de perpétuer sa gloire séculaire, et on forcerait la foule, qu'aurait attiré *Antony* ou *Marion de Lorme, Christine* ou *la Maréchale d'Ancre,* à admirer dans la même soirée *l'Avare* ou *les Femmes savantes, le Misanthrope* ou *le Menteur* [...] Molière, lui-même, n'aurait pas réduit Alex. Dumas, Victor Hugo, Alfred de Vigny, Frédéric Soulié et tant d'autres jeunes gens qui donnent de si brillantes espérances, à la dure nécessité de porter leurs pièces chez Tabarin ou au théâtre de la foire » (p. 1).

Dans *Le Temps, journal du progrès,* Loève-Veimars clôt son feuilleton théâtral ainsi : « Je suis un peu confus de n'avoir à parler que de ces misères, mais, pour nous dédommager, on nous annonce pour la semaine prochaine une grande comédie de M. Scribe et un drame de M. Victor Hugo » (col. 22597).

Mardi 29 octobre

Une demi-page de publicité dans le *Journal des Débats* annonce la publication chez Ladvocat du tome II des *Cent-et-une nouvelles.* Le tome III, prévu pour le 25 novembre 1833, devra compter parmi ses contributeurs Victor Hugo (p. 4)[3].

« Il n'y a pas eu d'incendie, d'innondation, d'invasion, de mort d'homme, écrit *Vert-Vert,* et cependant *Marie Tudor* est renvoyée à samedi, tant sont incertains et variables les événemens de théâtre, tant sont méticuleux les peintres de décors, tant sont difficiles et exigeans les auteurs, directeurs et metteurs en scène ! » (p. 3). De son côté, le *Journal de France* « pense » que la pièce sera représentée « vers la fin de cette semaine, ou au plus tard au commencement de la semaine prochaine » (p. 152).

Mercredi 30 octobre

Vert-Vert célèbre la venue de l'hiver par un article consacré au parfum des marrons, parfum qui réveille de savoureux souvenirs et qui fait rêver à toutes les félicités futures. « Le parfum des marrons, c'est un drame de Victor Hugo, c'est un roman de Sand, c'est dix vaudevilles pour Mlle Déjazet » (p. 2)[4].

Le National rend compte de *Christophe,* vaudeville de Paul Duport, Desvergers et Varin. « Christophe est à la fois cuisinier-restaurateur et aspirant artiste dramatique ; il goûte beaucoup ses sauces et les drames de la Porte-Saint-Martin ; Christophe ne fait pas un ragoût qu'il ne le saupoudre d'une tirade de *la Tour de Nesle* ou de *Lucrèce Borgia.* C'est un garçon qui a de la main et de la littérature » (p. 1). La pièce n'évoque, en réalité, que les œuvres de Scribe, de Delavigne et de Dumas.

Jeudi 31 octobre

La *Revue des Théâtres* publie un extrait d'un article paru dans les *Annales du Théâtre,* « Victor Hugo », par Fabrice Labrousse. L'empreinte d'une lecture sérieuse et sympathique de l'innovateur Hugo est manifeste (voir *infra,* annexe 1).

Brid'oison publie un logogriphe (p. 4) dont une des clefs est la renommée du théâtre hugolien. Il commence ainsi :

> Sur mes six pieds, capricieuse reine,
> Au théâtre, au Forum je règne en souveraine ;
> Tantôt, comme un Vandale, un sifflet à la main,
> D'un drame de Hugo j'entrave le chemin ;
> Tantôt, du pavé de nos rues,
> J'écrase de nos rois les races éperdues ;

La solution sera donnée dans le prochain numéro : « cabale » (*ibid.,* p. 4).

Le *Journal des Dames et des Modes* fait un clin d'œil à Hugo dans sa nouvelle de ce jour. Une passion de collège est menacée par un mariage arrangé par les parents de l'héroïne. Celle-ci promet à son jeune amoureux de lui rester fidèle.

> « — Mais, dit Alfred, vous serez donc à lui ?
> — Non, je vous le jure, reprit Euphrosine. Apportez-moi un poignard et j'opposerai la force à la force s'il le faut.
> « Alfred fut enthousiasmé de cette noble résolution ; il se promit bien cette fois de fournir à sa généreuse amie les moyens d'exécuter son projet, dont il

admira l'invention sans se rappeler que c'était une réminiscence de l'*Hernani* de M. Victor Hugo.

« — Avec quinze francs, du moins, dit-il, je pourrai avoir un poignard » (p. 477).

La *Gazette des Théâtres* fait part du succès complet de *Lucrèce Borgia* à Orléans. Selon le *Journal de Cher-et-Loir,* qu'elle cite longuement, l'actrice principale a rendu avec vérité « tout le caractère de Lucrèce offensée, de Lucrèce empoisonneuse, de Lucrèce mère et amante » (p. 5-6).

La *Revue des Théâtres* approuve le nouveau roman de Mérimée dans ces termes : « *La Double Méprise* n'est point un roman sanglant comme *les Deux Cadavres,* bossu, comme *Quasimodo,* ou timbré, comme *Thadéus*[5] ; aussi ne lui demandez ni fureur de mélodrame, ni bariolage de moyen âge, ni analyse d'hypocondrie » (p. 47).

« Il y a des auteurs, déclare Thaddeus Bulgarine dans *L'Europe Littéraire,* qui ne veulent absolument pas convenir qu'ils ont pillé Walter Scott, Thomas Moore, Byron, Goethe, Burger, Schiller, Victor Hugo, Lamartine, etc. etc. Quant à moi, [...] j'ai résolu d'imiter tous ces auteurs, si vantés par leurs amis » (p. 89).

La *Revue des Théâtres* annonce que le décor et les costumes de *Marie d'Angleterre* sont en préparation, et que la pièce sera jouée samedi prochain (p. 1). La *Gazette des Théâtres* trouve, *in petto,* un aspect déraisonnable à cette création de Hugo : « Nous avons dit ses changemens de titres, nous avons dit les changemens d'acteurs, voici aujourd'hui un changement de machiniste. M. Varnout, au mérite duquel on rend partout justice, a quitté depuis huit jours le théâtre de la Porte-Saint-Martin » (p. 8).

L'Impartial recommande à ses lecteurs l'article de la *Revue Britannique,* « critique sévère, mais juste, des écrivains français contemporains » (p. 3). (Voir *infra,* annexe 2.)

Octobre 1833 (sans date précise)

La *Revue Britannique* publie le « Jugement de la Revue d'Edimbourg sur la littérature française contemporaine », article important où l'on admet que Victor Hugo soit le plus grand écrivain français à l'heure actuelle, mais où l'on regrette qu'il soit si gravement atteint de la « maladie intellectuelle » contemporaine. (Voir *infra,* annexe 2.)

« C'est par la littérature que la décentralisation commence », déclare la nouvelle *Revue du Nord,* dont le directeur cite les écrivains du jour, tous provinciaux : « *Chateaubriand* est Breton ; *Lamartine,* Bourguignon ; *Casimir Delavigne,* Normand ; *Victor Hugo* et *Charles Nodier,* Franc-Comtois ; *de Balzac,* Tourangeau ; *Madame Desbordes-Valmore,* Douaisienne ; etc., etc. » (p. 13-14).

La *Revue Européenne* regrette que le nouveau *Cours de littérature profane et sacrée* de F. J. Colombet ne compte pas Sainte-Beuve parmi les poètes contemporains ; *Les consolations* en particulier avaient un charme et une pureté peu communs. « Que d'exquise bonté d'âme dans cette préface à Victor Hugo, si empreinte de l'esprit du christianisme ! » (p. 250).

Vendredi 1ᵉʳ novembre

Le *Journal des Débats* publie aujourd'hui le premier de deux articles vicieux par « G. » (Granier de Cassagnac). Celui-ci accuse Dumas de piller sans vergogne les œuvres de Hugo et d'autres écrivains illustres. (Voir *infra,* annexe 3.)

L'Entr'acte annonce la première représentation de *Marie d'Angleterre* pour le lendemain (p. 3), *L'Impartial,* pour « d'ici trois ou quatre jours » (p. 2), et *Vert-Vert* pour le début de la semaine (p. 3).

Le Corsaire propose plaisamment l'annexion de la Belgique par la France, car les contrefaçons belges de Lamartine, de Hugo, de Chateaubriand et de Delavigne nuisent sérieusement au commerce français (p. 2 ; reproduit deux jours plus tard dans *L'Écho Français,* p. 1). Un autre article dans le même numéro rit des inventions de nouvellistes en déclarant : « on s'en démancherait la mâchoire et les côtes, fût-on glacial comme une séance académique et triste comme une plaisanterie de M. Victor Hugo » (p. 1).

L'Écho de la Jeune France, journal des progrès par le christianisme, publie ce jour-ci deux articles contre Victor Hugo. Le premier prend la forme d'un compte rendu des *Heures perdues* de Félix Arvers, emprunté semble-t-il, à *La Quotidienne.*

Le critique approuve dans ce recueil les « Stances à M. Victor Hugo » (voir *infra*, annexe 4), et déplore la petite pièce sur François Iᵉʳ, qu'il rattache de façon artificieuse au *Roi s'amuse*. Il déclare notamment : « on n'a pas oublié quel cri de réprobation et de dégoût s'éleva de toutes parts, quand un poète à qui la France monarchique et religieuse avait inspiré des chants si beaux, s'oublia lui-même jusqu'à profaner, dans un drame hideux, le nom d'un roi dont le souvenir se lie aux idées les plus brillantes de noblesse, de courtoisie, de valeur et de munificence. Les opinions révolutionnaires, qui avaient déjà si mal inspiré M. Victor Hugo, ne le servirent pas mieux cette fois encore : l'accueil bien significatif que le public fit à son drame aurait dû détourner l'auteur des *Heures perdues* de la suivre dans cette triste carrière » (p. 274-275).

Le second article est de l'ordre de la simple chronique théâtrale :

« Il paraît que la Porte-Saint-Martin fait de grands préparatifs pour la représentation d'un nouveau drame de M. Victor Hugo, qui ne veut pas absolument en avoir le démenti.

« Nous savons aussi, par une indiscrétion de salon, que ce drame, intitulé : *Marie d'Angleterre,* ne sera divisé ni en actes, ni en tableaux, mais en journées, et qu'il doit être la contre-épreuve exacte du *Roi s'amuse*. Toute la différence, c'est qu'au lieu d'y voir François I, le roi chevalier par excellence, courant la taverne et hantant les mauvais lieux, les jeunes partisans du chef de l'école romantique iront applaudir dans *Marie d'Angleterre* une femme et une reine, et ce qui est beaucoup plus moral et vraisemblable, agissant comme la plus vile des prostituées et parlant son langage.

« M. Victor Hugo en veut terriblement aux têtes couronnées ! Malheureusement pour lui, il nous semble qu'il emploie de tristes moyens pour renverser *les idoles*[6] qu'il adora jadis » (p. 277-278).

Samedi 2 novembre

La *Bibliographie de la France* annonce un portrait de groupe par Julien, dans la série « Petites Macédoines d'Aubert » (pl. 148). Y figurent Lamartine, Byron, Dumas et Victor Hugo. Chez Aubert, à l'imprimerie lithographique de Bénard, Paris.

La « camaraderie littéraire » qu'Henri de Latouche dénonçait chez les romantiques en octobre 1829 se porte toujours bien, estime *L'Écho Français,* qui recommande donc le « jugement sévère, mais vrai » de la *Revue d'Edimbourg* (p. 4, voir *infra,* annexe 2).

La France Littéraire publie un récit sur Mozart, quelque peu inspiré du *Don Juan* de Hoffmann, qui contient un témoignage sur le chant des pénitents dans *Lucrèce Borgia* (III,1). (Voir *infra,* annexe 5.)

Dimanche 3 novembre 1833

Jour faste pour *L'Anti-Romantique*. En tête du numéro de cette date figure un article niant que le romantisme soit du libéralisme littéraire (allusion à la déclaration de Hugo dans sa préface aux *Poésies de feu Charles Dovalle* (février 1830), citée dans la préface d'*Hernani* (mars 1830)) (p. 1-2). Jubilant devant les jugements de la *Revue d'Edimbourg* (voir *infra,* annexe 2), les rédacteurs en offrent quelques extraits, prenant soin de supprimer la phrase atténuante sur la sensibilité de Hugo (p. 3). Ils achèvent leur revue en citant le *Journal du Commerce* (voir texte donné à la date du 28 octobre), et en insérant une série d'entrefilets visant le style de l'écrivain (p. 3-4) :

« — M. Hugo nous apprend qu'*un borgne est plus incomplet qu'un aveugle, parce qu'il sait ce qui lui manque*[7]. Il paraît, d'après cela, qu'un borgne y voit moins qu'un aveugle, parce qu'il sait qu'il lui manque un œil. Mais si l'aveugle sait aussi ce qui lui manque, ne sera-t-il pas aussi *incomplet* que le borgne ? M. Hugo ne veut pas apparemment que les borgnes soient rois dans le pays des aveugles. M. Hugo est cependant le roi des romantiques. [...]

« — Le *Journal des Débats* d'avant-hier renfermait un article fort curieux dirigé contre M. Dumas. L'auteur de l'article détaillait avec malice les emprunts faits par M. Dumas à Schiller, à Goethe, à Walter Scott, etc. Il faisait ressentir les nombreux plagiats de M. Dumas, plagiats qui sont à nos yeux le moindre péché littéraire de cet écrivain. Malheureusement pour l'impartialité du rédacteur, cet article, qui paraît écrit sous quelque influence cachée, n'a été fait que pour relever le mérite dramatique de M. Hugo et pour guinder le grand homme au-dessus de M. Dumas. En cela, l'auteur de l'article s'est éloigné de la justice et de la vérité. Faux pour faux, non-sens pour non-sens, les drames de M. Dumas sont certainement supérieurs à ceux de M. Hugo.

« — Avez-vous eu quelquefois envie de vous prendre ? Peut-être cette douce fantaisie ne vous est-elle pas encore venue ? C'est que vous ignorez les charmes de la pendaison. Quand vous connaîtrez la jolie description faite par M. Hugo, je ne doute pas que vous ne vous laissiez séduire à l'agrément qu'il y a d'être pendu : « *La corde, c'est une mort comme une autre ; c'est une mort digne du sage qui a oscillé toute sa vie, une mort qui n'est ni chair ni poisson, une mort tout empreinte de pyrrhonisme et d'hésitation, qui tient le milieu entre le ciel et la terre, qui vous laisse en suspens*[8]. » Voilà certainement une mort très-agréable. Vous seriez bien difficile, si vous n'aimiez point une mort qui n'est *ni chair ni poisson*. Une pareille mort n'a pas d'arêtes. [...]

« — Le drame de M. Hugo, cette *Marie d'Angleterre* qu'on nous promet depuis quinze jours, fait bien des cérémonies pour se montrer. On nous annonce pourtant la première représentation de ce chef-d'œuvre pour mardi prochain. [...]

« — Essayez de traduire en style romantique l'idée que renferment ces mots : *Il s'était accoutumé à satisfaire chaque jour ses passions.* Voici la traduction de M. Hugo : « *Il mettait son cœur en plein air ; il laissait s'écouler ses passions par ses penchans. Chez lui, le lac des grandes émotions était toujours à sec, tant qu'il y pratiquait chaque matin de larges rigoles*[9]. » Il paraît que cet homme-là désaltérait sans cesse ses penchans et donnait continuellement à boire dans ses idées. »

Vert-Vert ridiculise l'exclusion du drame romantique du Théâtre-Français, et rappelle que *Le Cid*, *Phèdre* et *Tartuffe* soulevèrent autant d'opposition à leur époque que *Le roi s'amuse* et *Une révolution d'autrefois*[10] à la nôtre (p. 1).

L'Artiste publie une étude sur « l'avenir du roman français » qui prévoit la disparition du roman historique, en partie à cause de l'excès de romanciers médiocres qui croient rivaliser avec les auteurs d'*Ivanhoé,* de *Cinq-Mars* et de *Notre-Dame de Paris* (p. 168).

La *Revue de Paris* annonce *Marie d'Angleterre* pour mardi. « L'administration n'a épargné aucun frais pour monter cet ouvrage » (p. 65). *Vert-Vert* développe ce thème des dépenses et affirme, lui aussi, que la pièce sera représentée mardi (p. 3). *L'Artiste* regrette qu'« une difficulté avec l'auteur ait engagé Bocage à renoncer au rôle » dans la pièce, qui sera créée, « définitivement », mardi prochain (p. 172). La *Gazette des Théâtres* fait part de la répétition générale du drame, la veille, et de sa représentation « cette semaine, probablement » (p. 8). *Le Courrier des Théâtres* rapporte aussi la répétition générale de *Marie Tudor,* mais donne un démenti à la date avancée de la représentation : « Malgré l'annonce de quelques journaux qui la promettait pour mardi, *Marie Tudor* ne sera donnée que mercredi » (p. 4). Enfin la *Revue des Théâtres* renonce à toute précision : « Un des décors de *Marie d'Angleterre* représente une vue de Londres au moment d'une illumination générale. L'éclat magique que l'on veut donner à ce décor, et les volontés de l'auteur, retardent encore de quelques jours la première représentation » (p. 56).

Vers le 3 novembre 1833

Un article sur « l'Orient et le moyen âge » dans *La France Littéraire* s'inspire de la préface des *Orientales* (janvier 1829) pour faire remarquer l'analogie entre les mœurs et les coutumes des deux civilisations, analogie trop souvent négligée par « le monde littéraire » (p. 318).

Lundi 4 novembre

Le Cabinet de Lecture affirme que *Marie Tudor* sera représentée le lendemain, mardi (p. 14). *Le Moniteur du Commerce* annonce que la première « est encore remise à demain » (p. 2). *La Tribune* réimprime les remarques de *L'Artiste* de la veille. *Vert-Vert* croit que le « grand succès qui se prépare pour le drame de M. Victor Hugo » écartera toute autre nouveauté de l'affiche de la Porte-Saint-Martin dans un proche avenir (p. 3).

Le Moniteur Universel publie un article non signé sur la poésie dans ce siècle positif. A un poète sans nom qui sait réveiller la foi (probablement Lamartine) s'oppose un autre poète, également sans nom mais néanmoins identifiable qui

« s'est trompé pour avoir cru trop facilement à l'erreur de son siècle, et pour lui avoir sacrifié ce que la nature avait mis en lui-même de noble et de grand. Il a cru la véritable poésie décidément usée, et il s'est efforcé d'en créer une bizarre ; il a cru qu'on était las de ce qui est beau, et il a cherché son type et son modèle dans le laid ; il est descendu à la prétention ignoble et matérielle de son tems ; mais il devrait s'apercevoir enfin qu'il n'est réellement poète que lorsqu'il oublie son idole difforme, pour rester fidèle à la bonne inspiration qui ne peut venir que d'en-haut, et qui ne surgit jamais de ce qui est bas » (p. 2282).

Le Journal de France professe l'opinion que les femmes savent mieux que les hommes rendre par la plume les sentiments tendres. Cependant « il faut écrire avec le cœur, quand vient l'inspiration, [...] ou autrement l'ordre naturel doit être inverti ; et il faudra qu'on vienne nous dire que M. Dumas fait des merveilles en broderie, que le bon Nodier tricote des bas de laine fine pour sa fille chérie, et que Victor Hugo excelle dans la gelée d'abricots » (p. 175).

Vers le mardi 5 novembre

Le *Journal des Anecdotes* publie une « Satire littéraire du dix-neuvième siècle » par Nibelle : Victor Hugo en est le sujet principal. (Voir *infra,* annexe 6.)

Mercredi 6 novembre 1833

Le Courrier des Théâtres réimprime le prospectus pour les œuvres complètes d'Alexandre Dumas, par Charles Nodier. Celui-ci explique son intérêt pour le jeune écrivain par une prescience qui lui a déjà servi : « Avant tous les autres, j'ai osé attacher la garantie obscure de mon nom aux premiers écrits de Ballanche, aux premières chansons de Béranger, aux premiers vers de Casimir Delavigne, de Lamartine et de Vigny, aux premières inspirations de Sainte-Beuve. La première voix qui ait fait retentir aux oreilles de mon cher Victor le *macte animo* du poète, il me semble que c'était la mienne. Ce n'est pas jouer de malheur, n'est-il pas vrai ? » (p. 2).

« A ce soir donc enfin, disent *Les Grâces*, *Marie Tudor*, trois fois baptisée, débaptisée et rebaptisée. Espérons que si l'attente a été longue, la surprise se trouvera au niveau de la patience du public à désirer le résultat des promesses de la Porte-Saint-Martin » (p. 16).

Vert-Vert publie une étude sur la carrière de Victor Hugo. De l'analyse sortent deux conclusions : « la première, que M. Hugo grandit chaque jour ; la seconde, que Paris, la France et l'Europe le savent ». (Voir *infra,* annexe 7.)

E. B.

[*Revue des Théâtres,* 31 octobre 1833, p. 44]

Victor Hugo

Les révolutions littéraires, comme les révolutions politiques, suivent leur marche à travers les combats des opinions contraires ; l'art, on le sait, a ses époques de prospérité, de décadence, de régénération ; ses sectateurs obstinés qui veulent gêner ses allures dans les voies du passé ; ses disciples novateurs qui lui ouvrent des chemins pour l'avenir. A côté des mouvemens qui changent la forme sociale, la littérature a des crises au milieu desquelles l'esprit humain se produit sous des faces nouvelles. Enfin, ainsi qu'on l'a dit, le corollaire rigoureux d'une révolution politique, c'est une révolution littéraire[11]. Tandis que Richelieu fait ployer tyranniquement sous sa loi la féodalité encore vigoureuse, et affranchit le pouvoir royal des barons toujours remuants, Corneille fait briller le drame sur le théâtre où disparaissent les farces de la *Passion* et les conceptions avortées de Jodelle. Plus tard, lorsque l'*Encyclopédie* et les philosophes du dix-huitième siècle renversent à coups redoublés des erreurs long-temps respectées, lorsque les vieilles théories et les vieilles doctrines s'ébranlent et abandonnent leur place aux théories et aux doctrines qui régneront en 89, Voltaire proclame sur la scène des principes en harmonie avec les idées et les besoins de la société. « Or, ce sont les expressions de l'écrivain auquel nous consacrons cette notice, après tant de grandes choses que nos pères ont faites, et que nous avons vues, nous voilà sortis de la vieille forme sociale, comment ne sortirions-nous pas de la vieille forme poétique ? A peuple nouveau, art nouveau. Tout en admirant la littérature de Louis XIV, si bien adaptée à sa monarchie, elle saura bien avoir sa littérature propre, et personnelle et nationale, cette France actuelle, cette France du dix-neuvième siècle à qui Mirabeau a fait sa liberté et Napoléon sa puissance[12]. »

Victor Hugo est un des auteurs qui ont travaillé avec le plus de constance et de succès à l'œuvre d'émancipation qui se fait autour de nous, et, sans contredit, il a, plus que personne, lutté contre cette routine qui nous enchaînait dans des règles où l'art se traînait stérile et décoloré. Il a eu ses partisans pleins d'enthousiasme, et ses détracteurs implacables ; car, ce n'est pas impunément qu'on devient chef de parti ou qu'on se place à la tête d'une école. Mais heureusement nous vivons à une époque où justice se fait tôt ou tard, et si la critique s'opiniâtre quelquefois dans un long aveuglement, le public éclairé casse des arrêts souvent dictés par la prévention. Quand on a écrit les *Orientales, Notre-Dame de Paris* et *Lucrèce Borgia,* on peut écouter à l'aise les derniers bruits des orages qu'on a soulevés par la hardiesse de ses tentatives.

Victor Hugo a trente-trois ans ; il est bien jeune pour une réputation qui déjà remonte si loin. Encore enfant, il suivit son père, général distingué, à travers ces voyages et ces haltes de l'armée française, épopée si féconde dont l'imagination du poète a conservé de si riches impressions. Écolier dans un collège de Madrid, il puisa sous le ciel de cette Espagne, plus voisine par ses mœurs de l'Afrique que de l'Europe, des inspirations d'une couleur toute neuve, qu'il a semées dans ses divers ouvrages. Ce peuple resté stationnaire dans ses coutumes ; ce pays d'une nature pittoresque ; ces monumens où l'architecture gothique se dessine avec ses tons graves et imposans ; ces palais enrichis par l'élégance sarrasine ; tout cela dut frapper énergiquement le poète, et hâter l'essor de ses facultés. Revenu en France, et à peine âgé de seize ans, il jeta dans le monde littéraire ses premières poésies, essai vigoureux où il commençait à innover avec talent et bonheur. C'est un *enfant sublime !* s'écriait Chateaubriant, dont le génie avait deviné toute la largeur de la carrière ouverte devant le poète.

Nous pourrions passer en revue les différentes productions par lesquelles Victor Hugo a successivement initié le public aux allures d'un genre nouveau soit dans le roman, soit dans l'ode qu'il a su revêtir de formes inconnues et brillantes. Mais, à cet égard, quelque chose parle plus haut que toutes les dissertations les plus étendues, c'est l'immense succès qui a couronné ces diverses créations. Qui n'a pas relu, et toujours avec admiration, ces poésies si puissantes de verve ; *Notre-Dame de Paris,* où des héros au cœur de fer, au justaucorps de fer, apparaissent auprès de personnages séduisans comme la *Esméralda ;* où le moyen âge revit tout entier avec ses édifices savamment décrits, avec ses fougueuses séditions, avec toutes ces figures de moines sombres et licencieux, de turbulens écoliers, de nobles oppresseurs, de bourgeois indociles, de gens d'armes sans pitié ni merci ! Et *le Dernier Jour d'un Condamné,* tragédie psychologique où palpitent les saisissantes émotions d'une âme qui se recueille, en présence de l'échafaud qui se dresse et du cadran qui va sonner la dernière heure !

Cromwell qui n'était pas destiné à la scène, est le premier drame de Victor Hugo. C'est l'histoire dramatisée, s'il est permis de parler ainsi, et dans des proportions qui permettent des développemens que ne comportent point les limites de l'action théâtrale. Cet essai faisait déjà prévoir quelle serait la manière de l'auteur. *Cromwell* est peint à grands traits et avec vérité, soit qu'il se grime et joue son rôle politique au milieu de farouches enthousiastes ; soit que dans le laisser-aller de la vie domestique, il mette à nu tous les accidens de son caractère ; tribun fanatique, *tête ronde* inflexible, sous les regards du peuple auquel il jette un cadavre de roi, sans qu'une émotion traverse son visage de bronze ; et, dans sa famille, bourgeois aux allures simples, père qui prend sa fille sur ses genoux et s'humanise à ses caprices.

La préface que Victor Hugo met en tête de cet ouvrage est un traité complet où il expose ses grandes vues sur le drame, et où brisant le moule vieilli des poétiques d'académie, il envisage sous des aspects nouveaux cette vaste question de l'art appliqué au théâtre. Cela vaut bien, je vous assure, le despotique et suranné triangle d'unité, de temps et de lieu.

[*Revue Britannique*, octobre 1833,
pp. 201-218]

*Jugement de la revue d'Edimbourg
sur la littérature française contemporaine*
[fragment]

[Le critique anonyme déplore « l'état de désordre et d'anarchie morale où se trouve la littérature de la France » à l'heure actuelle.] Dans quel autre tems aurait-on pu voir un homme d'imagination et de talent, M. de Balzac, jeter à la tête d'une société qui prétend à la pruderie et à l'élégance, un volume tout entier d'obscénités en style suranné *(les Contes drôlatiques)* ? Dans quel autre tems aurait-on pu voir le premier auteur dramatique de l'époque choisir pour héroïne de son drame l'infâme Lucrèce Borgia, s'attachant, soit d'amour ou d'amitié, l'auteur n'en dit rien, au fils incestueux qu'elle a eu de son propre frère ? [...]

La littérature née sous ces influences désastreuses se compose de deux parties : l'une qui a la prétention d'être fantastique ; l'autre qui s'empare, dit-elle, des réalités, mais qui, par la révoltante absurdité de ses mensonges, excite en nous bien plus de mépris que la première. [...]

Si nous avions pensé à classer d'après leur mérite respectif les écrivains français, nous n'aurions assurément pas donné la première place à M. Janin, mais bien à M. Victor Hugo, auteur dramatique original, poète lyrique du premier ordre, et romancier très-distingué. Son imagination est créatrice, son aspiration est haute et pure ; il voit clairement le but qu'il se propose, il y marche d'un pas ferme et avec vigueur ; il sait couver long-tems et mûrir avec persévérance le sujet qu'il veut traiter ; enfin cette faculté que possèdent ses rivaux, celle de créer des peintures énergiques et de les colorer brillamment, est encore plus remarquable dans ses ouvrages que dans les leurs. Malheureusement ce levain de corruption et de désordre qu'on remarque dans tous les livres contemporains, se retrouve aussi dans ses ouvrages, et plus il avance, plus cette maladie intellectuelle semble empirer. Comparez ses premières à ses dernières productions. Dans *Bug Jargal* et *Han d'Islande,* l'esprit se repose du moins sur quelques scènes douces et consolantes, sur quelques caractères vertueux, qui font oublier tant d'horreurs accumulées ; on voit que l'âme de l'auteur est sensible et douée d'élévation. Mais qu'est-ce que *Lucrèce Borgia* et *le Roi s'amuse ?* Une masse incohérente de meurtres, d'incestes et de débauches. Là, pas une émotion humaine et généreuse ; les influences délétères de l'époque semblent avoir fait descendre le baromètre moral de son génie. Dans tous les tems, le défaut spécial de M. Hugo a été l'exagération ; ses meilleurs ouvrages en sont empreints ; comme notre *Maturin,* il a, dans son *Han d'Islande,* usé, et même abusé des terreurs de la Scandinavie. Son *Bug Jargal,* récit emprunté à l'histoire de l'insurrection de Saint-Domingue, manque entièrement de vraisemblance. Le héros est un nègre, espèce de Grandisson qui conçoit un amour platonique pour la femme blanche, et sacrifie sa vie au bonheur de celle qu'il aime et à celui de son mari. Plusieurs épisodes de cette narration sont très-remarquables par la vigueur du pinceau ; entre autres, la description de la lutte qui se livrent au-dessus du précipice Habibrah et d'Auverney. Cette dernière scène est peinte avec une énergie si minutieuse, que le lecteur, qui suit toutes les chances d'un combat à mort, respire à peine jusqu'au moment fatal.

Le seul ouvrage parfait que M. Hugo ait produit, a pour titre : *le Dernier Jour d'un Condamné.* Ce n'est point un roman, c'est l'analyse d'une situation : une autopsie morale et psychologique, la chronique des pensées d'un homme, le registre exact de ses sensations, pendant l'espace de tems qui sépare la condamnation à mort du supplice. Je n'ignore pas que, depuis cette époque, M. Victor Hugo s'est représenté lui-même comme ayant voulu fonder une doctrine, abolir la peine de mort en France, et changer la législation. C'est là une des mille prétentions, une des mille affectations que les écrivains français croient devoir choisir pour bannière. Mais ce qu'il faut admirer en dépit de toutes les affectations, c'est le drame intérieur et métaphysique, créé par M. Hugo ; le cœur d'un homme dans une circonstance terrible, minutieusement et habilement écrit ; toute une tragédie intime que l'auteur nous révèle, sans se servir d'aucun moyen accessoire, sans même nous apprendre pourquoi son héros est condamné.

Il semble que, dans toutes les productions françaises de ce jour, une maladie intime, une tache empoisonnée et corruptrice, doivent inévitablement se cacher, comme la pourriture dans certains fruits. Le défaut fondamental de l'ouvrage, d'ailleurs plein de vigueur et de talent, c'est que le condamné qui s'exprime si bien, qui s'analyse lui-même avec tant de philosophie, qui a une âme si douce, un esprit si puissant, un style si beau et si ferme, nous paraît tout-à-fait hors des conditions de la cour d'assises. Qui se souvient d'avoir vu sur les bancs de ce tribunal, au milieu des gendarmes et des ignobles suppôts de la loi, un homme capable d'écrire un seul des paragraphes de M. Victor Hugo, et cependant, accusé de meurtre, convaincu de meurtre, et ne recevant pas même sa grâce ou une commutation de peine ? Ces crimes violens appartiennent quelquefois à des êtres nobles par leur nature, et égarés par la passion ; mais ils sont, si je puis le dire, anti-littéraires, incompatibles avec la réflexion philosophique et le calme du travail intellectuel. Un jeune Espagnol tuera sa maîtresse ; jamais ni Rousseau, ni même lord Byron, n'en feront autant : ils se contenteront de déclamer ; la pensée, chez eux si violente, paralyse l'action.

Notre-Dame de Paris, qui a été fort admirée, contient des traits de génie ; une belle peinture de l'architecture du moyen âge, un grand fracas d'hommes et de mœurs, que l'on dit appartenir aux tems anciens, et qui en réalité ne sont d'aucun tems. Ici, comme dans tous les ouvrages de M. Hugo, les beautés de détail tournent autour d'une impossibilité ; un centre absurde et illogique sert de pivot à une fable qui ne manque pas d'intérêt. *Han d'Islande* vous offrait un monstre moitié ours, moitié homme, avec des bras comme une araignée, et une gueule comme un sanglier ; *Bug Jargal,* un Africain céladon, se battant comme les anciens preux, et se dévouant à l'amour pur. *Notre-Dame de Paris* est animée par la présence d'une héroïne du moyen âge, la Esméralda, telle que jamais, sans aucun doute, les carrefours de Paris, en 1400, n'ont rien offert de pareil. Cette imitation de la *Mignon* de Goethe et de la *Fenella* de Walter Scott a eu beaucoup de partisans. En effet, il y a de la beauté dramatique dans la plupart des scènes où elle se trouve placée ; mais cette haute civilisation dans une Bohémienne, mais cette douceur et cette élégance de mœurs dans un tel siècle, mais cette Taglioni transportée dans une époque barbare, sont, selon nous, le comble de l'invraisemblance et de l'absurdité. Peintre énergique et exact des scènes violentes, M. Hugo a semé *Notre-Dame de Paris* de pages et de tableaux admirables. Tel est celui qui représente un des héros du conte contemplant du haut de la tour de Notre-Dame l'exécution de sa victime que l'on fait brûler sur la place, saisi ensuite par Quasimodo, et lancé sur le pavé, à deux cents pieds de distance, par cette main vengeresse. C'est quelque chose de très-beau que cette description qui ressemble beaucoup à celle du combat d'Auverney et d'Habibrah, dont nous avons déjà parlé. Tout y est exact, chaque mouvement du misérable prêtre, chaque soupir échappé de sa poitrine, chaque étreinte de ses doigts qui se resserrent. Une gouttière de plomb l'arrête dans sa chute ; il s'y cramponne ; la gouttière plie lentement sous son poids ; au-dessous de lui la foule hurle ; au-dessus, Quasimodo pleure sur la victime qu'il vient de faire. Le prêtre se balance long-tems au-dessus du gouffre, son désespoir tente un dernier effort ; il lâche prise : son corps en descendant tourne plusieurs fois sur lui-même ; il tombe, il se fracasse enfin sur un toit, d'où il glisse et va s'écraser sur le pavé. Dans ces descriptions vous retrouvez M. Victor Hugo tout entier ; mais ce sont des fragmens : et l'ensemble de ses ouvrages est loin d'offrir cette unité et cette harmonie qui caractérisent les chefs-d'œuvre. [...]

Atar Gull (tel est le nom du meilleur ouvrage de M. Sue) est un héros à la mode moderne, à la façon de M. Victor Hugo et de M. Janin ; contrariant toutes les lois ordinaires pour le seul plaisir de surprendre et d'inquiéter le lecteur. [...] Pour M. Sue, M. Janin et souvent pour M. Victor Hugo, le crime, le meurtre, le viol, l'inceste, sont les points cardinaux de la moralité du roman. [...]

Tous ces écrivains [Sue, Janin, Balzac, Victor Hugo] ont-ils établi un principe, fondé une doctrine, consolé une seule âme, donné une seule leçon utile ? Non certes. Ils ont jeté, dans ce tourbillon orageux d'égoïsme et de dégoût qui s'est emparé de la société française, leurs pensées qui n'ont fait qu'augmenter le mal ; ils ont creusé et envenimé la plaie sociale. [...]

Arrêtons-nous ici, et cherchons à résumer quelques-unes des idées qui se sont offertes à nous dans le cours de cet examen. Entachée d'exagération, de recherche et de mensonge ; voulant faire de l'effet, en dépit de tout ; dédaigneuse de la vérité, prêchant une sotte et insociale misantropie, affectant de ne rien croire et se lamentant de ne pas croire ; sensuelle, mais sans abandon ; dogmatisant, mais sans logique ; athée sans conviction ; regrettant la chute des croyances, mais sans être sincère dans son regret ; n'offrant aucun appui, aucune doctrine, même dans le mal ; rien de parfait, rien d'achevé, rien de complet : la littérature française contemporaine est évidemment une littérature de transition. Quelques-uns des noms qui se sont attachés à la gloire surnageront à peine dans un tems meilleur. Quant aux productions dont nous venons de parler, destinées à un oubli rapide et qui déjà les envahit, elles ne seront consultées par ceux qui nous succéderont que comme les étranges souvenirs d'une maladie sociale qui a duré trop long-tems.

(Edinburgh Review.)

Annexe 3

[*Journal des Débats,* 1er novembre 1833, p. 3]

Gaule et France,
par Alexandre Dumas.
[fragment]

[*Henri III* d'Alexandre Dumas est rapproché de *La conjuration de Fiesque* de Schiller et de *L'abbé* de Walter Scott, textes à l'appui pour montrer leur similitude. Ayant renoncé à tout citer (« autant vaudrait faire une réimpression de Schiller, de Goëthe, de Walter Scott, de Lope de Véga et de M. Victor Hugo »), le critique relève quand même de nombreux éléments que Dumas aurait empruntés à ces auteurs.] De même que le début du premier acte [de *Christine*] est de Schiller, la fin du second est de M. Victor Hugo ; car le monologue où Sertinelli dit : « Ne crains rien, marquis, je suis à toi », est exactement le monologue final du premier acte de *Hernani,* où celui-ci dit : « Oui de ta suite, ô roi, j'en suis. » Il est à remarquer que M. Dumas, dans ses monologues, a une passion, que nous trouvons du reste assez naturelle, pour les monologues de M. Hugo. Monaldeschi, condamné à mort par Christine, récite quatre pages, et ce ne sont pas les plus mauvaises, du *Dernier Jour d'un Condamné ;* et Christine, au moment d'abdiquer, paraphrase si évidemment le monologue de Charles-Quint, dans *Hernani,* au moment où il va être nommé empereur, que nous ne citerons qu'un vers de part et d'autre :

Charles-Quint avait dit :
　« Ah ! c'est un beau spectacle à ravir la
　　　　　　　　　　　　　　　[pensée, etc. »
Christine dit :
　« Oh ! que c'est un spectacle à faire envie
　　　　　　　　　　　　　　　[au cœur ! »

Observez, je vous prie, les différences : Charles-Quint va être empereur et Christine abdique ; Charles-Quint dit : *Ah !* et Christine dit : *Oh !* D'ailleurs, et nous anticipons un peu sur l'ordre des matières, rien n'est fréquent dans M. Dumas comme ces emprunts de phrases à son illustre devancier : M. Hugo avait dit, dans *le Feu du Ciel,* en parlant des *caravanes de Membré :*

L'œil au loin suit leur foule,
Qui, sur *l'ardente* houle,
Ondule et se déroule,
Comme un serpent marbré ;

M. Dumas fait dire à Yacoub, dans
Charles VII, scène III :
Je vois se dérouler sur *l'ardente* savane
Comme un serpent marbré la longue cara-
[vane.

M. Hugo avait fait dire à Charles-Quint,
dans le grand monologue du quatrième acte de
Hernani :
Oui, dusses-tu me dire avec ta voix fatale,
De ces choses qui font l'œil sombre et le
[front pâle,
Parle, etc.

M. Dumas fait dire à Paula, dans *Christine,*
acte 1er, scène III :
Tu m'en veux — et pourtant c'est ton
[amour fatal
Qui m'a rendu l'œil sombre et m'a fait le
[front pâle.
[...]
De ce compte fait, voilà donc dix scènes de
Christine dont M. Dumas n'a eu que
l'usufruit ; ôtez-les du drame, et vous verrez ce
qui restera. Quant à *Antony,* dont le tour
arrive, ce sont des observations d'une tout
autre sorte que celles que nous avons à faire à
son sujet. Lorsque *Marion de Lorme* de
M. Victor Hugo fut jouée, il n'y eut qu'un cri
dans les journaux, pour dire que Didier était la
copie fidèle d'Antony. En effet, la ressemblance était frappante ; Didier était bâtard
comme Antony ; jeune, sérieux, passionné
comme Antony ; instruit, probe, misantrope
comme Antony ; aimé ardemment d'une
femme subjuguée par la tournure de son caractère, et qui ne comprenait pas toute sa passion,
comme Antony ; enfin il mourait sur l'échafaud à cause de cette femme, comme Antony :
le public s'écria donc avec la critique que
M. Victor Hugo copiait M. Dumas. Or,
M. Dumas, qui savait bien que M. Victor
Hugo n'avait pas l'habitude de le copier ;
M. Dumas, qui connaissait *Marion de Lorme*
pendant qu'elle était arrêtée par la censure, se
hâta, en artiste d'honneur, de déclarer dans un
article de la *Revue des Deux-Mondes* du
15 septembre 1831, que s'il y avait un plagiaire
dans la circonstance présente, ce devait être lui.
Après une déclaration aussi formelle, nous
ne pouvons pas insister davantage ; il y a eu
calque évident d'un drame sur l'autre, d'après
le public et les journaux ; et si, d'après
M. Dumas lui-même, Antony n'est pas l'original, il faut bien qu'il soit la copie. Ce qui a
lieu d'étonner après cela, c'est que M. Dumas,
en publiant sa pièce, y ait mis cette singulière
épigraphe : « Ils ont dit que Childe-Harold
c'était moi ; peu m'importe. » Mais si,
M. Dumas, cela vous importerait beaucoup,
car si vous étiez Childe Harold, vous seriez
d'abord Didier, et puis M. Victor Hugo. [...]
Nous voici parvenus à la fin de cet article,
car nous n'avons plus à parler que de
Charles VII, et M. Dumas a dit de sa pièce tout
ce qu'on en pouvait dire, en avouant que c'est
une imitation d'*Hermione.* Oui, M. Dumas a

voulu refaire *Hermione* ; et *pourquoi pas ?*
Cur non ? comme il l'a imprimé en latin, et
pour toute préface, en tête de son livre. Il a
bien refait *Didier, Fiesque, don Carlos,
Hassan, le comte d'Egmont, Marie Stuart,
Franz, les Brigands, Richard d'Arlington,* etc.
etc. etc. *Cur non ?* car la critique l'a laissé
faire, et le public aussi, lorsqu'il prenait de
tous côtés les pièces, les rôles, les scènes et les
phrases. *Cur non ?* car est-il plus difficile
d'être Racine que Walter Scott, que Goëthe,
que Schiller, que Lope de Véga, que M. Victor
Hugo ? Ainsi M. Dumas avait quelque raison
de continuer, et de dire à la face de Racine :
Pourquoi pas ? — Pourquoi pas ? monsieur
Dumas, nous allons vous le dire : Parce que
Racine imitait, et ne copiait pas ; parce que
Racine refondait au feu de son génie les textes
d'Euripide et de Sophocle, et que vous avez
cousu à vos drames la prose des traductions de
M. Ladvocat ; parce que Racine avait un style
à lui, et que vous avez fait des centons avec le
style des autres ; parce que Racine, en s'appropriant les beautés des littératures antiques, restait toujours Racine, et qu'on ne vous trouve
nulle part que sous le masque de Schiller, ou de
Goëthe, ou de Lope de Véga, ou de Walter
Scott, ou de M. Victor Hugo, et encore j'ai cité
ceux-là, parce que leurs noms sont illustres, et
leurs ouvrages connus comme les grands
chemins ; mais est-ce que je sais, moi, dans
quels livres vous êtes allé fouiller ? Est-ce que
je sais s'il n'y a pas, dans vos drames, du turc,
du chinois, du malabare ou du samoyïede ?
pourquoi pas ? Parce que Buffon a dit que le
style, c'est l'homme ; parce que d'autres, dont
les noms ne viennent pas à ma mémoire, ont dit
aussi que l'œuvre, c'était l'homme ; et qu'à ce
compte, celui qui n'a pas de style, celui qui n'a
pas d'œuvre, n'existe pas. — Voilà pourquoi
M. Dumas.

Annexe 4

[Félix Arvers, *Mes heures perdues,* Fournier
Jeune, 1833, pp. 27-33]

A M. *Victor Hugo*[13].

D'illusions fantastiques
Quel doux esprit t'a bercé ?
Qui t'a dit ces airs antiques,
Ces contes du temps passé ?
Que j'aime quand tu nous chantes
Ces complaintes si touchantes,
Ces cantiques de la foi,
Que m'avait chantés mon père,
Et que chanteront, j'espère,
Ceux qui viendront après moi.

Quand le soir, à la chaumière,
La lampe unit tristement
La pâleur de sa lumière
Au vif éclat du sarment,
Assis dans le coin de l'âtre,
Sans doute tu vis le pâtre
Rappeler des anciens jours,
Récits d'amour, de constance,
Et redire à l'assistance
Ces airs qu'on retient toujours.

Il a de vieilles ballades,
Il a de joyeux refrains ;
Et pour les brebis malades
Des remèdes souverains :
Il connaît les noirs présages ;
Perçant le voile des âges
Son œil lit dans l'avenir,
Il donne des amulettes,
Et prédit aux bachelettes
Quand l'amour doit leur venir.

Il t'a montré la relique
Et la croix qu'un pénitent
A la sainte basilique
A fait bénir en partant.
Il t'a dit les eaux fangeuses
Où dans les nuits orageuses
Errent de pâles lueurs,
Puis sur l'autel de la Vierge
Il t'a fait brûler un cierge
A la mère des douleurs.

Il a deviné ta peine,
Et t'a conseillé parfois
D'aller faire une neuvaine
A Notre-Dame-des-Bois ;
De partir par la Galice ;
Ou, vêtu du noir cilice
D'aller, pieux voyageur,
Déposer ton humble hommage
Au pied de la vieille image
De Saint-Jacques-le-Majeur.

Dans une chapelle basse,
Devers la Saint-Jean d'été,
Il t'a fait baiser la châsse
Dont l'antique sainteté
Donne à la foi populaire
Le précieux scapulaire
Qui du malin nous défend,
Et sans travail, ni souffrance,
Abrège la délivrance
Des femmes en mal d'enfant.

Il t'a fait dans les bruyères
Voir, de loin, les lieux maudits
Où l'on dit que les sorcières
S'assemblent les samedis ;
Où pour d'impurs sortilèges
A leurs festins sacrilèges
S'asseoit l'archange déchu ;
Où le voyageur qui passe
S'enfuit en voyant la trace
Qu'y grava son pied fourchu.

Mais à l'angle de deux routes
Il te recommande à Dieu :
Il part ; et toi tu l'écoutes
Après qu'il t'a dit adieu.
Puis tu reviens et nous chantes
Ces complaintes si touchantes,
Ces cantiques de la foi
Que m'avait chantés mon père,
Et que chanteront, j'espère,
Ceux qui viendront après moi.

                              Janvier 1828.

Annexe 5

[*La France Littéraire*, 2 novembre 1833, t. IX, pp. 380-381]

Mozart (Volfgang-Théophile-Amédée)
[fragment]

[Le narrateur raconte une nuit passée au fond d'une loge à l'Opéra avec un ami et un vieillard inconnu. Ce dernier leur apprend quelques épisodes dans la vie de Mozart. Mais au moment où ils abordent l'histoire du *Requiem,* le directeur de la salle les découvre et les met à la porte. Le narrateur cherche par la suite à retrouver sa connaissance d'une nuit.]

Dernièrement, l'apparition d'un grand ouvrage dramatique fut annoncée par les mille voix des journaux. On parlait de grands effets scéniques, de situations terribles et passionnées. Cela réunissait en soi trois villes italiennes : Rome, Venise, Ferrare ; et trois grands crimes pour remplir ces trois villes : à savoir, le meurtre, l'inceste et l'adultère ; et, pour effacer ces trois crimes à la fois, rien qu'une vertu : l'amour maternel. Tout Paris se rua aux représentations de *Lucrèce Borgia.* Je fis comme tout Paris.

Au dernier acte, celui où les seigneurs vénitiens invités à souper chez la belle princesse *Négroni,* sont tout à coup interrompus, au milieu de leurs refrains à boire, par les accens graves et mesurés du *De profundis,* un tressaillement d'effroi me saisit. Je me levai à demi de ma stalle, et, retenant mon souffle, j'écoutai.

— « Assis, à l'orchestre ! assis ! » crièrent derrière moi plusieurs spectateurs indignés, que mon attitude gênait apparemment. — Je ne tins compte de ces clameurs que pour leur imposer silence du geste, et je continuai à prêter une attention d'épouvante aux lugubres psalmodies de la prière des morts.

Une main inconnue me contraignit alors à m'asseoir en me tirant avec vivacité par les basques de mon habit.
— Quel est l'insolent ?
— C'est moi, monsieur.

Nous nous regardâmes fixement. — Miséricorde ! entre deux fascinations ! entre le théâtre et cet homme, entre le *Requiem* et le *De profundis !*

Car c'était mon vieillard, c'était bien lui !

[Ils partent ensemble à la fin du spectacle. Le *De profundis* du drame et le *Requiem* raconté par le vieillard, feront pour le camarade absent, mort depuis la veillée à l'Opéra, le service funèbre complet.]

Annexe 6

[*Journal des Anecdotes,* vers le 5 novembre 1833, t. I, pp. 46-47]

Satire littéraire du dix-neuvième siècle
[fragment]

De ses clartés notre siècle orgueilleux
Qu'offrira-t-il de grand à nos neveux ?
Un écolier médite un long poème.
Dans son œil froid quelle arrogance
                                    [extrême !

Sur le Parnasse, en prophète érigé,
Le front pensif, et content de lui-même,
Sans aucun plan, sa muse en négligé
Brise les mots, méprise la césure,
Court au hasard. Jamais d'une rature
Nous n'avons vu son carnet surchargé.
Heureux auteur !... Ses vers, malgré leur
[nombre,
Près des anciens passeront comme une
[ombre ;
Nés sans travail, ils ne vivront qu'un jour.
Parfois, la nuit, un trompeur métiore
Brille un moment, disparaît sans retour ;
Et grand renaît la véritable aurore,
L'homme à ses feux sourit avec amour.
De nos auteurs la gloire est viagère.
Déjà pâlit leur couronne éphémère,
Et le public enfin ouvre les yeux.
De leurs autels tomberont les faux dieux.
On apprendra dans nos vieilles chroniques
Que, redoutant les débuts emphatiques,
L'enfant divin brusquement s'écriait :
« *Vingt-cinq juin mil six cent cinquante-*
sept[14]. »
Un *Bug-jardad*, dont le nom m'effa-
[rouche,
Prôné, chéri, passe de bouche en bouche.
Le roi sauvage est le roi des amans ;
Il m'attendrit par ses rugissemens ;
Sa mort m'afflige et sa vertu me touche.
Sans doute ému de son air sombre et doux,
Je vénérais sa figure enfumée,
Et le désert, et l'ouragan jaloux,
Et le bonheur de la fontaine aimée[15].
Si, quelquefois, du fond de l'Orient,
Hugo m'apporte un spectacle riant,
Trop rigoureux, dans leurs tristes
[royaumes,
Je ne veux pas renvoyer ses fantômes.
Au dernier jour, j'entends un condamné,
Pâle et tremblant, à la Grève entraîné,
De la douleur épuiser le calice,
Et détailler son horrible supplice.
Prêt à mourir, il dépeint au lecteur
Le vent de brise agitant une fleur[16],
Et, de vapeurs, son âme environnée,
Fait d'un geôlier la prison incarnée[17].
Un bon roman veut de la profondeur.
Avez-vous vu nos jeunes fanatiques ?
Entendez-vous leurs bravos frénétiques ?
Honteusement de la scène banni,
Racine tremble à la voix d'Hernani.
Le *Han* fameux, ce brigand que l'Islande
Un peu trop tard pendit avec sa bande,
Pleure son fils, et, son crâne à la main,
Brise un cadavre et boit du sang humain[18].
Dans un chaos de raison, de folie,
Brillent parfois les éclairs du génie.
A leurs bourreaux, les vierges de Verdun[19]
Montrent encore un sourir importun ;
Et l'enfant-roi, c'est la douce colombe
Qui pour le ciel s'échappe de la tombe[20].
Heureux débuts !... Hélas ! tes premiers
[chants
Étaient si purs, ils étaient si touchans !
Hugo ! crois-moi, reviens, fais-nous
[entendre
Ta voix d'abord harmonieuse et tendre.
Fils d'Apollon, évite les Ondins,
L'aulne léger, les gnomes, les lutins,
La salamandre, et, la nuit, les sylphides,
Caressant l'air de leurs ailes humides.

N'évoque pas ces êtres infernaux,
Ogres des bois, vampires des châteaux.
Ne livre plus à nos vives attaques
Spsylles et *Djjn*, *Goules* et *Brucolaques*[21],
Tous ces esprits dont le genre et les noms
Furent créés aux petites maisons.
Dans leurs écarts, tes dangereux adeptes
Ont dépassé le maître et ses préceptes.
Le vers boiteux est dans l'enjambement
Perdu. L'oreille, hélas ! à tout moment
Souffre. Un poète et sa verve enflammée
N'enfantent plus qu'une prose rimée.
Rempli d'audace, un jeune essaim de fous
A dit : *Marchons et le siècle est à nous*[22] !

Annexe 7

[*Vert-Vert*, 6 novembre 1833, pp. 1-3]

M. Victor Hugo et Marie Tudor

C'est demain qu'aura lieu, au théâtre de la Porte-Saint-Martin, la première représentation de *Marie Tudor*. Outre l'intérêt qui s'attache toujours à ces sortes de solennités, M. Hugo a déjà entraîné, par l'ascendant de sa foi ardente de poète, une foule d'intelligences indécises ou craintives qui aiment la gloire sans ses peines, et qui s'accommoderaient assez bien des succès tout faits. Pendant que de tous côtés une foule d'écrivains se lamentent de ce que l'art est mort, ce qui signifie tout simplement que ces messieurs agonisent, il est curieux de voir un athlète qui n'a pas quitté l'arène depuis dix années, qui a tout supporté, gloire et revers, sans perdre de vue son but où il court, ses moyens qu'il dispose, ses ennemis qu'il renverse, et la foule toujours croissante des *condottieri* littéraires qui viennent prendre service sous son drapeau. Pas un seul instant le drame de sa vie n'a langui ; sa pensée militante s'est élevée d'assaut en assaut de l'ode au roman, du roman au théâtre ; il lui a fallu toujours batailler et toujours vaincre ; il n'y a eu pour elle ni paix, ni traité, ni armistice ; chaque matin il lui a fallu conquérir son gîte du soir.

Les deux grandes, les deux redoutables difficultés auxquelles s'est attaqué M. Victor Hugo, c'est la nécessité où il s'est trouvé, comme novateur, de se faire à la fois son public et sa critique.

Le public a été et a dû être de prime abord contre lui ; car il le dépistait à chaque instant ; il l'attirait dans un ordre d'idées qui paraissaient choquantes, parce qu'elles étaient inconnues ; et le premier mouvement de l'esprit et du cœur est de se révolter contre ce qui sort brusquement et sans transition de la série de leurs impressions habituelles : mauvais veut dire extraordinaire.

La critique devait aussi être contre M. Victor Hugo, car il venait fouler aux pieds des formules traditionnelles, s'excepter de ses règles consacrées, proposer des procédés nouveaux, dans le but avoué de détrôner les anciens : dès lors les gardiens de l'ordre classique s'élevèrent armés d'anathèmes contre la main qui osait la profaner. Puisque M. Hugo niait les vieux principes, ceux-ci devaient le nier à son tour ; il y avait entre eux haine logique, forcée, réciproque ; mais comme le poète était jeune et qu'il n'avait pas eu de précurseur ; comme sa théorie, étant destinée à rénover les lettres françaises, ne pouvait pas s'étayer des principes de l'esthétique usuelle, qu'elle allait au contraire renverser ; comme c'était une œuvre d'avenir, elle eut tout le présent contre elle.

Et il faut avouer même que les ennemis de M. Hugo avaient beau jeu. Incontestablement, aux yeux de tous, suivant le sens commun et la logique contemporaine, il avait tort dans la querelle qu'il avait suscitée ; car avoir raison, signifie être d'accord avec les opinions reçues, et il les heurtait de front. Ensuite les sarcasmes trouvaient une inépuisable pâture dans ces nouveautés de style ou de pensée qu'il leur offrait chaque jour. Quel bonheur pour la critique, lorsque le vers ne finissait pas aux douze pieds, ou lorsqu'en le fesant tourner sur la charnière de la césure, les deux moitiés ne s'emboîtaient pas exactement, comme un manche et sa lame ! Elle en criait huit jours, l'aimable critique.

Critique et public, M. Hugo a donc été forcé de tout faire ; il n'a trouvé ni l'un ni l'autre, quand il est venu. Mais peu à peu ses idées qui choquaient, faute d'être connues, ont pris autorité, cours et valeur ; ce qu'il a réédifié lui a fait pardonner ce qu'il est venu détruire ; on l'a lu, applaudi, admiré ; et par l'effet d'un raisonnement spontané, naturel, irrésistible, on a été porté à dire que les règles qui commandaient toutes ces beautés, pourraient bien avoir tort. D'un côté la critique condamnait, de l'autre le public admirait ; et comme l'âme humaine ne veut pas se laisser nier dans ce qu'elle sent, dans ce qu'elle goûte ; comme la lettre morte des préceptes ne peut pas l'emporter sur le témoignage actuel de la conscience ; comme le plaisir est un fait, et qu'un fait réalisé ne se conteste pas, M. Hugo a eu d'abord son public, parce qu'on est recherché de ceux qu'on amuse et qu'on éclaire ; ensuite il a eu ses critiques, parce que toute face d'un art une fois admise, elle a inévitablement sa théorie et ses lois.

Ce serait une histoire longue et curieuse à faire, que celle des concessions forcées que chaque victoire de M. Hugo a arraché à ses ennemis ; et une histoire instructive, que celle des obstacles qu'il rencontrait, lui, homme d'étude et de conscience, au milieu d'une génération de plagiaires ou de littérateurs creux et sans idées. La plupart de ceux-là même qui l'acceptent, sont arrivés à lui par le sentiment de sa force ; très peu s'en sont rigoureusement rendu compte. Ils sentaient qu'il était supérieur ; mais de combien ? Quelques-uns le savent.

Cependant il n'a pas tellement gagné du terrain, que ses ennemis n'en conservent ; il combattra encore toute sa vie ; et il mourra comme Turenne, sans avoir le tems d'apprendre qu'il a vaincu.

Le reproche banal, le reproche commode qu'on lui adresse encore, et qui servira longtems à faire de l'opposition contre lui, c'est de produire toujours des personnages hors de nature. Han d'Islande est-il dans la nature ? se dit-on. Triboulet, Quasimodo, Esméralda, Lucrèce sont-ils dans la nature ?

Que ceux qui élèvent cette objection y croient, c'est douteux ; mais enfin ils gardent le sérieux en la fesant, et ils attendent qu'on y réponde. C'est un fait ridicule, mais c'est un fait.

L'objection ne prouve rien, parce qu'elle prouve trop. L'Hercule Farnèse est-il dans la nature ? La Vénus de Médicis est-elle dans la nature ? — Non certes. Qui dira pourtant que Praxitèle et Raphaël et Homère sont absurdes ?

La question est donc mal posée ; il ne s'agit pas de savoir si Han d'Islande, si Quasimodo, si Lucrèce sont faits comme vous et moi ; mais si étant comme on les suppose, ils vivent, agissent, se développent conséquemment à la nature que leur a donnée le poète. Voilà tout. Une fois les héros de M. Hugo admis pour ce qu'il les donne, il faut voir s'ils sont fidèles à la donnée supérieure qui les a produits ; et on ne peut pas lui refuser d'accepter ses héros surhumains, car ce serait les refuser à Homère, à Michel-Ange, à Raphaël, à Corneille, à Racine lui-même. D'ailleurs on suppose bien qu'un homme parle en vers et en termes choisis quatre heures durant ; il n'en coûte pas plus de lui supposer un esprit plus étendu, une activité plus grande et des passions plus grandioses.

D'ailleurs ce serait peut-être un point à vider, de savoir si les personnages de M. Hugo sont dans la nature. Un critique a bien mis dans un feuilleton sur *le Roi s'amuse,* que *Saltabadil* n'était pas naturel, parce que la police de Paris, si négligente qu'on la supposât, ne pouvait pas laisser ainsi des *tueurs* publics faire leur métier avec patente : que voulez-vous ? ce critique disait ce qu'il savait ; mais c'était lui qui n'était pas dans la nature.

Il y a un fait dont le public a été le témoin ; c'est qu'à chaque drame, M. Hugo entre plus profondément dans les conditions voulues au théâtre ; *Lucrèce* a laissé en arrière tout ce qui l'avait précédé, pour le talent de la mise en scène, pour *la charpente,* comme dirait M. Alexandre Duval. Nous sommes persuadés que *Marie Tudor* sera un progrès nouveau dans cette direction d'idées.

Il y a un autre fait, que tout le monde a constaté pareillement ; c'est qu'un ouvrage de M. Hugo met toute la littérature en rumeur, trois mois avant et trois mois après.

Ces deux faits prouvent clairement deux choses : la première, que M. Hugo grandit chaque jour ; la seconde, que Paris, la France et l'Europe le savent.

Textes réunis par E. B.

Les vies d'un homme illustre

Le petit chapeau blanc orné de roses d'Hélène de Mecklembourg

A première vue, le nombre de biographies, complètes et partielles, dans la bibliographie hugolienne, désespère, quoiqu'il ne soit que normalement proportionnel à la stature de Victor Hugo. Leur consultation massive ne rassure guère plus : on y trouve, à l'infini, le ressassement des mêmes anecdotes, la piété des mêmes détails, la pratique incontrôlée de l'hyperbole. La biographie hugolienne est une vaste entreprise de mémoire, citation, recopiage, réfutation — d'intertextualité, en somme — au point qu'on finit par se demander si c'est de son sujet qu'elle se soucie ou de sa propre perpétuation. Peu de biographes ignorent, par exemple, le souvenir du petit chapeau blanc orné de roses que portait, le jour de la réception de Victor Hugo à l'Académie, Hélène de Mecklembourg, duchesse d'Orléans. La futilité n'a ici d'égale que la passion, pour ou contre le poète, et donc pour ou contre tel critique précédent. Bref, si très tôt beaucoup d'éléments de la vie de Hugo ont été connus, le savoir a mis longtemps à y voir clair, au point qu'on peut raisonnablement rêver d'un immense fichier informatique et silencieux.

Pour observer cet océan d'un siècle d'écrits biographiques et tenter d'esquisser, au travers, l'histoire de la représentation de la vie de Victor Hugo par les critiques, il a fallu déterminer un échantillon représentatif. Environ vingt-cinq biographies ont été choisies, en fonction de leur date — de la mort de Hugo à aujourd'hui — et de leur importance variable, et présumée. Choix par avance contestable et — immensément — lacunaire. D'autre part, tous ces ouvrages ne sont pas des biographies complètes et classiques : c'eût été écarter des ouvrages décisifs, comme *Les origines religieuses de Victor Hugo*, de Géraud Venzac, ou le *Victor Hugo par lui-même* d'Henri Guillemin. Arbitraire inévitable, qui se propose en outre d'excuser l'aspect général et abstrait de cette étude qui autrement déborderait son propre cadre.

Cent ans de biographies

Les grandes étapes de la biographie hugolienne s'ordonnancent assez nettement.

Sa préhistoire date du vivant même de Victor Hugo. C'est même lui qui commence : en se définissant comme une « chose publique », en traitant son existence comme une œuvre dont il a à rendre compte à ses contemporains, en léguant l'intégralité de ses papiers, même les plus intimes, à l'État et à la postérité. Il fournit patiemment à sa femme les matériaux du *Victor Hugo raconté par un témoin de sa vie* en reprenant, soir après soir, ses souvenirs ; s'il n'intervient pas dans la rédaction, il a une part déterminante dans la genèse du projet, au moins en le rendant possible, probablement en le souhaitant ; quelque chose entre faire faire et laisser faire. Le *Victor Hugo raconté...*[23] joue un rôle décisif dans l'histoire de la biographie hugolienne. Véritable matrice des premières biographies auxquelles il fournit une masse de matériaux riche et controversée, il jouit de son statut de monument biographique officiel. Après une longue éclipse on le redécouvre aujourd'hui en publiant la première version, avant édulcoration, des manuscrits d'Adèle Hugo[24].

Bien avant le *VHR*, publié en 1863, des contemporains de Victor Hugo commencèrent sa biographie : par exemple Sainte-Beuve, plus apte que quiconque à mesurer son génie, dans la *Revue des Deux Mondes*, le 1er août 1831.

L'étape suivante est celle des biographes contemporains de la vieillesse du poète. Leurs œuvres sont publiées, en gros, de sa mort au centenaire de sa naissance, et présentent une très forte unité qui tient à la violence de leurs partis pris. Les auteurs sont moins souvent des critiques, des universitaires, que des plumitifs auxquels le dictionnaire Larousse, dans son édition de 1927, décerne le titre de « littérateurs ». Ils se séparent en deux groupes indiscutables, malgré des tentatives de discrétion ou de dissimulation : les hagiographes et les dénigreurs.

Une bonne partie de ces premiers biographes a connu, ou rencontré, Victor Hugo, et s'autorise de ce statut de témoin pour rédiger des « souvenirs » plus ou moins abondants, véridiques, et intéressés.

Richard Lesclide, secrétaire de Victor Hugo de 1876 à 1881, est un modèle de piété hugolienne. Il rédige, sans autre ambition, des *Propos de table de Victor Hugo (1885),* recueillis par ses soins, récits et anecdotes décousus qui montrent le grand homme dans une intimité familiale attendrie ; grand-père plus qu'homme public ou écrivain. On retrouve la confirmation de certains épisodes dans *Choses*

Henri Vogel
Réception de Victor Hugo à l'Académie française
Gravure illustrant l'édition Hugues d'*Actes et paroles*, I, *Avant l'exil* (1893)
Villequier, Musée Victor Hugo

vues. Plus ambitieux, Gustave Rivet — *Victor Hugo chez lui* — tente de reconstituer une chronologie à partir des causeries de celui qu'il appelle le « Maître » et dont il parle avec une admiration éperdue, moins en intime qu'en disciple républicain. Plus tourné encore vers le rôle politique de Victor Hugo, Alfred Barbou, dans *La vie de Victor Hugo* (1886), dresse un monument au père fondateur de la Troisième République. Il exclut toute futilité de détail biographique, et fait silence sur les orages de la vie privée. Journaliste et auteur d'ouvrages historiques variés — sur le drapeau français, le général Boulanger, la guerre au Dahomey ou *Le chien, son histoire et ses exploits !* — Barbou se sent écrire l'histoire de la nation française en écrivant la vie de Victor Hugo.

Tous ces ouvrages, dépourvus de valeur littéraire, présentent l'intérêt de montrer la légende du grand-père républicain à l'état naissant, et d'en dessiner les traits de façon si unanime qu'ils sont, réellement, les instigateurs d'un siècle de légende et de vérité mêlées.

Dans le camp des dénigreurs on trouve d'abord Paul Stapfer — *Victor Hugo à Guernesey* (1905) —, universitaire beaucoup plus cultivé, que Victor Hugo recevait régulièrement à Hauteville-House, probablement pour cette raison. Leurs désaccords littéraires et politiques sont revendiqués par Stapfer, qui se fait un mérite de résister au grand homme. Il omet un épisode peu glorieux pour lui, noté par Hugo dans *Choses vues :* seul dans le bureau du poète, il est surpris par celui-ci dans l'examen le plus indiscret des papiers et manuscrits qui s'y trouvent. Cela donne une idée assez juste du personnage : parti en poste à Guernesey, comme professeur de français, pour avoir le loisir de se livrer à ses recherches personnelles et par « curiosité » (c'est lui qui l'écrit) de connaître le proscrit, il profite de son hospitalité pour amasser des souvenirs venimeux. Il se moque de Hugo qu'il prétend manipuler, dans la conversation, comme un vieil imbécile, un cabotin qui finalement l'ennuie comme « un vieux livre lu et relu », et qui croit se servir de lui, Paul Stapfer, pour faire sa publicité en France. Après 1872 Stapfer dit avoir refusé de voir Hugo, trop favorable à la Commune, et dangereux pour son indépendance de critique. L'ensemble est parsemé du minimum décent de louanges, et se termine, à l'annonce de la mort du poète, par un couplet de remords, d'hyperboles et de sanglots.

Le sommet du genre est atteint beaucoup plus tard, dans un ouvrage qui a sa place ici car Léon Daudet fut le mari de Jeanne Hugo. *La tragique existence de Victor Hugo* (1937) est en effet un ouvrage d'une malhonnêteté et d'une bassesse tragiques. C'est une fable où tout est inventé, des épisodes de l'œuvre racontés à la place de la vie, Hugo traité de démagogue, de mauvais père et de mauvais mari, marié d'ailleurs à une femme odieuse, amant d'une Juliette lesbienne, etc. « Ses romans étaient en général mal conçus, mal fichus », et « son vocabulaire était assez limité. » Ainsi écrit Léon Daudet, qui finit par reprocher au poète son « manque complet de spiritualité », autorisé sans doute à ce jugement par la vulgarité de son ouvrage. On est ici dans l'extrême d'une haine familiale d'abord, politique ensuite, qui se donne d'autant plus libre cours que le climat politique des années précédant la publication encourage l'extrême-droite à la violence. Mais au-delà de Léon Daudet, on mesure à quel point la gloire, plus même que le génie, de Victor Hugo, durent être insupportables à beaucoup.

Non plus témoin mais critique, Edmond Biré se livre, du vivant même de Hugo, à une entreprise d'une autre ampleur et d'une autre qualité, tout en se rangeant lui aussi dans le camp des détracteurs : *Victor Hugo avant 1830* (1883)[25] : « Son érudition n'excluait pas le parti pris », dit très litotiquement le Larousse. Biré est un avocat et un historien minutieux et sincère, et un Vendéen catholique et royaliste, qui, s'il connaît et admire l'œuvre de Hugo, lui reproche essentiellement de ne pas être resté, comme lui, catholique — mais Hugo ne l'a jamais été — et royaliste.

La principale source biographique de Biré est le *VHR,* qu'il utilise abondamment, souvent pour l'infirmer au moyen de textes autobiographiques de Victor Hugo lui-même, et les *Mémoires* du général Hugo : la méthode et le but de Biré sont, par l'examen des textes, le repérage des contradictions. Il faut dire qu'il est le premier à consacrer l'essentiel de son étude à l'œuvre et non à l'homme, les situant constamment dans l'entourage des grands romantiques, ce qui apparaît comme une nouveauté. Très discret sur la vie privée, il fait œuvre d'historien littéraire et politique. Sa théorie se résume ainsi : Hugo est un génie ; chez un génie toute erreur est impardonnable ; d'où quelques (rares) fureurs de Biré : que Hugo, après pareille évolution politique, « nous veuille contraindre à saluer l'unité de sa vie, la fixité de ses opinions, la fermeté immuable de ses principes, cela — qu'il nous permette de le lui dire, — cela C'EST RAIDE ! » *(sic).* Ou encore, après une de ces réfutations minutieuses jusqu'à la digression qu'il pratique volontiers — là, du mot de Chateaubriand sur « l'enfant sublime » — il conclut, sans autre aménité : « *sublime,* M. Hugo l'a été quelquefois ; *enfant,* il l'est toujours ». Ce qui aurait sans doute bien fait rire Victor Hugo, inventeur de la Chambre des poupées et du Sénat des polichinelles devant le Tribunal des bébés.

Le plus étonnant est qu'au terme d'une étude qui relève plus de la critique littéraire que de la biographie, Biré, admiratif devant le génie de technicien poétique de Hugo, réticent comme Daudet face au fait que « les choses de l'âme lui échappent », conclut qu'il aime vraiment Hugo parce que celui-ci n'a jamais fait une faute de français, puis lui dénie toute influence réelle. « On a pu dire : le siècle de Voltaire. On ne dira jamais : le siècle de Victor Hugo. » Douloureuses contradictions de Biré, face à une gloire qu'il explique par la démagogie du poète : ceux-là même qui défilent sous ses fenêtres « ne lisent pas ses vers, ils lisent M. Zola ». La haine politique aveugle le critique, au point de lui faire écrire des phrases savoureuses, comme : « Ses dernières œuvres pourraient avoir pour épigraphe ce passage d'*Hamlet : Des mots ! des mots ! des mots !* » Certes. Ailleurs il écrit : « Ce qui frappe tout d'abord dans *Han d'Islande,* c'est l'absence d'originalité. » Mais ce n'est plus de biographie qu'il s'agit.

L'étape suivante de la biographie hugolienne est celle de la découverte et de la publication progressive des correspondances. Elles eussent dû rester confidentielles jusqu'en 1963, mais, selon Raymond Escholier, elles furent rendues publiques beaucoup plus tôt grâce à l'indiscrétion de Louis Koch, neveu de Juliette Drouet, qui transmit copie des lettres de Victor à Louis Barthou, et les lettres mêmes de Juliette à un libraire. Publications qui s'étendirent progressivement à l'ensemble des correspondants de Victor Hugo. L'enjeu des biographes change ; leurs prises de positions se dépolitisent et se moralisent. Il ne s'agit plus de la gloire de Hugo et de la nation française, mais de juger un homme dans sa vie la plus secrète, ce qui revient généralement à prendre parti pour Adèle — comme Gustave Simon[26] —, plus souvent pour Juliette comme Guimbaud et Souchon, ou plus tard à réhabiliter Léonie, puis Blanche, comme Raymond Escholier. On peut situer cet ensemble biographique, pour l'essentiel, de 1914 aux environs de 1930, avec pour héritage et aboutissement une série de grands ouvrages publiés autour du cent-cinquantenaire de la naissance du poète.

Jusqu'aux années 30, les biographes travaillent autour de deux thèmes principaux : la jeunesse de Victor Hugo, et, surtout, sa vie amoureuse. Le *Victor Hugo à vingt ans,* de Pierre Dufay, publié en 1909, s'inspire comme ses contemporains du *VHR* et des *Mémoires du général Hugo,* mais fait déjà état des quarante lettres adressées par Victor à son père de 1822 à 1828. L'ouvrage se contente d'être, pour l'essentiel, la présentation de ces lettres, quoiqu'il appelle l'attention sur un fait encore peu connu, le ralliement de Léopold à la Restauration. Il conclut sur l'éloge de Sophie Trébuchet et d'Adèle Hugo, les deux bons anges du poète. Très vite l'identité des anges va changer et leur nombre augmenter.

Louis Guimbaud ouvre le feu, en 1914, en publiant une partie des lettres de Juliette vendues à l'éditeur Auguste Blaizot. C'est bien une biographie de Victor qu'il s'agit, mais conçue autour d'une histoire apologétique de Juliette, parée de toutes les vertus grâce à un amour mystique, et finalement agent secret de la vie et de l'œuvre du poète, dont le portrait pâlit à côté du sien. Guimbaud connaît la liaison avec Léonie et sa durée, mais considère que ce n'est qu'une « triste affaire ». En 1927 Guimbaud change d'avis et chante, à son tour, la grâce de Léonie d'Aunet, opposant les rôles des deux femmes : Juliette pousse Victor à écrire, Léonie l'encourage dans ses ambitions politiques ; le coup d'État vient trancher les hésitations amoureuses du poète, qui est ici peint sans tendresse, dans la duplicité et le carriérisme.

C'est Louis Barthou, homme politique important mais aussi collectionneur, bibliophile, critique littéraire et académicien, qui parle le premier de Léonie dans *Les amours d'un poète,* publié en 1918, qui est la première grande synthèse, à partir de documents inédits, sur la vie privée du poète. Il en rend compte dans une perspective humaniste et assez généreuse, tout en se reconnaissant parfois choqué par la proximité, dans certains écrits de Victor Hugo, de ses amours profanes et du sacré :

les enfants, les prêtres, Dieu. Il répartit, en moraliste, les « fautes » avec quelque équité : Léopold Hugo n'était pas un si bon mari, ce qui permettra aux biographes suivants de révéler la liaison de Sophie avec Lahorie et de la réhabiliter ; Adèle Hugo n'a ni connu une chute, comme le prétendent les biographes de Sainte-Beuve, ni une chute sans faute, ou faute sans chute — on s'embrouille — selon la version de Gustave Simon, mais assurément une faute et une chute, laissant ainsi le champ libre à son mari. Barthou se livre à un examen scrupuleux de moralité sur Victor, Adèle, Sainte-Beuve, assure que Victor est fidèle jusqu'à Juliette, mais n'assure pas que Juliette est tout de suite fidèle à Victor... On sait que ce genre de débat se poursuivra à l'infini. Il mentionne l'épisode Léonie, sans montrer grand intérêt pour « cette sirène », puis l'« intrigue avortée » avec Alice Ozy qui aurait préféré le fils au père. Le reste n'est pas absent : courage de Hugo sur les barricades de 48, puis au moment du coup d'État où Juliette lui sauve héroïquement la vie.

La légende d'un « amant de génie » :

Façon de voir la vie en rose, par Louis Morin
La Vie en Rose, 2 mars 1902
Paris, M.V.H.

« Les fredaines du grand-père enfant » vues par Adolphe Willette en 1897, dans la manière des *Chansons des rues et des bois*
Paris, M.V.H.

L'« amant de génie » et ses conquêtes, sur la couverture du livre de Raymond Escholier (1953)

Ces trois ouvrages déterminent évidemment la connaissance et la poursuite de la biographie personnelle.

On revient ensuite à *La jeunesse de Victor Hugo,* avec un livre d'E. Benoît-Lévy publié en 1928. Malgré ses réticences déclarées, il cite constamment le *VHR* et s'appuie sur les critiques précédents, tout en refusant la partialité d'un Biré, ou la biographie romancée qui se contente d'« arranger » le *VHR*. Il insère l'œuvre dans la vie, réduisant finalement beaucoup l'aspect proprement biographique, encore qu'il mette bien en évidence la dureté de l'enfance de Victor Hugo due aux dissentiments de ses parents, mais sans vouloir poser la question des rapports entre Sophie et Lahorie. Avocat de profession, Benoît-Lévy veut constituer un dossier en évitant d'imposer son avis.

Suivent deux biographies complètes, au milieu de ces ouvrages partiels. Paul Berret, éminent professeur, philosophe devenu spécialiste de Victor Hugo, ne prétend pas à l'impartialité de Benoît-Lévy. Son ouvrage *Victor Hugo* (1927) est passionné et chaleureux. Pour la première fois on observe, dans sa table des matières, une biographie préliminaire à l'étude, beaucoup plus fournie, de l'œuvre. Il s'appuie sur le *VHR,* les critiques précédents ; il lui arrive de recopier Biré, « qui ne fut » pourtant « ni tendre ni juste toujours ». L'enfance est jugée dramatique ; puis il suit avec sympathie l'évolution de Victor Hugo vers le romantisme et le libéralisme. Il refuse de croire à la liaison d'Adèle et de Sainte-Beuve, et admet que Hugo, entre deux femmes admirables, « ne s'asservisse pas aux lois de la commune morale ! » Peu de place est faite à Léonie, et aux « faiblesses » de la vie privée du vieillard « sur lesquelles on chuchote parfois ». Mais Berret dépeint avec passion

Baisers lyriques du siècle, par Sahib (?)
Hugo-Jupiter, en aigle, le foudre en main, enlève
Esméralda dans ses bras. « Baiser volcanique »,
dit la légende
La Vie Parisienne, 8 sept. 1888
Paris, M.V.H.

l'exil, le grandissement du prophète, pour conclure que si l'homme Hugo n'a pas été parfait, « il commence à se dresser sur l'horizon de son siècle avec cette physionomie devenue légendaire où il entre à la fois de l'énergie et de la majesté, du génie et de la bonté... » Des premiers biographes à Berret, la connaissance des faits a progressé, et souvent scandalisé. Qu'il réaffirme la gloire et la légende, quarante ans après les dithyrambes de la mort du poète, et en — presque — toute connaissance de cause, ne lui donne que plus de force.

La vie glorieuse de Victor Hugo, publiée par Raymond Escholier, conservateur de la Maison de Victor Hugo, en 1928, n'apporte rien de nouveau que sa propre forme. Influencé par Barthou et Berret, opposé à Biré, il utilise lui aussi beaucoup le *VHR,* malgré sa méfiance. Il fait une synthèse, à destination du grand public — son livre paraît dans la collection « Le roman des grandes existences », chez Plon —, en prétendant à une vérité scrupuleuse d'historien, et en écrivant une biographie romancée, où alternent récits, dialogues et citations. Sa particularité est de donner au genre biographique, au moins en ce qui concerne Victor Hugo, une forme et un ton modernes, non universitaires mais à la fois « sérieux » et destinés au grand public. On retiendra de lui, avec quelque malice, cette perle : « Conçu sur une haute cime, Victor a déjà l'habitude des hauts lieux, le mépris des précipices, et même l'attraction de l'abîme. »

Après la guerre reprennent des publications de la même veine. Paul Souchon se fait le spécialiste de la vie amoureuse de Victor Hugo dans plusieurs ouvrages, par exemple *Les deux femmes de Victor Hugo,* en 1948. Il utilise des lettres inédites de Juliette pour un récit qui commence avec l'arrivée de Sainte-Beuve et se termine à la mort d'Adèle. Léonie est mentionnée comme tout à fait secondaire : toute la vie de Hugo semble se passer à gérer une situation scandaleuse pour quiconque, admirable pour lui, d'autant que Souchon, quoique sectateur de Juliette, hisse Adèle jusqu'à une intelligence et une générosité grandioses. Bel effet de symétrie, avec des moments de dramatisation où Sainte-Beuve apparaît, par exemple, comme « le traître de la pièce ». En 1951, Souchon publie les *Mille et une lettres d'amour* de Juliette à Victor ; publication encore très incomplète puisqu'on en recense une vingtaine de mille, mais qui fit date.

Raymond Escholier complète l'étude du même sujet avec *Un amant de génie, Victor Hugo,* en 1953. Le plan de son vaste ouvrage est le suivant : Pepita, Adèle, Juliette, Alice, Hélène, Thérèse, Ruth, Louise Michel, Marie, Sarah, Judith, Blanche. Escholier dispose d'informations nouvelles : les carnets réservés, auxquels il a accès en même temps qu'Henri Guillemin, qui en fera un usage très différent. Raymond Escholier veut révéler le plus de faits, c'est-à-dire de conquêtes, possible. Apparaissent la duchesse d'Orléans, amour sans doute platonique, mais qui nous aurait valu *Ruy Blas,* Louise Michel, Sarah Bernardt, etc. La thèse, toujours moraliste, est celle de l'indulgence, voire de la fierté que le plus grand écrivain français soit un homme à ce point couvert de femmes. Il cite Jérôme Tharaud : « Quel soulagement de penser que notre plus grand poète a été un mâle naturel et sain ! ».

Fernand Gregh, dans *Victor Hugo, sa vie, son œuvre* (1954) juge quelque peu indiscret le luxe de détails que donne Raymond Escholier, quoiqu'il soit d'accord pour admirer « l'homme dans la plénitude du terme, mâle magnifique, et comme tous les vrais mâles, adorateur incliné de l'Éternel Féminin... » ! Il étudie la vie de Hugo, puis, beaucoup plus longuement, son œuvre. Il ne fait guère que reprendre les récits précédents, sans citer ses sources ; ajoutant telle erreur précédemment abandonnée, comme la chouannerie de Sophie Trébuchet, ou donnant une importance nouvelle à Léonie, présentée avec plus de sympathie que ses prédécesseurs. La biographie s'essouffle et se fait synthèse ; elle se dépassionne, à un moment où, selon Fernand Gregh, l'hugophobie est en recul, où la résistance à Hugo se maintient, toujours de façon partielle, et où le pire est l'ignorance des lecteurs modernes. Si « le plus grand poète de France » est entré « dans l'immense clarté blanche de la gloire absolue », s'il est reconnu comme « un homme pleinement et magnifiquement viril, loyal, généreux et humain », encore faudrait-il le lire. On voit poindre ici une inquiétude nouvelle du biographe, qui sent que son œuvre de critique littéraire risque d'être plus importante. Désormais le schéma de « l'homme et l'œuvre », qui vaut encore aujourd'hui, est en place.

L'aboutissement de cette série est l'œuvre d'André Maurois, romancier comme Gregh est poète. *Olympio ou la vie de Victor Hugo* est devenu, grâce à ses qualités réelles, un modèle biographique. Il est significatif que cet ouvrage de 1954 soit réédité constamment depuis sa publication. Maurois dispose de documents inédits, mais veut « se garder d'enterrer le héros sous les témoignages », qui ne doivent servir, par leur synthèse, qu'à « faire surgir un homme. » Il utilise abondamment les notes de *Choses vues*. Sa méthode consiste à intégrer la biographie et l'histoire de l'œuvre dans le maximum de faits ; beaucoup de psychologie et beaucoup d'histoire ; ce qui en fait aussi un ouvrage destiné au grand public. Le récit est dépassionné : par exemple Sainte-Beuve, pour une fois, n'est pas caricaturé en traître de mélodrame. Certaines analyses rendent un son nouveau dans un ouvrage qui pourtant clôt une époque : ainsi Victor Hugo en 1848 est montré dans le déchirement, jouant un personnage social auquel il n'adhère plus, tourmenté par la misère sociale et une exigence de spiritualité, et formidablement apaisé par l'exil avec sa pauvreté et ses dangers. Maurois raconte parfois très bien, ainsi des années 1860 : « Ce n'était pas dur pour *Lui,* qui portait cent chefs-d'œuvre dans sa tête et sortait par tous les temps, tête nue, avec sa cape et son bâton, mais pour les trois enfants, qui, sous leurs crânes, ne portaient que leur cervelle, leurs désirs et leur ennui. » Maurois s'agace de certaines légendes, comme celle de l'avarice de Victor Hugo, et fait confiance à d'autres, comme l'« ivresse mystique » de Juliette. En bref sa biographie semble régie par un souci de vérité et d'équilibre qu'on n'avait pas si souvent rencontré jusqu'alors.

On rangera dans cette série, abusivement, un ouvrage beaucoup plus tardif, *L'éveil de Victor Hugo,* de Pierre Flottes, car il constitue une manière de régression par rapport aux avancées de connaissances et de méthode précédentes. Quoiqu'il cite des auteurs modernes comme Guillemin, Venzac et Baudoin, il en revient aux thèmes du manque de « compréhension spirituelle », de l'« aversion du féminisme », de la méconnaissance par Hugo du « devenir historique » : « Il a conçu l'histoire sous forme de fresques intemporelles alignées l'une derrière l'autre comme des tableaux dans un musée, en série discontinue. » A croire que Pierre Flottes n'a pas lu certains chapitres des *Misérables*. Mais le plus grave est la conception parfaitement téléologique de son étude : le récit biographique se vérifie immédiatement par l'œuvre contemporaine, qui à son tour se vérifie par l'œuvre tardive... Toute la vie de Hugo est ainsi, abusivement, finalisée. Par exemple Adèle fiancée, recevant les lettres de Victor, a des mouvements de recul : elle attend Sainte-Beuve ! Une conception aussi mécaniste de la biographie est tout de même inexcusable.

Autour des années 50, l'accès aux carnets réservés et l'introduction de la psychanalyse dans les méthodes de la critique littéraire transforment largement le paysage biographique et la représentation de Victor Hugo.

La recherche s'oriente selon des formes différentes : recherche universitaire, à la fois biographique et littéraire, et portant toujours sur une période limitée de la vie de Victor Hugo : *Les origines littéraires de Victor Hugo,* de Géraud Venzac (1955) sont à cet égard un modèle d'étude biographique et littéraire, d'une précision et d'une objectivité scrupuleuses, où le chanoine Venzac, refusant de rééditer l'erreur de Biré, démontre que malgré toute sa bonne volonté Victor Hugo ne réussit jamais à être catholique, et qu'il en fut plus proche dans les années de la fin de la Monarchie de Juillet que dans sa jeunesse ultra-royaliste, influencée par le *Génie du christianisme* de Chateaubriand. Ou bien recherche limitée par sa propre méthode, comme la *Psychanalyse de Victor Hugo* de Charles Baudoin, publiée à Genève dès 1943, petit ouvrage souvent accusé de simplification mais qui réunit la vie et l'œuvre par l'étude de structures inconscientes et récurrentes, comme le couple des frères ennemis ou la figure de l'araignée, mauvaise mère ; cette fois le rapport est inversé et c'est dans l'œuvre que vient se lire la vie du poète.

Deuxième type d'ouvrages, l'essai, assez inclassable à vrai dire, d'Henri Guillemin, *Victor Hugo par lui-même,* en 1951, qui renouvela la recherche hugolienne et l'image de Hugo. Il en trace en quelques dizaines de pages un admirable portrait, fabriqué à partir d'une profonde sympathie, faiblesses et contradictions comprises. L'éclairage par des documents nouveaux, et la libération par rapport au schéma traditionnel de la biographie chronologique lui donnent une vérité singulière. Le parti pris de Guillemin est de déconstruire les légendes, dont certaines ont la vie dure, pour chercher non une image de Hugo mais, par de multiples facettes, ses vérités — celles du moins auxquelles on peut avoir accès.

A une autre échelle, l'entreprise de Jean Massin, dirigeant l'édition des *Œuvres complètes* du Club français du Livre, a des intentions et des méthodes comparables.

Recherche d'une vérité de l'image de Victor Hugo par la convergence d'images nombreuses, de portraits et d'études faits par des chercheurs et des auteurs différents, soit par le choix d'une date dans la vie du poète, soit par celui d'un thème ; et établissement complémentaire d'un gigantesque fichier synchronique qui déroule, volume par volume, une longue bande de faits — entre autres — biographiques. Publication enfin d'une masse de correspondances et de carnets, agendas, documents annexes qui font de l'édition Massin un instrument de recherche biographique irremplaçable jusqu'à aujourd'hui : c'est-à-dire que le lecteur y est à la fois obligé et libre, à partir d'une telle masse d'informations et d'une telle variété d'interprétation, de constituer sa propre image du poète.

Parallèlement, la recherche universitaire s'oriente de plus en plus vers des recherches textuelles, abandonnant le genre biographique, dans sa forme classique, à des ouvrages destinés au grand public, qui peuvent atteindre aujourd'hui des tirages de best-sellers.

L'une des dernières biographies « universitaires » doit être le *Victor Hugo, l'homme et l'œuvre,* de Jean-Bertrand Barrère, publié en 1952, et réédité récemment : petit ouvrage complet, rapide et discret sur la vie du poète, dont il trace un portrait qui vise à l'« équilibre du caractère et de la création », refusant « l'excès de l'idôlatrie et de la haine ». Il est significatif qu'un projet aussi classique dans ses choix soit possible seulement après l'extinction des feux et des légendes, au moment où finalement les vérités historiques et personnelles peuvent commencer à être mises au jour.

En 1964, l'*Album Hugo* de la Bibliothèque de la Pléiade inaugure une mode biographique nouvelle, en parsemant un texte biographique chronologique et assez bref d'une multiplicité de documents : reproductions de manuscrits, portraits, gravures, dessins de Victor Hugo, etc. Le centenaire de 1985 est l'occasion de la publication de plusieurs albums où la saisie biographique est faite dans le rapport du texte à l'image : par exemple le *Victor Hugo* d'Arnaud Laster réduit la biographie à une chronologie et donne à l'image une place prééminente.

La préparation du centenaire de 1985 a redonné aux biographies un essor nouveau. Il faut dire que le genre est à la mode depuis plusieurs années : des biographies d'hommes politiques, de personnages historiques et d'écrivains, généralement de dimensions imposantes, connaissent de gros succès de librairie. Pour Victor Hugo ce sont deux écrivains et journalistes, Hubert Juin et Alain Decaux, tous deux fervents admirateurs et connaisseurs de Victor Hugo, qui ont publié, l'un, un *Victor Hugo* en trois gros volumes, découpé en 1802-1843, 1844-1870, et, à paraître, 1871-1885 ; l'autre, un *Victor Hugo* en un seul volume, déjà substantiel. On assiste donc, dans la forme, à un retour aux sources, avec cette différence que la quantité d'information est bien plus grande, et le but déclaré, depuis Guillemin, le dépassement des légendes au profit de la vérité, quel que soit le type de présentation choisi. Hubert Juin pratique une écriture plus journalistique et moderne, jouant de l'étonnement et de la contradiction ; l'académicien Alain Decaux retrace une biographie de forme plus classique, quoique tout aussi vivante, qui part d'un rapport plus chaleureux à l'auteur. Leurs sources ont une orientation différente : Hubert Juin, éditeur de *Choses vues,* s'en sert volontiers ; Alain Decaux a une prédilection pour le *VHR* dans sa version complète et nouvelle, et semble être inspiré largement de la biographie de Raymond Escholier, au moins pour certains épisodes, et pour le plan général et les proportions de son ouvrage.

Il faut s'arrêter ici, au seuil de l'explosion éditoriale que suscite le centenaire de la mort de Victor Hugo, non sans mentionner que d'autres biographies tentent désormais une lecture de la vie du poète à l'aune de notre siècle : Annette Rosa, dans *Victor Hugo, l'éclat d'un siècle,* recherche dans la vérité historique et biographique les moyens de lire aujourd'hui et de comprendre notre temps à travers celui de Hugo ; à l'opposé, Jean-François Kahn, dans *L'extraordinaire métamorphose,* dessine un Hugo nouvelle manière, individualiste forcené, qui laisse entendre qu'après tant d'érudition patiente, après un siècle de recherche biographique, on peut avec succès reconstruire de nouvelles légendes.

Points d'interrogations

A partir de cette histoire en pointillés, et d'une vue d'ensemble de la littérature produite depuis un siècle sur Victor Hugo, on peut tenter quelques remarques.

La première concerne l'appropriation immédiate, dès sa mort, du poète par

CINQUIÈME ANNÉE, N° 8   UN NUMÉRO 25 CENTIMES   DIMANCHE 22 FÉVRIER 1885

LITTÉRATURE   **L'Écho**   BEAUX-ARTS
SCIENCES   MODES

JOURNAL ILLUSTRÉ DE LA FAMILLE

POUR TOUS LES RENSEIGNEMENTS   ADMINISTRATION & REDACTION
voir au bas de la dernière page   64, Boulevard Haussmann

Les âges de la vie d'un grand homme : un thème
souvent traité dans l'iconographie de Victor
Hugo entre 1880 et 1902
L'Écho, 22 fév. 1885
Paris, M.V.H.

l'État français ; appropriation jamais démentie depuis, quelles que soient les fluctuations de sa cote de popularité, et plus encore de lecture. Les commémorations officielles de 1885, 1902, 1935, 1952 et 1985 affirment que Victor Hugo est non seulement un homme public, mais une institution, détachant ainsi sa valeur symbolique — profondément patriotique et républicaine — de la réalité de son œuvre. Opération qui ne va pas sans le danger de le réduire à une effigie. Une des formes, semble-t-il, les mieux adaptées à ces célébrations est la biographie, qui fleurit autour de ces dates officielles, tandis que la recherche érudite, étude ou édition des œuvres, se mène de façon plus autonome, ou obéit à d'autres impératifs ; de même pour la lecture populaire de Hugo, poursuivie malgré une occultation relative par les classes cultivées et même par l'institution scolaire, durant une longue période. Lire et fêter Victor Hugo restent deux opérations bien distinctes ; et le fêter, c'est souvent lire le récit de sa vie : elle doit donc être exemplaire selon les canons de l'époque concernée, ce qui favorise, bien au-delà des progrès permis par l'érudition biographique, la perpétuation du genre. Chaque génération se voit offrir une version du mythe qui lui convient.

Donc le mythe se modifie. Le grand poète, grand-prêtre de la famille et de la nation de 1885 se mue en héros de l'amour et, simultanément, en métaphysicien irrationaliste ; aujourd'hui il serait plutôt de mode d'exhiber ses angoisses et ses faiblesses, bref son humanité ; si le lecteur de biographies du début de ce siècle cherchait à éprouver des sentiments, de l'admiration par exemple, pour le héros, le lecteur d'aujourd'hui demande plutôt à s'identifier à ce héros, à le rejoindre par la médiation d'une vision du monde continue du héros à lui ; la tâche du biographe est de rendre cette liaison possible. D'où peut-être la dégradation du genre biographique en vulgarisation, d'autant que l'accroissement de son public potentiel est considérable.

L'examen des titres des biographies étudiées ici est instructif. *La vie de Victor Hugo, Victor Hugo, sa vie, son œuvre,* et souvent : *Victor Hugo.* La littérature abonde sur les quatre syllabes de ce nom sonore, avec lequel son propriétaire lui-même avait déjà beaucoup joué. Gustave Rivet rapporte ce propos d'un vigneron charentais, proscrit à Guernesey, qui, les yeux au ciel, dit en parlant du poète : « Si digne de ce nom ! » Nomination si saturée de gloire qu'elle déborde l'individu réel, et décourage le biographe de trouver mieux. Rares sont les auteurs qui se risquent à des titres programmatiques, comme *La vie glorieuse,* ou *La tragique existence...* Les compléments ne sont guère pratiqués que si la biographie concerne une époque limitée de la vie de Victor Hugo, ou si le biographe est un témoin qui l'a connu. Curieusement, en matière de biographie amoureuse, le nom peut être supprimé *(Les amours d'un poète)* ou rejeté, comme thème, après son prédicat *(Un amant de génie, Victor Hugo).* C'est le seul sujet sur lequel le nom peut être secondarisé. La seule tentative originale est celle d'André Maurois : *Olympio* désigne le poète, ce qui est bien la fonction principale de Hugo ; d'un nom divin qu'il s'est donné lui-même et qui appartient à son œuvre, indistincte de sa vie, d'autant que *Tristesse d'Olympio* est un grand poème autobiographique.

Autre type d'observation, celui des proportions respectives des tranches chronologiques dans les biographies complètes. On convient de prendre comme découpage : avant l'exil, pendant l'exil, après l'exil. Cela donne le tableau suivant, où le nom de l'auteur représente la biographie précédemment citée :

Auteur	Période	Pages	Auteur	Pages
G. Rivet	1802-1851	80 pages	A. Maurois	380
	1851-1870	60		110
	1870-1885	150		70
A. Barbou		240	F. Gregh	65
		100		11
		140		10
P. Berret		90	A. Rosa	90
		20		40
		15		35
R. Escholier		300	H. Juin	1120
	1851-1885	20		490
L. Daudet		100		?
		100	A. Decaux	750
		50		180
				90

La presse et les biographies

Ce tableau indique d'abord que les seuls biographes à donner une place importante à la troisième période, voire à l'exil, sont ceux qui ont connu Victor Hugo, et qui l'ont justement connu à la fin de sa vie — ou qui ont eu des liens familiaux avec lui : Rivet, Barbou et Daudet. Pour tous les autres la disproportion est flagrante. Maurois arrive en 1843 au milieu de son livre ; Gregh est particulièrement rapide sur l'exil, Escholier se désintéresse complètement de la deuxième moitié de la vie de Hugo, et l'ensemble des biographes abrège la troisième partie. Ce qui revient à privilégier, massivement, le Hugo d'avant l'exil, c'est-à-dire l'homme privé, au détriment du prophète de Guernesey et du vieillard parisien et glorieux.

Que l'enfance, la jeunesse et la maturité de Victor Hugo soient plus riches en événements privés que les périodes suivantes est une évidence. Mais que les biographes négligent à ce point les équilibres étonne ; on pourrait le comprendre si le fait s'expliquait par une défaveur pour le Hugo républicain et socialiste de la fin, mais ce n'est pas toujours, loin de là, le cas. Il est probable que la masse d'informations donnée par le *VHR* pèse en faveur de la première période, et que la publication complète des correspondances permettrait un rééquilibrage. Il est possible aussi que le genre biographique impose un déplacement de la masse narrative vers l'amont : antécédents familiaux, enfance, amours, etc. reprenant inconsciemment la vieille loi des contes selon laquelle, les héros mariés, le récit trouve sa fin. Et Hugo, plus que bien des sujets biographiques, fut un interminable vieillard, et il faut bien terminer les livres.

De fait l'équilibre est difficile à trouver : une biographie de Hugo doit mêler, dans des proportions variables, la vie privée, la vie publique, l'histoire et — on ne peut la séparer entièrement du reste — l'œuvre ; immense champ qui se dilue dans un espace temporel de près d'un siècle. Mesurer les choix préférentiels des biographes, même de façon approximative, est extrêmement difficile — toujours pour les biographies complètes. On peut tenter de s'en faire une idée par sondage, en examinant la place tenue dans les différentes biographies par tel ou tel épisode de détail.

La mésentente de Léopold Hugo et de Sophie Trébuchet est connue de tous les biographes. Barbou passe très vite et l'attribue aux « tempêtes » politiques, sans un mot sur la liaison Sophie-Lahorie. Il note par exemple : « Madame Hugo, par prudence, dut quitter Madrid. » Même chose chez Biré, qui explique ainsi le retour d'Espagne de 1812 : « Le général Hugo jugea prudent de renvoyer à Paris sa femme et ses plus jeunes enfants. » Dufay rend le général responsable d'avoir quitté sa famille pour Catherine Thomas. Une représentation plus exacte et plus dramatique de l'enfance de Victor apparaît avec Berret qui parle d'un « drame conjugal pénible », et en 1817 d'une « terrible situation de famille ». Il reprend exactement la phrase de Biré sur le retour d'Espagne. Escholier, le premier, laisse entendre la passion de Sophie pour Lahorie. Benoît-Lévy n'en parle pas, mais retrace une enfance très dure au milieu des dissensions familiales. Barrère met en place, brièvement, les parents, les liaisons et, sans dramatiser l'enfance de Hugo, note : « Le scandale du ménage était devenu public. » Gregh insiste sur la dureté de cette enfance et se livre à des considérations morales sur Sophie, « épouse incertaine bien qu'excusable », mais « mère admirable ». Le récit de Maurois est complet et traite avec équité Sophie, Léopold et Lahorie, tandis que Flottes rend Sophie responsable de la mésentente conjugale... Le récit de Hubert Juin, très long et détaillé, donne une dimension nouvelle à Lahorie, au point de le confondre avec son père dans l'imaginaire de l'enfant et d'en faire, ce qui est un peu contradictoire, l'origine du proscrit Jean Valjean dans *Les misérables*. Decaux, partisan de Sophie, fait surtout revivre l'histoire d'amour avec Lahorie, et montre les enfants assez protégés des querelles familiales. Que peut-on en conclure ? Que la bienséance interdit longtemps aux biographes de révéler la vraie nature, amoureuse, de la mésentente des parents Hugo ; que la figure du père est généralement disqualifiée, alors même que l'adultère maternel serait dans n'importe quel autre ouvrage des mêmes époques tenu pour plus grave ; que l'enfance de Victor Hugo est dépeinte sous des couleurs plus ou moins sombres, et qu'en général il suffit aux biographes de développer le thème des Feuillantines, à partir du *VHR,* pour rendre le tableau plus rose, sinon plus vert. Sur une base d'informations relativement connue, on observe une évolution des narrations qui va de la discrétion au dramatique, pour finir aujourd'hui dans l'équité ou le compromis, avec des accents faciles à déplacer. Mais globalement la compréhension d'une forte souffrance enfantine, chez Victor, s'est imposée, donnant des éléments pour comprendre qu'il échappait ainsi, très tôt, à l'image d'absolu de la fonction parentale, ce qui lui donnait, pour plus tard, la liberté.

En tout cas les choix narratifs, dans le domaine de la vie privée, relèvent d'une équation complexe : il y a les faits que l'époque interdit de dire, même quand ils sont connus ; puis, quand le libéralisme de l'après-guerre autorise tous les discours, la conception plus ou moins historique ou psychologique que se fait le biographe de son travail, et enfin les sympathies personnelles, dont l'arbitraire est parfois fécond.

On peut prendre un exemple de nature très différente, celui des rapports de Hugo avec la Commune. Barbou écrit : « Lorsqu'il vit que les hommes qui dominaient la Commune la précipitaient, sous prétexte de représailles, dans la tyrannie et le crime, il s'indigna, et, dans des vers d'une incomparable puissance, il déclara qu'on ne pouvait faire un pas en-dehors du juste et de l'honnête. [...] Victor Hugo n'hésita pas à blâmer la Commune de la manière la plus énergique, écrivant au *Rappel* que la ville de la science ne pouvait être menée par l'ignorance, que la ville de la clarté ne pouvait pas être conduite par la cécité. En effet, de l'ignorance naît l'inconscience ; tel acte commence par être imbécile et finit par être féroce. Ainsi fut le monstrueux décret des otages, œuvre abominable de quelques insensés. » Berret ne note que d'un mot « ses sympathies pour les insurgés », qui expliquent l'hostilité de l'opinion publique à Hugo et ses huit mois prudents de séjour hors de France. Pour Escholier, « il lui est impossible de pactiser avec les hommes de la Commune ; mais vienne la Semaine sanglante, la terrible et aveugle répression versaillaise, et son âme chevaleresque embrasse le parti des vaincus ». Daudet montre Hugo partant pour Bruxelles et ajoute : « Il y passa le temps de la Commune... » « il assiste de loin au drame de la Commune, dont il réprouve les excès (avril), puis blâme la répression (mai). », écrit J.-B. Barrère. Et F. Gregh : « Il était de loin déchiré entre les deux partis, communards et Versaillais. Les communards, en même temps que des socialistes révoltés, étaient des patriotes désespérés, comme lui ; les Versaillais, en même temps que des bourgeois aveugles aux misères du peuple, étaient des amis de l'ordre, comme lui. Entre les deux, qui choisir ? Les deux chacun à son tour. » Maurois parle longuement de la Commune — deux pages — en citant abondamment *Choses vues*. « Il n'approuvait pas les excès de la Commune, mais suppliait que le gouvernement de Versailles ne répondît pas à la violence par la cruauté. » Puis il montre Hugo choisissant son camp devant ce fait : « La Commune avait tué soixante-quatre otages ; l'Assemblée fusillait six mille prisonniers. » Decaux raconte enfin le choc de l'insurrection pour Hugo, sa désapprobation mêlée de compréhension pour « l'immense refus de Paris devant cette Assemblée monarchiste qui, de Bordeaux, s'est transportée à Versailles, en peur — et surtout en haine — de la capitale. » Puis il fait le récit de la répression versaillaise et montre Hugo indigné des « exécutions sommaires commises à froid au nom de l'Assemblée. » Tous les biographes, bien entendu, mentionnent l'offre d'asile à Bruxelles.

Les avis diffèrent sur la position politique de Victor Hugo : hostile à la Commune selon Barbou, favorable selon Berret, lâchement absent selon Daudet ; les auteurs suivants le montrent hésitant ; pour Barrère et Gregh il change d'avis ; pour Maurois et Decaux il réfléchit avant de choisir, ce qui n'est pas la même chose. L'attitude des biographes varie face à la Commune ; leurs procédures de disqualification, ou d'approbation, de l'attitude présumée de Hugo, encore plus. Ce qui change également, c'est la nature de l'explication : purement sentimentale (par pitié) pour Escholier, politique pour Decaux, et pas d'explication du tout chez Barrère. Enfin le développement relatif de l'épisode est d'autant plus grand que le débat est situé au niveau politique, ou si l'on veut historique — Barbou et Decaux, quoique d'avis opposés.

On pourrait — il faudrait — continuer avec d'autres exemples. Il est probable que le résultat auquel on aboutirait, histoire de haines et de gloires à travers notre siècle, dessinerait à la fois non une image, mais un film de — sur ? — Hugo, et aussi l'histoire de nos mentalités et pratiques littéraires. Tandis que continuerait à s'écrire, inchangé : « HUGO (Victor), écrivain français, né à Besançon (1802-1885)... »[27]

N. S.

1. *La Gazette de France* du 18 septembre ; *La Ruche d'Aquitaine* du 27 ; *Le Courrier* du 1er octobre ; *La Renommée* du 3 ; *La Quotidienne* du 30. Voir l'abbé Pierre Dubois, *Biobibliographie de Victor Hugo de 1802 à 1825*, Librairie ancienne Honoré Champion, 1913, p. 21-24.
2. Pauvre en style, riche en péripéties et en rebondissements, *Le camisard* (1823), roman de P.-T.-R. Dinocourt, fut réédité en 1833 chez Lecointe.
3. Ladvocat ne publia que deux des six tomes prévus de ce recueil.
4. Pauline-Virginie Déjazet (1797-1875), actrice française qui remporta ses plus grands triomphes dans des rôles travestis.
5. *Thadéus le ressuscité,* roman de Michel Masson et Auguste Luchet, édité chez Ambroise Dupont, 1833. Condamné à être pendu, le protagoniste doit la vie à une trachéotomie pratiquée sur lui peu avant l'exécution par un chirurgien ami.
6. Cf. *Le rétablissement de la statue de Henri IV (Odes et ballades,* I,6), où Hugo prévient que l'immoralité n'est pas le fait d'un monument :

   Le proscrit à son tour peut remplacer l'idole ;
7. *Notre-Dame de Paris,* I, 5.
8. *Ibid.,* X, 1.
9. Cf. *ibid.,* VII, 4.
10. *Une révolution d'autrefois, ou les Romains chez eux,* pièce historique en 3 actes et en prose par Félix Pyat et Théo, créée au théâtre de l'Odéon le 1er mars 1832.
11. La formule figure dans le texte sans titre de Victor Hugo publié dans l'*Europe Littéraire,* le 29 mai 1833, qui sera repris en guise de préface à *Littérature et philosophie mêlées.*
12. Conclusion de la *Lettre aux éditeurs des poésies de feu Charles Dovalle,* reprise dans la préface d'*Hernani.*
13. « L'explication de cette pièce est dans sa date. A l'époque où elle fut écrite M. Hugo n'avait encore publié que ses trois premiers volumes de poésies et deux romans sans nom d'auteur. Si j'insiste sur ceci, c'est que je tiens à justifier le point de vue restreint sous lequel j'envisage le talent de M. Hugo, et ne veux point paraître vanter le siège de Toulon après la bataille d'Austerlitz. » (Note de Félix Arvers.)
14. C'est la date qui ouvre *Cromwell,* I, 1.
15. Cf. *Bug-Jargal,* VII.
16. *Le dernier jour d'un condamné,* II.
17. *Ibid.,* XX.
18. *Han d'Islande,* VI.
19. *Les vierges de Verdun (Odes et ballades,* 1, 3)
20. « Tendre fleur qui sors d'un tombeau ! » *(La naissance du duc de Bordeaux, Odes et ballades,* 1, 8, II)
21. Voir *La ronde du sabbat, La légende de la nonne, La fée et la péri (Odes et ballades,* VI, 14, 13 et 15), *Les djinns, Novembre (Les orientales,* 28 et 41).
22. Cf. *Le cénacle* de Joseph Delorme.
23. Qui sera désormais abrégé en *VHR.*
24. *Victor Hugo raconté par Adèle Hugo,* Plon, 1985.
25. Seul le premier volume de l'étude de Biré a été utilisé ici.
26. Gustave Simon, *La vie d'une femme,* Ollendorf, 1914.
27. *Petit Larousse illustré,* 1982.

Bibliographie

BARBOU Alfred — *La vie de Victor Hugo* (Victor Hugo et son temps). Charpentier, Marpon et Flammarion, 1886.

BARRÈRE Jean-Bertrand — *Hugo, l'homme et l'œuvre,* Boivin, 1952.

BARTHOU Louis — « Les amours d'un poète », *La Revue de Paris,* 1918.

BAUDOUIN Charles — *Psychanalyse de Victor Hugo,* Genève, Éditions du Mont-Blanc, 1943.

BENOÎT-LÉVY E. — *La jeunesse de Victor Hugo,* Albin Michel, 1928.

BERRET Paul — *Victor Hugo,* Garnier, 1927.

BIRÉ Edmond — *Victor Hugo avant 1830,* Librairie Perrin, 1902 (1re édition en 1883).

DAUDET Léon — *La tragique existence de Victor Hugo,* Albin Michel, 1937.

DECAUX Alain — *Victor Hugo,* Librairie Académique Perrin, 1984.

DUFAY Pierre — *Victor Hugo à vingt ans,* « Glanes romantiques », Mercure de France, 1909.

ECALLE M. et Lumbroso V. — *Album Hugo,* Bibliothèque de la Pléiade, Gallimard, 1964.

ESCHOLIER Raymond — *La vie glorieuse de Victor Hugo,* Plon, 1928 — *Un amant de génie, Victor Hugo,* Arthème Fayard, 1953.

FLOTTES Pierre — *L'éveil de Victor Hugo. 1802-1822,* Gallimard, 1927.

GREGH Fernand — *Victor Hugo, sa vie, son œuvre,* Flammarion, 1954.

GUILLEMIN Henri — *Victor Hugo par lui-même,* Éditions du Seuil, 1951.

GUIMBAUD Louis — *Victor Hugo et Juliette Drouet,* Auguste Blaizot, 1914 — *Victor Hugo et Madame Biard ;* Auguste Blaizot, 1927.

HUGO Adèle — *Victor Hugo raconté par un témoin de sa vie,* Lacroix et Verboeckhoven, 1863.

JUIN Hubert — *Victor Hugo. 1802-1843,* Flammarion, 1980 — *1840-1870,* Flammarion, 1984.

KAHN Jean-François — *L'extraordinaire métamorphose ou 5 ans de la vie de Victor Hugo. 1847-1851,* Éditions du Seuil, 1984.

LASTER Arnaud — *Victor Hugo,* Belfond, 1985.

LESCLIDE Richard — *Propos de table de Victor Hugo recueillis par...* E. Dentu, 1885.

MAUROIS André — *Olympio ou la vie de Victor Hugo,* Hachette, 1954.

RIVET Gustave — *Victor Hugo chez lui,* Éd. Maurice Dreyfous, s.d.

ROSA Annette — *Victor Hugo, l'éclat d'un siècle,* Messidor, 1985.

SIMON Gustave — *La vie d'une femme,* Ollendorf, 1914.

SOUCHON Paul — *Les deux femmes de Victor Hugo,* Tallandier, 1948 — *Mille et une lettres d'amour* (de Juliette Drouet à Victor Hugo). Gallimard, 1951.

STAPFER Paul — *Victor Hugo à Guernesey. Souvenirs personnels,* Sté française d'Imprimerie et de Librairie, 1905.

VENZAC Géraud — *Les origines religieuses de Victor Hugo,* Bloud et Gay, 1955.

Dictionnaire Larousse du vingtième siècle, 6 volumes, sous la direction de Paul Augé, 1928 (et *Supplément* de 1953).

Œuvres complètes de Victor Hugo. Édition chronologique publiée sous la direction de Jean Massin, Club Français du Livre, 1970.

N.S.

Un des premiers « grands reportages » de presse : la mort et les funérailles de Victor Hugo

Dès l'annonce officielle de la maladie de Hugo, le 18 mai, les journalistes s'emparent de l'événement. La presse, qui ne cesse de se développer depuis sa libéralisation par la loi du 21 juillet 1881, saisit l'occasion d'exprimer sa puissance de seul vrai mode d'information publique. Pendant près de trois semaines, la maladie, puis la mort, enfin les funérailles de Hugo, font « la une » de centaines de journaux, tant nationaux que locaux, emplissent des milliers de colonnes, donnent lieu à une profusion d'images : dessins pris sur le vif, gra-

vures, photographies, reproductions d'œuvres d'art…, tous les moyens sont bons pour relater ces faits exceptionnels, les décrire, les donner à voir, les ancrer dans les mémoires. Du 18 mai au 6 juin, l'événement saisi dans ses moindres péripéties défile devant les yeux d'innombrables lecteurs, à la manière d'un film continu et ininterrompu. Nous avons choisi de présenter ici quelques séquences de ce reportage, extraites de deux des plus importants journaux illustrés de l'époque : *L'Illustration* et *Le Monde Illustré*. — Ch. M.

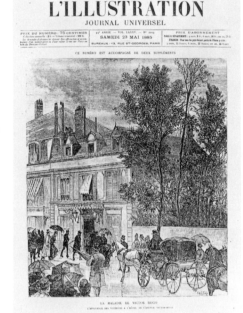

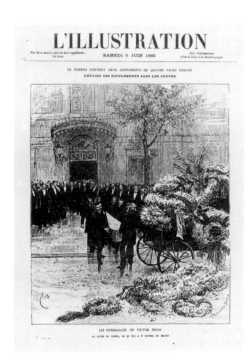

Victor Hugo sur son lit de mort (d'après Nadar)
L'Illustration, 30 mai 1885

*La maladie : L'affluence des visiteurs à l'hôtel
de l'avenue Victor-Hugo*
L'Illustration, 23 mai 1885

*Après la mort : les démonstrations sympathi-
ques ; la signature des registres à la porte de
l'hôtel*
Le Monde Illustré, 6 juin 1885

La levée du corps, le 31 mai à 6 heures du matin
L'Illustration, 6 juin 1885

*Le public attendant la levée du corps, dans la
nuit du 31 mai au 1er juin*
L'Illustration, 6 juin 1885

*Aspect de l'Arc de Triomphe et de ses abords
pendant la journée du dimanche 31 mai*
Le Monde Illustré, 6 juin 1885

ASPECT DE LA PLACE SAINT-GERMAIN-DES-PRÉS PENDANT LE PASSAGE DU CORTÈGE. — (Vue prise des fenêtres de son appartement par M. QUESNAY DE BEAUREPAIRE.)

LE MONDE ILLUSTRÉ

LA RUE RACINE. — (D'après nature par M. CHELMONSKI.)

Aspect de la place Saint-Germain-des-Prés pendant le passage du cortège (dessin de Quesnay de Beaurepaire)
Le Monde Illustré, 6 juin 1885

La foule rue Racine, cherchant à apercevoir le passage du cortège sur le boulevard Saint-Michel (dessin de M. Chelmonski)
Le Monde Illustré, 6 juin 1885

Le Panthéon au moment de l'arrivée des députations d'Alsace-Lorraine (dessin d'O. du Bré)
Le Monde Illustré, 6 juin 1885

Aspect du Panthéon après les funérailles
L'Illustration, 6 juin 1885

Le corbillard passant devant L'Immortalité, *groupe de Lemaire, érigé devant le Palais des Champs-Élysées* (dessin de Paul Merwart)
Le Monde Illustré, 6 juin 1885

LE CORBILLARD PASSANT DEVANT *l'Immortalité*, GROUPE DE M. LEMAIRE, ÉRIGÉ DEVANT LE PALAIS DES CHAMPS-ÉLYSÉES.
(D'après nature par M. MERWART.)

Soyez les serviteurs du droit
et les esclaves du devoir.
                    Victor Hugo

Maurice Agulhon
Madeleine Rebérioux

Hugo dans le débat politique et social

Sous la Restauration, Hugo d'un parti à l'autre

Victor Hugo a toujours été un homme en vue ; on pourrait presque dire — mais il faudra nuancer le propos — un homme politique. A peine arrivé à l'âge adulte, il publie des poèmes que leur beauté fait remarquer mais que leur inspiration situe nettement dans l'un des deux camps qui divisent alors la France. Il est du côté du régime établi, qui revendique pour lui seul la qualité de « royaliste », tandis que l'opposition, qui se dit elle-même « libérale », est officiellement stigmatisée comme « révolutionnaire ».

L'auteur des *Odes et ballades* est le poète de la restauration des valeurs, il est traditionnaliste, donc monarchiste, chrétien, et contre-révolutionnaire. A l'occasion du sacre de Reims, ce sacre qu'une chanson de l'illustre Béranger ridiculise pour la jubilation de la France libérale, Charles X fait décerner la croix de chevalier de la légion d'honneur à deux poètes bien-pensants, Alphonse de Lamartine et Victor Hugo. Ce dernier n'a que vingt-trois ans.

Pierre-Jean David d'Angers
Les funérailles du Général Foy
Maquette pour un bas-relief du tombeau du Général Foy au Père-Lachaise.
Ces funérailles furent, en 1825, une des grandes manifestations de l'opposition libérale. Il est douteux que Victor Hugo y ait assisté, mais, dès 1827, son ami David le représente au milieu des porteurs du cercueil. Le monument fut inauguré en 1831.
Angers, Musée des Beaux-Arts, Galerie David d'Angers

*André Gill
Victor Hugo : « Soyons les serviteurs du droit et les esclaves du devoir » (cat. 104)
La Lune Rousse, 8 mars 1877
Paris, M.V.H.

La presse libérale, même quand elle est capable d'admiration pour l'éclatante originalité du poète romantique, parle d'abord de lui en termes d'idéologie. Rendant compte des *Odes et ballades,* éditées en volume en 1826, *Le Globe* y trouve un « système complet de poésie, formé du platonisme en amour, du christianisme en mythologie et du royalisme en politique[1] ». Bizarre triptyque ! Mais il faut le comprendre comme l'exacte antithèse du système de Béranger : grivois en amour, matérialiste épicurien en mythologie et libéral en politique.

Hugo, dans le même article, est qualifié de poète « militant » (le mot y est), c'est une sorte de croisé, le « La Mennais de la poésie » ; dans ses premiers poèmes « la partie politique domine », la Vendée, Quiberon, l'assassinat du duc de Berry... ; « à chaque page une haine violente contre la révolution, une adoration exaltée des souvenirs monarchiques, une conviction délirante »... Si, continue notre critique, Hugo n'a pas pu devenir un chantre populaire, c'est parce qu'il s'est posé à contre-courant de son siècle (« le siècle ne se pouvait prendre d'amour pour qui lui lançait des anathèmes »). Sa voix (la voix de Hugo) « se perdit dans le chant des *Messéniennes* que se redisait en chœur la jeunesse ». Rappelons que Casimir Delavigne, autour des *Messéniennes*, était libéral, et que « la jeunesse » en bloc, était supposée l'être. Toujours critique, admiratif et perspicace *Le Globe* peut ajouter encore que Hugo n'est pas seulement desservi par son royalisme mais par certains côtés étranges de son génie : *Han d'Islande* prête trop aisément à la caricature, etc.

Le même organe de presse va dater de l'*Ode à la colonne de la place Vendôme* (dans laquelle Victor Hugo exaltait l'épopée napoléonienne pour venger une avanie

191

Louis Boulanger
Victor Hugo et la colonne Vendôme
Frontispice d'*Odes et ballades*, Paris, 1829
Paris, M.V.H.

faite par l'ambassade d'Autriche aux maréchaux) l'accession du poète à « la popularité »[2]. Nous sommes en février 1827 et, pour *Le Globe*, la popularité, en effet, est à gauche : elle va aux libéraux, dont la plupart sont aussi des patriotes, qui exaltent le souvenir de Napoléon contre les Bourbons, bénéficiaires des défaites de 1814 et de 1815, et ramenés par l'étranger. (Du coup, l'austère *Globe* se sent un peu moins hugophile, car ses rédacteurs, pour leur part, préfèrent la paix à la guerre, et la sagesse à la « passion de gloire militaire et féodale », — mais ceci est une autre question —).

Cette fascination admirative de Hugo pour Napoléon qui se révèle alors, aurait-elle suffi à le rendre hostile au gouvernement de Charles X ? Ce n'est pas si sûr. Malgré le drapeau blanc, cette provocation symbolique, et malgré « les fourgons de l'étranger », la monarchie restaurée a été beaucoup plus nationale que ses détracteurs ne l'ont dit ; elle a refait une armée forte et une diplomatie indépendante ; et l'idée de joindre un jour dans une fierté commune toutes les gloires passées de la nation n'était peut-être pas inimaginable. Après tout, au sacre de Charles X à Reims, le roi n'était-il pas entouré de quatre maréchaux qui avaient servi l'empereur ?

L'autre engouement politique qui saisit aussi Victor Hugo, la cause de l'indépendance grecque, l'exaltation des nationalités, l'aide aux peuples qui se battent contre les tyrans, peut certes être tenue pour parente du libéralisme et du napoléonisme, mais elle n'est pas incompatible avec l'esprit de la France royale : c'est bien la marine de Charles X qui va gagner contre les Turcs la bataille de Navarin.

C'est par une autre voie que devait venir la désaffection de Victor Hugo à l'égard de la vieille royauté ; c'est sur un autre terrain qu'allait apparaître la contradiction entre son royalisme et son romantisme.

Avec *Cromwell,* drame écrit et publié en décembre 1827, le jeune littérateur fait plus que s'essayer à un genre nouveau ; il fait plus, même, qu'affirmer à cette occasion la nouvelle esthétique, réclamer le droit au grotesque et au trivial, le droit au bizarre et au pittoresque justifiés par l'authenticité des « vieilles chroniques » ; il aborde la scène, c'est-à-dire la partie de l'art qui ne jouit pas de la liberté. Et il le dit, ou plutôt il l'écrit, dans la célèbre préface : impossible de mettre ce drame sur le théâtre « dans l'état d'exception où il est placé, entre le Charybde académique et le Scylla administratif, entre les jurys littéraires et la censure politique »[3]. Aussi, « désespérant d'être jamais mis en scène », bref, renonçant à affronter la police, il se contente, par la librairie, qui est libre, d'affronter et de provoquer le goût des classiques.

Il y a déjà du mécontentement dans cette abstention forcée, et l'on peut prévoir que celui qui combat contre le Charybde classique n'est pas loin d'affronter le Scylla ministériel. C'est ce que diagnostique aussitôt l'excellent critique du *Globe,* Charles de Rémusat :

« Ses premiers essais [de Hugo] en donnaient peu l'espérance [de la nouveauté]. Son esprit, qui ne fut jamais commun, semblait voué aux idées communes. Quelque temps il parut prétendre innover par la bizarrerie des formes, non par l'originalité de la pensée. Élevé pour ainsi dire au cœur du préjugé, il menaçait de s'en tenir aux idées de son parti : c'était s'ensevelir dans les cendres du passé. Quelques années se sont écoulées, et les idées qui passaient pour le paradoxe des esprits blasés ont pris place dans le bon sens, avec cette rapidité de conquête que la raison n'a possédée que dans notre siècle.

La liberté de la poésie et des arts a gagné sa cause au tribunal de l'opinion. Le mouvement est venu jusqu'à M. Hugo ; et tel est le lien qui unit toutes les vérités, qu'en s'initiant aux nouvelles doctrines littéraires, il a modifié, sans le savoir peut-être, l'ensemble de ses opinions philosophiques. Le temps n'est pas loin où il écrivait que *l'histoire des hommes ne présente de poésie que jugée du haut des idées monarchiques et des croyances religieuses ;* et le voilà qui déclare *insuffisant et passionné* le *profil* que Bossuet a tracé de Cromwell, *de sa chaire d'évêque appuyée au trône de Louis XIV[4].* »

Rémusat était bon prophète en voyant le romantisme venir au libéralisme par la solidarité des innovations et par celle des combats.

Hugo y vint, répétons-le, par le théâtre. Un jeune écrivain doué d'une telle force et déjà entouré de tant de compagnons et d'émules pouvait-il renoncer longtemps à la consécration de la scène, c'est-à-dire au face à face avec le public, précédé d'un face à face avec le Pouvoir ?

J.-J. Grandville
*Les Romains échevelés à la première d'*Hernani
In Louis Reybaud, *Jérôme Paturot*, Paris, 1846
Paris, M.V.H.

L'histoire se noue en juillet 1829 avec la lecture de *Marion de Lorme* au Théâtre-Français. Les comédiens en sont contents mais l'administration supérieure chicane. Victor Hugo a beau aller jusqu'à demander audience au roi pour plaider « la liberté du théâtre, compagne nécessaire de toutes les autres libertés », le roi est aimable mais ferme dans son refus, et le ministre (La Bourdonnaye) est catégorique. On ne met pas un Bourbon sur la scène, et on n'égratigne pas l'institution monarchique en présentant des monarques criticables. (« Point de rois sur la scène, s'ils n'y sont admirables de tout point ; et jamais, même pour l'éloge, le nom d'un Bourbon », traduira le *Globe*[5], lapidaire). On essaie de consoler Hugo en augmentant sa pension, mais il reste protestataire.

Entre l'exigence de vérité historique inhérente au romantisme, et l'exigence d'édification formulée par la monarchie, l'incompatibilité éclatait.

Quelques mois après, Hugo récidivait en présentant *Hernani*, où du moins le roi mis en scène (le futur Charles Quint) appartenait à une époque plus lointaine et à une maison étrangère. Cette fois la censure avait laissé passer.

La pièce, tolérée par le Pouvoir, allait-elle donc donner lieu à un combat de pure esthétique, entre tenants du romantisme et tenants du classicisme (nous ramenant ainsi en quelque sorte de Scylla à Charybde) ? et n'allait-on pas y oublier la lutte politique ? les classiques, en effet, c'est-à-dire les tenants de l'ancien goût, celui de Voltaire et de Béranger, étaient généralement libéraux en politique, ce qui pouvait rejeter Hugo dans le camp de la monarchie. Mais *Le Globe*, fin stratège du libéralisme, veillait et, pour défendre Hugo, suggérait qu'on le récupérât.

« Les agresseurs [de Victor Hugo], ceux qui se disent classiques, et dont l'opinion littéraire s'est échauffée jusqu'au fanatisme, ont fini par sentir que leurs hostilités impatientes étaient impolitiques et de mauvais goût. Regrettant d'avoir, par entraînement, condamné un ouvrage sans le connaître, et ameuté les sifflets contre un homme de conscience et de talent dont le seul tort est de vouloir renouveler nos plaisirs, quelques-uns même se montrent aujourd'hui pacifiques et bienveillants. Cette espèce de réaction de décence et de probité a toutefois une autre cause. M. de La Bourdonnaye a honoré l'auteur de sa persécution, et l'on a rougi de s'associer à la brutale injustice de M. de La Bourdonnaye ; M. Hugo a repoussé avec mépris une bourse jetée par ce ministre ; et à ce digne refus, des inimitiés se sont désarmées, des sympathies ont pris naissance...[6] »

En clair, Hugo, libéral pour raison de romantisme, doit être ménagé pour être enfin complètement attiré dans le camp du libéralisme global.

Hernani triomphe, la jeunesse l'acclame, nous sommes en février 1830, et il n'est finalement pas faux de voir dans la fameuse bataille livrée au Théâtre-Français un épisode de la pré-révolution de 1830. Toutes les libertés sont sœurs, et aussi d'une certaine façon, toutes les effervescences.

La situation de Victor Hugo sous la Restauration n'est pourtant pas encore complètement définie par l'analyse de ces deux vocations : chantre de la gloire nationale, amoureux de la Liberté.

L'auteur d'*Hernani* et des *Orientales* a aussi publié *Le dernier jour d'un condamné*. Dans les grandes affirmations idéologiques du poète, la plus moderne ne se trouverait-elle pas ici, en ce plaidoyer contre la peine de mort ? De nos jours, après tout, le napoléonisme peut passer pour réactionnaire, et le libéralisme pour banal, tandis que l'humanitarisme absolu reste objet de contestation, et peut être encore bataille à gagner.

Curieusement, c'est cette singularité et cet avant-gardisme qui ont le moins retenu la critique du *Globe* que nous avons prise pour guide dans l'étude de ces années. *Le dernier jour d'un condamné* est salué pour son pittoresque et pour son style mais son message est réduit, en quelques lignes embarrassées, à une vague philanthropie :

« Que l'auteur se soit proposé une vue utile et chrétienne, en décrivant le long supplice moral de la peine de mort ; qu'il ait voulu par là exciter dans les âmes des jurés une plus sainte sollicitude sur leur terrible ministère, il n'y a point de doute, cette pensée est explicitement exprimée dans un passage même du livre. Mais ce n'est pas par ce côté qu'il faut le considérer[7]. »

Quoi de chrétien, en réalité, dans l'hostilité à la peine de mort ? Le christianisme de cette époque mettait infiniment plus haut l'exigence du salut de l'âme que celle de l'intégrité de la vie temporelle. Et, du coup, la revendication d'un droit à la vie tenu pour absolu et sacré pouvait paraître contradictoire avec l'affirmation de l'exi-

*Louis Boulanger
Victor Hugo, 1843 (cat. 29). Villequier, Musée Victor Hugo

gence primordiale du salut éternel. L'absolutisme théologique d'un Joseph de Maistre n'était pas si loin.

Victor Hugo était-il conscient de ce qu'avait d'implicitement humaniste et philosophique[8] sa religion de la Pitié et de la Vie ? Pour le savoir, il faudrait établir ce qu'était, *au vrai,* sa relation avec le catholicisme. Nous ne le pouvons pas, et ses contemporains ne s'en occupaient guère, semble-t-il. Un homme royaliste était alors tenu pour suffisamment religieux. La question deviendra plus claire après la disparition de la Monarchie chrétienne traditionnelle. Mais peut-être avons-nous entrevu ici le plus profond et le plus durable de l'inspiration hugolienne.

M. A.

Hugo, homme de Juillet (1830-1837)

Entendons-nous : il y a la Révolution de Juillet, et puis la Monarchie du même nom. Celle-ci résulte de celle-là, mais au prix d'un indéniable rétrécissement ; les républicains diraient, en changeant la métaphore, par le fait d'une captation d'héritage. Sans imposer ici l'interprétation républicaine des choses, dont Victor Hugo était encore fort loin, on peut du moins accepter la distinction entre le formidable événement des Trois Glorieuses — « Juillet » — et le régime qui s'est constitué, habilement, hâtivement, dans les premiers jours du mois d'août, et dont une partie des révolutionnaires a immédiatement contesté les modérations et les prudences.
Le régime, Hugo n'y viendra que tardivement.
La Révolution, il en perçoit l'élan aussitôt.
Victor Hugo n'avait pas alors de fonction ni de rôle officiels, et il n'avait aucun lien personnel avec la famille d'Orléans ; pas plus d'ailleurs qu'avec la partie de la jeunesse directement engagée dans la lutte révolutionnaire (et bientôt républicaine). Mais la Révolution de 1830 — il faut y insister — est bien autre chose qu'une substitution de dynastie et qu'une péripétie politique. Elle est un changement total de perspective et de valeurs, et les symboles le disent avec éclat. En reprenant le drapeau tricolore, en relaïcisant le Panthéon, en remplaçant le sacre du roi par un simple serment prêté devant les députés, le nouveau régime lui-même, quoique royal et même Bourbon, accepte de remettre clairement la Nation sur la voie ouverte en 1789. Du coup la Monarchie au drapeau blanc, renversée, apparaît comme une parenthèse de contre-révolution chimérique, une sorte d'utopie du passé.

Victor Hugo pourra commencer à écrire qu'il s'en détache sans vraiment la trahir, parce qu'on peut respecter — quand on les considère comme tels — un amour de jeunesse ou un rêve.

Le mouvement de 1830, au sens le plus large du mot, il en est.

Il n'était pas assez catholique pour être choqué par le caractère ostensiblement laïcisateur du régime ni par la violence anticléricale de beaucoup de ses partisans. Il acceptera même en 1831, comme on sait, en composant l'hymne aux Morts de Juillet, d'exalter au passage ce Panthéon que l'on venait d'ôter au culte de Dieu et de Sainte-Geneviève pour le vouer à celui des « grands hommes » et de la Patrie.

La Liberté ? il en est ; or le régime la donne, un peu par ses principes proclamés, un peu par de nouvelles lois, beaucoup aussi par le fait même de cette « anarchie spontanée[9] » des lendemains de révolutions, où toutes les effervescences explosent tandis que les préfets fraîchement nommés sont encore des amateurs, des timides ou des libéraux... La Liberté déferle.

En outre, et ce n'est pas la moindre séduction, le napoléonisme aussi déferle. Louis-Philippe fait plus que tolérer, ménager ou récupérer les vieux soldats, il s'en entoure, il s'en couvre, il s'en décore. La gloire d'Austerlitz redevient officielle. Les travaux de l'Arc de Triomphe de l'Étoile reprennent, et, de même que l'on a rendu le Panthéon au culte des grands hommes, de même l'on restitue l'arc de l'Étoile à la célébration des armées levées de 1792 à 1814. Napoléon lui-même est rétabli au sommet de la colonne Vendôme, d'où la Restauration l'avait fait abattre. Comment l'auteur de l'*Ode à la colonne,* le fils du général Hugo, ne serait-il pas content ?

Certes, il y a la Révolution par son côté matériel et social, par l'irruption du peuple et l'effusion du sang. Rien ne préparait le jeune Victor Hugo à en être enthousiaste, mais ce n'est pas assez pourtant pour effacer les mérites des acquis de Juillet. Moralement, Liberté et Révolution sont une dialectique ancienne et déjà

*Honoré Daumier
Impressions de voyage d'un grand poète*
(cat. 36)
La Caricature, 13 mars 1842
Paris, M.V.H.

repérée. Esthétiquement, la révolte massive du peuple peut être fascinante autant que répulsive. Devant elle on doit se défendre, mais surtout on peut méditer. Commence alors d'apparaître sous la plume de Victor Hugo cette longue série de distinguo qui sera longtemps sa manière d'approcher la démocratie : Peuple et foule, 89 et 93, bonne et mauvaise République, Washington et Robespierre[10]... Comment est-il alors situé dans l'opinion ?

Il n'est pas légitimiste, on vient de le dire ; c'est une première évidence. Très vite au contraire apparaîtra dans les polémiques qu'il aura à soutenir le thème du poète flottant, infidèle à ses premières amours. Il n'est pas non plus, dans les années 30, un homme du roi et des Orléans ; ne connaissant pas encore la famille royale, il en dit du mal comme tout le monde (avril 1832, dans *Choses vues,* non publié, bien sûr, ce sarcasme bête : « Le jour où Louis-Philippe tombera du trône, il ne se fera pas maître d'école comme Denys de Syracuse, mais épicier[11] ») ; il a d'ailleurs maille à partir avec le pouvoir en 1832 pour l'immoralité prétendue de sa pièce *Le roi s'amuse* ; bref, il est dans le courant de la Révolution de Juillet sans avoir de lien étroit et durable avec le pouvoir qui en est issu. Cela ne l'amène pas pour autant du côté des républicains. Les républicains sont trop proches, aux yeux de Hugo, de la démocratie révolutionnaire, et Hugo est trop proche à leurs yeux de ses origines royalistes et cléricales. Et puis les républicains officiels *(Le National, La Tribune)* tiennent encore souvent pour l'école classique en littérature (pour les humanités antiques apprises à l'école, pour l'œuvre de Voltaire, poésie comprise, pour les « muses » de Béranger, etc.). A tout prendre, dans la coalition confuse des vainqueurs de Juillet, c'est encore à la tête du « chœur nombreux et bruyant de l'impérialisme poétique » que Victor Hugo se situe le plus précisément[12].

L'historien conservateur que nous venons de citer met cependant l'accent, avec raison, sur un autre aspect des choses, le plus important, peut-être : Victor Hugo se révèle alors comme un révolutionnaire en quelque sorte par affinité.

1830 était un souffle (sur cette vérité, aujourd'hui un peu oubliée, amis et ennemis du drapeau tricolore étaient, au siècle dernier, bien d'accord !) et « Victor Hugo moins que tout autre était capable de se roidir » contre ce souffle[13] : thème classique du poète imaginatif, admirablement doué pour capter les impressions, « écho sonore » de son temps, sensible au « profond retentissement des grandes commotions dans les intelligences » comme il l'écrivait lui-même. Il y a certainement du vrai dans l'idée que la Révolution de 1830, tel un barrage rompu qui laisse déferler un fleuve, a exalté le dynamisme latent de son génie et de sa pensée.

C'est alors sans doute que le conservatisme (celui des vaincus de 1830 mais aussi bien celui des partisans modérés du régime de Juillet) commence à la fois à redouter et à déprécier Victor Hugo. Sa puissance devient « exaltation », « absence de goût et de mesure », et « le mal de 1830 » se marque de façon plus particulière par « l'esprit de révolte qui domine alors dans toutes [ses] œuvres. »

Donnons ici, malgré sa date tardive, un exemple achevé du réquisitoire moral qui commence alors à accumuler les chefs d'accusation. Après 1830 « se fondant, à défaut de faits, sur des hypothèses qui n'ont pas même de vraisemblance artistique, il poursuit la revanche de ce qui est bas contre ce qui est élevé, de ce qui est méprisé contre ce qu'on respectait, de la laideur contre la beauté, de ce qui est misérable contre toute puissance et toute autorité ; antithèse monstrueuse, d'où il ressort que la hiérarchie sociale est au rebours de la hiérarchie morale ; sorte de socialisme plus ou moins conscient, où la pitié même devient malfaisante et où la philanthropie se tourne en menace. Il s'agit de prouver, dit quelque part le poète, que « le fait social est absurde » et, par suite, responsable des fautes des hommes. N'est-ce pas l'inspiration principale de cette *Notre-Dame de Paris,* que Victor Hugo commence précisément à écrire au bruit des fusillades de Juillet, et où il réserve le beau rôle à la bohémienne et au monstre, le vilain au prêtre et au gentilhomme ? En même temps il plaide, en vers éloquents, pour les malheureuses qui rôdent le soir autour de la place de Grève, contre les femmes en grande toilette qui vont danser au bal donné par la ville au nouveau roi. A cette époque également, non content de rééditer *Le dernier jour d'un condamné,* il publie *Claude Gueux* où, prenant en main la cause d'un prisonnier qui a assassiné d'un coup de ciseau le directeur de la prison, il donne tort à la justice publique et à la loi pénale ; tel est son parti pris de sophisme que, pour arriver à sa conclusion, il altère audacieusement un fait notoire, un épisode récent de cour d'assises : première apparition de cette gageure antisociale qui aboutira au Jean Valjean des *Misérables.* C'est pis encore dans ses drames. Déjà, avant 1830, *Hernani* avait montré une sorte de bandit tenant tête à Charles Quint »...

Répétons-le, cette charge d'un tenant de l'ordre social contre Victor Hugo est tardive ; écrite en 1884, elle prend évidemment en compte tout ce que l'on savait alors du destin du poète. Mais il est vrai qu'il y a de la révolte et de la subversion de valeurs dans les écrits hugoliens venus au souffle de 1830, et la France bien-pensante du temps de Casimir Périer pouvait s'en inquiéter déjà.

Le plus remarquable pourtant est le constat de ce paradoxe : l'auteur de *Notre-Dame de Paris* n'était pas républicain, l'auteur de *Claude Gueux* n'était pas socialiste. Tout se passe comme si cet anarchisme cosmique était trop ample pour se traduire en politique. Pour Hugo, comme pour bien d'autres, c'était encore le temps de l'utopie, plus que celui du militantisme. Ou alors il faudrait dire qu'il militait... par l'écriture. Car le Hugo des années 30 vient d'apparaître parmi les plus grands et les plus modernes des écrivains, c'est donc l'écriture et le monde littéraire qui forment son champ de bataille. Comme on le sait bien, ces années-là, l'époque est arrivée de sa plus vive floraison de poèmes, de la plus nombreuse et dense série de ses représentations théâtrales, de toutes les manifestations et de toutes les polémiques par lesquelles l'école romantique, Hugo en tête, occupe le devant de la scène. Le romantisme doit parachever sa victoire, et c'est la grande affaire. Victor Hugo, pour sa part, s'acharne à obtenir la consécration académique.

Repoussé par deux fois en 1836, à nouveau en 1839 et en 1840, il sera enfin élu le 7 janvier 1841, à sa cinquième candidature.

Dans l'intervalle, il était devenu l'un des plus fameux écrivains vivants, membre, à ce titre, de l'officiel « Comité des monuments inédits de la littérature, de la philosophie et des arts »... Le régime orléaniste, d'autre part, vainqueur des oppositions violentes (insurrection d'avril 1834, lois de septembre 1835), s'était consolidé et rasséréné. La rencontre au sommet était dans l'ordre des choses. Elle a lieu, non sans quelques faux pas, en 1837, à l'occasion du mariage de l'héritier du trône, le duc d'Orléans. Victor Hugo y est invité. La même année il reçoit la rosette d'officier de la Légion d'honneur, dont il possédait le ruban, on s'en souvient, depuis Charles X. La même année encore, il s'est paré du titre de vicomte Hugo, référence à la noblesse d'Empire venue de son père, mais acheminement possible vers de nouveaux honneurs plus personnels. L'homme triomphe, adulé, épanoui ; imposant à la société parisienne son personnage à double vie et à double foyer, grande famille et grand roman d'amour, Adèle et Juliette. C'est un vainqueur et un homme arrivé.

M. A.

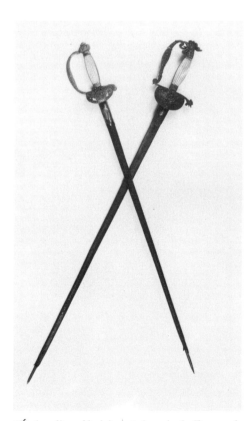

*Épées d'académicien et de pair de France de Victor Hugo (cat. 19)
Paris, M.V.H.

R. des Marais-St-Germain, 17.
Rue Saint-Jacques, 41.

5 cent.

Place Maubert, 8.
Rue des Gravilliers, 25.

DU FOUET
A TOUS CES GROS CHIENS-LA !
OU LE BŒUF GRAS DE 1849

Carnaval Politique, Satyrique et Travesti.   (Deuxième édition).

Air : Dans un grenier qu'on est bien à vingt ans.

1

Pour me punir d'être un vieux prolétaire,
Prêts à me mordre, ils aiguisent leurs dents ;
Tous ces gens-là, je les ai vus par terre ;
Oui, tous alors faisaient les chiens couchants.
Tout est changé... la meute mercenaire
Veut me traîner... mais qui vivra verra.
Tous les chiens blancs m'ont déclaré la guerre ;
Du fouet ! du fouet ! à tous ces gros chiens-là !

2

Oh ! bien longtemps, sous ma charge pesante,
Moi qui suis fort, j'ai vu mon dos fléchir ;
J'ai bien souffert... de ma corne puissante,
Si je frappais, tous songeraient à fuir ;
La patience est dans mon caractère ;
Mais à la fin elle se lassera !
Tous les chiens blancs m'ont déclaré la guerre ;
Du fouet ! du fouet ! à tous ces gros chiens-là !

3

Que j'ai souffert sous la dent d'un vampire,
Monstre difforme et qu'on nomme budget !
Il met l'impôt sur l'air que je respire,
Son appétit n'est jamais satisfait.
D'un bœuf ils font une vache laitière ;
L'on me pressure et ma force s'en va !
Tous les chiens blancs m'ont déclaré la guerre ;
Du fouet ! du fouet ! à tous ces gros chiens-là !

4

Et savez-vous pourquoi, pauvre victime,
L'on me harcèle avec tant de rigueur ?
Vous ne sauriez deviner mon vrai crime :
Je suis né rouge... oui, voilà ma couleur !
Cette couleur a le don de déplaire ;
On dit pourtant que Brutus l'adopta ;
Tous les chiens blancs m'ont déclaré la guerre ;
Du fouet ! du fouet ! à tous ces gros chiens-là !

5

Ce n'est pas tout ; comme socialiste,
J'entends chacun crier haro ! sur moi ;
De mes bourreaux je vois grossir la liste ;
Pour mieux me perdre on invoque la loi !
J'aime à parler , on veut me faire taire ;
J'aime les clubs, des clubs on me chassa !
Tous les chiens blancs m'ont déclaré la guerre ;
Le fouet ! le fouet ! à tous ces gros chiens-là !

6

A leur profit j'ai traîné la charrue,
Péniblement j'ai tracé le sillon ;
De récolter quand l'heure fut venue,
Ils ont pour eux réclamé la moisson.
Ils vous diront que c'est la ordinaire ;
Ce fut toujours , et toujours ce sera !
Moi je réponds à qui me fait la guerre :
Du fouet ! du fouet ! à tous ces gros chiens-là !

ARRIERE
FAUX RÉPUBLICAINS !

(20e édition.)

Air de la Lionne.

Oui, Béranger nous l'apprend, le paillasse,
Quand il s'y met, *ne saul' point-z à demi.*
Sauteur du roi, pour conserver sa place,
La Liberté le voit sauter aussi.
Mais l'avenir est un champ que l'on sème
Avec un soc qui veut de fortes mains ;
Vous n'avez point reçu notre baptême ;
    Arrière, faux républicains !

Frelons impurs, dans les rangs de l'abeille
Vous osiez vous glisser en sournois !
La République est là qui vous surveille,
Jamais sur vous ne tombera son choix.
Quand le lion a terminé sa chasse,
Vous assiégez la table des festins ;
Vous entr'ouvrez votre large besace :
    Arrière, faux républicains !

La Liberté que vous avez trahie
A bien le droit de se méfier de vous ;
Vouloir encore ramper serait folie ;
Allons, cessez de ramper à genoux !

32

Vous avez soin que le tailleur découse
Vos vieux galons dont vous étiez si vains !
Sur votre habit vous passez notre blouse (1)
    Arrière, faux républicains !

Grands comédiens, qui ne trompez personne,
Retirez-vous, malencontreux acteurs !
Votre passé, la France le pardonne,
Mais n'osez pas compter sur ses faveurs.
Vous encensiez la royauté proscrite ;
De votre encens les flots à peine éteints
Brûlent pour nous !... Point d'encens hypocrite,
    Arrière, faux républicains !

Racontez-nous vos bulletins de gloire ;
Racontez-nous vos merveilleux combats.
A vos exploits quand il s'agit de croire,
La République est comme saint Thomas.
Lorsque la France avilie et déchue
Au flot vengeur retrempait ses destins,
Vous a-t-on vus descendre dans la rue ?
    Arrière, faux républicains !

Pendant trois jours, enterrés dans vos caves,
Du beau soleil vous fûtes déserteurs ;
Et maintenant vous faites tous les braves,
Et vous brillez comme solliciteurs !
De traitements hommes toujours avides,
Tous les pouvoirs vous ont eu pour cousins!
Allons, mes vieux, prenez vos invalides !
    Arrière, faux républicains !

L. C.

(1) Historique.

Association typographique. — Desoye, Valéry et Cie, imprimeurs, rue de Seine, 32.

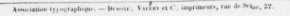

Notable, juste milieu, courtisan ? (1837-1848)

Victor Hugo avait toujours été un homme du monde, au sens précis du mot, un homme invité et reçu dans les salons parisiens. Même avant 1830, encore sans fortune et de noblesse médiocre, il avait pu en bénéficier grâce au surclassement social que procure en tout temps la grande notoriété littéraire. Il se piquait d'ailleurs de fidélité aux mœurs et aux principes qui formaient ce qu'on appelait « la vieille galanterie française », respect minutieux des rites de politesse, respect pour les dames, mépris du tabagisme et du sport... En ce domaine au moins son traditionalisme ne devait pas varier, trait de mentalité complexe, à la fois anti-moderne, anti-anglais, anti-« bourgeois » et anti-vulgaire.

Ébranlée en 1830, la vie parisienne s'est assez vite reconstituée autour des grands notables du régime, de la noblesse d'Empire (les maréchaux-ducs choyés par Louis-Philippe) et de la famille régnante elle-même. Louis-Philippe s'abstient sagement de rétablir une cour à étiquette et à décorum archaïque, mais il sait faire des Tuileries le premier des salons parisiens. Et ses fils, atteignant successivement l'âge d'homme, tous brillants, charmants, heureux de vivre, démultiplient habilement la présence et l'attraction mondaines d'une monarchie un peu moins « bourgeoise » qu'on ne l'a dit. Ce monde, Victor Hugo, dès la fin des années 30, en est une des vedettes. En 1841 l'Académie française enfin conquise y ajoute ses travaux, ses devoirs et ses rites. Le sommet est atteint en 1845, quand le vicomte Hugo, de l'Académie française, est nommé membre de la Chambre des pairs.

Il ressort de ses écrits intimes de l'époque (les *Choses vues*) qu'il a goûté cette vie parisienne de hautes mondanités politiques avec une jubilation véritable ; qu'il a été séduit par la famille royale et d'abord par Louis-Philippe, monarque intelligent et cultivé, courageux, épris de paix et respectueux du droit, conscient des difficultés de sa tâche ; qu'il a pris au sérieux enfin le rôle politique de la Cour des pairs.

Un renégat, alors, que la quasi-légitimité aurait su enlever au camp de la Révolution et de l'esprit ?

A l'annonce de son entrée à la Chambre des pairs, *Le National,* journal républicain, proclame avec un mépris lapidaire : « Victor Hugo est mort, saluez M. le vicomte Hugo ![14] » Plus honorablement, faut-il voir dans Hugo un ambitieux qui, n'ayant plus rien à gagner en gloire littéraire, pensait la prolonger dans l'exercice du pouvoir, à l'exemple des grands aînés, Chateaubriand, ministre sous la Restauration, ou Lamartine, député depuis 1833 ? Ce n'est pas impossible.

Ce qui est certain c'est que la grande réussite sociale et politique, la proximité du trône, accentuant sans doute en lui la hauteur que lui conférait la conscience de son génie, l'ont dépopularisé du côté gauche de l'opinion. L'apôtre socialiste Flora Tristan, s'excusant auprès d'un correspondant de la mauvaise qualité de son graphisme, écrivait drôlement : « ... je ne suis pas dans la position de Victor Hugo qui a autour de lui des *adorateurs* qui se croient très *honorés* de pouvoir *transcrire ses lettres*[15] » (1843). Plus gravement, lorsqu'il publie en 1846 son *Histoire de dix ans*[16], Louis Blanc relate l'affaire du 12 mai 1839, la condamnation à mort de Barbès, et la grâce arrachée au roi, sans faire mention de l'intervention du poète (« Par votre ange envolée ainsi qu'une colombe ! — Par ce royal enfant, doux et frêle roseau ! — Grâce, encore une fois, grâce au nom de la tombe ! — Grâce, au nom du berceau ![17] »). Comme si la mobilisation du Quartier Latin pour sauver Barbès, sur laquelle l'historien socialiste donne force détails, avait dû être rabaissée par son rapprochement avec le geste d'un courtisan. — Elle est bien longue à venir encore l'époque où Victor Hugo sera l'idole de la rive gauche républicaine et l'ami de Louis Blanc !

Le jeune auteur que nous venons de citer, celui de l'*Histoire de dix ans* et, surtout, de l'*Organisation du travail,* était socialiste. Or le Hugo des années 40 en était bien loin ! La question du socialisme se pose précisément alors aux écrivains, de façon indirecte mais forte, avec la floraison des écrits d'ouvriers-poètes. Faut-il en parler comme d'une mode ? ce serait dépréciatif. D'un mouvement ? ce serait emphatique. Mais le fait est qu'un peu partout en France autour de 1840, quelques dizaines d'authentiques travailleurs manuels écrivent et réussissent à faire publier des vers, généralement romantiques de thème et lamartiniens de facture. Ils ne prêchent pas la révolution sociale, c'est à peine s'ils retracent quelquefois la dureté de leur condition ; ils parlent surtout, comme tout le monde, de la nature et de l'amour, de France et de Napoléon ; heureux seulement de montrer qu'un ouvrier

Du fouet à tous ces gros chiens-là !
ou *Le bœuf gras de 1849*
Gravure anonyme
Paris, M.V.H.

n'est pas forcément un sauvage puisqu'il peut écrire ces belles choses, lui aussi. La conscience de classe est discrète, et la revendication implicite. Comme tous les grands écrivains romantiques, maintenant au sommet de la réputation, Victor Hugo ne peut manquer de se prononcer sur ces humbles émules, et il le fait comme les autres, en décernant de haut les compliments de l'indulgence, et en priant ces braves jeunes gens de continuer : « Soyez toujours ce que vous êtes, poète et ouvrier, c'est-à-dire penseur et travailleur[18]. »

Au fond Hugo a bien compris le message : il est bon, pour la classe ouvrière, que sa capacité culturelle soit rendue évidente ; il vaut donc mieux que les ouvriers doués restent dans leur classe pour continuer à l'illustrer et peut-être un jour à l'aider, plutôt que de quitter leur condition pour venir grossir la troupe famélique des plumitifs sans fortune et de la misère en habit noir. George Sand, qui était déjà, elle, républicaine et socialiste, ne disait pas autre chose à son cher Charles Poncy.

Mais les ouvriers, pour la plupart, ne l'entendaient pas de cette oreille ! Bien placés pour savoir combien il était dur de rester ouvrier (travailler jusqu'à la nuit pour gagner à peine de quoi vivre, avec l'indigence assurée à chaque période de chômage et de maladie, etc.) ils trouvaient bien amer les « Continuez » lancés du fond de leurs fauteuils par des bourgeois confortablement rentés. Hypocrisie et méchanceté — pensaient-ils — au mieux, inconscience !

Victor Hugo, prospère, adulé, académicien bien en cour, était une belle cible pour la réplique : « '' Restez ouvrier '' est une atroce ironie ! C'est comme si, quand on voit un homme qui se noie, on lui criait : '' Mon bon ami, restez dans l'eau ! '' M. Victor Hugo ! Si j'avais quelque talent cette lettre serait pour vous une honte [...] savez-vous à quel homme vous dites de rester ouvrier ! C'est à un homme qui, pour l'avoir été trop... a gagné une maladie qui l'emportera au tombeau ![19] »...

Quand, par-dessus le marché, Hugo devenu pair de France sera amené à siéger dans un jury de récompenses destinées à encourager « l'amour du travail et la moralité chez les ouvriers », et quand il aura l'imprudence de s'y qualifier lui-même d'« ouvrier de la pensée », il s'attirera de la part de l'ouvrier cordonnier Savinien Lapointe une éloquente algarade :

« Eh ! Monsieur, puisque le hasard vous a placé, quoique tel, [quoique '' ouvrier ''... de la pensée] à l'une des premières tribunes nationales, ayez donc le courage de réclamer quelques adoucissements au sort de vos frères en souffrance. Pour vos frères de la rue, des ateliers, des chantiers, des mines et des ports, osez dire, là-bas, à ces gens qui dorment dans leurs dignités inutiles que les octrois ruinent les habitants des campagnes, comme les impôts écrasent ceux des villes ; que les exigences et la voracité des chefs d'industrie désolent et dévorent le pauvre peuple des manufactures[20] », etc.

C'est ainsi que le peuple pouvait interpeller le Victor Hugo de 1846, ministériel, philistin, et repu.

On peut pourtant comprendre cette colère sans accepter cette image. Elle est bien trop sévère, même pour cette date.
Car tout n'est pas dit encore.

C'est d'abord un singulier courtisan que celui qui passe son temps à tenter d'arracher à la mort les gens qui tiraient sur le roi ! Nous avons vu dès 1839 l'intervention pour la grâce de Barbès. Après 1845, à la Chambre des pairs, qui a comme telle à juger les crimes d'État, Hugo, toujours hostile à la peine de mort, plaide par tous les moyens pour épargner le « châtiment suprême » aux auteurs d'attentats. Sans résultat, bien sûr, sinon parfois de convaincre quelques amis et d'entraîner leur vote avec le sien.

C'est aussi un singulier partisan que cet homme qui, choyé par Louis-Philippe, reste avant tout, et hautement, napoléonien. On dirait que Victor Hugo aime dans la Monarchie de Juillet ce qu'elle a de commun avec le napoléonisme : le drapeau tricolore, l'essai de faire une monarchie, régime d'ordre, compatible avec la modernité du siècle ; et la puissance française, si possible. Il est anti-anglais, plus près (en politique) de Thiers que de Guizot[21], il apprécie le retour des Cendres et il l'aurait voulu plus solennel encore. Les vers qu'il publie alors sont tout napoléoniens (l'éloge de Louis-Philippe, lui, attendra vingt ans pour paraître, dans *Les misérables*). Mieux même, lorsque le napoléonisme menace de se faire parti d'opposition et de subversion, Hugo en reste. Son seul discours vraiment politique à la Chambre des pairs sera pour appuyer (d'ailleurs en vain) une demande de retour en

Les ouvriers de la pensée (cat. 325)
Couverture de partition (vers 1880)
Villequier, Musée Victor Hugo

Victor Hugo
Affiche de 1848
Paris, M.V.H.

France de la famille Bonaparte. Cette complaisance pour une famille qui est celle du 18 Brumaire et pas seulement celle d'Austerlitz relève encore de l'inachèvement républicain de Hugo, on en convient. Mais c'est aussi une preuve d'indépendance d'esprit à l'égard du pouvoir du moment. Il n'y avait pas de partis à la Chambre des pairs, mais s'il y avait existé une opposition constituée, tout porte à croire qu'il en eût été et qu'il eût siégé, au Luxembourg, à la place qu'un Odilon Barrot tenait au Palais Bourbon...

C'est enfin un singulier « bourgeois » que le noctambule qui, un soir d'hiver, le 9 janvier 1841[22], a vécu d'avance ce qui sera l'histoire de Fantine. Le nouvel académicien, montrant sa carte de visite, va déclarer au poste de police que le fêtard à la boule de neige avait tort et que, dans l'incident, c'est la prostituée que l'on avait routinièrement traînée au cachot qui avait raison.

A la veille de 1848, comme à la veille de 1830, la pitié pour les humbles, la bonté active, l'humanité restent les moins ostensibles encore mais les plus tenaces et les plus profonds de ses attachements, ou de ses instincts, même s'il n'en connaît pas encore d'expression politique possible, même si, d'autre part, son expérience d'observation directe est plutôt celle du trottoir que celle de l'atelier.

M. A.

Républicain... du surlendemain (1848-1851)

La tenace image stéréotypée d'un Hugo opportuniste nous le montre lâchant Louis-Philippe après février 1848 comme il avait lâché Charles X après Juillet 1830, volant en quelque sorte à nouveau au secours de la victoire.

Ce n'est pourtant pas dans le camp victorieux qu'il ira en 1851, mais n'anticipons pas !

Ce qui frappe bien plutôt au lendemain des journées de février c'est la réserve du poète et du ci-devant noble pair. Il ne se croit pas obligé comme tant d'autres de se déguiser bruyamment en républicain. Il l'aurait pu, pourtant : un gouvernement provisoire que dirigeait son ami Lamartine, qui abolissait l'esclavage et la peine de mort en politique, et qui annonçait pour prochaine l'abolition totale de l'échafaud, un régime qui se voulait République légale et populaire sans être émeutier ni démagogique, auraient pu l'accueillir sans inconséquence. Mais tout aussi compréhensible, et peut-être plus digne, est la réserve d'un homme qui avait été si fortement engagé dans le régime déchu.

Il n'accepte donc aucun poste officiel et il n'est même pas candidat aux élections générales d'avril 1848, ou si peu... (car son nom figure, tout de même, dans l'effervescence et l'improvisation générale, sur une liste de cinq personnes censées représenter « le théâtre, les belles-lettres et les arts libéraux », initiative qui ne suffit pas à les porter jusqu'à l'Assemblée)[23]. On ne le verra élire représentant du peuple pour le département de la Seine qu'aux élections partielles du 4 juin 1848. L'atmosphère est déjà un peu troublée, le gouvernement provisoire a été amputé de ses éléments les plus radicaux, la République a déçu ici ou là, la crise économique s'aggrave, les ateliers nationaux se montrent onéreux et inefficaces ; le vote parisien du 4 juin est donc un vote d'opposition, ou plutôt d'oppositions polarisées, Proudhon en bénéficie d'un côté, Louis Napoléon Bonaparte de l'autre. Victor Hugo avait cosigné l'appel électoral de Louis Bonaparte[24]. Il entre donc à l'Assemblée, porté par un courant populaire d'inquiétude qui coïncide assez bien avec deux de ses aspirations anciennes, un certain bonapartisme et un certain populisme mêlés.

Très vite, la grande affaire politique se trouve être constituée par la liquidation des ateliers nationaux, à laquelle réplique l'insurrection ouvrière de juin. Comme la quasi-totalité des représentants, Victor Hugo approuve et soutient la cause de l'ordre légal. L'Assemblée et la Commission exécutive, librement formées à partir de la nouvelle légitimité du suffrage universel, avaient pour elles le Droit, et les ouvriers rebelles avaient juridiquement tort. Hugo pensera plus tard (et il l'écrira, dans *Les misérables,* en d'autres termes) que pour avoir juridiquement tort les révoltés n'en avaient pas moins socialement et moralement raison de défendre, avec les ateliers nationaux, leur morceau de pain ; le drame déchirant était que le Droit et l'Humanité ne fussent pas dans le même camp. Le pensait-il alors si clairement ? ce n'est pas sûr.

Il est sûr, en revanche, que le vainqueur de la bataille de juin, le général Cavai-

Bertall et Raimbaud
Le triomphe pour rire
Le Journal pour Rire, 2 déc. 1848
Sur le char de l'État, Louis-Napoléon, juché sur les épaules de l'oncle, se dirige vers la Présidence. Derrière lui, Hugo haranguant. A la fanfare : Girardin, Thiers, Molé....
Paris, M.V.H.

gnac, ministre de la Guerre bientôt promu chef de l'exécutif, et porté aux nues par la grande majorité des représentants, ne pourra pas compter Hugo parmi ses partisans. Cela peut se comprendre d'ailleurs : Cavaignac appartenait à ce vieux groupe de républicains de la veille, de tradition jacobine, militants depuis 1830, lecteurs du *National*, avec qui Hugo n'avait jamais eu, semble-t-il, beaucoup d'affinités ; d'autre part Cavaignac a réprimé en juin, à juste titre peut-être, mais avec une brutalité gênante. Quoi qu'il en soit, dans le semestre décisif qui va de juin à décembre 1848, Hugo se classe dans l'opposition ; et l'opposition à la République de Cavaignac se polarise autour de Louis Napoléon Bonaparte, qui n'a été en juin compromis dans aucun des deux camps[25] et qui pouvait garder par là, avec l'auréole

Rien ne sert de courir; il faut partir à point.
Le Lièvre et la Tortue en sont un témoignage.

(Le Lièvre et la Tortue.)

*Honoré Daumier
MM. Victor Hugo et Émile Girardin [sic] cherchent à élever le prince Louis sur un pavois, ça n'est pas très solide !* (cat. 41)
Le Charivari, 11 déc. 1848
Paris, M.V.H.

*Quillenbois
Rien ne sert de courir ; il faut partir à point* (cat. 47)
Le Caricaturiste, 18 nov. 1849
Thiers et Hugo à la course aux portefeuilles ministériels : l'arrivisme et l'opportunisme attribués à Hugo sont un des leitmotivs de la caricature sous la Deuxième République
Paris, M.V.H.

patriotique propre à son nom, une certaine réputation socialisante remontant à ses écrits de jeunesse.

A l'Assemblée constituante Hugo vote donc avec une poignée de minoritaires, surtout d'extrême-gauche, en octobre pour que l'on soumette la Constitution à une ratification par plébiscite, en novembre pour refuser l'ordre du jour d'approbation globale à la politique de Cavaignac[26]. Et dans la campagne électorale présidentielle il appelle à voter pour Bonaparte, qui est devenu le candidat de la droite conservatrice sans doute, mais qui est aussi celui... du bonapartisme.

Après la victoire du prince, à l'orée de l'année 1849, il semblait donc que Victor Hugo allait vivre, mieux encore que sous Louis-Philippe, dans un régime selon son cœur, conforme en tous cas à ses plus profondes affinités.

Pourquoi a-t-il bientôt dissocié son sort de celui du président Bonaparte, jusqu'à opposer de façon fracassante, et définitive, « Napoléon le Petit » à Napoléon le Grand ?

Ici divergent les interprétations, selon que l'on prête à Hugo des mobiles élevés ou mesquins, selon qu'on se réfère à sa pensée politique ou à sa psychologie singulière, voire selon qu'on l'aime ou qu'on ne l'aime pas...

Pour les adversaires, point de doute, Hugo est un orgueilleux qui n'a pas pardonné au nouveau président de ne l'avoir point fait ministre. Variante : c'est un ambitieux qui s'est jeté à la tête du seul parti qui manquât alors de chef. Selon Émile Ollivier, « au centre gauche il eût trouvé Thiers, à la gauche modérée Cavaignac, à l'extrême-gauche la place de Ledru-Rollin restait vacante ; il y sauta et donna à la démagogie le clairon d'airain qui lui manquait »[27]. Pour une analyse plus équitable et plus nuancée, il nous plaît de retrouver ici Charles de Rémusat, que nous avons cité vingt années plus tôt, comme le fin critique qu'il était dans *Le Globe*. Il est maintenant représentant, et centre gauche, mais toujours sérieux et

Quelques nez commencent à s'allonger.

Nadar
Quelques nez commencent à s'allonger
Revue Comique, 23 déc. 1848
Paris, M.V.H.

perspicace. Parlant du Comité de la rue de Poitiers (celui qui avait lancé contre Cavaignac la candidature Bonaparte) il enchaîne[28] :

« J'oubliais que Hugo en faisait partie et peut-être ne s'en souvient-il guère. [Ceci est écrit après 1870.] Il avait compté jusque-là dans la droite de l'Assemblée ; assez réactionnaire pour ne pas se contenter de Cavaignac, il passait pour antirépublicain. On a prétendu qu'il n'avait point pardonné à Cavaignac d'avoir dédaigné une recommandation signée du nom d'un grand poète. Je crois bien plutôt qu'il était encore un mécontent de février. Mais j'ai grand'peur que, depuis, la surprise d'avoir vu un Bonaparte qui écoutait des Thiers et des Molé plutôt que le glorificateur de son nom, ait été pour beaucoup dans sa subite transfiguration démocratique. Je doute qu'il ait jamais été appelé à l'Élysée ; en tous cas il n'y a pas été écouté. Les politiques ne l'auraient pas souffert. Hugo avait peut-être été autorisé

*Quillenbois
Les charlatans* (cat. 50)
Le Caricaturiste, 3 mars 1850
Hugo et Girardin proposent leur « élixir de bonheur général »
Paris, M.V.H.

Quillenbois
*La tour de Babel
Le Caricaturiste*, 27 janv. 1850
Hugo (vers le centre, à côté d'Eugène Sue) parmi les bâtisseurs d'utopies socialistes
Paris, M.V.H.

*Quillenbois
Les bulles de savon* (cat. 43)
Le Caricaturiste, 2 sept. 1849
Paris, M.V.H.

par un premier accueil à compter sur mieux. Il n'est pas de ceux qui sont sciemment conduits par l'intérêt personnel ; il n'est, certes, ni plat, ni servile. Mais une blessure faite à son orgueil doit, presque sans qu'il s'en doute, lui faire découvrir de grands charmes dans le parti contraire à ceux qui l'ont offensé. La foi dans la démocratie illimitée a d'ailleurs, comme tout ce qui est illimité, des droits sur cet esprit ennemi de la mesure, amoureux de l'excès, infatué de l'énorme, et c'est, Dieu me garde d'en douter, très sincèrement, et il l'a prouvé, qu'il s'est donné à la cause de la rénovation sociale. On me disait dernièrement qu'il convenait avoir souvent changé. '' Mais je n'ai jamais changé '', ajoutait-il, '' que pour aller en avant ''.

Cela est vrai : l'enfant poète des coteries royalistes a toujours marché de droite à gauche. C'est ainsi qu'il est arrivé jusqu'à son Saint-Hélène de Jersey.

Je dois dire d'ailleurs qu'il n'a peut-être pas paru une fois à notre comité. Il n'y pouvait jouer aucun rôle et déjà sans doute, il visait ailleurs. »

Rémusat se veut équitable, et chacun doit bien admettre avec lui que Victor Hugo n'était ni un ambitieux vulgaire ni un orgueilleux banal. Équitable encore en rappelant, quoique discrètement, que la rupture entre Victor Hugo et la politique bonapartiste tenait à bien autre chose qu'à un poste ministériel. Hugo eût-il été par hypothèse ministre quelques semaines qu'il ne serait pas resté longtemps dans un gouvernement qui avait tout de même rétabli à Rome le pouvoir du Pape, et des forces du passé. « Les politiques [entendons le Parti de l'Ordre] ne l'auraient pas souffert », écrivait Rémusat. De fait, en 1849, ce n'est pas Hugo qui s'est éloigné de Bonaparte, c'est Bonaparte qui a mis entre parenthèses ce que le bonapartisme avait de progressif pour complaire aux conservateurs dont il avait besoin pour gouverner.

L'attachement à l'esprit des Lumières est bien l'une des raisons rationnelles (si l'on peut ainsi dire) qui ont pu ramener Hugo dans une opposition républicaine contre un bonapartisme cléricalisé.

Cette opposition cependant est plus que libérale et républicaine, elle côtoie aussi, maintenant, le socialisme. Rémusat note lucidement — mais c'est un thème que nous avons déjà rencontré — l'affinité profonde qui existe entre l'eschatologie sociale et l'aspiration au rêve du poète. Il est vrai, le génie visionnaire de Hugo paraît avoir été conçu pour l'utopie aussi évidemment que pour le grandiose ou le sublime. Mais pas pour n'importe quelle utopie ! Et ce qui manque au regard froid de Rémusat dans la page citée, c'est encore tout de même l'allusion à la sensibilité *humanitaire* sans laquelle Hugo ne serait pas Hugo. N'est-ce pas en février 1851 que le poète visite Lille, ses usines et ses « caves » ? et n'est-ce pas à l'extrême-gauche de l'Assemblée législative, parmi les « démoc-soc » qui sont devenus ses compagnons de lutte, que siégeaient précisément les porte-parole les mieux informés et les plus chaleureux de ces classes populaires souffrantes qui apprenaient à conjuguer ensemble le programme républicain et l'espérance sociale ? [28 bis]

A l'Élysée, quoi qu'en pensât en son for intérieur le futur Napoléon III, on en était loin.

M. A.

Proscrit et prophète (1851-1870)

Victor Hugo entre le 2 décembre 1851 dans l'Histoire de France pour y tenir cette fois un rôle politique de premier rang. C'est nouveau ! On pourrait écrire valablement l'histoire politique de la Restauration sans mentionner le jeune poète officiel, l'histoire politique de Louis-Philippe sans citer un geste du pair de France, ou même celle de la Seconde République sans être davantage tenu d'entendre Hugo (sauf, si l'on veut, son grand discours contre la loi Falloux). En revanche on ne peut pas relater le Second Empire sans mettre en scène le plus illustre des proscrits. Victor Hugo en face de Napoléon III, c'est la République en face de l'Empire. On pourrait ne rien dire de plus de ces dix-huit années, tout est dans cette antithèse.

Cette République que Hugo a choisi de défendre et de symboliser rassemble en elle toutes les valeurs qu'il a faites siennes ; la Liberté et le Droit, violés par un coup d'État suivi de dix années de régime policier ; la Philosophie, les Lumières (nous dirions la laïcité), offensées par dix années de cléricalisme (les mêmes années) ; l'humanité meurtrie par les fusillades de décembre ; le peuple enfin, supposé solidaire des républicains, tandis que les bourgeois et les riches sont censés participer à l'orgie impériale. La gloire nationale elle-même est amalgamée par Hugo avec l'esprit républicain, par le biais du sublime poème « A l'obéissance passive » (« O soldats de l'an deux ! ô guerres ! épopées ! — Contre les rois tirant ensemble leurs épées… »), le plus connu du recueil des *Châtiments,* puisque cette gloire française a été faite par des soldats-citoyens et ne pourra plus qu'être ternie par des soldats-prétoriens.

A l'opposé, Napoléon III est couvert d'opprobre parce qu'il est tenu pour fauteur ou complice de tous les maux politiques, sociaux et moraux que la sensibilité du poète repère et dénonce.

Bien entendu, l'histoire impartiale a largement ébranlé depuis un siècle cet édifice manichéen, et l'image noire de Napoléon III n'a pas cessé de s'éclaircir : il a intelligemment aidé à moderniser l'économie française et par là même à faire reculer la misère ; il a été plus social que bien des bourgeois libéraux, il est revenu au libéralisme politique et à la laïcité aussitôt qu'il l'a pu sans péril pour son pouvoir, il n'a été ni cruel ni stupide… Bref, nous ne le mettons plus au pilori. Du coup, nous relativisons le réquisitoire hugolien, en acceptant de voir dans ses passions et dans ses outrances l'amplification propre au génie du poète, l'antithèse poussée à l'exaspération entre Napoléon demi-dieu et son indigne avatar, et peut-être une haine d'espoir déçu.

Tout cela reconnu, il faut bien dire que la cote de Napoléon III remonte aussi en notre siècle pour de moins bonnes raisons. Nos contemporains sont moins libéraux, moins juristes que naguère, ils sont moins choqués que les hommes de progrès du XIXe siècle ne l'étaient par les violations du Droit constitutionnel. Or ce qui reste d'irréductible, d'indéniable et — osons le dire — de juste dans l'acte d'accusation dressé par le proscrit, c'est la dénonciation du coup d'État du 2 décembre.

En cela, Victor Hugo a bien été de son siècle, par ce que celui-ci avait de meilleur et de plus modéré à la fois, le culte du Droit. Car si la fougue entraînante des *Châtiments* a bien pu exalter toute une jeunesse, la prise de position pour le Droit, qui était à l'origine de la proscription du poète, lui était commune avec les messieurs les plus graves et les plus rassis du libéralisme bourgeois.

Depuis la fin de la Révolution en France, chaque changement de régime s'était marqué par un pas en avant de la Liberté et des libertés : 1814[29], 1830, 1848… Pour la première fois en 1851 le mouvement historique rétrogradait. Le scandale que la parenthèse bonapartiste a représenté pour les élites de la France, Victor Hugo ne l'a ni suscité ni inventé, il l'a seulement exprimé avec plus d'éloquence. Sa place dans le Panthéon républicain ultérieur vient de là.

*Charles Hugo
Victor Hugo, Jersey, 1854 (cat. 60)
« Victus sed Victor » : une devise pour le proscrit
Paris, M.V.H.

*Charles Hugo (cat. 55)
Victor Hugo sur le « Rocher des Proscrits ».
Jersey, 1853
L'archétype du poète résistant, identifié à son
rocher d'exil et tourné vers la patrie
Paris, M.V.H.

Une dictature en France, même atténuée, scandalisera d'autant plus, après 1860, que le monde autour de la France verra la Liberté accumuler les triomphes. On imagine mal aujourd'hui l'enthousiasme qui pouvait saisir tous les Français d'esprit moderne, depuis les simples libéraux jusqu'aux révolutionnaires, à voir fonctionner vaille que vaille des Constitutions en Europe centrale, le tsar abolir le servage, l'Amérique du Nord abolir l'esclavage, le sultan tenter des réformes, le Bourbon de Naples perdre son royaume, la Pologne secouer à nouveau le joug, la Chine et le Japon entrouvrir leurs frontières, pendant que le chemin de fer, le steamer et le télégraphe rapprochaient les peuples matériellement, en attendant mieux... Observateur de la France, le proscrit l'était aussi de ce vaste monde. Jamais il n'avait été, jamais il ne sera, plus cosmopolite d'esprit. Tout ce mouvement étant le Bien,

Après la publication définitive des *Châtiments* (1870) puis celle d'*Histoire d'un crime* (1877-78), les dessinateurs d'humour représentent Hugo en justicier :

*Charles Gilbert-Martin
Le nez dedans ! (cat. 106)
Le Don Quichotte, 29 mars 1878
Paris, M.V.H.

*Alfred Le Petit
Le justicier (cat. 105)
Le Pétard, 24 mars 1878
Paris, M.V.H.

l'immobilisme et la tradition sont le Mal, et leur philosophie a un nom : l'obscurantisme. En 1864 Pie IX en donne l'affirmation provocante avec le *Syllabus*, négation radicale de la liberté, de l'humanisme et du progrès. Antithèse absolue ! Aussi, on forcerait à peine la note en disant que le Hugo exilé des années 1860 est un anti-pape autant qu'un anti-empereur. Ces luttes se confondent, d'ailleurs, c'est un grand duel universel. Après 1860 on ne reproche plus seulement à Napoléon III d'avoir été l'homme du 2 décembre, on lui reproche, dans le présent, de prendre toujours le mauvais parti, celui du Sud esclavagiste contre la République du grand Lincoln, celui de Maximilien « empereur » du Mexique contre Juarez, celui du pape contre Garibaldi. Qui est cet « On » ? la France libérale, globalement, et Victor Hugo, son prophète, singulièrement.

Là encore, sa représentativité est évidente, et sa gloire à venir s'enracine.

Cette gloire, bien sûr, continue à se nourrir de chefs-d'œuvre. Après la floraison des années 30, la floraison des années 50 (les *Châtiments, La légende des siècles*...). En 1862, enfin, *Les misérables*. Victor Hugo traînait depuis plus de trente années ce projet de roman sur « les misères ». Il connaissait l'histoire du vol de pain, du forçat évadé, de l'évêque de Digne, avant même 1830. Nous l'avons vu découvrir Fantine. Sous la Monarchie de Juillet, il n'avait cessé de nourrir sa mémoire de ses impressions de flânerie parfois dangereuse dans le Paris des détresses, du banditisme et des barricades. A Guernesey il prend enfin le temps d'en écrire les histoires entrecroisées, amalgamant son tableau du Paris populaire des années 30 avec quelques souvenirs de février ou de juin 1848, et avec l'humanitarisme démocratique et social qu'il avait pu mûrir autour de 1850. Le tableau et l'intrigue faisaient déjà figure historique, dans le Paris de Napoléon III et d'Haussmann. Mais il y avait toujours — répétons-le une nouvelle fois — l'inspiration la plus ancienne et la plus forte, celle de la Bonté et de l'Espérance. Émile Ollivier, qui admirait l'ouvrage tout en le réprouvant, décelait au milieu de grandes beautés un message coupable, puisqu'il faisait miroiter devant le peuple cette chose impossible : « un rêve incohérent de transformation humanitaire », celui du « progrès sans limite d'une humanité sans rois, sans guerre, sans frontière, sans misère, sans douleur[30] ».

Toujours l'illimité, toujours le rêve... et, toujours, naturellement, la négation implicite de l'enseignement religieux sur le Mal.

La jeunesse républicaine qui, à la différence d'Émile Ollivier, recevait en bloc le message du vénéré prophète de Guernesey, s'habituait à lier à sa lutte politique cette coloration d'utopisme laïque et humanitaire[30 bis]. Il n'en faudra pas plus pour que plusieurs des siens glissent aisément, à la fin du siècle, de la République radicale au socialisme. Cet amalgame entre la conception formaliste de la République et une

Après la publication des *Travailleurs de la mer* (1866), les dessinateurs d'humour identifient Hugo au héros du roman, Gilliatt, triomphant de la pieuvre ou s'enfonçant dans l'océan : belles images du justicier et du rêveur d'idéal :

*André Gill
Victor Hugo (cat. 89)
La Lune, 19 mai 1867
Paris, M.V.H.

*G. Deloyoti
Victor Hugo terrassant la pieuvre (cat. 90)
Le Hanneton, 6 juin 1867
Paris, M.V.H.

sensibilité présocialiste avait déjà été partiellement réalisé sous la Seconde République. On peut même le tenir pour typiquement « quarante-huitard »[31].

Mais le rôle historique de Victor Hugo est peut-être de l'avoir transporté efficacement de la Seconde à la Troisième République, grâce au magistère moral que la proscription lui avait permis d'exercer[32].

M. A.

1870/1885 — De l'année terrible à l'apothéose : ou comment Hugo devint patriarche

Patriarche ? Il ne l'est certes pas devenu par la seule grâce de l'âge, de la gloire littéraire et de la chute de l'Empire. L'apothéose, il va lui falloir, après l'exil, sept à huit ans pour y accéder[33]. L'image du Père de la République, dont le magistère est accepté par tous — en tout cas par tous les républicains — subit, jusqu'en 1877/78, de rudes coups, tant auprès des notables qu'auprès des militants ouvriers. C'est pourquoi, à l'intérieur de cette tranche de temps relativement courte, mais décisive pour la fondation, enfin durable, de la République, il faut distinguer, du côté même de Hugo, deux périodes.

Du 4 septembre (1870) au 16 mai (1877) : Hugo contesté

Et pourtant, même si, le 4 septembre, n'avait pas été proclamé, à l'Hôtel de Ville, ce gouvernement des proscrits dont Hugo rêvait[34], la période du siège, qu'il vécut entièrement dans la capitale, attesta la force et l'étendue de sa popularité. On ne voit pas que le peuple parisien aît partagé alors le jugement formulé plus tard par Edmond Biré : Hugo, comme Louis XVIII, serait rentré dans les fourgons de

Programme d'un récital au profit de la fonte des canons pendant le Siège de Paris
Paris, M.V.H.

La Guerre Illustrée, journal publié pendant le Siège de Paris, 10 déc. 1870
La présence de Victor Hugo à Paris et la publication des *Châtiments* firent de lui une figure tutélaire du peuple de Paris pendant le Siège
Paris, M.V.H.

*Ludovic-Hippolyte Mouchot
Soldats français saluant Victor Hugo (cat. 99)
Noter le képi porté par Hugo. Il en consigne l'achat dans son agenda en octobre 1870
Besançon, Musée des Beaux-Arts et d'Archéologie

l'étranger[35]. La foule l'attendait le 5 septembre, gare du Nord ; avec bien d'autres journaux *L'Illustration* publia l'Appel à sauver Paris qu'il lança ce jour-là et, pendant plusieurs jours, les parisiens piétinèrent par milliers devant son domicile. Le lancement de l'édition parisienne des *Châtiments* par Hetzel, le 20 octobre, — 5 000 exemplaires vendus en deux jours, 22 000 en deux mois —, les lectures publiques qui en furent données, payantes au bénéfice de deux canons, Victor Hugo et Châtiments, puis gratuites à l'Opéra de Paris — quelle rupture symbolique ! — prouvèrent qu'il ne s'agissait pas d'un feu de paille. De Gambetta à Jules Simon, radicaux ou républicains plus modérés lui rendaient visite. Certes la presse ultramontaine continua de voir en lui « ce séditieux qui hurle à la sédition », tôt gagné à l'ennemi puisque tôt perdu pour l'Église[36]. Et à l'autre pôle des classes et des opinions, lorsque se préparèrent, au lendemain de l'armistice et de la reddition de Paris, les élections du 8 février 1871 à l'Assemblée nationale, Hugo, à la différence de Garibaldi, ne figura pas sur la liste des « candidats socialistes révolutionnaires » proposée par l'Association Internationale des Travailleurs, la Chambre fédérale des Sociétés ouvrières et la Délégation des vingt arrondissements[37]. Pourtant le journal des fils Hugo, *Le Rappel,* ne refusa pas son soutien à la liste du « Parti des déshérités » et Hugo, dont même un journal orléaniste comme *Le Français* avait utilisé le nom, fut élu triomphalement au scrutin de liste avec 214 169 voix : il devançait notamment Garibaldi et Benoît Malon qui figuraient tous deux sur la liste de l'A.I.T., Gambetta, Clemenceau et trente-sept autres citoyens. Seul Louis Blanc le dépassa de 2 000 voix. Hugo récoltait le bénéfice de son passé et de son œuvre, mais aussi de sa participation militante à la défense nationale et de la politique d'union derrière le gouvernement provisoire qu'il avait pratiquée depuis le 5 septembre.

Cette sorte d'union sacrée allait sérieusement s'effriter sous l'effet des prises de position de Hugo à l'Assemblée nationale jusqu'à sa démission le 8 mars, puis pendant la Commune. En témoignent moins peut-être les 57 854 voix qu'il obtint lors des nouvelles élections parisiennes du 2 juillet 1871 — la capitale était encore en plein traumatisme — que les 95 900 qui se rassemblèrent sur son nom le 7 janvier 1872, non plus au scrutin de liste, mais lors d'une élection partielle où lui fut victorieusement opposé le président du Conseil général de la Seine, Vautrain, un anticommunard convaincu. Même s'il n'est pas très facile à interpréter, ce recul considérable ne souligne sans doute pas seulement le fléchissement de la population dans les quartiers populaires — morts, déportés ou proscrits — mais les sentiments nouveaux que portaient à Hugo nombre de bourgeois parisiens et l'abstention d'un certain nombre d'ouvriers[38].

Le poète avait finalement mécontenté sinon tout le monde du moins beaucoup de monde. Du côté de la bourgeoisie républicaine d'abord. Haïssant l'Assemblée nationale, cette « Chambre introuvable », méprisant Thiers, il avait démissionné

Swain
Les membres populaires de l'Assemblée Nationale acclamés dans les rues de Bordeaux.
The Illustrated London News, 4 mars 1871.
Noter les mines patibulaires des républicains qui acclament Victor Hugo, vus par un journal conservateur.
Paris, M.V.H.

Affiche électorale pour les élections du 7 janvier 1872
Paris, M.V.H.

avec éclat pour retrouver son poste d'« orateur du dehors ». Pierre de Lacretelle n'a pas tort de noter que les jeunes chefs radicaux du parti républicain, dont il partageait l'essentiel des options, souhaitaient échapper à son patronage direct, dès lors que les choix politiques devaient se négocier quotidiennement dans une Assemblée qui voulait la paix à tout prix et que dominaient les adversaires de la République[39]. Sa parole prophétique, sa vision du monde illuminée par les principes du droit, il n'était pas facile à une génération plus « réaliste » moins quarante-huitarde, de s'y reconnaître entièrement. Surtout, Hugo, sans approuver la Commune qui avait à ses yeux institué la guerre civile dans la guerre étrangère, n'avait pas supporté le massacre de la canaille, agréable aux gens d'ordre et toléré par ceux pour qui la forme républicaine passait, si l'on voulait qu'elle triomphât, par un jeu complexe d'alliances[40]. En ouvrant sa maison de Bruxelles aux proscrits, pendant la semaine sanglante, en faisant de l'amnistie le premier point de son programme lors des élections du 7 janvier, Hugo se condamnait à la haine des « honnêtes gens », au mieux à susciter leur inquiétude : il avait opposé la pitié au bon sens, l'amour de Paris à la crainte de la révolution et, à la répression, l'humanité. Les gens avaient eu peur, ils n'étaient pas convaincus que l'amnistie fût « la condition profonde de l'ordre »[41].

D'un autre côté, comment les communeux auraient-ils pu se reconnaître dans les choix de Hugo ? Aux réticences des « Internationaux », à celles, plus fortes, des purs disciples de Blanqui, déjà sensibles lors des élections du 8 février, d'autres étaient venues s'ajouter. Assurément, Hugo avait quitté Paris au lendemain de l'enterrement de son fils Charles : il n'avait pas entendu fuir la capitale. Assurément aussi il ne renvoya jamais dos à dos, sauf pour déplorer leur égale ignorance, la Commune, dont il approuvait le principe inséparable de Paris, la cité sainte, et cette Assemblée dont aucun républicain, selon lui, ne pouvait rien attendre. Il reste qu'il refusa de choisir son camp : la rupture parisienne était au moins inopportune, la destruction de la colonne suscita sa condamnation, l'exécution des otages son horreur. Une seule solution : la conciliation[42]. Puis sa fille, l'amnistie. Ce furent aussi celles du tiers-parti, des francs-maçons tournant autour des remparts de la capitale et dont il ne fit jamais partie. On conçoit que ceux qui s'étaient battus l'aient trouvé bien tiède : Vallès ne lui pardonna jamais vraiment[43]. On comprend aussi, à lire les innombrables complaintes qui dirent, au fil des années suivantes, la plainte du proscrit et celle des femmes et des enfants éplorés[44], combien put, à terme, devenir populaire son grand projet amnistieur.

Dès lors, Hugo isolé ? En rupture avec la vie politique de la tâtonnante République ? D'une certaine manière, oui. S'il se lie plus étroitement avec l'extrême-gauche démocratique, — Louis Blanc, Edgar Quinet, Clemenceau —, ses relations avec Gambetta qui s'éloigne des radicaux, ne sont pas toujours au beau fixe[45] et il s'abstient d'intervenir directement, au temps de l'Ordre moral, comme à l'heure de l'amendement Vallon. *Le Rappel* parle-t-il pour lui ? C'est pos-

Daniel Vierge
Funérailles de Charles Hugo à Paris, le 18 mars 1871
Hugo s'avance seul, en tête du cortège. Pour le laisser passer, on abat les premières barricades de la Commune. Des fédérés présentent les armes
Paris, M.V.H.

sible et même vraisemblable, mais il n'y écrit pas. Au reste, entre cet homme d'un autre âge et la jeune génération littéraire et politique, le spiritualisme hugolien crée la distance : aux yeux de Zola, par exemple, Hugo est un ancêtre qui, comme le romantisme, appartient au passé[46]. Davantage : sur un thème majeur, véritable clef de la République, l'instruction, sa foi en Dieu, sans l'isoler sans doute, le place en marge de ses amis de l'extrême gauche, y compris les plus proches, Lockroy, par exemple. « L'âme des enfants est une très grande responsabilité. Je veux l'enseignement laïque et non athée. Pour beaucoup, même de nos amis, les deux mots sont synonymes. Moi, tu le sais, je crois en Dieu », écrivait-il à François-Victor le 28 novembre 1872[47]. Il se rallie certes à la perspective d'un enseignement laïque donné sous la responsabilité de l'État, mais c'est pour distinguer de cette diffusion de la science, de cette instruction, l'éducation donnée par la famille. Ce sera la position de Jules Ferry, mais avec, du côté de Hugo, une croyance profonde.

Et pourtant Hugo reste « une chose publique ». Prophète de la République, il en rappelle sans cesse la vraie nature : ce régime n'a pas à être approuvé par tel vote de

Hugo pour la paix sociale :

*André Gill
Amnistie ! : « le vieux briseur de fers »
(cat. 110)
La Petite Lune, fév. 1879
Hugo, qui avait déjà demandé au Sénat, en 1876, l'amnistie des communards condamnés, renouvelle la demande le 28 février 1879. La loi sera promulguée le 5 avril.
Paris, M.V.H.

E. Rosambeau
Un cri ! ...
Le Grelot, 30 avril 1871
Après la publication du poème *Un cri* (qui paraîtra dans *L'année terrible*) par *Le Rappel* : Hugo entre Thiers et la Commune.

telle assemblée, il n'a pas même à être proclamé, il est le Droit. Ce droit qui enveloppe tous les autres : droit à la connaissance pour les enfants, droits de la femme sans nulle limite, la femme « ce grand problème du XIXe siècle » ; reconnaissance non seulement de la misère du peuple mais de la grandeur ouvrière : art et travail, progrès et paix. Ce droit qui exige l'amnistie : la République ne peut se composer que de frères. Ainsi Hugo tente-t-il d'introduire « la question morale et la question humaine » dans la politique, ce mot qui reste, nous dit-il, à définir[48] et que finalement il ne récusa jamais : choix capital qui, autant peut-être que le prestige acquis dans l'exil, permettra jusqu'à nos jours de le maintenir — œuvre et action — dans le champ des luttes et de la vie.

La publication, en 1875, d'*Actes et paroles,* témoigne de cette volonté : des textes pour agir à nouveau. Élu sénateur en janvier 1876, il appelle à l'amnistie les pères conscrits qui restent de glace. Comme l'a souligné J. P. Wytteman[49], il avait pourtant développé une argumentation plus politique que lyrique. En vain, cette fois encore. En revanche, lors de la crise du 16 mai, Hugo sut sinon convaincre la majorité du Sénat, du moins rassembler autour de lui, comme, dans le pays, Gambetta, tous les élus républicains contre l'acte « insurrectionnel » d'un maréchal appuyé sur l'Église et sur les notables du vieux monde. Il sut aussi, en mettant en librairie *Histoire d'un crime* — « ce livre est urgent : je le publie » —, faire coïncider une fois encore l'œuvre et l'action, les actes et les paroles, pour la victoire de la République, cette figure politique de la démocratie.

1878/1885 : l'apothéose

On peut dater de là l'entrée de Victor Hugo en apothéose. Ses suprêmes efforts y contribuent. Lors du centenaire de la mort de Voltaire, en 1878, il se réconcilie spectaculairement avec le « sourire » et la « bonté » de celui qui lutta pour réhabiliter Calas. Quant à l'amnistie, il l'a littéralement portée à bout de bras jusqu'à ce jour éclatant de juillet 1880 où Gambetta, enfin, s'y rallia : « Messieurs, le 14 juillet c'est la fête humaine ». Dès lors il multiplie les messages superbes à ces peuples qui ne sont pas encore en République, à ces Juifs de Russie qu'on assassine, à ces Égyptiens révoltés contre les Anglais. Et ce père du régime entre vivant dans l'Olympe républicain. Les caricaturistes le disent assez : Hugo, Schoelcher et le petit Louis Blanc au côté des grands hommes de 89 ; Hugo et Gambetta ; Hugo, Thiers et Gambetta encore. S'il y a tryptique, Hugo trône tout en haut ; si quinconce, il est debout au centre ; s'il ne sont que deux c'est lui qui donne son aval ou qui, déjà statufié, veille à la sérénité de l'autre. S'il paraît seul, en revanche, en chair cette fois et en barbe, la foule crie « Vive Victor Hugo ! » et d'une même voix « Vive la République ! »[50].

C'est encore cette association qui s'affirma avenue d'Eylau, à deux pas de la

Le Bœuf Gras de 1881 (Souvenir du 27 février)
Gravure anonyme. Gambetta conduit le cortège ; sur le dos de Victor Hugo en bœuf gras, Henri Rochefort et sa célèbre lanterne. Une vision anti-républicaine de l'apothéose des 80 ans.
Paris, M.V.H.

A Victor Hugo, Louis Blanc et Gambetta. Les génies républicains. Hymne aux défenseurs de la Liberté.
Couverture de partition.
Paris, M.V.H.

La fête des 80 ans vue par *Le Prolétaire*, 26 fév. 1881.
« Les satisfaits... organisent une grande manifestation dans laquelle le prolétariat bien pensant est invité à jouer un rôle en rapport avec celui qui lui est réservé dans les limbes radicaux, en attendant son émancipation fixée à l'an 2000... »

place de l'Étoile, lorsque le 26 février 1881, pour son entrée dans sa quatre-vingt-tième année[51], la porte de son petit hôtel fut ornée d'un laurier d'or qui ombrageait le buste doré de Marianne. L'assimilation du poète au régime dont il avait défini l'essence et pour lequel il avait supporté l'exil se retrouva aux divers moments d'un défilé de plusieurs heures : ainsi sur le char des typographes, dont une presse occupait le centre, un buste de la République ornait l'avant et, derrière, trônait un portrait de Hugo. Trois traits majeurs de cette longue fête hugolienne et républicaine, prodrome pour un vivant de celle de la panthéonisation : la présence massive des enfants et des lycéens, pour inscrire le souvenir du vieillard dans la mémoire de la jeunesse ; celle des Chambres syndicales ouvrières qui témoigna, très au-delà des métiers d'art, du rayonnement de Victor Hugo[52] ; enfin, les rythmes et les chants républicains des orphéons de l'Ile de France, déjà mobilisés lors du centenaire de Voltaire. Politique, cette fête ? Jamais, s'écria *L'Illustration*. A condition de considérer que la victoire de la République n'avait rien à voir avec la politique et que les efforts faits pour diffuser en quarante fascicules de 2,50 F le « Livre d'or de Victor Hugo » étaient dépourvus de signification civique.

L'Univers et Veuillot n'avaient pourtant pas déposé les armes. On entendit aussi la voix sourde et légèrement rancunière de Vallès, ennemi des fastes et de toutes les apothéoses, ennemi de tous les dieux, opposer à Hugo la poésie populaire, la parole de Pottier et de Jean Misère[53]. Et *Le Prolétaire,* le très jeune journal du très jeune parti ouvrier, ironisa sur le rôle de valet joué par le prolétariat bien-pensant dans cette mascarade organisée par « les satisfaits ». Hugophobie de la droite ultramontaine. Méfiance de la gauche communeuse et socialiste organisée : ces deux exceptions au chœur de l'hugolâtrie ne disparaîtront pas avant les 150 ans de Victor Hugo. Elles n'enlèvent que peu de chose dans les années 1880 au rassemblement autour de Hugo des lecteurs des *Châtiments,* des *Misérables* et de *L'art d'être grand-père*. Peu de chose à ce culte des souffrants et des rêveurs qu'un typo-poète anonyme traduira ainsi en juin 1885 :

> « Vers qui se tourneront nos rêves, nos chimères ?
> A qui dédierons-nous nos pages éphémères ?
>   Pour qui tresserons-nous des fleurs ?
> Qui, pour tous les souffrants criera : Miséricorde !
> Qui, des peuples blessés, suspendra la discorde ?
>   Qui rouvrira des bras fermés ?
> Qui viendra des captifs hâter la délivrance ?
> Qui, s'inspirant toujours de ton exemple, ô France
> Dira : courage ! aux opprimés ?[54]

M. R.

1885 : Les funérailles

La mort : cet instant où le cœur cesse de battre, entre l'agonie et les funérailles, avant que les souvenirs ne s'abîment dans l'oubli. La mort : celle de Victor Hugo était attendue. Dès l'annonce de sa maladie, les petits journaux de province, les tri-hebdomadaires, à l'existence cantonale éphémère, réactivée par l'approche des législatives de 1885, lui consacrent leurs premières pages. Pourtant, entre la « fatale nouvelle » annoncée le vendredi 22 mai au début de l'après-midi, alors qu'un mémorable orage se déchaînait sur Paris, et l'enterrement glorieux qui, le lundi 1er juin, clôtura cette longue semaine, les événements se précipitèrent : malgré l'admiration, alors quasi-unanime, pour le génie de l'écrivain, malgré le bref consensus des familles politiques, désireuses de choisir, dans la vie de celui qui s'en allait, les heures adaptées à leur vision du monde, Hugo, mort, se retrouva de plain-pied dans la mêlée. La semi-unanimité qui se réalisait lors de ses derniers anniversaires et que n'avaient interrompue publiquement ni la publication des *Quatre vents de l'esprit* (1881), ni la nouvelle édition de *La légende des siècles* (1883) — mais les avait-on lues ? —, éclata. Comment ? Pourquoi ?

Un moment difficile

La conjoncture y est pour beaucoup. La crise industrielle, tout d'abord, bat son plein. Tard abattue sur la France (1883), mais sur fond de longue dépression, elle concerne, l'année où disparait Hugo, toutes les industries et tout le pays[55]. Dans la

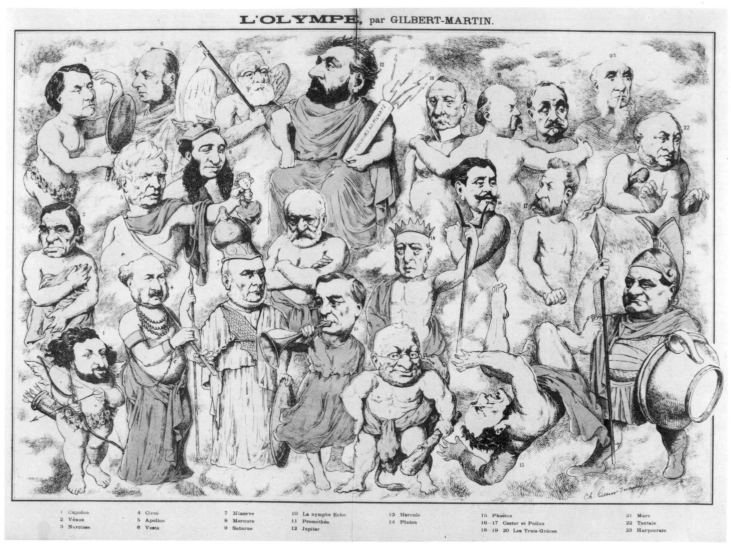

L'OLYMPE, par GILBERT-MARTIN.

1 Cupidon	4 Circé	7 Minerve	10 La nymphe Echo	13 Hercule	15 Phaéton	21 Mars
2 Vénus	5 Apollon	8 Mercure	11 Prométhée	14 Pluton	16-17 Castor et Pollux	22 Tantale
3 Narcisse	6 Vesta	9 Saturne	12 Jupiter		18-19-20 Les Trois-Grâces	23 Harpocrate

*Charles-Gilbert Martin
L'Olympe (cat. 117)
Le Don Quichotte, 22 juillet 1876
Hugo-Prométhée siège aux pieds de Gambetta-
Jupiter. Quelques jours plus tard, il sera nommé
président de l'Union républicaine (extrême gau-
che du Sénat) « avec mission de surveiller le
gouvernement »…
Paris, M.V.H.

Quatrième année.   N° 22.   Samedi 30 Mai 1885.

LE DRAPEAU

MONITEUR DE LA LIGUE DES PATRIOTES

Qui vive? — France!   Quand même

Directeur : M. Armand GOUPIL.   22, RUE SAINT-AUGUSTIN.   Administrateur : M.

VICTOR HUGO

1802 — 1885

capitale par exemple, l'activité du bâtiment, emblématique, s'est effondrée. Au total, 10 % environ des ouvriers d'industrie sont sans travail, alors qu'il n'existe nul « traitement social » du chômage. De cette situation témoignent la diminution du nombre des grévistes — 20 000 seulement — qui atteste l'émiettement des conflits, et les pourcentages d'échecs, qui n'ont jamais été aussi élevés : près des trois quarts des mouvements s'achèvent par une défaite[56]. A Paris en particulier, où les travailleurs de la « fabrique » savent d'expérience qu'il ne fait pas bon cesser le travail par mauvais temps économique, les grèves ont quasi disparu.

Les grèves, mais pas la colère à laquelle militants socialistes et anarchistes, si peu nombreux encore, tentent de donner un sens. Certes la manifestation de rue a remplacé la barricade. Mais la tendance est à l'affirmation de la classe autour d'objets symboliques, couronnes et drapeaux, qui disent à la fois l'émotion et l'espoir, surtout quand on les déploie au Père-Lachaise, qu'on y enterre d'anciens communards ou que les faubourgs soient appelés à s'y retrouver, le dernier dimanche de mai, pour commémorer le massacre des Fédérés[57]. C'est autour d'une couleur, le rouge, que se cristallisent alors les passions[58] : le rouge qui, aux yeux des hommes d'ordre,

Ludovic
Victor Hugo contemple du haut du Panthéon les remous de la politique. 1885-86 ?
Cette gravure sans date ni référence est difficile à décrypter. Elle semble faire allusion à la chute de Jules Ferry (30 mars 1885), provoquée par la crise économique, l'augmentation des dépenses publiques et les échecs de la colonisation, ainsi qu'à la campagne qui aboutit à la loi du 23 juin 1886 expulsant du territoire les chefs de familles ayant régné sur la France (à g. le Comte de Paris ; à dr. le Prince Napoléon). Le dieu Hugo trône au-dessus des débats, entouré par les représentants des grands principes : à gauche, les droits de l'homme révolutionnaires ; à droite, les valeurs chevaleresques d'antan.
Paris, M.V.H.

républicains ou non, et des hommes de l'ordre, les agents de la force publique, incarne les menaces de la guerre civile, pendant que d'autres en font le symbole de leurs espérances. Or, c'est le dimanche 24 mai qu'a lieu, en 1885, la manifestation, non encore ritualisée, du Père-Lachaise[59].

Au plan des pouvoirs publics enfin, la mort de Hugo survient à une heure délicate. Le long ministère Jules Ferry est tombé le 30 mars : conséquence certes de l'échec de Lang Son, mais aussi de la volonté d'imposer contre les équipes opportunistes une nouvelle légitimité de gauche, sous la houlette des radicaux et de Clemenceau[60]. Depuis le 6 avril le cabinet Henri Brisson a une fonction transitoire : ce ministère « d'apaisement » fait l'apologie de « l'abstention républicaine » et souhaite n'avoir à distribuer que de bonnes paroles en attendant les législatives d'octobre, l'Intérieur étant confié à Allain-Targé, un gambettiste notoire, ministre à cinquante ans pour la première et dernière fois de sa vie.

Cette situation difficile ne suffit pas à définir les amples mouvements qui s'affirment dans la société française. Or, c'est autour d'eux que s'organisent les usages politiques de Hugo. C'est à partir d'eux que se répartissent les regards jetés sur l'œuvre et surtout les initiatives qui situent ce mort, toujours vivant, au creuset des batailles. Et c'est leur poids qui marginalise les analyses, même vigoureuses, de ceux qui refusent de s'y reconnaître. Voici donc que s'achève la législature la plus

Le Drapeau, 30 mai 1885
La Ligue des Patriotes s'associe au deuil national
Paris, M.V.H.

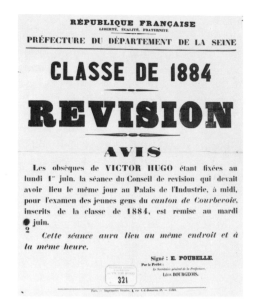

républicaine peut-être de notre histoire. L'essentiel des lois fondatrices des libertés a été voté. Et l'élaboration de cette œuvre considérable a opposé quasi constamment les deux France : celle des partisans de l'Église, du parti clérical, et celle des partisans de la pensée libre, voire de la libre-pensée : Marie et Marianne. Certes, ni la loi sur les syndicats, ni celle qui va régir la gestion municipale ne relèvent directement de cette fracture. Mais de la laïcisation de l'école publique au rétablissement du divorce, la liste est longue des mesures à propos desquelles la montée des idéologies liées à la société moderne a réactivé d'anciens affrontements : c'est bien au-delà des bourgeoisies, jusque dans le cœur du peuple des villes et des bourgs qu'elles ont progressé.

Le consensus

Était-il possible de tenir « le grand poète » à l'écart de ces batailles ? C'était miser sur l'apaisement social, sur l'accord des républicains, problématique en raison des conditions de la chute de Ferry, sur l'union de la nation autour du génie. La « trêve de Victor Hugo », pour reprendre un mot de Jules Claretie, aurait-elle lieu ? Ses partisans tentèrent d'organiser le consensus autour de deux thèmes : Hugo a personnifié la France ; sa vie fut si diverse que chaque camp peut y retrouver un peu de la sienne. Ces propos se déploient au lendemain de la mort : « Parcelle de la patrie qui disparaît »[61], « Symbole radieux du génie de la France »[62] ; ce chant parisien est relayé dans les provinces perdues[63]. D'aucuns doutent cependant que la force du sentiment national suffise, alors que les divisions sont si fortes dans la nation. Aussi, dans la vie de Hugo, mettent-ils l'accent sur l'histoire du siècle que l'écrivain a accompagnée. « Nous ne cesserons de le répéter, écrit le 23 mai Henry Fouquier, le nouveau directeur du *XIXᵉ siècle,* l'évolution de Victor Hugo, marchant avec son siècle, le précédant parfois, donne justement à son existence une magnifique unité. » Hugo d'ailleurs n'a pas seulement suivi pas à pas les démarches du peuple, « il a appris à respecter ce qui est respectable en tous ». Il

a rendu justice dans *Quatrevingt-treize* par exemple, aux Vendéens comme aux Montagnards, si bien que « les partisans des régimes déchus, comme les catholiques, peuvent saluer un homme qui les a grandis en les combattant » et se joindre un instant aux fils de la Révolution. Et *Le Petit Journal,* qui tire alors à plus de 800 000 exemplaires, le seul journal de masse à cette date, n'hésite pas à conclure son « Premier Paris » du 24 mai : « Ce n'est pas un parti qui perd Victor Hugo, c'est la France toute entière. » Plus réconciliatrice que conciliatrice, cette approche est aussi, le 23 mai, celle du président du Sénat, Le Royer, un bon républicain : la gloire de Hugo, affirme ce sénateur inamovible, n'appartient à aucun parti. Et, devant la Chambre, les quelques mots prononcés au nom du gouvernement par Brisson, radical et franc-maçon notoire[64], vont dans le même sens : il n'invoque que « la France », « les Français », voire l'humanité, pour proposer l'organisation de funérailles nationales, et il prend soin de ne prononcer le mot diviseur « République », que dans le cadre de la formule officielle : « Le gouvernement de la République »[65].

Du côté des adversaires du régime, l'accueil est plutôt bon. Ni *Le Gaulois,* mondain et turbulent, ni la très légitimiste *Gazette de France,* ni même *Le Monde* choisi trois ans plus tôt par Mgr d'Hulst pour devenir la voix de Léon XIII en France[66], ne se montrent choqués. *Le Gaulois* rappelle que Victor Hugo n'a jamais supprimé des *Odes et ballades* la célèbre déclaration selon laquelle « l'histoire des hommes ne présente de poésie que jugée du haut des idées monarchiques et des croyances religieuses ». Le journaliste de la vieille *Gazette* — un certain Bourgeois... — s'inquiète seulement, tout comme celui du *Monde,* de la récupération du spiritualisme de Hugo — « pauvre grand poète ! » — par les anticléricaux qui ont interdit à l'archevêque de Paris de porter au mourant les consolations de la religion et vont organiser derrière son cercueil « un chœur de négations et de blasphèmes »[67]. C'est évidemment faire l'impasse sur le testament de Victor Hugo rédigé le 2 août 1883 : « Je refuse l'oraison de toutes les églises », même si la dernière phrase affirme : « Je crois en Dieu. » Mais c'est aussi affirmer la possibilité du consensus non seulement autour de l'œuvre, mais autour de l'homme. Monarchistes et bonapartistes l'entendirent de même à la Chambre : à l'exception de Paul de Cassagnac, de Baudry d'Asson[68] et d'un certain Calla qui ne fut député que pendant deux ans, ils votèrent les crédits nécessaires aux funérailles nationales ou s'abstinrent.

Ainsi s'annonce pourtant l'essentiel de ce qui va advenir. Des radicaux aux légitimistes, l'accord pourrait — peut-être — se faire, politiquement, sur le nom de Hugo, à condition de voir en lui, à l'heure des funérailles, l'écho du siècle et non son inventeur. Mais, religieusement ?

Mort de Victor Hugo : « L'archevêque Guibert cherchant à attraper l'âme du grand poète » (cat. 122)
Le Grelot, 31 mai 1885
La veille de la mort, l'archevêque de Paris offrit ses services. La famille, représentée par Édouard Lockroy, second mari de Mme Charles Hugo et député radical, refusa.
Paris, M.V.H.

*L. Isoré
La désinfection :* « L'ignorance fait place au génie » (cat. 123)
Le Salon pour Rire, 1885
Paris, M.V.H.

La panthéonisation, ou l'impossible accord avec la droite

C'est ce problème qu'allait mettre en évidence la panthéonisation de Hugo. La proposition vint des milieux radicaux de la Seine. Depuis plusieurs années, la restitution du Panthéon à sa « destination primitive » définie en 1791 ou, si l'on préfère, sa désaffection confessionnelle, était demandée par le Conseil municipal de Paris et par la Chambre. Dans la capitale, les élections municipales de 1884 avaient mis en lumière le poids nouveau des socialistes (28 000 voix) et la forte progression des radicaux (137 000) bien soutenus par une dizaine de quotidiens[69]. Et les anciens communards ne pouvaient oublier qu'un des leurs, Millière, avait été fusillé sur les marches du Panthéon, tout consacré qu'il fût à Sainte Geneviève[70]. A l'exception d'un monarchiste, Georges Berry, c'est à l'unanimité que le Conseil municipal se saisit de l'occasion et demanda que le corps de Victor Hugo fut inhumé au Panthéon. Il en alla autrement à la Chambre, où le gouvernement, saisi le 23 mai de deux propositions radicales, chercha d'abord à gagner du temps, avant de décider, le 26 mai, par décrets, de rendre le Panthéon « à sa destination primitive et légale » et d'y déposer le corps de Victor Hugo[71].

Avait-il voulu donner satisfaction aux tendances à la « République absolue » qui dominaient au Conseil municipal de Paris et auxquelles les Ferrystes s'étaient ralliés, temporairement, dans un souci tactique[72] ? Ou éviter, au lendemain de la brutale répression du dimanche 24 mai au Mur des Fédérés[73], un enterrement au Père-Lachaise où la famille Hugo possédait un caveau et où il aurait été quasi impossible d'empêcher le déploiement des drapeaux rouges, sauf nouvel affrontement avec la police ? Ou, plus simplement, plus profondément peut-être, s'était-il convaincu que la République aussi devait s'enraciner dans l'émotion populaire et que seul s'y prêtait l'hommage aux grands hommes dans un lieu voué à ce culte par la Révolution Française ? Ce débat n'est pas ici l'essentiel. Nous sommes davantage attachés aux représentations qui s'opposèrent lors de la panthéonisation de Hugo qu'aux conditions précises dans lesquelles elle fut décidée. Trois sources permettent de les cerner : l'affrontement à la Chambre, le 28 mai, entre le comte Albert de Mun et René Goblet, ministre de l'Instruction publique, des Beaux-Arts et des Cultes ; la presse des deux camps ; et, sans qu'on puisse évidemment les opposer terme à terme, les discours officiels prononcés le jour des funérailles et le livre publié peu après, sous l'intitulé *Victor Hugo et le Panthéon,* par l'abbé Auguste Vidieu, bon connaisseur de sainte Geneviève, grand pourfendeur de la Commune et spécialiste du catéchisme pour gens du monde[74].

Minoritaires dans la capitale et dans la nation, les adversaires de la panthéonisation firent bloc après avoir annoncé la couleur à la Chambre dès le 24 mai, à travers l'intervention d'un député bonapartiste, Jolibois : « Il ne s'agit plus maintenant d'obsèques nationales, il s'agit de savoir si le Panthéon sera enlevé au culte catholique. » Certes les propos de l'abbé Vidieu ne manifestent pas une totale cohérence : à quelques pages de distance, il pourfend Hugo pour avoir « pris en main la cause de l'éternelle révolte contre l'Église » (page 54) et exalte la mémoire de celui qui croyait « en l'âme et en Dieu » (page 71). Certes aussi l'orateur châtié qu'est Albert de Mun n'use pas du même langage que « le Frère » ou « le Moine » qui signent les éditoriaux de *La Croix,* et il n'emploie pas les mêmes arguments qu'Eugène Veuillot, le frère du vieil ennemi de Hugo. La presse de droite, d'ailleurs, ne parvient pas à l'unanimité dans la condamnation : *Le Gaulois* choisit de faire trêve « au jour du convoi de notre plus grand poète »[75], alors que Veuillot traite sans fin de « renégat » ce « héros de l'athéisme » qui n'a cessé « pour se rendre populaire de caresser les plus misérables passions, les plus mauvais instincts »[76].

Sur l'essentiel pourtant il y a accord, même au *Gaulois* qui décide non sans « une grande douleur » de ne pas être représenté aux funérailles[77]. Accord sur deux thèmes : le gouvernement de la République est passé en quelques jours d'obsèques sans Dieu à des obsèques contre Dieu ; il a par là même ouvert la voie à la Révolution, à la résurrection de la Commune. Tradition religieuse, conservatisme social. Sur la blessure causée aux fidèles, Albert de Mun avait en somme dit l'essentiel à la Chambre dès le 23 mai. Il reprend ce thème avec une grande force de conviction quelques jours plus tard : « Vous allez chasser de l'église où elle était vénérée la sainte la plus populaire de l'histoire nationale [...] vous allez chasser de son temple Dieu lui-même pour installer à sa place la dépouille d'un homme[78]. » De *L'Univers* au *Monde,* de *La Gazette* à *La Croix,* c'est le même discours. Plus grossier car se voulant plus populaire, *La Croix :* « Il y a eu le Veau gras, il y a eu le Veau d'or, ils ont inventé le Veau humain, Victor Hugo[79]. » Plus mesurés dans les termes — concordat oblige — les évêques de Lyon, Saint-Flour, Aix-en-Provence, Angers, qui soutiennent la protestation de l'archevêque de Paris[80]. Plus argumenté encore Arthur Lote dans *L'Univers* du 4 juin : « Une année, un demi-siècle si l'on veut, emportera tout cela... Un Panthéon sans prières, ce n'est qu'un musée. Quand les curieux auront cessé d'y venir, le dieu Hugo restera sans emploi. » Hugo est mort, l'Église est immortelle. Le thème des concessions gouvernementales aux francs-maçons et aux révolutionnaires se développe, lui, au fil des jours, alimenté par les trois manifestations du Père-Lachaise[81], la campagne de *La Bataille* et la place accordée, le 1er juin, aux loges dans le quatorzième groupe. Les maçons, voilà l'ennemi : « Il y a une France possédée du démon », écrit « Le Frère », le 9 juin, dans *La Croix,* et c'est sous son impulsion que le gouvernement a organisé ces « saturnales ». Pour l'église militante, la maçonnerie est, depuis 1789, l'alliée privilégiée de la Révolution : par haine de Dieu, elle se range du côté des « anarchistes, collectivistes et autres, qui veulent rétablir le culte de l'hébertisme »[82]. Et le gouvernement qui ne peut guère être taxé de communeux, a eu peur des révolutionnaires. Tout l'indique ; le jour choisi — un lundi pour éviter la foule dominicale — le lieu : le Panthéon, pour éviter le Père-Lachaise[83]. Bref, la panthéonisation de Hugo a révélé la mainmise des rouges sur la République.

Qu'en pense l'autre camp, celui de la presse républicaine y compris les deux quotidiens socialistes, *La Bataille* et *Le Cri du Peuple*[84] ? Les nuances sont ici beaucoup plus que des nuances. Ce sont les journaux radicaux qui, dès le 23 mai, ont formulé cette exigence : « La République Française doit créer le temple de ses héros »[85]. Grand thème repris par Goblet à la Chambre, puis le 1er juin, lors des funérailles : c'est le devoir de la France de « consacrer un temple national » aux « grands hommes qui l'ont servie et honorée »[86] ; il est « juste et nécessaire de rouvrir pour Hugo le temple construit par la Révolution Française »[87]. L'essentiel est dit, au nom du gouvernement, en termes pondérés. Un autre texte pourtant concentre sur lui tous les feux, l'article du *Gil Blas,* le 3 juin, signé Nestor : la panthéonisation de Hugo s'inscrit, en l'élargissant au-delà de la sphère du politique, sur la voie ouverte par la fête du 14 juillet et les obsèques de Gambetta ; elle indique « une route nouvelle qui ne conduit pas à Rome ».

*Adolphe-Ernest Gumery
La foule assistant, place de la Concorde, au passage du cortège funèbre (cat. 128)
Paris, Louvre, Cabinet des Dessins

*Jean Béraud
La foule à l'Arc de Triomphe lors de l'exposition du catafalque (cat. 127)
Paris, Musée Carnavalet

Ce thème central est bien accepté à gauche. Il n'exclut en effet ni les anticléricaux militants, désireux d'« éliminer du Panthéon », comme l'écrit *La Lanterne* le 24 mai, « l'Église avec [...] son état-major d'imposteurs féroces et d'hypocrites rampants », ni les Parisiens soucieux de marquer le lien entre Hugo et « la cité sainte[88] », ni les anciens communards qui, de la *Revue Socialiste* de Benoît Malon[89] à Rochefort et à Louise Michel[90], voient en lui « le grand amnistieur », ou, tel Lissagaray, saluent l'homme d'énergie « qui a rempli de son contingent notre cartouchière[91] ». Il n'exclut pas davantage les « citoyennes » qui se rassemblent derrière la bannière du Cercle du suffrage des femmes, animé par Hubertine Auclert[92]. La foule immense du 1er juin atteste, dans sa diversité bien structurée, la popularité profonde du vieux maître et la force des réseaux associatifs qui se reconnaissent dans la panthéonisation de Hugo. Mais est-ce l'idée du culte des grands hommes qui rassemble ces lecteurs des *Misérables* et des *Châtiments,* nourris d'une culture hugolienne maintes fois évoquée pendant ces journées, en particulier par Louis-Victor Meunier dans *Le Cri du Peuple* ? N'est-ce pas plutôt, en outre, la joie d'appartenir à un peuple qui peut marcher seul en se passant de l'Église ? N'est-ce pas ce projet politique qui soude les syndicats, les sociétés de Libre Pensée et les officiels ? Une République, a dit Hugo « c'est une nation qui se déclare majeure ». Le problème religieux est un problème politique.

Les socialistes hugophobes

En marge de ce pôle de regroupement se situent quelques leaders socialistes, porte-parole de l'hugophobie de gauche. Ils expriment trois types de refus. Le premier, directement politique, vise le comportement de Hugo au temps de la Commune : rédacteur en chef de *L'Ami du Peuple,* journal « révolutionnaire-maratiste », Maxime Lisbonne rappelle que Hugo « n'a point trouvé bon de saluer les 40 000 cadavres de la Semaine sanglante » ; dernier grand poète de la classe bourgeoise, il ne saurait s'imposer au peuple[93]. Le deuxième est social. Paul Lafargue, dans un pamphlet devenu tardivement célèbre[94], *La légende de Victor Hugo,* dont il achève la rédaction en juin 1885, à la prison de Sainte-Pélagie, dénonce à travers Hugo un type social, celui du bourgeois dit libéral, manipulateur des grandes orgues de l'éloquence, mais « ami de l'ordre » et prioritairement attaché au « Dieu propriété » et à ses sordides intérêts matériels : l'exil lui-même aurait été choisi par Hugo pour consolider sa fortune ! Les passages les plus intéressants de cette brochure, plus médiocre que les autres travaux de Lafargue, visent la phraséologie hugolienne, le discours républicain en fait, et ces « balançoires du libéralisme » que sont la Liberté, la Fraternité et l'Égalité. Malgré ses fermes espérances[95], Lafargue ne trouva sur le moment aucun éditeur : son pamphlet parut pour la première fois en 1888 dans *Die Neue Zeit,* puis, pendant l'été 1891, dans la *Revue Socialiste* non sans de fortes réserves[96].

Si la pensée de Lafargue n'est connue en 1885 qu'à travers un article publié par un petit hebdomadaire socialiste de Reims[97], c'est sur le terrain du matérialisme et de la science que d'autres collectivistes s'opposent à Hugo. Victor Marouck qui collabore à l'hebdomadaire socialiste et positiviste *Le Prolétariat,* y publie le seul article consacré à Hugo. Admirateur de l'écrivain, mais athée, il déplore le spiritualisme hugolien et considère que la dernière phrase du testament de 1883 — « Je crois en Dieu » — a plus fait « pour la conservation des idées religieuses et de servitude que des milliers de prêches catholiques en plusieurs années »[98]. Et Jules Guesde ne dit guère autre chose lorsque, après les funérailles, *Le Cri du Peuple,* hugophile jusqu'au 1er juin, lui laisse enfin la parole : « Ce chantre impénitent d'un Dieu qui n'a jamais existé... appartient au vieil ordre des choses »[99]. L'ordre de l'avenir sera dominé par la science positive : Darwin, Claude Bernard ; entre les deux Guesde a ajouté Marx.

L'hugophobie de gauche est restée un phénomène très marginal, propre, en 1885, sous sa forme exacerbée, à quelques dirigeants du courant guesdiste, encore très peu nombreux. Même chez eux d'ailleurs, elle exerce une fonction essentiellement instrumentale : pour Guesde comme pour Lafargue, quoiqu'ils développent une argumentation différente, il s'agit de constituer une autonomie culturelle ouvrière et socialiste. Celle-ci passe par la rupture avec la culture bourgeoise, fût-elle largement populaire. Mais c'est ailleurs, dans la fracture définie par la question catholique et la laïcisation de la République que se sont situés, lors des funérailles, les clivages fondamentaux.

M. R.

1902 — Quand Hugo eut cent ans

Ce siècle, donc, avait deux ans. Le gouvernement de défense républicaine mis en place par Waldeck-Rousseau en juin 1899 pour « régler » l'affaire Dreyfus dans le sens de l'apaisement s'acheminait vers sa fin : les élections législatives étaient prévues pour la fin du mois d'avril. En profondeur l'anticléricalisme soudait à nouveau les « bons républicains » : il allait déboucher sur la victoire de l'aile gauche de la coalition ministérielle, l'aile radicale, soutenue par les socialistes jauressistes, et, avec le petit père Combes, sur l'achèvement de la laïcisation de l'État. Quelle place Hugo tient-il à l'heure où se livrent ces batailles où Jaurès, hugolien fervent[100], a vu, avec l'achèvement de l'œuvre républicaine des années de fondation, la mise en place des fondations nécessaires aux mutations sociales ?

Le purgatoire commence pour Hugo dès le lendemain des funérailles. Il n'est pas le fruit de l'oubli où tombent après leur mort ceux dont la présence — et quelle présence ! — s'est longtemps imposée sur le devant de la scène. La voix de Hugo passe mal, politiquement, à l'heure où les républicains, y compris ses amis radicaux, se déchirent dans l'aventure boulangiste. Et que faire de son message social alors que le Parlement, de 1885 à 1898, ne parvient à accoucher, très lentement, que de très maigres réformes ; alors que la majorité passe peu à peu aux hommes du ralliement et isole les forces neuves du socialisme ? La voie est ouverte dès lors à ceux qui, dans les instances maîtresses du pouvoir intellectuel, n'avaient jamais reconnu en Hugo un des leurs : académiciens, chroniqueurs des grandes revues bien-pensantes, critiques littéraires de renom ; Alexandre Dumas le ridiculise ; Schérer, Brunetière considèrent qu'il « a immortalisé des lieux communs »[101] et Anatole France qu'il « a remué plus de mots que d'idées »[102]. L'attaque de Jules Lemaitre, l'inventeur de « Homais à Pathmos », a commencé dès 1888 avec la publication de *Toute la lyre.* Il n'est pas facile de plaider contre les accusations de nullité intellectuelle, voire de plagiat : selon Paul Bourget, Hugo n'a fait que s'approprier les trouvailles d'autrui. Et d'autre part les jeunes écrivains qui se réclament de l'avant-garde esthétique se détachent littérairement de Hugo : Jaurès note en 1893 que parmi eux l'influence du maître est « à peu près nulle aujourd'hui[103] ». La dévalorisation de l'homme public, du penseur social au bénéfice apparent de la glorification

MORT ET TESTAMENT
DE
VICTOR HUGO

Hugo est un mort que nous ne pleurons pas.

Pendant soixante années, la scène qu'il vient de quitter a retenti de ses triomphes. Et ces triomphes eussent grisé un dieu.

Ses nombreux admirateurs vont nous le faire revivre aux quatre coins de la France; revivre aux quatre coins du globe, sous forme d'un dieu de marbre, ou de bronze.

— Grand bien lui fasse!

Personne encore, personne dans notre langue, n'avait habillé son œuvre d'une façon aussi étincelante.

Pas un écrivain, peut-être, n'avait encore été autant que lui, à la fois fécond, varié, original et brillant.

Comme lui, peut-être, pas un lyrique n'avait su faire vivre l'Histoire.

Comme lui, peut-être, pas un chantre n'avait su faire pleurer une harpe : pincer les fibres du cœur.

Pas un poète, avec une note aussi tendre, n'avait chanté les enfants.

Chanté la Nature.

Pas un peintre, n'avait dessiné la campagne, les ruisseaux, les prés; ni comme lui, colorié les bois, les oiseaux, les papillons, et les fleurs.

Hugo reste donc un admirable, un incomparable artiste.

Mais Hugo n'est point un mort que nous pleurons.

La Nature — que cet illustre appelle Dieu — l'avait doué de facultés immenses.

De plus, grâce au hasard, il possédait ces deux outils de la réussite: argent, santé robuste.

Et sa longue existence de satisfait lui permit d'accumuler ces travaux intellectuels qui feront l'étonnement des générations à venir.

Si les arts sont bien faits pour charmer doivent-ils pour cela constituer le but principal de notre être?

C'est pourtant à atteindre à la perfection en littérature que, toute sa vie, Hugo s'est uniquement appliqué.

Aussi quoi d'étonnant qu'il eût acquis cette supériorité dans laquelle toute vanité d'artiste se drape?

Quoi d'étonnant, après s'être mis à la remorque d'une ambition littéraire aussi effrénée, qu'il fût resté sourd à l'appel désespéré des foules: Elles qui placent instinctivement la nécessité de manger à leur faim au-dessus des félicités que peut procurer l'Art d'écrire?

Quoi d'étonnant, si, en 1830, quand, dans les rues de Paris, le canon tonne, « L'ENFANT SUBLIME » versifie, tandis que Le Peuple, lui, donne son sang?

Mais quoi d'étonnant si c'est pour les durs sacrifices que nous n'hésitons pas à affirmer nos préférences?

En 48, en Juin, quand le sang de l'éternel Martyr se remet à couler dans d'effroyables boucheries;

Quand le Peuple affamé joue encore sa vie pour reprendre la part qu'un gouvernement de républicains hypocrites lui vole, — que fait-il?

Lui le prince du lyrisme, le chantre du sentimentalisme, le poète à la note si tendre, l'adorateur des enfants, le

peintre des ruisseaux, des bois, des oiseaux, des papillons, et des fleurs, il échange sa plume enchanteresse, et sa lyre, contre une épée, dont il frappe les désespérés armés par la faim !

Ah! ce n'est pas quand l'humanité se divise en deux camps:

Ceux qui jouissent — Ceux qui souffrent,

En deux camps irréconciliables;

Ce n'est pas quand nous avons planté nos tentes déguenillées au bord du drapeau des vaincus de toutes les insurrections;

Et quand nous ne cessâmes d'honorer la mémoire des insurgés qui roulèrent il y a trente ans sous les coups implacables du « Grand Poëte » qu'il est vraisemblable que nous oublions que ce « Grand Poëte » fut leur assassin.

Hugo a toujours vécu dans le camp opposé au nôtre.

Il nous a charmé souvent, il nous charmera encore avec ses livres.

Parceque, du côté des pauvres, on produit peu de ces œuvres de l'esprit qui sont les filles du loisir.

Et de même que la bourgeoisie se sert de nos bras pour s'engraisser, — nos bras qu'elle méprise, — de même nous nous repaissons, parfois de l'œuvre récréative de ses artistes que nous détestons.

Nous nous chargeons, nous, Peuple, d'enterrer nos morts.

Il est naturel que la classe des heureux s'occupe, elle, d'enterrer les siens.

Hugo n'a point trouvé bon de saluer, avec des strophes comme il savait si magistralement en ciseler, les quarante mille cadavres de la Semaine Sanglante.

Hugo a cru même devoir cracher sur ces deux admirables lutteurs: FERRÉ, RAOUL RIGAULT;

Deux citoyens courageux, honnêtes, qui préférèrent, au culte de la Littérature, celui de la Justice.

Deux hommes tombés, deux vaincus.

L'insulte lui échappa dans une heure de colère : heure de surprise: heure à laquelle apparut enfin, béant, le gouffre qui sépare à jamais le Peuple du dernier « Grand Poëte » de la classe bourgeoise.

Après soixante ans de mensonges, — et d'ailleurs de perfidies délicieuces — de la part du chantre des « CHATIMENTS » plus un masque sur les visages.

Situation nette.

Et le Peuple seul y gagnera.

— Allons, messieurs, nous ne cracherons pas sur les vôtres; mais, ne mêlons pas nos cadavres !

PHILLIP.

Victor Hugo laisse 6 millions de fortune ainsi partagés:

Sept cent mille francs aux membres de sa famille.

Deux millions cinq cent mille francs à Jeanne et Georges, ses petits-enfants;

Deux millions au citoyen et à la citoyenne Lockroy;

Deux cent mille francs à la Société des Gens de lettres;

Cent mille francs à la Société des Auteurs dramatiques;

Cinquante mille francs à partager entre ses domestiques;

Vingt mille francs aux pauvres de Paris;

Vingt-cinq mille francs au gardien du rocher de Guernesey;

Quinze mille francs au concierge de la maison de Bruxelles;

Cinq cents francs à Lacroix pour avoir mangé sa fortune en éditant les « Misérables; »

Cent francs au cocher Moore;

Et pour les révolutionnaires qui se sont sacrifiés avec lui pour la République, depuis 1850, et qui sont encore de ce monde, une rente viagère:

VINGT SOUS PAR JOUR!

MAXIME LISBONNE

Un specimen d'hugophobie de gauche : L'Ami du Peuple, *1885.*
Villequier, Musée Victor Hugo.

HUGO DÉCULOTTÉ

La visqueuse limace qui vaticine au *Rappel*, sous la dénomination d'Auguste Vacquerie, suinte chaque jour deux colonnes de mucosités haineuses sur les princes et sur les régimes tombés.

Si nous prenions un peu ce pastel démoli au bout d'une paire de pincettes, et si nous lui frottions le museau dans ses affections, serait-ce de mauvaise guerre ? Ainsi ferai-je.

Je commence donc ma besogne par son fétiche, par son idole, par le dieu-laïque Victor

Hugo, sur lequel le *Pilori*, qui n'existait pas au temps de l'apothéose grotesque du 1ᵉʳ juin 1885, n'a pu donner sa note.

Je prends l'histoire vraie et non la blaguologie passionnée du sectaire et je photographie Olympio, tel qu'il fut à toutes les époques.

Victor était issu d'une brave et honnête famille, et il nous a appris lui-même ce qu'étaient ses parents :

> Mon père vieux soldat, ma mère vendéenne.

À seize ans, il chantait Dieu et la Royauté des Bourbons ; Châteaubriand l'avait surnommé l'*Enfant sublime*, et nous admirons, sans restrictions, le poète inspiré qui accordait son luth pour célébrer l'Empereur tombé, prisonnier de l'Europe sur son rocher de Sainte-Hélène, la mort du grand homme, *Napoléon II* et l'ode *à la Colonne*. Il semblait aimer la France, et pour rappeler un vers célèbre de l'auteur des *Messéniennes*, il avait :

> Des chants pour toutes ses gloires,
> Des larmes pour tous ses malheurs.

Son ardeur royaliste le fit, à 20 ans, pensionner par le roi Louis XVIII.

Mais si grande était l'indépendance de cœur de ce jeune homme, qu'il n'a pas eu un éclair de souvenir pour le vieux roi Charles X, tombé du trône dans la tourmente de 1830.

Un régime nouveau, la Monarchie parlementaire ne laissait pas de loisir à sa reconnaissance et il adula à ce point les puissants du jour, qu'il en obtint un manteau de Pair de France. C'est à cette époque (1840) qu'il se lia avec le peintre Biard et que les deux familles devinrent intimes.

Or, veut-on savoir comment le poète, comment le chantre de la morale en toutes choses, de l'absolue vertu, comprenait ses devoirs d'ami, d'honnête homme ? Durant une absence du peintre qui avait confié sa femme à la sollicitude de la famille Hugo, Mᵐᵉ Biard, séduite par Olympio, se rendit à discrétion, et l'aventure du passage Saint-Roch a défrayé les journaux du temps pendant une huitaine de jours. Le scandale fut grand, mais le Pair de France ne fut pas poursuivi, la Chambre du Luxembourg étouffa l'affaire.

Déjà, quelques années auparavant, le poète avait prélude à ce genre d'exercices de vertu, en installant à son foyer, une *amie*, Mᵐᵉ Drouet, qui

devint la vraie maîtresse de la maison et à qui Mᵐᵉ Hugo elle-même dut céder la place. Ce mormonisme, qu'on a appelé « une licence poétique », a permis à la favorite de vivre près de quarante années au foyer de famille, au milieu des enfants à qui plus tard l'esprit s'ouvrit à la lumière.

Après la Révolution de 1848, croyez-vous que l'Enfant chéri de la famille royale détrônée eut une larme pour le souverain déchu ? Ce serait mal le connaître. Son ambition grandissait avec sa gloire d'écrivain, il briguait un portefeuille et escomptait le Ministère de l'Instruction Publique ; mais le Prince-Président Louis Napoléon avait mieux à faire qu'à s'empêtrer d'un rêveur là où il fallait un homme d'action, et Hugo ne fut pas ministre.

Cette déception changea son sang en fiel et en venin ; il fit une violente opposition à la politique de l'Elysée, et le 2 Décembre l'envoya se promener à l'Etranger.

Installé à Guernesey, il y vivait, il est vrai, du produit de ses œuvres, et durant de longues années, il donnait le la à la littérature, tenant cour ouverte, gagnant des sommes considérables avec ses *Travailleurs de la Mer*, l'*Homme qui rit* et les *Chansons des Rues et des Bois*, où personne ne comprenait rien, ni lui non plus. Mais si cela l'a enrichi, ses éditeurs Lacroix et Verbeckoven ont bu un bouillon formidable. Les œuvres achetées *fermes* au poète, ne trouvaient pas de clients, et une grosse faillite fit de l'éditeur Lacroix un électeur de moins.

Et pendant ce temps-là Olympio se promenait sur son rocher avec toutes les allures du grand

---

Empereur à Sainte-Hélène, dont il poétisait ainsi la captivité.

Le 4 Septembre l'a ramené en France ; il y est devenu député, sénateur, libre-penseur, radical et... mort.

J'ai encore présente à mes souvenirs, cette comédie qui s'est jouée du 21 mai au 1ᵉʳ juin et l'apothéose s'est faite avec le concours gracieux des *Beni Bouffe-Toujours*.

Le voilà ! cet homme si merveilleusement doué ! Il avait chanté Dieu, dans toutes ses premières poésies, pour devenir, sur ses vieux ans, l'apôtre de la libre-pensée. On a laïcisé une église pour y ensevelir ses restes.

— Et voilà l'homme ! Dieu l'a frappé dans les plus saintes affections du cœur. Il lui a pris, dans un drame terrible, sa fille et son gendre, morts sous ses yeux dans tout l'éclat de leur jeunesse.

Ses deux fils sont morts, l'un à Bordeaux, je ne veux pas te rappeler dans quelle circonstance ; l'autre à Paris, et le père, en chapeau mou, a suivi le cercueil, avec toute la fine fleur des libres-penseurs de la capitale.

Sa dernière fille est depuis longtemps, folle, à l'hospice Sainte-Anne.

Et voilà l'homme ! S'était enrichi, mais il avait appauvri ses éditeurs ; il s'était enrichi et avait élevé l'égoïsme et l'avarice à la hauteur d'une institution ; le père Grévy s'extasiait devant sa caisse toujours fermée pour donner, toujours ouverte pour recevoir.

Harpagon jalousait Harpagon !

Et voilà l'homme ! Il écrivait aux souverains chaque fois qu'un régicide était condamné à mort ; il demandait sa grâce au nom de l'humanité, oubliant qu'il avait commis un jour ce vers monstrueusement infâme :

> Tu peux tuer cet homme avec tranquillité.

Il est vrai que c'était sa deuxième manière.

Et maintenant que j'ai rendu au locataire du Panthéon la justice qu'il mérite, je demande au maquillé baveux du *Rappel* si cette exhumation est de son goût ; à Lockroy, le vaudevilliste, si j'ai faussé l'histoire.

À tous deux je passe sous le nez de la vie de leur Bouddha ; à tous deux j'apprends qu'il ne fait pas toujours bon insulter au malheur noblement supporté ; à tous deux enfin, qui font partie de

---

la bande des expulseurs, je cingle la face avec ce vers que Victor, première manière, a buriné sur l'airain :

> Oh ! n'exilons personne ! Oh ! l'exil est impie !

On ne pardonnera d'avoir exhumé le poète ; mais il me fallait sa vie tout entière pour en flageller ce vieux saltimbanque du *Rappel*. Ces représailles étaient commandées.

MINOS.

VIDEZ LE JUIF !

Pour une fois je suis absolument d'accord avec les gens du *Cri du Peuple*.

L'autre jour ils ont dit — au meeting du Château-d'Eau — qu'il y aurait du chemin de fait du côté de la question sociale, le jour où l'on ferait rendre gorge à la haute juiverie financière.

Eh bien, c'est absolument mon avis et celui du *Pilori*.

Les milliards des Rothschild, des Erlanger, des Ephrussi, de tout ce ghetto international, qui tient le haut du pavé financier, ont été drainés sou par sou dans nos poches et dans celles de nos pères.

« Décousez le juif », a dit Edouard Drumont dans son beau livre, et après lui tous ceux qu'inquiète la misère croissante diront : « Décousez le juif ».

Et quand de ses flancs éventrés s'échapperont les liards, les écus et les millions qu'il nous a pris, puisons à même la cascade pour les crève-faims aryens, pour nos classes pauvres, pour ce dessous social qui nous mangera un jour si nous ne satisfaisons.

Ce n'est là ni pillage, ni spoliation ; c'est une légitime revanche, une juste récupération.

Pour une fois je suis absolument d'accord avec les gens du *Cri du Peuple*.

L'autre jour ils ont dit — au meeting du Château-d'Eau — qu'il y aurait du chemin de fait du côté de la question sociale, le jour où l'on ferait rendre gorge à la haute juiverie financière.

Eh bien, c'est absolument mon avis et celui du *Pilori*.

Les milliards des Rothschild, des Erlanger, des Ephrussi, de tout ce ghetto international, qui tient le haut du pavé financier, ont été drainés sou par sou dans nos poches et dans celles de nos pères.

« Décousez le juif », a dit Edouard Drumont dans son beau livre, et après lui tous ceux qu'inquiète la misère croissante diront : « Décousez le juif ».

Et quand de ses flancs éventrés s'échapperont les liards, les écus et les millions qu'il nous a pris, puisons à même la cascade pour les crève-faims aryens, pour nos classes pauvres, pour ce dessous social qui nous mangera un jour si nous ne satisfaisons.

Ce n'est là ni pillage, ni spoliation ; c'est une légitime revanche, une juste récupération.

Quand les rois de France faisaient en un jour suer aux juifs un peu de l'or amassé en un siècle, ils se montraient des justiciers implacables, mais seulement des justiciers.

Faisons comme eux, et pour que demain il n'y ait plus de revendication prolétarienne, pour que la misère finisse si elle peut finir, vidons le juif, le juif est le père de la république de 1870, le juif par qui elle vit encore aujourd'hui.

JEAN MAURAY.

Un specimen d'hugophobie de droite : *Le Pilori*,
20 juin 1886
« Videz le juif » fait suite à « Hugo déculotté »
Paris, M.V.H.

de l'homme de lettres[104], s'accompagne au moment de l'Affaire Dreyfus de son rejet global par une large fraction de la jeunesse écrivante[105] et de sa mise à l'écart du champ des luttes nouvelles : rares ont été les références à Hugo pendant l'Affaire[106].

En 1902 encore, lors des fêtes du centenaire, les pouvoirs publics participent à leur manière à cet effacement. Certes elles ont quelque ampleur les cérémonies qui se déroulent à Paris du 26 février au 2 mars, quelque froideur aussi, aux yeux surtout de ceux qui ont vu 1885 : au Panthéon « le seul spectacle permis à la foule est celui du cortège officiel », conduit par Loubet[107] et la statue de Barrias est sévèrement jugée par les amants de l'Ange Liberté et du Géant Lumière[108]. Les discours officiels se réfugient dans l'éloge de la langue et du patriotisme du poète. *Les misérables* sont oubliés. L'université n'est pas en reste dans cette entreprise de rétrécissement de Hugo : jeune professeur à la Faculté de Caen, Maurice Souriau en appelle au « classicisme » de Hugo pour souhaiter lui voir jouer un rôle dans la formation de « l'élite moderne » — les bacheliers —, non à son message politique et social[109] et la conférence de Maurice Bouchor destinée à être lue dans les écoles à l'occasion des fêtes scolaires du centenaire est vierge de toute allusion civique[110].

Est-ce à dire que Victor Hugo soit en 1902 politiquement embaumé ? La lecture de la presse qui reste très diverse, un rapide regard sur les riches archives de la Maison de Victor Hugo ne confirment pas ce sentiment. Pour trois raisons. D'une part les points de vue qui s'étaient opposés lors de la panthéonisation n'ont pas disparu. D'autre part, chacun des deux camps qui s'affrontent dans la nation à la veille des législatives se réclame de Hugo, chose impensable vingt ans plus tôt. Enfin, des thèmes nouveaux apparaissent : certains sont promis à une longue carrière.

Hugo et les hugolâtres « blasphémateurs de nos croyances » : cette accusation si vivace au moment des funérailles n'est reprise avec la même vigueur ni par *La Croix* qui continue pourtant à déplorer les malheurs renouvelés de « la douce et virginale Geneviève »[111] ni par *La Gazette de France* qui se réfugie dans le maquis des anecdotes. Moins de virulence à Paris donc, mais, tout autant qu'autrefois en province. A Toulouse *L'Express du Midi* exprime sa haine du républicain contempteur de l'Église, « plat adulateur du nombre et de la foule »[112]. Les journaux qui comme lui appartiennent à la chaîne du *Nouvelliste* de Lyon tiennent des discours voisins. A Lyon justement l'abbé Théodore Belmont accuse Hugo d'avoir armé le bras de l'assassin de Sadi Carnot et fourni des armes à « tous les pontifes de la libre pensée, de la franc-maçonnerie et du laïcisme »[113]. Dans certains villages de Vendée c'est autour de Victor Hugo que se structure l'affrontement des deux écoles : l'instituteur laïque qui organise un repas hugolien pour les enfants — potage Esméralda, omelette à la Fantine — est accusé de « fêter un fou » par les élèves du collège religieux voisin qui organisent un concert de casseroles sous ses fenêtres[114].

Pourtant la presse « républicaine », tout en intégrant Hugo à sa stratégie, s'abstient de l'utiliser pour des charges antireligieuses : *La Fronde,* le quotidien fondé par Marguerite Durand, comme *Le XIXᵉ siècle,* désormais couplé avec *Le Rappel,* développent de préférence à son sujet les thèmes de la République universelle et des États-Unis d'Europe[115]. Et il faut Francis de Pressensé, fils de pasteur protestant, ancien chroniqueur du *Temps* en transit vers le socialisme, pour écrire : « On ne multipliera jamais trop les fêtes laïques par où l'esprit moderne oppose sa liturgie à celle de l'Église[116]. »

Continuité donc, mais, sous bénéfice d'un inventaire plus complet, plutôt atténuée, à Paris tout au moins. La virulence serait-elle devenue provinciale avec l'élargissement national de la vitalité politique ? Ou ne serait-ce pas qu'à Paris nationalistes et waldeckistes se livrent, autour du centenaire de Hugo, à un tout autre jeu de punching-ball ? Républicains contre républicains, notables et boutiquiers du ralliement et de la Ligue de la Patrie Française[117] contre citoyens formés dans le vivier des sociétés de libre pensée, des loges, de la Ligue des Droits de l'Homme et des universités populaires. Chacun de ces deux camps nouvellement dessinés, ou à tout le moins redessinés, tente de s'approprier Hugo et accuse l'autre de captation d'héritage. Et c'est autour du républicain que se nouent les oppositions : patriote — comme eux — ou internationaliste — comme le Bloc des Gauches — ? : les nationalistes qui ont conquis la mairie de Paris en 1900 et qui rivalisent dans la capitale d'enthousiasme festif avec le gouvernement, posent la question en ces termes. Le même jour, à la veille des cérémonies, leurs journaux — *La Voix Nationale, La*

La revue de l'année en cartes postales
Le Gaulois du Dimanche, 27-28 déc. 1902
Au second rang, à partir du haut : « La statue de Victor Hugo » : « Ah ! les raseurs... Il m'ont coupé la barbe »
Paris, M.V.H.

Adolple Willette
*Hypocrites, vous fêtez mon centenaire et vous
laissez la liberté agoniser en Afrique !*
La Vie en Rose, 2 mars 1902
Paris, M.V.H.

République (de Méline), *Le Gaulois* (des gens du monde), *La Liberté* (l'organe de la Patrie française), *La Libre parole* (de Drumont) — publient le Manifeste du 22 mai 1848 adressé par Hugo à ses concitoyens lors des élections complémentaires à la Constituante : il y opposait, comme Lamartine, le drapeau tricolore au drapeau rouge, la « sainte communion de tous les Français » à « la bascule de la guillotine », la République de la civilisation à celle de la terreur. « Les deux Républiques de la République » titre *La Gazette de France* avec l'humour de qui ne se sent pas concerné[118]. Il y aurait fort à dire sur ce renvoi dos à dos des deux camps par le quotidien monarchiste, comme sur la pertinence de l'appel à un seul texte aussi fortement daté que le Manifeste de mai 1848 et sur la validité des comparaisons que les amis de Jules Lemaître esquissent à son propos. On ne sache pas que Loubet se réclame du drapeau rouge ni Waldeck de la Terreur. Mais il est vrai que leurs électeurs ne récusent ni la Révolution française, dans son entièreté, ni pour certains le drapeau « rouge du sang de l'ouvrier ». De même que l'élégant Jules Lemaître et ses amis ont pour alliés les antisémites à la Drumont. Ainsi va la France, en ce début du XXe siècle : il y est difficile d'être centriste. En tout cas, à travers cette querelle en paternité, la vie et les idées de Hugo, ses prises de position, fussent-elles profondément déformées, continuent de fonctionner comme un enjeu politique et social de première grandeur.

Un enjeu susceptible, en outre, de renouvellement. Voici poindre en effet des thèmes neufs à travers lesquels s'esquissent sinon de nouvelles lectures — et encore ! —, du moins de nouvelles approches de la situation de Hugo dans le débat politique et social : regards du XXe siècle, non encore aiguisés, déjà perceptibles cependant en ces années où meurt « le siècle de Victor Hugo ». Il n'y a pas lieu de les chercher du côté des hugophobes de gauche, ce courant intellectuel et politique actif mais restreint que nous avons vu à l'œuvre en 1885. Lafargue, par exemple, n'a pas renouvelé l'argumentation rassemblée dans *La légende de Victor Hugo*. Il n'y a pas renoncé non plus, d'autant que le courant socialiste auquel il se rattache se constitue en ce début du siècle en force politique vigoureusement hostile aux choix « blocards » de Jaurès et de ses amis : parti socialiste de France contre parti socialiste français. Aussi Lafargue peut-il se réjouir d'avoir enfin trouvé pour son pamphlet un éditeur, même modeste[119].

Rien de bien nouveau non plus du côté des militants athées qui mêlent à leur admiration pour Hugo — « un des génies ambassadeurs de la vérité »[120] — une vive dénonciation de ses responsabilités dans le fait que « les plus avérés cagots se targuent d'honorer la mémoire du grand homme en paradant dans les tribunes officielles[121] ». Que n'a-t-il consenti à entraîner « les masses plus avant vers le vrai » en dénonçant ce « Dieu, fantôme hilare » que les foules complices continuent d'applaudir ! Acide, mordant, parfois grossier, ce courant d'opinion déborde sans nul doute, dans les milieux populaires, l'audience immédiate des journaux anarchistes où il s'exprime : *Le Libertaire* par exemple. Il n'y a rien non plus de très nouveau dans la critique des socialistes attachés à la doctrine qui regrettent, avec *Le Mouvement Socialiste,* que la générosité de Hugo s'exerce à faux puisqu'il n'a jamais pris en compte l'évolution économique du XIXe siècle et le poids nouveau de la classe ouvrière[122].

On entend en revanche les premières notes, mal coordonnées, d'une musique nouvelle du côté de ceux qu'on ne nomme pas encore les maurrassiens et chez les antisémites professionnels de *La Libre Parole*. Certes la tendresse que Drumont porte à Hugo[123] le conduit, au fil des articles qu'il lui consacre, à mettre en cause moins le vieux maître que « la République juive » : c'est parce qu'elle est enjuivée qu'elle se donne le ridicule de célébrer l'homme du XIXe siècle « le plus hostile par tempérament et par essence aux idées qui triomphent aujourd'hui »[124]. Mais Charles Maurras porte le fer en un point plus sensible et qui va le devenir davantage encore quelques années plus tard avec les travaux de Pierre Lasserre[125]. Dans trois articles, d'une grande tenue, qu'il réunit en 1902 dans une plaquette, *Lorsque Hugo eut les cent ans*[126], où s'exprime d'ailleurs son admiration personnelle pour le poète, il esquisse le portrait d'un XIXe siècle où la littérature s'est encanaillée en même temps que la lecture se démocratisait et il juge considérables les responsabilités de Hugo en ce domaine. Dans la mesure où son génie le sauve, Hugo représente plus qu'il n'incarne la « décadence littéraire romantique » et celle-ci témoigne de ce qu'on ne peut, somme toute, séparer l'écriture de la pensée : la « Hugocratie » s'enracine à la fois dans les idéaux et les pratiques de « la Révolution dite française » et dans les idées et le style de Chateaubriand. Hugo coupable en somme d'être l'homme du XIXe siècle.

Ce mode de penser a en tout cas l'avantage de refuser les platitudes d'un Jules Lemaitre ou d'un Paul Bourget et de considérer dans sa totalité la situation politique, sociale et littéraire de Victor Hugo. Tel est aussi, me semble-t-il, le cas de ceux qui, à gauche, tâtonnent à la recherche d'un nouvel Hugo, moins pontifiant, plus vrai que le personnage officiel, plus proche des justes causes pour lesquelles il a combattu[127]. De Francis Viélé-Griffin à Louis Lumet et au collaborateur de *La Dépêche,* qui signe « Rémo », ils ont été blessés par la parcellisation, le morcellement auquel Hugo est soumis. Ils rappellent que sur le rocher « ridicule » édifié par Barrias, Hugo « expie des crimes qu'il n'a pas commis » (L. Lumet). S'il est cher au peuple c'est en raison de ce qu'il y a en lui de plus profond peut-être : son immense vitalité, sa tenace combativité (F. Viélé-Griffin) ; en raison aussi du rôle social et humain qu'il s'est assigné dès avant 1830 aux rythmes d'une « profession de foi (dès lors) nettement socialiste » (Rémo). La République qu'il a aimée et pour laquelle il a lutté ce n'est ni celle de Cavaignac, ni celle de Thiers, ni même celle de Waldeck-Rousseau : la République c'est l'avenir de la République. Péguy dira-t-il vraiment autre chose quelques années plus tard, dans *Victor - Marie comte Hugo ?* Cette foi vitaliste dans la démocratie, cet amour de l'énergie républicaine, que certains commencent à détecter chez Hugo, nous les retrouverons plus tard.

M. R.

1935 — Fascisme et antifascisme

Hugo parmi nous ! Sans que le gouvernement y ait, cette fois, œuvré, le cinquantième anniversaire des funérailles de Victor Hugo l'installe au cœur de la bataille politique majeure dont le 6 février 1934 avait commencé de clarifier les données.

Neutralisation de Hugo ?

Pourtant, depuis la guerre, la distance s'était amplifiée entre les forces vivantes de la société et la mémoire hugolienne. Devenu à certains égards plus érudit[128], le débat autour de Hugo avait tendance à se confiner dans les milieux mondains, voire académiques. Pour juger de son niveau, il suffit de parcourir le *Victor Hugo* d'André Bellessort, dédié en 1930 à Georges Lenôtre et fruit d'un cours professé à la Société des Conférences. L'auteur apprécie le poète, le dramaturge et, fait nouveau, le journaliste de *Choses vues,* mais il éprouve une profonde « répugnance pour les chimères qui, à partir de son exil, lui ont tenu lieu de philosophie »[129]. Ce livre a servi plus ou moins — plutôt plus que moins — de paradigme à ceux qui, parlant de Hugo et enseignant à son sujet, voulaient échapper à l'hugophilie comme à l'hugophobie : admiration pour la poésie, condamnation des romans et, notamment, du plus populaire d'entre eux, *Les misérables,* coupable de charrier, outre un langage de mauvais goût, la condamnation de la police, de la justice, de « la société presque entière », bref « la nécessité de la révolution »[132].

Ce portrait de Hugo se voulait équilibré par rapport aux thèses défendues par Léon Daudet dans *Le stupide XIXe siècle.* Entré par mariage dans la famille Hugo, ce fils de son père, polémiste sans vergogne mais non sans talent, avait transformé en pamphlet les prémices contenus dans la plaquette publiée par Maurras en 1902. Définissant le romantisme comme un mouvement global à la fois politique et littéraire et comme « l'école du mensonge et de l'hypocrisie »[131], il avait voulu montrer que Hugo lui appartenait tout entier ; il n'était plus temps dès lors de lui reconnaître des vertus stylistiques ; il convenait de dénoncer tous azimuts ce « pervertisseur d'intelligences d'une nocivité presque égale à celle de Rousseau »[132], ce défenseur des opprimés, des exclus et des marginaux. Imprécation sociale, imprécation politique aussi, adressée aux idéologies de la Révolution française. L'une et l'autre venaient en droite ligne de Pierre Lasserre : cet universitaire, sérieux, n'avait-il pas dès 1907 condamné le goût de Hugo pour les « forçats sublimes », les « courtisanes vertueuses » et les saltimbanques métaphysiciens au détriment de « tous les détenteurs ou représentants d'une partie d'autorité et de discipline quelconque »[133] ?

Pourtant, si le livre de Daudet attestait, après celui de Lasserre, la continuité de la critique maurrassienne, s'il apportait de nouvelles munitions aux forces politiques et sociales de droite et d'extrême-droite, il n'était pas centré prioritairement sur Hugo. Et, s'il relança le débat à son sujet, ce fut pour l'essentiel dans les milieux attachés à l'école où Hugo continuait d'être regardé comme un des pères fondateurs de la République, dans la gauche laïque d'orientation radicale et socialisante où l'humanisme de Hugo, son amour de la paix, son attachement à l'instruction pour tous permettaient d'ignorer sa foi en Dieu et correspondaient aux valeurs positives du XIXe siècle. Un an après la parution du *Stupide XIXe siècle*, s'ouvrit une souscription pour la création d'une chaire Victor Hugo. Le comité de patronage[134] présidé par le recteur de l'Université de Paris, Paul Appell, groupait un large éventail de notables républicains, de Poincaré à Herriot, de Barrès à Courteline : il attestait la difficulté chez les républicains de gouvernement de récuser Hugo. La souscription de masse venait de faire ses preuves : entre mai et octobre 1922, elle avait rendu possible le lancement du *Quotidien,* un des grands succès de la presse de gauche en France pendant l'entre-deux-guerres[135]. Il y avait quelque concordance entre les objectifs des deux souscriptions : des deux côtés on se réjouissait de faire revivre, culturellement et politiquement, l'atmosphère chaleureuse du Bloc des Gauches dans une période dominée au parlement par le Bloc des Droites ; on pouvait prendre appui, pour ce faire, sur les instituteurs laïques, les milieux de la Ligue de l'Enseignement et du Syndicalisme Primaire, de la Ligue des Droits de l'Homme et des loges[136]. Alimentée par des cartes postales qu'avait dessinées le populaire Poulbot, la souscription Hugo rapporta en trois ans 110 000 F dont 100 000 F furent mis à la disposition de l'Université de Paris en attendant la création d'une chaire magistrale officielle. Ce cours public fonctionna jusqu'à la guerre. Nous allons le retrouver dans un instant.

1934-1935 : les attaques de l'extrême-droite

Si probante qu'ait été cette initiative en raison de son succès dans les milieux liés à l'école, elle ne parvint pas à les déborder vraiment. Sa finalité universitaire la maintint dans les limites — qu'il était, il est vrai, urgent de rafraîchir — du culte officiel voué à Hugo chez les instituteurs[137] et chez les universitaires engagés dans la défense des idéaux traditionnels de la République. Il fallut attendre 1934-1935 pour que les conflits s'amplifient et trouvent de nouveaux relais, de plus amples échos. C'est l'arrivée au pouvoir de Hitler, la montée en France des ligues de droite et d'extrême-droite, le renouveau de l'antisémitisme, bref la menace fasciste — ou en tout cas vécue comme telle —, puis la riposte antifasciste, qui permirent à Hugo de retrouver un poste de combat. Aux affrontements feutrés ou marginaux allaient succéder, l'année du cinquantenaire en particulier, des tensions publiques. La puissance toute nouvelle de grands hebdomadaires politico-littéraires voués aux débats d'idées et, dans certains cas, à la dénonciation des hommes — ce fut, on le sait, une des spécialités de *Gringoire* — allait, jointe à la renaissance des revues culturelles, fournir à la fois les cadres et les relais de ces débats : *Candide* (depuis 1924), *Gringoire* (1928), *Je Suis Partout* (1930) occupaient l'éventail de la droite à l'extrême-droite. *La Lumière* (1927), *Marianne* (1932), plus tard *Vendredi*[138] couvraient le champ de la gauche où se signalait également une revue déjà ancienne *Europe* (1923) et une autre toute jeune, *Commune* (1933).

C'est l'extrême-droite qui engagea le fer à partir d'un livre de Georges Batault au titre alléchant : *Le pontife de la démagogie, Victor Hugo,* sorti pendant l'été 1934 et dont les échos furent rapidement relayés par un article de Claude Farrère, dans *Gringoire,* le 2 novembre 1934, « Victor Hugo et les bonnes gens qui l'ont choisi pour Dieu », et par une série de « papiers » dans *Je Suis Partout* dont G. Batault était un des collaborateurs[139]. Alors que la vieille *Croix, L'Écho de Paris* proche du colonel de La Rocque, et même *L'Action Française* gardaient le silence ou se réfugiaient dans le rappel traditionnel des « insultes » de Hugo envers l'Église[140], c'est sur un tout autre plan que se déploya l'attaque : véritable creuset de toutes les haines contre Hugo recuites au sombre feu de l'antisémitisme, elle fait penser, quasi irrésistiblement, à la manière dont, un demi-siècle plus tôt, Édouard Drumont, qui, d'ailleurs, on le sait, épargnait Hugo, avait su opérer, dans *La France juive,* la synthèse de tous les antisémitismes. Voyons un peu. Les cartes sont abattues d'emblée. Le « cas Hugo » ne relève pas de la littérature. Hugo peut certes toujours passer pour un grand poète aux yeux des enseignants et des salonnards, aux yeux de ceux qui aiment le verbiage et qui prennent la jonglerie pour de la poésie. Le problème posé est en réalité politique et politique seulement : d'ailleurs « le poète jouait au politique »[141] ; ne se croyait-il pas homme d'état promis aux destinées les plus hautes, prophète de la République française et, un jour, de la République universelle ? C'est donc là qu'il faut l'attaquer. C'est là que son ridicule éclate. Nous ne sommes plus ici, à vrai dire, sur le terrain, balisé par Maurras et ses amis, du « politique d'abord ». Bien plutôt, dans le prolongement d'Edmond Biré[142], sur celui de la culpabilité politique. Encore le terme est-il trop fort. Plus encore qu'un coupable, Hugo est un niais, un plagiaire, follement ambitieux, dépourvu de toute « idée géniale »[143] : jugement récurrent certes, auquel Daudet lui-même donne alors son entier aval[144]. Cette sottise personnelle s'inscrit dans un ensemble bien détecté par Lasserre : elle relève de la démagogie inséparable de la démocratie, ce fléau du XIXe siècle ; pour être élu ne faut-il pas plaire aux foules ? Hugo « un démocrate de l'avant-veille », comme l'écrit, assez justement d'ailleurs, G. Batault[145]. Et donc, forcément, un utopiste, un fabricant de nuées. Les voici, ces grues métaphysiques, comme aurait dit, dans un tout autre esprit, Paul Lafargue. Batault les énumère dans son treizième chapitre : pacifisme, internationalisme, humanitarisme, égalitarisme. Nuées. Et dangereuses car les politiciens républicains y puisent à pleines mains, car elles ont le pouvoir d'attenter à l'ordre social, voire — Hugo terroriste ! — à la vie des individus[146]. Comte Hugo, fais-moi peur... Farrère porte ce point de vue au plus haut : « Un peuple ou un parti qui prendra Victor Hugo pour fétiche sera toujours un très pauvre parti ou un très pauvre peuple, tellement puérils et désarmés que la loi de Darwin d'avance les condamne et les rejette au néant »[147]. Rude menace sous la plume d'un ancien officier de marine qui militait dans les associations d'anciens combattants. Mais bien méritée. Cet « antimilitariste jovial », ce Hugo, n'a rien d'un patriote en effet : ne s'est-il pas adressé aux Allemands le 5 septembre 1870 pour leur demander de ne pas marcher sur Paris ? N'a-t-il pas condamné, sous le Second Empire, l'expédition du Mexique[148] ?

Ce stock d'idées, dangereuses, Hugo l'avait, selon les maurrassiens, trouvé chez Rousseau et Chateaubriand, ces pionniers du romantisme. G. Batault s'écarte de cette interprétation. Le mal provient des prophètes juifs auprès de qui Hugo puise son inspiration dès lors qu'il a quitté la France. Voilà bien la nouveauté que d'autres antisémites n'avaient pas su voir : Drumont, par affection de jeunesse, Daudet en souvenir de Jeanne. L'inspiration de Hugo est enjuivée : c'est dans la Bible qu'il a trouvé « l'esprit de révolte et son corollaire, le messianisme[149] ». Job, Isaïe, Ezéchiel, Jean de Pathmos, Paul, voici les ancêtres de l'apôtre de la Démocratie universelle. Hugo ou le plus juif de tous les grands écrivains français : ne pas oublier que, sous Hitler, on peut s'enjuiver en buvant le lait d'une vache qui a appartenu à un juif ; alors, le lait des prophètes... Pour en savoir plus, comme on dit aujourd'hui, Batault renvoie à son livre paru en 1921, *Le problème juif* : il y annonçait le relèvement de l'Allemagne par l'antisémitisme (qui peut en douter en 1935 ?). S'agissant de Hugo, une bonne nouvelle quand même, nous dit ce dénonciateur de la contamination juive : si aujourd'hui « son nom est partout, au coin des rues, des avenues, des places et des boulevards », si « son cadavre sert encore à la publicité de quelques milliers de politiciens professionnels à qui il a donné le droit de se servir de lui », s'il doit les honneurs dont son œuvre est entourée « à tout ce qu'elle a de bas, parfois même de méprisable[150] », sa voix n'éveille plus d'écho, son astre décline : « les temps de Victor Hugo s'achèvent[151] ».

D'où viennent ces deux auteurs aux œuvres un instant croisées ? Comment Batault et Farrère se situent-ils au milieu des années 1930 dans le champ littéraire et politique ? Il s'agit de deux personnages aux trajets bien différents que rapproche la conjoncture : ce cas n'est pas unique. Né en Suisse, G. Batault s'est adonné à bien des genres littéraires : poèmes d'amour dédiés en 1909 à Anna de Noailles (quoi de plus banal ?) ; essai pendant l'entre-deux-guerres d'un difficile roman interséculaire, *A la recherche des Dieux* ; philosophie de l'histoire avec, en 1919, *La guerre absolue,* et en 1921, *Le problème juif,* déjà cité. Peu connu du grand public lorsqu'il publie son livre sur Hugo, il paye ainsi, selon Léon de Poncins qui préfacera en 1939 son dernier ouvrage, *Israël contre les nations*[152] « le malheur de s'être attaqué, au début de sa carrière, à l'influence juive ». En milieu de carrière en tout cas, *Le pontife de la démagogie* servit plutôt sa gloire[153] et lui permit d'avancer une solide conviction : face à « l'universalisme messianique d'origine juive », ennemi des nations, les valeurs de l'Occident sont incarnées, « jusque dans leur excès », par le fascisme et le national-socialisme[154]. Qu'est devenu Batault pendant la

Jean Effel
« *Légendes du siècle* », *morceaux choisis de Victor Hugo*
Marianne, 29 mai 1935
Face à la menace hitlérienne (Hitler observe l'horizon du haut d'une tour), Léon Blum, imitant à sa façon la prise de Jéricho, entraîne un cortège autour d'un coffre-fort où trônent les défenseurs du Capital. Tandis qu'André Tardieu renonce au pouvoir et que Pierre Laval, en duègne, tire les leçons de la situation, Claude Farrère est encouragé par les académiciens français, qui viennent de l'élire contre Claudel.
B.N., Périodiques

guerre ? Recherche à faire. Claude Farrère, lui, est resté à l'Académie Française où il était entré en mars 1935, et il n'a cessé d'écrire, si possible des romans, jusqu'à sa mort. Son grand article sur Hugo ne laisse pas de surprendre par sa prodigieuse ignorance et sa véhémence, même si, à la différence de Batault, il évite les allusions trop grossièrement antisémites. Par sa vanité aussi : « Il est temps, écrit-il in fine, que quelqu'un ose réagir [contre Hugo]. Ma chance veut que ce quelqu'un soit moi[155] ». Comment expliquer ce ton excessif et outrecuidant ? Les opinions d'extrême-droite de Farrère n'y suffisent sans doute pas. Les mauvaises langues suggérèrent que, pour être élu à l'Académie contre Claudel, ses mérites littéraires semblant un peu légers, il convenait d'attaquer Hugo que cette Assemblée détesta toujours[156].

Les critiques et l'Université

La lettre de Farrère à Batault, puis son article dans *Gringoire* — deux bons coups publicitaires — placèrent sous les feux de l'actualité non seulement les thèses de ces auteurs, mais *l'œuvre, la vie, les luttes de Hugo*. L'attaque ne resta pas sans réponse chez ceux qui, de droite à gauche, des critiques littéraires aux essayistes politiques, aimaient Hugo. Le tollé fut assez général. Il vint même des milieux que nous appellerions aujourd'hui « bon chic-bon genre », dès lors qu'on y aimait l'écrivain. Les limites du propos apparaissent alors assez vite. Ainsi Jacques de Lacretelle, dans *Marianne*[157], définit le livre de Batault comme appartenant aux catégories, complémentaires, des « Mystères de la franc-maçonnerie » et des « Crimes des Jésuites », pour conclure à la présence exclusivement littéraire du poète : « Qui cherche à défendre l'œuvre politique de Victor Hugo ? Qui cherche à s'y reporter ?, à lui demander une direction pratique ? ». L'hebdomadaire radical avait trouvé une caution de droite. Il s'en tint là et s'abstint de répondre sur le fond. Comme souvent, le journal de Georges Boris, *La Lumière*, fit preuve de plus d'audace. « Notre Victor Hugo », ainsi s'intitulait son hommage du 25 mai au centre duquel brillait un papier d'Albert Bayet, « Victor Hugo poète de la paix »[158]. Même *Les Nouvelles Littéraires* allèrent plus loin que *Marianne* : une fois battu à l'Académie, Claudel y manifesta non son accord avec Hugo, mais sa compréhension de l'homme et de l'écrivain[159] ; plus surprenant, Henri Bordeaux évoqua pour cet hebdomadaire célèbre un épisode réel, narré dans son premier roman savoyard, *Le pays natal :* il avait connu un ouvrier de Sixt qui avait rencontré Hugo à Paris au lendemain de la Commune, et Henri Bordeaux de noter : « J'ai vu sur son visage resplendissant et exalté l'image que le peuple doit se faire de Victor Hugo, avec *Les misérables,* avec les *Châtiments,* avec l'exil à Guernesey et avec le retour après 1870 »[160]. Souvenance de l'adhésion populaire à la pitié, à la fraternité, à l'enthousiasme : on la retrouve aussi dans la réponse que *L'Aube,* le journal de Francisque Gay — il venait des compagnons de Marc Sangnier — formula aux thèses de l'extrême-droite : « Le crime de Hugo c'est d'opposer aux calculs d'une étroite prudence les impulsions d'une impatiente générosité[161] ». Pour la première fois un journal explicitement catholique — « ces petits révolutionnaires de sacristie » comme les appelait *Je Suis Partout* — se rangeait aux côtés de celui qui croyait en Dieu, mais récusait toutes les églises.

L'éventail de ceux qui avaient réagi au discours fasciste sur Victor Hugo fut donc assez ouvert. L'Université entra elle aussi, en lice. Georges Ascoli (né à Paris, trois ans avant les funérailles de Hugo, mort à Auschwitz en 1944, à l'heure de la « solution finale »), qui avait en 1929 succédé au premier titulaire de la chaire Victor Hugo, André Le Breton, fit bon usage des possibilités que la Fondation lui offrait[162]. Le 4 décembre 1934 il consacra sa leçon d'ouverture — ce moment solennel — à réfuter Batault et Farrère. Un hugophile à l'ancienne : Hugo était invoqué, dès les premiers mots, comme « le Père » au sens mystique du mot, le Père sous les auspices de qui « nous constituons comme une famille unie dans l'admiration et la reconnaissance ». D'ailleurs, sans dissimuler le caractère politique du pamphlet de Batault, G. Ascoli prenait grand soin, « comme professeur », de ne pas « mêler la politique à la discussion ». Il se bornait à dénoncer chez ce « chercheur » l'absence de conscience, chez cet « historien » le manque de probité, chez ce « raisonneur » les défaillances de la logique[163]. Même si l'article de Farrère était, lui, qualifié de « tissu d'injures, d'erreurs et de calomnies »[164], Ascoli avait choisi dans l'ensemble de s'exprimer sur ce ton mi-bénin, mi-ironique, caractéristique de l'Université française : on y corrigeait des devoirs, on ne s'y engageait pas.

L'enseignement restait ainsi fidèle, chez celui qui parlait du haut de là chaire Victor Hugo, à ce mélange de piété et de fermeté dans la vénération qui avaient caractérisé les liens de Hugo avec la Troisième République à l'heure où ses dirigeants se plaçaient sous son aile.

L'antifascisme militant

C'est autour d'un autre pôle d'intervention que se regroupent sur le nom de Hugo, en 1935, des hommes de gauche dont les pratiques intellectuelles et militantes s'organisent alors autour de l'antifascisme. Les évoquer c'est situer avec évidence Hugo dans la problématique du Front populaire. En mai-juin, à l'heure exacte du cinquantenaire, celui-ci progresse à grands pas. Voici d'un côté Hitler qui parle au Reichstag, les Ligues qui manifestent autour des statues de Jeanne-d'Arc, et Laval au pouvoir[165]. Et en face, au lendemain des élections municipales du 12 mai qui ont mis en lumière l'accord du peuple de gauche avec les désistements réciproques SFIO-PCF, voici, le 19 mai, la première grande manifestation unitaire au mur des Fédérés, et, le 17 juin, la naissance du Comité du rassemblement populaire chargé, sous la présidence de Victor Basch, professeur honoraire à la Sorbonne et président de la Ligue des Droits de l'Homme, de préparer un grand 14 juillet. Cette énumération, un peu plate, tend à souligner l'imbrication des processus électoraux et des dates symboliques[166], à mettre en évidence le poids de Paris — le Paris de Hugo — où Paul Rivet, un des trois responsables du Comité de vigilance des Intellectuels antifascistes a été, dans le cinquième arrondissement, l'élu de l'union dès le premier tour, à évoquer le rôle des intellectuels et des mouvements dans le rassemblement qui, après avoir cherché sa voie, se constitue autour de l'antifascisme[167].

Reste que les mouvements, les organisations, les êtres n'avancent pas tous du même pas. Notamment s'agissant de Hugo. Et que leurs choix ne puisent pas tous à la même source. A la différence des milieux moins militants évoqués plus haut, les propos d'un Batault, d'un Farrère semblent avoir moins pesé dans le recul de « l'abstention hugolienne » chez les intellectuels antifascistes que la maigreur, la mesquinerie des pompes officielles. Cérémonie au Panthéon le 22 mai (cinquante personnes dans la crypte pendant vingt minutes...), défilé de 3 000 enfants des écoles avec palmes, soirée à l'hôtel de Massa : candidat à la présidence du Conseil, Herriot déclara tout cela honteux[168]. Léon Blum en chercha l'explication dans un article-leader du *Populaire* : les dirigeants de la France « ont perdu le sens des fêtes publiques parce qu'ils ont perdu le sens populaire »[169]. Et Jean-Richard Bloch, secrétaire de rédaction d'*Europe :* « Ils n'ont pas su quel Hugo ce cinquantenaire leur proposait »[170]. La République se dérobe devant celui que, le premier, elle panthéonisa. Quelles conséquences en tirer, ici, tout de suite, dans les actes, ces actes chargés de signification civique, politique ? Et, à plus long terme peut-être — guère plus long car le temps presse — quelles nouvelles lectures peut-on entreprendre de Hugo ? sur quels nouveaux usages de sa parole et de sa force peut-on s'appuyer ?

Certes, de toute façon, le Syndicat National des Instituteurs et la Ligue de l'Enseignement, fidèles à leurs traditions pacifistes et laïques, auraient organisé, comme ils le firent, le 19 mai 1935, au Trocadéro, un rassemblement clairement connoté à gauche : devant de nombreux élèves des écoles publiques, Victor Basch y évoqua la nécessité de défendre la paix face aux possibles agressions fascistes[171]. Mais c'est bien la médiocrité, pressentie puis avérée, de l'hommage gouvernemental qui généra, sous la présidence du compositeur Gustave Charpentier, le comité national Victor Hugo, une instance privée. Et c'est l'accélération du processus d'union antifasciste qui rendit possible la rapide évolution de ses pratiques. En quelques jours en effet le comité passe d'une manifestation au Trocadéro, le 29 mai, dont la tonalité reste relativement élitiste[172] à un rassemblement, le 16 juin, aux arènes de Lutèce, avec prise de parole de Paul Rivet et lecture de fragments des *Misérables,* puis à un projet de défilé au Panthéon : primitivement prévu pour le 16, il est remis au 23 juin ; un grand projet, vigoureusement soutenu par l'Association des Écrivains et Artistes Révolutionnaires, très proche des communistes[173] et par le comité régional de coordination des partis socialiste et communiste. Entre la manifestation unitaire au Mur des Fédérés et celle qui se prépare pour le 14 juillet, les partis ouvriers appellent « les travailleurs de la région parisienne [...] à honorer l'un des plus grands noms de notre histoire littéraire »[174]. Pierre Laval fera finalement interdire la manifestation.

A travers *Le Populaire,* la SFIO avait été jusque-là le principal médium politique du comité Victor Hugo. A compter de la mi-juin le relais est pris par le mouvement communiste. Autant que *L'Humanité* — plutôt davantage — c'est *Commune,* l'organe mensuel de l'AEAR qui assure la promotion publique de la réévaluation de Hugo par les communistes[175]. Une belle occasion : le congrès mondial des écrivains pour la défense de la culture (21-25 juin). La veille de son ouverture l'hommage à Victor Hugo organisé au Trocadéro par le comité national et l'AEAR, en présence d'écrivains étrangers, notamment de Gorki, populaire en France, s'appuie sur les mouvements culturels nés dans la mouvance communiste : la Fédération des Théâtres ouvriers de France, la Fédération musicale populaire, le groupe « Regard » de Bobigny[176], tous « au service du prolétariat ». C'est la revanche de l'interdiction du Panthéon. Aux côtés des enseignants, voici maintenant « les fils de Jacques Bonhomme ». La tonalité est incontestablement nouvelle : on entend autour de Hugo les chœurs parlés au rude humour banlieusard, et les chants révolutionnaires à la gloire du communisme.

De la pratique à la théorie : Paul Vaillant-Couturier comme Louis Aragon fourbissent en cette circonstance les arguments qui vont légitimer les retrouvailles du militantisme communiste avec Hugo. Le point de vue d'Aragon nous est connu à travers deux textes de statuts bien différents : un article du 29 mai 1935 paru dans *L'Humanité,* « L'actualité de Victor Hugo » et le discours qu'il prononce le 25 juin devant le Congrès international des écrivains[177]. Le texte de *L'Humanité,* assez engoncé, exalte *Les misérables* au nom des luttes du prolétariat et prend appui sur un récent article de *La Pravda* et sur un texte célèbre de Lénine consacré à « Tolstoï miroir de la Russie » pour présenter à travers Hugo le chantre de « la bourgeoisie montante » avec ses contradictions. Quelle différence avec le discours du Congrès ! L'auteur futur du *Mentir-Vrai* découvre dans l'œuvre hugolienne des vertus surréalistes de drôlerie, de vulgarité même. Vive l'ogre Ogrouski ! « Il y a plusieurs manières de prendre Hugo, dit Aragon. La manière aujourd'hui, pour des gens qui sont jeunes, c'est de le prendre par la barbe. » En même temps, stimulé par la présence de Gorki qui, au premier Congrès des écrivains soviétiques en août 1934, s'est engagé sur la voie du réalisme socialiste comme libération de l'écriture[178], il esquisse, à propos des *Châtiments,* les grandes lignes de ce qui deviendra plus tard sa théorie : le réalisme dans la poésie.

Il y a plus de simplicité et de robustesse dans les propos de Vaillant-Couturier. Le rédacteur en chef de *L'Humanité* ne s'exprime pas sur Hugo dans son journal, mais dans *Commune* dont il a fait une revue très ouverte aux compagnons de route, aux intellectuels qu'il se donne mandat depuis plusieurs années de rapprocher du P.C. « Oui, avec Hugo », tel est le titre, en juin, de son article leader. Avec Hugo tout entier — « Les *Châtiments, Quatrevingt-treize* et cent autres écrits » —, avec Hugo en raison de sa santé, de sa vitalité, de son « sentiment révolutionnaire », de son « amour chaleureux du peuple ». C'est ce Hugo qu'attaque la « bourgeoisie fasciste ». C'est sur lui que les réactionnaires au pouvoir font le silence[179]. Et Vaillant-Couturier appelle à « reprendre l'héritage » en faisant face à la fois aux hommes de *Je Suis Partout* alliés à ceux de *Gringoire* et à Laval. Ainsi se dessinent autour de Hugo les contours politiques d'un des courants majeurs du Front populaire en marche.

Il n'est pas certain que tous les responsables communistes aient fait leur l'une ou l'autre de ces démarches : Aragon ou Vaillant. Certes dans *L'Humanité* la réévaluation de Hugo, en cette fin de printemps 1935, va bon train. Le responsable du feuilleton culturel, Jean Fréville, traite longuement de « la Révolution vue par Hugo »[180] et prête à Hugo une admiration potentielle sans failles pour « l'Union soviétique, préfiguration de cette République universelle qu'il a appelée de ses vœux ». Il formule en termes moins chargés d'émotion que Vaillant, mais qui feront école, la thèse de l'héritage culturel : « seule la classe ouvrière comprend et approuve les luttes chantées par Hugo en les continuant[181] ». Jusqu'à quel degré, cependant, Fréville, un homme d'humour[182], est-il pleinement convaincu ? Quelques mois plus tard, en préfaçant le pamphlet de Lafargue[183], il glorifiera le gendre de Marx d'avoir arraché à Hugo son « masque de champion désintéressé du progrès ». Petites habiletés ou, plutôt, contradictions personnelles intensément vécues ? Il reste que la culture communiste acquise par les militants français ne semble guère marquée par Hugo avant la deuxième guerre mondiale[184]. Il faudra du temps. Un indice : au congrès de Villeurbanne, en janvier 1936, un grand congrès où fut abordé le thème de l'héritage, Maurice Thorez, en brossant le palmarès des écrivains qui ont fait de la France « un centre de rayonnement », cita pour le XIXe siècle Flaubert, Balzac et Zola. Mais non Hugo[184]. Cela ne trompe guère.

Il n'empêche. A côté de la démarche quelque peu volontariste de militants communistes, et à un moindre degré socialistes, qui prennent appui sur la force vitale qui émane de Hugo pour réanimer sa fortune souterraine et tenter de la greffer sur l'action politique, se dessine un mouvement, plus large : il devient urgent, disent ceux qui l'animent, de rétablir l'échange, la communication entre l'écrivain et le peuple, de placer l'honneur du poète ou du romancier ailleurs que dans la sophistication du langage. La victoire contre le fascisme est aussi à ce prix : que l'écrivain sorte de sa tour d'ivoire. Ce détour par l'écriture, voire par la parole, prend certes appui sur Hugo : il renvoie surtout aux désirs de combats fraternels. Il renouvelle en profondeur un vieux rêve français : mieux qu'un rêve, parfois une pratique. Ces intellectuels souhaitent exister *avec* et à côté des grandes forces politiques et syndicales où se structure le mouvement populaire. Pour les aider : le Comité de Vigilance des Intellectuels Antifascistes, *Vendredi* qui va naître, *Commune, Europe*. On entend d'ailleurs bruire leur espérance à travers le numéro spécial d'*Europe* consacré au « Vieil Orphée » : de Philippe Soupault — il dénonce « le divorce… qui écarte les intellectuels de ceux à qui ils devraient s'adresser » — à André Chamson — Hugo a résolu le pseudo-débat de l'indépendance de la littérature et de la politique — de René Lalou — en ces temps troublés, nous ne rêvons plus d'art pur — à Jean Guéhenno — la force de Hugo c'est sa « volonté de communion » — tous lancent le même appel. Faut-il transposer la parole hugolienne ? Plutôt s'en inspirer : Mussolini n'est pas Napoléon III[186]. Comme l'écrit Alain, un des trois responsables du CVIA : sous peine de n'être que des opinions, « nos pensées politiques veulent un choix violent[187] », elles appellent « l'élan, le rassemblement de toute l'âme ». Ici, Hugo souverain.

M. R.

1952 : Les communistes et Hugo

Le 6 mars 1952, Antoine Pinay, ancien membre du Conseil national mis en place par Pétain, Pinay, homme-clé du Centre National des Indépendants et Paysans, devient président du Conseil de la IVe République. Victor Hugo a 150 ans depuis quelques jours, le numéro spécial d'*Europe* vient de sortir, quatre jours plus tard Aragon publie *Avez-vous lu Victor Hugo ?*[188]. C'est assez dire que d'un côté achèvent de mourir les alliances nées dans la Résistance et les tentatives de la troisième force, alors que, de l'autre, l'extrême-gauche, dans une situation nouvelle ô combien ! entend affirmer, par Hugo interposé, sa volonté de « maintenir ». C'est pourquoi on ne peut séparer les débats politiques du cent-cinquantenaire de la place occupée par Hugo au temps de l'occupation.

Hugo sous l'Occupation

A l'heure de l'étrange défaite, il ne s'était écoulé que cinq à six ans depuis que les combats anciens livrés autour de Hugo comme père spirituel de la IIIe République avaient commencé de se renouveler. La voie ouverte alors par le Front populaire et notamment par les communistes allait s'avérer féconde. Ce n'est pas le lieu d'analyser les gestes symboliques qui, à Vichy comme à Paris, dans les écoles et dans les rues, purent contribuer à nourrir les resserrements populaires autour de Hugo[189]. Au reste, dans les batailles d'idées fondamentales, celles qui alimentèrent la politique de collaboration ouverte avec l'Allemagne et, à l'autre pôle, la résistance active, Hugo se trouva, un temps, sollicité dans les deux camps.

Comment comprendre que les occupants et leurs amis aient pû l'utiliser ? Hugo tenait une place exceptionnelle dans les Lettres non seulement françaises, mais européennes ; l'avoir dans son camp pouvait servir. Puis, il avait beaucoup écrit, beaucoup prophétisé, et la pratique des citations brèves, à finalité militante, qui domina cette période, facilitait son utilisation. Parmi les amis des occupants enfin ne manquaient ni les pacifistes intégraux ni les admirateurs de l'Europe unie, armés d'une culture hugophile. C'est autour de la construction de l'Europe allemande qu'ils se retrouvèrent et qu'ils puisèrent chez Hugo quelques munitions jugées prophétiques. Un initiateur : Jacques Chardonne. Dans sa *Chronique privée de*

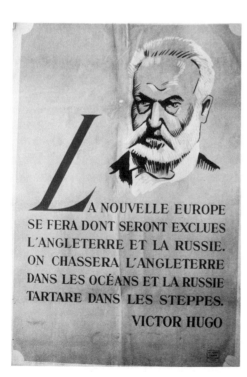

LA NOUVELLE EUROPE SE FERA DONT SERONT EXCLUES L'ANGLETERRE ET LA RUSSIE. ON CHASSERA L'ANGLETERRE DANS LES OCÉANS ET LA RUSSIE TARTARE DANS LES STEPPES.
VICTOR HUGO

*Affiche de propagande anti-anglaise sous l'Occupation (cat. 369)
Coll. Alain Gesgon

VIVE LA RÉPUBLIQUE !

ROBESPIERRE   SAINT-JUST

"Pas de liberté pour les assassins de la liberté"

SAINT-JUST

LAMARTINE   VICTOR HUGO

" Vous dites que le suffrage universel est le mode de création de l'anarchie: Je vous réponds : c'est le mode de création du pouvoir. "

VICTOR HUGO

GAMBETTA   JULES FERRY   WALDECK ROUSSEAU   CAMILLE PELLETAN

" La souveraineté nationale n'existe que là où le Parlement, nommé par tous les citoyens, possède la direction et le dernier mot, dans le traitement des affaires politiques. S'il existe un pouvoir qui puisse tenir le Parlement en échec, la souveraineté est violée "

GAMBETTA

Réponse d'un Radical à un ennemi de la République :

Le Général BOULANGER : La Chambre doit légi- férer, elle ne doit pas gouverner.

Camille PELLETAN : C'est la théorie du Deux Décembre !

POUR CONTINUER LA TRADITION DES GRANDS RÉPUBLICAINS
POUR DONNER A LA FRANCE UNE VÉRITABLE RÉPUBLIQUE

VOUS RÉPONDREZ A LA 1ère QUESTION DU RÉFÉRENDUM

OUI
NON

POUR UNE ASSEMBLÉE CONSTITUANTE

VOUS RÉPONDREZ A LA 2ème QUESTION DU RÉFÉRENDUM

CONTRE TOUTE LIMITATION DES POUVOIRS DE CETTE ASSEMBLÉE

EN AVANT POUR UNE RÉPUBLIQUE DÉMOCRATIQUE, LAÏQUE ET SOCIALE
EN AVANT POUR UNE FRANCE FORTE, LIBRE ET HEUREUSE

l'année 1940, il fit appel à Hugo pour fonder la nécessité historique du couple France-Allemagne : « Napoléon a échoué parce que sa politique était trop personnelle. Mais un autre viendra qui réussira. La nouvelle Europe se fera. La France et l'Allemagne, ces deux pays qui se complètent, seront les principaux piliers de cette nouvelle Europe. De cette nouvelle Europe seront exclues l'Angleterre et la Russie. On chassera l'Angleterre dans les océans et la Russie tartare dans les steppes[190]. » Presque trop beau… Ce texte fascina Payr, l'auteur d'un rapport sur la collaboration littéraire franco-allemande, publié en 1942 à Berlin[191], et enthousiasma Jean Luchaire, le directeur des *Nouveaux Temps* et Otto Abetz. La Propagandastaffel en diffusa, sous forme d'affichettes, l'essentiel, à la fin de 1942, avec un portrait de Victor Hugo. Nous en ignorons bien sûr les effets. Mais l'usage de Hugo à des fins collaborationnistes se retrouvera par exemple en 1943, dans l'*Anthologie de la poésie allemande* due à Georg Rabuse et à René Lasne[192].

C'est aussi à coups de citations, mais plus diverses, plus riches et, osons le dire, mieux fondées, que de nombreux résistants firent de Hugo leur porte-drapeau. Des sondages, certes incomplets, tendent à montrer la priorité, sur ce chemin, des communistes. Le dépouillement de l'*Humanité* clandestine[193], souligne la précocité — et l'évolution — des références hugoliennes. Les 5, 18 et 19 mars 1941, c'est contre le gouvernement du maréchal, corrompu, antilaïque et amateur de prisons que sont mobilisés trois textes différents de *Napoléon le Petit*. De l'automne 1941 à juin 1942[194], des vers des *Châtiments* ou de *L'année terrible* disent la gloire des fusillés — « Entre les plus beaux noms, leur nom est le plus beau » — et l'expiation qui attend les coupables. A partir de novembre 1942, Hugo devient « ce grand mort qui nous appelle au combat ». C'est alors que commence la fortune de l'*Appel aux Français* du 17 septembre 1870 : « Levez-vous ! Pas de trève ! Pas de repos ! Pas de sommeil !… Organisez l'effrayante bataille de la patrie. » Son retentissement sera considérable. On le retrouve en particulier dans *Les Lettres Françaises,* le journal du Comité national des écrivains[195]. Aragon y était actif, Aragon qui croyait aux « batailles livrées dans le champ de pommes de terre des mots »[196] et à

Affiche du Parti Communiste Français, 1945
Coll. privée

Tract communiste de la Résistance
La Mort de Gavroche (extraits des *Misérables*)
Ivry-sur-Seine, Musée de la Résistance Nationale

*Affiche du Parti Communiste Français pour le référendum du 21 octobre 1945 (cat. 370).
(De gauche à droite : Robespierre, Saint-Just, Lamartine, Victor Hugo, Gambetta, Jules Ferry, Waldeck-Rousseau, Camille Pelletan)
Coll. Alain Gesgon

qui il arriva de mettre au présent la parole de Hugo :
    « Autrefois, quand je suis revenu de Bruxelles
    C'était comme aujourd'hui, sur Elle, la curée…
    Il fallait qu'une voix s'élevât, qui fût forte
    Assez pour que d'un siècle encore on l'entendît
    Hurler : Ce n'est pas vrai, la France n'est pas morte[197] »
Si chaude lui était apparue la lumière hugolienne qu'en 1952 encore, parlant, le 1er mars, devant le C.N.E.[198], il retrouvera maints autres vers où les lycéens du pre-

mier 11 Novembre — « Vous êtes les enfants des belliqueux lycées » —, les femmes — « Et Pauline Roland disait : Courage, sœurs » —, les timides, ceux qui dorment — « Vous n'êtes pas armés, qu'importe ! » — s'armèrent de force et de courage.

Les choix de *L'Humanité,* ceux même d'Aragon, n'épuisent pas l'exemplarité hugolienne pendant les années sombres. Ainsi *France d'abord,* qui utilise à fond l'appel « à ceux qui dorment », a-t-il recours, en février 1942, à une œuvre de jeunesse pour dire la volonté de se battre : « Je veux de la poudre et des balles »[199]. Et lorsque, fin 1943, un militant du Mouvement national contre le racisme, est contraint par une rafle de se débarrasser du matériel qu'il transporte et de puiser dans l'étalage d'un bouquiniste, il en extrait ce passage des *Châtiments,* qui ouvrira le tract aussitôt reconstitué : « ô drapeau de Wagram, ô pays de Voltaire ! »[200]. S'il est vrai enfin, comme le dit Henri Noguères, que les courants plus proches du socialisme citaient plus volontiers Saint-Just que Hugo, cette règle a, comme toutes les règles, souffert quelques exceptions.

« Et l'offre de donner aux rancunes relâche
Qui demain sera digne, aujourd'hui serait lâche »

ce fragment de *L'année terrible* a été utilisé par les responsables de « Libérer et Fédérer », un des principaux mouvements de résistance du sud-ouest (beaucoup adhèreront plus tard à la SFIO) pour rappeler que les temps de la fraternité n'étaient pas venus. Tant il est vrai que seule la poésie pouvait donner à la haine de l'envahisseur nazi le caractère sacré qui lui venait de l'Iliade, de Shakespeare et de Hugo.

Voici 1952 : Hugo à l'extrême-gauche

Quelle année ! La guerre froide bat toujours son plein. Sept ans après la victoire des alliés, la perspective du réarmement de l'Allemagne progresse à travers le traité qui crée la Communauté européenne de défense : il reste à le faire ratifier par les élus... De l'Indochine à la Tunisie, l'Union française révèle son vrai visage : le refus de toute évolution vers l'indépendance. Cependant que Staline, toujours vivant, a toujours raison auprès d'un P.C.F. qui nie l'existence de camps de concentration en URSS et va entrer lui aussi dans l'ère des procès. Isolé, le Parti communiste ? O combien ! par rapport à 1936 ou à 1944. Mais un quart des Français votent pour lui, ses militants intellectuels ne l'ont pas quitté et les liens qu'ils entretiennent avec l'intelligentsia sont loin d'être brisés.

A la différence du cinquantenaire des funérailles, où l'initiative avait appartenu à l'extrême-droite hugophobe, elle est sans conteste, en 1952, le fait de l'extrême-gauche hugophile. Aragon en tête, bien sûr, et avec lui *Les Lettres Françaises*[201] et le Comité national des écrivains — qui l'invite à parler, le 1er mars, sur « Hugo vivant »[202] — mais aussi le Conseil national de la Paix, qui organise, avec lui toujours, un meeting hugolien à la Mutualité, le 12 mars[203], et encore l'Union française universitaire, devant laquelle, le 24 mars, il prononce une conférence sur « Hugo poète réaliste »[204]. L'auteur d'*Avez-vous lu Victor Hugo ?* n'est cependant pas seul en flèche. Pierre Abraham réunit pour le numéro spécial d'*Europe* vingt-huit collaborateurs dont plusieurs campent loin des positions communistes[205]. C'est Hugo qui les rassemble dans les luttes en cours, écrit le frère de Jean-Richard Bloch, car il s'est « enrôlé tout seul ». En effet. Et c'est à un autre type de rassemblement que renvoie le Comité Victor Hugo mis en place par Aragon : autour de Jean Hugo, on y trouve certes des hommes comme Julien Caïn, revenu vivant des camps, mais aussi des notables de la littérature — Pierre Benoît, Georges Lecomte, André Maurois —, personnalités mondaines et centristes qui assurent l'honorabilité du Comité[206]. Chargé de parrainer, il parraine : la réunion du C.N.E. comme celle du Mouvement de la Paix. Un succès qui atteste que le Parti n'est pas isolé. Est-ce suffisant pour mobiliser les militants, pour renforcer leur cohésion idéologique ? A cette fin le Parti fait donner sa garde : Georges Cogniot dans *L'Humanité,* deux pages dans *L'Humanité-Dimanche,* plusieurs articles dans *La Pensée* et dans *La Nouvelle Critique,* productrice sourcilleuse de l'orthodoxie depuis 1949[207].

Célébrer Hugo, soit, mais par quelles voies ? Autour de quels thèmes ? Il est fini le temps des citations dont la course rapide s'adaptait aux feuilles volantes clandestines. L'heure est venue de théoriser l'insertion de Hugo dans une stratégie politique. On peut certes s'en tenir à un discours de rassemblement : Pierre Abraham, dans son introduction au numéro d'*Europe,* se saisit d'un thème traditionnellement à gauche, la défense de la République « menacée en 1952 comme en 1851 ». La République assurément se traîne, mais l'égorgeur n'est pas encore en vue. On peut aussi, contre « le gouvernement américain de la France[208] », présenter Hugo, sur la lancée de la Résistance, comme l'homme du refus patriotique, dont les communistes sont les héritiers : un thème défendu avec passion par Aragon. Enfin, la lutte pour la paix. Certes Hugo « n'a pas bien compris qu'elle tient à la liberté des peuples[209] », il n'a pas saisi qu'on ne peut la dissocier de la lutte des classes. Mais, comme l'explique Pierre Albouy dans un texte partiellement autocritique[210], c'est pour cela que nous sommes ses héritiers : les contradictions du siècle dernier, c'est la Révolution d'Octobre qui leur a donné sens.

Ne donnons pas à croire cependant que l'apport des communistes à la vision militante de Hugo se réduit à cette instrumentalisation politique. Tout d'abord les problèmes de générations révèlent leur efficace : on ne lit pas sans émotion dans *La Pensée* l'article de Marcel Cachin[211]. Le vieux militant guesdiste, compagnon de Lafargue, qui fit ses premières armes dans les années 1880, explique pourquoi les *Châtiments* ont rempli d'enthousiasme ses contemporains : une tendresse infinie s'y exprimait envers « toutes les victimes innocentes de l'état social », prolétaires d'Europe, noirs et jaunes du vaste monde. Était-il si vieillot d'évoquer ce Hugo en

Pablo Picasso
« Le rapatriement de la terre par le chemin de fer et le fil électrique la met de plus en plus dans la main de la Paix » (*Victor Hugo*, Paris-Guide)
Les Lettres françaises, 12 juillet 1951
Dessin illustrant un article d'Aragon, « Hugo, la Paix et l'Avenir »
B.N., Périodiques

1952 ? Le peuple ne pouvait-il l'entendre ? Aragon lui-même en tout cas, dans son anthologie, ne se l'est pas interdit. Il aimait trop Hugo pour vouloir le mettre « en pilules, suivant la recette américaine[212] » : forger une clef, bien sûr, mais pour donner à tous le goût de tout lire, y compris *Toute la lyre*.

Les récusations

On imagine aisément que les récusations n'ont pas manqué. D'autant que les responsables du P.C.F. ne se sont pas privés — pourquoi l'auraient-ils fait ? — de mettre en lumière la fortune exceptionnelle de Hugo en Union Soviétique et dans les autres pays du Kominform, Bulgarie en tête[213], ni de souligner l'éclat des fêtes du cent-cinquantenaire à Moscou. De là à dénoncer ce Hugo comme accommodé à la sauce soviétique, il n'y a qu'un pas allègrement franchi. Le *Figaro Littéraire* intitule, assez drôlement, le 8 mars, une page tapissée de citations d'*Actes et paroles* (en juin 1848) : « Non, je ne suis pas stalinien ». Deux journaux aussi différents que *Le Monde* et *Franc-Tireur,* qui se situe dans la mouvance socialiste, avaient, dès le jour anniversaire de Hugo, dénoncé son travestissement par « un parti totalitaire » qui avait organisé « un univers concentrationnaire ». Ces rudes propos restent cependant épisodiques. Ils ne déclenchent pas de nouvelles lectures militantes, sauf à rappeler en quelques lignes que Hugo haïssait la foule et plaçait — chose rigoureusement exacte — l'absolu humain au-dessus de l'absolu révolutionnaire.

Pour l'essentiel en effet, c'est plutôt l'indifférence qui semble caractériser cette commémoration. Le silence d'*Esprit* et des *Temps Modernes* est total. *Carrefour* raconte des anecdotes. *La Table Ronde* publie, grâce à Henri Guillemin, quelques lettres de Hugo à sa famille. *Liberté de l'Esprit,* la jeune revue du R.P.F., animée par Claude Mauriac, organise certes une enquête auprès de plusieurs écrivains et Claude Jamet dans *Rivarol* demande, au nom de Hugo, l'amnistie pour les anciens collaborateurs. Cela ne va pas très loin. Qu'il y ait toujours des hugophobes, c'est certain. A droite, incontestablement : Nimier, Claudel. A gauche aussi : Régis Bastide, Max-Pol Fouchet, d'après *Liberté de l'Esprit*. Mais, dans *Aspects de la France*[214], la condamnation de Pierre Boutang manque de virulence politique : le terrain sur lequel elle se situe — celui de la raison sacrifiée au cœur par le siècle de Hugo — est le même que Maurras débroussaillait déjà en 1902 et, si la réprobation est ferme, on est loin de Georges Batault et de Claude Farrère.

Cette relative atonie, cette difficulté à — ou ce refus de — prendre en compte sérieusement Hugo dans les batailles de 1952, à l'exception, bien sûr, de l'extrême-gauche, sollicite quelques commentaires. Certes les heurts des années 1950 diffèrent de ceux auxquels Hugo fut mêlé : le XIXe siècle s'éloigne, mais a-t-il disparu ? On peut en douter. Outre la place tenue par l'évocation des souvenirs[215] — la nostalgie, un mode de présence — on notera que la France de 1952 n'est pas encore vraiment entrée dans la « modernité ». D'ailleurs celle-ci n'est-elle pas aussi fille du XIXe siècle ? Alors ? Comment expliquer le recul de la huée et de la haine, et cette hésitation à se saisir de Hugo chez ceux-mêmes qui dénoncent la mainmise des communistes ? On dira que ceux-ci avaient raison... Peut-être. Mais ce ne fut jamais une raison.

Il faut sans doute la chercher du côté des nouvelles lectures de Hugo, entreprises quelque vingt ans plus tôt et dont les effets tendent à se cumuler. Denis Saurat, Léon Émery, Charles Lecœur[216] : en s'attachant aux derniers textes hugoliens, traditionnellement négligés ou méprisés par les critiques littéraires qui arrêtaient l'œuvre du maître en 1848 et par les politiques qui la faisaient partir de la IIe République, ils ont commencé à débroussailler l'imaginaire philosophique de Hugo, sa dimension prophétique, malaisée à situer et à interpréter politiquement. Il est significatif que Maurice Levaillant, qui n'avait guère participé à cette réévaluation, écrive : « Ce Hugo là est incontestablement le plus grand[217] ». La dépolitisation pourtant n'est pas certaine. En marge de ce renouveau certes, mais en même temps s'en inspirant, Henri Guillemin vient, en 1951, dans un petit livre très neuf[218], de souligner la coexistence chez Hugo de la foi et de l'anticléricalisme comme de la superstition, d'évoquer son amour de l'argent et sa générosité, les malheurs et la grandeur de l'homme, « un vieux maçon, un vieil ouvrier » et « un prophète » dit-il en reprenant un mot de Barrès[219]. Finalement, si sa lecture diffère de celles d'Aragon ou de Cachin, Guillemin ce catholique de gauche, contribue lui aussi à réinsérer Hugo dans le domaine du politique et du social. Mais il faudra un peu de temps pour que son livre fasse son chemin et que se réconcilient avec Hugo une partie notable des catholiques, longtemps hostiles, puis réticents.

Pour conclure

Il y aurait eu cent autres manières de s'interroger sur la présence séculaire de Hugo dans le débat politique et social. Les choix faits ici ont privilégié, à travers la presse, les livres et les discours, le politique et le religieux. Pour une appréciation plus équilibrée, il faudrait explorer systématiquement les réactions du monde rural, celles surtout de la classe ouvrière : caves de Lille... Il faudrait aussi s'interroger sur la manière — les manières — dont, du côté des femmes, on a ressenti le « féminisme » de Victor Hugo.

Quelques mots sur ce thème. Il y a depuis un siècle quelque chose d'aléatoire dans le rapport du militantisme féminin à Hugo. Avec le déclin d'Hubertine Auclert, qui fut sa correspondante, la mémoire se perd, chez les femmes, du féminisme hugolien. En tout cas elle ne fut de longtemps pas réactualisée. *La Fronde* de Marguerite Durand, pourtant hugophile, n'en dit mot en 1902. Les femmes socialistes pas davantage[220]. C'est en marge des mouvements politiques, autour de Madeleine Vernet par exemple[221], proche de l'anarchisme et du syndicalisme, ou dans la

Ligue française pour le Droit des Femmes, attachée au souvenir de Maria Deraisme et de Léon Richer[222] que circule la tradition des initiatives publiques de Hugo en faveur de l'égalité absolue des droits. En 1935, elle gagne, à travers Andrée Lehmann, les postières syndicalistes[223]. Les formes nouvelles de présence du féminisme vont sans doute faire réapparaître cette dimension en 1985, à travers une meilleure connaissance du rapport complexe entretenu chez Hugo entre le discours masculin sur la femme, mère et amante, et le discours social sur les femmes, travailleuses et privées de droits.

C'est d'ailleurs bien au-delà de tel ou tel groupe politique, voire de tel milieu social que peut s'affirmer aujourd'hui la reconnaissance de la modernité de Hugo. Les questions majeures que nous appelons problèmes de société ne les a-t-il pas, toute sa vie, désignées comme essentielles ? La peine de mort qui vient seulement d'être abolie sur notre terre longtemps barbare, la condition des prostituées, la situation des prisons... Cette énumération n'a pas de prétention à l'exhaustivité. Elle se borne à suggérer comment, aux marges du noyau dur de la classe, Hugo a reconnu des lieux où s'imposait l'intervention de ceux qui voulaient une société plus humaine. Ils ont été redécouverts ces dernières années.

S'il est clair enfin que Hugo ne fut jamais centriste et qu'il a vieilli de droite à gauche, ce qui ne saurait plaire à tout le monde, il y a, dans les incertitudes sur lesquelles débouche son œuvre, dans les questions que lui posent Dieu et la Révolution, quelque chose encore qui fait de lui notre contemporain. C'est Hugo qui a écrit : « Célébrer les grands anniversaires, c'est préparer les grands événements[224]. » Ce peut être aussi nourrir les grandes réflexions.

M. R.

Je remercie Chantal Martinet et Brigitte Voille qui m'ont aidée à constituer la documentation de ce texte.

1. Numéro du 2 janvier 1827, article signé S. B. *Le Globe* a fait l'objet d'un « reprint » par Slatkine, Genève, 1974, 10 volumes. Le texte cité est dans le tome IV, p. 321.
Pour être exact il faudrait noter qu'avant le royalisme officiel de 1822 Hugo avait eu une adolescence voltairienne. Mais on ne parle ici que de ce qui fut notoire en public.
2. Numéro du 15 février 1827. Nouvelles de page 4, non signé, tome IV, p. 424.
3. *Le Globe* du 26 janvier et 2 février 1828, tome VI, p. 171.
4. L'article est signé C. R. Charles de Rémusat dit dans ses *Mémoires,* que nous retrouverons, qu'il en est l'auteur.
5. 19 août 1829 (VII, p. 521).
6. 25 février 1830 (VIII, p. 41).
7. 4 février 1829 (VII, p. 76).
8. Entendons philosophique au sens XVIIIe siècle du mot, c'est-à-dire rationnel, indépendant des dogmes religieux.
9. L'expression a été forgée par Taine pour désigner les années 1789, 90, 91, mais on peut généraliser.
10. « Journal d'un révolutionnaire de 1830 » in *Littérature et philosophie mêlées,* éd. Massin, V, p. 108, et « Feuilles paginées », juin 1832, éd. Massin, IV, p. 967.
11. « Feuilles paginées », avril 1832, éd. Massin, IV, p. 965.
12. « Impérialisme » au sens de napoléonisme, bien entendu. La formule est de Paul *Thureau-Dangin,* auteur d'une très complète *Histoire de la Monarchie de Juillet* (voir note ci-après), tome I, p. 595.
13. Paul Thureau-Dangin, *Histoire de la Monarchie de Juillet,* 7 vol., Paris, Plon, 1884 à 1892. Voir tome I, pp. 340 à 347.
14. Numéro du 17 avril 1845, cité par G. Weill, *Histoire du Parti républicain en France,* Paris, Alcan, 1928, reprint par Slatkine, Genève 1980, p. 174.
15. Flora Tristan, Lettre à Pierre Moreau du 23 janvier 1843, in *Lettres* réunies par S. Michaud, Paris, Seuil, 1980, p. 134.
16. Louis Blanc, *Histoire de dix ans,* Paris, Laguerre, 1846, tome V. Aucune mention de Hugo non plus dans son continuateur, Élias Regnault, *Histoire de huit ans,* qui couvre les années 1840 à 48.
17. Publié ensuite dans *Les rayons et les ombres,* éd. Massin, VI, p. 38.
18. Lettre de Victor Hugo à Constant Hilbey, ouvrier, citée dans C. Hilbey, *Vénalité des journaux. Révélations,* Paris, 1845, p. 53.
19. *Ibidem,* pp. 37-38.
20. Cité par Alain Faure et Jacques Rancière dans *La parole ouvrière 1830-1851,* Paris, Coll. 10 × 18, 19, pp. 259-267.
21. En politique, nous y insistons. Car Victor Hugo semble avoir eu plus de considération intellectuelle et humaine pour Guizot que pour Thiers.
22. Texte préparé pour une suite à *Victor Hugo raconté par un témoin de sa vie,* éd. Massin, VI, p. 1343.
23. Ch. Boutin, *Les murailles révolutionnaires de 1848,* pièces et documents, Paris, éd. Picard, 1868.
24. Ibid.
25. Élu le 4 juin, on l'a dit, Louis Napoléon Bonaparte avait démissionné aussitôt, et n'était revenu à l'Assemblée qu'en septembre, par une autre élection partielle.
26. Émile Ollivier, *L'Empire libéral,* Paris, Garnier, 1895, II, p. 103. Ch. de Rémusat, *Mémoires de ma vie,* publiés par Charles Pouthas, Paris, Plon, 1962, IV, p. 378.
27. *L'Empire libéral,* t. II, p. 266.
28. *Mémoires de ma vie,* publiés par Charles Pouthas, Paris, Plon, 1962, t. IV, pp. 403-404.
28 bis. En mai 1851 à l'occasion d'une polémique de presse, Hugo reprend le combat contre la peine de mort (affaire Montcharmont), et le guillotiné qui en fut l'occasion était un forgeron morvandiau qui cumulait toutes les révoltes, du braconnage en forêt à la politique « rouge ».
29. Même 1814 ! Drapeau blanc ou pas, il est indéniable que Louis XVIII apportait infiniment plus de libertés qu'il n'y en avait sous Napoléon.
30. *L'Empire libéral,* tome V, p. 450.
30*bis.* Il ne faudrait pas sous-estimer pourtant la séparation que le spiritualisme déiste de Victor Hugo commence à susciter entre lui et une extrême-gauche souvent matérialiste. (Voir les développements ultérieurs de cette étude).
31. Maurice Agulhon, *Les Quarante-huitards,* Paris, Coll. « Archives », Gallimard-Juillard, 1976.
32. Article écrit avec le concours, pour la documentation, de Chantal Martinet, conservateur au Musée d'Orsay.
33. Contrairement aux affirmations du *Journal des Débats* du 23 mai 1885.
34. A en croire Antonin Proust, l'ami de Manet et de Gambetta, dont il fut le ministre des Arts : A. Proust, « Victor Hugo et le 4 septembre », *Le Figaro,* 1er juin 1895.
35. E. Biré, *Hugo après 1852,* 1894, page 227.
36. L. Veuillot, « L'ancien Hugo, l'homme moderne », *L'Univers,* 14 décembre 1870, texte recueilli dans *Études sur Victor Hugo,* 1886.
37. Voir la reproduction en fac-similé de l'affiche électorale, avec la liste des candidats, dans J. Bruhat, J. Dautry, E. Tersen, *La Commune de 1871,* Éd. Sociales, 1970, page 93.
38. Ces élections hugoliennes mériteraient une étude fine qui n'a pas encore été faite.
39. P. de Lacretelle, *Vie politique de Victor Hugo,* 1928.
40. C'est finalement le choix de certains hommes politiques radicaux comme Gambetta.
41. Comme l'écrit Hugo lorsqu'il s'adresse au peuple de Paris après son échec, le 8 janvier 1872.
42. Voir le brouillon de la lettre du 28 avril 1871 à Meurice et Vacquerie dans Éd. Massin, XVI, page 1291.
43. Voir son article sur « La poésie populaire », *Le Citoyen de Paris,* 1er mars 1881.
44. Voir M. Rebérioux, « Roman, Théâtre, Chanson : quelle Commune ? », dans *La Commune de 1871,* Éd. Ouvrières, 1972.
45. Elles s'amélioreront après 1877.
46. Ce jugement, exprimé en 1877 dans *Le Messager de l'Europe* à l'occasion de la publication de la deuxième série de *La légende des siècles,* est repris par Zola en 1881 dans un volume de *Documents littéraires.* La sévérité de Zola s'accroît encore après la lecture de *L'âne.*
47. Lettre reproduite en 1935 dans le numéro spécial des *Nouvelles Littéraires.* Hugo communique à son fils les éléments de sa réponse à des républicains du IXe arrondissement qui voulaient donner gratuitement aux enfants du quartier une éducation purement laïque.
48. Voir la lettre à Alphonse Karr du 8 juillet 1874.
49. Éd. Massin, XVI, page 1225.
50. Voir le témoignage de Romain Rolland sur « Le vieil Orphée », *Europe,* 1935, numéro spécial sur Victor Hugo.
51. Les descriptions qui suivent sont tirées de *L'Illustration,* 26 février et 5 mars 1881.
52. Une délégation de pêcheurs avait apporté une bourriche de poisson avec cette carte « A Victor Hugo, les travailleurs de la mer. »
53. J. Vallès « La poésie populaire » art. cit. Il sera repris dans *Le Cri du Peuple,* le 21 mai 1885.
54. Intitulé « Victor Hugo » ce fragment de poème est tiré de *La Musette,* « recueil des élucubrations versifiées des typo-poètes de France », juin 1885 (Maison de Victor Hugo).
55. Voir en particulier J. Néré, *La crise industrielle de 1882 et le mouvement boulangiste,* thèse d'État multigraphiée, Sorbonne 1959 ; et T. J. Markovitch, « Les cycles industriels en France », *Le Mouvement Social,* avril-juin 1968, pages 11 à 39.
56. M. Perrot, *Les ouvriers en grève, France 1871/1890,* Mouton, 1974, deux vol., en particulier tome I, chapitre IV.
57. Voir M. Rebérioux, « Le Mur des Fédérés », in *Les lieux de mémoire,* sous la direction de P. Nora, Gallimard, tome I, *La République,* 1984, pages 619 à 649.
58. Voir une monographie déjà ancienne mais non remplacée : M. Dommanget, *Histoire du drapeau rouge,* Librairie de l'Étoile, s.d.
59. La police a chargé pour empêcher le déploiement des drapeaux rouges et détruire ceux qu'elle avait saisis. Il y eut plusieurs dizaines de blessés, *La Bataille* annonça, à tort, plusieurs morts. Dès lors un des objectifs du journal de Lissagaray c'est d'imposer le drapeau rouge à l'occasion d'obsèques militantes.
60. Voir O. Rudelle, *La République absolue, 1871/1889,* Publications de la Sorbonne, 1983.
61. C. Dreyfus, *La Nation,* 23 mai 1885.
62. A. Vitu, *Le Figaro,* 23 mai 1885.
63. Une chronique de Metz, publiée le 4 juin par le *XIXe Siècle* affirme : L'Alsace-Lorraine est en deuil.
64. Au reste les textes produits par les différentes obédiences de la maçonnerie font preuve d'une grande sérénité, voire d'une grande prudence. Les quatre puissances maçonniques françaises, réunies au Grand-Orient le 27 mai, appellent les francs-maçons à se rassembler pour les obsèques. Hugo avait toujours refusé d'être initié.
65. *Journal Officiel,* débats parlementaires, Chambre, 24 mai 1885, page 899.
66. Voir Baudrillart, *Vie de Mgr d'Hulst,*

tome II, chapitre I.

67. Les articles de L. Bourgeois dans *La Gazette* et de O. Havard dans *Le Monde*, paraissent le 24 mai 1885.

68. « Royaliste, je ne saurais m'associer à une manifestation républicaine ; catholique, je ne peux participer aux enterrements dont la religion et Dieu sont bannis », déclare le député de la Vendée.

69. Voir J. Kayser, *Les grandes batailles du radicalisme*, Rivière, 1961, page 132.

70. Voir l'article vengeur de Lissagaray, « La prise du Panthéon », *La Bataille*, 29 mai 1885.

71. Sur ce roman à épisodes qu'il n'est pas question de raconter ici, voir A. Ben-Amos, « Les funérailles de Victor Hugo », in *Les lieux de mémoire, op. cit.* pages 473/522. Le C.R.D.P. de Paris et la Caisse Nationale des Monuments Historiques ont publié en 1980 un excellent dossier, « Le Panthéon : de l'église de Soufflot au monument républicain ».

72. Voir O. Rudelle, *op. cit.*

73. Voir M. Rebérioux, « Le Mur des Fédérés », *op. cit.*

74. Avant d'écrire *Victor Hugo et le Panthéon*, qui ne compte que 215 pages, l'abbé Vidieu a en effet publié, en 1869, un *Catéchisme de Paris, destiné aux gens du monde* (571 pages), en 1876, une *Histoire de la Commune de Paris en 1871* (657 pages), enfin, en 1884, *Sainte-Geneviève, patronne de Paris, et son influence sur les destinées de la France* (413 pages).

75. Voir le poème de douze strophes intitulé « La Paix », que *Le Gaulois* publie le 1er juin.

76. Voir les éditoriaux d'Eugène Veuillot, le frère de Louis mort en 1883, dans *L'Univers*, le 23 mai (d'où est extraite cette citation), les 25 et 30 mai et le 3 juin 1885.

77. H. de Pene, « Amouroux II :, *Le Gaulois*, 27 mai 1885 (allusion à l'enterrement d'un communard connu, prévu pour le 30 mai au Père-Lachaise).

78. *Journal Officiel*, débats parlementaires, Chambre, 29 mai, p. 926.

79. Le Frère, « V. H. », *La Croix*, 2 juin 1885.

80. Leurs lettres sont publiées par l'abbé Vidieu.

81. Le rassemblement au Mur, les enterrements de Cournet et Amouroux.

82. A. Vidieu, *op. cit.* page 20.

83. Voir Ch. Dupuy, « Ils ont eu peur », *Gazette de France*, 28 mai 1885.

84. Seuls parmi les grands journaux républicains, *Le Temps* et *Les Débats* sont sinon hostiles, du moins réservés devant la panthéonisation : ils trouvent inutile le risque de « provocations religieuses ». Cette réaction correspond à celle des quelque trente députés du Centre qui se sont abstenus sur l'ordre du jour du gouvernement le 28 mai.

85. *La Lanterne*, 23 mai 1885.

86. *Journal officiel, op. cit.* 29 mai 1885, page 930.

87. Discours prononcé à l'Arc de Triomphe le 1er juin.

88. *Le Cri du Peuple* du 1er juin consacre toute sa première page à ce beau poème. Voir aussi le discours du président du conseil municipal, Michelin, à l'Arc de Triomphe.

89. Voir l'article de Almaviva, « Victor Hugo », *Revue socialiste*, juin 1885.

90. *La Bataille* publie le 30 mai, en première page, un poème de Louise Michel « Aux Mânes de Victoir Hugo » :
   « Aux survivants de mai dans la grande hécatombe
   Il offrit sa maison... »

91. Lissagaray, « Les Misérables », *La Bataille*, 23 mai 1885.

92. Voir le journal fondé par Hubertine Auclert en 1881, *La Citoyenne*. Il est devenu mensuel en 1885. Dans le numéro de juin, Hubertine Auclert rappelle, en page 1, que Victor Hugo a « compté parmi nos adhérents et nos apôtres ; il a compris que le droit de vote constituait '' le nœud de la question féminine '' ». Les lettres de Hugo à Hubertine sont conservées à la Bibliothèque Historique de la Ville de Paris.

93. *L'Ami du Peuple*, 22 et 23 mai 1885. *Le Prolétariat* est le seul à donner des précisions sur les rapports entre Hugo et la Commune, dans son numéro du 30 mai au 6 juin 1885.

94. Ce texte a été présenté par J. Fréville dans *Paul Lafargue, critiques littéraires*, Éd. Sociales, 1936, puis par J. Girault dans sa préface à *P. Lafargue, textes choisis*, Éd. Sociales, 1970, enfin par C. Willard, « Paul Lafargue critique littéraire », *Le Mouvement Social*, avril-juin 1967, pages 102 à 110 (numéro spécial *Critique littéraire et socialisme au tournant du siècle*, présenté par M. Rebérioux).

95. Voir *F. Engels-P. et L. Lafargue, Correspondance*, Éd. Sociales, tome I, 1956, pages 291 à 303, *passim*.

96. B. Malon le fait précéder de la note suivante, bien nécessaire dans une revue où Victor Hugo comptait tant d'amis : « Cette libre critique pourra comporter une libre réponse. » Il n'y en eut point...

97. P. Lafargue, « Victor Hugo », *La Défense des Travailleurs*, 14 juin 1885.

98. V. Marouck, « L'hugolâtrie », *Le Prolétariat*, 30 mai/6 juin 1885.

99. J. Guesde, « Classé », *Le Cri du Peuple*, 6 juin 1885.

100. Voir C. Grousselas, « Hugo par Jaurès » *Bulletin de la Société d'études jaurésiennes*, avril-juin 1980 — et, du même auteur, *Métaphores et visions dans l'œuvre de Jaurès*, thèse de 3e cycle, université de Paris VIII, 1979.

101. Voir G. Goyau, *L'Art au point de vue sociologique*, 1889, p. 228.

102. A. France, *La vie littéraire*, 1889.

103. Cette analyse est tirée d'un des nombreux articles de critique littéraire consacrés à la jeune génération que Jaurès publie de 1893 à 1898 sous la signature « Le liseur » dans *La Dépêche de Toulouse* : voir C. Grousselas, *art. cit.*

104. R. de Gourmont écrit en janvier 1902 dans *Le Mercure de France :* « Il faut réduire Hugo à ce qu'il fut : un incomparable maître de la parole et du rythme. »

105. Pourtant un comité des jeunes poètes se constitue pour le centenaire autour des Naturistes (Saint-Georges de Bouhélier, Francis Jourdain, etc.).

106. Il faut attendre 1901 pour que Paul Stapfer regrette qu'il n'y ait pas eu, alors, de Hugo pour apporter aux dreyfusards l'aide des *Châtiments* (voir *Victor Hugo et la grande poésie satirique en France*, 1901), et 1902 pour que, citées par *La Libre Parole* (22 février), *Les Archives Israélites* se disent assurées que Hugo « eut été d'instinct avec les amis de la Vérité et de la Justice dans l'affaire qui a passionné le monde entier ».

107. Comme le note le 27 février, non sans amertume provinciale et radicale, *La Dépêche de Toulouse*.

108. H. Rochefort dans *L'Intransigeant*, F. de Pressensé dans *L'Aurore*, L. Lumet dans la revue *Le Mouvement Socialiste*.

109. La lettre de Souriau, datée du 24 octobre 1901 et adressée à Paul Meurice pour qu'il alerte le ministre est conservée dans le Fonds Paul Meurice à la Maison de Victor Hugo (dossier 1902).

110. A l'exception d'une très brève référence à l'Empire. La conférence doit durer une heure. Elle est diffusée dans le numéro de *L'École Nouvelle* du 22 février 1902 (Fonds Meurice).

111. A. P. B., « Grands Hommes », *La Croix*, 28 février 1902.

112. J. de Lagonde, « Le Dieu », *L'Express du Midi*, 27 février 1902.

113. Th. Delmont, *Le centenaire de Victor Hugo*, Lyon, 1902, *passim*. Hugo est présenté comme « une des âmes les plus viles de notre histoire littéraire ». L'abbé Belmont puise à pleines mains dans les travaux d'Edmond Biré.

114. Cet épisode est connu à travers les lettres répétées que le directeur de l'école des Herbiers envoie à Paul Meurice (Fonds Meurice).

115. M. Durand est radicale. *Le XIXe siècle* consacre quatre grands articles au centenaire de Hugo du 27 février au 4 mars 1902.

116. F. de Pressensé, « Victor Hugo », *L'Aurore*, 27 février 1902.

117. Le président de la Ligue, Jules Lemaitre, vient de se rallier opportunément à Hugo : « Jadis, je fus parfois injuste vis-à-vis de son œuvre. Je déclare qu'aujourd'hui je l'admire sans réserve » écrit-il dans *La Revue Hebdomadaire* le 22 février 1902.

118. *La Gazette de France*, 27 février 1902.

119. P. Lafargue, *La légende de Victor Hugo*, G. Jacques, 1902.

120. *Le Libertaire*, première semaine de mars 1902, article anonyme.

121. *Les Temps Nouveaux*, rebelles à l'État, à ses pompes et à son pouvoir comme tous bons anarchistes, s'interrogent aussi dans leur premier numéro de mars sur les raisons pour lesquelles Hugo « se prête aux grand tralalas officiels ».

122. Giraut, « La politique de Victor Hugo », *Le Mouvement Socialiste*, mars 1902.

123. Drumont rappelle le 26 février 1902 dans *La Libre Parole*, ce journal de masse, que Hugo « l'aimait un peu » et qu'avec Yves Guyot il a été « le dernier à avoir dîné chez lui rue Pigalle ».

124. Drumont, « L'homme et l'œuvre », *art. cit.* Ce texte occupe toute la première page du journal.

125. Notamment sa thèse sur *Le romantisme français*, éditée en 1907.

126. Maurras reprendra ce texte de jeunesse dans le tome III de ses *Œuvres capitales*. Pierre Boutang le commente dans le *Maurras* qu'il a publié en 1984.

127. Pierre Quillard dans *Le Mercure de France*, Francis de Pressensé dans *L'Aurore*, Louis Lumet dans *Le Mouvement Socialiste* s'indignent en particulier du discours de Hanotaux et évoquent son attitude lors du massacre des Arméniens et pendant l'affaire Dreyfus.

128. Voir par exemple l'édition de *La légende des siècles* et des *Châtiments* par les soins de Paul Berret, dans la collection « Les Grands écrivains de la France » (1921 et 1932).

129. A. Bellessort, *Victor Hugo*, 1930, introduction.

130. *Idem*, p. 285.

131. L. Daudet, *Le stupide XIXᵉ siècle*, 1921, p. 87.

132. *Idem*, p. 95.

133. Cité à partir de P. Albouy : « La vie posthume de Victor Hugo », éd. Massin, XVI, pp. 17 et 18.

134. Les renseignements sur le comité et la Fondation Victor Hugo qui en prit la suite en décembre 1925 sont tirés d'un article du secrétaire général de la Fondation, Maurice Guyot, paru dans *Arts* le 26 décembre 1952.

135. Voir F. Lemelle, *Le Quotidien*, D.E.S., Sorbonne, 1967, et M. F. Toinet, *Georges Boris, un socialiste humaniste,* thèse de science politique, Paris, 1969.

136. Voir le débat sur les rapports entre *Le Quotidien* et la Ligue au congrès de la Ligue des Droits de l'Homme en 1923, compte rendu sténographié, pp. 62-65.

137. La dénonciation de Hugo comme « primaire » est un des « topos » favoris de la pensée de droite que le syndicat des instituteurs en particulier s'efforce de relever.

138. *Vendredi* commence à paraître en novembre 1935, trop tard pour être vraiment en prise sur les débats directement liés au cinquantenaire. Je ne l'ai pas dépouillé.

139. Quoique la fantasmagorie l'emporte de loin chez Farrère, on est en droit de traiter d'un seul tenant cet ensemble de textes dans la mesure où Farrère, enthousiasmé par le livre de Batault, lui envoya le 25 juillet 1934 une lettre d'adhésion enthousiaste que celui-ci s'empressa de faire connaître. *La Lumière* la publia dès le 4 août sous l'intitulé « Hugo le petit et Farrère le grand ». Hugo, y était-il dit, représente « le plus formidable des imbéciles du XIXᵉ. Non seulement le roi des Joseph Prudhomme, mais le roi des lâches ».

140. Voir « Le déïsme de Victor Hugo », *L'Action Française*, 23 mai 1935. L'auteur, anonyme, fait référence à un article récent du Père Alphonse de Parvillez dans *Études*, 20 avril 1935.

141. G. Batault, « Le cas Victor Hugo », *Je Suis Partout,* 25 mai 1935.

142. En particulier, le troisième volume de Biré, *Victor Hugo après 1852,* paru en 1894.

143. Comme l'a d'ailleurs écrit Pierre de Lacretelle dans *La vie politique de Victor Hugo*, 1928, p. 208.

144. Non pas dans son livre paru en 1937 et destiné à sa famille, mais dans la presse où ce genre de piété n'a pas cours : cf. L. Daudet, « Victor Hugo était-il intelligent ? », *Candide,* 6 décembre 1934 ; et « A propos du cinquantenaire de Victor Hugo », *L'Action Française,* 23 mai 1935.

145. G. Batault, *Le pontife...*, op. cit., p. 589.

146. « Tu peux tuer cet homme avec tranquillité : voilà un vers qui depuis quelques jours me gêne », écrit Farrère, faisant allusion sans doute à l'assassinat d'Alexandre de Yougoslavie et de Louis Barthou, par les Oustachis, ces fervents hugoliens comme l'a fait remarquer P. Albouy.

147. C. Farrère, « Victor Hugo... », *art. cit.*

148. G. Batault, « Le cas Victor Hugo », *art. cit.*

149. G. Batault, *Le pontife...*, op. cit., p. 78.

150. G. Batault, « Le cas Victor Hugo », *art. cit.,* conclusion.

151. G. Batault, *Le pontife...*, op. cit., p. 225.

152. Il s'agit d'un recueil d'articles parus en novembre 1935, dans *La Revue Hebdomadaire,* et, en décembre 1937, dans *Contre-Révolution.*

153. Francis Ambrière note qu'à la Bibliothèque Nationale, dix mois à peine après l'entrée du volume, il était déjà revêtu de toile rouge, alors que, fussent-ils anti-juifs, ses ouvrages précédents restaient impitoyablement brochés (« Hugophobes et Hugolâtres », *Le Mercure de France,* 1ᵉʳ juin 1935).

154. Position explicite dans G. Batault, *Israël contre les nations*, 1939, p. 188.

155. C'est oublier un peu vite le cher Georges Batault, point de départ de cette diatribe.

156. Telle est, par exemple, l'hypothèse avancée par Romain Rolland dans « Le vieil Orphée », *Europe*, 15 juin 1935, p. 19. *Gringoire,* ne l'oublions pas, tire à 400 000 exemplaires en 1935.

157. J. de Lacretelle, « Le cas Hugo », *Marianne*, 31 octobre 1934. Aux yeux de *Je Suis Partout*, la publication de cet article dans *Marianne* suffisait à le rendre scandaleux : il serait temps d'appeler désormais « Marianne » « Myriam » écrivit l'hebdomadaire antisémite, le 10 novembre 1934, dans un article intitulé « Les Hugolâtres en colère ».

158. L'article de Bayet est entouré de références hugoliennes célèbres dans les milieux laïques et pacifistes : « Déshonorons la guerre », « Proclamons les vérités absolues ».

159. P. Claudel, « Sur Victor Hugo », *Nouvelles Littéraires,* 8 juin 1935 : Hugo est un poète « révolutionnaire entre tous » sur qui « l'instinct populaire ne s'est pas trompé ».

160. H. Bordeaux, « Le reflet populaire de Victor Hugo », *Nouvelles Littéraires,* 29 juin 1935. Le romancier raconte que dans le village de Haute-Savoie dont il était maire en 1899-1900, il entendit cet ouvrier raconter *Les misérables* aux paysans assemblés dans une grange et évoquer, pour retenir leur attention, sa visite à Victor Hugo au nom d'un « congrès du prolétariat ». Les erreurs sur les dates et les événements, évidentes, qu'elles soient le fait du conteur ou de Henri Bordeaux, accroissent la force du récit en soulignant le caractère mythique du personnage de Hugo.

161. L'article de *L'Aube*, signé Jacques Nanteuil, paraît le 5 décembre 1934 et se présente clairement comme une réponse à Farrère et à Batault.

162. Voir G. Ascoli, *Réponse à quelques détracteurs de Victor Hugo,* Droz, « Bibliothèque de la Fondation Victor Hugo, II, 1935, p. 18. G. Ascoli facilita également la publication par la Fondation, en 1936, de la belle thèse de Maria Ley-Deutsch, *Le gueux chez Victor Hugo.*

163. La réponse de G. Batault, intitulée « Contre M. Ascoli, professeur à la Sorbonne, titulaire de la chaire Victor Hugo » (*Je Suis Partout,* 3 février 1935) montra que la réserve universitaire était de peu de poids sur ce type de polémiste.

164. Dans le même sens, F. Ambrière : le livre de Batault contient quelques arguments, l'article de Farrère ne témoigne que d'une extrême extravagance *(Mercure de France, art.cit.).*

165. Les ligues manifestent le 19 mai, c'est le 21 que Hitler parle au Reichstag, et le 7 juin qu'est constitué le cabinet Pierre Laval.

166. Comme l'écrit Paul Vaillant-Couturier dans le numéro de juin de *Commune :* « Le Front populaire ne serait que peu de chose s'il n'était qu'une formation électorale » (p. 1073).

167. Jocelyne Prézeau a fort bien étudié l'un de ces mouvements, le plus ancien, autour duquel, à l'initiative des communistes, se structura le premier mouvement unitaire au plan des organisations politiques, comme au plan des couches sociales rassemblées : J. Prézeau, « Le Mouvement Amsterdam-Pleyel 1932-1934. Un champ d'essai du Front Unique », *Cahiers d'histoire de l'Institut de recherches marxistes,* 1984, n° 18, pp. 85-99.

168. L. Blum, « Le Père Hugo », *Le Populaire,* 24 mai 1935.

169. *Idem.*

170. Le texte de J. R. Bloch est le dernier du remarquable numéro spécial consacré par *Europe* à Victor Hugo le 15 juin 1935.

171. C'est l'occasion, le 25 mai, pour *Je Suis Partout,* de présenter le président de la Ligue des Droits de l'Homme en prophète psalmodiant, et, déjà antisémite, mais encore « patriote », de jouer sur la consonance : Basch = Boche (Victor Basch sera assassiné avec sa femme par la Milice en 1944).

172. On y entend Mme Segond-Weber ; G. Charpentier dirige le « Chant d'apothéose » qu'il a composé et exécuté en 1902 pour le centenaire de la naissance de Hugo ; Honnegger dirige son « Ouverture des Misérables » : compte rendu dans *Le Populaire* du 30 mai.

173. Voir l'appel de P. Vaillant-Couturier dans le numéro de juin de *Commune.*

174. Le texte de l'appel, signé de Jean Longuet et de Jean-Marie Clamamus est publié dans *Le Populaire* le 21 juin 1935.

175. Un questionnaire distribué le 6 avril 1935 à la réunion constitutive des amis de *Commune* met en lumière, malgré sa faible représentativité, le faible rayonnement de Hugo, à cette date, dans l'imaginaire communiste : il vient loin derrière Malraux, Gide, Bloch et même Balzac (Jean-Richard Bloch le commente dans le numéro de mai de *Commune*).

176. Voir le compte rendu du rassemblement du 20 juin dans le numéro de juillet de *Commune.* Pour une vue d'ensemble des mouvements culturels proches du P.C. au début des années 1930, voir M. Rebérioux « Culture et militantisme en France de la Belle Époque au Front populaire », numéro spécial du *Mouvement social*, avril-juin 1975.

177. Dans l'édition parue au club Diderot des *Œuvres poétiques* d'Aragon où ce discours a été recueilli (tome VI, pp. 277-282), il est daté par erreur du 5 juin 1933, et présenté comme ayant été prononcé devant la société allemande des gens de lettres.

178. Voir J. P. A. Bernard, *Le parti communiste français et la question littéraire 1921-1939,* Presses Universitaires de Grenoble, 1972.

179. Voir la rubrique, signée V, « A propos du cinquantenaire » sur laquelle s'achève le numéro de juillet de *Commune.*

180. *L'Humanité,* 27 mai 1935.

181. Bracke, le vieux guesdiste, écrit la même chose le 29 mai dans *Le Populaire :* aux travailleurs de reprendre à la bourgeoisie défaillante ses grands hommes.

182. On connaît l'histoire de la « signature » de Fréville intégrée à la première édition de Maurice Thorez, *Fils du peuple* (1937) : les initiales des mots qui composent une phrase compliquée (p. 36) donnent, une fois assemblées : Fréville a écrit ce livre (cf. Ph. Robrieux, *Maurice Thorez. Vie secrète et vie publique,* Fayard, 1975, pp. 206-207).

183. Voir J. Fréville, *Paul Lafargue, critique littéraire,* Éd. Sociales, 1936.

184. L'adaptation se produit peut-être un peu plus vite du côté des leaders socialistes, les plus âgés surtout : Léon Blum qui, depuis la guerre, ne citait plus jamais Hugo, y fait en 1935-36 plusieurs fois référence (cf. les tables des matières des volumes des *Œuvres* publiées chez Albin Michel).

185. « L'union de la nation française », rapport prononcé au VIIIe Congrès du P.C.F. les 22-25 janvier 1936 à Villeurbanne, dans *Œuvres de Maurice Thorez,* Éd. Sociales, t. XI, 1953, pp. 9-128.

186. J. R. Bloch, « La part de Victor Hugo », *Europe,* op. cit.

187. Alain, « Hommage à Victor Hugo », *idem.*

188. *Avez-vous lu Victor Hugo ?* sort des presses aux Éditions Sociales le 10 mars 1952. Cette anthologie commentée est un livre-clef réédité en mai 1985.

189. Voir en particulier les contributions de Chantal Martinet et de Guy Rosa.

190. J. Chardonne, *Chronique privée de l'année 1940,* page 93.

191. Il a été traduit en français sous l'intitulé *Phénix ou cendres ?* par G. Loiseaux, *La littérature de la défaite et de la collaboration,* Publications de la Sorbonne, 1984.

192. On y trouve, au tome II, le poème d'un S.A., Hergbert Menzel, qui, sur le champ de bataille où un « fils de France » vient d'être symboliquement blessé, retourne au bénéfice de la magnanimité allemande le célèbre « Donne lui tout de même à boire, dit mon père ». (Cité par P. Ory, *La France allemande,* Julliard, « Archives », 1977, pages 92-93).

193. *L'Humanité clandestine 1939/1944,* sous la direction de Germaine Willard, Éd. Sociales, 1975, deux volumes. A quelques lacunes près, il s'agit d'un reprint intégral.

194. 4 septembre, 2 octobre, 10 octobre 1941, 21 mars 1942, numéro spécial de juin 1942.

195. Des fragments de ce texte, différents, sont publiés dans *L'Humanité* les 6 novembre, 1942, 8 janvier et 19 mars 1943. Puis dans le numéro spécial des *Lettres Françaises* du 1er août 1944. Il est repris intégralement en exergue au choix de poèmes qui constitue la deuxième partie de P. Seghers, *L'honneur des poètes,* 1974.

196. Aragon, « La rime en 1940 », texte paru dans *Poètes casqués,* le 20 avril 1940 et repris dans Éd. Massin, IX, p. 168.

197. Aragon, dans *Poésie 42,* cité par P. Seghers, *L'honneur des poètes, op. cit.,* page 191.

198. Sa conférence intitulée « Hugo vivant » est reproduite dans « Victor Hugo a cent cinquante ans », numéro spécial d'*Europe,* février-mars 1952.

199. *France d'abord,* organe d'information sur le Mouvement des patriotes français pour la libération du territoire, mai 1942.

200. Cette anecdote m'a été racontée par Jean Rebérioux. Le MNCR est devenu le MRAP à la Libération.

201. En 1951/1952, l'intérêt passionné d'Aragon pour Hugo s'exprime à maintes reprises dans les *Lettres Françaises,* en particulier du 28 juin au 12 juillet 1951. Une part importante de la préface de *Avez-vous lu Victor Hugo ?* vient de ces articles.

202. Compte rendu dans *L'Humanité* le 13 mars 1952.

203. Elle est publiée sous ce titre aux Éd. Sociales en 1952.

204. Ainsi M. Levaillant, D. Saurat, R. Escholier, P. Crouzet, et même Vercors qui s'était éloigné en silence.

205. *Le Populaire* ironise le 28 février 1952 sur ce « Comité progressiste » qui aurait aimé s'assurer l'exclusivité des cérémonies. On en met tardivement en place un autre sous le patronage de Vincent Auriol, président de la République, avec Mauriac, Duhamel et quelques personnalités appartenant au premier comité.

206. Dans *La Nouvelle Critique,* en mars puis en mai 1952, c'est Pierre Albouy qui produit l'essentiel des contributions. Dans *La Pensée* c'est Marcel Cachin en mars-avril, puis Aragon dans le numéro double de l'été.

207. Aragon, « Le P.C.F. et Victor Hugo », *La Pensée, op. cit.* S'agissant de Hugo, l'expression n'est pas sans force. En 1951, à l'occasion du bimillénaire de Paris, une automobile Ford « l'image de cette civilisation de baignoires et de frigidaires », écrivit Aragon dans *Les Lettres,* remplaça la statue de Barrias.

208. G. Cogniot, « Il y a cent cinquante ans aujourd'hui naissait Victor Hugo », *L'Humanité,* 26 février 1952.

210. M. Cachin, « Victor Hugo 1848/1851 », *La Pensée,* mars-avril 1952.

211. Aragon, *Hugo poète réaliste, op. cit.*

212. Voir les numéros 41 et 46 d'*Études soviétiques,* relayés et complétés par P. Gamarra, « Hugo le pacifique », *Europe,* op. cit. et G. Cogniot, *L'Humanité,* art. cit. Les œuvres de Hugo ont été tirées, en URSS, à 5 470 000 exemplaires et traduites dans de nombreuses langues soviétiques. La Chine, de son côté, célèbre, en 1952, le cinq millionième exemplaire des *Misérables.*

213. Le quotidien monarchiste a dû changer de nom à la Libération, mais il a conservé son sigle. Les trois articles de P. Boutang (29 février, 7 et 21 mars 1952) qu'il reprendra dans un chapitre de son étude sur *Maurras,* Plon, 1984, ne manquent pas d'intérêt.

214. Dans le numéro spécial d'*Europe,* le texte de Romain Rolland repris du numéro spécial de 1935, rappelle les circonstances dans lesquelles, lycéen, il avait vu Victor Hugo. Vercors évoque sa naissance, le 26 février 1902, et P. Gamarra la carte postale représentant les funérailles de V. Hugo, qu'il a vue, quelques années plus tôt, épinglée au plâtre du mur dans une chaumine des Pyrénées.

215. D. Saurat, *La religion de Victor Hugo,* 1929 ; L. Emery, *Vision et pensée chez Victor Hugo,* 1939 ; Ch. Lecœur, *La philosophie religieuse de Victor Hugo,* 1981.

216. *La pitié suprême,* 1879 ; *L'âne,* 1880 ; *Les quatre vents de l'esprits,* 1881 ; *La fin de Satan,* 1886 ; *Dieu,* 1891.

217. M. Levaillant, « Le vrai Victor Hugo », *Europe, op. cit.,* p. 77.

218. H. Guillemin, *Victor Hugo par lui-même,* Le Seuil, « Écrivains de toujours », 1951.

219. H. Guillemin, *op. cit.,* page 89.

220. Voir Ch. Sowerwine, *Les femmes et le socialisme,* Presses de la fondation nationale des sciences politiques, 1978.

221. Ainsi elle place un de ses poèmes, écrit en 1905, « Les Cariatides », sous l'égide de deux vers de Hugo :

« Et que la Cariatide, en sa lente révolte
Se refuse enfin lasse à porter l'archivolte »

222. La lettre de Hugo à Léon Richer, rédacteur en chef de *L'Avenir des Femmes,* en date du 8 juin 1872, est célèbre.

223. En mars 1935, le *Journal des Dames des PTT* publie un article de la secrétaire générale de la Ligue « Victor Hugo féministe ».

224. 22 septembre 1876 : voir éd. Massin, XVI, page 1404.

Hugo quarante-huitard ?

En février 48, Hugo, vicomte, pair de France et académicien, est un homme public. Chacun de ses gestes, chacune de ses paroles importent. Elles sont attendues pour être stigmatisées, immédiatement. Rançon de la gloire! Hugo sous les feux de la rampe ne cesse d'alimenter la caricature, d'autant plus que sa conduite, dont la complexité a été relatée précédemment par Maurice Agulhon, n'est pas facile à comprendre. Comment comprendre que cet homme, qui ne s'est pas installé dans de fausses certitudes, cherche alors sa vérité politique, tout en écoutant toujours la voix de sa conscience morale et humanitaire et que ceci le conduit à être toujours à un endroit (le Parti de l'ordre) et à voter en permanence avec un autre (la Montagne) ? Cette conduite irrite tous les partis, amuse et rend sceptique ; surtout, elle forge l'image d'un Hugo opportuniste et versatile, image pensée, dessinée et gravée... jusque dans les mémoires. — Ch. M.

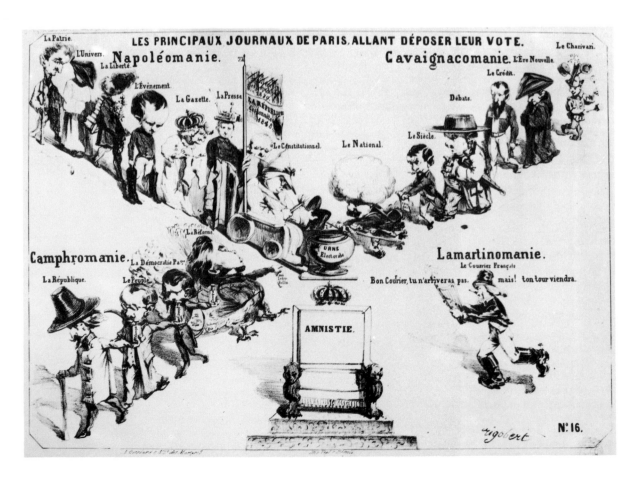

Le débat politique

Rigobert
*Les principaux journaux de Paris allant
déposer leur vote*
Paris, M.V.H.

Quillenbois
Les gémeaux
Almanach, 1er janvier 1849
Paris, M.V.H.

Cham
Fâcheuse situation de la plaine *au moment du
combat des deux* montagnes
Le Charivari, 14 juin 1849
Paris, M.V.H.

Les Gémeaux. — V. Hugo et Girardin.

Décembre 1848. Hugo, inspirateur du journal *L'Événement,* soutient la candidature de Louis-Napoléon Bonaparte. Il porte les bottes de Napoléon… le Grand.

Janvier 1849. Hugo et son ami Émile de Girardin (directeur de *La Presse*), déjà déçus par le Prince-Président, goûtent au socialisme.

Juin 1849. Hugo dans la Plaine. « Il n'y a plus que deux partis en ce moment. Je n'ai satisfait pleinement aucun des deux. Je n'ai pas poussé l'amour de l'ordre jusqu'au sacrifice de la liberté ; je n'ai pas poussé l'amour de la liberté jusqu'à l'acceptation de l'anarchie. »

CROQUADES POLITIQUES.

Fâcheuse situation de la **plaine** au moment du combat des deux **montagnes**.

247

*Bertall
Croisade contre le socialisme* (cat. 42)
Le Journal pour Rire, 2 juin 1849
Paris, M.V.H.

Le débat politique

*Quillenbois
Mieux vaut tard que jamais (cat. 53)
Le Caricaturiste, 30 juin 1850

*Honoré Daumier
*Troisième et dernière séance du Congrès de la
Paix — Tout le monde s'embrasse et c'est fini !*
(cat. 45)
Le Charivari, 10 sept. 1849

*Nadar
Encore une loi d'amour et de conciliation !
(cat. 49)
Le Journal pour Rire, 26 janv. 1850
Paris, M.V.H.

SOUVENIRS DU CONGRÈS DE LA PAIX.

Troisième et dernière séance du Congrès de la Paix — Tout le monde s'embrasse et c'est fini !

Juin 1849. Les élections du 13 mai ont fait apparaître la force des partis extrêmes et donc du socialisme. Ici, le comité de la rue de Poitiers mène la croisade prêchée par Falloux contre Proudhon, Leroux et leurs amis. Parmi les croisés, Victor Hugo chevauchant Pégase...

Septembre 1849. Le Congrès de la Paix s'ouvre alors que la résistance hongroise à l'absolutisme autrichien vient de s'effondrer après l'intervention des troupes du Tsar. Hugo le préside. Il y parle des États-Unis d'Europe et de fraternité universelle. Tout ceci est-il sérieux ?

1850. Hugo rejoint la gauche républicaine. Le 15 janvier, il dénonce la loi Falloux, se séparant ainsi de ses anciens amis. Ici, il est fustigé publiquement par Montalembert, qui porte l'habit de frère des écoles chrétiennes.

30 juin 1850. Hugo républicain. Girardin, soutenu par Hugo, a été élu député du parti démocratique. « Nous qui avons tort devant la majorité », dit Hugo au banquet du 30 juin, « mais qui avons raison devant le pays. »

ENCORE UNE LOI D'AMOUR ET DE CONCILIATION !

Dessin de NADAR. — gravé par DUMONT.

Cette loi prouvera que les *frères* ne sont pas toujours pour nous des frères.

Les vicissitudes d'un prophète
au temps de la République monarchiste

L'image d'un Hugo « Père de la République », patriarche incontesté, est si fortement ancrée dans la mémoire collective qu'on a oublié que Victor Hugo, de retour d'exil, eut à mener des combats politiques difficiles, et qu'il en perdit même certains avant de parvenir à l'apothéose, en 1877-1878.

Élu à l'Assemblée de Bordeaux le 8 février 1871 par 214 000 parisiens, il y siège, républicain isolé parmi les conservateurs, si peu écouté qu'il en démissionne le 8 mars, à l'issue d'une séance au cours de laquelle l'obscur vicomte de Lorgeril l'accuse publiquement de « ne pas parler français ! ». Le poids politique réel de Hugo est alors si faible qu'il est battu aux élections du 7 janvier 1872 par un certain Vautrain, anti-communard convaincu, et mis en ballotage aux élections sénatoriales de janvier 1876, où il ne sera élu qu'au quatrième rang, après Freycinet, Tolain et Herold.

Survient la crise du 16 mai 1877, qui met en péril l'existence même de la République. Hugo la dénonce vigoureusement dans un grand discours du 18 juin, pour lequel il reçoit l'approbation de l'ensemble des républicains, des plus modérés aux plus intransigeants. Il cesse alors d'être ce qu'il avait été jusque-là, malgré le prestige de son nom : un simple figurant dans la vie politique française. Il devient le Premier dans la République qui triomphe et qu'il incarne désormais aux yeux de tous. Les grands rôles politiques sont cependant tenus par ces « vrais » politiciens que sont Grévy, Gambetta ou Ferry, auprès desquels il peut faire figure, de manière caricaturale, de simple « fairevaloir ». — Ch. M.

J.-A. Garnier
Le libérateur du territoire (18 juin 1877).
B.N., Est.

« Canard » humoristique racontant la séance de
l'Assemblée Nationale du 8 mars 1871
Paris, M.V.H.

*Alfred Le Petit
L'homme qui rit (cat. 116)
Le Grelot, 21 janv. 1872
Paris, M.V.H.

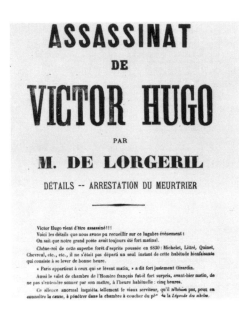

Ce tableau témoigne de façon exemplaire de la
place infime qu'occupait effectivement Hugo
dans la vie politique. Alors que Thiers occupe
la place centrale de l'Assemblée, attirant à lui
tous les regards, on reconnaît — difficilement — Hugo, parmi les spectateurs, dans
la première tribune, tout à droite. Il assiste,
anonyme, au triomphe de Monsieur Thiers.

L'obscur Vautrain triomphe de Victor Hugo à
l'élection partielle du 7 janvier 1872.

*J. Blass
La République s'amuse* (cat. 121)
Le Triboulet, 26 nov. 1882
Paris, M.V.H.

*André Gill
Le Jugement Dernier, 14 oct.-14 déc. 1877*
(cat. 120)
Paris, M.V.H.

Caricature anti-républicaine parodiant *Le roi s'amuse*, qui vient d'être repris au Théâtre-Français. Les républicains au pouvoir prennent du bon temps aux frais de l'État. Hugo sert d'échanson au Président Grévy.

Cette parodie de la fresque de Michel-Ange se rapporte à la « crise du 16 mai », provoquée par le conflit de Mac-Mahon avec la Chambre des députés. Le 15 octobre, Gambetta a prononcé la formule célèbre : Mac-Mahon devra « se soumettre ou se démettre » ; Mac-Mahon amorce sa défaite dans un message du 13 décembre. Thiers, mort depuis le 1er septembre, joue le rôle du dieu vengeur ; Hugo, qui a fait campagne contre la dissolution de la Chambre, est à sa droite, près de Louis Blanc et de Jules Grévy.

Un dieu chasse l'autre :
la « Ford » sur le piédestal
de Victor Hugo

En juin 1951, en pleine « guerre froide », la France, qui célèbre le bi-millénaire de la Ville de Paris, accueille la fille du président américain Truman. A cette occasion et pendant quinze jours, un spectacle singulier est offert aux parisiens : celui d'une « Ford », symbole par excellence du capitalisme américain, hissée sur le piédestal de la statue de Hugo par Barrias, déboulonnée et fondue dix ans plus tôt. Ce triste spectacle scandalisa Aragon, grand admirateur du poète, et ses amis communistes, alors presque seuls à défendre la mémoire de Hugo écrivain et homme politique. Une série d'articles d'Aragon dénonçant le scandale fut publiée dans l'hebdomadaire communiste *Les Lettres Françaises* des 14 juin, 28 juin et 12 juillet. — Ch. M.

Les Lettres Françaises, 28 juin 1951
B.N., Périodiques

ne automobile Ford, l'image de cette civilisation de baignoires et de frigidaires pour laquelle il fallait rendre le bronze du bonhomme aux Renommées, afin d'en faire les canons de la croisade contre l'Est.

Hugo-de Gaulle : rencontres au sommet

La gloire du Général de Gaulle a plus d'un point commun avec celle de Victor Hugo : tous deux incarnent le refus de la force inique et la résistance de la Conscience ; tous deux crurent à la mission historique de la France et à leur propre fonction messianique ; tous deux apparurent comme des géants, hors de proportion avec leurs contemporains, et inspirèrent à ce titre autant de dérision que de vénération... Souvent associé aux grandes figures du passé dans les « panthéons » imaginaires — sérieux ou bouffons — du XIXᵉ siècle, Hugo devient à son tour le digne compagnon du Général. Un dessin du *Canard Enchaîné* le montre accueillant dans sa bonne ville de Besançon, avec les égards qui lui sont dus, de Gaulle dans le rôle de Louis XIV,

autre incarnation mythique de la grandeur française.

Dans les caricatures de Jean Effel, Hugo ne paraît pas en personne, mais les citations de ses vers visent à ridiculiser l'autre grand homme : elles soulignent son emphase et sa mentalité d'un autre âge, ou jouent du décalage entre son noble personnage et les péripéties prosaïques de la politique. Jean Effel était plein de sympathie pour la figure politique de Hugo et plein d'admiration pour son œuvre (il savait par cœur beaucoup de ses vers et consacra un livre entier à les pasticher), mais il sentait qu'une certaine forme de sublime et d'éloquence romantiques était anachronique au milieu du XXᵉ siècle.

P.G.

Jean Effel
Les Burgraves
L'Express, 6 sept. 1962
De Gaulle et le Chancelier Adenauer

Jean Effel
Les Burgraves
Les Lettres Françaises, 21 janv. 1965
De Gaulle et le Chancelier Erhard

Jean Effel
Forces multilatérales
Les Lettres Françaises, 19 nov. 1964

Jean Effel
Hernani
Les Lettres Françaises, 2 déc. 1965
Campagne présidentielle de 1965. De Gaulle, en
Ruy Gomez, est suivi de Georges Pompidou ;
Marianne-Dona Sol est subjuguée pr l'appa-
rition, aux « étranges lucarnes », de François
Mitterand-Hernani

Moisan
L'accueil de Besançon
Le Canard Enchaîné, juin 1962

Jean Effel
L'infaillibilité
Les Lettres Françaises, 3 oct. 1963
L'U.N.R. tient son congrès, tandis que s'achève
à Rome, la deuxième session du Concile.

61. — LE DEUIL DE PARIS A LA MORT DE VICTOR HUGO.

Victor Hugo est un des plus grands poètes qui aient existé. Il disait, dans ses poésies, combien il fallait aimer la paix, la liberté, la République. Il s'y montrait bon pour les enfants, les faibles, les pauvres, pour ceux qui souffrent. Un million de personnes étaient là quand, après sa mort, son cercueil fut emmené de l'Arc de Triomphe au Panthéon.

Récit. — La France possède dans les pays lointains de vastes territoires. Ce sont ses colonies. Elle a montré ce qu'elles sont à l'*Exposition coloniale de Vincennes*. Il y avait là des hommes jaunes venus d'Asie, des hommes noirs venus d'Afrique. Des palais se dressaient comme ceux qu'on trouve dans notre Indochine, et aussi des palais tout blancs, comme ceux de notre Algérie, ou tout rouges comme ceux de notre île de Madagascar.

Le deuil de Paris à la mort de Victor Hugo
L. Brossolette et R. Ozouf, *Mon premier livre
d'Histoire de France*, Delagrave, 1955
Coll. privée

Chantal Martinet **Les hommages publics**

Cet ensemble de textes traite apparemment du même sujet — l'image publique de Hugo — que le chapitre intitulé « Hugo dans le débat politique ». Il en diffère cependant profondément. Tandis que les premiers chapitres envisagent les batailles idéologiques et politiques, les diverses manifestations d'opinion qui ont pu naître et se développer autour de la personne et de la pensée réelle ou supposée de Hugo, les « hommages publics » rendent compte au contraire des efforts faits par les pouvoirs publics pour imposer à la collectivité nationale la mémoire de Hugo, officielle et unanime. Les sous-chapitres traitent chacun des différents modes de constitution, de fixation et de diffusion de cette mémoire imposée à tous dans un souci de pédagogie, d'éducation, de propagande publiques.

Dans les manuels d'histoire : grand homme, personnage historique, mythe national

Hugo meurt le 22 mai 1885, et la République lui fait de splendides funérailles, une véritable apothéose. Il est le plus grand des poètes ; il est le symbole de la lutte contre l'Empire ; il est le génie du siècle. Bref, il appartient à l'Histoire. Est-ce un fait nouveau ? Est-ce un fait durable ? Et quel personnage de quelle histoire est-il donc ?

Une enquête menée dans les manuels d'histoire de l'école primaire et de l'enseignement secondaire, du Second Empire à nos jours, permet d'apporter quelques réponses à ces questions[1]. Dès le Second Empire, Victor Hugo est présent dans l'enseignement de l'histoire, dans le secondaire[2]. Il est absent des récits d'histoire politique mais présent dans les chapitres réservés à l'histoire de la littérature de 1815 à 1850. C'est donc le poète romantique qui entre d'abord dans l'Histoire. Il est le chef de file d'une école généralement blâmée pour son mépris des règles et des principes. Heureusement, le romantique Hugo est également « celui qui chanta la monarchie avec le plus d'éclat », de même que Lamartine « dont il n'avait ni la grâce, ni l'harmonie » mais « sur qui il l'emportait cependant souvent par la vivacité du trait et la puissance du coloris[3] ».

Dès cette époque se trouve ainsi fixé l'essentiel des débats autour desquels s'ordonne la place de Hugo dans les manuels d'histoire : présent ou absent des chapitres historiques, présent ou absent des chapitres littéraires, chef de file d'une école détestée ou admirée, écrivain avant et après 1850, puis poète de la monarchie ou écrivain républicain, et toujours, partout, l'image de Hugo, Hugo jeune, Hugo vieillard.

L'établissement de la République et les lois Ferry apportent une nouvelle dimension à l'enseignement de l'histoire, qui devient obligatoire et matière principale de l'enseignement primaire[4]. Cette attention portée à l'histoire par Jules Ferry s'explique aisément. Aux lendemains de la défaite de 1870, au moment où la République s'installe, définitivement mais difficilement, il faut ancrer l'idée républicaine et refaire l'unité nationale en créant une mémoire, un passé collectif grand et digne d'admiration[5]. Entre républicains et hommes de la réaction, s'engage alors une bataille de mémoires, nourrie d'histoire, diffusée dans la littérature civique et historique destinée aux enfants-citoyens[6]. Le manuel d'histoire, qui est non seulement récit du passé, mais construction de ce passé, dont il choisit les épisodes qu'il organise selon les enjeux politiques du moment, est un instrument privilégié de cette bataille, dans laquelle intervient le personnage de Victor Hugo. Il y intervient d'autant plus aisément que l'enseignement de l'histoire est alors avant tout biographique. Elle est l'histoire des héros. Il y a des leçons d'hommes comme il y a des leçons de choses, l'idéologie radicale et l'idéologie libérale accordant également aux grands hommes le rôle de conducteurs de la société et de l'histoire. Jules Ferry donne ses instructions : « l'enseignement fera connaître surtout les personnages dignes de servir d'exemple et ceux qui ont le plus contribué aux progrès de l'humanité »[7]. Pauline Kergomard l'initiatrice républicaine des écoles maternelles, la première à suivre ces instructions, présente Victor Hugo aux petits enfants comme « le plus grand génie du XIXe siècle »[8].

Léon Bourgeois, rendant le manuel d'histoire obligatoire rappelle les mêmes

Trois pages d'un manuel de 1929 :
E. Devinat et A. Toursel, *Histoire de France :
cours moyen et supérieur*. Imprimeries réunies,
1929
Mont-Saint-Aignan, I.N.R.P., Musée National
de l'Éducation

principes, en 1890 : « Il y a des scènes ou des personnages que l'on peut appeler symboliques, parce qu'ils contiennent les traits principaux d'une catégorie de personnes ou d'une suite de faits. Il ne serait pas difficile de trouver dans notre siècle les types principaux du soldat, du diplomate, du parlementaire et du savant »[9]. Les manuels présentent donc aux enfants la vie de Hugo dans son exemplarité. Elle est exemplaire car composée d'une suite d'épisodes exemplaires : résistance au coup d'État, exil, funérailles.

La première histoire à raconter aux enfants[10] est celle des dures luttes pour l'avènement de la République et celle de la trahison de Napoléon III. Cette histoire est écrite le plus souvent sur un ton modéré, aussi bien dans les manuels de l'école laïque que dans ceux de l'école libre. Hugo en est absent. Il est absent par exemple du manuel de Lavisse, qualifié par Pierre Nora « d'évangile républicain » et répandu à des millions d'exemplaires. Présent, il est cité parmi les républicains qui incitèrent à la résistance au coup d'État. Le récit le plus typique en est celui de Brossolette, qui sera repris jusqu'à nos jours par Ozouf et Leterrier. « Les représentants républicains qui avaient échappé à la police tentèrent de soulever Paris. Victor Hugo adressa d'éloquents appels au peuple et à l'armée »[11].

Les ouvrages les plus progressistes joignent à cette histoire des extraits de textes de Victor Hugo. Gustave Hervé, pour qui Hugo fut « le plus illustre des orateurs de la bourgeoisie républicaine », illustre d'extraits d'*Histoire d'un crime* ses deux récits du Second Empire intitulés de manière significative, *D'où vient l'Empire :* le massacre du boulevard Montmartre, et *Où mène l'Empire :* le désastre de Sedan. Hugo est alors très directement associé à la lutte contre Napoléon III[12].

L'Empire est en place, bon ou exécrable. Les républicains sont bannis, Hugo est en exil. Cet épisode est présent sans être omniprésent. Il s'inscrit dans le thème du patriotisme. Les enfants apprennent qu'il est doux d'avoir une patrie et que la perdre est un grand malheur surtout pour un Français dont le pays est celui des principes de 1789, de la liberté, de la justice et de la tolérance[13]. Hugo est donc grandi par l'exil. On peut être d'autant plus fier de lui qu'il est le modèle de l'exilé, celui qui a refusé l'amnistie de 1859. « S'il n'en reste qu'un, je serai celui-là » récitent les enfants des écoles laïques tandis que leurs camarades des écoles chrétiennes apprennent que Victor Hugo a été expulsé de France, à juste titre[14].

Très peu d'auteurs présentent le retour d'exil. Ils vont tous à l'essentiel : les funérailles du héros. Un vrai leitmotiv. Des milliers d'écoliers ont appris que la République fit à Hugo des funérailles nationales, que suivirent un million de personnes, et reçurent l'image de cet immense cortège accompagnant Victor Hugo au Panthéon.

L'omniprésence du thème des funérailles est d'autant plus intéressante que celles-ci représentent très souvent le seul épisode de la vie de Hugo présent dans le manuel.

1. Une leçon de Michelet. — Au Collège de France, Michelet, grand professeur et grand historien, parle des Jésuites (1846). Il enthousiasme les jeunes gens qui l'écoutent et contribue à réveiller l'esprit de liberté.

2. Un plaidoyer de Gambetta. — Devant les juges impériaux, Gambetta plaidant pour le journal, le *Réveil*, flétrit avec une extraordinaire énergie le coup d'État du 2 décembre. Il se révèle grand orateur et prépare la chute de l'Empire (1868).

3. Une découverte de Pasteur. — L'illustre Pasteur poursuivant ses recherches sur les microbes a trouvé le vaccin préservateur de la rage. Les personnes menacées de la terrible maladie accourent se faire vacciner à Paris. C'est le triomphe de la science bienfaisante.

4. Une apothéose : les funérailles de Victor Hugo. — Victor Hugo meurt le 22 mai 1885. Une foule immense accompagne son cortège funèbre jusqu'au seuil du Panthéon. Un million d'hommes mènent le deuil du grand poète qui parla magnifiquement aux peuples d'humanité.

Pasteur (1822-1895). Tout le monde a entendu parler de ses études sur les **microbes**. Tout le monde sait qu'il a trouvé le moyen de combattre cette redoutable maladie, la **rage, et** qu'avec ses **vaccins**, il s'est attaqué avec succès à d'autres maladies non moins effrayantes : la diphtérie, la peste, le choléra. Tout le monde sait, enfin, qu'avec ses disciples réunis auour de lui à l'**Institut Pasteur**, il a révolutionné la chimie et la médecine, pour le plus grand bien de l'humanité.

L. Brossolette, *Histoire de France : cours moyen*, Delagrave, 1907
B.N., Imprimés

L'ouvrage de Brossolette[14] est significatif. Il résume le XIXe siècle en ses quatre principaux grands hommes : Michelet, Gambetta, Pasteur et Hugo ; choix et alliances classiques. Chaque grand homme est représenté dans l'exercice des fonctions qui justifient sa réputation. Michelet fait une leçon (sans doute tonne-t-il contre les jésuites), Gambetta plaide pour les grandes causes de la République, Pasteur découvre le vaccin qui rendra tant de services à l'humanité... et Hugo est enterré. Un million d'hommes mènent le deuil du grand poète qui sut si bien parler de justice à l'humanité tout entière. Serait-ce donc que ce qui justifie la gloire de Hugo se trouve résumé dans ses funérailles ? L'hypothèse n'est pas fortuite, elle renvoie à la signification de ces funérailles, temps de rassemblement et d'unité nationale autour du poète républicain. Unir une société désunie et l'unir dans l'idée républicaine, telle fut la fonction de cette cérémonie, mais aussi la mission de l'histoire à l'école. Cette convergence explique sans doute largement l'importance accordée à cet événement dans les manuels.

Présenter la vie de Hugo, c'est en faire un agent de l'histoire, mais Hugo est avant tout un poète et un écrivain. Les enfants des écoles le savent, tous les livres le disent. Ils savent d'abord que Hugo fut le chef de file de l'école romantique, mais pour les uns cela est glorieux et pour les autres détestable. Les plus dures critiques se trouvent sous la plume des auteurs chrétiens ou légitimistes, pour qui les romantiques ont « les têtes échevelées comme leurs idées »[15], et, ceci, par la faute de Victor Hugo, qui déclencha la lutte contre les classiques dans la préface de *Cromwell*. Cependant, ces auteurs s'accordent à penser que cette période a donné le meilleur de Hugo. Après 1850 et son ralliement aux idées républicaines il n'a produit que de piètres œuvres : « Victor Hugo est mort en 1885, après avoir attristé les admirateurs les plus sincères de son génie par la faiblesse littéraire et l'orgueilleuse impiété de ses derniers écrits »[16]. Ces derniers écrits sont si déplorables qu'ils ne sont même pas cités. En fait, tous ces auteurs semblent regretter de devoir parler de Hugo, qu'il leur est difficile de passer sous silence dans les chapitres sur la littérature. Il est un grand poète, soit, quelle imagination mais aussi quel orgueil et quel manque de goût ! c'est ainsi que les enfants des écoles chrétiennes apprennent que « Victor Hugo, le plus célèbre des poètes romantiques, était orgueilleux et très infatué de lui-même. Il fut un auteur très fécond dans tous les genres, poèmes, pièces de théâtre, romans ; doué d'une imagination splendide, il manquait parfois de goût »[17].

L'image de Hugo tend toutefois à se nuancer après le ralliement de l'Église à la République, en 1892. Pour l'abbé Godefroy, Hugo est le poète des romantiques, le chef de file d'une école de talent qui a su instaurer « le libéralisme en littérature, contre les classiques qui s'étaient enfermés dans une imitation stérile de Racine et de Voltaire »[18]. « Le romantisme, c'est le libéralisme en littérature ». Voilà bien ce qui justifie la haine des uns et l'admiration des autres — les républicains — pour l'école romantique et son chef de file. Lavisse donne le ton : « les écrivains romantiques se font remarquer surtout par le souci d'introduire le libéralisme dans l'art... ils affranchissent l'esprit »[19]. Malet et Isaac reprennent la même idée, en l'exprimant plus nettement encore, en 1936 il est vrai : « l'assaut fut dirigé contre la bastille même de l'absolutisme classique, le théâtre (...) par Hugo »[20]. C'est ainsi que les républicains voient une continuité et non une rupture dans la vie et l'œuvre de Victor Hugo, Hugo libéral, Hugo républicain. Certes, ils marquent le tournant de 1850 ! Après 1850 le romantisme décline, mais « Hugo continue à publier de très grandes œuvres, *La légende des siècles,* sorte d'épopée de l'humanité, les *Châtiments,* satire véhémente contre l'Empire. Défenseur des opprimés, il apparaît comme une sorte de patriarche de la littérature »[21]. En fait « il a toujours été et il est la voix même de la démocratie ». Cette formule, qui se répète de manuel en manuel connaît une évolution intéressante dans l'édition Brossolette de 1936. On y lit exactement le même récit que dans les éditions précédentes... mais à l'imparfait. « Hugo était la voix même de la démocratie »[22]. Serait-ce qu'en 1936, la démocratie ne peut plus s'incarner en Hugo ? Il est vrai que, désormais, elle est socialiste.

Au tournant du siècle, les débats sur le romantisme et sur la République s'estompent. D'une part, Hugo/République fait place à Hugo/France. Le grand républicain est devenu le grand Français, ce qui est un signe de la montée du nationalisme alors que la République est devenue le gouvernement définitif de la France. Les enfants apprennent que « c'est un Français, Victor Hugo, qui fut le plus grand poète du siècle »[23]. Le récit est désormais accompagné d'extraits de *L'année ter-*

L.-E. Rogie et P. Despiques, *Petites lectures sur l'Histoire de la civilisation française, à l'usage de l'enseignement primaire*, Juven, 1908
B.N., Imprimés

C. Calvet, *Histoire de France..., avec le concours d'un groupe d'instituteurs*, Bibliothèque d'éducation, 1898
B.N., Imprimés

rible qui mettent en évidence l'amour du poète pour la France, foulée aux pieds par les Prussiens.

« Je te proclame, toi que ronge le vautour

Ma patrie et ma gloire, et mon unique amour »[24].

Par ailleurs, le couple Hugo/Pasteur s'impose aux écoliers : « ces deux hommes dont la gloire n'est formée que de bienfaits ont pour patrie la France. Que les autres nations se cotisent. A elles toutes, elles ne peuvent mettre en avant un seul nom égal à ces deux noms français : Victor Hugo, Pasteur »[25].

Ce couple tend à évincer le couple Hugo/Lamartine prédominant auparavant tandis que le poète Victor Hugo devient « le plus grand poète du siècle », ce siècle qui, à son tour, devient le « siècle de Victor Hugo ». L'identification entre le siècle et Hugo se fait parce que Hugo est reconnu comme le plus grand génie du siècle, et surtout parce que les auteurs reconnaissent qu'il a, mieux que quiconque, épousé tous les idéaux et toute l'histoire du XIXe siècle : « Victor Hugo a suivi, à mesure, les idées de son temps. D'abord royaliste, il devint républicain et combattit rudement l'empereur... »[26].

Hugo est le grand poète du siècle mais son œuvre tend à disparaître des manuels d'histoire, à mesure que grandit le Hugo défenseur des pauvres, ami des enfants et de l'humanité souffrante. Ceci est vrai de tous les ouvrages. La collection Fritsch, destinée aux écoles libres en témoigne : « Victor Hugo (1802-1885) est considéré comme le plus grand poète du XIXe siècle. Personne n'a exprimé comme lui les sentiments de la famille, les souvenirs de son enfance, l'amour de sa mère, ses douleurs de père, ses joies de grand-père »[27]. Victor Hugo sort de l'histoire littéraire, comme il sort également de l'histoire. Le récit de R. Ozouf en 1963 est exemplaire : « Victor Hugo a écrit des poèmes, des romans, des drames, des récits historiques ou légendaires. Il est grand non seulement parce que ses œuvres sont belles et ses vers éclatants mais parce qu'il n'a cessé de lutter contre la tyrannie, de défendre les faibles, les femmes, les enfants, les pauvres, les opprimés, de chanter la liberté et la vaillance[28]. » Le discours était le même soixante-dix ans plus tôt, mais la liberté s'appelait alors République, la tyrannie se nommait Napoléon III, et les œuvres de l'écrivain avaient chacune un titre.

Sorti de l'histoire littéraire et de l'histoire, Hugo reste un nom et une image. Cette image grandit durant tout le XXe siècle et elle grandit d'abord parce que l'enseignement de l'histoire évolue. L'histoire-biographie, l'histoire-récit ont fait place à l'histoire par l'image. Choix pédagogique avant tout.

Aujourd'hui, une image s'impose, celle du vieil Hugo peint par Bonnat. Notre enquête montre pourtant qu'elle n'a jamais été la seule image diffusée.

G. Hervé, *Histoire de la France et de l'Europe : l'enseignement pacifique par l'Histoire*, Bibliothèque d'éducation, 1904
En médaillon, Michelet et Hugo
B.N., Imprimés

Quelle image ou quelles images de Hugo a-t-on proposé aux enfants et où pouvaient-ils les trouver ? Gustave Hervé est le seul auteur à avoir choisi de présenter Hugo sur la page de couverture de son ouvrage, en 1904[29]. Il y figure en médaillon accompagné de Michelet. L'histoire les associe souvent, autour de 1848, autour des souvenirs de la grande Révolution, autour de l'idée d'humanité[30]. Ici, ils patronnent une devise pacifiste : « Le soc de la charrue doit remplacer l'épée. »

Autre rareté, l'image de Hugo en exil, sur le rocher des proscrits à Jersey. Image rare mais d'autant plus intéressante qu'il s'agit d'une photographie. L'emploi de la photographie, préférée à la peinture ou à la gravure, rend le héros plus proche et plus réel. Ce choix n'est probablement pas fortuit. Il est le fait de manuels républicains-radicaux qui, par ailleurs, présentent Hugo dessiné par Devéria dans le chapitre sur l'indépendance de la Grèce, faisant ainsi de lui le champion de la lutte contre la tyrannie, pour la République[31]. A luttes réelles, représentation réelle. L'effet de réalité ou au contraire l'effet mythique du héros ne dépendent pas seulement du choix de l'image, mais aussi de sa place dans le manuel et du rapport qui en résulte entre le texte et l'image. Un premier grand choix a lieu, entre Hugo jeune (celui de Devéria) et le Hugo âgé (Bonnat ou Nadar). Beaucoup de manuels, la majorité, offrent à leurs élèves l'image du vieillard, reprenant souvent d'ailleurs l'image du Larousse peut-être dans un souci pédagogique. Dès 1886, le manuel de Belin présente Hugo âgé (Nadar) en illustration d'un chapitre sur les lettres et les arts au XIXe siècle[32].

Sans craindre l'anachronisme, A. Rambaud présente également, en 1890, Hugo vieillard, avec une légende résumant sa vie, dans le chapitre sur « la civilisation sous les gouvernements de suffrage restreint, de 1815 à 1848 »[33]. En 1897, l'abbé Godefroy présente la même image, en 1924, E. Segond orne le chapitre sur les lettres, arts, sciences et industrie de 1815 à 1848 du portrait de Hugo par Bonnat placé entre Musset et Lamartine[34] et, encore en 1948, il choisit le même portrait pour illustrer le chapitre sur le romantisme.

A travers ces quelques exemples se dessine le vrai problème de la représentation de Victor Hugo dans les manuels d'histoire. Le choix essentiel n'est pas entre le vieillard républicain et le jeune romantique et monarchiste, mais entre un Hugo mythique, hors du temps et de l'histoire et un Hugo réel, personnage historique réel. La mise en page le révèle.

Gauthier et Deschamps, *Histoire de France : cours moyen et supérieur*, Hachette, 1920
Mont-Saint-Aignan, I.N.R.P., Musée National de l'Éducation

E. Segond, *Histoire de France..., cours complet des candidats au brevet de capacité*, Hatier, 1895
B.N., Imprimés

D'une part, les manuels républicains et laïcs illustrent leur chapitre sur le romantisme par le dessin de Devéria — Hugo y est âgé de 25 ans — tandis qu'ils présentent le vieillard de Bonnat en illustration de leur chapitre sur les lettres et la civilisation au XIXe siècle, justifiant d'ailleurs l'image par le texte : « Le peintre donne au poète la figure tourmentée et méditative d'un lutteur de la pensée. Par un procédé qui lui est familier, il fait surgir sur un fond sombre la tête toute blanche de celui qui fut une sorte de patriarche des lettres sous la IIIe République[35]. » Il y a alors adéquation du texte et de l'image.

Au contraire, les manuels de l'école privée et confessionnelle offrent généralement une seule image de Victor Hugo, celle du vieillard, en illustration du seul chapitre où ils en traitent, celui sur le romantisme de 1815 à 1848. Hugo y est en compagnie de Chateaubriand, de Musset et Lamartine exactement comme s'il avait écrit *Notre-Dame de Paris* à 75 ans !

Ce rapport entre le texte et l'image met à jour dans un cas la volonté de présenter un personnage historique et dans le deuxième cas l'impossibilité de passer sous silence un mythe national.

Aujourd'hui, le mythe l'emporte encore dans l'ensemble des manuels, fait d'un nom et d'une image, le plus souvent le vieillard de Bonnat. Le texte a disparu. Si l'on admet en conclusion que l'histoire est bien une reconstruction du passé et un récit, par lequel une génération adulte adresse aux générations futures un message, celui de ce que devrait être la société idéale de demain, dont elles sont porteuses, le problème qu'il convient de poser est le suivant : serait-ce que les valeurs dont la personne de Hugo est investie par les historiens ne sont plus celles de la société d'aujourd'hui, ne peuvent-elles redevenir celles de la société de demain ? Symptôme de ce retour : la personne de Victor Hugo réapparaît dans les manuels d'histoire d'aujourd'hui, héros de la République et de la liberté.

Dans les rues : un éminent citoyen

Rue Victor-Hugo, square Victor-Hugo, avenue Victor-Hugo, boulevard Victor-Hugo, place Victor-Hugo... Nous avons tous vu de ces petites plaques portant le nom de *Victor Hugo, Poète français (1802-1885)*. L'impression est qu'elles se comptent par centaines, par milliers. Cette impression semble se confirmer lorsque l'on feuillette des dizaines de plans de villes et de villages. Ils sont peu nombreux, ceux qui n'ont pas au moins une rue Victor-Hugo, mais il en est pourtant. Il convient de tenter d'aller au-delà de cette impression de multitude, bien qu'il soit matériellement impossible de mener seul une enquête auprès des 37 000 communes de France. En revanche, on peut en mener une plus restreinte, mais significative, aux Archives nationales, dans les dossiers réservés aux hommages publics, soumis à l'approbation du ministère de l'Intérieur, en application de l'ordonnance du 10 juillet 1816[36]. Ces dossiers[37] permettent de savoir quelles communes ont attribué une rue à Victor Hugo, à quelle date et, puisqu'elles sont tenues de justifier l'intérêt porté au personnage, pour quelles raisons.

J'ai donc dépouillé les 3 600 dossiers de la période 1870-1949 ; 348 concernent Victor Hugo, soit *un sur dix* environ, dont il est possible d'établir la chronologie[38]. De son vivant, 24 villes attribuèrent le nom de Victor Hugo à l'une de leurs voies publiques. La mort et les funérailles suscitèrent ensuite un vaste mouvement d'opinion (137 dossiers en rendent compte) qui se maintient jusqu'en 1890 puis décline. On peut noter une légère remontée du nombre d'hommages en 1894, due au fait que Hugo se trouve parfois associé à l'hommage rendu à Carnot assassiné, puis un nouveau déclin, continu, pas même enrayé par le centenaire.

Il faudra revenir sur les raisons de ce déclin, mais l'accent est à mettre d'abord sur ce fait exceptionnel, unique même[39] : Hugo se vit attribuer, de son vivant, 24 rues alors que la jurisprudence ne permettait pas que ces honneurs fussent décernés à des vivants[40].

En 1879, Besançon est la première[41] ville à rendre cet hommage à celui qu'elle a vu naître[42]. Elle est suivie des autres villes auxquelles il « appartenait » : Paris, sa ville, en 1881[43] et Blois en 1883. C'est bien de possession que parle la municipalité de Blois « Si le père y demeurait déclare-t-elle, il est bien certain que le fils, avec son grand cœur, est venu bien souvent s'y délasser de ses études. Nous avons donc, messieurs, possédé Victor Hugo, ce grand génie qui appartient non seulement à la France, mais à l'humanité entière[44]. » Mais, l'appartenance ne justifie pas tout, ni à Paris, ni à Blois[45], ni ailleurs. L'époque s'y prête bien. C'est l'époque où l'installation de la République républicaine suscite dans les villes et villages désormais républicains, un changement général de dénomination des rues et places. Paris donne l'exemple. Il y a une épuration à faire d'une part, et, d'autre part, il y a lieu de rendre hommage aux hommes dont le nom est l'honneur et la gloire de la France[46].

Les municipalités affirment donc leur foi républicaine en mettant en place, dans la rue, un panthéon républicain, dans lequel prend place Hugo. Ainsi en 1884, la petite ville d'Alleins[47] (Bouches-du-Rhône) est fière de donner à ses rues les noms de

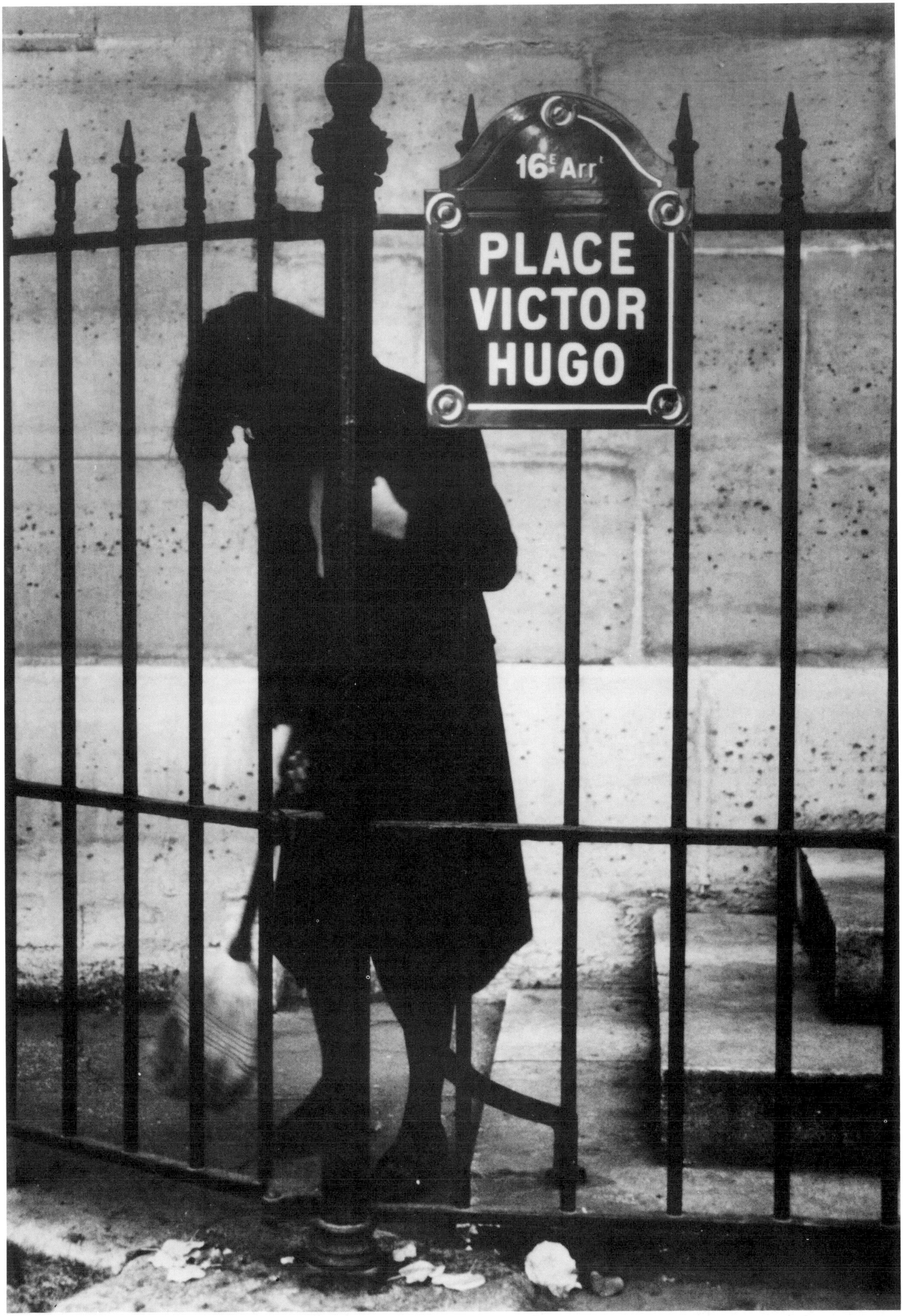
16E Arrt
PLACE
VICTOR
HUGO

Placard officiel de la Ville de Carcassonne arrêtant les nouvelles dénominations des rues, places et boulevards (7 juillet 1883)
Paris, Archives Nationales

*Affiche de promotion immobilière (cat. 368)
Paris, M.V.H.

A. Bourgevin
Salut aux grands citoyens !
L'Éclair, août 1877
Louis Blanc, Hugo trônant, Gambetta, Thiers
Paris, M.V.H.

rue de la République, rue du Quatre-Septembre, place de la République, place Voltaire et cours Victor-Hugo. Hugo et Voltaire patronnent la République[48]. A Béziers, Narbonne et Carcassonne, Hugo prend place dans un panthéon plus vaste. On y trouve les noms de Voltaire, Rousseau, Diderot, Kléber, Hoche, Marceau, Danton, Mirabeau, Fourier, Barbès, Ledru-Rollin, Raspail, Lamartine, Hugo et Garibaldi. Ce panthéon syncrétique unit les précurseurs de la Révolution, les hommes de la Révolution, les hommes des Première, Deuxième et Troisième Républiques. De ce panthéon sont encore exclus, jusqu'à leur mort, en 1881 et 1883, Louis Blanc et Gambetta ainsi que Marat et Robespierre dont le gouvernement refuse l'hommage.

La même pensée républicaine anime les 137 conseils municipaux qui, à la nouvelle de la mort de Hugo, lui rendent un hommage immédiat. Émotion à Périgueux[49] : « Monsieur Victor Hugo n'est plus. Le maire a l'honneur de proposer de donner son nom à la route d'Angoulême et de lever la séance en signe de deuil. A ces paroles, tous les conseillers municipaux se lèvent et approuvent à l'unanimité la proposition de monsieur le maire. » Les témoignages de cette émotion et de ce respect — identiques à travers tout le pays républicain — affluent. Le maire de Roanne[50] propose de donner le nom de Victor Hugo à la rue des Écoles, tandis que la place Bourrelière deviendrait place Victor-Hugo et la rue Longin la petite rue Victor-Hugo. L'accumulation traduit l'émotion. De très nombreux conseils municipaux agissent de même. Il serait fastidieux de les énumérer. L'important est que, de leurs propos, émerge une image de Victor Hugo.

Une idée unanime se dégage, de l'ensemble des discours : la France vient de perdre un *grand citoyen* et la République *un grand républicain*. Le nom de Victor Hugo est, en cette année 1885 — comme il l'était depuis 1879 — synonyme de celui de République, honneur qu'il partage avec Gambetta et — bien que dans une moindre mesure — avec Louis Blanc. Quelques municipalités comme celle de Montpellier[51] unissent les trois noms dans un commun hommage. Ce sont les « génies républicains », comme le proclame un hymne qui leur est dédié, les défenseurs de la liberté. A ce trio vient parfois s'agréger Thiers, le libérateur du territoire, dont la mort, en 1877, provoque une très vive émotion à travers tout le pays. Une caricature intitulée *Salut aux grands citoyens* unit ainsi Louis Blanc (l'homme de la Seconde République), Hugo (l'homme de la lutte contre l'Empire), Gambetta (l'homme de la Défense nationale) et Thiers (le libérateur du territoire). Elle date de 1877[52]. Dès 1883, avec l'installation définitive de la République républicaine, un couple émerge définitivement et durablement de cet ensemble : le couple Hugo-Gambetta[53].

Dès 1883, la ville de Saint-Quentin[54] avait uni dans un hommage commun, Gambetta, qui venait de mourir, et Hugo, « ces deux éminents citoyens ». Brest[55] fait de même, ainsi que Aurillac[56], Bar-sur-Aube[57], Nice[58], dont le maire tient un discours justificatif très explicite : « Un pieux souvenir nous a fait donner à l'une des plus

Photo Jacques Faujour. 1985

belles artères de la ville le nom de l'ardent patriote que fut Léon Gambetta. Un même sentiment d'amour et de patriotisme doit nous faire consacrer l'une de nos plus grandes voies à celui qui, par son vaste génie, laisse un nom qui se transmettra jusqu'à la postérité la plus lointaine[59]. »

Grand citoyen, grand républicain, les conseils municipaux restent le plus souvent muets sur ce qu'ils entendent par ces termes. Amour de la patrie, amour de l'humanité : Pamiers[60] rend hommage « à la fois au penseur, mais surtout à l'apôtre de l'humanité ». Amour de la justice ; amour de la liberté : « Il est juste, dit le maire de Neuville-sur-Saône, que chaque commune de France s'efforce de conserver le souvenir de cet apôtre du bien et de l'humanité, combattant toute sa vie l'injustice et l'oppression. Partout où il y avait une misère à soulager, une tête à racheter, un peuple à défendre, Victor Hugo était là, lui, lui, toujours lui[61]... » En bref, il a toujours défendu la démocratie et c'est bien à ce titre que la ville d'Issy lui rend hommage : « Considérant que la mort du citoyen Victor Hugo est un deuil national, que cet homme de bien, par son génie, sa bonté, son patriotisme, a rendu les plus grands services à la démocratie, que tous ses nombreux écrits, ouvrages et œuvres de toutes sortes ont toujours eu pour but la liberté, que, de ce fait, il a supporté avec le plus grand courage toutes les malédictions et violences des ennemis de la République, ainsi que l'exil, que toutes les meilleures expressions dont on peut qualifier sa vie lui sont acquises[62]. »

Un ensemble d'expressions, tel est bien le portrait de Hugo qui se dégage des discours des conseillers municipaux. Les mêmes expressions qui, précisément, désignent alors la République, celle des républicains « opportunistes » de 1885. Justice, Liberté, Démocratie, République. Tout un programme politique, celui d'une République voulant assurer la sécurité de l'avenir, les libertés issues de 1789, le suffrage universel, la souveraineté de la nation, la paix intérieure et extérieure, une république à la recherche d'une unanimité face au passé, face à la réaction, c'est-à-dire à la monarchie et à l'Église. De tout ceci, Hugo peut effectivement être l'incarnation. Il a été le défenseur des libertés, le défenseur du suffrage universel[63] ; il a combattu l'Empire et la tyrannie ; les *Châtiments* et l'*Année terrible,* entre autres, expriment son patriotisme. Il a opposé « Religion et religions », il a dénoncé les impostures du Saint-Siège et du parti clérical ; il est même mort en-dehors de l'Église. Il peut donc tenir une place dans la politique anticléricale. Ceci n'est que très rarement affirmé, par souci de modération envers les populations qu'il faut gagner à la République, mais aussi sans doute parce qu'il est impossible de réduire sans nuance la position religieuse de Hugo à l'anticléricalisme. Celui-ci n'en est pas moins sous-jacent et ce n'est pas un hasard si, très souvent, le nom de Victor Hugo vient remplacer, dans la ville, celui d'un saint. Ex-rue Saint-Paul à Montluçon, ex-rue Saint-Martin à Saint-Quentin, ex-rue des Capucins à Falaise, ex-rue du Couvent à Isigny, ex-rue de l'Oratoire à Auch, ex-rue Notre-Dame à Bar-sur-Aube, ex-rue Notre-Dame-de-Salles à Bourges[64], où le choix donne lieu à une vive polémique, un conseiller voulant donner à Victor Hugo la rue Saint-Sulpice et le maire rétorquant que, tout de même, Saint-Sulpice avait été un bienfaiteur de la ville ! Dès 1883, le maire de Blois avait pour sa part affirmé que, seul le grand nom de Victor Hugo était capable de faire oublier à la population blésoise le nom des jésuites[65], tandis que la municipalité de Salon de Provence avouait suivre en cela « les vues des loges maçonniques de la ville »[66].

Cette République politiquement libérale et démocratique, mais socialement conservatrice se reconnaît donc en Victor Hugo. Elle propage son nom, elle l'enseigne aux enfants, futurs citoyens, dans leurs manuels scolaires, dans leurs leçons d'instruction civique. Leurs écoles, d'ailleurs, portent souvent ce nom : écoles maternelles (92 cas), écoles primaires (155 cas), écoles secondaires (28 collèges), lycées (à Paris, Poitiers et Besançon, Carpentras et Marseille). Des millions d'écoliers ne pourront plus oublier ce nom de Victor Hugo, qui leur est rappelé quotidiennement. Il faut noter la prédominance, parmi les établissements scolaires portant le nom de Victor Hugo, des écoles primaires. Il est vrai que ce sont les plus nombreux, mais on peut également penser que l'on a voulu ainsi réaffirmer le lien qui unissait Hugo au monde des enfants, lien si souvent évoqué dans leurs livres de lecture.

Une géographie, que l'on peut qualifier « d'hugolienne », se dégage aussi de cet ensemble de données (attribution du nom de Victor Hugo aux rues et aux écoles). La France de Hugo, en ces années d'établissement de la Troisième République, c'est d'abord Paris et la région parisienne, puis la France démocratique du Midi (en gros la France « rouge » de 1849), mais aussi la France plus prolétarienne du Nord (voir carte ci-jointe). Cette géographie traduit bien la situation politique précise des années 80 du siècle dernier, celle du temps de l'union de toutes les forces démocratiques pour la mise en place d'un système politique — la République —, préalable à toutes réformes politiques et sociales.

Le temps passe. Le nombre d'hommages va diminuant. En 1894, le nom de Victor Hugo est encore associé à celui de Gambetta et à celui de Carnot, le président assassiné — symbole de la République, alors que l'on peut croire celle-ci en danger. Cependant, de nouvelles idéologies, de nouvelles luttes, secouent le pays. Le patriotisme républicain a fait place au nationalisme, transfert de valeurs de la gauche jacobine à la droite. Le grand républicain fait place au grand Français. A Saint-Brieux qui lui donne une rue en 1891, il est célébré à ce titre, en même temps que Duguay-Trouin et Renan[67]. A Longwy également on lui rend hommage, en compagnie de Jeanne d'Arc et de Chanzy[68]. Ceci constitue une rareté ; la vraie mutation est ailleurs. En 1902, le républicain, le citoyen, a fait place au poète, à l'écrivain. C'est à ce titre que Marseille, Châlons-sur-Marne, et d'autres villes le célèbrent, lors de son centenaire et encore au début du XXe siècle.

Ainsi la ville de Saint-Claude rend-elle hommage, en 1906, à « l'écrivain le plus remarquable du XXe siècle, la plus merveilleuse imagination dont s'honore notre littérature et qui fut également un bon citoyen qui lutta pour le triomphe du droit et de la justice... » Désormais, c'est l'écrivain qui est prépondérant.

Il faut nous interroger sur cette mutation des valeurs que représente Hugo dans les milieux politiques municipaux. Parallèlement, on constate une constante diminution du nombre d'hommages qui lui est rendu, ceux-ci disparaissant tout-à-fait dans les années 1920 et 30. Hugo est absent des noms de rues attribuées pendant le front populaire. Il est encore absent des changements de noms qui suivent immédiatement la Seconde Guerre mondiale. Les grands bénéficiaires sont alors Jean Jaurès, puis le général de Gaulle.

Ces deux faits — prédominance du poète et déclin du nombre des hommages sont bien liés.

Il y a bien en effet, schématiquement, deux Hugo dans l'opinion : un grand poète et grand écrivain, un grand citoyen, engagé dans les luttes pour l'avènement de la République. Par ailleurs, le fait d'attribuer un nom à une voie publique est un acte d'idéologie, une initiative au service des luttes politiques, dont les protagonistes se reconnaissent dans les noms choisis. Aussi longtemps que la lutte a consisté à enraciner la République, une République « une et indivisible », insitutionnelle et politique, Hugo a eu sa place. Le républicain était au service de la République. Puis est

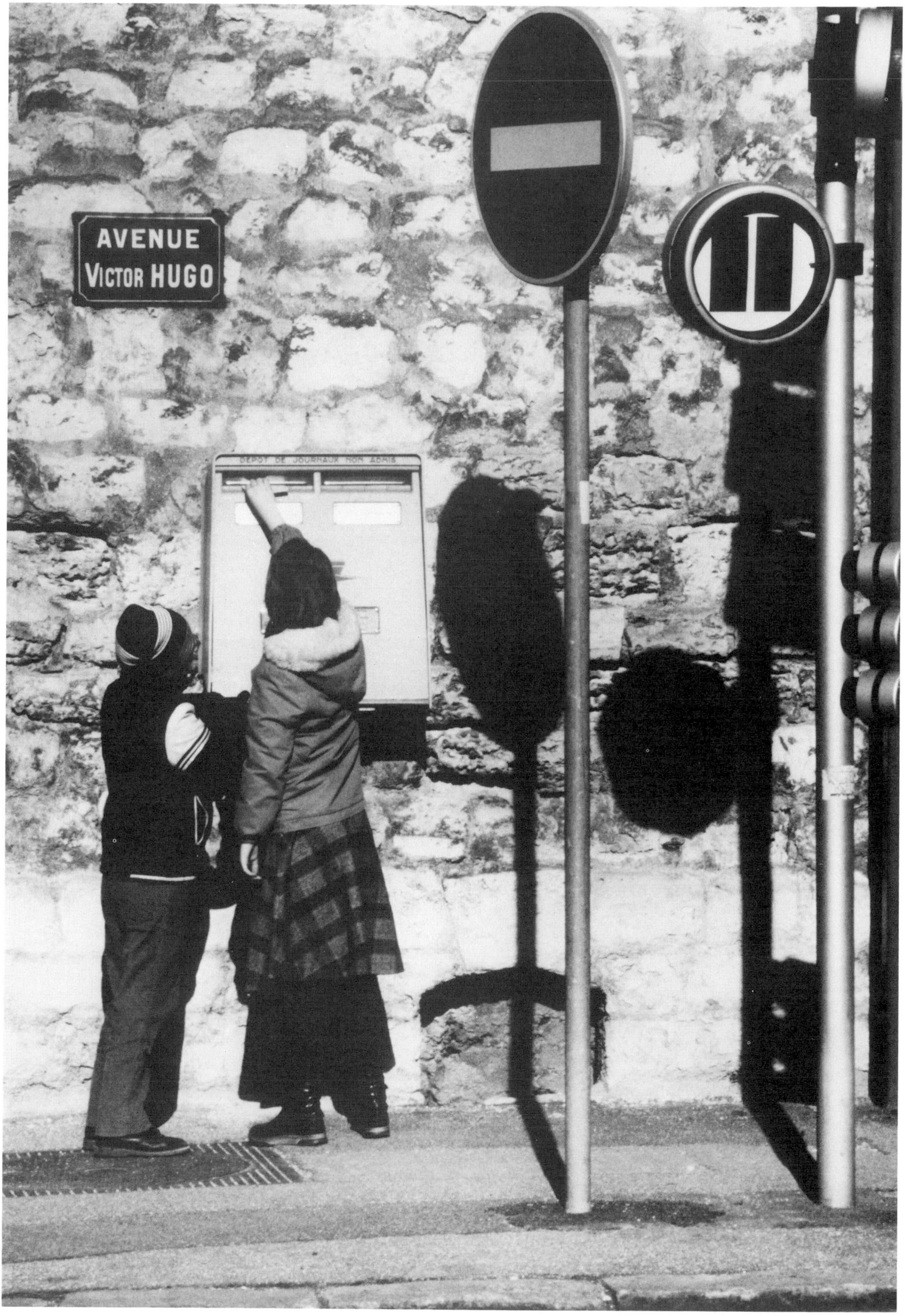
AVENUE
VICTOR HUGO
DEPOT DE JOURNAUX NON ADMIS

venu le temps de la désunion, le temps des partis et des luttes sociales. La République a fait place au socialisme, au communisme, au gaullisme... Hugo s'est éclipsé.

Pourtant aujourd'hui, partout, il reste le nom. Les rues Victor-Hugo sont restées les rues Victor-Hugo, elles n'ont pas été débaptisées, signe du respect qu'impose le personnage mais aussi de sa « désidéologisation ».

Hugo est donc présent dans la ville et nous croisons ainsi des cinémas Hugo[69], des librairies Hugo, des hôtels Hugo, des pharmacies Hugo, des fleuristes Hugo, des chocolatiers Hugo... Simple présence, mais présence. Les petites plaques demeurent, telles les tablettes de cire de la mémoire qui subsistent quand ce qu'on y a écrit a été effacé, prêtes à recevoir de nouveaux écrits, une nouvelle mémoire.

Dans le décor public : le poète

> D'hommes, tu nous fais dieux
> Régnier.
>
> Que n'ai-je un de ces fronts sublimes,
> David. Mon corps, fait pour souffrir,
> Du moins sous tes mains magnanimes
> Renaîtrait pour ne plus mourir.
> Du haut du temple ou du théâtre,
> Colosse de bronze ou d'albâtre,
> Salué d'un peuple idolâtre,
> Je surgirais sur la cité,
> Comme un géant en sentinelle,
> Couvrant la ville de mon aile,
> Dans quelque attitude éternelle,
> De génie et de majesté...

Victor Hugo, « A M. David, statuaire »
(Les feuilles d'automne)

Monument aux morts de la guerre de 1914-18
Saint-Émilion (Gironde)

En 1885, lorsque Hugo meurt, le fait d'ériger une statue à un grand homme est devenu si courant et même si banal que l'on a pu lui donner le nom légèrement dépréciatif de statuomanie. Cette « manie » triomphe en même temps que s'installe la République, incarnation politique du mouvement libéral, laïc et national, issu des Lumières et de 1789 dont elle est née[70]. La gloire de Hugo profite naturellement de ce contexte favorable et nombreux furent les monuments publics que l'on projeta ou que l'on réalisa en son honneur, avant et après sa mort. Nous avons pu dénombrer[71] une trentaine de bustes ou de statues, certaines érigées sur les places publiques ou dans les rues et d'autres installées dans des bâtiments publics (hôtels de ville, théâtres, lycées, musées...), sans compter les projets éphémères qui furent réalisés à l'occasion des funérailles et du Centenaire ni les monuments qui ne lui sont pas consacrés mais sur lesquels il apparaît, tels que les monuments aux morts qui reproduisent souvent son célèbre *Hymne aux morts de Juillet*[72] ; tout ceci de 1831 à nos jours.

Cet inventaire nous apprend que Victor Hugo est un « grand homme » qui a été beaucoup statufié. Néanmoins, il ne l'a pas été plus que Pasteur ou Carnot et moins que Gambetta, Napoléon, Jeanne d'Arc ou Jaurès[73] ; il n'est donc pas parmi les plus statufiés, signe qu'il n'est sans doute pas l'un des plus grands personnage de l'histoire de France et encore moins un symbole national. La localisation de ses monuments le confirme » Besançon, Paris, Guernesey, Villequier, Vianden... Hugo est célébré essentiellement là où il est né, là où il a vécu, dans les lieux auxquels sa vie a été liée. Il n'est pas là où sa biographie ne l'impose pas, sauf à l'étranger où il est reçu comme l'une des gloires internationales du monde de la littérature[74]. Hugo apparaît donc dans le décor public comme un simple « grand homme » dont la statufication » évolua comme celle de la plupart des grands hommes de son époque[75]. Il fut d'abord présent sur des monuments élevés à d'autres gloires qu'à la sienne ; il fut d'abord installé en lieu clos avant d'être érigé en place publique ; son portrait circula sous forme de médaille avant d'être coulé dans le bronze ou taillé dans le marbre ; il connut la gloire puis l'abandon relatif.

La gloire publique vint très vite à Hugo ; c'est en effet très tôt que David d'Angers rend hommage à sa jeune célébrité. Il est un de ceux qui portent le cercueil du général Foy, chef de l'opposition libérale, décédé en 1825, dans le bas-relief du grand monument du Père-Lachaise inauguré en 1831[76]. C'est la première apparition officielle du poète des *Odes et ballades* et des *Orientales,* dans lesquelles il a pris la défense des Grecs opprimés, et celle de l'écrivain du *Dernier jour d'un condamné,* premier appel à la condamnation de la peine de mort, premier grand texte humanitaire. L'hommage est précoce. Il reste cependant enfermé en un lieu consacré, le cimetière, et unique pendant de longues années. Certes, la Monarchie de Juillet comble Hugo de grands honneurs. Il est reçu à l'Académie Française en 1841. En 1847, Louis-Philippe l'élève à la dignité de pair de France. De grands hon-

*Attribué à L.T.J. Visconti
Projet de monument des arts et des lettres, dédié à l'impératrice Eugénie (cat. 217)
Coll. privée

*Gustave Deloye
Maquette de la statue de Victor Hugo (« Le poète exilé »). 1867 (cat. 220)
Paris, M.V.H.

neurs, mais aucun monument, aucune statue. Il est vrai que le fait d'élever une statue à un grand homme demeure malgré l'essor que cette pratique connaît sous ce régime libéral, une affaire très sérieuse, réservée aux seules grandes gloires essentiellement militaires et politiques, et qu'il ne saurait concerner des vivants[77]. Vient le Second Empire qui exile Hugo. Exilé, sa popularité demeure vive. D'abord, il reste un grand poète et un grand écrivain et, à ce titre, il est digne de figurer parmi les grands noms de la littérature française dans un projet de monument-arc de triomphe des lettres et des arts dédié à la toute nouvelle impératrice Eugénie, projet attribué traditionnellement à Visconti[78]. Malgré l'exil, cet hommage rendu — certes indirectement — à Hugo n'est pas absolument étonnant. Napoléon III a alors à cœur d'affirmer face au monde l'image d'une France lettrée, savante et pacifique, légitimation du coup d'État et de l'usurpation des pouvoirs. Pourtant, Hugo exilé fait aussi figure de chef de file de l'opposition à l'Empire et c'est à ce titre qu'il participe à la souscription pour la statue de Voltaire lancée par le journal *Le Siècle* et qui fait couler beaucoup d'encre, Voltaire étant alors le « porte-drapeau » de la tolérance, de la libre-pensée et de la lutte pour la liberté[79]. C'est également à ce titre qu'il est convié par Jules Claretie à préfacer le guide de Paris et de l'Exposition Universelle de 1867, *Paris-guide*[20] ; ce sont là, parmi bien d'autres, des signes politiques évidents. Or, pendant ce temps, qui est celui de l'établissement d'un Empire plus libéral[81], son portrait sculpté paraît au Salon. En 1866, Lebœuf y expose un buste du poète[82] et en 1867, on peut y admirer une statue de Gustave Deloye au titre significatif, *Le poète exilé,* l'épitaphe « je mêle mes fureurs aux sanglots de la lyre » rappelant précisément le rôle de Victor Hugo[83]. La pensée et l'effigie de Hugo sont donc présentes à Paris, publiques sinon officielles, dès la fin du Second Empire.

Cette gloire publique tôt venue et cependant lente à se développer du fait des cir-

constances politiques défavorables prend naturellement une ampleur nouvelle avec le retour du poète et l'installation de la République. Son buste sculpté par Schoenewerk entre à l'Odéon dès 1878 ; l'un des jardins de la ville de Cambrai s'orne en 1880 d'un *Gilliatt et la pieuvre* en bronze[84] ; son nom est associé à celui de Michelet sur le monument dédié à l'auteur de la *Marseillaise,* (chant désormais officiel de la République) à Lons le Saulnier[85] ; par ailleurs l'État commande une médaille du poète à Borrel[86] et son buste à Escoula[87] afin qu'il soit installé sur la façade du lycée Janson de Sailly inauguré en 1884. C'est la première apparition publique du poète à Paris, sur la façade d'un lycée dont il avait posé la première pierre en 1881[88] et parmi un ensemble de gloires nationales propres à assurer l'éducation des lycéens. Les théâtres sont également et naturellement parmi les premiers à rendre hommage à celui qui fut un grand dramaturge autant qu'un poète, à Paris d'abord mais aussi en province et à l'étranger. Une toile de Bin illustrant un épisode de *Lucrèce Borgia* vient orner le foyer du théâtre de Reims inauguré en 1873[89]. Jean-Paul Laurens, chargé de la décoration du nouveau plafond de l'Odéon ne manque pas d'y faire figurer Victor Hugo[90], tandis que la Comédie-Française acquiert son buste sculpté par Falguière à l'occasion de ses funérailles[91]. Le Musée de l'Histoire de France de Versailles s'empresse également d'acquérir le portrait du grand homme du jour[92]. Tout un public d'initiés peut désormais contempler l'image du héros offerte à leur culte et à leur dévotion.

Zacharie Astruc
Le marchand de masques. 1883
Paris, Jardin du Luxembourg

Façade du Théâtre des Célestins à Lyon
Sous chaque arc, dans une niche en médaillon, le buste d'un auteur dramatique. De g. à dr. : Hugo, Musset, Scribe

Alexandre Schoenewerk
Buste de Victor Hugo. 1878
Paris, M.V.H.

*Alexandre Falguière
Buste de Victor Hugo. 1885 (cat. 1).
Paris, Comédie-Française

L'image de Hugo se multiplie donc dès l'installation de la République ; elle est présente en de nombreux lieux, mais elle reste absente de la rue. Aucune grande statue de Hugo ne vient orner une place publique de Paris ou de province. Bien sûr, les parisiens se promenant au jardin du Luxembourg peuvent y voir le masque du poète dans la main du jeune *Marchand de masques* de Zacharie Astruc, mais ce monument qui se veut, selon son auteur, « une sorte d'apothéose du siècle à travers ses meilleurs courants intellectuels »[93] n'est pas un monument Hugo ; les monuments éphémères réalisés à l'occasion des funérailles sont restés éphémères ; les projets de tombeau au Panthéon n'ont pas abouti[94] ; le panorama de Gervex et Stevens qui offrait aux visiteurs de l'Exposition universelle de 1889 l'image d'un Hugo pivot de son siècle a été détruit en 1893, l'État ayant refusé de l'acheter[95] ; bref, Hugo ne fait l'objet d'aucune vraie propagande publique avant 1902, alors même que sa gloire politique et littéraire ne cesse de grandir.

Ce retard à installer Hugo durablement dans le décor public est tout à fait étonnant eu égard à la qualité du personnage. L'étude précise des conditions dans lesquelles les monuments de Paris et de Besançon ont été réalisés et mis en place permet de saisir quelques-unes des raisons qui peuvent expliquer ces délais surprenants.

Hubert Clerget
Maison natale de Victor Hugo à Besançon.
En cartouche, la plaque apposée sur la maison
en 1881
Paris, M.V.H.

Besançon et Paris inaugurent leur monument en 1902, pour le centenaire de la naissance de l'écrivain. En 1902 seulement alors qu'elles en avaient eu l'idée très tôt, dès 1881 à Paris[96] et dès 1882 à Besançon[97] qui, votant une subvention de 500 francs pour le monument parisien « se réservait de se doter plus tard d'une statue de l'immortel poète »[98], alors qu'elle avait déjà fait poser un cartouche sur sa maison natale.

A Paris, un comité s'était réuni dès le 5 juin 1881, sous la présidence de Louis Blanc, afin d'élever une statue à Victor Hugo. Il avait immédiatement lancé une première souscription, avec l'aide de la presse nationale et départementale, et l'avait adressée à l'ensemble des conseils généraux. Le résultat fut un échec. Onze conseils généraux seulement souscrivirent, les autres négligeant de répondre ou refusant. L'affaire fut donc abandonnée et reprise au lendemain de la mort de Hugo par un nouveau comité, présidé par Paul Meurice et Victor Schoelcher. Ce comité lança une nouvelle souscription[99] qui fut un nouvel échec. Le projet n'avançant pas, l'on commença à s'en émouvoir, comme en témoigne une lettre adressée par Adrien Farge à Paul Meurice : « il est urgent d'agir » écrivait-il « voilà cinq ans qu'il est mort et nous qui avons à Paris tout un peuple de statues, entre autres celle de Shakespeare, nous ne pouvons montrer aux étrangers la grande figure du plus grand poète des temps modernes. Que voulez-vous qu'on pense d'un pays qui n'affiche pas l'orgueil d'une pareille gloire ? »[100]. Une telle harangue stimula le comité ; Paul Meurice, exécuteur testamentaire de Victor Hugo, décida d'affecter sa part des bénéfices provenant de l'édition des œuvres posthumes, à la statue. Grâce à ce don important, les fonds nécessaires à la réalisation du projet purent être réunis ; le comité en confia l'exécution à Barrias[101], après avoir secrètement hésité entre ce dernier et Falguière[102] ; celui-ci se voyait pour sa part octroyer la commande des bas-reliefs[103].

La ville de Besançon connut les mêmes difficultés. La municipalité prit l'initiative d'une souscription dès le 25 mai 1885, votant une subvention de 5 000 francs. Comme à Paris, la souscription fut un échec et dut être abandonnée. Elle fut rouverte en 1896, à la suite d'un article de Jules Claretie accusant Besançon d'avoir renié Hugo[104] et elle aboutit en 1902.

Ces délais très longs s'expliquent de diverses manières. Tout d'abord, l'idée d'élever une statue à un homme encore vivant ne fait pas l'unanimité, même chez les républicains les plus favorables à Hugo. C'est la raison pour laquelle certains conseils généraux ne souscrivent pas au projet parisien. « J'ai l'honneur de vous informer » répond le préfet de Seine-et-Marne « que l'assemblée départementale, tout en rendant hommage au talent de M. Victor Hugo n'a pas cru devoir voter une subvention pour élever une statue à un homme vivant »[105]. En 1880, Alfred Rambaud, délégué de Jules Ferry aux fêtes organisées à Besançon en l'honneur du poète avouait également son hostilité pour les « statufications » des vivants : « nous avons mieux que sa statue » disait-il « nous avons lui-même »[106]. Il le préférait vivant et militant. Même pour Hugo, il convient d'attendre le jugement de la postérité.

Ceci n'explique pas tout. Une statue coûte fort cher et d'autant plus celle dédiée à Hugo « qu'elle doit être ce qu'a été l'œuvre du maître, c'est-à-dire colossale ». L'intention est louable, mais elle freine la réalisation des projets, les municipalités n'étant pas toutes riches alors qu'elles sont très sollicitées en ces temps de « statuomanie ». A Paris même et à Besançon, on élève bien des statues en attendant de rendre hommage à Hugo. Paris érige 150 monuments entre 1870 et 1914. Chaque année, on en inaugure plusieurs ; quatre par an entre 1900 et 1910, six en 1889, huit par an entre 1900 et 1910[107]. Pendant ce temps trente-neuf grands hommes sont statufiés dans le Doubs, dont Pasteur à neuf reprises. C'est bien lui le héros local, pas Victor Hugo[108] !

Ces chiffres indiquent clairement que les municipalités font des choix et que, par conséquent, le vrai problème que pose la « statufication » de Hugo n'est pas d'ordre financier. Il est celui des valeurs dont sa personnalité est ou non porteuse, et de celles dont on l'investit ou dont on peut l'investir à un moment donné de l'Histoire. Le nom de Victor Hugo renfermant en lui-même deux personnes, un poète-écrivain et un porte-parole politique, le problème essentiel de cette statufication qui est celui également de l'ensemble des hommages publics est de savoir à laquelle de ces deux personnes l'on souhaite rendre hommage et à laquelle on rend effectivement hommage.

Monument
à la République Fraternelle des Peuples
projeté à Dijon
Place de la République

En un premier temps, durant les années qui précèdent ou suivent immédiatement la mort de Hugo, le porte-parole politique l'emporte nettement sur le poète.

A Besançon, c'est une initiative municipale qui ouvre la souscription tandis qu'à Paris, le comité est présidé par une personnalité incontestablement politique, Louis Blanc. Cette volonté politique est nettement perçue et exprimée par les conseils généraux, dans leurs réponses à la demande de souscription. Le Midi démocratique souscrit ainsi que les régions de l'Est de la France, pour le républicain et le patriote de *L'année terrible*. Les départements qui refusent la souscription sont pour la plupart ceux de la France réactionnaire. Un projet dijonnais[109] révèle plus nettement encore la politisation de Hugo. La municipalité, conduite depuis 1886 par un maire radical, Victor Marchand[110], veut élever un monument à « *la République fraternelle des peuples* »[111]. Ce monument « sera artistique et humanitaire », il montrera une grande statue de la République posée sur un globe terrestre, entourée de la « pléiade glorieuse des fondateurs de républiques » : Guillaume Tell, Washington, Bolivar, Kossuth, Garibaldi et Victor Hugo, « figure immense en laquelle se résume l'idée républicaine ». Ce monument qui unit ces deux grandes figures du panthéon républicain que sont Garibaldi et Hugo[110] est un hommage au « vengeur des libertés violées, à l'initiateur des États-Unis d'Europe que son génie a pressentis et par lesquels seront assurés la paix dans le monde et l'avènement du bonheur humain ».

Il semble aujourd'hui dommage que ces propos n'aient pas été tenus à Paris, ville capitale. Le maire de Dijon le regrettait déjà : « Carnot, Thiers, Ledru-Rollin, tous ont déjà reçu les récompenses qu'ils méritaient. Seul » disait-il, « l'auteur des *Châtiments* n'a pas été honoré comme il aurait dû l'être ». Ces propos justes mettent en question l'attitude de la municipalité parisienne. Il est vrai que celle-ci rend un hommage apparemment important à Hugo en installant au plafond de l'escalier d'honneur de son nouvel Hôtel de Ville la toile de Puvis de Chavannes consacrée au *poète offrant sa lyre à la ville de Paris*[113]. N'est-ce pas là pourtant un hommage bien ambigu ? Sur cette toile, le poète est représenté enveloppé du manteau des immortels ; il avance en compagnie de sa muse vers le porche grandiose d'un hôtel de ville idéal afin de déposer ses hommages aux pieds de la Ville de Paris ; celle-ci, à son tour, lui remet une couronne de lauriers d'or que lui tendent la Littérature, la Science et l'Art. N'est-ce pas là d'abord une auto-glorification de la municipalité parisienne s'appropriant la mémoire du poète national ? La mémoire du poète, non celle de l'homme politique, voilà l'important. En effet, tandis que la Ville de Paris élève des statues aux hommes de 1848, à Ledru-Rollin en 1885, à Lamartine en 1886, à Louis Blanc en 1887 et à Raspail en 1889, elle « néglige » Victor Hugo auquel elle préfère par ailleurs, en tant que porte-parole de sa politique radicale, Gambetta (sans doute comme plus républicain) et Étienne Dolet (sans doute comme plus anticlérical).

Tout se passe donc comme si l'image politique de Hugo n'était pas assez affirmée pour être érigée en tant que telle sur la place publique et cependant trop réelle et reconnue pour ne pas freiner certains souscripteurs et rendre impossible l'érection d'une statue qui serait dédiée au seul poète. Significatifs de ce point de vue sont les projets qui n'aboutissent pas. Le *Monument à la République Fraternelle des Peuples* ne voit pas le jour, faute de subvention nationale, pas plus que le projet de Cassien-Bernard qui, en 1887, prévoyait d'installer aux Tuileries un grand monument à la gloire de Hugo, face à un grand monument Gambetta[114]. Les deux hommages s'adressaient au républicain, pas au poète. Par ailleurs, les projets de tombeau conçus par Dalou, Darbefeuille, Massimiliano Contini et Pallez qui tous glori-

Paul Darbefeuille
La muse remontant aux cieux : le dernier chant
1886
Photographie d'une sculpture disparue
Paris, M.V.H.

Massimiliano Contini
Projet de groupe à la mémoire de Victor Hugo
1886
Photographie d'une sculpture disparue
Paris, M.V.H.

Lucien Pallez
Apothéose de Victor Hugo. 1886
Photographie d'une sculpture disparue
Paris, M.V.H.

Georges Bareau
La vision du poète. 1902
Ivry-sur-Seine, Dépôt des œuvres d'art de la
Ville de Paris

Jules Dalou
Projet de monument à Victor Hugo. 1886
Paris, Musée du Petit-Palais

fiaient le poète[115] n'aboutissent pas davantage. Des considérations financières peuvent expliquer partiellement ces échecs ; il semble toutefois évident que, destinés à un lieu aussi marqué politiquement que le Panthéon, ils se devaient de répondre aux intentions, avouées ou non, de l'État-commanditaire qui ne pouvait certes pas accepter de passer sous silence la personnalité politique de Hugo, même si elle ne faisait pas l'unanimité. Victor Hugo trop ou pas assez idéologique, voilà ce qui freine les hommages en ces années qui suivent sa mort et qui sont celles des luttes menées pour l'établissement définitif de la République. Hugo trop républicain pour les uns, pas assez pour les autres.

Les années passent, la double personnalité du personnage tend à disparaître dans les hommages officiels. Tandis que le porte-parole politique s'efface, le poète émerge, peu à peu mais durablement. Dès 1902, la mutation est accomplie, les statues que l'on élève pour le centenaire consacrent l'homme de lettres.

Les monuments de Besançon, Paris et Béziers, qui rendent hommage avant tout au poète sont des signes évidents de cette évolution. A Besançon, *L'apothéose de Victor Hugo* est inaugurée au cours de grandes fêtes dites littéraires. Même idéalisé, c'est bien là le poète. Nulle allusion n'est faite au penseur politique, ni sur la statue, ni sur le piedestal sur lequel sont gravés vingt titres des œuvres de Hugo, hommage à l'écrivain, ainsi que les quatre vers célèbres des *Feuilles d'automne,* rappelant son origine bisontine[116]. Ce faisant, on célèbre le poète et l'on fait taire la querelle déployée autour de ses origines (bisontin Hugo ? non parisien !), querelle qui avait beaucoup freiné la souscription[117].

A Paris, dans le cour de la Sorbonne, Hugo, symbole de la littérature, fait désormais face à Pasteur, symbole de la science. En même temps, l'image du jeune chef de file de l'école romantique immortalisée par Puech est installée sur la façade de la Comédie-Française, tandis que la ville de Paris acquiert l'effigie du poète de *La légende des siècles*. Elle commande, en effet, à Bareau la réalisation en marbre de sa *Vision du poète*[118], monument quelque peu confus, illustration des premiers vers de *La légende des siècles :* « j'eus un rêve, le mur des siècles m'apparut ». A Béziers aussi, c'est au poète que l'on rend hommage en installant son buste sur « le plateau des poètes »[119] où il veille sur les poètes locaux, tel un père national de la poésie.

A Paris encore, place Victor Hugo, Barrias réalise ce qui fut le plus grand monument jamais consacré au poète. Le programme en avait été établi par le comité[120]. Il se composait d'un rocher en granite supportant la statue de Victor Hugo en bronze ; sur le rocher étaient diversement placées quatre figures évoquant « Les quatre vents de l'esprit » (la muse dramatique, la muse lyrique, la muse épique et la muse satirique) ; l'ensemble du monument reposait sur un soubassement également en granite dans lequel étaient incrustés quatre bas-reliefs. Dans ce programme, malgré l'allusion à l'exil[121], il n'était question que du poète. Pourtant, le monument

Just Becquet
Monument de Victor Hugo à Besançon. 1902
Carte postale
Paris, M.V.H.

Henri Bouchard
Le monument de Lamartine et Victor Hugo à Strasbourg. 1931
Photographie d'une sculpture disparue
Paris, Atelier-Musée Henri Bouchard

Lucien Pallez
Monument de Victor Hugo. 1905
Rome, Villa Borghèse

Ernest Barrias
Monument de Victor Hugo, place Victor-Hugo, à Paris. 1902
La statue a été fondue en 1941. Il n'en reste que des photographies
Paris, M.V.H.

était plus complexe car Barrias avait tenu à placer sur la face antérieure du socle — la plus importante — un bas-relief représentant *La nuit du 4* rappel direct du coup d'État et du rôle de Hugo en ces jours sombres. Ce thème iconographique ne satisfit pas le comité qui y vit une allusion à « la guerre civile » et ce n'est qu'au terme d'une longue polémique[122] que Barrias obtint gain de cause et put terminer ses bas-reliefs qui se lisent comme une véritable « vie de Victor Hugo en images » : Hugo orateur (*Victor Hugo à la tribune,* le 17 juillet 1851), Hugo appelant à la résistance au coup d'État *(La nuit du 4),* Hugo romancier *(Victor Hugo et les personnages de ses œuvres)* et enfin Hugo immortel *(Victor Hugo reçu au Parnasse) ;* il semble donc que le statuaire ait profité de ce que le contrat signé avec le comité ne définissait pas les thèmes devant être traités dans les bas-reliefs pour infléchir le sens général du monument et en faire un hommage synthétique à l'homme et à l'œuvre. En ce sens, ce monument est exemplaire.

Toutefois, le Hugo sculpté par Barrias est celui d'avant l'exil. Ce choix ne passe pas inaperçu. Il est fort critiqué par Henri Rochefort qui, dans un article intitulé *La barbe du poète* déplore qu'il soit présenté jeune « ce qui enlève tout contact avec le public qui n'a gardé que le souvenir du portrait peint par Bonnat »[123]. Critique tout-à-fait intéressante puisqu'elle entérine la mythification du poète, qui serait donc déjà accomplie en 1902. On aurait déjà oublié le jeune « révolutionnaire » de la littérature, le penseur politique, l'opposant à l'Empire pour ne plus se souvenir officiellement que du « patriarche des lettres ». Sans doute est-ce largement l'œuvre de la littérature scolaire. Sans doute est-ce également ce qui explique que désormais la dimension politique de Hugo soit rarement prise en compte dans le décor public. Cette dimension persiste, certes, mais uniquement dans le discours qui accompagne la réalisation du monument, elle n'est jamais plus inscrite sur l'œuvre elle-même. L'éphémère chante le porte-parole politique tandis que l'éternité couronne le poète. Le monument inauguré à Strasbourg en 1931 est un bon exemple de cette situation nouvelle[124]. Le 4 décembre 1927, un comité à la fois politique et littéraire puisque placé sous le haut patronnage de Gaston Doumergue et de la Société des Gens de Lettres, décide d'élever un monument à Victor Hugo et Lamartine, pour le centenaire du romantisme. L'Alsace et le nationalisme français sont au cœur du projet qui se présente comme une réponse aux monuments Goethe et Schiller « érigés sous la domination allemande »[125]. Un concours est organisé entre sculpteurs, remporté par Henri Bouchard qui a représenté Victor Hugo et Lamartine dans leur maturité, en 1842, alors que le premier, explique-t-il, venait d'écrire *Le Rhin* et le second *La Marseillaise de la paix*. On peut voir là une allusion politique, mais si discrète qu'elle ne peut guère être perçue sur ce monument qui, symbolisant avant tout l'amitié des deux hommes est une

Verhoeven
La colonne « A Victor Hugo » de Waterloo
(d'après une aquarelle de Maurice Dubois)
Photographie communiquée par M. Lucien
Gerke

Jean-Antoine Injalbert
Buste de Victor Hugo sur le « Plateau des poètes » à Béziers. 1902
Carte postale. Le buste a aujourd'hui disparu
Béziers, Musée Fabregat

Auguste Maillard
Le monument de Victor Hugo à Villequier
1934
D'abord installé à Villequier, il y fut remplacé
en 1957 par une statue d'E. Moirignot et transféré dans la commune voisine, Caudebec-en-
Caux

transcription dans le bronze et le marbre des vers adressés par Victor Hugo à son ami :

> « Montés au même char comme un couple homérique,
> Nous tiendrons pour lutter dans l'arène lyrique
> Toi la lance, moi les coursiers... »[126]

L'effacement progressif du rôle politique de Hugo dans la conscience collective des Français explique peut-être aussi l'indifférence dans laquelle se déroula l'inauguration à Rome, le 5 mai 1905 de la statue de Pallez. Alors que le roi d'Italie était présent, aucun membre du gouvernement français ne s'était déplacé, pas plus que la famille. Cela fit « un effet déplorable » selon Pallez. Il pourrait également expliquer le peu d'enthousiasme suscité par la statue de Rodin, qui, inaugurée dans les jardins du Palais-Royal en 1909 en fut retirée dès 1933, sans que cela soulève la moindre objection de la part des parisiens. Est-ce ce désintérêt général qui justifie que la fonte de la statue de Barrias[127] intervienne immédiatement après la promulgation de la loi du 11 octobre 1941, alors même que cette loi laissait un dernier recours aux « gloires nationales »[128]. Doit-on voir au contraire dans cette fonte rapide l'application d'une décision politique visant à éliminer de la voie publique ceux qui pouvaient incarner des idées gênantes pour l'État français ? Ce serait là une reconnaissance officielle de la persistance de l'importance politique de Hugo. Les contemporains eurent plutôt cette impression, et ils le chantèrent :

> « Voltaire ne fut qu'un hérétique,
> Allez ouste, à la chaudière...
> Victor Hugo fut républicain,
> Donc politicien,
> A la chaudière... »[129]

BÉZIERS — Plateau des Poètes - Le Buste de Victor-Hugo

VILLEQUIER - Monument de Victor Hugo

Pourtant, en 1941, le républicain tendait à être oublié du moins dans le discours officiel. Le héros de l'Histoire avait très vite fait place au poète et le poète était devenu l'un des classiques de l'histoire de la littérature[130]. Cette évolution lui valait de nouveaux hommages, — il était de plus en plus présent dans les bibliothèques[131] — mais sa gloire s'en trouvait transformée. La vérité est que cette gloire, telle que l'on peut la saisir à travers l'évolution de cet hommage spécifique qu'est le décor public, tout en semblant croître — parce que les hommages se sont multipliés — n'a en fait cessé de se rétrécir, car de nationale et même universelle qu'elle était, riche de la complexité du personnage, elle est devenue de plus en plus uniquement littéraire et donc de plus en plus à l'usage unique de groupes restreints : les associations littéraires.

Auguste Rodin
Le monument de Victor Hugo dans le jardin du
Palais-Royal
Inauguré en 1909, il en fut retiré en 1933 et
déposé au Musée Rodin de Meudon

En effet, c'est bien à l'initiative de ces associations que l'on doit les monuments de Bruxelles (Waterloo), Luxembourg et Vianden. A Vianden précisément, il est dû à l'action essentielle de la Société des Écrivains Luxembourgeois de Langue Française, animée par Anne Beffort, fondatrice de la Société des Amis de Victor Hugo, à qui l'on est redevable également du monument du Luxembourg[132]. Ces sociétés ont, comme le déclare officiellement le comité bruxellois en 1953, pour objet « de glorifier le souvenir de Victor Hugo, notamment par l'achèvement et l'entretien du monument de Plancenoit, par la frappe de médailles, l'émission de timbres, l'édition de publications... de poursuivre ces buts dans le cadre de l'amitié franco-belge, en-dehors de tout esprit de polémique, et de toutes préoccupations politique ou philosophique »[133]. Voilà qui est clairement exprimé. Par ailleurs, ces comités qui inaugurent leur monument un quelconque jour de la semaine et non plus le dimanche, signe supplémentaire qu'ils ne s'adressent plus guère qu'à eux-mêmes, ne manquent de s'auto-célébrer en rendant hommage à leur héros et d'associer leur mémoire à la sienne. Déjà en 1910, le comité parisien avait donné l'exemple en faisant ajouter au monument de Barrias les médaillons de Charles et François Hugo et ceux de Paul Meurice et Auguste Vacquerie. Le comité de Villequier, pour sa part, inscrit le nom de tous ses membres sur le piedestal[134] tandis qu'à Vianden, une plaque commémorative rappelle clairement depuis 1967 le rôle d'Anne Beffort, première présidente de la Société des Amis de Victor Hugo[135]. Ne serait-ce pas là le dernier avatar de la gloire de Victor Hugo ? Une gloire désormais hugolienne à l'usage des hugophiles, la gloire de l'un et celle des autres désormais indissociables ?

La France fête l'aïeul sublime...

Le 5 septembre 1870, une foule considérable se presse sur le quai de la gare du Nord. Elle attend le retour du grand proscrit, de celui qui, depuis 19 ans, incarnait pour elle tout son espoir de liberté et de république. A cette foule enthousiaste, Hugo adresse un message vibrant d'émotion. « Citoyens » — lance-t-il — « j'avais dit : le jour où la République rentrera, je rentrerai ». Me voici... Serrons-nous autour de la République en face de l'invasion, et soyons frères, nous vaincrons... »[136].

Ce message trouve un écho immédiat auprès du peuple de Paris : Hugo et République, voilà deux termes qui, désormais, pour lui, ne feront plus qu'un. Plus encore, par ces simples mots, Hugo remettant pour la première fois depuis tant d'années les pieds à Paris vient de faire don à la République de son nom et de sa personne. Celle-ci s'en emparant immédiatement, le poète se trouve totalement capté par la vie publique. Il appartient à tous et tous l'appellent, en France et à l'étranger : les Ouvriers lyonnais et les Mécaniciens de France, les sociétés littéraires et celles d'instruction publique, les républicains de Lyon, Marseille ou Avignon, le comité du centenaire de Pétrarque et celui de la statue de Gambetta... tous le veulent, qui pour représentant, qui pour député, qui pour président... et Victor Hugo, répondant à ces multiples hommages, parle, discourt, encourage, prophétise[137].

Hugo fait plus qu'épouser la cause de la République, il participe, sans doute consciemment, au lent mais sûr processus d'instauration symbolique du nouveau régime. Celui-ci a besoin, pour s'affirmer et s'ancrer fermement dans le présent national, de s'enraciner d'abord dans le passé et dans l'histoire.

La République cherchant à établir ses origines historiques dans un souci de légitimation de son présent, a soin de capter à son profit l'héritage moral et intellectuel des philosophes des Lumières et des grands républicains du XIXe siècle, dont Hugo est l'un des derniers survivants. Aussi, n'est-il pas étonnant qu'elle organise en leur honneur de grandes funérailles et d'imposantes cérémonies, qui sont autant d'occasions de discours et de lieux de commémoration et où l'on trouve toujours Victor Hugo.

Celui-ci, discourant sur les tombes d'Edgar Quinet, de Ledru-Rollin ou de Louis Blanc, ou encore président le centenaire de Voltaire, exprime d'abord ce que la nation doit à ses grands morts : à Edgar Quinet, la marche vers la démocratie et la fraternité[138] ; à Ledru-Rollin, l'établissement d'une République du droit et de la paix[139] ; à Rousseau et Voltaire, enfin, la Révolution, c'est-à-dire « cette catas-

Médaille offerte à Victor Hugo par la Société pour l'Instruction Élémentaire. 1880
Paris, M.V.H.

Plume en métal doré offerte à Victor Hugo par ses admirateurs de Saint-Quentin en 1881
Paris, M.V.H.

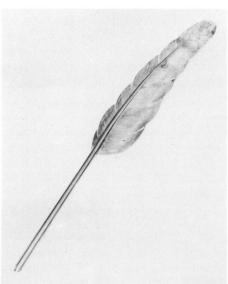

Daniel Vierge
Victor Hugo prononçant son discours à l'occasion du Centenaire de Voltaire, le 30 mai 1878
Le Monde Illustré, 8 juin 1878
Paris, M.V.H.

Programme de la fête du 27 février 1881
Paris, M.V.H.

trophe bénie et superbe qui a fait la clôture du passé et l'ouverture de l'Avenir »[140]. Il rappelle ensuite ce qui en découle, que ce mort appartient bien à la République ou plutôt que la République est en droit de le posséder, et, enfin, que la mort n'est qu'une étape qui s'inscrit dans le cours même de la vie. De tels morts ne sauraient mourir totalement, ils restent présents parmi les vivants, source perpétuelle d'enseignement et d'éducation. Ainsi conclut-il son éloge funèbre de Louis Blanc : « la mort d'un homme comme Louis Blanc est une disparition. C'est une lumière qui s'éteint, la source de la lumière ne s'éteint pas. Les hommes comme Louis Blanc sont nécessaires ; ils reparaissent quand il le faut, leur œuvre ne peut pas être discontinue, elle fait partie de la vie même de l'humanité »[141].

Par delà sa propre religion qui lui fait croire en Dieu mais refuser les églises, Hugo exprime clairement l'une des idées-fortes de son époque, forgée au temps de la Révolution, formalisée par les positivistes et répandue dans tous les esprits : la sépulture des morts est une école pour les vivants[142]. Si l'on évoque les « illustres fantômes », c'est d'abord pour les invoquer : « ombres exemplaires, les grands ancêtres cautionnent l'action des vivants, ils l'inscrivent dans une tradition, ils la raccordent à l'universel »[143].

Durant toutes ces années qui suivent la chute de l'Empire, Hugo contribue donc largement à légitimer la marche en avant de la République. Que celle-ci lui ait précisément reconnu et accordé ce pouvoir de légitimation constitue un très bel hommage rendu publiquement à l'homme et à ses idées, et qui le conduit directement sur le chemin de sa propre apothéose.

Ce premier temps de la République s'achève en 1879, lorsque Jules Grévy, républicain incontestable, en est élu président. Désormais victorieuse, il lui reste à faire la preuve définitive de sa victoire, à la donner à voir, à la montrer pour mieux la démontrer. Des spectacles sont donc institués, fêtes avant tout pédagogiques, inspirées largement des fêtes révolutionnaires, destinées à éduquer le citoyen, à le persuader du bien-fondé et de la solidité du régime, destinées également à susciter — en la proclamant — l'adhésion de tous. L'instauration de la fête du 14 juillet répond à ces visées, mais elle est trop évidemment politique et partisane pour pouvoir susciter et encore moins démontrer une unanimité nationale. Aussi est-ce à une toute autre fête que l'on va demander de jouer ce rôle fédérateur : la fête des 80 ans de Victor Hugo[144].

Cette fête, immense hommage à la fois officiel et populaire rendu à Victor Hugo pour son entrée dans sa 80e année se déroule en trois temps. En un premier temps, Jules Ferry, président du Conseil et représentant du gouvernement, se rend au domicile du poète. Il vient lui offrir un grand vase de Sèvres — cadeau réservé aux rois et chefs d'État — sur le pied duquel a été gravée l'inscription suivante : « le gouvernement de la République à Victor Hugo, 27 février 1881 ». Le deuxième acte, le plus important, se joue dans la rue, dans l'avenue d'Eylau, sous les fenêtres du poète, devant la maison duquel ont été placés pour la circonstance un laurier d'or offert par le comité au nom de la population parisienne et des délégations, ainsi qu'un buste de la République. Là, devant cette maison, des milliers de personnes défilent sans discontinuer de 12 à 19 heures. Et, pendant tout ce temps, le vieillard, entouré de ses petits-enfants, regarde défiler lentement ces hommes, ces femmes et ces enfants qui, venus de Paris, de province et parfois de l'étranger, ont tenu à lui apporter quelques fleurs, de modestes présents et surtout le témoignage de leur reconnaissance et de leur amour. En même temps, et pour compléter cet hommage populaire[145], on célébrait au Trocadéro la fête du poète par une solennité littéraire dont le produit devait être distribué aux pauvres.

Afin de rendre cet anniversaire inoubliable, on en frappa une médaille commémorative. Elle présentait sur une face l'image du poète, et sur l'autre, une inscription : « le 27 février 1881, les Français ont célébré la fête de Victor Hugo ». Les Français, dit la médaille ; cette affirmation peut sembler contredire le message du vase de Sèvres mais pourtant il ne s'agit pas là d'un paradoxe. Cette fête fut bien voulue, décidée, organisée par la République, mais pour l'ensemble des Français, dans un souci de concorde et d'union, comme le dit bien Louis Blanc au Trocadéro « … Que la pratique de la vie publique donne naissance à des divisions profondes, il ne faut ni s'en étonner ni s'en plaindre ; la justice et la vérité ont plus à y gagner qu'à y perdre. Mais c'est la puissance du génie employé au bien, de réunir dans un même sentiment d'admiration reconnaissante les hommes qui, sous d'autres rap-

La « fête des 80 ans » vue par la presse :

Le Journal de Fourmies, 27 fév. 1881
Paris, M.V.H.

La Famille, 13 mars 1881
Paris, M.V.H.

Affiche de la « *Fête nationale de la jeunesse
française, organisée par la presse républicaine* »
1882
Paris, M.V.H.

ports, auraient le plus de peine à s'accorder, et rien n'est plus propre à mettre en relief cette puissance que des solennités semblables à celle d'aujourd'hui... L'idée d'union est en effet inséparable de toute grande fête... »[146].

Cette volonté d'union se marque d'abord dans la composition harmonieuse du défilé où se mêlaient les âges, les sexes et les métiers mais d'où, cependant, avaient été exclus les ouvriers. Ceux-ci se trouvaient dans la foule, cette foule bigarrée où se côtoyèrent effectivement ce jour-là — si l'on en croit l'image qui en fut diffusée par la presse illustrée[147] — ouvriers en blouse et messieurs en redingote, femmes en toilette et enfants du peuple. A cette foule à éduquer, ce défilé n'offrit pas seulement l'image statique de la société républicaine idéale, il était en marche et sa marche symbolisait la marche même du siècle, de ce siècle qui, depuis 1789, n'avait cessé d'aller vers plus de démocratie, plus de justice et de liberté et qui, en 1881, parvenu à un stade de progrès tout-à-fait honorable, pouvait afficher sa fierté face à tous et surtout face à celui qui n'avait jamais cessé de marcher avec lui « non seulement, Victor Hugo fut dans notre siècle l'apôtre le plus éloquent et le plus autorisé du progrès littéraire, politique et social », affirme le *Petit-Var* dans un article fort éloquent « mais sa propre vie nous offre l'image de l'évolution de l'erreur vers la vérité, du pire vers le mieux, royaliste en 1822, libéral depuis 1830, démocrate depuis 1848, Victor Hugo a marché avec son siècle, portant toujours devant lui le flambeau, le premier entre les premiers »[148].

Mais, ce 27 février, Hugo ne marche pas, il ne marche plus, il n'est plus celui qui entraîne son siècle. Assis à sa fenêtre, il offre au contraire l'image du Père qui, parvenu au terme de son existence, contemple le chemin parcouru et dit à la jeunesse, présente à ses côtés en la personne de Georges et de Jeanne : cela est bien, mais il faut continuer « La jeunesse, c'est le progrès, le progrès, c'est l'avenir[149]. »

Victor Hugo connaît aussi de son vivant même une authentique apothéose, car ce jour-là, la France républicaine des Grevy et des Ferry le proclame père de la nation. Père et même Dieu, le pas est vite franchi par les journalistes qui n'hésitent pas à parler de pèlerinage à propos de cette fête et se plaisent à reproduire dans leurs colonnes le discours lu par Hugo à la délégation de la ville de Paris, qui se terminait par le fameux *urbi et orbi* papal[150].

Ce langage religieux ne surprend pas. Il est celui d'une époque dont la plus profonde foi politique est toute empreinte de religiosité. Par ailleurs n'est-il pas effectivement le plus apte à rendre compte de ce sentiment de communion que put éprouver tout un peuple autour de son aïeul à l'occasion de cet anniversaire, prétexte pour lui à exprimer chaque année avec ferveur sa fierté pour le présent et sa foi dans l'avenir ?

En 1885, peu de temps après avoir été fêté pour ses 83 ans, le vieillard sublime s'éteint[151]. Il meurt au moment où la France se prépare pour les importantes élec-

L'univers Illustré, 5 mars 1881
Paris, M.V.H.

PRIX DE L'ABONNEMENT

Paris et départements.   Europe.

Un an . . . 22 fr.   » 23 »
Six mois . 11 fr. 50 12 »
Trois mois . 6 fr. » 6 50

Colonies et pays d'outre-mer,
le port en sus suivant les tarifs.

40 CENTIMES LE NUMÉRO
PARIS ET DÉPARTEMENTS
Les abonnements partent du 1er & du 16 de chaque mois.

LA COLLECTION DU JOURNAL
JUSQU'À CE JOUR
Contient environ **17,500 gravures**
Chaque volume broché. . **10 fr.** »
— relié. . . **12 fr. 50**
Facilités de payement
aux acquéreurs de la collection.

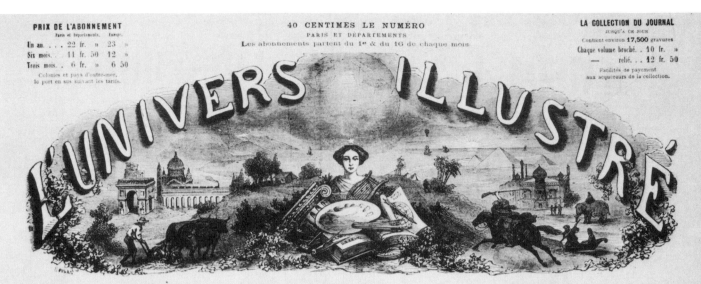

L'UNIVERS ILLUSTRÉ

Abonnements et Vente au numéro :
A LA LIBRAIRIE CALMANN LÉVY
Ancienne Maison Michel Lévy frères
Rue Auber, 3, place de l'Opéra.

24e Année. — No 1354. — 5 Mars 1881.
LE JOURNAL PARAIT TOUS LES SAMEDIS
TH. DE LANGEAC, rédacteur en chef.

Rédaction et Administration :
Rue Auber, n° 3, place de l'Opéra.
Vente au numéro et abonnements :
à la LIBRAIRIE NOUVELLE, boulevard des Italiens, 15.

LA MASCARADE HUMAINE, PAR GAVARNI.

Voir, à la fin du précédent numéro, les détails relatifs à la **NOUVELLE PRIME GRATUITE** *offerte par l'Univers illustré*
à ses abonnés d'un an.

FÊTE DE VICTOR HUGO. — OVATION POPULAIRE DEVANT L'HOTEL DE L'AVENUE D'EYLAU. — Voir page 150.

tions législatives qui auront lieu en octobre, dans un climat politique que l'on peut qualifier de tendu.

Le pays traverse depuis 1882 une grave crise économique. La politique coloniale qui fait l'objet de vives controverses à l'Assemblée vient de provoquer la chute de Ferry, dont la politique de laïcisation a par ailleurs eu pour effet de faire se resserrer les Droites et de les rendre plus combattives. De surcroît, le mois de mai est celui de la commémoration annuelle de la Semaine sanglante, un anniversaire dont le gouvernement redoute qu'il ne soit l'occasion de violentes manifestations de l'extrême-gauche. Dans ces circonstances, la mort de Hugo pouvait sembler providentielle ou du moins arriver fort à propos pour offrir au pays qui en avait grand besoin, un

Victor Hugo acclamé à sa fenêtre lors de son dernier anniversaire (dessin de Paul Merwart)
Le Drapeau, 7 mars 1885
Paris, M.V.H.

Le banquet offert à Victor Hugo pour son 81ᵉ anniversaire (dessin d'Henri Meyer)
Le Journal Illustré, 11 mars 1883
Paris, M.V.H.

moment de répit, un temps d'union nationale au-dessus des querelles politiques. Tout le laisse croire et d'abord les premières réactions de la presse qui s'est emparée de l'événement dès l'annonce de la maladie puis de la mort du poète. Les témoignages sont unanimes : [152]

« La France vient de perdre son seul grand homme » *(Petit Moniteur Illustré)*

La France doit prendre le deuil, le plus illustre de ses enfants a succombé » *(Petit-Parisien,* 24 mai)

« La France pleure son Shakespeare, son Dante, son Juvénal » *(l'Anti-Prussien,* 23 mai)

Bref, '' ce n'est pas un parti qui perd Victor Hugo, c'est la France toute entière '' » *(Petit-Journal,* 24 mai 1885).

Face à ce sentiment général de douleur et de deuil, c'est tout juste si l'on peut observer quelques réticences, venues essentiellement de l'extrême-gauche. « Messieurs » avertit *L'Ami du Peuple,* le 23 mai, « nous ne marcherons pas sur les vôtres, mais ne mêlons pas nos cadavres ».

Le gouvernement décide, logiquement, de prendre en charge les funérailles de son poète national. Par décret du 24 mai[153], il ordonne que des funérailles nationales lui seront faites, et il charge une commission de les organiser. Tout se passe pour le mieux jusqu'au moment où la panthéonisation réclamée avec force par un député, Anatole de la Forge, suivi du conseil municipal de Paris, est accordée par le gouvernement. Un premier décret du 26 mai rend le Panthéon « à sa destination primitive et légale » : l'inhumation des grands hommes de la nation. Un second décret également du 26 mai ordonne que le corps de Victor Hugo y soit déposé. La publication de ces décrets brise tout espoir de consensus national autour d'une personnalité dont la complexité même avait, sinon de quoi convaincre tout le monde, du moins de quoi ne heurter personne véritablement. Le Panthéon est un monument de combat et, comme le dit Mona Ozouf « le lieu même de la rupture entre les Français, car sur lui ne parvient pas à s'effacer la marque originelle de la Révolu-

* Paul Sinibaldi
Le Panthéon lors des funérailles de Victor Hugo
1885 (cat. 129)
Paris, M.V.H.

A Cause des Obsèques de VICTOR HUGO
LA MISE EN VENTE DES SOLDES EST REMISE AU
LUNDI 8 JUIN

tion française »[154]. L'Église réagit donc immédiatement et la droite catholique se
déchaîne. A la suite de Mgr Guilbert et d'Albert de Mun, elle dénonce ce qu'elle
estime être une trahison de la pensée du défunt qui avait affirmé dans son testament
« je crois en Dieu », tout en négligeant de signaler qu'il y avait également dit : « je
refuse l'oraison de toutes les églises ». Certains catholiques vont jusqu'à parler de
« vol de cadavre » : « la Révolution et la libre-pensée », disent-ils, « voilà uniquement ce qu'on trouve dans les funérailles du grand poète dont on a volé le cadavre à
la religion et à la France »[155]. Le propos est fallacieux et le ton excessif. On ne peut
naturellement pas parler de vol de cadavre mais il est vrai néanmoins que la République a su capter à son profit la mémoire du grand homme : Hugo au Panthéon
n'est plus au-dessus des partis, il devient homme de parti, l'homme de la République laïque.

   La presse a noté l'évolution, parfois avec satisfaction, le plus souvent avec regret.
Symptomatique, de ce point de vue, est l'évolution des propos et du ton de *L'Illus-*

Affiche apposée sur un grand magasin le jour
des funérailles
Paris, M.V.H.

G.-F. Guiaud
*L'exposition du catafalque sous l'Arc de
Triomphe*
Paris, Musée Carnavalet

*Paul Hurey
Le catafalque au Panthéon (cat. 130)
Besançon, Musée des Beaux-Arts et d'Ar-
chéologie

tration. Le 23 mai, on pouvait y lire en première page « On peut dire que la France
entière a éprouvé une angoisse filiale, comme si tous les partis à la fois sentaient
que, devant une gloire nationale, il n'y avait qu'un sentiment, la plus respectueuse
douleur ». Une semaine plus tard, le 30 mai, ce même journal exprimait ses regrets
teintés d'inquiétude : « Oh l'odieuse politique ! Est-ce qu'elle va faire entendre ses
hurlements et ses clameurs autour du poète de la paix et de la pitié ». Enfin, le
6 juin, les cérémonies achevées, le ton était rassuré et même joyeux : « Certes, ce
fut bien un événement politique et de la plus haute portée » — concède-t-il —
« mais ce fut aussi une apothéose faite par tout un peuple à celui qui fut l'apôtre de
la paix. »
   Fête réussie donc et réussie d'abord parce que l'État voulut et sut y faire participer le plus grand nombre. L'ensemble du monde politique et des corps constitués,
le monde des lettres et des arts, le commerce, l'armée, les patriotes, l'Alsace-
Lorraine et les colonies, la libre-pensée et la franc-maçonnerie... Ce fut bien tout
un peuple qui conduisit Hugo jusqu'à sa dernière demeure ; tout un peuple et non
pas le peuple puisque si chacun put directement ou indirectement participer ou
assister à l'événement, le monde ouvrier en fut pourtant tenu à l'écart, le gouvernement ayant décidé de ne pas déclarer férié ce lundi premier juin 1885 et adopté un
trajet qui excluait les boulevards et le Paris populaire. Réussie, cette journée le fut
surtout parce qu'elle offrit au pays tout entier le spectacle républicain le plus gran-

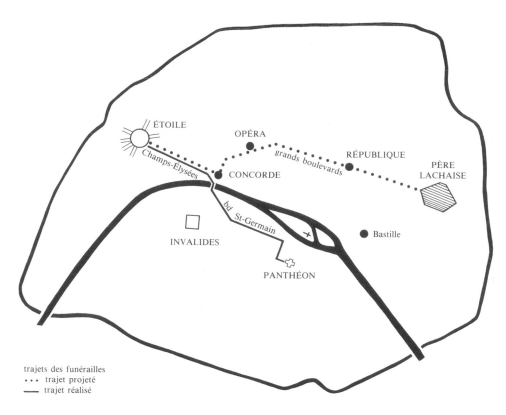

trajets des funérailles
••• trajet projeté
—— trajet réalisé

diose que l'on pût imaginer, le plus propre à faire oublier — même momentanément — les désunions et donc le plus propre à former l'esprit du citoyen. A ce titre, il mérita de passer immédiatement dans l'histoire. Les manuels chargés d'en prolonger les enseignements reproduisirent tous la scène des funérailles : « Le grand poète républicain mourut en 1885. La France lui fit de splendides funérailles. Un million de personnes suivirent son corps jusqu'au Panthéon » devint une des litanies de la mémoire historique des Français.

Pourtant, au lendemain de la cérémonie, une étrange impression de tristesse et d'inquiétude se dégage de la lecture de la plupart des journaux, le sentiment qu'avec Hugo s'achève tout un monde, qu'une époque se termine.

« Victor Hugo mort, c'est une parcelle de la patrie qui disparaît et qui meurt » (*La Nation,* 23 mai 1885)

« Victor Hugo meurt, entraînant avec lui dans les abîmes du passé ce dix-neuvième siècle qu'il avait forgé de sa main géante » (*La Revue Populaire,* 1er juin 1885)

« Et maintenant, on peut dire que le siècle est fini ; en dépit du millésime, Victor Hugo l'emporte dans sa tombe » (*L'Intransigeant,* 2 juin 1885).

Ce ne sont pas là de simples métaphores. Puisqu'en 1881, les Français « avaient acclamé l'auguste vieillard qui marchait vers l'avenir en entraînant son siècle comme un voyageur a son ombre derrière lui »[156], il est légitime qu'en 1885, ils se demandent si, avec Hugo, n'est pas en train de disparaître ce qu'il avait parfaitement incarné de son vivant, « une des preuves de l'unité de notre conscience française », comme sut le dire Renan[157], ou bien encore « un siècle de la France et de l'humanité dont il était comme l'écho sonore », ce que dira Anatole France en 1902[158]. Mais, malgré tout, la fin d'un monde signifie toujours le début d'un autre et cette fête des funérailles fut saluée par certains comme l'avènement de l'ère de la libre-pensée, de la justice et de l'humanité. Le ministre de l'Instruction publique, Goblet, alla jusqu'à affirmer que, pour ces raisons « Victor Hugo ira en grandissant dans la mémoire des hommes. A mesure que son image reculera dans le lointain des temps, il leur apparaîtra de plus en plus comme le précurseur du règne de la justice et de l'humanité ».

Avaient-ils tort ? Avait-il raison ? Quel allait être le sort de Hugo posthume ?

Le principal souci de ses contemporains et de ses descendants fut bien évidemment que vive sa mémoire. Édition des œuvres posthumes, publications d'études critiques, anthologies, biographies, insertion de l'homme et de l'œuvre dans la littérature scolaire, attribution de son nom à de multiples voies publiques... tout ceci témoigne d'un immense effort de commémoration dont il faut bien convenir cepen-

* Théobald Chartran
La cérémonie du Centenaire au Panthéon. 1902
(cat. 131)
Versailles, Musée National du Château

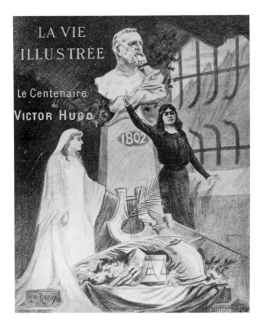

Deux scènes du Centenaire de 1902 :
Henri Budaux
*Récital à la Comédie-Française, devant le buste
de Falguière*
La Vie Illustrée, 7 mars 1902
Paris, M.V.H.

*H. Crespin
Illumination, place des Vosges : « Le Génie de
la Renommée descendant sur la maison du
Poète » (cat. 132)
Coupure de presse d'origine inconnue, 1902
Paris, M.V.H.

Mémoire relatif à la fête du Centenaire de Victor Hugo à Bucarest
Paris, M.V.H.

Victor Hugo. Journal du Centenaire, 26 fév.
1902.
Paris, M.V.H.

Le Centenaire vu par la presse étrangère :
L'Indépendance Luxembourgeoise, 3 mars
1902
Paris, M.V.H.

dant qu'il s'exerce principalement à propos et autour des grandes dates-anniversaires : 1902, 1935, 1952 et… 1985. Même si beaucoup d'autres dates peuvent donner lieu à des fêtes littéraires ou théâtrales (cinquantenaire de *La légende des siècles,* centenaire du Romantisme en 1930…), les meilleures occasions de raviver le souvenir de Hugo, voire de l'arracher à l'ignorance demeurent ces anniversaires.

Le centenaire de 1902 est le dernier grand hommage national rendu à Victor Hugo[159]. Les fêtes durent plusieurs jours, du 25 février au 2 mars ; d'abord très solennelles au Panthéon, elles culminent et se terminent par une grande réjouissance populaire place des Vosges et un bal non moins populaire place de l'Hôtel de Ville. « Belle fête, fête admirable, inoubliable »… On pourrait se croire revenu en 1885. Pourtant quelques éléments constitutifs de ce centenaire contribuent à en faire non pas une simple répétition de 1885, mais plutôt une date-charnière de l'histoire de la gloire de Victor Hugo.

Nous assistons tout d'abord à un considérable élargissement géographique de la fête. 1902 n'est pas un événement parisien, mais national et international. Innombrables sont les villes des plus petites aux plus grandes, qui ont tenu à célébrer à leur manière le centenaire de la naissance de Hugo : Cambrai, Melun, Lyon, Marseille,

Douai, Besançon, Béziers, Caen, Bruxelles, Bucarest, Prague, Athènes, Genève, Lisbonne, Londres, Madrid, Rome, Constantine, Oran, Alger et même Saint-Petersbourg et Chicago. Le scénario est à peu près partout le même, plus modeste ici, plus important là-bas. Ce sont partout d'interminables séances de lectures, suivies de causeries, de longues conférences assorties de projections de « vues » représentant Hugo et son œuvre — « une merveille » —, se terminant presque immanquablement par le couronnement du buste du poète, tout ceci « dans un enthousiasme indescriptible ».

Il apparaît nettement, à travers cet énoncé, qu'à cet élargissement géographique correspond un resserrement intellectuel et sociologique. Toutes ces fêtes ont été organisées, à l'attention d'un public scolaire ou érudit, par des sociétés savantes ou par des sociétés d'instruction publique. Citons entre autres la société des conférences hâvraises, la société littéraire de Cambrai, le comité des poètes berrichons, le comité de vulgarisation littéraire de Douai, la société démocratique d'enseignement populaire de Marseille, sans oublier les multiples universités populaires. Le Victor Hugo des écoles, des collèges et des lycées, le Victor Hugo nouvellement entré à l'Université[160].

Théophile Poilpot
La célébration du Centenaire dans le jardin de la place des Vosges
Paris, M.V.H.

Tandis que le ministre de l'instruction publique rend hommage, au Panthéon, au patriote et au républicain[161], on chante place des Vosges le poète des enfants et des pauvres gens[162], et un peu partout l'on va répétant que « Hugo en politique est resté un songeur, ayant plus d'intuitions qu'il ne faisait de raisonnements, plus apte à émettre des vues superbes qu'à édifier un système fortement lié »[163]. Le porte-parole politique tend à s'effacer du discours officiel, même si l'on évoque beaucoup, dans les batailles religieuses du moment, le « pontife anticlérical » que l'on admire ou déteste à ce titre. « Tu n'es pas Dieu » lui lance cette époque qui, ne comprenant déjà plus bien la sacralité du XIXe siècle et le sens du culte qu'il vouait à ses morts, n'y voyait plus, par conséquent, qu'une preuve supplémentaire de l'immense « orgueil » du poète, auquel sont consacrés des centaines de discours et des milliers de vers.

La fête est bavarde. Un peu partout, l'on chante les exploits du héros. On les met au concours de l'Académie en 1903[164], on les recueille, on les consigne[165], pour les graver définitivement dans les mémoires. L'un des principaux traits distinctifs de cet anniversaire est qu'il est à la fois le temps des paroles éphémères et celui de la commémoration pour l'éternité. C'est en 1902 qu'afin d'installer pour toujours

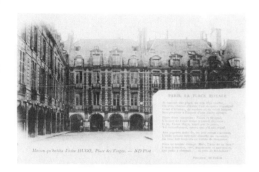

La maison habitée par Victor Hugo, place des Vosges, de 1832 à 1848, devenue en 1903 la Maison de Victor Hugo
Carte postale

Hugo parmi les vivants, on lui élève des statues et d'autres monuments ; 1902, c'est aussi le temps du rassemblement des objets du culte et de l'ouverture de ces lieux de pélerinage que sont les musées. Dès 1901, Paul Meurice avait proposé aux conseillers municipaux de Paris d'offrir à la capitale et à la France un musée Victor Hugo, qui conserverait l'œuvre du maître et tout un ensemble de « reliques et souvenirs ». Le don fut accepté en 1902 par la Ville qui put inaugurer son nouveau musée le 30 juin 1903[166]. D'autres musées seront ensuite ouverts, à Guernesey en 1925, à Vianden en 1948, à Villequier en 1956. Toujours liés à la vie de Hugo — ce sont les maisons de Victor Hugo —, ils sont bien les « lieux où rayonne son immortalité ».

Tout cet effort de commémoration entrepris dès la mort de Hugo et qui s'accentue autour de 1902, témoigne naturellement d'abord du relatif effacement et de l'appauvrissement du souvenir du poète dans la mémoire collective, qui vont s'aggraver avec le temps. Le cinquantenaire de la mort, en 1935, est raté. La presse note la pauvreté des projets officiels. Si Hugo est encore largement fêté au Luxembourg[167], il semble bien oublié en France, malgré les deux expositions que lui consacrent la Bibliothèque Nationale et la Maison de Victor Hugo[168]. L'homme et l'œuvre y sont évoqués, mais ils passent furtivement dans la vie de la nation. 1952 paraît cependant marquer un renouveau du souvenir. Un hommage national[169] est rendu au poète, sous l'égide du ministère de l'Éducation nationale, de la Direction générale des arts et des lettres et de la Société des Gens de Lettres. Plusieurs cérémonies officielles ont lieu, d'abord à l'hôtel de Massa (le 26 février), puis au Panthéon (10 juin). Elles donnent lieu à une série de discours qui seraient tout-à-fait décevants s'ils ne mettaient en évidence un fait intéressant ; le cumul des mémoires. En 1952, encore plus qu'en 1902, on ne fait plus que répéter — mot à mot — ce que l'école de Jules Ferry a pu enseigner à des générations de Français, ou bien les discours de 1885 et de 1902, repris parfois intégralement. C'est ce que l'on pourrait appeler les « effets de la commémoration », effets liés d'abord au fonctionnement de la mémoire qui se nourrit toujours des mémoires passées, sans doute également liés au peu d'intérêt que semble susciter le personnage et à un manque total d'imagination. Dans ces conditions, est-il possible de souscrire aux propos optimistes de François Mauriac qui s'écriait : « Victor Hugo commence à peine à être connu. Le voilà au seuil de sa vraie gloire. Son purgatoire est fini » ? Propos de 1952, sans doute encore valables en 1985.

Il est certes difficile et délicat de parler aujourd'hui avec sérénité du centenaire qui se prépare. Il est pourtant impossible de ne pas l'évoquer, car son organisation générale suggère quelques réflexions pouvant tenir lieu de conclusions à cette évocation des hommages officiels réservés à Hugo. Un problème se pose tout d'abord, celui du choix qui fut fait de privilégier la commémoration de Hugo en 1985. Hugo est-il si évidemment une gloire nationale ? Pourquoi avoir choisi Hugo poète plutôt que Ronsard, Hugo porte-parole politique plutôt que Vallès, Hugo écrivain plutôt que François Mauriac ou Jules Romains, pourquoi Hugo mythe scolaire plutôt que Pasteur et Jupille ? Sans doute parce qu'il fut tout cela à la fois et sans doute aussi parce qu'aujourd'hui comme il y a cent ans il permet à chacun d'affirmer l'unité républicaine. Ainsi que le dit M. Jacques Chirac[170], Hugo est bien aujourd'hui, comme il y a cent ans « le symbole vivant des valeurs républicaines, l'incarnation de la République ». Oui, Hugo, c'est la République, mais quelle République ? Une République aujourd'hui sans doute plus libérale que radicale, une République « entrée dans les mœurs », une République désormais « hors des combats ». Voilà sans doute pourquoi il n'y aura pas, en 1985 — et ce sera le premier anniversaire qui en sera privé — de cérémonie au Panthéon ; voilà peut-être aussi pourquoi l'organisation de la célébration revient aujourd'hui, également pour la première fois, au ministère de la Culture et non à celui de l'Instruction publique ou de l'Éducation nationale. Hugo ne serait donc plus un instrument de combat et d'éducation ? Hugo appartient désormais officiellement à la culture officielle ? Soit, mais officieusement où est donc Hugo ?

Ch. M.

1. Les manuels d'histoire de France destinés aux enfants des écoles primaires et des lycées et collèges, se comptent par centaines. Ne pouvant en entreprendre une étude exhaustive, j'ai choisi d'en dépouiller un assez grand nombre (134) répartis sur toute la période et concernant toutes les classes. La période 1880-1914 est cependant la plus représentée car elle est la période fondatrice de l'enseignement de l'histoire et celle de la formation de l'image scolaire de Hugo. Par ailleurs, j'ai privilégié quelques collections, en raison de leur grande diffusion et de leur durée dans le temps — qui permet d'étudier les éditions successives — ou de leurs prises de position bien tranchées : ouvrages républicains, catholiques, socialistes... J'ai ainsi dépouillé, pour les manuels de l'école laïque les collections Brossolette (Delagrave) puis Ozouf et Leterrier (Belin), tous inspecteurs de l'enseignement primaire, ceux de Devinat et Toursel (imprimeries-librairies réunies), les Lavisse (Colin), les Malet-Isaac (Hachette) et la collection Gauthier-Deschamps (Hachette), sans doute la plus répandue. Du côté de l'école confessionnelle ou privée, j'ai dépouillé les ouvrages de l'abbé Drioux (Belin), ceux de Mgr Baudrillart recteur de l'Institut catholique de Paris (chez Bloud and Gay) ceux de l'abbé Gagnol, ceux des Frères des Écoles Chrétiennes (chez Mame, puis Poussielgue, puis L.I.G.E.L.) ceux d'E. Segond (Hatier) et d'E. Billebaut (éditions de l'École). Enfin, j'ai dépouillé les ouvrages peu répandus (condamnés par l'épiscopat en 1909 et interdits par les autorités universitaires) mais significatifs du socialiste antipatriotique Gustave Hervé.

2. *Quelques dates de l'enseignement de l'histoire :*
15 mars 1850, loi Falloux : l'histoire est exclue de l'enseignement primaire et rendue facultative dans les écoles normales.
Décret du 24 septembre 1863 : Duruy introduit l'histoire contemporaine dans l'enseignement secondaire.
Loi du 10 avril 1867 : Duruy réintroduit l'histoire à l'école primaire.
Loi du 28 mars 1882 : Ferry. L'histoire entre définitivement à l'école primaire. Elle figure au nombre des matières principales.
L'histoire contemporaine est introduite dans les programmes d'histoire (programmes du 27 juillet 1882).
In Claude Bernard, *L'enseignement de l'Histoire en France au XIXe siècle,* Paris, Champion, 1978.

3. Abbé Drioux, *Histoire contemporaine depuis 1789 jusqu'à nos jours, classe de philosophie,* Paris, Belin, 1864, p. 186.

4. Voir note 2.

5. « C'est par une pratique commune d'appropriation des mémoires et dans l'évocation d'un passé collectif plus ou moins artificiel que se fixe l'unité nationale, pour la plus grande mystification des citoyens », *in* C. Billard et P. Guibert, *Histoire mythologique des Français,* Paris, éd. Galilée, 1976, p. 20.

6. L'usage d'un livre d'histoire de France est rendu obligatoire dans l'enseignement primaire par les instructions du 29 janvier 1890, art. 7 de Léon Bourgeois.

7. Jules Ferry, plan d'études et programmes du 2 août 1880.

8. Pauline Kergomard, *Histoire de France des petits-enfants,* Paris, éd. Weill, 1884, p. 181. Ouvrage fourni gratuitement par la Ville de Paris à ses écoles communales.

9. Léon Bourgeois. Circulaire du 5 juillet 1890.

10. Cet enseignement concerne les enfants de 9-13 ans. Par arrêté du 18 janvier 1887, l'enseignement de l'histoire est organisé ainsi : L'histoire de France d'avant 1328 est enseignée en cours élémentaire et celle d'après 1328 en cours moyen et supérieur.

11. L. Brossolette, *Histoire de France, écoles primaires et supérieures,* Paris, Colin, 1925, p. 300.

12. In Gustave Hervé, *Histoire de France à l'usage des cours élémentaire et moyen.* Paris, Bibliothèque d'éducation, 1904, pp. 234-235.

13. Se référer à deux articles. Pierre Nora, « Ernest Lavisse, son rôle dans la formation du sentiment national », *Revue Historique,* juillet 1962, pp. 73-100. Jacques et Mona Ozouf, « le thème du patriotisme dans les manuels primaires », in *Le Mouvement Social,* oct.-déc. 1964, pp. 1-31.

14. L. Brossolette, *Histoire de France, cours moyen,* Paris, Delagrave, 1907, p. 254.

15. Abbé Drioux, *Histoire contemporaine,* Paris, Belin, 1892, p. 227.

16. *Histoire de France et notes d'histoire générale,* par une réunion de professeurs, Tours, Mame et Gigord, 1918, p. 812.

17. H. Guillermain et Le Ster, *Histoire de France, classe de certificat d'études et cours supérieur,* Paris, éd. de l'École, 1895, p. 434.

18. Abbé Godefroy, *Cours supérieur d'Histoire de France à l'usage des pensionnats, des institutions secondaires et des petits séminaires.* Paris, Colin, 1897, p. 529-530.

19. E. Lavisse, *La première année d'Histoire de France,* Paris, A. Colin, 1884, p. 252.

20. Malet et Isaac, *Histoire de France de 1774 à 1851,* 2e année, Paris, Hachette, 1936, p. 376.

21. L. Brossolette, *op. cit.,* p. 391.

22. L. Brossolette, *Histoire de France, enseignement primaire et supérieur,* Paris, Delagrave, 1936, p. 367.

23. C. Calvet, *Histoire de France,* cours moyen et cours supérieur, Paris, bibliothèque d'éducation, 1905, p. 253.
« C'est un français, Victor Hugo qui fut le plus grand poète du siècle, un autre français, F. de Lesseps, a vaincu la nature en perçant l'isthme de Suez ; enfin, les résultats dûs au génie d'un autre français, Pasteur, sont incalculables. »

24. J. Guiot et F. Mame, *Histoire de France depuis les origines jusqu'à nos jours,* Paris, Delaplane, 1904, p. 170.

25. J. Guechot, *Histoire de France,* cours moyen, Paris, Hachette, 1910.

26. *Nouvelle Histoire de France,* cours moyen, Paris, édition de l'École émancipée, 1925, p. 260.

27. Collection Fritsch. *Histoire nationale et régionale à l'usage des écoles primaires d'Alsace et de Lorraine,* CEP et cours moyen, 1re édition, 1933, p. 203.

28. R. Ozouf et L. Leterrier, *Histoire de France,* cours moyen et supérieur, 1963.

29. Gustave Hervé, *op. cit.,* l'image disparaît de l'édition de 1910.

30. *Victor Hugo et Michelet, l'idée d'humanité,* par E. Pontier, Cahors, 1904.

31. Pagès, *Histoire sommaire de la France,* Paris, Hachette, 1919, p. 228.

32. *Petite Histoire générale. Notions sommaires, 3e année d'enseignement,* Paris, Belin, 1886, p. 228.

33. A. Rimbaud, *Petite Histoire de la civilisation française, des origines à nos jours,* Paris, Colin, 1890, p. 247.

34. E. Segond, *Histoire de France, cours moyen,* Paris, Hatier, 1924.

35. E. Segond, *Histoire de France, brevet élémentaire,* Paris, Hatier, 1948.

36. « A l'avenir, aucun don, aucun hommage, aucune récompense ne pourront être votés, offerts ou décernés comme témoignage de la reconnaissance publique, par les conseils généraux, conseils municipaux, gardes nationales, ou tout autre corps civil ou militaire, sans notre autorisation préalable. »
Extrait de l'ordonnance du 10 juillet 1816, n° 898, *Bulletin des Lois,* 2e semestre 1816.
Cette obligation est rappelée dans la *Loi du 5 avril 1884, art. 68*
« Ne sont exécutoires qu'après avoir été approuvées par l'autorité supérieure les délibérations portant sur les objets suivants la dénomination des rues et des places publiques. »

37. A.N. Série FI CI. Esprit public. Série qui se limite aux manifestations de l'opinion, spécialement à celles que provoque, encourage ou organise le gouvernement (cérémonies ou hommages publics).
FI CI 137 à 186. Statues et monuments d'hommes célèbres. Noms d'hommes célèbres attribués à des rues ou places. 1859-1910.
FI CI 189 à 197 ter. Idem 1893-1910.
FI CI 202 à 208. Idem 1945-1949
Ces dossiers sont classés par départements et chronologiquement à l'intérieur de chaque département.

38. Le problème qui se pose dans le cadre de cette étude est de savoir si cette législation a été effectivement respectée et jusques à quand. Lorsqu'elle l'est, la municipalité adresse sa demande à la préfecture et reçoit, en réponse, un décret émanant du ministère de l'Intérieur et autorisant le projet. Notre sentiment est que cette loi ne fut pas totalement respectée car très libérale dans son contenu (aucun refus endehors de Robespierre et Marat) et dans son fonctionnement.

39. Le fait est exceptionnel : hormis Hugo, seuls Gambetta et Ferry ont eu cet honneur ; et unique par sa densité.

40. Le conseil municipal de Paris le rappelle à propos de Hugo : « Une seule objection peut être faite, Victor Hugo est vivant. Or, le principe que le conseil municipal et l'administration préfectorale ont d'un commun accord résolu de suivre à l'avenir exclut de la nomenclature de nos voies publiques les noms des vivants. Mais, une exception, une seule, peut être faite. Cette exception ne choquera personne. »
FI CI 168. Lettre du préfet de la Seine adressée au ministre de l'Intérieur et des Cultes. 14 avril 1881.

41. FI CI 145. Vœu du conseil municipal du 3 mars 1879. Arrêté du 5 mai 1879. « La rue Rondot Saint-Quentin prendra désormais le nom de rue Victor Hugo. En même temps, il sera posé une inscription commémorative de sa naissance sur la porte du n° 40 dans la grande rue ».

42. « Notre ville a le droit de s'enorgueillir de compter parmi ses plus illustres enfants une célébrité aussi universelle. Elle a le devoir d'en conserver et transmettre la tradition » FI CI 145.

43. FI CI 168. 5 avril 1881.
« Dans sa séance du 5 de ce mois, le conseil municipal de Paris a adopté par 36 voix contre deux, une proposition de quelques-uns de ses membres, tendant à donner le nom de Victor Hugo à la place d'Eylau... Je n'ai pas besoin de vous dire, Monsieur le ministre, avec quel empressement j'accueille le principe de l'hommage public que l'on veut rendre à notre grand poète... Mais je dois avouer que la proposition votée par le conseil me semble *insuffisante comme hommage...* Je propose à partir de la place d'Eylau jusqu'au bois de Boulogne, l'avenue prendrait le nom de Victor Hugo. C'est dans cette partie qu'habite notre poète. La maison où il réside serait désormais située sur une voie portant son nom. L'avenue Victor Hugo aurait 1 040 m de long... »
Lettre du préfet de la Seine au ministre de l'Intérieur et des Cultes. 14 avril 1881. FI CI 168

44. FI CI 153. 17 novembre 1883.

45. La ville de Blois, républicaine, doit mener une dure bataille pour enraciner les idées républicaines, dans une région largement conservatrice. Voir G. Dupeux, *Aspects de l'Histoire sociale du Loir-et-Cher, 1848-1914,* Paris, Mouton, 1962, p. 460-502.

46. FI CI 168. Mise en place en février 1879, au sein du conseil municipal de Paris, d'une commission chargée de réviser la nomenclature des rues et places.

47. FI CI 140. 6 juin 1884.

48. Voir J. M. Goulemot, « Le centenaire de Voltaire et de Rousseau », in *Les lieux de mémoire* t. 1, *La République,* p. 381-420.

49. FI CI 145. 28 mai 1885.

50. FI CI 153. 1er juin 1885.

51. FI CI 150. 27 mai 1885.
« Trois hommes chers à la démocratie nous ont été successivement enlevés : Louis Blanc, Gambetta et Victor Hugo. Les associer dans une commune marque de respect et de reconnaissance serait aller au-devant des sentiments du parti républicain tout entier. »

52. *L'Éclair,* 1er août 1877.

53. En même temps que ceux concernant Hugo j'ai dépouillé, à titre comparatif, les dossiers Gambetta et Carnot. L'ampleur est la même pour les trois. *364* Gambetta, *356* Carnot, *348* Hugo. C'est bien l'institution républicaine qui est au centre des hommages rendus à ces trois.

54. FI CI 137. 1er mars 1883.

55. FI CI 147. 29 avril 1887.

56. FI CI 144. 29 novembre 1886. Aurillac donne à ses rues les noms de rue Victor Hugo, rue du 14 Juillet, avenue de la République, avenue Gambetta.

57. Citons deux exemples. Bar-sur-Aube (FI CI 139. 19 décembre 1885) donne à ses rues les noms suivants : boulevard Victor Hugo, boulevard Gambetta, boulevard du 14 juillet, boulevard de la République, rond-point Victor Hugo, impasse Gambetta, rue Thiers, rue Nationale.
Autre exemple républicain. Auges (FI CI 140. 8 mai 1891) : rue Victor Hugo, traverse Victor Hugo, rue Mirabeau, rue Condorcet, faubourg Gambetta, boulevard Gambetta, rue Gambetta, traverse Gambetta, rue du Quatre-Septembre, place du Quatre-Septembre.

58. FI CI 138. 23 mai 1885.

59. FI CI 139. 15 juin 1885.

60. FI CI 165. 22 juin 1885.

61. FI CI 172. 31 mai 1885.

62. Tous les manuels d'instruction civique — républicains — reproduisent alors des extraits du discours du 31 mai 1850 : « le suffrage universel, en donnant un bulletin de vote à ceux qui souffrent, leur ôte le fusil. En leur donnant la puissance, il leur donne le calme... ».

63. FI CI 142. 13 juin 1885.

64. FI CI 140. 31 mai 1885.

65. FI CI 153. 17 novembre 1883 « ... Un nom qui froisse absolument vos idées libérales : ce nom est celui de place des Jésuites. Ce nom a persisté, malgré le temps, et le grand nom de Victor Hugo est seul capable de le faire oublier à la population Blésoise. »

66. FI CI 189. 14 février 1902.

67. FI CI 145. 24 juillet 1891.
(?) FI CI 193. 25 février 1902.

68. FI CI 159. 6 juillet 1890.

69. En réalité, il n'existe plus actuellement que deux cinémas Victor Hugo, à Paris et à Evreux. (Renseignement communiqué par le Centre national du Cinéma).

70. Ce n'est pas le lieu ici de retracer l'histoire de la statuomanie. Je renvoie aux travaux de M. Agulhon et en particulier à l'article « La statuomanie et l'histoire », in *Ethnologie Française,* 2/3, 1978, pages 145-172.

71. Nous ne saurions prétendre à l'exhaustivité. Nous avons dépouillé systématiquement les dossiers de la Maison de Victor Hugo, ceux de la documentation des sculptures au Musée d'Orsay, les dossiers iconographiques de la Bibliothèque nationale, la série FI CI (hommages publics) et la série F 21 (achats et commandes de l'État en matière de Beaux-Arts) aux Archives nationales ainsi que la presse des grandes dates hugoliennes.

72. Je remercie Antoine Prost, auteur d'une importante thèse d'État sur *Les anciens combattants et la société française* (Paris, Sciences politiques, 1980) d'avoir bien voulu m'aider et me communiquer une liste de monuments de 14-18 portant inscrit l'*Hymne aux morts* de Victor Hugo. Nous pouvons signaler ceux de *Cours-sur-Loire* et *Selles-sur-Cher* (Loir-et-Cher), *Saclais* (Essonne), *Martizay* (Indre), *Saint-Émilion* (Gironde), *Fay-sur-Lignon* (Haute-Loire), *Saint-Théodorit* (Gard), *Marcoignan* (Aude), *Saint-Jean de la Ruelle* (Loiret), *Lochie* (Saône-et-Loire), *Saint-Jean du Gard* (Gard).

73. Cf. M. Agulhon, « Une contribution au souvenir de Jean-Jaurès, les monuments en place publique » in *Le Mouvement Social,* 1981, pages 169-182.

74. A Rome et au Luxembourg ainsi qu'à Waterloo est développée l'idée que les nations fraternisent autour des génies, qui cessent d'appartenir à leur pays pour appartenir à l'humanité. A Bruxelles, Fleischmann, posant la première pierre en 1912, du monument à Victor Hugo rappelle l'absolue souveraineté de la pensée dans le monde, la pensée dominant les conflits politiques nationaux ; en 1905, le ministre de l'Instruction publique italienne rappelait également, devant la statue de Pallez à Rome, l'universalité du poète : « Victor Hugo est romain comme Juvénal et florentin comme Dante, il n'appartient pas qu'à la France, il appartient à l'humanité ; c'est le génie universel... ». Ceci met Hugo au rang des Shakespeare et Goethe.
Ces discours sont aussi toujours un hommage au fondateur des « États-Unis d'Europe ».

75. Un exemple intéressant à titre de comparaison est celui de J. J. Rousseau qui, comme Victor Hugo, fut à la fois une grande figure des lettres et de la politique. Cf. Paul Vitry, « les monuments à J. J. Rousseau, de Houdon à Bartholomé », in *La Gazette des Beaux-Arts,* 1912, IV, pages 97-117.

76. David d'Angers était devenu dès 1827, semble-t-il (lettre de David à Louis Pavie du 25 mai 1827, un ami du jeune poète. De cette époque date le premier médaillon dédicacé « à mon célèbre ami Victor Hugo ». Plus tard, David modèle par deux fois le buste de Victor Hugo en 1837 et en 1842 (buste lauré).
Cf. Henri Jouin, *David d'Angers, sa vie, son œuvre,* 1877, pages 161-167.
Cf. *Galerie David d'Angers,* catalogue, musées d'Angers, 1984, textes de Viviane Huchard.

77. Se reporter à l'article de M. Agulhon cité en note 1.

78. Nous devons la connaissance de ce dessin à M. Louis-Antoine Praty. L'attribution est d'une main inconnue.

79. Cf. Charles d'Henriet, *La statue de Voltaire,* Paris, 1868, p. 6 et Maurice Leprevost, *La statue de Voltaire,* Paris, 1867.

80. Les écrivains et les personnalités les plus en vue de l'époque concourent à la rédaction de ce guide : Michelet, Littré, E. Quinet, Berthelot, E. de Girardin, G. Sand, A. Karr.

81. Je reprends la terminologie peut-être contestable, mais classique des historiens du Second Empire qui notent une libéralisation du régime politique à partir de 1859/1860, le premier signe en étant précisément le retour des proscrits en 1859.

82. S.A.F. 1866, n° 2847.

83. S.A.F. 1867, n° 2217. Gustave Deloye, *Le poète exilé,* statue plâtre, reproduite dans *L'Art à Paris,* 1867, p. 54.

84. L'œuvre est de « l'enfant du pays » Émile Carlier (1849-1927). Le plâtre a été présenté au Salon des Artistes français en 1879, n° 4852 et acquis par la ville de Cambrai qui le coula en bronze.

85. Bartholdi, *Monument à Rouget de Lisle,* inauguré à Lons-le-Saunier en 1882.

86. A.N. F 21 2057.

87. A.N. F 21 2077. Commande de l'État d'un buste de Carnot et d'un buste de Victor Hugo,

en date du 15 juin 1883. Les bustes sont terminés le 3 mai 1884 et déposés au Lycée le 29 mai 1884.

88. Cf. le journal *Le Temps* du 17 octobre 1881. Victor Hugo représente officiellement l'Académie française.

89. Peinture de J. B. Bin, *Gennaro poignarde Lucrèce.*
Peinture aujourd'hui disparue (sans doute lors des bombardements de 1914). Elle se trouvait dans le foyer du théâtre, dans le salon dit de la tragédie qui rendait hommage à Eschyle, Goethe, Shakespeare et Victor Hugo.
Cf. la description du nouveau théâtre de Reims parue dans le quotidien rémois *Le Courrier de la Champagne,* 4 mai 1873.

90. Le plafond de l'Odéon a été commandé à Jean-Paul Laurens par l'État le 18 avril 1887 (A. N. F 21.2361). Il a été déposé en 1937 ; il est aujourd'hui conservé à Toulouse. Le Musée des Augustins en possède une esquisse.
Cf. Gaston Schefer, « Le plafond de l'Odéon », in *L'Artiste,* t. II, 1888, p. 161-163.

91. Outre le buste de Falguière, la Comédie-Française acquiert en 1901 le buste de Victor Hugo par Dalou. Par ailleurs, Victor Hugo occupe une place importante dans le plafond peint par Besnard, présenté au Salon de la Nationale en 1911 et inauguré à la Comédie-Française le 30 septembre 1913.
« Debout sur un char radieux, Apollon, le jeune dieu de la poésie, suivi du divin cortège des muses que voile à demi le nuage lumineux soulevé par le char, passe aux pieds des statues des maîtres de notre langue et de notre poésie : Corneille, Racine, Molière et Hugo. »
D'autres théâtres offrent à leurs spectateurs le nom ou l'image de Victor Hugo :
Fourmies : « parmi les seize hommes célèbres dont le nom décore en lettres de bronze doré le fronton du théâtre municipal, figure celui de Victor Hugo » (lettre du maire, 9 juillet 1984).
Nantes, théâtre Graslin. Le foyer du public comporte une frise où sont inscrits en alternance 20 noms d'écrivains et de musiciens dont Victor Hugo (lettre du directeur, 19 juillet 1984).
Saint-Quentin. Le nom de Victor Hugo est inscrit autour de la coupole surplombant l'orchestre, parmi 23 auteurs dramatiques et compositeurs de musique (lettre du directeur du 23 juillet 1984).

92. A.N. F 21 2116. M. Gosselin, conservateur du Musée de Versailles, réclame à l'État un buste et un portrait de Victor Hugo. Il souhaite une copie du Bonnat, un moulage du buste de Dalou « tout désignés pour prendre place dans notre musée et y perpétuer le souvenir du grand poète que la France vient de perdre » (lettre du 29 mai 1885 adressée au directeur des Beaux-Arts). L'État confie le travail à mademoiselle Venot d'Auteroche.
Le Musée de Versailles accueille également en 1887, le médaillon de Gauvin, acquis par l'État au Salon des Artistes français de 1886 (A.N. F 21 2082).
Par ailleurs, il faut aussi noter les envois à titre d'hommage du buste de David d'Angers aux musées de Saumur, Cambrai, Besançon...

93. A.N. F 21 2052. Lettre de Zacharie Astruc

adressée au directeur des Beaux-Arts, 17 février 1883.
Arrêté d'acquisition en date du 17 février 1883, attribué au jardin du Luxembourg par arrêté du 20 novembre 1886.

94. A.N. F 21 2189. La commande faite à Rodin le 19 juin 1891 (un groupe en marbre pour le Panthéon) est annulée et remplacée par celle d'un monument en marbre représentant Victor Hugo par arrêté du 26 décembre 1906.

95. H. Gervex et A. Stevens, *Histoire du siècle,* 1789-1889, toile de 120 m de long sur 20 m de large. Exposition universelle de 1889.
Ce panorama représente le couronnement du travail commémoratif de 1889. Entre le groupe des hommes d'État de la Révolution de 1789 et celui des écrivains, savants, hommes politiques, généraux et ministres de 1889, Victor Hugo est représenté en pied, debout, de face, au pied de la statue de la France. Ce panorama reçut 142 013 visiteurs payants (l'exposition en eut plus de 25 millions). Les écoliers de France purent aussi voir cette scène, une maison d'édition ayant eu l'idée de reproduire les groupes principaux sur les couvertures des cahiers scolaires.
Cf. *La Revue de Paris* du 15 novembre 1923 ; les mémoires de Henri Gervex ainsi que François Robichon, *Les panoramas en France au XIXᵉ siècle,* thèse manuscrite, trois tomes, 1982, tome 2, pages 693-699.

96. Nous tirons l'ensemble de nos renseignements concernant la statue de Barrias du très important dossier conservé à la Maison de Victor Hugo.

97. A.N. F 21 FI CI 145 et F 21 21 4366. Monument de Just Becquet, *Apothéose de Victor Hugo,* statue pierre, 1902. Pour le contexte général voir Denis Saillard, *La commémoration des grands hommes dans la région franc-comtoise sous la IIIᵉ République (1870-1940), leur statufication publique.* Mss, Université de Paris I, 1983.

98. Registre des délibérations du conseil municipal de Besançon, 10 mai 1882.

99. Circulaire en date du 29 juin 1885.

100. Lettre adressée par Adrien Farge à Paul Meurice, en date du 8 mai 1890.

101. Un contrat est passé entre le comité et Barrias, daté du 28 juillet 1896. Il définit le programme de la sculpture et les conditions dans lesquelles elle doit être exécutée.

102. Des lettres échangées entre les membres du comité en témoignent, Paul Meurice écrit ainsi à Catulle Mendès « Falguière promet d'avoir refait sa maquette après la fête de l'Institut. Barrias aura corrigé la sienne pour dimanche prochain, six membres du comité iront les voir séparément, après quoi le comité pourra se réunir et prendre le parti que vous réclamez... un concours public aurait écarté les grands sculpteurs, mais ils acceptaient un concours à condition toutefois que ce concours fût tenu secret » (septembre 1890).

103. Lettre du 21 novembre 1896 de Paul Meurice au conseil municipal de Paris « l'exécution est confiée pour les statues au sculpteur Barrias et pour les bas-reliefs au sculpteur Falguière ». Falguière qui mourut en 1900, ne réalisa jamais ces bas-reliefs mais il présenta à l'Exposition au Nouveau-Cirque, en

1898 un projet de monument à Victor Hugo, inédit. Sans doute s'agissait-il *d'Apollon sur Pégase* qui, non accepté par le comité devint la statue du poète installée square Boudreau. Cf. Anne Pingeot, « Le fonds Falguière au musée du Louvre », in *Bulletin de la Société d'Histoire de l'Art Français,* 1978, pages 283-290.

104. Lettre adressée le 26 mars 1896 par M. Droz, au nom du comité à Jules Claretie : « monsieur, vous avez publié dans plus d'un journal que Besançon avait oublié et même renié Victor Hugo, c'est un mensonge. Ce mensonge a ranimé notre enthousiasme pour le maître... voulez-vous faire partie de notre comité d'honneur ? » (lettre photocopiée dans la thèse de Denis Saillard).

105. Réponse à la demande de souscription, 4 mai 1882. Archives de la Maison de Victor Hugo (dossier Barrias).

106. Discours prononcé par A. Rambaud au théâtre de Besançon, le 26 décembre 1880, in *revue franc-comtoise,* 1885, p. 304.

107. Voir Jacques Lanfranchis, *Les statues de Paris, les statues des grands hommes élevées à Paris des lendemains de la Révolution à 1940, leur insertion dans l'histoire politique, sociale et culturelle,* Mss, Paris I, 1979, 251 pages.

108. A Besançon, alors que la souscription pour Victor Hugo ne marche pas, alors que le lycée se voit refuser par l'État un buste de Victor Hugo (A.N. F 21 4366, 13 février 1896), le maire peut constater que la souscription pour Pasteur est une réussite : « tout le monde a souscrit, de la loge maçonnique à la conférence de Saint-Thomas d'Aquin » (lettre du 27 octobre 1898, F 21 4366).

109. A.N. FI CI 144. Projet décidé par délibération du conseil municipal, en date du 21 juin 1891. Le dossier comporte une brochure résumant le projet dûment approuvé par E. Guillaume, Garnier et M. Moreau, des autorités en la matière.

110. Cf. *Histoire de Dijon* publiée sous la direction de P. Gras, éd. Privat, Toulouse, 1981, pages 331-356.

111. Ce monument a pour architecte Vionnois. Le dessin original du projet est conservé au Musée des Beaux-Arts de Dijon.

112. En 1867, Hugo avait écrit un poème « A Garibaldi », *La Voix de Guernesey ;* le 8 mars 1871 il prit sa défense à l'Assemblée Nationale. Cf. M. Agulhon, *Le mythe de Garibaldi en France de 1882 à nos jours,* Istituto per la storia del risorgimento italiano, novembre 1982.

113. L. Lambeau, *L'hôtel de ville de Paris.* Paris, Laurens, 1908. Marius Vachon, *Puvis de Chavannes,* Paris, Braun et Lahure, 1895, p. 145.

114. Cassien-Bernard, *Projet de monument Victor Hugo aux Tuileries,* S.A.F. 1887, n° 4688, reproduit in *La construction moderne,* 1887, tome III, p. 222, pl. 37.

115. Le monument de Dalou dont la maquette fut exposée au S.A.F. de 1886 est assez confus ; il est composé d'un panneau vertical couronné par Pégase et chevauché d'Apollon, guidé par la vérité et la justice, délivré de ses chaînes par la République... d'un tableau indéchiffrable (peut-être les héros des romans de Victor Hugo)... d'un sarcophage où repose le

mort. Cf. Henriette Caillaux, *Jules Dalou,* Paris, Delagrave, 1935, p. 58.

Darbefeuille, *La muse remontant au ciel : le dernier chant,* S.A.F. 2886, n° 3750. Hugo est représenté en buste-terme ; un enfant apporte des fleurs dans son tablier ; au-dessus de Hugo, une muse éplorée se recourbe en arc de cercle, la tête pendante. Massimiliano Contini, *groupe à la mémoire de Victor Hugo,* esquisse terre cuite, destiné à la Ville de Paris. Le mort, allongé, est entouré d'une femme et d'un enfant qui pleurent. Un génie ailé couronne Victor Hugo.

Pallez, haut-relief de marbre. Hugo est étendu sur son lit de mort, il est entouré de quelques allégories (patrie, drame, justice...) et d'une pléiade de grands écrivains, S.A.F. 1886 n° 4380.

116. ... Alors, dans Besançon, vieille ville espagnole,
Jeté comme la graine au gré du vent qui vole,
Naquit d'un sang breton et lorrain à la fois
Un enfant sans couleur, sans regard et sans voix... »

117. Une brochure avait beaucoup circulé : Chapuis-Gaudot, *Un franc-comtois malgré lui, Victor Hugo,* S.D., p. 12.
« Hugo a renié très nettement les comtois et la Franche-Comté... Olympio, qu'il aille au diable.. ».

118. Georges Bareau, *La vision du poète,* haut-relief de plâtre, S.A.F. de 1902, n° 2226. Ce monument fut placé dans la cour Louis XIV de l'hôtel de ville pendant les fêtes du centenaire, à l'occasion de la réception des délégations étrangères.

119. Buste de Victor Hugo par Injalbert, inauguré sur le plateau des poètes le 18 août 1902, en compagnie de poètes régionaux. Je remercie M. Lugaud de l'aide qu'il a bien voulu nous apporter dans nos recherches.

120. Cf. Contrat du 28 juillet 1896. Archives de la maison de Victor Hugo.

121. L'exil est très présent dans les monuments. Il est évoqué sur le monument de Pallez à Rome et il est le sujet même de la statue de Boucher inaugurée à Guernesey en 1914.

122. L'architecte du monument, Pascal, semble avoir tenté de réconcilier les deux parties » « ... je n'ai pas eu aisément une réponse précise à votre contre-proposition pour faire cesser la réclamation de M. Barrias en même temps que vous y trouveriez l'avantage que vous cherchez, de substituer au bas-relief auquel vous reprochez d'évoquer les souvenirs de la guerre civile, une évocation des régions plus sereines de la création littéraire... » (lettre du 10 août 1900).

123. *L'Intransigeant* du 28 février 1902.

124. Le musée Henri Bouchard possède une très importante documentation et des archives sur ce monument, ainsi que des maquettes.

125. Séance solennelle du 4 décembre 1917.

126. Ode de 1824.

127. Loi du 11 octobre 1941. Journal officiel du 15 octobre 1941. La fonte de la statue de Barrias intervient dès le 20 novembre 1941, sans même que la décision ait été soumise à la décision — qui tenait lieu de dernier recours — du secrétaire d'État à l'Éducation nationale (A.N. 68 A.J. 164).

128. « On ne touchera pas aux statues de gloires nationales incontestables dont la disparition choquerait l'opinion publique » (68 A.J. 180, directives de Jérôme Carcopino).

129. « Les statuaires », par Henri Traboulle in *Le Rouge et le bleu* du 17 janvier 1942.

130. Voir l'étude de Roger Fayolle dans ce même catalogue, ainsi que, du même auteur, « Victor Hugo, l'image et l'histoire » in *Le Magazine Littéraire,* janvier 1985.
Roger Fayolle situe le tournant en 1898, lorsque Hugo figure, pour la première fois, au programme de l'Agrégation.

131. A Toulouse, Victor Hugo est représenté dans la frise sculptée qui orne la façade de la bibliothèque municipale et qui a pour thème « les arts et les lettres ». Hugo y est entre Lamartine et Zola. Inauguration le 30 mars 1935 (œuvre de Sylvestre Clerc). A Nancy, le nom de Victor Hugo figure parmi ceux des écrivains et philosophes de l'antiquité et de l'époque moderne sur l'un des panneaux, sculpté en 1936, et qui décore la bibliothèque interuniversitaire.

132. La maison où Victor Hugo vécut fut achetée par le gouvernement luxembourgeois, sollicité par l'alliance française du Luxembourg. En 1935 fut inauguré le buste de Victor Hugo (une réplique du buste de Rodin de 1883) qui, sauvé par le bougmestre pendant la guerre fut ensuite ré-inauguré en 1948.
Cf. Marcel Noppeney, *Victor Hugo dans le grand duché de Luxembourg,* fêtes de Vianden du 1er août 1948.

133. Comité Victor Hugo de Bruxelles, Acte n° 2695 publié en annexe du Moniteur belge du 10 octobre 1953.

134. Monument inauguré à Villequier le 18 novembre 1934. Hommage à l'auteur des *Contemplations.* Sur la face postérieure du socle sont gravés les portraits de Charles et de Léopoldine, ainsi que des vers qui rappellent le tragique accident. La face postérieure du socle est entièrement consacrée à l'histoire du monument et à rendre hommage aux membres du comité. Renseignements fournis par mademoiselle Chirol, que nous remercions.

135. « Ce musée est dû à l'initiative d'Anne Beffort, 1880-1966, première présidente de la société des Amis de la Maison de Victor Hugo ».
Cf. n° 14 de la société des Écrivains luxembourgeois de langue française, 1968.

136. Cf. *Actes et paroles,* éd. Massin, XV-XVI, t. 1, p. 1239.

137. Cf. *Actes et paroles,* éd. Massin, XV-XVI, t. 1, p. 1239-1473. Discours, réponses à des lettres... Victor Hugo est partout.

138. « Obsèques d'Edgar Quinet », 25 mars 1875, in *Actes et paroles.* Éd. Massin, XV-XVI, t. 1, p. 1363.

139. « Inauguration du tombeau de Ledru-Rollin », 25 février 1878, in *Actes et paroles,* éd. Massin, XV-XVI, t. 1, p. 1426.

140. « Le centenaire de Voltaire », 30 mai 1878, in *Actes et paroles,* éd. Massin, XV-XVI, t. 1, p. 1428.

141. « Obsèques de Louis Blanc », 12 décembre 1882, in *Actes et paroles,* éd. Massin, XV-XVI, t. 1, p. 1467.

142. Citons : *Des institutions funéraires convenables à une République, qui permet tous les cultes et n'en adopte aucun,* discours lu par Roederer, 15 Messidor an IV.

143. Nous devons beaucoup aux études de M. Goulemot sur le centenaire de Voltaire. Cf. Jean-Marie Goulemot et Eric Walter, « Les centenaires de Voltaire et de Rousseau, les deux lampions des lumières » in *Les lieux de mémoire,* t. 1, *La République,* p. 381-420.

144. Voir les dossiers conservés à la Maison de Victor Hugo : souvenirs, coupures de presse...

145. La popularité de la fête d'anniversaire de Hugo se marque également — bien que de manière moins visible — dans le courrier très important qu'il reçut à cette occasion, courrier conservé à la Maison de Victor Hugo :
    186 hommages en vers
    59 hommages des municipalités de France
    28 adresses de journalistes, 30 de professeurs ou instituteurs,
    44 adresses de la libre-pensée et 22 des loges maçonniques,
    30 adresses de sociétés littéraires, 16 de Chambres syndicales,
    203 adresses venus de l'étranger...

146. Discours de Louis Blanc au Trocadéro, 27 février 1881. Reproduit par toute la presse du jour.

147. Cf. Le Monde Illustré, Le Journal Illustré, L'Illustration, 6 mars 1881.

148. *Le Petit-Var,* journal politique, 28 février 1881.

149. Slogan de la fête nationale de la jeunesse française, organisée par la presse républicaine, le 6 août 1882 (aux Tuileries) et présidée par Victor Hugo.

150. In *Actes et paroles,* éd. Massin, XV-XVI, t. 1, p. 1463.

151. Nous renvoyons pour le récit et une analyse détaillée des funérailles à l'article d'Avner Ben Amos « Les funérailles de Victor Hugo » paru dans *Les lieux de mémoire,* t. 1, *La République,* p. 293-333.
Je tiens à remercier tout spécialement et chaleureusement cet ami qui m'a fait connaître très rapidement et avec une très grande générosité toutes ses recherches sur ce problème.

152. La Maison de Victor Hugo conserve d'importants dossiers, ainsi que la Bibliothèque Nationale (département des Estampes. B.N. E. Na 248, pet. fol.).
Cf. aussi les Archives Nationales (FI CI 187 : funérailles de Victor Hugo).

153. Cf. *Tombeau de Victor Hugo* par A. Comte-Sponville, E. Fraisse, J. Lalouette, p. Régnier, préf. d'Henri Guillemin, Paris, éd. Quintette, 1985. Recueil de textes.

154. Mona Ozouf, « Le Panthéon », in *Les lieux de mémoire,* tome 1, *La République,* p. 139-166.

155. Abbé Vidieu, *Victor Hugo et le Panthéon,* Paris, éd. Dentu, Sd, p. 186-187.

156. Article signé Claude Frollo, in *La Revue Populaire,* 1er juin 1885.

157. Texte de Renan, écrit à l'occasion de la mort de Hugo : « Victor Hugo a été une des preuves de l'unité de notre conscience française. L'admiration qui entourait ses dernières années a montré qu'il y a encore des points sur lesquels nous sommes d'accord, sans distinction de classes, de partis, de sectes, d'opinions

littéraires ; le public, depuis quelques jours, a été suspendu aux récits navrants de son agonie, et maintenant il n'est personne qui ne sente au cœur de la patrie un grand vide. Il était un membre essentiel de l'église en la communion de laquelle nous vivons ; on dirait que la flèche de cette vieille cathédrale s'est écroulée avec la noble existence qui a porté le plus haut, en notre siècle, le drapeau de l'idéal.

« Victor Hugo fut un très grand homme ; ce fut surtout un homme extraordinaire, vraiment unique. Il semble qu'il fut créé par un décret spécial et nominatif de l'Éternel. »

158. Cf. discours d'Anatole France, président le festival des Universités populaires, 26 février 1902.

159. Immense est la bibliographie relative au centenaire. Je ne puis mentionner ici que :

— *Le centenaire de Victor Hugo,* relation officielle des fêtes organisées par la Ville de Paris du 25 février au 2 mars 1902, Paris, imprimerie nationale, 1903.

— *Le centenaire de Victor Hugo,* relation des fêtes (Paris, province, étranger), discours, hommages au maître, documents graphiques, Paris, Larousse, 1902.

— *Fêtes du centenaire de Victor Hugo,* association générale des étudiants de Besançon, août 1902, Besançon 1903.

160. Cf. le texte de M. Fayolle sur Hugo dans les manuels scolaires, dans ce même catalogue.

161. Cf. la conclusion du discours de G. Leygues au Panthéon :

« Un jour de mai, au penchant du siècle qu'il avait illuminé de son génie, le chantre sublime s'en alla doucement dans l'immortalité. L'Univers prit son deuil... la France lui fit des funérailles triomphales... Au nom de la République française, je salue la mémoire du poète glorieux, qui fit la pensée plus libre, la patrie plus grande et l'humanité meilleure... »

162. Cf. *Les litanies de Victor Hugo* lues par Émile Blemont, in *op. cit.,* note 24.

163. Discours d'Eugène Rigal, président la fête de l'Université populaire à Montpellier.

164. Cf. les Archives de l'Académie Française. Concours de 1903 : *Victor Hugo* 114 manuscrits de chacun 300 vers (soit 34 200 vers consacrés à Hugo !). Le vainqueur fut M. Léonce Depont.

165. Cf. *La couronne poétique de Victor Hugo.* Poésies de Lamartine, Musset, Sainte-Beuve, T. Gautier, Louise Michel..., Paris, éd. Fasquelle, 1902, 319 p.

166. Pour l'histoire du musée de Victor Hugo, voir Gustave Simon, *Visite à la maison de Victor Hugo,* Paris, Ollendorff, 1904, 105 p.

— Lettre du 12 juin 1901 : « L'Angleterre a la maison de Shakespeare, l'Allemagne a la maison de Goethe, au nom des petits-enfants de Victor Hugo, je viens offrir à Paris de donner à la France la maison de Victor Hugo. »

— Arrêté municipal du 25 juin 1902 (la ville offre 65 000 francs).

— Inauguration le 30 juin 1903.

167. C'est le moment où, à Vianden, on inaugure musée et buste de Victor Hugo.

168. La B.N. présente les manuscrits de Hugo et la Maison de Victor Hugo *Victor Hugo raconté par ses demeures.*

169. Cf. les dossiers conservés à la Maison de Victor Hugo. En même temps, la B.N. fit une exposition *L'homme et l'œuvre* inaugurée par Vincent Auriol et André Marie.

170. Cf. la brochure *Victor Hugo et Paris, centenaire de la mort de Victor Hugo,* 1985. Préface de M. Jacques Chirac.

Une image de l'« année Victor Hugo » en 1985
Photo Jacques Faujour.

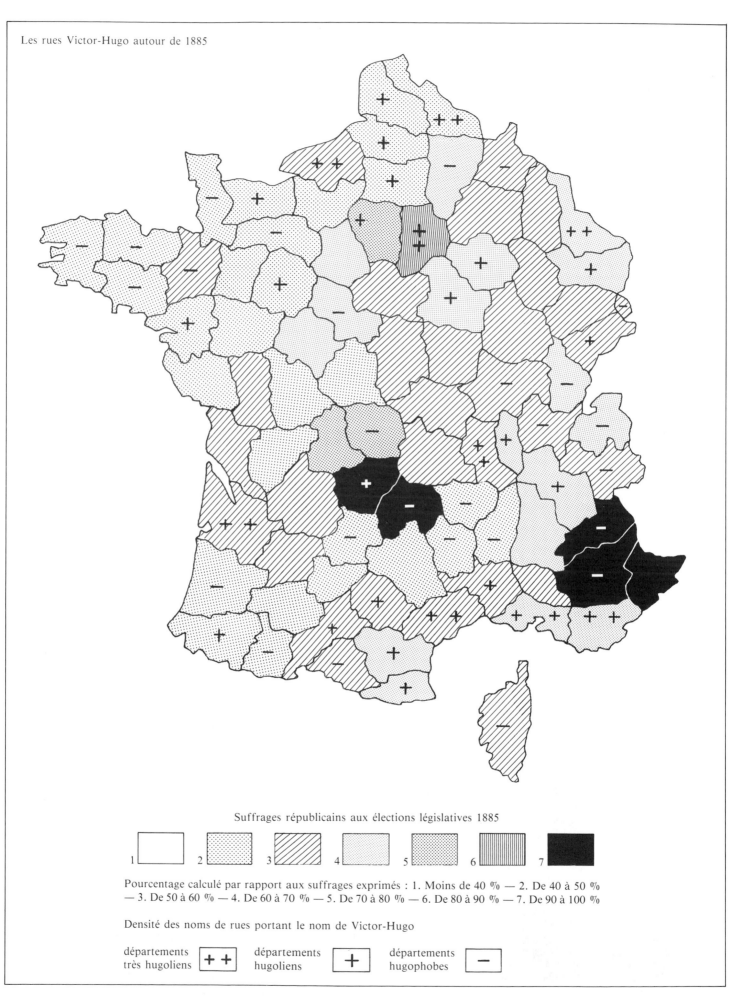

Les rues Victor-Hugo autour de 1885

Suffrages républicains aux élections législatives 1885

1 2 3 4 5 6 7

Pourcentage calculé par rapport aux suffrages exprimés : 1. Moins de 40 % — 2. De 40 à 50 % — 3. De 50 à 60 % — 4. De 60 à 70 % — 5. De 70 à 80 % — 6. De 80 à 90 % — 7. De 90 à 100 %

Densité des noms de rues portant le nom de Victor-Hugo

| départements très hugoliens | ++ | départements hugoliens | + | départements hugophobes | − |

Hugo dans les rues

24 rues de son vivant :
Besançon (Doubs) : 5 mai 1879 (FI CI 145)
Béziers (Hérault) : 20 décembre 1880 (FI CI 150)
Paris (Seine) : 5 avril 1881 (FI CI 168)
Bourgueil (Indre-et-Loire) : 21 mai 1881 (FI CI 151)
Fourmies (Nord) : juillet 1881 (lettre de Hugo au maire de Fourmies, 31 juillet 1881)
Évreux (Eure) : 9 septembre 1881 (FI CI 146)
Rouen (Seine-Maritime) : 1er mai 1882 (FI CI 176)
Gentilly (Seine) : 21 juillet 1882 (FI CI 172)
Decize (Nièvre) : 1er décembre 1882 (FI CI 160)
Montluçon (Allier) : 31 octobre 1882 (FI CI 137)
Saint-Quentin (Aisne) : 1er mars 1883 (FI CI 137)
Béthune (Pas-de-Calais) : 11 avril 1883 (FI CI 164)
Narbonne (Aude) : 24 mai 1883 (FI CI 139)
Fontainebleau (Seine-et-Marne) : 1er juin 1883 (FI CI 177)
Frayence (Var) : 12 juin 1883 (FI CI 181)
Moissac (Tarn-et-Garonne) : 25 juin 1883 (FI CI 180)
Carcassonne (Aude) : 7 juillet 1883 (FI CI 139)
Tours (Indre-et-Loire) : 17 juillet 1883 (FI CI 151)
Agen (Lot-et-Garonne) : 13 octobre 1883 (FI CI 154)
Bègles (Gironde) : 14 octobre 1883 (FI CI 149)
Blois (Loir-et-Cher) : 17 novembre 1883 (FI CI 153)
Alleins (Bouches-du-Rhône) : 6 juin 1884 (FI CI 140)
Clermont-Ferrand (Puy-de-Dôme) : 5 octobre 1884 (FI CI 164)
Armentières (Nord) : 6 février 1885 (FI CI 161)

1885, un moment d'émotion
Ain - Bourg (6 août)
Ardèche - Privas (7 juin), Aubenas (28 juin)
Alpes-Maritimes - Nice (29 mai)
Aube - Troyes (24 mai)
Ariège - Pamiers (15 juin)
Aube - Mussy/Seine (28 mai), Bar-sur-Aube (19 décembre)
Aude - Coursan (26 décembre)
Aveyron - Rodez (7 juillet)
Bouches-du-Rhônes - La Ciotat (29 mai), Aix (30 mai), Cassis (31 mai), Salon (31 mai), Arles (6 juin), Tarascon (18 juin)
Calvados - Honfleur (26 mai), Falaise (19 juin)
Charente - Rouillac (11 juin), Rochefort (11 juin)
Cher - Bourges (13 juin), Heinrichemont (31 août)
Corrèze - Tulle (28 mai), Bort (7 juin), Brive (22 septembre)
Côte-d'Or - Dijon (30 mai)
Dordogne - Noutron (29 mai), Périgueux (4 juin), Bergerac (13 juin)
Gard - Nîmes (23 mai), Saint-Gilles (31 mai)
Haute-Garonne - Toulouse (23 mai), Saint-Gaudens (27 mai)
Gers - Mirande (24 mai), Auch (12 octobre)
Gironde - Saint-Médard de Guizières (28 mai), Bordeaux (29 mai), Talence (31 mai), La Teste (5 juin), Leistiac (7 juin), Coutras (8 juin), Libourne (23 juin)
Hérault - Clermont-l'Hérault (24 mai), Pézenas (28 mai), Lunel (13 juin), Cette (10 juillet)
Ille-et-Vilaine - Rennes (15 juin)
Landes - Mont-de-Marsan (6 juin)
Loire - Roanne (1er juin), Firminy (29 juillet), Saint-Étienne (9 septembre)
Loire Inférieure - Nantes (26 mai)
Indre - Châteauroux (27 juin), Reuilly (11 août)
Indre-et-Loire - Joue-les-Tours (14 juin), Amboise (7 août)
Isère - Grenoble (26 mai), Tullins (1er juin), Villard-de-Lans (8 novembre)
Loiret - Gien (22 mai), Montargis (27 mai)
Lot-et-Garonne - Casteljaloux (24 mai), Barbaste (30 juillet)
Maine-et-Loire - Angers (17 août), Bauge (26 août)
Manche - Cherbourg (10 juillet)
Marne - Sainte-Ménéhould (4 juin), Vitry-les-Reims (11 juillet), Épernay (14 août)
Mayenne - Pré-en-Pail (21 juin)
Meurthe-et-Moselle - Pont-à-Mousson (29 mai)
Meuse - Bar-le-Duc (6 août)
Morbihan - Vannes (9 juin)
Nièvre - Nevers (17 juin)
Nord - Vieux-Condé (8 juin), Avesnes (12 juin), Baives (10 juin), Le Quesnoy (22 juillet), Trelon (4 novembre)
Oise - Méru (28 mai), Liancourt (28 septembre)
Pas-de-Calais - Saint-Omer (27 mai), Arras (5 juin)
Basses-Pyrénées - Saint-Jean-de-Luz (31 mai)
Rhône - Lyon (26 mai), Givors (28 mai), Tarare (26 mai), Neuville (22 juin)
Haute-Saône - Jussey (15 juin)
Sarthe - Le Mans (27 mai)
Seine - Saint-Mandé (26 mai), La Courneuve (26 mai), Courbevoie (23 mai), Montreuil/Bois (28 mai), Issy (31 mai), Montrouge (29 mai), Saint-Denis (3 juin), Bondy (6 juin), Levallois-Perret (9 juin), Colombes (30 juillet), Aubervilliers (5 juin), Alfortville (7 juin), Clichy (9 juillet), Malakoff (30 juillet), Thiais (8 juin), Vanves (13 juin), Charenton (30 octobre), Maison-Alfort (2 décembre)
Seine-Inférieure - Lillebonne (17 juillet), Le Havre (28 septembre)
Seine-et-Oise - Palaiseau (23 mai), Le Raincy (26 mai), Les Mureaux (30 mai), Montfermeil (31 mai), Beaumont/Oise (6 juin), Meudon (27 août)
Deux-Sèvres - Niort (13 juin)
Somme - Boves (25 mai), Amiens (17 juin), Moreuil (25 juin), Montdidier (25 juillet)
Tarn - Lavaur (10 juin), Labastide-Rouairoux (20 juillet), Graulhet (25 juin)
Var - Saint-Maximin (31 mai), Carnoules (21 juin)
Vaucluse - Orange (27 mai), Cadenet (29 mai), Avignon (8 juin), Bollène (30 juillet)
Vendée - Fontenay-le-Comte (26 mai), La Roche-sur-Yon (5 juin)
Vienne - Poitiers (27 mai), Civray (29 mai), Chatellerault (4 juillet)

Carte de France montrant la densité des suffrages républicains aux élections législatives de 1885 et la densité des rues portant le nom de Victor Hugo.

Haute-Vienne - Saint-Junien (14 août)

1886

Doyet (Allier), Castelnaudary (Aude), Caen (Calvados), Verneuil (Eure), Aurillac (Cantal), Le Château (Charente), Uzès (Gard), Arès (Gironde), Castelnau (Gironde), Pauillac (Gironde), Les Abrets (Isère), Nerac (Lot-et-Garonne), Caudry (Nord), Gouvieux (Oise), Bayonne (Basses-Pyrénées), Yvry-sur-Seine (Seine), Caudebec (Seine-Inférieure), Meudon (Seine-et-Oise), Arpajon (Seine-et-Oise), Toulon (Var).

1887

Palis (Aube), Saint-Chamas (Bouches-du-Rhône), Brest (Finistère), Mauvezin (Gers), Redon (Ille-et-Vilaine), Vienne (Isère), Ay (Marne), Cernay-les-Reims (Marne), Château-Gonthier (Mayenne), Nancy (Meurthe-et-Moselle), Cosne (Nièvre), Le Portel (Pas-de-Calais), La Ferté-Bernard (Sarthe), Notre-Dame-de-Bondeville (Seine-Inférieure), Pontoise (Seine-et-Oise), Parthenay (Deux-Sèvres), Bandol (Var).

1888

Évry (Aube), Condé-sur-Noireau (Calvados), Marennes (Charente), Balbigny (Loire), La Ricamarie (Loire), Chinon (Indre-et-Loire), Villefranche (Rhône), Nogent/Marne (Seine), Deville-les-Rouen (Seine-Inférieure), Muy (Var), Sainte-Maxime Var).

1889

Saint-André (Eure), Vernon (Eure), Le Cannet (Alpes-Maritimes), Ouistreham (Calvados), Lussac (Gironde), Saint-Chamond (Loire), Terrenoire (Loire), Provin (Nord), Lievin (Pas-de-Calais), Clamart (Seine), Saint-Aubin (Seine-Inférieure).

1890

Digne (Basses-Alpes), Isigny (Calvados), Auterive (Haute-Garonne), Soulac (Gironde), Cenon (Gironde), Villars (Loire), Cholet (Maine-et-Loire), Somain (Nord, Nesle (Somme), Tiaret (Algérie).

1891

Grasse (Alpes-Maritimes), Berres (Bouches-du-Rhône), Saint-Rémy et Auges (Bouches-du-Rhône), Saint-Brieuc (Côtes-du-Nord), Besseges (Gard), Lorient (Morbihan), Nogent-les-Vierges (Oise), Tautavel (Pyrénées-Orientales), Mornant (Rhône), Mirecourt (Vosges).

1892

Givet (Ardennes), Jonzac (Charente), Saint-Benin d'Azy (Nièvre), Houplines (Nord), Champs (Seine-et-Marne), Villers-Bretonneux (Somme).

1893

Luchon (Haute-Garonne), Levroux (Indre), Merville (Nord), Rosandael (Nord, Crepy-en-Valois (Oise), Saint-Étienne du Rouvray (Seine-Inférieure), Cuers (Vars).

1894

Chateaurenard (Bouches-du-Rhône), Aramon (Gard), Grenade (Haute-Garonne), Villerupt (Meurthe-et-Moselle), Hellemes (Nord), Beauvais (Oise), Mamers (Sarthe), Ecomoy (Sarthe), Ivry/Seine (Seine), Neuilly/Marne (Seine-et-Oise), Cerisy-Gailly (Somme), Gonfaron (Var), Longeville (Vendée), Saint-Léonard (Haute-Vienne), Duperre (Algérie).

1895

Saujon (Charente), Villeneuve-de-Longchapt (Dordogne), Nyons (Drôme), Roche-la-Molière (Loire), Orléans (Loiret), Noisy-le-Sec (Seine), Flixecourt (Somme), Rochechouart (Haute-Vienne).

1896

Vallabrèques (Gard).

1897

Bourg-la-Reine (Seine), Bouira (Algérie), Sauda (Algérie).

1898

Salses (Pyrénées-Orientales), Le Pecq (Seine-et-Oise).

1899

Lunéville (Meurthe-et-Moselle), Rosny/Bois (Seine), Auvers-sur-Oise (Seine-et-Oise), Aixe (Haute-Vienne).

1900

Les Pennes (Bouches-du-Rhône), Tarbes (Hautes-Pyrénées).

1901

Port-de-Bou (Bouches-du-Rhône), Martigues (Bouches-du-Rhône), Saint-Nazaire (Loire), Lisieux (Calvados), Vierzon (Cher), Pau (Basses-Pyrénées), Tourves (Var).

1902

Marseille (Bouches-du-Rhône), Doulon (Loire-Inférieure), Chalons/Marne (Marne), Longwy (Meurthe-et-Moselle), Elbeuf (Seine-Inférieure), Conflans-Saint-Honorine (Seine-et-Oise), Gentelles (Somme), Auxerre (Yonne), Nitry (Yonne).

1903

Forges (Corrèze), Rivesaltes (Pyrénées-Orientales), Saint-Yriex (Haute-Vienne), Raou (Vosges).

1904

Pélisane (Bouches-du-Rhône), Pont-l'Abbé (Finistère), Chalonnes (Maine-et-Loire), Mauléon (Basses-Pyrénées), Gentilly (Seine), Ganicourt (Seine-et-Oise), La Magistère (Tarn-et-Garonne).

1905

Cour-Cheverny (Loir-et-Cher), Commentreuil (Marne), Pierrelaye (Seine-et-Oise), Champagne (Seine-et-Oise), Villeneuve-L'Archevêque (Yonne), Nolay-le-Grand (Yonne).

1906

Saint-Claud (Charente), Saint-Laurent de la Salanque (Pyrénées-Orientales).

1907

Domont (Seine-et-Oise), Marnia (Algérie).

1908

Domme (Dordogne), Mainvilliers (Eure-et-Loire).

1909

Deauville (Calvados), Romans (Drôme), Montlouis (Pyrénées-Orientales, Bonnières (Seine-et-Oise).

Ch. M.

Annexe 2

Hugo dans les monuments

Médaillons, bustes et statues érigés dans des lieux publics, en France et à l'étranger :

1878

PARIS, *Théâtre de l'Odéon* (foyer) : « Victor Hugo », buste marbre de Alexandre Schoenewerk (1820-1895).
Remis le 11 février 1947 au Dépôt de l'État.

1880

BESANÇON : Mise en place, le 27 décembre, d'un cartouche d'Édouard Bérard, sur la façade de la maison natale du poète.
Actuellement en place.

1880

CAMBRAI, *Jardin aux fleurs* : « Gilliatt et la pieuvre ». Groupe bronze, par Émile Carlier (1849-1927).
Actuellement en place.

1884

PARIS, *Façade du lycée Janson de Sailly* : « Victor Hugo », buste en pierre par Jean Escoula (1851-1911).
Commande de l'État (F 21 2077) en date du 15 décembre 1883. Mise en place le 29 mai 1884.
Actuellement en place.

1885

PARIS, *Comédie-Française* (Salle Mounet-Sully) : « Victor Hugo », buste bronze, par Alexandre Falguière (1831-1900).

1886

VERSAILLES, *Musée de l'Histoire de France* : « Victor Hugo », moulage du buste de Jules Dalou et copie du tableau de Bonnat par mademoiselle Venot d'Auteroche.
Commande de l'État (F 21 2116). Attribution à Versailles le 13.12.1886.

1887

VERSAILLES, *Musée de l'Histoire de France* : « Victor Hugo », bas-relief en acier, par A. Gauvin (1836-1892).
Acquis par l'État (AN F 21 2082) pour le château de Versailles.

1901

PARIS, *Académie Française* : « Victor Hugo lauré », buste marbre 1844, par P. J. David d'Angers (1788-1856).
Don de M. Georges Hugo, à la demande d'Ernest Legouvé.

1902

PARIS, *Comédie-Française* : « Victor Hugo », buste marbre, 1901, par Dalou (1838-1902).
Exécuté pour les fêtes du centenaire.

1902

PARIS, *Façade de la Comédie-Française* : « Victor Hugo », médaillon marbre, 1902, par Denys Puech (1854-1942).
Mis en place le 22 février 1902, pour le centenaire, en compagnie de Corneille, Racine et Molière.

1902

BESANÇON, *Promenade Granvelle* : « Apothéose de Victor Hugo », statue pierre, par Just Becquet (1829-1907).
Inaugurée le 17 août 1902.
Souscription nationale (1885-1896-1902).
Actuellement en place.

1902

PARIS, *Sénat* (Salon d'entrée) : « Victor Hugo », buste marbre, 1890, par Marius Mercié (1845-1916).
Actuellement en place.

1902

PARIS, *Cour de la Sorbonne* : « Victor Hugo », statue pierre, 1901, par Laurent Marqueste (1848-1920).
Actuellement en place, face à Pasteur.

1902

PARIS, *Place Victor Hugo* : « Monument Victor Hugo », statue bronze, par Ernest Barrias (1841-1905).
Souscription internationale (1880-1902).
Inauguré le 26 février 1902 et complété par quatre médaillons (Auguste Vacquerie par Chapu, Paul Meurice par Chaplain, François Hugo par Puech et Charles Hugo également par Puech), le 20 juin 1910.
Fondu en 1941.
Bas-reliefs déposés à Veules-les-Roses en 1955.

1902

BÉZIERS, *Plateau des poètes* : « Victor Hugo », buste bronze par Injalbert (1845-1933).
Inauguré le 18 août 1902, parmi des poètes locaux.
Disparu vers 1950 et remplacé aujourd'hui par un autre buste de Victor Hugo, œuvre d'un sculpteur local.

1902

ITALIE, ROME, *Capitole* : « Victor Hugo », moulage du buste de 1881, de Gustave Deloye (1838-1899).
Offert par la ligue franco-italienne de Paris, pour les fêtes du centenaire.

1904

PARIS, *Cour de l'hôpital Sainte-Anne* : « Victor Hugo », statue grès, par Georges Bareau (1866-   ). Fragment de la vision du poète, 1904.
Acquis par la ville de Paris.

1904

TCHECOSLOVAQUIE, PRAGUE, *Hôtel de Ville* : « Victor Hugo », buste 1844, de P.-J. David d'Angers (1788-1856).
Envoi de Paul Meurice.

1905

ITALIE, ROME, *Villa Borghèse* : « Victor Hugo », statue marbre, par Lucien Pallez (1853-   ).
Souscription ouverte le 7 mars 1904 par la ligue franco-italienne. Inauguré le 6 mai 1905.
Actuellement en place.

1906

PARIS, *Ville de Paris* : « La vision du poète », haut relief marbre 1906, par Georges Bareau (1866). Commande de la Ville de Paris.
Actuellement au dépôt d'Ivry. Doit être installé à l'extrémité ouest du « Jardin des poètes » à l'occasion du centenaire de 1985.

1908

PARIS, *124 avenue Victor Hugo,* immeuble construit à l'emplacement de la dernière maison de Victor Hugo : Cartouche de Fonquerne.

1909

PARIS, *Jardins du Palais-Royal* : « Victor Hugo », statue marbre, par Auguste Rodin (1840-1917).
Commande de l'État en date du 6 février 1907 (annulant celle du 19 juin 1891 pour le monu-

ment du Panthéon). Retiré en 1935. Actuellement au Musée Rodin, à Meudon.

1909
PARIS, *Cour du Lycée Victor Hugo :* « Victor Hugo », buste bronze de Rodin (1840-1917). Offert par Rodin à la demande de la directrice du lycée. Livré le 10 décembre 1909.

1914
GUERNESEY, *SAINT-PIERRE-PORT, Jardin Candie :* « Victor Hugo marchant au bord de la mer », statue bronze, par Jean Boucher (1870-1939). Inaugurée le mercredi 8 juillet 1914.
Actuellement en place.

1931
STRASBOURG, *Parc de l'Orangerie :* « Victor Hugo-Lamartine », groupe bronze, par Henri Bouchard (1875-1960).
Concours en 1927. Inauguré le 17 mai 1931.
Détérioré pendant la guerre, puis disparu.

1934
VILLEQUIER (Seine-Maritime) : « Victor Hugo », buste pierre, par A. Maillard (1864-).
Souscription ouverte en 1931. Inauguré le 18 novembre 1934.
Déplacé et présenté actuellement à Caudebec-en-Caux.

1935
LUXEMBOURG, *VIANDEN :* « Victor Hugo », buste bronze de Rodin (1840-1917). Offert par le gouvernement français. Inauguré le 30 juin 1935. Sauvé par le bourgmestre pendant la guerre et ré-inauguré le 1er août 1948.

1956
BELGIQUE, *WATERLOO :* Colonne « A Victor Hugo », effigie de Victor Demanet, architecte : Verhoeven.
Pose de la première pierre le 22 septembre 1912. Inaugurée le 24 juin 1956.
Actuellement en place.

1957
PARIS, *Jardin des poètes :* « Victor Hugo », buste bronze, par Rodin (1840-1917).

1957
LUXEMBOURG, *LUXEMBOURG* (entrée du parc de la ville) : « Victor Hugo », buste bronze de P.-J. David d'Angers. Inauguré le 19 octobre 1957.

1957
VILLEQUIER : « Victor Hugo », statue pierre, par E. Moirignot. Inaugurée le 25 mai 1957.

1964
PARIS, *Carrefour des avenues Victor Hugo et Henri-Martin :* « Victor Hugo et les muses », groupe bronze d'Auguste Rodin (1840-1917). Inauguré le mardi 17 juin 1964.

Sans date
LYON, *Théâtre des Célestins,* façade : buste pierre de « Victor Hugo » (avec Scribe et Musset).

Monuments éphémères :
1885
Victor Hugo, médaillon lauré, par Paul Fournier (1859-). Il fut porté aux funérailles du poète par huit imprimeurs en tenue de travail.

1885
L'immortalité, groupe allégorique de Hector Lemaire (1846-), érigé devant le palais des Champs-Élysées, pendant les funérailles.

1885
Victor Hugo, statue plâtre, par F. L. Bogino (1831-1899), érigée rue Soufflot, pendant les funérailles.

1886
Apothéose de Victor HUgo, haut-relief plâtre, par L. Pallez (1853-).
S.A.F. 1886 n° 4380.

1885
Buste de Victor Hugo, par Alexandre Falguière, esquisse colossale servant au couronnement de Victor Hugo à la Comédie-Française, qui l'acquiert en 1902.

1902
Buste de Victor Hugo, par E. Arondelle, érigé place Saint-Germain l'Auxerrois.

1902
La vision du poète, haut-relief plâtre de Georges Bareau, S.A.F. 1902 n° 2226. Érigé dans la cour d'honneur de l'Hôtel de Ville pendant les fêtes du centenaire.

1902
Victor Hugo, moulage agrandi du personnage de Victor Hugo dans *La vision du poète,* de Georges Bareau, érigé sur la place des Vosges, le 2 mars 1902, pour l'inauguration de la maison de Victor Hugo.

Projets non réalisés :
1858
GUERNESEY. Projet de médaillon colossal dans un des rochers de Guernesey, par Charles Drouet (-).
Simple notation : « ce projet était resté à l'état de rêve grandiose, car, comme il arrive trop souvent, les questions matérielles étaient venues mettre des bâtons dans les roues du char de l'idéal » (cf. Virginie Dumont-Breton, *Les maisons que j'ai connues,* tome III, p. 66, Paris, Plon, 1929).

1885
Projet de monument à élever dans Paris, dessin de Chapu, Mercié et Formigé (dessin paru dans *Le Figaro* du 31 mai 1885).

1886
PARIS. Destiné au Panthéon : projet de *tombeau pour Victor Hugo,* par A. J. Dalou (1838-1902).
S.A.F. 1886 n° 3743. Esquisse au Petit-Palais.

1886
Destiné à être offert à la ville de Paris. *Groupe à la mémoire de Victor Hugo,* par Massimiliano Contini.
Esquisse terre cuite, à la Maison de Victor Hugo.

1886
Projet de tombeau : *La muse remontant aux cieux, le dernier chant,* par Paul Darbefeuille (1855-).
S.A.F. 1886, n° 3750.
Plâtre.

1889
Buste pour la Manufacture de Sèvres. Commande de l'État en date du 12 février 1889 à Chapu (1833-1891).
Devait être réalisé pour l'exposition universelle.

1891
PARIS. Destiné au Panthéon, *Monument Victor Hugo.* Commande de l'État en date du 18 septembre 1889, à A. Rodin.

* Alexandre Falguière
Esquisse de « Pégase emportant le poète vers les régions du rêve » (cat. 221)
Paris, Musée d'Orsay

E. Hénard (?)
Projet de trois colonnes dédiées à Hugo, Pasteur et Napoléon
D'après une photographie
Paris, Musée des Arts Décoratifs

1895
GRÈCE. Souscription ouverte pour élever une statue à Victor Hugo, qui chanta les héros de la guerre d'indépendance. (In *Moniteur des Arts,* 16 août 1895).

1898
PARIS. *Pégase emportant le poète vers les régions du rêve.* Projet de monument à Victor Hugo, par A. Falguière (1831-1900) en compétition avec Barrias.
Esquisse (inédite) exposée au Nouveau-Cirque en 1898 (n° 20). Projet non retenu. Falguière l'épure et *Apollon sur Pégase* est installé square Boudreau.
Esquisse au Musée d'Orsay.

1943
PARIS. Destiné à la place Victor Hugo : projet de *monument à Victor Hugo,* par Henri Bouchard (1875-1960). Devait remplacer la statue de Barrias, enlevée en 1941. Modèle plâtre au Musée Henri Bouchard.

Hugo présent sur des monuments :
1831
PARIS, *Cimetière du Père-Lachaise :* Tombeau du général Foy, par David d'Angers.
Souscription nationale (1827-1831). Inauguré le 28 novembre 1831.
Bas-relief : « Les funérailles du général Foy », marbre, Hugo est au centre, il porte le cercueil du général. Sont présents également Viennet, Casimir-Périer, Benjamin Constant, Delphine Gay, Alexandre Lameth, Keratry, Dupin Aîné, Colonel Favier, Maréchal Jourdan, Gohier, le Duc de Choiseul, David d'Angers. Les enfants et la famille du général.
Actuellement en place.

1882
LONS-LE-SAUNIER : « Monument Rouget de L'Isle », par F. Bartholdi (1834-1905).
Souscription nationale, Hugo président du comité. Inauguré le 27 août 1882.
Citations de Michelet et de Hugo sur le piédestal.
Actuellement en place.

1886
PARIS, *Jardin du Luxembourg :* « Le marchand de masques », statue bronze, par Zacharie Astruc (1835-1907). Plâtre acquis par l'État le 17 février 1883 ; attribué au Luxembourg le 20 novembre 1886. Dans la main gauche, le masque de Victor Hugo.
Actuellement en place.

1887
PROVINS : Monument « L'immortalité », par Léon Longepied (1849-1888).
Souscription départementale. Inauguré le 25 juillet 1887.
Sur le piédestal, de face, l'*Hymne aux morts* de Victor Hugo.
> « Gloire à notre France éternelle
> Gloire à ceux qui sont morts pour elle »
> Aux Martyrs, aux Vaillants, aux Forts !
> Victor Hugo

1909
PARIS, *square Gambetta :* « Le Mur », monument aux victimes des révolutions, par P. Moreau-Vauthier (-).
Commandé en pierre par la ville de Paris.
Citation de Hugo :
> « Ce que nous demandons à l'avenir,

Ce que nous voulons de lui,
C'est la justice, ce n'est pas la vengeance »
(Victor Hugo, *Les misérables*).
Actuellement en place.

1914
MONTMIRAIL : Colonne commémorative de la bataille de Montmirail, 11 février 1814.
Colonne élevée en 1814.
En 1914, une plaque de marbre a été fixée sur le piédestal, où sont inscrits des vers de Victor Hugo :
> « Mais quand de tels morts sont couchés dans la tombe,
> En vain, l'oubli, nuit sombre où va tout ce qui tombe,
> Passe sur leur sépulcre, où nous nous inclinons,
> Chaque jour, pour eux seuls, se levant plus fidèle,
> La gloire, aube toujours nouvelle,
> Fait luire leur mémoire et redore leurs noms. »

Hugo présent sur des projets de monuments non réalisés :

Second Empire : Projet de monument, Arc de Triomphe des Arts et des Lettres dédié à l'impératrice (attribué à Visconti) : le nom de Hugo figure sur la liste des grands écrivains.

1887
PARIS, *Jardin des Tuileries :* « Monument à élever à Hugo », Victor Hugo dans l'ancien jardin des Tuileries par Cassien-Bernard.
Dessin présenté au S.A.F. 1887, n° 4688.

1891
DIJON : « Monument à la République Fraternelle des Peuples », M. Vionnois, architecte.
Projet municipal, délibération du 21 juillet 1891.
Entourant une grande statue de la République, les grands républicains : Hugo, Garibaldi, Kossuth, Guillaume Tell, Washington et Bolivar.

1907
PARIS, projet de trois colonnes (Pasteur, Hugo, Napoléon) devant être érigées rue du 4 Septembre, avenue de l'Opéra (Hugo) et rue de la Paix (Album Maciet, *Musée des Arts Décoratifs*).

Ch. M.

Hugo fêté et pleuré en musique

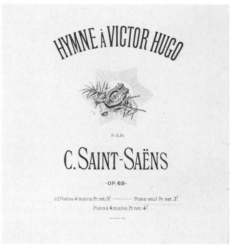

*Couvertures de partitions publiées à l'occasion de la « fête des 80 ans » et des funérailles (cat. 324)
L'hymne à Victor Hugo de Saint-Saëns (1881) voisine avec de nombreuses compositions destinées au public populaire
Paris, M.V.H.

Charles Garnier et le décor de l'Arc de Triomphe

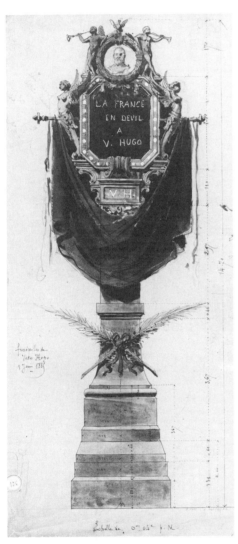

*Ph. M. Chaperon
Projet de décor pour les funérailles (cat. 125)
La destination précise de ce projet n'est pas identifiée
Paris, Musée Carnavalet

*Édouard Michel-Lançon
L'exposition du catafalque sous l'Arc de Triomphe (cat. 126)
Besançon, Musée des Beaux-Arts et d'Archéologie

Il pouvait sembler paradoxal de désigner Charles Garnier, architecte du Nouvel Opéra, « monument-phare du Second Empire » et qui, à ce titre, faisait souvent figure d'architecte officiel de ce régime, pour dresser ne fut-ce qu'un éphémère monument au célèbre proscrit. Dans les années 70, la virulente « querelle des aigles » l'avait opposé à ceux qui voulaient débarrasser le théâtre des trop voyants emblèmes impériaux ; Garnier avait tenu bon et obtenu gain de cause. Mais en 1885, l'architecte avait acquis une position considérable ; à l'Opéra inauguré dix ans plus tôt, s'étaient ajoutés villas et église à Bordighera, l'imposant Cercle de la librairie sur le boulevard Saint-Germain, l'observatoire de Nice et ses dépendances (1881-1888), les panoramas Valentino et Marigny, une série de constructions à Vittel. A la tête, pendant quinze ans, d'une agence importante, Garnier avait formé toute une génération d'architectes (J. L. Pascal, Nachon, Cassien-Bernard...) ; interprété ou plagié dans le monde entier, il était incontestablement devenu une célébrité et, pour le « grand public », l'architecte par excellence.

On ne sait pas grand chose de l'intérêt éventuel que Charles Garnier portait à Victor Hugo ; dans un chapitre de son *Nouvel opéra de Paris,* comparant les artistes aux matériaux qu'il employa, il dresse un parallèle entre Hugo — associé à Dante, Shakespeare, Rembrandt, Rude, Meyerbeer — et la mosaïque « plus brutale, plus sauvage » que le marbre (Chénier, Lamartine) ou la pierre (Boileau) mais « fière, ardente, sombre et resplendissante de fauves reflets »[1]. Quelques jours après la mort du poète, il enverra à l'École de tir de Bourmont (Haute-Marne) un dessin du catafalque, dédiant « aux soldats français », « ce monument d'un jour pour cette âme éternelle » :

« Tel qu'un caillou rugueux en un chemin jeté

Mon nom s'est égaré sur la route infinie
Qu'un poète géant, qu'un immense génie
Suivit en s'envolant vers l'immortalité[2]. »

Rapports ténus et qui, bien évidemment, ne justifièrent pas le choix de Garnier ; mais puisqu'il fallait réaliser rapidement une mise en scène théâtrale sur la place de l'Étoile, le nom de l'architecte de l'Opéra s'imposait de lui-même.

Dans le cadre d'une sous-commission[3] comprenant également Alphand et Dalou, Garnier fit rapidement dresser les divers éléments qui constitueront le grandiose décor de l'Arc de Triomphe ; secondé par deux de

*Charles Garnier
Trois projets pour le décor des funérailles (cat. 124)
Le dessin du haut représente le groupe de Lemaire, *L'Immortalité,* qui fut présenté devant le palais des Champs-Élysées
B.N., Musique (Opéra)

« ses » architectes, Nachon et Reynaud qui trois jours et trois nuits surveillèrent le chantier, épaulé par des décorateurs de théâtre ayant l'habitude de travailler vite (Rubé, Chaperon et Jambon), les sculpteurs Davant et Poulin, le mouleur Berthault, il érigea dans l'arcade du monument haute de 29 mètres et large de 14, un gigantesque catafalque surmonté d'une urne cinéraire ; dans un entrelacs de drapeaux, de palmes et de guirlandes figuraient les initiales du poète ; autour du catafalque posé sur des tapis noirs, quatre urnes ; aux angles du monument, quatre mâts portant des étendards noirs ; en cercle enfin, ceinturant la place, quarante-quatre candélabres. Cette décoration « solide » était complétée par un long voile de crêpe noir, qui, retenu par un nœud, couvrait tout le côté gauche de l'Arc de Triomphe ; un voile identique enveloppait le quadrige de Falguière couronnant alors le monument ; entre les trois autres arches, des tentures servaient de toile de fond à la composition de Garnier. L'architecte avait composé son spectacle pour la nuit ; alors, les flammes « bleues et vertes » des candélabres, les torches portées par les cuirassiers, les grands voiles mouvants qui veillaient le grandiose catafalque, firent un effet considérable :
« Seule en pleine clarté, blanche parmi les ombres,

Mais morne, et déployant comme deux ailes sombres
     Ses longs voiles de crêpe noir,
Quand l'Arche de granit, l'Arche prodigieuse
Qui naguère exaltait sa voix religieuse
     Est prête pour le recevoir (...)[4]
célèbrera un poète inconnu.
Mais c'est un journaliste, qui, vantant cette apothéose sans précédents, aura le prudhommesque mot de la fin : « ceux qui ne l'ont pas vue, ne la verront jamais, et ceux qui l'ont vue ne la verront plus[5] ». — H. L.

1. Charles Garnier, *Le Nouvel Opéra de Paris,* Paris, 1878, t. I, p. 268.
2. Charles Garnier, poème autographe dans le catalogue de vente *Collection de précieux autographes de l'histoire et de la civilisation françaises,* Paris, Nouveau Drouot, 19 avril 1985, n° 148.
3. Voir aussi la récente mise au point de Jean-François Pinchon, *Catalogue de l'œuvre de Charles Garnier en dehors de l'Opéra de Paris,* mémoire de maîtrise, université de Paris X, Nanterre, 1981.
4. Joseph Cayla, « Victor Hugo à l'Arc de Triomphe », *La Vie Moderne,* 6 juin 1885, p. 383-383.
5. Cité par Henry Vaudémont dans *Le Grelot,* 31 mai 1885.

« Le siècle de Victor Hugo » :
autour du panorama de Gervex et Stevens

En 1889, la France célèbre bien moins 1789 que le siècle qui se termine. Le XIXᵉ siècle, né avec la Révolution, incarne aux yeux des républicains, l'idée même de progrès, puisqu'il n'a cessé d'aller du pire vers le mieux, de l'erreur vers les « lumières ». A la tête de cette marche en avant, un homme : Hugo, pivot de son siècle. Tel est le message que nous livre le panorama de Gervex et Stevens installé aux Tuileries pendant l'Exposition Universelle. Ce panorama de 120 mètres de long conduit le visiteur des statues des philosophes du XVIIIᵉ siècle, précurseurs de la Révolution, jusqu'au président Carnot entouré des notabilités du temps (Pasteur, Eiffel, Edison...). Au centre de la toile, Hugo : « pour synthétiser d'une façon frappante en quelque sorte, les cent années écoulées, nous avions eu l'idée — écrit Gervex dans ses *Souvenirs* « de donner comme trait d'union aux deux siècles, l'homme qui est né quand ce siècle avait deux ans ». — Ch. M.

Les hommages publics

Une page de l'*Almanach-Barral* de 1886.
Paris, M.V.H.

Henri Gervex et Alfred Stevens
Trois esquisses du « Panorama du Siècle »
Ci-dessous : détail de l'esquisse centrale, montrant Victor Hugo, au centre, au pied de la statue de la France.
Bruxelles, Musées Royaux des Beaux-Arts (Art Moderne)

Détail du panorama original

Plafonds

La peinture monumentale connaît un regain de faveur sous la IIIᵉ République, au moins jusqu'en 1900. Pendant une trentaine d'années, l'État et la Ville de Paris, suivis par les municipalités de province, passent, le plus souvent à des artistes de renom, de nombreuses commandes d'œuvres destinées à la décoration d'édifices publics : hôtels de ville, préfectures, théâtres, universités... La volonté d'encourager la grande peinture et d'embellir les bâtiments officiels, le souci d'affirmer le régime en en propageant les valeurs morales et politiques, sont les mobiles de ces commandes. Hugo s'y trouve largement représenté. Il est présent dans le décor des théâtres nationaux, sur le plafond commandé en 1888 à Jean-Paul Laurens pour l'Odéon et sur celui de la Comédie-Française, exécuté par Albert Besnard en 1913. Surtout, Hugo est présent dans ces deux entreprises exceptionnelles que furent, pour la Ville de Paris, la reconstruction et la décoration, après 1870, du nouvel Hôtel de Ville, et le décor du Petit-Palais, construit par l'architecte Giraud pour l'Exposition Universelle de 1900 et concédé par l'État à la ville pour être transformé en Musée municipal des Beaux-Arts. Quel Hugo peut-on y admirer ? D'abord le poète et le dramaturge, parmi les plus grands de notre civilisation, mais aussi le grand homme du XIXᵉ siècle, héraut des temps modernes. — Ch. M.

*Léon Bonnat
Esquisse du *Triomphe de l'Art* (cat. 236).
(Décor du plafond du Salon des Arts à l'Hôtel de Ville de Paris)
« J'ai pensé qu'il fallait représenter l'Art sous la forme d'un jeune homme sur la croupe du grand cheval de gloire de Victor Hugo » (Bonnat)
Ivry-sur-Seine, Dépôt des œuvres d'art de la Ville de Paris

Jean-Paul Laurens
Décor du plafond du Théâtre de l'Odéon à Paris
Représenté dans l'exposition par son esquisse (cat. 235)
La peinture originale a été déposée pour laisser place à un nouveau décor d'André Masson.
« Une pluie de fleurs s'abat sur les bustes et statues de Corneille, Molière, Racine, Beaumarchais, Musset et Victor Hugo »
Toulouse, Musée des Augustins

Les hommages publics

*Fernand Cormon
Les temps modernes* (décor du plafond de la
galerie nord du Petit-Palais de Paris)
À gauche, les Arts (Rude, David, Géricault,
Ingres, Delacroix, Corot, Berlioz), les Lettres
(Hugo, Lamartine, Balzac, Musset) et l'Intelli-
gence humaine qui s'élance pour saisir le miroir
de la Vérité. Au centre, les Expositions univer-
selles. À droite, les savants (Pasteur, Berthelot,
Littré...)

*Albert Besnard
Esquisse pour le décor du plafond de la
Comédie-Française* (cat. 239)
« En plein ciel, les figures de Molière, Cor-
neille, Racine et Hugo »
Coll. privée

*Pierre Puvis de Chavannes
Esquisse de *Victor Hugo offrant sa lyre à la
Ville de Paris* (cat. 237)
(Décor de l'Escalier du Préfet à l'Hôtel de Ville
de Paris)
Paris, Musée du Petit-Palais

Une « somme » : le monument de Barrias

Tandis que la plupart des sculptures publiques célèbrent presque uniquement le poète, l'œuvre de Barrias se présente comme un essai d'hommage complet à l'homme et à l'œuvre. La tentative fut réussie à la fois grâce au comité du monument et malgré lui. Ce comité, présidé par Paul Meurice, avait défini, à l'attention du sculpteur, un programme très complet, que Barrias avait accepté par contrat signé le 28 juillet 1896.

Non seulement il le respecta mais il alla plus loin : il utilisa les lacunes du contrat qui ne stipulait pas le programme des bas-reliefs du pié-destal, pour détourner le sens général du monument — une glorification du génie litté-raire de Hugo — vers ce qu'il estimait devoir honorer également : le tribun politique et le résistant dressé contre l'Empire. L'un des bas-reliefs, inspiré par le poème des *Châtiments* « Souvenir de la nuit du 4 » mécontenta fort le comité, qui y vit une commémoration de la guerre civile. Il le mécontenta d'autant plus qu'il occupait une place essentielle dans un monument qui devait se lire comme une « vie de Victor Hugo en images ».

Ch. M.

Deux photographies d'une esquisse disparue
Paris, M.V.H.

« Le monument se compose d'un rocher en granit supportant la statue en bronze de Victor Hugo. Sur ce rocher sont diversement placées quatre figures en bronze, représentant la muse lyrique, la muse dramatique, la muse épique et la muse satirique (les Quatre Vents de l'Esprit). Ces figures seront d'une proportion de trois mètres et reliées par des accessoires de bronze, trophées, vagues... » (Contrat du 28 juillet 1896, archives de la Maison de Victor Hugo.)

Les quatre bas-reliefs du monument (d'après des photographies anciennes, coll. Roxane Debuisson) :

André Allar
Victor Hugo reçu au Parnasse
Veules-les-Roses (Seine-Maritime), Jardin public

Photographie d'Ernest Barrias dans son atelier avec la statue de Victor Hugo
Paris, M.V.H.

*Ernest Barrias
Souvenir de la nuit du 4 (cat. 910)
Calais, Musée des Beaux-Arts et de la Dentelle

Ernest Barrias
Victor Hugo et ses personnages
Veules-les-Roses (Seine-Maritime), Jardin public

André Allar
Victor Hugo à la tribune, le 17 juillet 1851.
Veules-les-Roses (Seine-Maritime), Jardin public.

Du nu au drapé :
le monument de Besançon

La Ville de Besançon, souhaitant rendre hommage au plus célèbre de ses enfants, ouvrit dès le 6 juillet 1885 une souscription en vue de lui élever une statue, dont elle confia l'exécution à un autre enfant du pays, Just Becquet. Pour ce modeste sculpteur confronté à une gloire colossale, la réalisation du monument fut une aventure, que relate son biographe, Alexandre Estignard. Hugo avait d'abord été représenté vêtu d'un costume moderne. Le sculpteur semblait satisfait de son œuvre. Peu à peu, il en vint à se demander s'il ne conviendrait pas de le dépouiller de ces formes mesquines, car trop contemporaines, pour le revêtir des « formes éternelles de la pensée ». Songeant à *L'apothéose d'Homère,* il se remit au travail. Il dévêtit Hugo avant de l'envelopper dans une longue draperie à l'antique, faisant ainsi de Hugo « un dieu robuste, majestueux et antique ». Il fit ou crut faire ? A chacun d'en juger, mais à Besançon, les critiques furent nombreuses et virulentes. — Ch. M.

Just Becquet

Buste de Victor Hugo (cat. 224)
Coll. privée

Projet d'ensemble avec Victor Hugo nu
(cat. 225)
Besançon, Musée des Beaux-Arts et d'Archéologie

*Projet d'ensemble avec Victor Hugo en cos-
tume mi-antique, mi-moderne*
(reproduit d'après une photographie)

Projet définitif (cat. 226)
Paris, M.V.H.

Rodin et Hugo, histoire d'un monument

Le 12 juin 1888, Gustave Larroumet, directeur des Beaux-Arts, soumet à l'approbation de son ministre un rapport sur la décoration sculpturale du Panthéon, aux termes duquel Rodin est chargé officiellement (le 18 septembre 1889) de réaliser un monument à Victor Hugo. Celui-ci sera installé dans le transept gauche du Panthéon, le transept droit devant être occupé par une statue de Mirabeau dont le projet est confié à Injalbert. Rodin se met au travail. Il avait connu Hugo, dont il avait fait dès 1883 un buste qui avait été fort remarqué au Salon de 1884. Pourtant, le projet n'avance pas vite et connaît des vicissitudes que l'on peut suivre grâce aux maquettes conservées au musée Rodin et étudiées par Cécile Goldscheider *(Revue des Arts,* octobre 1956).

Rodin choisit d'abord de représenter le Hugo de l'exil, nu, assis sur un rocher battu par les vagues, entouré de trois femmes, les muses de la jeunesse, de l'âge mûr et de la vieillesse (selon Larroumet) ou les représentations de grands recueils de poésies *(La légende des siècles, Les châtiments, Les voix intérieures).*

Ce premier projet est modifié à plusieurs reprises. Rodin, hésitant entre le nu et le costume bourgeois, habille Hugo, puis le re-déshabille dans une troisième version, qu'il juge définitive et soumet, en décembre 1890, à l'examen de la commission des travaux d'art. Celle-ci refuse le monument, qu'elle juge inadapté au lieu, mais elle accepte que Rodin poursuive son travail et termine le groupe, qui pourrait alors être installé au Luxembourg. Ce nouveau projet lui est même commandé officiellement par arrêté du 19 juin 1891. Ayant conservé sa commande initiale, Rodin se trouve dès lors à la tête de commandes pour deux monuments, destinés l'un au Panthéon et l'autre au Luxembourg.

Le premier projet, celui du Hugo assis, va être encore modifié à plusieurs reprises. Finalement, les muses disparaissent et Hugo est représenté seul, assis, nu, la tête appuyée sur le bras droit, dans une attitude de méditation. Un nouvel arrêté du 26 décembre 1906 sanctionne cette ultime version du monument, qui, enfin achevé, est inauguré dans les jardins du Palais-Royal le 30 septembre 1909. Il en sera retiré dès 1933 et déposé à Meudon.

Le deuxième projet, qui est en réalité une reprise du projet initial destiné au Panthéon, diffère sensiblement du précédent. Hugo y est représenté debout. « Je fais l'apothéose, puisque c'est ce qui est écrit au fronton du Panthéon », écrit Rodin au directeur des Beaux-Arts. « Victor Hugo est couronné par le génie du XIXe siècle, une Iris descendue et appuyée sur un nuage le couronne aussi, ou plutôt leurs mains s'unissent et tiennent des fleurs, des lauriers au-dessus de lui. Plus bas, je fais une figure puissante qui lève la tête et le contemple dans son apothéose. C'est la foule qui lui a fait des obsèques inoubliables. Victor Hugo est sur le rocher, des vagues battent le roc, et une néréide ou la vague elle-même prend corps de femme et lui apporte une lyre... L'Envie s'enfuit en bas dans une anfractuosité. » Rodin élabora plusieurs versions successives de ce monument mais il ne le termina jamais. Il mourut en 1917 et le Panthéon resta vide de son monument à Hugo. — Ch. M.

Victor Hugo assis : le marbre exposé dans le jardin du Palais-Royal
Aujourd'hui à Meudon, Musée Rodin

Premier projet pour le Victor Hugo assis destiné au Panthéon (cat. 192)
Meudon, Musée Rodin

Deuxième projet pour le Victor Hugo assis (cat. 193)
Meudon, Musée Rodin

Troisième projet pour le Victor Hugo assis
Meudon, Musée Rodin

Projet définitif pour le Victor Hugo assis, destiné au jardin du Luxembourg (cat. 195)
Meudon, Musée Rodin

Quatrième projet pour le Victor Hugo assis
Meudon, Musée Rodin

*Réduction du deuxième projet pour le Victor Hugo assis (cat. 194)
Paris, Musée Rodin

Projet définitif du monument destiné au Panthéon
Meudon, Musée Rodin

*Premier projet d'un Victor Hugo debout, destiné au Panthéon (cat. 196)
Paris, Musée Rodin

Dessins préparatoires
(De gauche à droite et de haut en bas : cat.
198, 199, 201, 202, 204, non exposé, 203, 200,
213, 205, détail)
Paris, Musée Rodin, et Rouen, Musée des
Beaux-Arts.

L'hommage de l'Alsace

« En élevant un monument à Lamartine et à Victor Hugo sur une place de Strasbourg, nous voulons faire un geste patriotique français. Par ce monument, nous voulons dire à tous ceux qui pourraient encore en douter que l'époque allemande est finie et que nous sommes retournés à cette grande nation à laquelle nous avons toujours appartenu par l'esprit. Je dis : grande nation : grande en effet non seulement par les victoires de ses armées, mais plus encore par les lettres, les arts et son idéal de justice et de liberté. Or, cette gloire de la France est magnifiquement personnifiée par Lamartine et Victor Hugo, car ces deux poètes furent, non seulement des créateurs de beauté, mais des champions superbes de toutes les nobles idées qui ont rendu la France immortelle dans la mémoire des peuples... » (Redslob, président du comité du monument, archives de l'Atelier-Musée Henri Bouchard).

Ces objectifs définis, la Ville de Strasbourg forma un comité (1927), lança une souscription et ouvrit un concours de maquettes (1928). Parmi les projets, hommages à l'Alsace tout autant qu'hommages de l'Alsace aux poètes, le projet retenu (11 avril 1929) fut celui d'Henri Bouchard, hymne sculpté à l'amitié qui liait les deux poètes romantiques. Il fut inauguré, sous une forme différente, le 27 mai 1931, et disparut après 1945. — Ch. M.

Henri Bouchard
*Projet pour le monument de Strasbourg
(cat. 229)
Paris, Atelier-Musée Henri Bouchard

Projets divers présentés au concours (de gauche à droite : Benneteau, inconnu, Schulz, Pallez, inconnu, Marzolf)
Photographies conservées aux Archives municipales de Strasbourg et communiquées par Marie Bouchard

La lecture

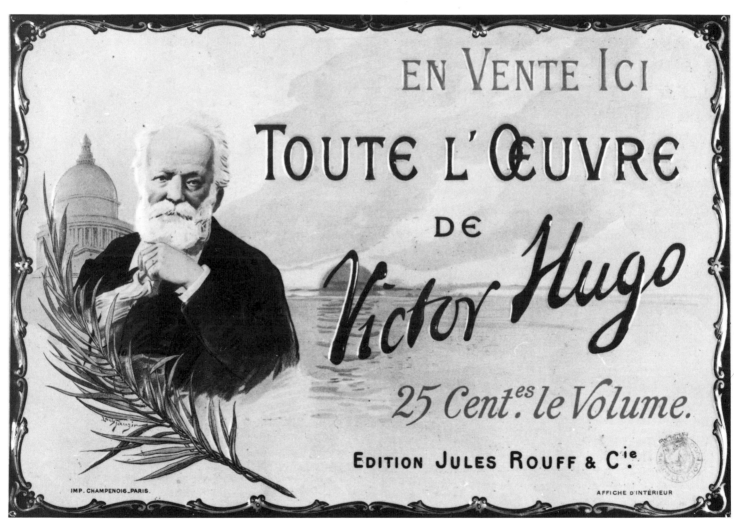

*Affiche-plaque pour les Œuvres complètes,
Paris, Rouff 1899-1902 (cat. 359)
Paris, M.V.H.

Pascale Devars, Edgar Petitier,
Guy Rosa et Alain Vaillant

Si Victor Hugo était compté

Essais de bibliométrie hugolienne comparée

*« Faits d'où l'histoire sort
et que l'histoire ignore. »*

— Nul n'ignore la couleur des caleçons de Victor Hugo — rouge. Mais qui sait le tirage initial de *Notre-Dame de Paris*, et combien d'éditions ce roman connut ? Par un étrange paradoxe, la gloire de Hugo a laissé dans une ombre opaque — qu'elle projetait peut être — ce qui pourtant était à son origine : les livres du poète, la nature et le nombre de leurs éditions.

Rien en ceci qui lui soit particulier. Il en va de même pour Balzac ou pour tout autre. Si l'on s'intéresse parfois aux relations des grands écrivains avec leurs éditeurs, c'est presque toujours dans l'intention biographique d'évaluer leurs gains, parfois d'apprécier leur politique d'édition, jamais pour mesurer et qualifier avec quelque précision leur audience. Ce qui est vrai des auteurs l'est aussi des mouvements littéraires. On connaissait, par exemple, l'offensive antiromantique des institutions en 1824-25, mais on ignore quelle formidable entreprise de réédition des classiques elle venait sanctionner, soutenir et relayer. Alors que l'histoire s'est profondément renouvelée par l'évaluation chiffrée des mouvements de populations, de production ou de consommation des biens, l'histoire littéraire semble rester celle des rois et des batailles. A propos : dans celle d'*Hernani*, comment se comportèrent libraires, éditeurs et lecteurs ? Et d'abord, dans quel camp étaient-ils ?

Tout se passe comme si le fonctionnement même de la littérature exigeait l'ignorance des conditions concrètes, présentes et passées, de la production et de la lecture des livres, comme si l'existence des textes en tant que tels, ainsi que le discours sur leur histoire et leur valeur, valait et voulait occultation de leur existence matérielle. Car si l'édition est récemment entrée dans le domaine du savoir, c'est presque toujours indépendamment de ses objets : plus sous le regard de l'historien, de l'économiste ou du sociologue que sous celui de l'analyste des textes littéraires. Ce sont pourtant ces disciplines qu'il s'agit de combiner pour produire une connaissance neuve.

Vaste programme ! Les résultats des deux enquêtes ici présentées, selon une périodisation tout empirique, décidée par la diversité des sources documentaires et par la spécialité des chercheurs, ne sont pas offerts comme les acquis même provisoires d'une nouvelle science d'observation, mais comme une provocation à la constituer : moins que des objets de connaissance, mieux pourtant, nous l'espérons, que des curiosités.

Il nous plaît que Victor Hugo en soit l'occasion, le prétexte et le motif, quand bien même il n'y aurait ici que rêverie numérique, bricolage et fantaisie.

Les éditions de Victor Hugo jusqu'à la Seconde Guerre

Pour le XIXe siècle, la bibliométrie trouve dans la *Bibliographie de la France* une source facilement accessible, continue et à peu près homogène, quasiment exhaustive : excellente donc, ce qui ne signifie pas qu'elle peut-être employée telle quelle. Créée en 1811 par Napoléon et confiée jusqu'en 1849 au célèbre Beuchot, la *Bibliographie* achevait, et rétribuait en publicité, le strict contrôle étatique des activités de librairie institué par le dépôt légal et la déclaration préalable.

Les imprimeurs, jusqu'en 1881, étaient tenus de déposer auprès de la Direction de la librairie une déclaration préalable à toute impression, mentionnant — mais ces rubriques sont irrégulièrement remplies — leur nom, celui de l'éditeur, le titre de l'objet imprimé quelle qu'en soit la nature, son auteur, son format, le nombre de feuilles employées par exemplaire, le tirage. Une fois l'ouvrage sorti des presses, il devait être déposé, par l'imprimeur jusqu'en 1925, en un nombre donné d'exemplaires — dont un au moins destiné à la conservation par la Bibliothèque Impériale-Royale-Nationale — avec les même indications dont la conformité avec celles de la déclaration ne fut guère vérifiée qu'au début du Second Empire. C'est ce dépôt, valant annonce de mise en vente, qu'enregistre la *Bibliographie de la France*, plus exactement désignée par le sous-titre *Journal de la librairie et de l'imprimerie*.

Les Archives Nationales ayant recueilli les dossiers des administrations concernées par ce dispositif, il devrait, on le voit, donner accès au chiffre des tirages en même temps qu'à celui des éditions. En réalité, l'exploitation des déclarations —

tantôt directement réunies en liasses jamais classées et très incomplètes, tantôt transcrites sur des registres dans l'ordre d'arrivée — exigerait d'importants moyens d'investigations sans être matériellement impossible. Sondages et extrapolations sont exclus lorsqu'il s'agit de connaître une œuvre ou un auteur : il faut, pour chaque année, lire toutes les rubriques manuscrites — 10 000 en moyenne par an. Cette tâche immense, plusieurs fois entreprise et jamais menée à bien, n'aurait de rentabilité — et de sens — que dans le cadre d'une vaste et systématique enquête portant sur l'ensemble de l'édition littéraire au XIXe siècle.

Cependant l'ignorance où nous resterons du nombre des tirages n'est que relative. A la différence de ce qui se passe de nos jours où le même format et la même présentation, la même collection souvent, recouvrent d'énormes différences de tirage, l'édition donne, au XIXe siècle, un nombre d'exemplaires à peu près stable à chaque type de livre : 500 à 3 000 pour les in-8° à grandes marges, 1 500 à 10 000 pour les in-32 ou pour les in-18 jésus qui leur succèdent après 1838, 10 000 à 50 000 pour les éditions populaires livrées en fascicules et souvent illustrées qui apparaissent en 1835 et se multiplient sous le Second Empire. C'est dire que le nombre des éditions, auquel nous limiterons notre enquête, reste un indice significatif de l'audience des œuvres, surtout lorsqu'il s'agit de comparer des auteurs ayant un statut éditorial analogue : Hugo avec Balzac par exemple, mais non avec Eugène Sue.

L'examen de l'édition de Hugo dans ses données générales comparées sera donc notre premier objet. S'il éclaire l'image du poète, il ne rend compte de l'accueil fait aux textes qu'à condition de descendre dans le détail. La distinction par genres — roman, poésie, théâtre — a été retenue. A tort sans doute. Leur étude même conduit à penser d'une part que la diffusion des textes non fictionnels — discours, histoire, voyages,... — joue un rôle non négligeable pour Hugo, surtout après 1870, d'autre part que la réception de l'œuvre aurait été plus efficacement analysée selon un classement par période : textes des années 30, des années 60,... Cette autocritique motivée est signe de la formation d'un savoir : elle invite à poursuivre l'enquête sans en annuler les résultats acquis.

« Je suis à moi tout seul, un avenir pour un libraire. »

V. Hugo, 1854

1812-1938 : Hugo et la librairie à vol de calculette

Méthodes

Le nombre des notices consacrées chaque année par la *Bibliographie de la France* (B.F.) à Hugo et aux auteurs qui lui sont comparés n'est qu'un reflet déformé de celui des éditions et nous ne les confondrons ici que par commodité de langage. D'une part la B.F. ignore les importations légales et à plus forte raison les contrefaçons venues de Belgique : phénomène progressivement atténué depuis la Révolution mais qui affecte particulièrement l'œuvre du Hugo de l'exil tant pour les titres clandestins (*Châtiments, Napoléon-le-Petit*) que pour les autres, ainsi que le signale la présence, encore chez les libraires d'ancien, de beaucoup de livres faits à Bruxelles. D'autre part, elle est constamment confrontée, sans parvenir à le résoudre, au problème posé par l'habitude prise, chez éditeurs et imprimeurs, de fractionner un même tirage en plusieurs « éditions » qui n'ont de neuf que leur numéro, rajouté en page de titre. Souvent la notice de la *Bibliographie* ignore ces fausses rééditions, parfois elle les relève avec perplexité. Ainsi pour *Les misérables* dont les dix éditions légendaires l'année de la parution se réduisent à trois, quatre, cinq, six ou sept, selon la manière de compter, une seule notice étant consacrée à la « 8e édition », deux à la « septième » (parties I et II ; parties II à V) et quatre aux six premières, regroupant diversement les cinq parties du roman. Ajoutons qu'il arrivait — J. Seebacher l'a précisément montré[1] — qu'un éditeur rachetât les stocks invendus d'un autre et les mît en vente sous son nom sans rien imprimer d'autre qu'une nouvelle page de titre. Comment se comportait en ce cas la B.F. — le dépôt était déjà effectué, mais le *Journal de la Librairie* étant le seul organe de la profession, le nouvel éditeur avait intérêt à y figurer —, nous l'ignorons. Pourtant ces incertitudes n'affectent sans doute pas profondément la valeur des chiffres et moins encore leur comparaison d'un auteur à un autre, puisqu'il est vraisemblable que des pratiques analogues les concernaient tous, à un moment ou un autre.

Cette considération vaut aussi pour le traitement, apparemment plus inquiétant, des œuvres complètes. Jusque dans les années 1860, la *Bibliographie*, conduite par

Beuchot et ses successeurs immédiats, consacre une notice à chaque titre quel que soit le nombre des volumes, et une également à un volume regroupant plusieurs titres. Au delà, son comportement est moins bien réglé. Pour la même année, et parfois pour le même auteur, telle édition d'œuvres complètes sera détaillée volume par volume, et une seule notice en couvrira plusieurs de telle autre. Ceci est susceptible d'entacher les valeurs relevées d'une erreur relative importante, mais qui ne leur ôte pas toute pertinence. La démarche comparative annule l'inconvénient de cette imprécision qui touche de la même façon tous les auteurs : vérification faite, *La comédie humaine*, tantôt débitée, tantôt traitée en bloc, n'est ni mieux ni moins bien traitée que les *Œuvres complètes* de Hugo. Enfin, même les valeurs absolues ne sont pas sans signification. Si les notices de la B.F. ne désignent exactement ni le nombre des titres ni celui des volumes, elles enregistrent pourtant un objet réel : le geste éditorial tel que l'éditeur lui-même le définit lorsqu'il fait procéder au dépôt et à la déclaration. Que ce geste ne se confonde ni avec l'impression d'un livre, ni avec l'édition d'une œuvre, signifie seulement que les libraires-éditeurs du XIXᵉ siècle ne conçoivent pas leur pratique comme nous le faisons. En droit, leur attitude n'est ni meilleure ni pire que notre norme : le concept de titre-volume est-il fondé à faire compter pour une unité un « Pléiade » et pour trois les volumes qui reproduisent le même texte en livre de poche ?

Contrôle — Au reste un contrôle prouve la validité de notre procédure. Le graphique I permet de comparer, pour Hugo, le nombre des notices de la *Bibliographie de la France* à celui des titres formant un volume au moins selon le catalogue de

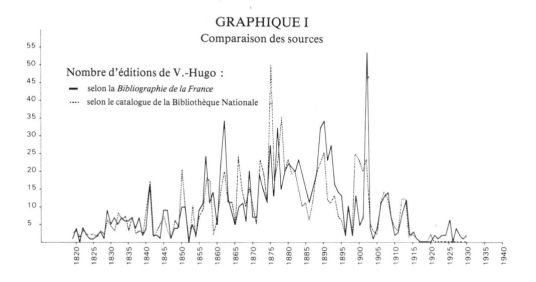

GRAPHIQUE I

Comparaison des sources

la Bibliothèque Nationale. Les différences sont toutes explicables : la supériorité générale des chiffres venus de la B.F. correspond au fait qu'elle détaille parfois en plusieurs notices un titre unique imprimé en plusieurs volumes. Les autres écarts sont ponctuels : 1850 : les éditions séparées des discours ne sont que partiellement enregistrées par la B.F. ; 1862 : *Les misérables* donnent lieu à plusieurs notices de la B.F. pour le même titre ; 1866 : inversement, la B.F. ne compte pas les fausses rééditions des *Travailleur de la mer* ; 1875-95 : les nombreuses œuvres complètes de cette période conduisent à des entrées irrégulières à la B.F. ; 1899-1902 : les fascicules non datés de l'édition Rouff ont été arbitrairement répartis entre les quatre années dans le compte effectué à partir du *Catalogue*, alors que la majeure partie était parue, et entrée à la B.F., en 1902 ; après 1920 : le *Catalogue* est très incomplet pour les années qui précèdent son achèvement — 1929. Tout ceci, on le voit, n'altère pas l'identité du profil des courbes, ni non plus l'emplacement et l'ordre de grandeur des mouvements significatifs.

Calculs — Ce n'est pourtant pas cette courbe du nombre brut des éditions de Hugo qui sera confrontée à celle des autres écrivains. Elle enregistre en effet des variations qui ne lui sont pas propres, ne le sont pas même à la littérature, mais relèvent

Trois prospectus publicitaires pour une édition
des œuvres complètes
Paris, M.V.H.

des fluctuations générales de la librairie. Celles-ci sont assez importantes (voir graphique II) pour qu'on en corrige nos valeurs *en les rapportant à 10 000 entrées*. Ainsi seront effacés non seulement les trous accidentels — 1814, 1847, 1871, l'effondrement de la Première Guerre et celui des années de la crise (1925-1938), mais aussi la disproportion entre la période 1825-45 où paraissent en moyenne 7 000 livres par an et celle de 1855 à 1900 qui en compte, du fait de l'industrialisation de l'imprimerie, près du double chaque année. Le même volume de 10 éditions annuelles n'a évidemment pas le même poids ni le même sens ici et là et la comparaison entre deux auteurs — ou deux époques pour le même — serait faussée si l'on négligeait d'opérer cette correction. Notons pourtant qu'elle risque de demeurer partielle puisqu'elle ne prend en compte que les fluctuations de la librairie et non celles que put connaître en elle la littérature. Pourtant, on le verra, nos courbes sont trop dissemblables entre elles et plusieurs, dans les parties basses en particulier, sont trop exactement horizontales pour qu'on puisse suspecter une importante variation de l'édition littéraire dans la librairie — sinon pour les années autour de 1900.

Reste enfin à lisser les courbes. Celle de Hugo (voir graphique I), comme le feraient celles de tous les autres auteurs, offre de fortes irrégularités : l'édition semble une activité éminemment annuelle — on ne réédite pas ou peu un écrivain qui l'a beaucoup été l'année précédente. Ce dessin en dents de scie, sans pertinence par lui-même, nuirait à la lisibilité des diagrammes aisément améliorée par le calcul de la moyenne mobile sur trois ans.

GRAPHIQUE II
Nombre total d'entrées à la B.F.
1812 - 1938

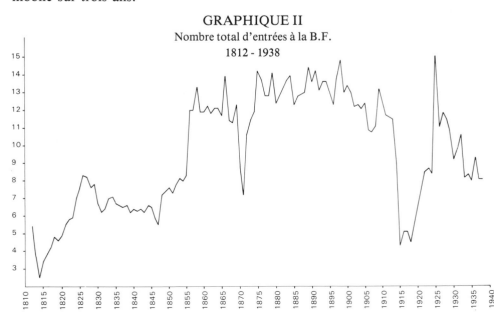

GRAPHIQUE III
Nombre de notices « Victor-Hugo »
dans la Bibliographie de la France (sur 10 000 notices et en moyenne mobile sur 3 ans, à l'exception des années 1901-1903 représentées en valeurs réelles).

--- : Moyennes sur l'ensemble de la période
x/y : Total / Moyenne

V. Hugo : La carrière

Ainsi préparées, les données venues de la *Bibliographie de la France* offrent l'image ci-dessus de l'édition des œuvres de Hugo.

On reconnaît sans peine la carrière du poète : les débuts brillants suivis d'une brève pause, l'ascension des années 1825-30, la grande période de la Monarchie de Juillet avec le creux des années 1842-44, puis la proscription sensible dans le très petit nombre des publications au début du Second Empire allant, en 1852, jusqu'à la disparition complète du nom de Hugo de la *Bibliographie de la France*, cas unique jusqu'à la guerre. *Les contemplations, Les misérables, La légende des siècles* et la réédition des œuvres des années 30 dont plusieurs contrats arrivent à terme, correspondent au gonflement des années 1855-63. La courbe enregistre ensuite cette relative désaffection, perçue par Hugo, qui contribua à assombrir les dernières années de l'exil et dont le pessimisme de *L'homme qui rit* est un écho. Moins attendues sont l'ampleur et la continuité du succès éditorial aux vingt premières années de la IIIe République. Il donne son allure massive à la courbe, à peine infléchie aux années de la mort, et traduit le cumul des textes nouveaux et de plusieurs éditions d'œuvres complètes. Les nombreux fascicules de l'édition Rouff sont les seuls responsables de la pointe du centenaire de 1902 qui, avec son effet logique d'assèchement antérieur par anticipation, interrompt une décroissance irrégulière conduisant des sommets de 1890 aux valeurs étonnamment faibles — nulles durant les années de guerre — des années 1920 à 1940. Trop bref, le mouvement ascendant final n'est pas, pour l'heure, significatif.

Image un peu décevante, avouons-le, peut-être parce qu'on la connaissait avant de l'avoir vue : parce que d'autres idées — moins que cela même, des préjugés — en comportaient le pressentiment. Si l'image conservée d'un écrivain s'élabore à partir du souvenir des fluctuations et de la nature de son succès, il est normal qu'elle enregistre assez précisément les circonstances et la qualité de l'accueil fait à son œuvre. Qu'on n'attende donc pas trop de révélations de cette étude : sa nouveauté tient peut-être surtout à reconnaître et à comprendre qu'il est logique qu'elle ne dise que ce qu'on sait déjà parce qu'elle a précisément pour objet l'origine de ce que l'on sait.

Ainsi en est-il à nouveau, apparemment, des conclusions à tirer de l'analyse de l'édition hugolienne selon la distinction entre publication d'œuvres séparées et d'œuvres complètes (voir graphique IV).

Recherchée par Hugo lui-même, la consécration littéraire conférée par l'édition d'œuvres complètes rend celles-ci dominantes de 1832 à 1842 (plus de 50 % des titres neuf années sur onze). L'exil, la dislocation du mouvement romantique dont on avait voulu que le chef fût assimilé aux gloires classiques par la publication de son œuvre entière, l'importance et le nombre des œuvres nouvelles peuvent expliquer que, de 1843 à 1874, l'édition du Hugo complet reste marginale. La librairie enregistre ainsi le mode particulier de la présence de Hugo à son temps : son exterritorialité morale et politique et cette présence-absence, météorique et fantômatique, qui empreint aussi l'écriture — pour ne pas dire l'énonciation — de ses écrits. Au contraire, une institutionnalisation croissante de l'écrivain — sensible également dans sa carrière politique et plus encore dans l'emploi idéologique de son image posthume — va de pair, de 1875 à 1885, avec une proportion importante des titres édités en œuvres complètes — au moins un chaque année —, et largement dominante de 1886 à 1914 (plus

GRAPHIQUE IV

Pourcentage annuel des titres publiés dans des « œuvres complètes » sur le nombre total des titres
(Source : catalogue B.N.)

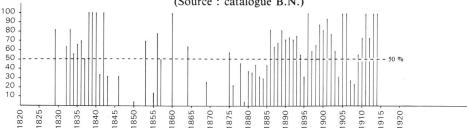

de 50 % des titres édités le sont en œuvres complètes durant 24 années sur les 29 de la période).

Certaines et simples lorsqu'elles sont ainsi rapportées à la carrière de l'écrivain, ces conclusions cessent pourtant de l'être une fois confrontées aux données générales de l'édition. On sait que les collections, sous la Monarchie de Juillet, sont pour la plupart factices, non seulement parce qu'elles ne consistaient parfois qu'en un maquillage des stocks de publications séparées antérieures, mais, surtout, parce qu'elles étaient vendues au volume. Il reste pourtant surprenant qu'un écrivain très jeune et dont l'œuvre était loin d'être achevée ait pu — et à plusieurs reprises — publier sous cette forme ses livres antérieurs, tous très récents. D'autant plus qu'en ceci Hugo précède ses aînés : Chateaubriand et même Lamartine. Surtout, il est paradoxal que la part prise par les œuvres complètes ne varie pas en proportion du nombre total des publications : elle est identique — et même supérieure — sous la Monarchie de Juillet et dans les années 1890, où les éditions sont deux fois plus nombreuses ; importante dans la période de l'effondrement (1900-1920), elle est faible durant celle des grands succès de l'exil.

Bref, on suspecte qu'il y a œuvres complètes et œuvres complètes : que celles des années 1830-40 correspondaient à des phénomènes de lecture et d'édition tout différents de ceux des années 1886-1914. Ces derniers mêmes ne sont sûrement pas homogènes : les collections in -8° ou in -4° de Hetzel, Lemonnyer-Richard ou Ollendorff (la fameuse « I.N. ») ne s'adressaient pas au même public et n'avaient pas les mêmes tirages que les suites populaires de Hugues — avec illustrations —, de Hetzel à nouveau, mais in -18, ou de Rouff : in -32 en 300 livrets à 5 sous pièce.

Nous manquons donc ici de données comparatives. Hugo jouissait-il d'un réel et important privilège — au reste mal assuré —, d'un statut à part, en publiant ses œuvres complètes sous la Monarchie de Juillet ? Leur absence durant le Second Empire correspond-elle à un ostracisme éditorial, à la position institutionnelle hors-cours de l'auteur ? ou bien un revirement de la mode des collections, lancée en 1820, avait-il fait préférer pour lui comme pour les autres les volumes séparés ? Même question, inverse, pour la période suivante.

Surtout, si de 1875 à 1914 la coexistence de collections coûteuses et de séries populaires est le signe certain d'un consensus esthético-idéologique entre les deux publics du marché du livre, on ignore dans quelle mesure il est déterminé par Hugo lui-même — par la nature d'une œuvre exigeant, au moins optativement, une lecture complète et l'exigeant de tous — ou par une modification générale des conditions sociales et culturelles de l'appropriation des textes littéraires. Questions qu'il faut laisser posées, essentielles pourtant puisque la confrontation du nombre des éditions de Hugo et des autres écrivains suggère que le destin de son œuvre et de son image s'est joué précisément en ces années.

Quot libros in duce ?

Rien d'évident cependant au spectacle des 18 diagrammes ci-contre. Il n'y en a pas deux identiques et cette diversité, telle que chaque auteur ne mériterait qu'une étude particulière, semble confirmer par l'histoire de leur réception l'individualité ordinairement reconnue dans leur nature aux grandes œuvres de l'art.

Pourtant quelques données générales s'observent aisément. Un échelonnement discontinu répartit manifestement les auteurs du corpus en deux groupes : l'un où la moyenne annuelle du nombre des éditions est de l'ordre de 10, l'autre où elle est de l'ordre de 2. De plus, les « grands » ont au moins deux périodes d'édition mas-

GRAPHIQUE V

Nombre de notices de la Bibliographie de la France pour 18 auteurs.
(sur 10 000 notices et en moyenne mobile sur trois ans)

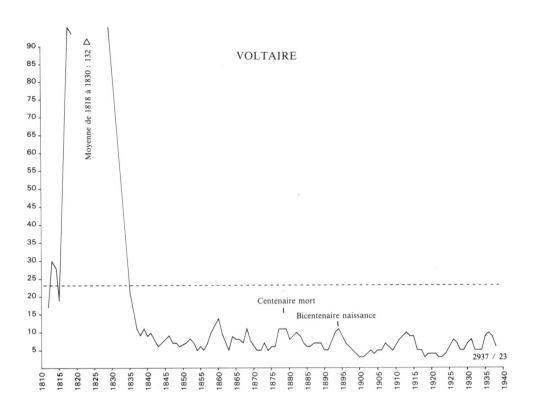

VOLTAIRE

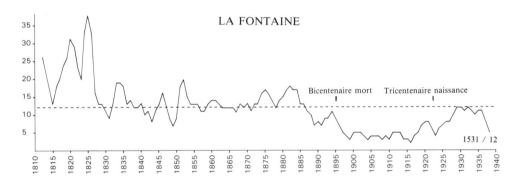

LA FONTAINE

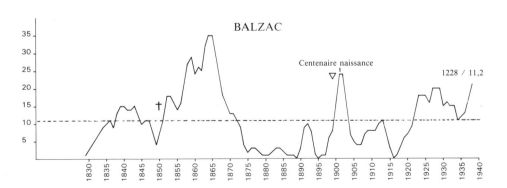

BALZAC

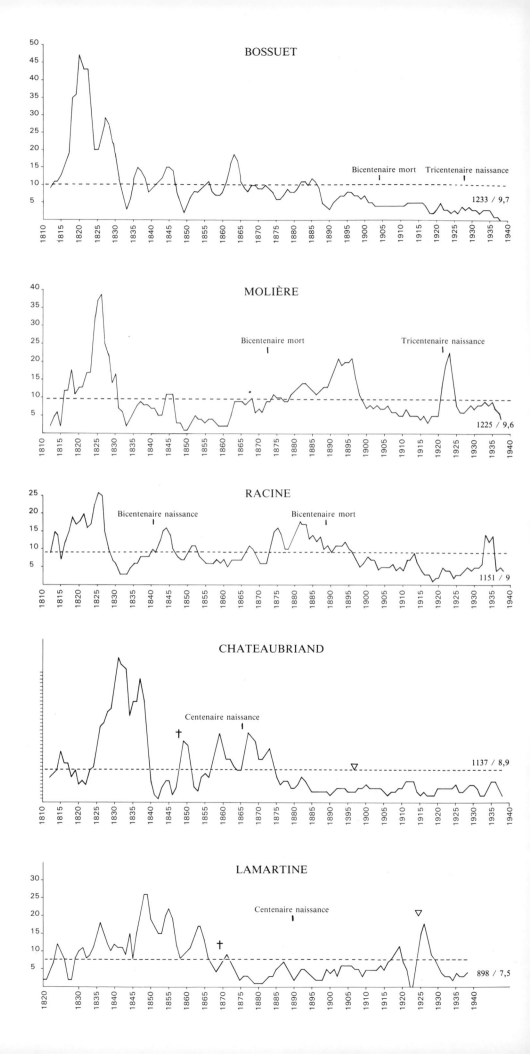

Hugo compté

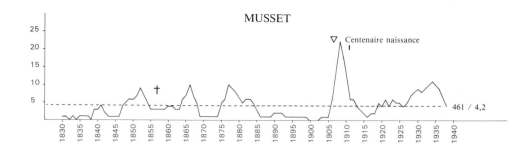

MUSSET

▽ Centenaire naissance

461 / 4,2

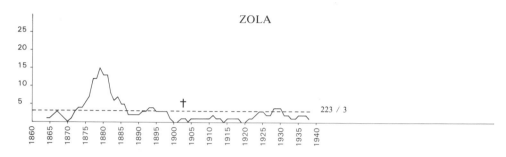

ZOLA

223 / 3

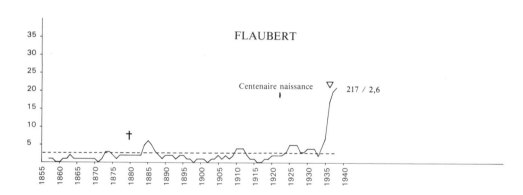

FLAUBERT

Centenaire naissance ▽

217 / 2,6

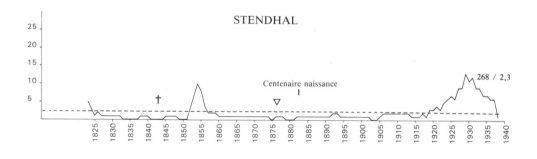

STENDHAL

Centenaire naissance

268 / 2,3

▽

BAUDELAIRE

Centenaire naissance

▽

212 / 2,3

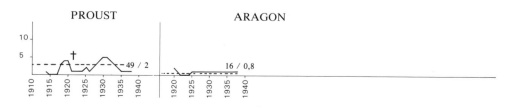

PROUST   ARAGON

49 / 2   16 / 0,8

337

Hugo compté

VIGNY

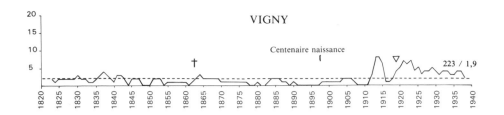

Centenaire naissance

223 / 1,9

MONTAIGNE

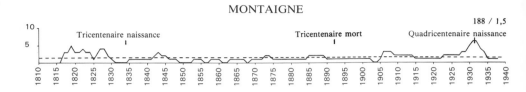

188 / 1,5

Tricentenaire naissance   Tricentenaire mort   Quadricentenaire naissance

RIMBAUD (valeurs réelles)

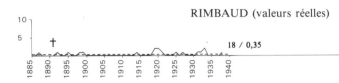

18 / 0,35

- - - - : Moyenne sur l'ensemble de la période
† : Date de la mort
▽ : Date de l'entrée dans le domaine public
∟ : Total / Moyenne annuelle

sive (au moins 10 publications par an sur plusieurs années), tandis que les « petits » n'en ont qu'une ou aucune. Cette surprenante dichotomie ne peut que servir d'hypothèse pour l'analyse d'un échantillon plus large.

Le poids des circonstances biographiques est également évident, mais sans rien d'universel. La mort, son approche et la dizaine d'années qui la suit, n'est pas favorable à l'édition d'un écrivain ; le contraire est vrai des anniversaires de la mort ou de la naissance : l'impact d'un centenaire ne date ni d'aujourd'hui, ni d'hier. Mettons pourtant à part le cinquantenaire de la mort : jusqu'en 1914 il se confond avec l'entrée dans le domaine public, souvent marquée par un éphémère gonflement de l'édition et précédée par la dépression de son attente. Mais le phénomène n'a rien d'automatique. Il n'atteint ni Stendhal, ni Chateaubriand et très peu Vigny. C'est dire que les déterminations purement économiques sont secondes et ne prennent effet que sur un terrain idéologique et culturel favorable.

Le phénomène le plus visible est celui de la « classicisation ». Il se traduit statistiquement par une chute plus ou moins vive du rythme des éditions, suivie de rééditions constantes et stables mais en nombre relativement petit. En 1825-30, il atteint spectaculairement — on y reviendra — tous les « classiques » devenus tels précisément à ce moment. Leur sont successivement assimilés Chateaubriand et Lamartine vers 1880, Musset un peu après, Zola vers 1900, Hugo entre 1915 et 1920.

Quant à l'édition des œuvres de celui-ci, la comparaison visuelle suffit à en esquisser le profil original. Réserve faite des corrections que pourrait apporter la prise en compte des tirages, elle est d'abord quantitativement inférieure à l'attente et la gloire de Hugo semble disproportionnée au nombre de ses publications. Chateaubriand et Balzac, mais aussi La Fontaine et Molière ont été plus souvent édités que lui au siècle même qui passe pour avoir été le sien. Loin du monopole, Hugo n'y atteint pas même le primat.

A y mieux regarder pourtant, la distribution chronologique des actes éditoriaux dont il fait l'objet apparaît cohérente avec l'ampleur et surtout la qualité de son

*Jules Chéret
Affiche de librairie pour Les misérables, Paris, Hugues, 1879-82 (cat. 354)
Paris, M.V.H.

*Louis Bombled
Affiche pour Les misérables dans *Le Radical*, 1897 (cat. 358)
Paris, M.V.H.

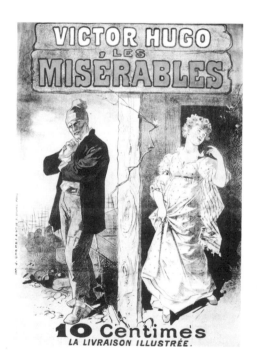 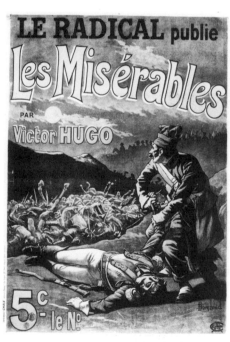

renom. A la différence de ce qui se passe pour tous les autres écrivains — Racine excepté peut-être — l'édition hugolienne ne connaît que peu de variations. Elle ignore les records atteints par Chateaubriand, Balzac, Lamartine ou Voltaire, mais aussi les failles profondes ou les longs paliers bas. Celui des années 1910-1933 met effectivement Hugo près du zéro, mais il est de courte durée, contemporain d'une guerre et d'une crise, et trouve en partie son origine — au début du siècle — dans une désaffection presque générale, et bien surprenante, pour tous les auteurs de notre corpus. Sans donc jamais atteindre de sommets mirobolants, l'édition des œuvres de Hugo fut massive et le resta longtemps : durant toute sa vie et même un peu au-delà. De 1830 à la Première Guerre, il n'est pas de génération de Français pour qui

LES MISÉRABLES

En Vente Partout

par Victor HUGO

10Cent. LA LIVRAISON — 2 LIVRAISONS PAR Semaine — LA 1re LIVRAISON GRATIS
2e & 3e LIVRAISONS VENDUES ENSEMBLE 5.Cent

Librairie OLLENDORFF 50. Chaussée d'Antin. PARIS.

Les Misérables

par

VICTOR HUGO

10c

La Livraison illustrée

GRATIS PARTOUT 1re & 2me LIVRAISONS

JULES ROUFF & Cie. Editeurs, 14. Cloitre St. Honoré, PARIS

Hugo compté

Hugo n'ait pas été un des tous premiers écrivains. Le cumul des secondes places finit par donner la première.

Surtout, cette permanence de Hugo qualifie sa gloire. S'il est un écrivain vivant, c'est qu'il n'est jamais tout à fait devenu un classique. Chateaubriand et Lamartine le sont dès 1880, et le restent ; Musset, Stendhal et Vigny le sont, pour ainsi dire, dès l'origine : lorsque la faveur du public et des éditeurs les atteint, c'est en tant que « classiques méconnus ». Seuls de leur génération, Balzac et Hugo ont été trop brièvement délaissés — celui-ci entre les deux guerres, celui-là de 1875 à 1890 — pour demeurer enfermés dans l'appartenance à la littérature du passé. Ce privilège explique peut-être la position exceptionnelle que leur donnera, après-guerre, le renouveau de l'appareil éditorial.

A la différence de Balzac, en revanche, parce qu'il fallait que s'y ajoute la présence réelle de l'homme : le grand âge auquel Hugo parvint si tard dans le siècle, le même phénomène contribue aussi à expliquer l'allure familière de sa célébrité. Le Second Empire et les débuts de la IIIᵉ République ont lu *La comédie humaine* comme l'œuvre d'un écrivain vivant mais défunt, et les livres de Hugo comme ceux d'un poète en chair et en os, accessible et visible. Nos pères — et encore pas tous — l'ont ignoré ; leurs pères, élevés par des hommes qui avaient pu le côtoyer, l'aimaient ou le haïssaient, et combattaient avec ou contre lui mais sous son regard, de père en fils depuis le premier quart du siècle. Sartre le dit très bien dans *Les mots*. Lorsqu'il a pris fin, ce continuum des générations contemporaines du poète a définitivement fixé l'image de Hugo dans la dernière, celle du grand-père.

Tous les écrivains ne se résument pas ainsi dans leur visage. Stendhal, c'est Lucien, Fabrice ou Julien ; à la différence de la barbe-sigle, les moustaches de Flaubert ne sont que des moustaches. Hugo échappe à cette loi résultant du statut de la littérature qui veut qu'un grand poète soit un poète mort. On disait avant guerre, pour le célébrer : « Il est entré vivant dans la légende. » C'était dire : il a lui-même assisté aux tirages imposants des rééditions inlassables. Que la vie n'ait pas quitté l'auteur au moment où ses livres sont le plus lus pourrait bien être la condition nécessaire et suffisante de l'adhérence de l'homme à son œuvre.

De là enfin la spécificité du rapport de Hugo à l'Histoire. Par le nombre de ses éditions, son œuvre appartient à la Monarchie de Juillet en même temps qu'au Second Empire et à la IIIᵉ République. Si l'on identifie chaque écrivain à sa période de plus grande diffusion relative, il est à la fois Lamartine, Balzac et Zola. La seule période à laquelle il n'appartienne pas — résolument : non à la manière des classiques vaguement survivants, mais à celle des auteurs vivants (pour le cas, morts) — est celle de l'immédiat avant-guerre et de l'entre-deux-guerres : au moment où le devenir historique de la France est le moins assuré et le plus trouble. Toute la longue phase fondatrice de notre ère moderne, de la fin des Bourbons à celle de la Révolution, a mis Hugo aux premiers rangs de ses écrivains ; son nom et son image en sont restés symboliquement liés à l'élan et à l'éclat du XIXᵉ siècle, particulièrement, on va le voir, du XIXᵉ siècle républicain.

Aventures des graphiques livrés aux conjectures

Les premières années de la IIIᵉ République distinguent en effet l'édition hugolienne lorsqu'on la confronte non plus à l'ensemble du corpus, mais aux regroupements suggérés par l'histoire littéraire et que la configuration même des courbes conduit à opérer.

Celles des classiques présentent plusieurs point communs. D'une part, en regard de celles des auteurs contemporains, elles sont étonnamment hautes. La littérature du passé n'est pas, au XIXᵉ siècle, ce qu'elle est aujourd'hui — 5 % des titres de la littérature générale. Quoique ses tirages — quelques sondages nous l'ont montré — soient moins importants que ceux des nouveautés pour lesquelles l'éditeur se tient prêt à satisfaire une demande peu prévisible, elle n'a rien de marginal. Au contraire. En cent ans, de 1831 à 1930, les six classiques totalisent quelques 4 500 notices à la B.F. et les six romantiques 3 900. Importante, elle est aussi régulière. Les courbes avancent ici par paliers, avec de faibles variations annuelles, ignorant, si l'on excepte la période 1812-30, les mouvements de grande amplitude qui secouent l'édition des auteurs du siècle — Balzac par exemple, passant entre 1849 et 1864 de 4 à 35 notices par an.

Sans guère d'exception, d'autre part, les classiques sont affectés de deux sortes de mouvements : les uns ponctuels, liés aux conjonctures politiques ou économi-

*Géo Dupuis
Affiche de librairie pour* Les misérables, Paris, Ollendorf, 1908-09 (cat. 360)
Paris, M.V.H.

*Jules Chéret
Affiche de librairie pour* Les misérables, Paris, Rouff, 1888-89 (cat. 357)
Paris, M.V.H.

ques, les autres plus lents, qui leur sont propres. Les crises sont défavorables : la révolution de 1830 et les conflits qui la prolongent jusqu'en 1832, la dépression économique de 1847 relayée par la révolution, la guerre de 70 et la Commune, la Grande Guerre, la crise des années 30 qui touche toute la librairie, mais davantage les classiques puisque nos valeurs sont corrigées. Indépendants des événements semblent en revanche les paliers bas de 1830-40 — avec la remontée des années 1841-45 connue de l'histoire littéraire — et de 1850-70, le palier haut entre 1875 et 1895 accentué selon les cas tantôt vers la première décennie tantôt vers la seconde, le plancher des années 1900, l'essor plus ou moins sensible entre 1920 et 1935. Comme il est logique, notons-le, les chutes conjoncturelles sont simultanées, tandis que les pointes sont décalées : les classiques souffrent ensemble des crises et se relaient dans les périodes favorables.

Spectaculaire enfin, propre et constitutif, est le développement suivi d'une chute aussi brutale que connaît l'édition des écrivains des siècles antérieurs entre 1820 et 1826-27. Ce phénomène sans équivalent ensuite est le principal événement éditorial du siècle par son ampleur et, surtout, parce qu'il détermine et définit l'existence même des « classiques ». Instituant une bipartition toute différente de l'opposition traditionnelle entre anciens et modernes, il divise la littérature en deux : d'un côté les œuvres, plus ou moins récentes, dont le profil historique de l'édition n'est pas caractérisé, de l'autre celles, pas toujours bien anciennes, ayant eu — et peut-être seulement présumées avoir eu — une grande fortune éditoriale dont la légitimité est enregistrée et renouvelée par une publication constante à bas niveau. Classique est une œuvre dont la « chronique » suit la figure ⌐⌐ . C'est à l'entrée du XIXᵉ siècle que ce profil est réalisé, cette définition admise, et qu'elle trouve son principal objet dans les écrivains du passé, bientôt rejoints par ceux du siècle.

S'ils ont donc chacun un sort particulier — Bossuet glisse vers la disparition, Voltaire passe brutalement d'une prodigieuse faveur à une notoriété honorable, Molière présente un cas légèrement atypique provoqué peut-être par les aléas spécifiques de la représentation — les classiques présentent pourtant assez de points communs pour qu'on puisse les envisager ensemble et établir le diagramme — quinquennal cette fois puisque les écrivains ne sont plus traités individuellement — d'un imaginaire classique moyen (voir graphique VI).

Sa comparaison avec celui de Hugo conduit à l'essentiel. Jusqu'en 1850, en même temps que Hugo accède, puis se stabilise, à un palier élevé (8 publications annuelles), les écrivains des siècles précédents connaissent, eux, la « classicisation » qui les porte très haut et les ramène à un niveau comparable à celui du poète. Un tournant s'opère en 1850-55. Dès lors, un mouvement ascensionnel irrégulier mais continu emporte l'édition de Hugo pendant une quarantaine d'années et la fait culmi-

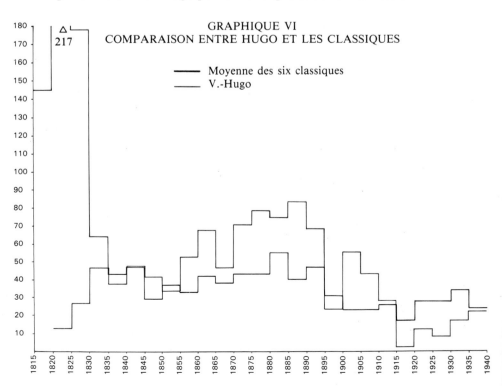

GRAPHIQUE VI
COMPARAISON ENTRE HUGO ET LES CLASSIQUES

—— Moyenne des six classiques
—— V.-Hugo

ner aux cinq années qui suivent sa mort. Elle atteint alors une moyenne de 16 publications annuelles : le double de ce qu'elle était sous la Monarchie de Juillet — et sans que soit en cause le progrès général de la librairie puisque les nombres restent relatifs à 10 000 entrées à la B.F. Dans le même temps, à l'exception d'une pointe, peut-être due aux lois scolaires, en 1881-85, l'édition classique, passant de 7 à 9, augmente incomparablement moins sans rester tout à fait stationnaire.

De 1890 à 1920, on l'a vu, le centenaire ne dissimule pas la progressive raréfaction des publications pour Hugo. Elle conduit par degrés à l'absence ; rien n'est édité de lui durant les quatre années 1917-1920 : seconde proscription depuis le précédent de 1852. Vraisemblablement entamé dès 1885, un mouvement analogue mais sensiblement plus modéré touche les classiques qui atteignent, plus tôt également — dès 1900 — leur plancher historique : 4 ou 5 titres par an à eux six.

A partir de 1920 enfin — peut-être de 1910 pour les classiques — s'amorce une lente progression, plus vive pour Hugo parti de plus bas.

Le mouvement de l'édition des œuvres de Hugo s'effectue donc en sens inverse de celui des classiques jusqu'en 1850-55, mais dans le même sens depuis cette date jusqu'à la veille de la Seconde Guerre, quoique non sans légers décalages et non sans différence d'ampleur. Le premier de ces phénomènes ne surprend pas ; mais il doit être vérifié, en même temps que le second sera éclairci, par la comparaison de Hugo avec ses contemporains : les écrivains de sa génération et ceux des suivantes.

GRAPHIQUE VII
COMPARAISON ENTRE HUGO ET LES ROMANTIQUES

— Moyenne des six romantiques

— V.-Hugo

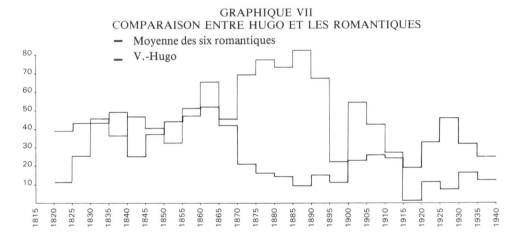

Au graphique VII, la courbe quinquennale moyenne des six romantiques — Chateaubriand y figure à juste titre puisque son diagramme est beaucoup plus proche de celui de Lamartine, par exemple, que de Voltaire — se lit aisément. Le palier haut des années 1821-40 correspond d'une part aux valeurs élevées tôt atteintes par Chateaubriand, d'autre part à l'entrée en scène successive de Lamartine, Stendhal et Vigny, Balzac et Musset. Ici la moyenne estompe la diversité des cas individuels qu'elle enregistre ensemble.

L'inverse est vrai de ce qui suit : non seulement de la crise de 1841-45, bien connue de l'histoire littéraire et symétrique d'un succès des classiques, mais surtout de l'assimilation culturelle du romantisme au cours de la première moitié du Second Empire. Elle conduit l'édition romantique à son record historique dans les années 1861-1865. Notons pourtant que cette escalade est, pour l'essentiel, le fait de trois auteurs sur six : Lamartine, Chateaubriand et Balzac. Hugo y aurait participé, et ajouté, s'il avait été compté.

Aussi spectaculaire est la désaffection dont le romantisme devient ensuite l'objet jusque vers 1900. A partir de cette date, les entrées dans le domaine public (1901, Balzac ; 1907, Musset) accélèrent et accroissent un retour en faveur dont nos auteurs bénéficient inégalement. Chateaubriand, Balzac et, malgré la pointe de son entrée dans le domaine public, Lamartine y participent moins que Vigny, Stendhal et Musset qui n'avaient alimenté que dans une faible mesure les mouvements antérieurs et qui, intervenant pour moitié dans celui-ci, le déterminent largement. Cette circonstance est si nouvelle, et si nette, qu'il faut ici parler d'un néo-romantisme dont l'apparition, et le progrès, s'apparente à celui des « modernes ».

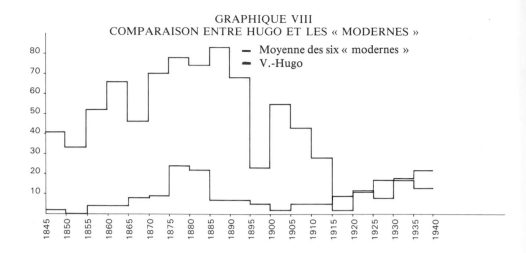

GRAPHIQUE VIII
COMPARAISON ENTRE HUGO ET LES « MODERNES »

— Moyenne des six « modernes »
— V.-Hugo

Quant à ces derniers, leur courbe moyenne — graphique VIII — ne doit être prise en considération que dissociée en quatre sections. La première, jusqu'en 1870, montre surtout l'incapacité des œuvres nouvelles — du moins celles du corpus — à s'imposer dans le marché du livre sous le Second Empire. Procès et mises à l'Index ont peut-être été plus efficaces qu'on ne le croit. La seconde, de 1871 à 1885-90, témoigne surtout du succès de Zola, mais aussi de la première diffusion importante des œuvres de Baudelaire et de Flaubert ; Rimbaud se joint à eux de façon sporadique et infinitésimale, mais significative. La troisième, 1891-1905-10, correspond à un retrait général sur lequel on reviendra. La quatrième — à partir de la fin de la guerre mais, pour certains, dès 1905 — marque l'entrée dans l'édition et le développement d'une nouvelle modernité littéraire. Elle se forme, réserves faites quant à la pertinence de notre corpus, à partir des livres de Baudelaire, Flaubert et Proust ; le surréalisme, si on l'apprécie aux chiffres relevés pour Aragon, n'y figure pas encore ; mais elle n'excepte pas tout à fait Rimbaud. Il est plus que probable qu'elle explique la « redécouverte » — classicisation inversée — de Vigny, de Stendhal et aussi de Musset, attirés dans sa sphère.

Conclusions

La triple comparaison de Hugo avec les romantiques, les classiques et les « modernes » confirme maintenant, et précise, l'originalité de son destin éditorial.

Il se distingue d'abord par la force et la vitesse de l'ascension initiale. En 1835, Hugo est encore loin du succès de Chateaubriand, mais il a rejoint Lamartine. Musset, Stendhal et Vigny ne totalisent pas ensemble la moitié du nombre de ses éditions durant la décennie 1826-1835. Telle est la base concrète, autant que la conséquence, de l'autorité, voire de la primauté, car il y a aussi le théâtre, qui lui est si tôt reconnue.

Dès lors et jusqu'en 1870, sa carrière mesurée au nombre de ses éditions s'identifie presque exactement à l'histoire du mouvement romantique. Les années 1836-40 lui sont un peu moins favorables qu'aux autres ; inversement, il ne pâtit pas autant qu'eux de l'offensive néo-classique en 1841-45, peut-être à cause du retentissement de son élection à l'Académie ; les débuts du Second Empire lui sont, en revanche, évidemment plus défavorables. Ce sont là des écarts anecdotiques et le calcul confirme qu'à l'exception des années 1841-45, la moyenne romantique resterait identique si Hugo y était compris.

Tout change en 1870. Le vilebrequin du graphique VII le montre, Hugo se sépare alors des autres romantiques et son évolution s'oppose diamétralement à la leur. L'édition de ceux-ci se raréfie jusqu'à l'asphyxie alors que la sienne culmine pour quelques vingt-cinq ans. Il ne contrecarre en ceci, contrairement à ce qu'on pouvait attendre, ni les classiques qui progressent modérément, ni non plus les générations suivantes : Zola, Flaubert, Baudelaire et même Rimbaud à y bien regarder. Durant les vingt premières années de la IIIe République, le romantisme cède la place à la fois à une littérature nouvelle, à laquelle Hugo appartient par nombre de publications originales presque toutes de vocation militante, et à la diffusion d'œuvres parues sous le Second Empire, oppositionnelles, et restées plus ou moins méconnues. La multiplication des œuvres complètes de Hugo traduit la conjonction de ces deux mouvements.

Ils refluent ensemble à partir de 1890-95 et jusqu'en 1900-1905. Or, très curieusement, personne ne semble bénéficier de ce double retrait : ni les classiques dont l'édition se raréfie sensiblement, ni même les romantiques qui stagnent à un niveau très bas à peine relevé par l'entrée de Balzac dans le domaine public. Que lisait-on en France en 1900 ? Rien ou du rien, serait-on tenté de dire, si l'étroitesse de notre corpus ne nous l'interdisait. L'époque dut être plus belle pour Xavier de Montépin, Zévaco et René Bazin que pour Claudel et Mallarmé. Tout se passe comme si l'on assistait alors à une décomposition du champ littéraire, décomposition dont Hugo souffre plus que d'autres dans la mesure où il l'avait plus largement occupé et en avait plus brillamment réuni les lignes de force. Sa recomposition, retardée mais accentuée et réorientée par la guerre, bénéficie à tous les auteurs ici examinés, Hugo compris, mais très inégalement. Elle le laisse en marge et ne modifie guère non plus le sort des classiques — à l'abri sous l'auvent des « Petits classiques ». Mais en même temps qu'elle fait surgir de nouveaux noms, elle récupère, non sans renouveler leur lecture, certains écrivains du Second Empire — Flaubert et Baudelaire — et surtout la fraction du romantisme qui avait le moins participé à ses succès. Le romantisme humanitaire, religieux et militant — le romantisme prophétique, est écarté : Hugo, mais aussi Chateaubriand et Lamartine sont maintenus ou réduits en position de classiques ; le romantisme ironique, égotiste ou mallarméen — le romantisme froid, voudrait-on dire, est assimilé à une modernité qui « redécouvre » aussi Montaigne.

Bifrons — Par l'évolution du nombre de ses publications, Hugo est pleinement un romantique — et le plus romantique des romantiques — du début de sa carrière à la fin du Second Empire, et cesse alors de l'être.

A ne considérer que les chiffres bruts — 108 entrées à la B.F. de 1830 à 1849, 228 de 1850 à 1869, 398 de 1870 à 1890 —, on comprend pourquoi « l'ancienne notabilité du temps de Louis-Philippe » que Marx voyait en lui est devenu, et resté dans les mémoires, un homme de la IIIᵉ République. Seul de sa génération il assiste et participe à sa fondation, et le plus gros de son œuvre est écrit avant 1870 mais elle est le plus lue après. L'adhérence du nom de Hugo à la IIIᵉ République se forme sur les presses des imprimeurs avant d'encombrer, pour le meilleur et pour le pire, la mémoire des élèves confiés aux « hussards noirs de la République ».

Dans l'immédiat, pour le pire. L'ancrage républicain de Hugo, d'autant plus fort qu'il s'était préparé durant tout le Second Empire, fait souffrir sa gloire lorsqu'une catastrophique victoire et la sévérité des conflits idéologiques disqualifient l'élan romantique autant que le consensus républicain militant — devenu militaire.

En un mot, Hugo est un romantique de la IIIᵉ République. Cette double appartenance, la droite maurrassienne l'a sanctionnée en la vilipendant, mais elle lui avait été conférée par la place de ses œuvres dans l'histoire de l'édition littéraire. Dans la conscience immédiate, l'époque d'un auteur du passé — c'est l'hypothèse générale à laquelle nous sommes conduits et Hugo ne la vérifie pas seul — n'est pas celle où il a écrit, mais celle de sa plus grande diffusion relative. Un écrivain ne date pas de ses œuvres, mais de leur lecture.

Aujourd'hui encore, dans un contexte politique et idéologique pourtant tout différent et malgré l'ignorance presque complète des textes publiés après l'exil, le nom de Hugo associe d'emblée pour tous un jeune homme de 1830 — Olympio, le Hugo des biographies, et un grand-père de 1880 : celui des images.

A.V.

Théâtre, poésie, roman

Réception et perpétuation des œuvres — L'écrivain écrit. Mais son œuvre ne prend d'existence, au sens social, qu'à compter du moment où elle est lue, où un public la *reçoit*. On peut dire que sa destination est par nature idéologique : l'œuvre littéraire participera de la façon qu'ont les hommes de se représenter, eux-mêmes, leurs relations, leurs activités, leur monde...

Le travail réciproque effectué par un texte sur ces représentations, et par celles-ci sur le texte : cette double relation qui constitue la lecture nous est partiellement restituée à travers les discours tenus sur l'œuvre — discours des lecteurs, des critiques, des universitaires, des manuels scolaires, etc. D'autre part, il existe des systèmes (techniques, économiques, institutionnels) qui s'efforcent de préparer, d'organiser ou de favoriser cette *réception* du livre en réalisant sa production et sa diffusion. Enfin, un certain nombre de procédures de toutes natures prennent en charge la sélection et la *perpétuation* des œuvres littéraires venues du passé.

Étudier réception et perpétuation d'une œuvre littéraire à travers l'Histoire, c'est mettre à jour l'ensemble de ces phénomènes. L'objectif qu'on se propose est de connaître la place et la valeur idéologique exactes accordées par la société à l'œuvre en question. Une telle recherche parcourt nécessairement des domaines très divers, en particulier ceux du commerce du livre et de la critique littéraire ; mais elle sait que l'objet ambivalent « texte-lecture », qui donne sa réalité à la littérature, trouve en dernière instance son usage dans le champ de l'idéologie. Ce travail s'apparente donc à l'histoire des mentalités.

Compte-tenu des limites qui lui étaient imparties, l'étude qu'on lira ici s'est fixé des objectifs modestes. C'est par les chiffres, et en utilisant une méthode comparative, que nous essayons d'évaluer la « gloire de Hugo » dans la littérature française ; ce qui n'exclut pas, pour interpréter ces résultats quantitatifs, de formuler des hypothèses qui rapportent ces phénomènes au chantier du mouvement et des contradictions des idées, des systèmes et de l'Histoire.

Les éditions des œuvres théâtrales de Hugo[2]

Choix des œuvres — *Hernani* et *Ruy Blas* sont les deux pièces choisies comme échantillon du théâtre de Hugo. Elles offrent l'intérêt d'avoir été non seulement lues mais jouées (avec, parfois, quelque retentissement), ce qui n'est pas universellement partagé. De plus leur notoriété ne semble pas avoir subi, en cent cinquante années, un trop grand effacement. Tout, ici, est affaire de « réputation », légitime ou non. Il est donc concevable de suivre dans l'édition l'audience de Hugo dramaturge à travers les évolutions d'*Hernani* et *Ruy Blas*. De ce fait, contrairement aux études des genres romanesque et poétique, l'examen du genre théâtral portera sur deux textes représentant une période assez courte et homogène de l'œuvre de Hugo : 1830-1838, fastes (?) éphémères du drame romantique.

Il faut donc sélectionner comme termes de comparaison des textes qui participent du même ensemble culturel (tel, du moins, que le définit la tradition de l'histoire littéraire) : ce seront *Chatterton* (1835) et *Lorenzaccio* (1834). Peu nous importe, en elle-même, la part exacte de « gloire » qu'ils ont offerte à Vigny et à Musset. L'étude est par nature « hugocentrique » : nous retenons, pour essayer d'apprécier correctement le succès relatif d'*Hernani* et *Ruy Blas*, deux pièces comparables et qui sont considérées comme pierres angulaires du drame romantique.

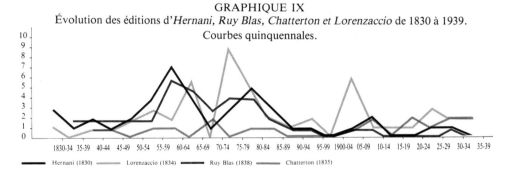

GRAPHIQUE IX
Évolution des éditions d'*Hernani, Ruy Blas, Chatterton* et *Lorenzaccio* de 1830 à 1939.
Courbes quinquennales.

Étude quantitative et chronologique. Étude des courbes quinquennales — *Hernani* et *Ruy Blas*, comparés l'un à l'autre dessinent des courbes très semblables. Il est clair que ces deux œuvres rencontrent en librairie un écho quasi-identique, qui évolue selon les trois phases distinguées au chapitre précédent. *Hernani* et *Ruy Blas* connaissent notamment un nombre de publications particulièrement élevé entre 1856 et 1883, qui s'affaiblit toutefois de 1870 à 1874. Si on les examine dans le détail, année par année et édition par édition, cette similitude se confirme.

Le fait que la courbe de *Ruy Blas* soit plus régulière que celle d'*Hernani* n'induit pas de différence essentielle ; elle révèle pourtant une présence légèrement plus constante du premier dans le commerce jusqu'en 1879. L'atténuation de la « faille » de 1870-74 chez *Ruy Blas* s'explique par le retentissement de la représentation de la pièce à l'Odéon en 1872.

On pourrait rendre compte du parallélisme de destin des deux œuvres par leurs éditions concomitantes dans les volumes de collection du type « Théâtre de Victor

Hugo ». Une telle analyse n'est pas inexacte, mais elle est loin d'être exhaustive. Même à ne considérer que les éditions « collectives » (c'est-à-dire en excluant les parutions indépendantes de chacune des deux œuvres), celles-ci ne comprennent pas toutes le théâtre *complet*. Et lorsqu'un éditeur publie le théâtre complet, une fois passée l'édition initiale, il ne se prive pas de rééditer ou retirer exclusivement les volumes qui bénéficient de la plus grande réussite commerciale. Les pratiques de l'édition ne sont évidemment pas déterminées par la logique de la cohésion littéraire.

Aussi l'homogénéité minutieuse des publications d'*Hernani* et de *Ruy Blas* doit-elle être prise pour ce qu'elle est : un signe de l'équivalence de leurs succès. Parmi les multiples éléments qui définissent la réception de ces deux œuvres, il existe un nombre important de paramètres essentiels qui leur sont communs ou identiques, et qui permettent d'y lire la même structure.

Qu'est-ce qui en définit l'originalité par rapport à *Chatterton* et à *Lorenzaccio* ?

Les graphiques des publications des pièces de Vigny et Hugo n'ont rien en commun. Le nombre des éditions de *Chatterton* est extrêmement réduit, et très inférieur, au total, à ceux d'*Hernani* et *Ruy Blas* ; avant 1915, on compte en moyenne :

Chatterton 1 édition/6,15 années
Hernani 1 édition/2,07 années
Ruy Blas 1 édition/2,02 années
Lorenzaccio 1 édition/1,83 années.

De plus le rythme des publications de *Chatterton* est aussi régulier que le nombre est médiocre ; tout juste peut-on observer que le drame de Vigny s'édite (un peu) plus lorsqu'Hugo disparaît : entre 1870 et 1874, et après 1910. Mais les quantités concernées sont tellement insignifiantes qu'en l'absence d'autres paramètres d'appréciation, il serait prématuré d'en tirer des conclusions précises et définitives.

On peut toutefois émettre une hypothèse d'interprétation. Le profil des publications de *Chatterton* est semblable à celui que présentent généralement les œuvres du passé dites « classiques » ; c'est-à-dire, assez peu d'éditions, mais des éditions constantes. Il n'est donc pas exclu que *Chatterton* soit devenu, avant l'heure, une référence culturelle distante, connue mais peu pratiquée. Tout au contraire, au moins jusqu'en 1890, les graphiques d'*Hernani* et *Ruy Blas* présentent des formes « vivantes ».

Lorenzaccio en est infiniment plus proche. Jusqu'en 1905, le drame de Musset propose même des tendances d'ensemble identiques à celles du théâtre hugolien[3] : forte augmentation des publications après 1855 ; interruption brutale mais passagère entre 1868 et 1875 ; reprise spectaculaire en 1876, déclin après 1885. Cela signifie-t-il que le succès des pièces de Hugo pendant le Second Empire et les débuts de la IIIe République est, pour une part, déterminé par l'émergence impressionnante dans la librairie du « drame romantique » ? La société française des années 1855-1885 choisit-elle de lire son organisation et ses crises à travers l'aventure esthétique et idéologique de 1830 ? Pourquoi, en ce cas, *Chatterton* reste-t-il à l'écart de ce phénomène ? L'étude d'autres données matérielles permettra de préciser ces questions ; mais un examen des discours critiques, c'est-à-dire de la nature *idéologique* de la réception de ces œuvres, serait nécessaire pour pouvoir conclure.

Le graphique de *Lorenzaccio* révèle cependant, par rapport à *Hernani* et *Ruy Blas*, des traits spécifiques. Son dessin « en dents de scie » est caractéristique. Même entre 1855 et 1885, le drame de Musset connaît des variations de succès beaucoup plus brutales que les textes de Hugo. Les périodes d'échec (voir 1870-1874) comme celles de réussite (voir 1875-1879) sont définies par des chiffres beaucoup plus spectaculaires, et elles se suivent sans progressivité. Par exemple : de 1865 à 1867, six éditions en trois ans ; de 1868 à 1875, aucune parution en huit ans ; de 1876 à 1880, dix parutions en cinq ans (dont sept dans les trois premières années).

Il en ressort que le commerce de *Lorenzaccio* est soumis à plus d'aléas que celui d'*Hernani* et *Ruy Blas*. Après 1894, cette différenciation s'approfondit. Alors que les publications du drame de Musset viennent de connaître la même chute que celles de Hugo, trois phénomènes contribuent à séparer définitivement les deux schémas :

— entre 1895 et 1899, le déclin des éditions de *Lorenzaccio*, continu depuis 1880, est freiné par la création de la pièce sur scène (1896).

— en 1907, Musset passe dans le domaine public ; jusque-là, l'éditeur Charpentier avait conservé un quasi-monopole de l'œuvre. En 1907, ce sont les éditeurs scolaires qui se jettent, en priorité, sur le marché de ces œuvres[4].

— après la Première Guerre mondiale, l'édition de *Lorenzaccio* adopte le rythme

Tableau 1
Volume des éditions des drames romantiques depuis leur parution jusqu'en 1939.

	18.. - 1854	1855 - 1885	1886 - 1914	1915 - 1939
HERNANI	(1830) 9	24	8	2
RUY BLAS	(1838) 8	24	6	1
LORENZACCIO	(1834) 5	25	12	9
CHATTERTON	(1835) 4	5	4	7

plat et régulier propre aux « classiques », mais son volume est sensiblement moins insignifiant que celui d'*Hernani* et *Ruy Blas* (voir tableau 7).

Type d'éditions, nature du public — Il s'agit à présent d'une étude plus qualitative des données matérielles.

Éditions séparées, éditions collectives — En règle générale, l'édition initiale d'un texte — roman, recueil de poésies, pièce de théâtre, essai... — se fait sous son propre titre et dans un volume indépendant de toute collection d'œuvres du même auteur ou du même genre. Elle est dite « séparée ». Par la suite, la reprise fréquente d'éditions séparées du même texte peut indiquer que l'œuvre bénéficie d'un certain succès (mais éventuellement au sein d'un public particulier, comme dans le cas des publications en classiques scolaires), ou qu'elle reçoit une résonance définie dans l'actualité ; en tout cas, cela prouve que l'œuvre est constituée en objet spécifique dans la culture du moment. Au contraire, la disparition des éditions séparées au profit des collectives marque l'effacement de l'existence « individuelle » du texte et son intégration par les consciences à un ensemble culturel qui l'englobe.

Lorenzaccio en est un exemple extrême. La pièce n'a pas été jouée, pour des raisons esthétiques et (surtout) politiques, avant 1896. Elle avait été écrite en 1834 : cette année-là, le texte paraissait, associé aux comédies, sous le titre commun *Un spectacle dans un fauteuil*. La seconde édition s'appelle, en 1840, *Comédies et proverbes* ; et c'est essentiellement sous ce titre et exclusivement en éditions collectives qu'on trouve dès lors et pour plus de cinquante ans *Lorenzaccio*. La première édition séparée n'est publiée qu'en 1895. Au fond, l'image « Lorenzaccio-Sarah Bernhardt » figure sans doute la vraie naissance de ce drame. Il est légitime de dire, d'une certaine façon, que la « création » de la pièce sur scène en 1896 correspond à une *création* du texte dans les consciences (non pas seulement des spectateurs, mais des lecteurs) ; car un nouveau type de lecture peut désormais exister.

En fait, si *Lorenzaccio* est considéré dans la culture actuelle comme un texte-modèle, l'examen des éditions, et en particulier de la très tardive puis très lente émergence de publications séparées du texte, montre qu'il faut attendre au moins 1935 pour que la lecture puisse virtuellement consacrer un tel statut[5]. Par contre, *Hernani* et *Ruy Blas* sont des œuvres qui existent, en tant que telles et continûment, dans les idéologies culturelles dominantes, depuis leur création.

Tableau 2
Pourcentage des éditions séparées des drames romantiques
dans le total de leurs publications jusqu'en 1939.

	18..-1914	18..-1939	18..-1854	1855-1885	1886-1914	1915-1939
HERNANI (1830)	14,6 %	19,5 %	44,4 %	4,2 %	12,5 %	100 %
RUY BLAS (1838)	18,4 %	20,5 %	25 %	12,5 %	33,3 %	100 %
LORENZACCIO (1834)	4,8 %	9,8 %	0 %	0 %	16,7 %	33,3 %
CHATTERTON (1835)	7,7 %	25 %	25 %	0 %	0 %	57,1 %

Il n'est pas surprenant de constater que l'année de sa création (1830), *Hernani* a paru trois fois en éditions séparées : succès « de scandale ». Par contre, une fois que les deux pièces ont quitté l'actualité immédiate, c'est nettement *Ruy Blas* qui conserve la présence individuelle la plus forte. Il est donc probable qu'auprès des lecteurs, le mythe esthétique « originel » d'*Hernani* est dépassé par l'investissement politique virtuel qu'on peut prêter à *Ruy Blas* ; en témoignerait le succès sensible des éditions de cette pièce lors de sa reprise à l'Odéon en 1872.

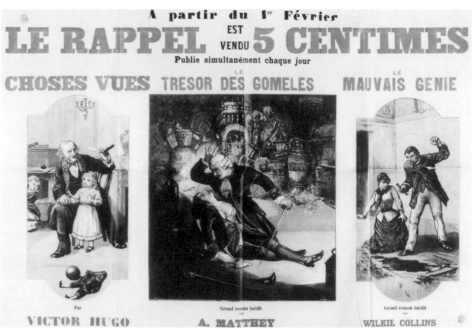

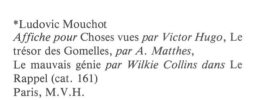

Ludovic Mouchot
Affiche pour Choses vues *par Victor Hugo*, Le trésor des Gomelles, *par A. Matthes*,
Le mauvais génie *par Wilkie Collins dans* Le Rappel (cat. 161)
Paris, M.V.H.

Quoi qu'il en soit, l'examen des taux de publication en éditions séparées montre qu'en fait les deux pièces de Hugo ne doivent pas seulement leur succès à l'écho reçu par le « drame romantique » pris dans son ensemble. Cependant la réussite concomitante des œuvres de Hugo et du théâtre de Musset de 1855 à 1885 suggère qu'à cette époque, la littérature romantique bénéficie en librairie d'un accueil favorable.

Auprès de quel type de public les éditeurs s'efforcent-ils de diffuser les œuvres en question ?

Prix des œuvres éditées avant 1915 — Le tableau 3 manifeste l'originalité de l'édition de Hugo par rapport à celle de Vigny et de Musset.

Tableau 3
Prix des éditions des drames romantiques parues avant 1915.
Pourcentage dans le total des publications

	Prix élevé*	Prix moyen	Prix populaire**	Prix inconnu
HERNANI	9,75 %	39, %	43,9 %	7,3 %
RUY BLAS	7,90 %	44,7 %	39,5 %	7,9 %
LORENZACCIO	23,80 %	38,1 %	26,2 %	11,9 %
CHATTERTON	7,70 %	61,5 %	30,8 %	0 %

* Supérieur à 7,50 F   ** Avant 1855 : inférieur à 4 F. A partir de 1855 : inférieur à 2 F

La clientèle recherchée par les éditeurs de Vigny est celle du public bourgeois « lettré », de façon très homogène. Les livres dits ici « populaires » sont deux éditions à 3,50 F en 1842 et 1848[7], et deux éditions de petits classiques en 1913 et 1914. Le public vraiment populaire n'est donc jamais sollicité, et l'œuvre ne fait jamais non plus l'objet d'une tentative d'édition luxueuse.

Au contraire, *Lorenzaccio* et le théâtre de Musset se prêtent à une exploitation commerciale caractérisée par l'hétérogénéité. Il y a une entreprise systématique qui vise à couvrir toutes les couches sociologiques des lecteurs potentiels. A deux ou trois reprises (en 1865-1867 et entre 1876 et 1891), l'éditeur Charpentier, parfois relayé par des confrères pour certaines éditions bibliophiliques, lance sur le marché des séries de volumes d'*Œuvres complètes* ou de *Comédies et proverbes* qui rééditent à un rythme surprenant les mêmes textes, dans des livres de tous formats et de toutes qualités, et dont les prix vont de la livraison populaire (1 F puis 10 c) aux volumes de luxe (75 à 200 F). Les ressources de l'industrie et de la diffusion modernes sont donc mises au service d'un projet commercial qui suppose l'uniformisation virtuelle de tous les publics, autour d'un texte qui pourrait réaliser l'harmonie culturelle, autant dire idéologique, de sa réception. Il faut objectivement constater que cette tentative prend fin au moment où *Lorenzaccio* sort de l'ombre, et qu'à partir de 1900, ne subsistent plus guère que des éditions scolaires et (après 1915) des éditions érudites ou « belles », en tout cas chères.

Le caractère original de la publication du théâtre de Hugo apparaît alors de façon transparente : elle écarte presque totalement les amateurs fortunés en ne produisant pas les très beaux livres réservés à l'élite sociale et culturelle. Elle s'appuie sur le public bourgeois et petit-bourgeois qu'on peut dire « traditionnel » (mais moderne) et qui a été suscité par le volume « Charpentier » à 3,50 F[8]. Mais par ailleurs elle recherche *délibérément* le public populaire (collections Hachette ou Hetzel par exemple). De 1855 à 1870, 80 % des éditions de *Ruy Blas* ont un prix compris entre la livraison à 25 centimes et le volume unique à 1 franc, contre 9 % pour Musset. Comment ne pas en déduire la volonté (et sa mise en œuvre) d'implanter Hugo parmi les couches populaires pendant l'exil ? Comment ne pas y déceler alors une visée politique ?

Pourcentages des éditions commentées et illustrées des drames romantiques jusqu'en 1914 :

Tableau 4
Pourcentage des éditions illustrées des drames romantiques
dans le total de leurs publications avant 1915.

Éditions...	illustrées*	non illustrées	Incertaines
HERNANI	39 %	58,6 %	2,4 %
RUY BLAS	36,8 %	60,5 %	2,6 %
LORENZACCIO	30,9 %	66,7 %	2,4 %
CHATTERTON	23,1 %	76,9 %	0 %

* Présentant au moins une illustration signalée comme un frontispice

Tableau 5
Pourcentage des éditions des drames romantiques comportant un appareil critique
dans le total de leurs publications avant 1915.

Appareil critique...	présent	absent	Incertain
HERNANI	2,4 %	87,8 %	9,8 %
RUY BLAS	2,6 %	86,8 %	10,5 %
LORENZACCIO	21,4 %	76,2 %	2,4 %
CHATTERTON	7,7 %	84,6 %	0 %

Chatterton est le texte le moins illustré ; Hugo est l'auteur le plus illustré et le moins commenté, ce qui correspond effectivement à son implantation privilégiée dans le public le moins favorisé ainsi qu'à son caractère d'œuvre « vivante ». Les illustrations des publications de Musset sont souvent des dessins ou gravures qui ornent de beaux livres ; chez Hugo, il s'agit avant tout des vignettes des éditions populaires. Si *Hernani* connaît très tôt (1861) une édition préfacée et annotée, ceci reste sans lendemain. Musset, lui, longtemps avant son entrée dans les « classiques » est publié avec « appareil critique » dans les éditions chères.

Entrée des textes dans l'édition classique — La première publication de *Chatterton* dans une édition manifestement destinée à l'usage des classes date de 1905. Ce type d'édition augmente à partir de 1913 et se poursuit entre les deux guerres. Il en va de même pour *Lorenzaccio*, à partir de 1907. *Hernani* est publié seulement trois fois en « classiques » : en 1907, en 1913, en 1933. *Ruy Blas* y paraît en 1906, 1913 et 1934. Jusqu'en 1939, la lecture effective des deux drames de Hugo dans les classes est donc beaucoup plus incertaine que celle des pièces de Vigny et Musset.

Étude des éditions de poésie[9]
Choix des œuvres — *Les feuilles d'automne* (1831) et *Les contemplations* (1856) serviront de références pour mesurer le succès poétique de Hugo. Ainsi, la période, historique et créatrice, de *Notre-Dame de Paris* comme celle des *Misérables* seront représentées : un texte de la jeune gloire romantique, un autre de l'âge de l'exil. De plus, l'un et l'autre sont tenus dans la mémoire culturelle pour des étapes essentielles sur le chemin qui conduit au panthéon littéraire.

Les critères habituels ont guidé le choix des œuvres de comparaison : face aux *Feuilles d'automne*, les *Harmonies poétiques et religieuses* (1830) de Lamartine ; face aux *Contemplations, Les fleurs du mal* (1857) de Baudelaire et *Les destinées* (posthume, 1864) de Vigny. Le succès propre de ces trois recueils « non hugoliens » a pu être manifeste ou incertain, immédiat ou tardif, passager ou durable, ce n'est pas ce qui nous arrête. Nous sélectionnons trois œuvres contemporaines des deux textes de Hugo, et qui sont à divers titres tenues dans l'histoire littéraire pour représentatives de leur époque sur le plan de la notoriété et/ou de l'esthétique.

Autour des Feuilles d'automne

Étude quantitative et chronologique — La comparaison entre *Les harmonies poétiques et religieuses* et *Les feuilles d'automne* rend visible et spectaculaire la faveur dont bénéficie Hugo à partir du Second Empire. En effet, le succès initial des *Harmonies*, dans les années 1830, était très supérieur à celui des *Feuilles d'automne* ; et, après 1845 encore, le recueil de Lamartine connaît un regain de faveur, tandis que celui de Hugo reste assez effacé. Ce renouveau des *Harmonies* s'interrompt de

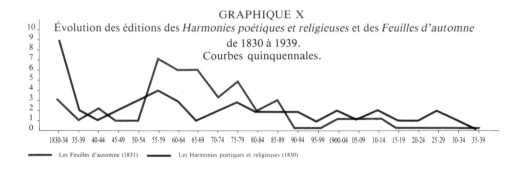

GRAPHIQUE X
Évolution des éditions des *Harmonies poétiques et religieuses* et des *Feuilles d'automne* de 1830 à 1939.
Courbes quinquennales.

——— Les Feuilles d'automne (1831) ——— Les Harmonies poétiques et religieuses (1830)

1865 à 1871, mais on peut considérer qu'à compter de 1872 et jusqu'en 1935, l'œuvre de Lamartine atteint un « seuil » de publications qu'elle ne quitte plus. C'est le signe de son intégration au corpus « classique », non sans vitalité ; on en reconnaît le profil caractéristique : relativement peu de publications, mais des publications régulières. De 1890 à 1939, *Les feuilles d'automne* présente le même type de profil, mais selon un volume de publication très inférieur. Il est particulièrement remarquable que de 1830 à 1935, il n'existe pas sur le graphique de période de cinq années sans parution des *Harmonies* ; par contre il n'y a eu aucune édition des *Feuilles d'automne* de 1890 à 1901, ni de 1913 à 1939. Donc, avant 1855 et après 1890, le texte de Lamartine, à en croire le nombre des éditions, est plus « important » que celui de Hugo.

Mais, de 1855 à 1889, *Les feuilles d'automne* est publié bien davantage que les *Harmonies*. Le volume cependant intéressant des éditions de ce dernier recueil, entre 1850 et 1879 (16 parutions), confirme l'idée que la littérature romantique est en faveur ; mais le succès de Hugo, que vient légèrement inciser la faille de 1870-1874, déborde largement ce seul facteur d'explication :

Tableau 6
Nombre d'éditions des *Feuilles d'automne* et des *Harmonies poétiques et religieuses* depuis leur parution jusqu'en 1939.

	18.. - 1854	1855 - 1885	1886 - 1914	1915 - 1939
LES FEUILLES D'AUTOMNE	(1831) 8	30	5	0
HARMONIES	(1830) 17	16	9	5

— *Types des éditions, nature du public Éditions séparées, éditions collectives*[10] —
Entre 1830 et 1838, le nombre de reprises, notamment en éditions séparées, des *Harmonies* est un signe convaincant de son vif succès. Parmi les treize textes (roman, poésie, théâtre) qui servent de témoins dans cette étude, aucun ne lui est d'ailleurs comparable quant au nombre d'éditions (tant séparées que collectives) qui ont suivi dans les sept, ou dix, ou même vingt années la parution initiale : (voir graphique XI).

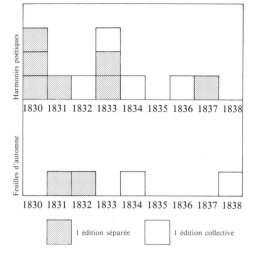

GRAPHIQUE XI

Éditions séparées et éditions collectives des *Feuilles d'automne* et des *Harmonies poétiques et religieuses* de 1830 à 1838.

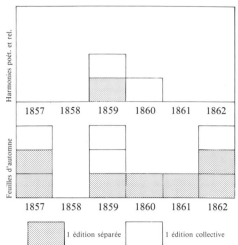

GRAPHIQUE XII

Éditions séparées et éditions collectives des *Feuilles d'automne* et des *Harmonies poétiques et religieuses* de 1857 à 1862.

Tableau 7

Pourcentage des éditions séparées des *Feuilles d'automne* et des *Harmonies poétiques et religieuses* dans le total de leurs publications jusqu'en 1940.

	18..-1914	18..-1939	18..-1854	1855-1885	1886-1914	1915-1939
FEUILLES D'AUTOMNE (1831)	48,8 %	48,8 %	50, %	56,7 %	0, %	—
HARMONIES (1830)	47,6 %	46,8 %	41,2 %	31,25 %	88,9 %	40 %

Mais entre 1857 et 1862, le volume de publications des *Feuilles d'automne* s'accroît, au point de devenir supérieur même à celui qu'avait connu les *Harmonies* à sa sortie (voir graphique XII). Et de 1855 à 1885 le taux de publication des *Feuilles d'automne* en éditions séparées est, comparé à celui des œuvres de théâtre, exceptionnel : (voir tableau 7). Le pourcentage très élevé obtenu par les *Harmonies* entre 1886 et 1914 montre que ce recueil se perpétue comme référence et pratique culturelle assez active, tandis que la figure « générale » de l'auteur Lamartine s'affaiblit considérablement dans le public.

Cependant, les œuvres poétiques maintiennent visiblement mieux l'autonomie de leur présence dans la distribution des livres en librairie que les textes de théâtre. Est-ce partiellement dû aux usages scolaires ?

Comparés à ceux des *Harmonies*, les résultats des *Feuilles d'automne* obligent à convenir que l'œuvre s'est fortement implantée dans le public pendant une phase exceptionnelle, pour en disparaître ensuite non moins brutalement ; c'est une sorte d'effet « météorique » de la diffusion du texte, qui survient non pas à sa parution, mais un quart de siècle plus tard.

Prix des éditions parues avant 1915 — Les résultats des *Feuilles d'automne* (tableau 8) sont identiques à ceux d'*Hernani* et de *Ruy Blas* (voir tableaux) ; le désir, commercial et idéologique, d'assurer une lecture populaire de ces textes est donc amplement confirmé. Quant aux *Harmonies*, le recueil fait l'objet d'un grand nombre d'opérations de librairie, qui s'efforcent le plus souvent de draîner l'argent de riches souscripteurs ; mais à partir de 1863 environ, la même édition est sans cesse reprise, dont

Tableau 8

Prix des éditions des *Feuilles d'automne* et des *Harmonies poétiques et religieuses* parues avant 1915. Pourcentages dans le total des publications

Prix...	élevé*	moyen	populaire**	inconnu
FEUILLES D'AUTOMNE	11,6 %	46,5 %	39,5 %	2,3 %
HARMONIES	33,3 %	50 %	7,1 %	9,5 %

* Supérieur à 7,50 F   ** Avant 1855 : inférieur à 4 F. A partir de 1855 : inférieur à 2 F

Tableau 9
Pourcentage des éditions illustrées des *Feuilles d'automne* et des *Harmonies poétiques et religieuses*
dans le total de leurs publications avant 1915

Éditions...	illustrées	non illustrées	incertaines
FEUILLES D'AUTOMNE	27,9 %	69,8 %	2,3 %
HARMONIES	9,5 %	90,5 %	0 %

Tableau 10
Pourcentage des éditions des *Feuilles d'automne* et des *Harmonies poétiques et religieuses*
publiées avant 1915 et comportant un appareil critique

Appareil critique ...	présent	absent	incertain
FEUILLES D'AUTOMNE	0 %	100 %	0 %
HARMONIES	7,1 %	69 %	23,8 %

le prix est stabilisé à 3,50 F. Il reste que, pendant la période de « vitalité » des *Feuilles d'automne*, les deux textes divergent largement quant à la nature sociale de leur clientèle.

Illustrations et appareil critique — Les données qui ressortent des tableaux 9 et 10 reprennent celles du précédent : éditions chères, austères, et parfois savantes des *Harmonies* ; éditions bon marché, illustrées et toujours « incultes » des *Feuilles d'automne*. Parmi toutes les œuvres étudiées ici, les *Harmonies* est (de loin) la moins illustrée.

Remarques sur quelques tirages — A en croire le peu de chiffres dont nous disposons[11], il serait bon de considérer avec quelque prudence l'impression laissée par le grand nombre d'éditions des *Feuilles d'automne* après 1855.

Au départ, les deux œuvres comparées sont tirées en quantités peu différentes :

1831 : *Les feuilles d'automne* (tirage initial) : 1 500 ex. (correct pour un volume in-8°)

1831 : *Les harmonies poétiques et religieuses* : 1 500 ex. (médiocre pour un volume in-32)

1832 : *Les feuilles d'automne* : 1 000 ex. (faible pour un in-18)

1833 : *Les harmonies* : 750 ex. (faible pour un in-18)

1833 : *Les harmonies* : 500 ex. (?) (médiocre pour un in-8°)

Les éditeurs se montrent prudents, même dans le cas de Lamartine. Ils préfèrent multiplier les tirages à la demande. Mais par la suite, le système évolue :

1845 : *Les harmonies* : 6 000 ex. (fort bon chiffre ; c'est une édition d'œuvres complètes in-12)

1856 : *Les harmonies* : 7 000 ex. C'est une série in-18 *Œuvres complètes de Lamartine* ; chiffre très bon et significatif : dans la même série *Graziella* et les *Recueillements poétiques* ont un tirage inférieur de plus de moitié.

1857 : *Les feuilles d'automne* (daté 1856) : 2 000 ex. Quantité très faible, car il s'agit d'œuvres complètes en livraisons (in-8°, illustrées) ; et dans ce cas les tirages atteignent couramment plusieurs dizaines de mille.

En l'absence d'éléments de comparaison supplémentaires qui porteraient sur des années plus tardives, il faut supposer que l'entrée dans l'âge industriel véritable de l'édition se fit avantageusement pour Lamartine, et de façon beaucoup plus hésitante pour le recueil de Hugo.

Éditions classiques — Contrairement sans doute à toute attente, et selon les notices de la *Bibliographie de la France*, *Les feuilles d'automne* est un texte que n'assimilent pas les éditions scolaires. En 1908, Ollendorff (éditeur littéraire et scolaire) publie une collection de douze volumes de « Morceaux choisis » de Hugo qui n'inclut pas *Les feuilles d'automne*. En 1912 le texte paraît, en volume conjoint avec *Les rayons et les ombres*, *Les chants du crépuscule*, *Les voix intérieures*, dans la « série Flammarion ». Cette édition populaire est, comme de nos jours les publications de poche, très voisine du scolaire : de petit format, choisissant ses textes parmi ceux qu'on enseigne dans les classes, mais non annotée et (bien qu'accessible) trois fois plus chère que les « petits classiques ».

En 1944 est annoncée la publication (datée de 1937) du texte dans la collection de Fayard « Les meilleurs livres - L'œuvre de Victor Hugo » dont le format et le prix sont ceux des éditions scolaires. Mais la première édition annotée du recueil vient en 1950 (datée 1949) en extraits aux « Classiques Larousse ».

Les cas des *Harmonies* est un peu particulier jusqu'en 1920, dans la mesure où Hachette qui dispose des droits sur le texte ne les cède jamais ; or, depuis 1886, il en republie constamment la même édition. Celle-ci est de type scolaire : de format in-16, elle coûte 3,50 F et comprend (semble-t-il) 24 à 35 pages d'appareil critique. Mais des éditions typiquement classiques, en texte intégral ou en extraits, sont en librairie à partir de 1926.

Il ne fait donc pas de doute que jusqu'à la Libération, l'institution scolaire s'accorde avec l'idéologie culturelle dominante pour décerner très nettement ses faveurs, en tant que texte éditable et lisible, aux *Harmonies* plutôt qu'aux *Feuilles d'automne*.

Autour des Contemplations

Étude quantitative et chronologique — Le regain de succès de Hugo, tel que nous l'avons observé, commence au moment de la parution des *Contemplations* (1856). Ce recueil connaît d'emblée un nombre conséquent d'éditions : 5 en deux ans ; il n'échappe cependant pas à la dépression des années 1870-1874, et subit à partir de 1883 l'inéluctable érosion qui caractérise *Hernani, Ruy Blas* ou *Les feuilles d'automne*.

GRAPHIQUE XIII
Évolution des éditions des *Contemplations,* des *Fleurs du mal* et des *Destinées* de 1855 à 1939.
Courbes quinquennales.

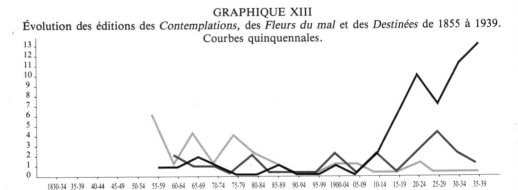

Jusqu'en 1880, *Les destinées* et *Les fleurs du mal* ne peuvent entrer en « compétition » avec *Les contemplations*. La quantité et la chronologie de leurs éditions sont celles d'œuvres qui ne sont pas reçues comme textes « à succès », sans pour autant qu'elles se laissent oublier au fil des ans. Les poésies posthumes de Vigny trouvent incontestablement un écho équivalent à celui de *Chatterton*, et jusqu'en 1939 ne s'en écartent pas sensiblement (voir graphique IX).

De 1885 à 1914 les trois œuvres ont un destin parallèle ; après 1914, *Les destinées* s'éditent beaucoup plus que *Les contemplations*, qui disparaissent presque totalement (une seule édition — en 1923 — de 1906 à 1939). Mais c'est alors qu'explose le succès des *Fleurs du mal*. Succès remarquable tant par son ampleur extraordinaire que par le moment historique où il se déclenche : en 1917, en pleine dépression pour la librairie[12] et alors que presque tous les auteurs (anciens ou modernes) connaissent une diffusion plus qu'infime (voir tableau 11).

La croissance du nombre des publications des *Fleurs du mal* est considérable et fait surgir l'œuvre sur le devant de la scène éditoriale ; est-elle comparable à celles dont ont bénéficié en leur temps *Les feuilles d'automne* ou *Lorenzaccio* ?

Tableau 11
Nombre d'éditions des *Contemplations,* des *Fleurs du mal*, et des *Destinées*
depuis leur parution jusqu'en 1939

	18..-1885	1886-1914	1915-1939
CONTEMPLATIONS	(1856) 18	3	1
FLEURS DU MAL	(1857) 5	4	47
DESTINÉES	(1864) 6	4	9

C'est une progression quantitativement spectaculaire, comme celle du théâtre de Musset en 1865 et en 1875 (voir graphique IX). Mais elle est beaucoup plus soudaine ; et, ainsi que le montreront les taux des éditions séparées, elle ne s'inscrit pas dans la réussite collective d'une œuvre : elle représente par excellence le sacre singulier d'un *titre*.

Cette croissance est brutale, comme celle des *Feuilles d'automne* en 1857 (voir graphiques X et XII). Mais à la différence de cette dernière elle réalise presque, à

Tableau 12
Hugo et Les *feuilles d'automne* avant 1855, Baudelaire et Les *fleurs du mal* avant 1917 ;
indices de fréquence dans le public

Nombre total		Fréquence
Notices « Hugo » dans la Bibliographie de la France (depuis 1819) jsqu'en 1854 :	163	4,53 notices/an
Notices « Baudelaire » dans la Bibliographie de la France (depuis 1846) jusqu'en 1914 :	46	1 notice/1,5 année
Publications des *Feuilles d'automne* (depuis 1831) jusqu'en 1854 :	8	1 édition/3 années
Publications des *Fleurs du mal* (depuis 1857) jusqu'en 1914 :	9	1 édition/6,44 années

proprement parler, la *découverte* dans le public d'un auteur et d'un titre très peu fréquentés jusqu'alors :

A partir de 1914, les résultats mesurés par la bibliométrie séparent donc :

— les auteurs anciens, assez peu édités, mais régulièrement présents en librairie : Lamartine, Musset, Vigny ;

— un auteur du passé qu'on édite plus que jamais : Baudelaire ;

— un auteur ancien qu'on n'édite pratiquement plus : Hugo.

Ce schéma triangulaire doit permettre de comprendre la place de Hugo dans la culture de l'entre-deux-guerres. On y reviendra.

Types des éditions, nature du public — *Éditions séparées, éditions collectives (tableau 13)* — La faiblesse des *Destinées*, par rapport aux quatre autres recueils poétiques suivis dans cette étude, est flagrante. Il n'y a eu aucune publication séparée de l'œuvre entre son édition initiale (1864) et 1920. Jusqu'en 1920, donc, son

Tableau 13
Pourcentage des éditions séparées des *Contemplations*, des *Fleurs du mal*, et des *Destinées*
dans le total de leurs publications jusqu'en 1940.

	18..-1914	18..-1939	18..-1885	1886-1914	1915-1939
CONTEMPLATIONS (1856)	42,8 %	45,5 %	50 %	0 %	100 %*
FLEURS DU MAL (1857)	55,6 %	87,5 %	40 %	75 %	93,6 %
DESTINÉES (1864)	10 %	31,6 %	16,7 %	0 %	55,6 %

* une seule édition

édition dépend de celle de « l'œuvre de Vigny », et si on l'extrait de cet ensemble, le texte n'a pas de réalisation active en librairie. Après 1920, ce recueil fantômatique commence à s'incarner en paraissant isolément. Mais il le fait dans des éditions classiques et bibliophiliques. Autant dire que *Les destinées*, jusqu'en 1940, n'a jamais figuré dans la lecture « vivante ».

Le taux d'éditions séparées des *Contemplations* est fort proche de celui des *Feuilles d'automne*. On peut parler de position « d'équilibre » : le recueil bénéficie en librairie d'une autonomie qui consacre sa reconnaissance comme objet culturel spécifique ; cependant, son appartenance à l'ensemble « œuvre de Hugo » reste commercialement et idéologiquement pertinente.

Entre 1914 et 1939, 44 des 47 éditions des *Fleurs du mal* sont séparées ; même si l'on peut considérer comme ténue, en nombre de titres et relativement à d'autres, l'œuvre de Baudelaire, un tel chiffre montre que le succès du texte-fétiche ne s'accompagne guère d'un développement de la curiosité littéraire pour son auteur.

Cette remarque n'est pas anecdotique ni secondaire. Elle permet d'apercevoir qu'on ne lit pas *Les fleurs du mal* entre les deux guerres *comme* on lisait *Les contemplations* sous le Second Empire. Il n'y a pas seulement échange du succès des œuvres dans quelque « palmarès » ; il y a surtout substitution d'un mode de lecture à un autre. La prospérité globale de toute la littérature de Hugo, ou de celle de Musset, entre 1855 et 1885, d'une part, et la fortune des *Fleurs du mal* dans les années 1915-1939, d'autre part, distinguent deux pratiques culturelles différentes. Lire la poésie de Hugo en 1865, c'est lire un texte ouvert sur d'autres textes ; lire *Les fleurs du mal* en 1920, c'est vraisemblablement goûter un texte fermé sur lui-même — ce qui, dans un cas comme dans l'autre, n'est pas dû à la lettre du texte, mais est produit par le mode de lecture présupposé par les lecteurs, ou plutôt par leur idéologie culturelle. La lecture des *Contemplations* était, au sein même de la littérature, historique et contextuelle, celle des *Fleurs du mal* devient comme immanente. On peut concevoir que son effloraison ne représente pas ou pas seulement, comme on le suppose couramment, l'ouverture de l'horizon culturel à de nouveaux objets grâce à un affranchissement idéologique, mais qu'elle marque une orientation vers d'autres procédures de lecture par l'imposition de nouvelles limites « esthétiques »[13].

Tableau 14
Prix des éditions des *Contemplations,* des *Fleurs du mal,* et des *Destinées* parues avant 1915.
Pourcentage sur le total de leurs publications.

Prix	élevé*	moyen	populaire**	inconnu
CONTEMPLATIONS	38,1 %	28,6 %	33,3 %	0 %
FLEURS DU MAL	0 %	77,8 %	0 %	22,2 %
DESTINÉES	0 %	80 %	10 %	10 %

*supérieur à 7,50 F   ** inférieur à 2 F

Prix des œuvres éditées avant 1915 — Ces résultats sont fort instructifs (voir tableau 14). Ils laissent supposer que *Les destinées* et *Les fleurs du mal* ont, en termes de sociologie, le même public, recruté dans la bourgeoisie cultivée. C'est-à-dire que le projet esthétique ou idéologique de l'œuvre de Baudelaire, pour nouveau qu'il soit, n'a pas d'autre clientèle que les lecteurs traditionnels, qui peuvent ici s'abreuver à deux sources, la classique et la moderne. En librairie, au XIXᵉ siècle, l'édition des *Fleurs du mal* relève d'une pratique sinon sclérosée ou archaïsante, du moins conformiste et conservatrice.

Sur ce point, il en va différemment des *Contemplations*, dont la réception essaie de se distribuer dans tous les types de public, du plus riche au moins fortuné. Cependant la répartition des éditions dans les différentes catégories de prix apparente *Les contemplations* davantage à *Lorenzaccio* qu'à *Hernani, Ruy Blas* ou aux *Feuilles d'automne* (voir tableaux 3 et 8). En effet, c'est ici la première fois qu'une œuvre de Hugo s'avère éditée de façon importante, et même dominante, en livres chers. Et c'est aussi le texte de notre auteur qui s'implante le moins dans les publications populaires.

Quelques tirages :

1856 : *Les contemplations* (édition initiale) 2 500 ex. Bon tirage, sans être exceptionnel pour un in-8°.

1856 : *Les contemplations* (2ᵉ édition) 3 000 ex. Retirage très rapide mais qui se vendit beaucoup plus lentement que le précédent. Le livre est cher : 12 F.

1856 : *Les contemplations* (3ᵉ édition) 2 000 ex. Chiffre de tirage très faible, car il s'agit cette fois de livraisons illustrées à 25 centimes.

1868 : *Les contemplations*. Deux déclarations : une première pour le Tome II à 3 000 ex. ; une seconde, trois semaines plus tard, pour les T. I et II à 9 000 ex. ; une seule publication, pourtant, signalée (t. I et II). In-18 à 7 F : très bon chiffre de tirage.

Ce petit nombre d'indications semble confirmer que *Les contemplations* ne parviennent pas à trouver leur public parmi les lecteurs populaires, mais s'implante bien dans les couches plus traditionnelles de la clientèle. On peut voir une autre marque du premier de ces phénomènes dans le fait que *Les contemplations* sont parmi nos

textes celui qui profite le moins des multiples rééditions des *Œuvres complètes* parues en livraisons à 25 c. chez Houssiaux (1856-1857) :
Nombre de publications dans la collection Houssiaux :

Hernani : 7 fois de 1857 à 1869 ;
Les feuilles d'automne : 6 fois de 1857 à 1869 ;
Ruy Blas : 5 fois de 1861 à 1869 ;
Les contemplations : 4 fois de 1859 à 1869.

Tableau 15
Pourcentage des éditions illustrées des *Contemplations,* des *Fleurs du mal,* et des *Destinées* dans le total de leurs publications avant 1915.

Éditions	illustrées	non illustrées	incertaines
CONTEMPLATIONS	52,4 %	47,6 %	0 %
FLEURS DU MAL	66,7 %	33,3 %	0 %
DESTINÉES	60 %	40 %	0 %

Tableau 16
Pourcentage des éditions des *Contemplations,* des *Fleurs du Mal,* et des *Destinées* parues avant 1915 et comportant un appareil critique.

Appareil critique	présent	absent	incertain
CONTEMPLATIONS	0 %	90,5 %	9,5 %
FLEURS DU MAL	33,3 %	44,4 %	22,2 %
DESTINÉES	20 %	80 %	0 %

Illustrations et appareil critique — Les très forts pourcentages d'éditions illustrées peuvent surprendre (voir tableau 15 et 16) ; mais les deux tiers des éditions « illustrées » des *Fleurs du mal* et la moitié de celles des *Destinées* consistent uniquement en portraits de l'auteur placés en frontispice. On n'en est donc pas encore au déferlement de gravures qui embelliront après 1915 les pages de l'œuvre de Baudelaire. Remarquons seulement l'intérêt mis par les éditeurs pendant ces cinquante années à inscrire le texte sous la figure du poète, qu'il s'agisse de Baudelaire ou de Vigny ; mais rien de tel, ce qui étonne, pour la figure du prophète Hugo.

Les fleurs du mal a ici pour « appareil critique » une notice de Gautier placée en préface de plusieurs éditions à la fin des années 1860. Il en va autrement des *Destinées* : il s'agit de deux éditions annotées qui ont paru en 1913 et 1914, l'une en « petit classique » et l'autre érudite.

Ces deux tableaux contribuent encore à isoler les éditions des *Contemplations* par rapport à celles des deux autres œuvres. On constate une nouvelle fois que Hugo est avant 1915 un auteur systématiquement publié sans appareil critique. Le taux d'illustration des *Contemplations* est très élevé, comparé à celui d'*Hernani, Ruy Blas* ou des *Feuilles d'automne* (voir tableaux 4 et 9) : car le recueil de 1856 attire à la fois, grâce à la diversité de qualité de ses éditions, les vignettes populaires et les ornements de beaux livres.

Éditions classiques — On trouve une première édition classique (Larousse) des *Destinées* en 1913 ; mais ni *Les contemplations* ni *Les fleurs du mal* n'entrent réellement dans ce domaine avant 1939, malgré une édition savante du premier nommé et de très nombreuses publications érudites ou universitaires du second. Étrange parallélisme des destins, qui écarte de la culture scolaire la lecture intégrale aussi bien du poète « maudit » et condamné que celle de l'hôte du Panthéon. Mais hors de l'école, le collégien déluré, amateur de Baudelaire, satisfera bien plus facilement sa curiosité en librairie que le sage hugolien. Inégalités et ressemblances dans la distribution des textes constituent ici deux figures radicalement différentes : l'une est celle du texte paré des attributs de la modernité, d'autant plus désirable qu'il est interdit d'école ; l'autre est celle du texte à tel point momifié qu'après 1905 il n'est plus édité dans son intégralité, pas même pour l'école.

Les éditions des œuvres romanesques de Hugo[14]

Choix des œuvres — La sélection d'œuvres-témoins dans le genre romanesque

Affiche de librairie pour Victor Hugo, Paris, Hugues, 1876-1897
Paris, M.V.H.

a été guidée par les mêmes critères que ceux des genres théâtral et poétique. *Notre-Dame de Paris* (1831) et *Le rouge et le noir* (1830), *Les misérables* (1862) et *Madame Bovary* (1857) ont été retenus en fonction d'une pertinence dans la chronologie et la notoriété. Nous nous sommes déjà expliqués quant aux justifications de ces échantillonnages.

Étude quantitative et chronologique — *Notre-Dame de Paris, Le rouge et le noir* — *Notre-Dame de Paris* (1831) et *Le rouge et le noir* (1830) connaissent depuis leur parution jusqu'à 1939 respectivement cinquante et quarante éditions. Ces deux volumes globaux sont assez proches : l'œuvre de Stendhal atteint 80 % du nombre de publications de celle de Hugo. Mais de telles données brutes sont peu significatives ; il faut considérer que la distribution chronologique de ces volumes les différencie radicalement, selon deux phases :

— de 1830 à 1899 : *Notre-Dame de Paris* : 45 éditions,
    Le rouge et le noir : 16 éditions,
— de 1900 à 1939 : *Notre-Dame de Paris* : 5 éditions,
    Le rouge et le noir : 24 éditions.

L'inversion des rapports de grandeur est manifeste ; elle se trouvait artificiellement effacée par la considération des volumes cumulés en 1939. La comparaison

Tableau 17
Volume des éditions de *Notre-Dame de Paris* et *Le rouge et le noir* jusqu'en 1939

	18..-1854	1855-1885	1886-1914	1915-1939
NOTRE-DAME de PARIS (1831)	13	27	9	1
LE ROUGE ET LE NOIR (1830)	6	8	5	21

ne peut donc se faire qu'à partir d'un examen chronologique des données quantitatives : voir tableau 17.

Les écarts les plus grands entre ces volumes se trouvent d'abord, de 1855 à 1885, en faveur du roman de Hugo, puis de 1915 à 1939 à l'avantage de celui de Stendhal. Le premier correspond à la période la plus faste des éditions hugoliennes, et le second au moment où, après la première guerre mondiale, explosa le succès de Stendhal. Mais, si pendant le Second Empire et les débuts de la Troisième République, la perpétuation de *Le rouge et le noir* est discrète, son existence ne paraît pas menacée ; tandis que *Notre-Dame de Paris* disparaît pratiquement de l'édition française entre 1910 et 1939. Ceci met à nouveau en lumière une des grandes spécificités de l'histoire des publications hugoliennes.

Pourtant, les éditions des œuvres de Hugo et Stendhal évoluent de façons moins discordantes que les chiffres de leurs volumes ne pourraient le laisser croire : voir graphique XIV.

Après 1915, il est incontestable que les deux courbes progressent selon des ten-

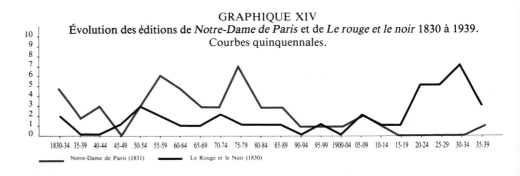

GRAPHIQUE XIV
Évolution des éditions de *Notre-Dame de Paris* et de *Le rouge et le noir* 1830 à 1939.
Courbes quinquennales.

dances strictement opposées ; mais de 1830 à 1914, on peut avancer l'idée que *Le rouge et le noir* et *Notre-Dame de Paris* ont le même schéma d'évolution. Seul, l'écart de valeurs entre les nombres de publications de chacun de ces textes dissimule ce phénomène. L'analyse la plus fidèle des données bibliographiques est la suivante :

— de 1830 à 1890, succès considérable de *Notre-Dame de Paris*, sauf de 1845 à 1849, et audience plus modeste, mais non « confidentielle » du *Rouge et le noir*[15] ; mais, à cinq années près, et autant qu'on peut en juger à partir de valeurs statistiques aussi faibles, l'écho des deux œuvres reste parallèle. Ce parallélisme, à des niveaux éloignés, des courbes montre que le public réserve sans doute aux deux romans un traitement commun quoiqu'à des échelles différentes. Peut-être est-ce la conséquence d'une analogie de leurs valeurs politiques ? Relevons ainsi la fortune croissante de l'œuvre de Stendhal au début du Second Empire, en notant que ce regain d'audience se fait dans des publications militantes. Peut-être aussi s'agit-il d'un accueil semblable fait à des œuvres semblablement datées par leur origine.

— de 1915 à 1939, éditeurs et public « redécouvrent » *Le rouge et le noir*[16] et « oublient » *Notre-Dame de Paris*. Au sein de l'ensemble romantique et, plus généralement, des œuvres du passé, il est donc évident qu'une sélection s'opère, vraisemblablement fondée sur des critères idéologiques, qui pénalise les œuvres de Victor Hugo.

Les misérables, Madame Bovary — Le lecteur contemporain ne manquera pas d'être surpris, sans doute, en apprenant que, jusqu'en 1939, *Les misérables* (1862) et *Madame Bovary* (1857) ont connu respectivement 28 et 53 publications : le roman de Flaubert est globalement deux fois plus édité que l'œuvre « phare » de Hugo.

Une telle différence est-elle seulement le fait de la défaveur de Hugo entre les deux guerres ?

Il faut convenir que le volume des éditions de *Madame Bovary* est constamment supérieur à celui des *Misérables*. La période 1860-1885 devrait être doublement favorable au roman de Hugo : parce qu'elle est globalement celle du plus grand succès

Tableau 18
Volume des éditions des *Misérables* et de *Madame Bovary* jusqu'en 1939

	18. .-1885	1886-1914	1915-1939
LES MISÉRABLES (1862)	16	9	3
MADAME BOVARY (1857)	21	11	21

éditorial de l'auteur[17], et parce que le texte devrait bénéficier par surcroît de l'écho dû à une œuvre nouvelle et attendue. Mais cette conjonction ne suffit pas à porter le volume de publications des *Misérables* vers des valeurs remarquables : voir graphique XV.

Le succès initial des *Misérables* est pourtant beaucoup plus vif que celui de *Madame*

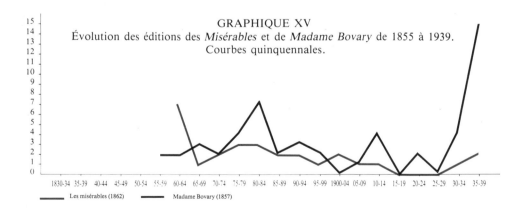

GRAPHIQUE XV
Évolution des éditions des *Misérables* et de *Madame Bovary* de 1855 à 1939. Courbes quinquennales.

——— Les misérables (1862)   ——— Madame Bovary (1857)

Bovary. Mais en 1862, la notoriété de Hugo est immense ; tandis qu'en 1857, celle de Flaubert est, à proprement parler, nulle[18] — du moins jusqu'au mémorable procès de janvier. Cependant, les courbes révèlent qu'après un « triomphe » immédiat, *Les misérables* ne connaissent plus qu'un nombre d'éditions moyen. Au contraire, le public est d'abord assez peu sollicité par la publication de *Madame Bovary*. Il découvre ensuite l'auteur et son œuvre, dont l'audience s'accroît progressivement. L'apogée de cette popularité n'est atteinte que vingt-cinq ans après la parution originale : 7 éditions, nombre remarquable, entre 1880 et 1884 ; mais dès 1865 et jusqu'en 1889, le nombre d'éditions du texte de Flaubert est constamment supérieur ou égal à celui du roman de Victor Hugo.

A partir de 1910, la courbe des *Misérables* (aucune publication de 1914 à 1933) est semblable à celles des autres œuvres de Hugo : elle trahit l'éloignement de l'écrivain des éditions et des lectures vivantes. Dans le même temps, le graphique de *Madame Bovary* montre un succès confortable mais irrégulier jusqu'en 1929, puis prodigieusement accentué jusqu'en 1939[19]. Le roman de Flaubert rejoint ici *Le rouge et le noir* et *Les fleurs du mal* parmi les textes « classiques » promus par la société de l'entre-deux-guerres.

Notre-Dame de Paris, Les misérables, Le rouge et le noir, Madame Bovary — La comparaison bibliométrique des deux couples de romans fait apparaître l'écart important qui existe entre le mythe des *Misérables* et la réalité du texte dans l'histoire des éditions. Par exemple, entre 1862 et 1885, période en principe et en pratique la plus favorable au roman, *Les misérables* est publié 16 fois. C'est moins que *Madame Bovary (19), et même que Lorenzaccio (21).* Au sein de l'œuvre de Hugo, c'est moins encore que *Hernani* (17), que *Notre-Dame de Paris* (18), que *Ruy Blas* (20), que *Les feuilles d'automne* (21). Cependant, si le nombre d'éditions des *Misérables* chute considérablement de 1855-1885 à 1886-1914, puis à 1915-1939, c'est l'œuvre de Hugo qui, en valeur relative, connaît la baisse la plus modérée :

On peut y voir le signe du destin postérieur de l'œuvre-mythe. Relevons cepen-

Affiche de librairie pour une édition de Notre-Dame de Paris
Paris, M.V.H.

Tableau 19
Baisse relative du nombre d'éditions des œuvres de Hugo en indices, de 1855 à 1939

	1855-1885	1886-1914	1915-1939
HERNANI	100	33,3	8,3
RUY BLAS	100	25	4,2
LES FEUILLES D'AUTOMNE	100	16,7	0
LES CONTEMPLATIONS	100	16,7	5,5
NOTRE-DAME DE PARIS	100	33,3	3,7
LES MISÉRABLES	100	56,25	18,75

dant que la fortune d'une œuvre littéraire excède largement la seule considération de l'histoire de ses « lectures intégrales » potentielles. Il faut admettre qu'au XIXe siècle, *Notre-Dame de Paris* reste le « premier » roman de Hugo, et que *Madame Bovary*, déjà, représente mieux dans l'édition le roman du Second Empire. La référence aux « lectures collectives » des *Misérables* ne saurait l'effacer ; et l'*énormité*, en pages et en prix, du roman ne peut suffire à l'expliquer. Elle y contribue pourtant. En volume (c'est-à-dire en investissement d'achat et de lecture), 28 éditions des *Misérables* représentent plus que 53 éditions de *Madame Bovary*. L'observateur se doit d'en tenir pleinement compte. Ce gigantisme a d'ailleurs concouru à forger le mythe même des *Misérables*. Quoi qu'il en soit, il reste que de nombreux signes[20] attestent, de façon indubitable, que dès la fin du siècle, *Les misérables* sont entrés dans la légende bien davantage que *Notre-Dame de Paris* ou *Madame Bovary*.

Mais qu'est-ce que la *légende*, au XXe siècle, sinon paradoxalement « ce qui n'est plus à lire » ? Au fond, de 1915 à 1939, *Notre-Dame de Paris* et *Les misérables* deviennent de la littérature sans lecteurs, du moins quant au texte intégral. La perpétuation de ces œuvres est donc assurée par un système à proprement parler non littéraire. Par contre, parmi les écrivains du passé, Stendhal, Flaubert ou Baudelaire réalisent l'opération inverse : ils ont des lecteurs ; et leur perpétuation par des voies non-littéraires est, jusqu'en 1940, quasi nulle. Ils peuvent donc représenter, selon les critères dominants, l'essence du littéraire, dont Hugo se trouve exclu.

Les modestes données de l'étude bibliométrique permettent donc d'apercevoir le jeu subtil d'interférences qui détermine la réception des œuvres entre la diffusion du livre, la lecture et la production de discours critiques ; ce qui, à un moment donné, permet de constituer des modèles, de définir le statut d'un objet littéraire et, en concomitance, sa fonction.

Types des éditions, nature du public — *Éditions séparées, éditions collectives (tableau 20)* — Le taux d'éditions séparées de *Notre-Dame de Paris* et des *Misérables* est sensiblement plus élevé que celui des œuvres poétiques et théâtrales de Hugo que nous avons examinées ; et pourtant il reste nettement inférieur à celui de *Le rouge et le noir* et de *Madame Bovary*. Le roman est donc, dès le XIXᵉ siècle, le genre littéraire qui offre aux œuvres la plus grande autonomie de lecture.

L'autonomie est plus grande chez Stendhal et Flaubert que chez Hugo ; si l'on conçoit sans surprise que ceux-là, aux yeux des lecteurs d'avant 1940, « font » moins « œuvre » que celui-ci, on reste par contre étonné de constater que, vis-à-vis de l'ensemble de l'œuvre de Flaubert, le succès de *Madame Bovary* se réalise dans une individuation des éditions encore supérieure à celle des *Fleurs du mal* dans l'œuvre de Baudelaire. Un tel phénomène tend à confirmer l'hypothèse que nous avancions quant au changement de mode de lecture qui accompagne cette redistribution des cartes après 1915.

Tableau 20
Pourcentage des éditions séparées de *Notre-Dame de Paris, Le rouge et le noir, Les misérables, Madame Bovary* dans le total de leurs publications avant 1940

	Taux d'éditions séparées
NOTRE-DAME DE PARIS	66 %
LE ROUGE ET LE NOIR	87,5 %
LES MISÉRABLES	78,6 %
MADAME BOVARY	92,5 %

Les misérables sont davantage publiés isolément que *Notre-Dame de Paris*. Pourtant, le texte le plus tardif est le plus contemporain des grandes séries d'œuvres complètes, et ses éditions auraient donc pu, en proportion, être davantage prises en charge par ce type de parution. Mais, comme on l'a vu, à l'âge où les éditions de Hugo ont décliné, *Les misérables* sont dans notre sélection le texte qui a le moins mal subsisté : cette perpétuation ne peut alors s'effectuer qu'au moyen des éditions séparées... quand bien même la taille du roman en fait d'ailleurs, en nombre de pages, en prix, et en effort de lecture, l'équivalent à lui seul d'une édition collective.

Tableau 21
Prix des éditions de *Notre-Dame de Paris, Le rouge et le noir, Les misérables, Madame Bovary*, parues avant 1915. Pourcentage dans le total des publications

Prix...	élevé*	moyen	populaire**	inconnu
NOTRE-DAME DE PARIS	26,1 %	58,7 %	15,2 %	0 %
LE ROUGE ET LE NOIR	15,8 %	10,5 %	63,2 %	10,5 %
LES MISÉRABLES	50 %	33,3 %	16,7,%	0 %
MADAME BOVARY	20 %	66,6 %	6,7 %	6,7 %

* Supérieur à 7,50 F   ** Avant 1855 : inférieur à 4 F. A partir de 1855 : inférieur à 2 F

Prix des œuvres éditées avant 1915 (tableau 21) — Les misérables et *Notre-Dame de Paris* se trouvent dans des valeurs éloignées de celles dont relevaient jusqu'ici les œuvres de Hugo choisies comme échantillon. Il faut dire que la « masse » propre à un texte romanesque, comparée en moyenne à celle des drames ou des recueils poétiques, si elle facilite, pour l'éditeur, la confection d'une publication séparée, rend par contre plus difficile l'abaissement des coûts. La mesure statistique tient compte de tels phénomènes et s'efforce, par de savants dosages des critères de calculs, de ne pas confondre le coût d'un livre avec le nombre de ses pages. Mais on ne peut pas se dérober devant le fait qu'au bout du « compte », fréquemment, le lecteur-acheteur est sollicité par un objet d'un prix élevé. C'est particulièrement évident en ce qui concerne *Les misérables* ; le pourcentage d'éditions chères de ce texte est tout à fait exceptionnel chez Hugo. Mais ses 16,7 % d'éditions populaires forment en réalité un taux plus qu'honorable, si l'on confronte ce résultat à celui de bien d'autres publications mesurées ici, et dont les contraintes de coût étaient infiniment moindres. De la différence de prix entre les œuvres romanesques de Hugo et ses œuvres poétiques et théâtrales, il serait probablement imprudent, voire erroné, de déduire une différence de visée éditoriale et sociale.

GRAPHIQUE XVI

Ordres de grandeur comparés du nombre d'éditions des œuvres-témoins de Victor-Hugo et de celles des autres auteurs. Originalité des œuvres de Hugo.

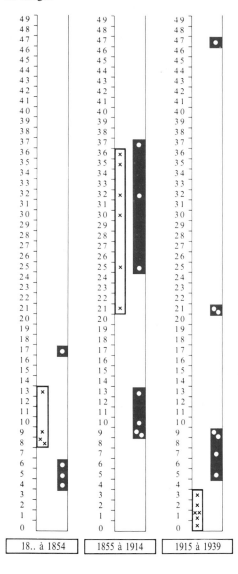

| 18.. à 1854 | 1855 à 1914 | 1915 à 1939 |

⊠ Nombre d'éditions
d'une œuvre-témoin de Victor-Hugo.*

⬛ Nombre d'éditions d'une œuvre-témoin
d'un des autres auteurs.**

* Hernani, les Feuilles d'automne, Notre-Dame de Paris, Ruy Blas, Les contemplations, Les misérables.
** Harmonies poétiques et religieuses (Lamartine), Le rouge et le noir (Stendhal), Lorenzaccio (Musset), Chatterton (Vigny), Les fleurs du mal (Baudelaire), Madame Bovary (Flaubert) : Les destinées (Vigny).

Dans une large mesure, la détermination du prix de vente appartenait à Hugo lui-même. Du contraste entre l'accessibilité financière des recueils poétiques et le coût des romans, on peut rapprocher la juste observation formulée par Anne Ubersfeld au sujet des drames : le choix des salles de représentation manifeste le souci de l'auteur de faire jouer les drames en prose devant le public bourgeois et les drames en vers devant le public populaire. En examinant le prix des livres, on pourrait dire que Hugo destine au peuple la lecture de sa poésie, genre bourgeois, et à la bourgeoisie la lecture de son roman, genre populaire. Cette distorsion du genre et du public, qui procède d'une visée globale et cohérente, relèverait en toute vraisemblance de la politique de Hugo.

On observe, dans ce cadre, que les ventes de *Notre-Dame de Paris* et de *Madame Bovary* sont assises sur le même public, que nous avons précédemment défini comme « traditionnel ». Par contre, on notera avec intérêt que *Le rouge et le noir* est le roman qui bénéficie de la distribution la plus populaire, ce qui confirme une hypothèse que nous avons déjà ébauchée. Le succès massif du texte après 1915, doublement actualisé dans la clientèle traditionnelle des Belles-Lettres par la diffusion du livre et par le discours tenu sur l'œuvre, fait oublier que ce roman a d'abord connu une réception qu'on peut qualifier de « militante », et qui trouve sa meilleure caractérisation sous le Second Empire dans les volumes Lévy à 1 franc des années 1854 à 1865 [21].

Éditions commentées et illustrées (tableau 22) — Ces données corroborent celles des genres poétique et dramatique. Les œuvres de Hugo sont plus fréquemment illustrées que celles des autres écrivains, ce qui, en règle générale, reflète leur plus grande diffusion populaire ; mais comme la présence d'une illustration peut également signaler les publications de luxe, notons ici un résultat non négligeable : le coût élevé des éditions des *Misérables* ne signifie pas le passage vers le livre luxueux ou bibliophilique, sans quoi son taux d'illustrations serait beaucoup plus élevé.

En ce qui concerne les éditions commentées, nos relevés mentionnent seulement, avant 1915, une publication préfacée du *Rouge et le noir* en 1884 et un petit classique commenté (Larousse) du même roman en 1912. Mais on ne trouve pas trace

Tableau 22
Pourcentage des éditions illustrées de *Notre-Dame de Paris*, *Le rouge et le noir*, *Les misérables*, *Madame Bovary*, dans le total de leurs publications avant 1915.

Éditions...	illustrées	non illustrées
NOTRE-DAME DE PARIS	39,1 %	60,9 %
LE ROUGE ET LE NOIR	21,1 %	78,9 %
LES MISÉRABLES	29,2 %	70,8 %
MADAME BOVARY	16,7 %	83,3 %

de commentaire dans les éditions de *Notre-Dame de Paris*, des *Misérables* ni de *Madame Bovary*. En l'absence d'autres informations, contentons-nous donc de confirmer la classicisation apparemment précoce du *Rouge et le noir* et de répéter que les éditions de Hugo, tous genres littéraires confondus, reflètent jusqu'en 1890 une lecture vivante et que, par la suite, elles se raréfient sans entrer dans le monde des objets de savoir.

Genres et dates

Étude selon les genres littéraires des œuvres — Nous avons suivi l'évolution des éditions de six œuvres « majeures » de Victor Hugo depuis leur parution : deux romans, deux drames, deux recueils poétiques. Nous les avons comparées à sept textes analogues, genre par genre. Qu'il s'agisse du roman, du théâtre ou de la poésie, ce sont toujours les mêmes phénomènes qui ressortent de l'observation des éditions des œuvres de Hugo. Leur homogénéité s'impose ; et elle se vérifie dans les deux directions de l'étude quantitative : volume global « synchronique » des publications, d'une part, et évolutions chronologiques de ce volume d'autre part.

Volume d'éditions — Les six œuvres-témoin de Victor Hugo possèdent un volume d'éditions homogène, ce que confirme la comparaison avec les volumes des éditions non hugoliennes (graphique XVI).

On peut affiner un peu les spécificités de ce volume, de façon à mieux connaître

Tableau 23
Ordre de grandeur des volumes d'édition des œuvres-témoin de Victor Hugo

	Nombre d'éditions des œuvres-témoin de Victor Hugo		
	Fourchette	Précisions	
18..-1854	8 à 13	Théâtre et Poésie : 8,8 et 9 *Notre-Dame de Paris* : 13	
1855-1885	16 à 30	« Œuvres de 1830 » : 24 à 30 (quatre textes) « Œuvres de 1860 » : 16 et 18	
1886-1914	3 à 9	Poésie : 3 et 5 Théâtre : 6 et 8 Roman : 9 et 9	
1915-1939	0 à 3	Poésie : 0 et 1 Théâtre : 1 et 2 Roman : 1 et 3	« Œuvres de 1830 » : 0 à 2 (quatre textes) « Œuvres de 1860 » : 1 et 3

son ordre de grandeur selon les phases longues qui sont historiquement et biographiquement pertinentes : (voir tableau 23).

Évolutions chronologiques — Le nombre des éditions de Hugo en poésie, en théâtre ou en roman, augmente et diminue, dans le temps, selon un mouvement d'ensemble qui paraît strictement commun : voir ci-dessous graphique XVII.

On peut définitivement énoncer trois seuils de publications, qui se succèdent de 1830 à 1939 :

— de 1830 à 1850, éditions régulières et sans variations spectaculaires de la poésie et du théâtre ; mouvement parallèle de *Notre-Dame de Paris* qui imprime cependant deux traces plus vives : poussée plus forte lors de la parution initiale (1831 à 1836) et creux brutal de 1844 à 1850 ;

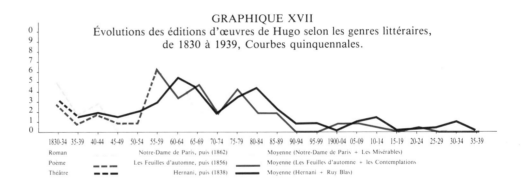

GRAPHIQUE XVII
Évolutions des éditions d'œuvres de Hugo selon les genres littéraires, de 1830 à 1939, Courbes quinquennales.

— entre 1850 et 1860, les unes après les autres, les œuvres voient augmenter très fortement la quantité de leurs publications. Cette croissance leur fait atteindre une crête « faste » qui dure vingt à trente ans. Cependant, de 1870 à 1874 (à partir de 1865 pour les romans) toutes les œuvres considérées marquent une phase de dépression quant au nombre de leurs éditions ;

— entre 1880 et 1885 apparaît un déclin systématique des éditions de tous ces textes. Un nouveau seuil se dessine, plutôt inférieur à celui de la phase 1830-1850 ; à partir de 1914, les courbes tendent même vers zéro.

Les textes, l'œuvre — Cette homogénéité des volumes et des évolutions est suffisamment pertinente pour intimer la prudence à qui voudrait établir des différences entre genres. S'il faut toutefois éclairer certaines nuances, remarquons que :

— en ce qui concerne les quantités, le roman est le genre le plus édité, et la poésie le genre le moins édité ;

— en ce qui concerne le rythme et la chronologie des évolutions, le roman est le genre qui manifeste les changements les plus rapides : l'ascension (1850) comme le déclin (1865). Par contre, c'est le théâtre qui retarde le plus longtemps les processus — voir le décalage de la courbe vers la droite : à la hausse (1855-1860, 1875-1880) comme à la baisse (1885). On peut donc considérer que les romans servent de « prototype » au destin de l'œuvre littéraire de Hugo ; tandis que le théâtre répercute,

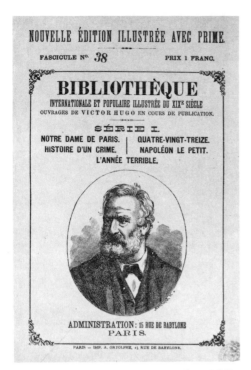

NOUVELLE ÉDITION ILLUSTRÉE AVEC PRIME.

FASCICULE N°. 38   PRIX 1 FRANC.

BIBLIOTHÈQUE
INTERNATIONALE ET POPULAIRE ILLUSTRÉE DU XIXᵉ SIÈCLE
OUVRAGES DE VICTOR HUGO EN COURS DE PUBLICATION.

SÉRIE I.

NOTRE DAME DE PARIS. | QUATRE-VINGT-TREIZE.
HISTOIRE D'UN CRIME. | NAPOLÉON LE PETIT.
L'ANNÉE TERRIBLE.

ADMINISTRATION: 15 RUE DE BABYLONE
PARIS.

PARIS — IMP. A. ORTOLPHE, 15 RUE DE BABYLONE.

*Couverture d'un fascicule 38 de la « Bibliothèque internationale et populaire illustrée du XIXᵉ siècle. » 1875
Paris, M.V.H.*

a posteriori, ses évolutions. Si les différences de valeurs étaient plus marquées, on pourrait avancer l'idée que les romans créent le succès de Hugo, tandis que le théâtre participe d'un fonds plus classique de l'œuvre, qui donne un écho plus assourdi à cette audience. Cette hypothèse semblerait confortée par la profonde différence de nature entre les types d'éditions des deux genres : 66 % et 78,6 % d'éditions séparées pour les deux romans (de leur parution à 1939) contre 19,5 % et 20,5 % pour les deux drames[22]. L'autonomie dont bénéficient les publications de *Notre-Dame de Paris* et des *Misérables* montre que celles-ci enregistrent proprement le succès d'un *titre* ; tandis que les éditions théâtrales s'inscrivent davantage dans l'audience collective d'une œuvre. Or, de multiples facteurs font qu'en librairie la vogue et la désuétude d'un texte isolé se traduisent plus immédiatement que celles de l'ensemble (total ou partiel) de l'œuvre d'un auteur. Il est dans ces conditions intéressant de constater que cette différence dans la chronologie n'a pas d'équivalent dans les quantités d'éditions : on fait paraître à peu près autant le genre théâtral que le genre romanesque, mais dans un type de publications sensiblement différent, et moins vite. En dernière instance, les « forces centripètes », qui rassemblent et homogénéisent la réception des œuvres de Hugo, l'emportent sur les « forces centrifuges », c'est-à-dire sur les causes objectives qui pourraient favoriser l'atomisation et l'hétérogénéité de cette réception.

Étude selon les périodes de création des œuvres — Dans la mesure où le genre littéraire auquel appartient tel ou tel texte de Hugo ne semble pas, par nature, élargir ou rétrécir l'audience qu'il reçoit, peut-on trouver un facteur de discrimination plus pertinent dans la datation des œuvres ? Notre échantillonnage nous permet de comparer les œuvres des années 1830 *(Hernani, Les feuilles d'automne, Notre-Dame de Paris, Ruy Blas)* à celles des années 1860 *(Les contemplations, Les misérables)*.

La confrontation des deux courbes est particulièrement instructive. On peut en tirer quatre enseignements.

La confrontation des deux courbes du graphique XVIII ci-contre est particulièrement instructive. On peut en tirer quatre enseignements.

GRAPHIQUE XVIII

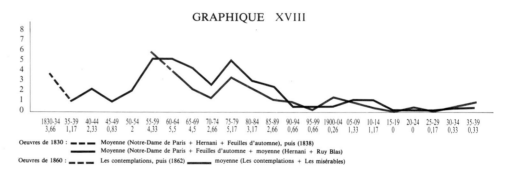

	1830-34	35-39	40-44	45-49	50-54	55-59	60-64	65-69	70-74	75-79	80-84	85-89	90-94	95-99	1900-04	05-09	10-14	15-19	20-24	25-29	30-34	35-39
	3,66	1,17	2,33	0,83	2	4,33	5,5	4,5	2,66	5,17	3,17	2,66	0,66	0,66	0,26	1,33	1,17	0	0	0,17	0,33	0,33

Oeuvres de 1830 : — · — · — Moyenne (Notre-Dame de Paris + Hernani + Feuilles d'automne), puis (1838)
——————— Moyenne (Notre-Dame de Paris + Feuilles d'automne + moyenne (Hernani + Ruy Blas)

Oeuvres de 1860 : — · — · — Les contemplations, puis (1862) ——————— moyenne (Les contemplations + Les misérables)

Les volumes d'éditions des œuvres de jeunesse et ceux des œuvres de l'exil évoluent de façons strictement parallèles. Ils marquent succès et échecs aux mêmes moments ; ils suivent exactement la courbe des publications de l'œuvre littéraire de Hugo, telle que nous l'avons définie ci-dessus, avec ses trois phases majeures.

Les œuvres de 1860 entrent dans ce mouvement sans que leur publication en modifie le profil. On peut supposer que la parution des *Contemplations* et des *Misérables* participe de l'écho grandissant dont bénéficie leur auteur vers 1860 ; mais il est pour le moins difficile d'alléguer que cette parution ait particulièrement stimulé la croissance des éditions hugoliennes, et impossible de prétendre qu'elle en soit la cause. De fait, le regain de succès des œuvres de 1830 est incontestable avant même que les chiffres ne soient affectés par la parution de celles de 1860 ; il n'existe donc apparemment pas d'« effet en retour » suscité sur les textes romantiques par la réussite des textes de l'exil. D'ailleurs, il faut bien constater que le succès de ces derniers n'est pas assez grand pour que le nombre de leurs éditions initiales crée une pointe visible dans les courbes.

La réussite des œuvres de jeunesse est plus grande, semble-t-il, à partir de 1855 qu'au moment de leur publication initiale. On peut donc évoquer un retour de ces textes dans le public, coïncidant avec l'exil. Phénomène fondamental : c'est sous

Affiche de librairie pour le lancement de l'édition Hugues. 1876
Paris, M.V.H.

le Second Empire qu'*Hernani* gagne sa bataille. Le sacre de Hugo dans « le public »,
c'est-à-dire dans un large public, se fait par un double coup de force politique et
éditorial : celui de l'opposition à l'Empire, et celui qui ouvre brutalement une œuvre
d'école littéraire à tous les lecteurs potentiels de l'âge moderne. Mais ces lecteurs
ne sollicitent pas chez Hugo une littérature qui soit directement « de circonstances »
ou d'actualité ; ce que nous voyons se produire, c'est l'actualisation soudaine par
la lecture, dans certaines circonstances, d'une littérature écrite autrefois pour d'autres
horizons.

Au XIXᵉ siècle, en librairie, Hugo n'est pas « l'auteur des *Misérables* ». Il est
« l'auteur de *Notre-Dame de Paris* ». Les œuvres de 1830 ont un volume d'éditions
quasiment toujours supérieur à celui des œuvres de 1860. Un mouvement d'inversion de ce phénomène ne semble apparaitre qu'après 1920 ou 1930, et sans que la
valeur des chiffres concernés permette d'être très affirmatif. Quoi qu'il en soit, et
selon notre échantillonnage, il est certain que le succès de Hugo entre 1855 et 1885
est appuyé davantage sur les publications du fonds romantique que sur celles écrites
ou parues lors de l'exil. C'est, quant au destin de l'œuvre, un signe ambigu : il marque la vitalité de la figure romantique du poète et sa capacité à faire travailler son
passé d'écrivain dans un présent transformé ; mais d'un autre côté c'est l'indication
d'une difficulté à s'inscrire pleinement et directement dans la modernité littéraire[23].

Conclusions : la figure littéraire de Victor Hugo jusqu'en 1939

L'œuvre littéraire de Victor Hugo est réputée gigantesque et protéiforme : Hugo
a tout écrit et il a écrit de tout. Mais pour les lecteurs, elle est UNE. Hugo est lu
entièrement ou n'est pas lu. En 1840 ou en 1875, on lit l'œuvre complète ; en 1930,
on ne lit plus rien. Il n'y a pas d'atomisation des textes ; c'est l'homogénéité qui
caractérise de bout en bout la réception de l'œuvre. Le succès ou l'échec, la résur-
gence ou la désuétude sont ceux de tout Hugo : on n'observe pratiquement pas que
la défaillance de tel titre coïncide avec la réussite de tel autre. Autrement dit, l'idée
de sélectionner telle ou telle partie de l'œuvre, d'écarter telle période de la vie créatrice de l'auteur, de préférer par exemple le genre romanesque aux drames, d'élire
et privilégier un chef-d'œuvre, de jeter aux oubliettes certains morceaux, enfin l'idée
de dépareiller l'œuvre de Victor Hugo et de parcelliser son usage, relève d'une attitude très contemporaine et qui n'est pas antérieure, dans la pratique, à la seconde
guerre mondiale. L'histoire de la réception des œuvres de Hugo montre qu'une lecture globale et totalisante[24] de l'Homme-Œuvre est possible et a existé, avant qu'un
autre mode de lecture (le nôtre) lui succède.

L'actualité politique influence sensiblement la réception de l'œuvre de Hugo (plus

Affiche de librairie pour Quatrevingt-treize,
Paris, Hugues, 1876
Paris, M.V.H.

Affiche de librairie pour L'année terrible,
Paris, Hugues, 1879 (cat. 352)
Paris, M.V.H.

que d'autres écrivains). On doit observer en particulier que les périodes de crises aiguës font baisser l'édition proprement « littéraire » de l'auteur : autour de 1848, ou autour de 1871, les courbes marquent des creux[25]. Ce qui signifie non pas que la littérature hugolienne soit étrangère à la réalité politique au point de devenir illisible sitôt que celle-ci accentue ses tensions et s'empare davantage des esprits ; ni que la lecture hugolienne procède prioritairement du désir d'« évasion » du public et devienne caduque dans le paroxysme des bouleversements historiques ; mais au contraire, que le public de Hugo se recrute parmi les consciences les plus préoccupées de politique, et que celles-ci, devant l'événement, quand il s'agit de se colleter avec l'Histoire, délaissent les masques[26], et cherchent, pourrait-on dire, le *discours* davantage que le *récit*.

Victor Hugo est un écrivain de l'exil. Il est évident que c'est l'avènement du Second Empire qui élargit et contribue à structurer l'audience du poète désormais banni. De ce fait, c'est toute la figure littéraire de Hugo, telle qu'elle est perçue et construite par le public, qui change et se réalise à partir de 1852. Il serait facile de montrer, par une étude de réception fondée sur des données traditionnelles, comme les échos de la critique littéraire, que l'auteur d'*Hernani*, comme chacun le sait, est à cette date considéré depuis longtemps comme un très grand écrivain ; mais l'étude bibliométrique prouve de façon certaine que seule l'entrée dans l'exil, qui chasse le poète du cénacle et le place au cœur de l'Histoire, a permis à la parole du génie de rencontrer l'esprit du peuple des lecteurs.

En même temps que l'exil et l'opposition ont créé les conditions morales et politiques qui rendaient possible et souhaitable, dans un large public, le succès des œuvres de Victor Hugo, *l'écrivain et ses éditeurs se sont attachés aux fondements commerciaux de cette transformation*. La littérature hugolienne qui surgit ou resurgit après 1850 est publiée dans des formes nouvelles et totalement adaptées aux mutations de la librairie française. Production et diffusion des livres sont conçues pour que ceux-ci soient en mesure de bénéficier pleinement de l'extension du marché, et d'atteindre un public quantitativement et socialement approprié au dessein du poète.

Entre 1855 et 1885, la popularité de Victor Hugo est avérée aux deux sens du mot : l'écrivain est beaucoup lu, et il est lu dans le peuple. Bien sûr, il n'atteint jamais (pas plus d'ailleurs qu'aucun autre écrivain français) la densité extraordinaire des publications d'un Voltaire sous la Restauration ; mais on peut considérer que les œuvres de Hugo touchent en puissance un public sociologiquement beaucoup moins restreint et élitaire que celles du philosophe. Sur ce point, aucun des contemporains que nous lui avons confrontés n'est comparable à Hugo. Il est donc légitime de consigner cette capacité de *popularisation* de l'œuvre comme distinctive de l'édition hugolienne[27].

La réussite de Hugo sous le Second Empire profite avant tout au « fonds » romantique de son œuvre. A partir des années 1850, la littérature romantique en général connaît un regain de faveur : les mesures opérées ici sur les éditions des textes de Stendhal, Musset, Lamartine le montrent amplement. Il est donc « normal » que celui qu'on a tenu pour son chef d'école en bénéficie au premier titre. Mais, comme on l'a vu, la fortune de Hugo tient par ailleurs à d'autres déterminations[28].

Cependant, ce phénomène apparemment paradoxal doit être noté : au moment où Hugo et ses éditeurs ajustent leurs conditions de publication à l'âge industriel, c'est une littérature « pré-industrielle » qui en recueille les fruits ; au moment où le poète se fait le porte-parole de la liberté et du prolétariat, ce sont ses écrits d'un autre âge politique, bien différent, qu'on lira d'abord. En somme, la faveur sensiblement plus grande des œuvres de 1830 sur celles de 1855-1865 indique un processus de lecture qui trahit sa part d'inertie, d'archaïsmes et de déphasage historique.

Dès le Second Empire, la modernité de Victor Hugo est problématique, et ceci indépendamment de tout jugement normatif sur cette notion[29]. D'une part, sur le plan esthétique, le fait que les textes actuels de l'écrivain ne parviennent pas à prendre le dessus, en termes de quantité diffusée, sur ses textes de jeunesse, fige durablement son image dans un renvoi vers le passé. D'autre part, sur le plan commercial et social, les signes n'apparaissent pas que la volonté d'adapter l'édition hugolienne aux conditions nouvelles ait abouti à un enracinement *conséquent* dans le public visé. Les tirages ne semblent pas monter à la hauteur des enjeux, et l'édition populaire (déjà relativement manquée par *Les contemplations*) ne résistera pas à la crise générale des publications de Hugo.

L'œuvre de Victor Hugo est l'objet d'une « classicisation » extrêmement rapide.

Dès 1890, ses textes (provenant de tous genres littéraires et de toutes époques) quittent très manifestement l'actualité de l'édition pour se confondre pendant un demi-siècle dans un rythme de publications plat et médiocre. Il n'existe pas de « fatalité » à ce qu'un tel phénomène affecte après sa mort les écrits d'un auteur illustre ; Vigny l'a connu de son vivant et Flaubert y a pratiquement échappé. Il faut donc analyser précisément les raisons contextuelles qui font assez brutalement basculer Hugo du statut d'écrivain « au présent » à celui d'auteur précocement classique. Alors que ses recueils de morceaux choisis et d'extraits apparaissent puis abondent rapidement, la lecture de ses textes intégraux s'effondre.

Le premier centenaire de Victor Hugo n'a pas existé. Autour de 1902, malgré la tentative assez isolée d'un éditeur, aucun texte de l'écrivain ne profite sensiblement de l'effet commémoratif. Dix-sept années après la mort de l'auteur, les conditons idéologiques ont à ce point changé que ses œuvres ne peuvent plus occuper le marché du livre. Il en va de même en 1935, alors qu'on célèbre le cinquantenaire de la mort de Hugo.

La situation de Hugo dans la IIIᵉ République est complexe et doublement paradoxale. Au moment du combat républicain et de son succès, d'une part la mise à l'écart des œuvres anciennes de Hugo, surtout en éditions séparées, coïncide avec l'avènement du régime dont il est l'une des figures fondatrices ; d'autre part, malgré ce reflux local, l'édition hugolienne considérée dans son ensemble n'a jamais été aussi active. Force nous est donc de conclure que nous avons, nous-mêmes, ignoré ici à tort les œuvres de Hugo parues après 1870. En revanche, on l'a vu, après 1890, les manuels scolaires s'emplissent d'extraits du poète en même temps qu'il disparaît de l'actualité bibliographique. Les morceaux choisis ne manquent pas, mais bien les éditions permettant une lecture intégrale, même celle du public scolaire ou lycéen. L'image et l'usage de Hugo se trouvent durablement figés dans le statut d'un écrivain qu'on connaît mais ne lit pas.

Tout ceci a concouru à former le Hugo du billet de 5 F. Les œuvres d'après l'exil ont souffert tout à la fois de leur valeur d'actualité, de leur vocation politique immédiate, de la désaffection générale de l'entre-deux guerres envers leur auteur et du processus même de globalisation décrit plus haut. Lire « tout Hugo », ce fut, lorsqu'on revint à lui, lire le Hugo de la Monarchie de Juillet et de l'exil, jamais celui d'après 1870, exception faite en faveur de *Quatrevingt-treize* — délié de son rapport à la Commune — et de *L'art d'être grand-père* — au prix d'un autre contresens —, seuls à avoir été édités séparément depuis 1945. Complémentairement, cette période de la vie de Hugo est aussi celle que sacrifient non seulement les biographies courantes mais aussi les travaux des spécialistes.

Or, ceci n'effaçait pas le souvenir des faits : ni celui du plus grand succès atteint aux premières années de la IIIᵉ République, ni celui de la fréquentation gratuite, laïque et obligatoire des extraits du grand homme trop connu pour être lu.

En laissant de côté les œuvres d'après l'exil, nous avons donc nous-mêmes été victimes de ce processus dont la conséquence étrange, mais politiquement bien ajustée, quoiqu'involontairement, est que la gloire de Hugo s'est cristallisée sur une image vide : sur un portrait sans œuvres. Plus exactement, sur une image fausse : celle d'un homme de la IIIᵉ République et non du combat mené pour elle et pour qu'elle soit religieuse et socialiste, effervescente et populaire ; celle d'un républicain qui n'aurait publié ni *L'année terrible*, ni *L'âne*, ni *Torquemada*, ni *Religions et religion*, ni *Histoire d'un crime* : rien de ce qui participait à l'achèvement de la Révolution et exigeait la poursuite de son effort ; bref celle d'un Hugo à tous les sens pasteurisé.

« *Victor Hugo, hélas !* » La déchéance de l'auteur des *Misérables* pendant les soixante années qui ont suivi sa mort met fin au rêve du génie installé par ses livres au sein du peuple[30]. La classe au pouvoir, qui tient les rênes de la République, tire dans les écoles son coup de chapeau à l'ancêtre ; mais elle préfère le savoir au Panthéon plutôt qu'en librairie. Elle n'a plus lieu de souhaiter donner de ses origines l'image trop vive d'un élan progressiste et combatif. Hugo est l'Homme-Œuvre, et en même temps l'Écrivain-Histoire. Il est, dans sa biographie et dans sa création, la figure du travail de l'Histoire dans le XIXᵉ siècle. Il est à la fois l'emblème de l'enracinement et du mouvement. Voici que l'on préfère la conservation de l'ordre existant et l'éradication historique. On procède alors, dans la réception et la perpétuation des œuvres littéraires, à l'imposition d'un nouveau modèle. Celui-ci, pour longtemps, privilégiera une esthétique de la structure (Balzac, Zola...), et de la rupture (Flaubert, Baudelaire, Rimbaud...). L'œuvre de Victor Hugo, figure de la continuité et de l'Histoire dans son mythe même, se trouve « naturellement » exilée de cette édification[31].

On comprend bien, dès lors, qu'après la Libération, Aragon, sur un ton parfois violemment polémique, fasse de la « réhabilitation » de Hugo un enjeu non seulement esthétique, mais nettement politique et national. De « Victor Hugo, hélas ! » à *Avez-vous lu Victor Hugo ?*, la séparation n'est pas qu'affaire de mode littéraire, mais bien plus, au fond, motivée par toute une représentation du monde, de son mouvement et de ses conflits.

Les éditions de Victor Hugo depuis la Seconde Guerre*

635 notices à la *Bibliographie de la France* de 1819 à 1884, 444 de 1885 à 1939, 660 de 1940 à 1984 : l'œuvre de Victor Hugo, plus éditée depuis le deuxième conflit mondial qu'en 66 années d'une carrière littéraire exceptionnellement riche et fructueuse, a trouvé un second souffle qui contraste avec la faiblesse de sa perpétuation d'avant-guerre. L'esprit du temps, il est vrai, se prête à un pareil succès : après la Libération, alors que, pour de longues années, subsistent les traces des compromissions d'hier et le souvenir exalté de la Résistance, alors que, dans cette période de guerre froide, tout invite la gauche communiste à ne pas faire douter de son esprit national, l'auteur des *Misérables* apparaît comme la personnification du patriotisme et du respect scrupuleux de la légitimité républicaine. Lui aussi a choisi l'exil plutôt que de se plier à l'état de fait, lui aussi a cherché asile sur la terre anglaise : la légende du passé rejoint celle, dèjà naissante, du présent. Aussi Victor Hugo incarne-t-il tout simplement, pour Louis Aragon, la France, la vraie France, qui, tombée sous les charmes du plan Marshall, oublie sa grandeur, comme elle s'abandonnait, un siècle auparavant, aux séductions de la prospérité impériale :

> « ... *Il y a, dans Victor Hugo fêté, la foi dans la France, et l'amour de la France, et la certitude qu'un jour s'arrachera le masque dont elle est déguisée contre elle-même, et qu'alors...* »[32]

Louis Aragon a écrit son *Avez-vous lu Victor Hugo ?* en 1952, car les hasards de la chronologie sont opportunément venus au secours des éditeurs : 1950, entrée de Victor Hugo dans le domaine public[33] ; 1952, célébration du cent-cinquantenaire de sa naissance. Ces dates, particulièrement heureuses, coïncident avec le début d'une progression spectaculaire de l'édition française, la plus forte depuis le Second Empire : tandis que la production en titres, après les turbulences de l'après-guerre, revient en 1949 (12 526 titres) au niveau de 1856 (12 026 titres), elle passe de 11 849 titres pour 1950, à 23 123 en 1983[34] ; quant au nombre total d'exemplaires, il fait plus que doubler en un quart de siècle (167 millions d'exemplaires en 1960, 365 en 1983)[35]. Cet accroissement rapide s'accompagne d'une restructuration profonde de la profession, qui transforme les modes de financement, de production comme de distribution, et amène l'apparition de nouveaux produits (notamment le livre en format de poche et l'édition-club), particulièrement adaptés à la diffusion des auteurs du domaine public.

Or, l'œuvre de Victor Hugo, plus qu'aucune autre, se prête à la curiosité et à la concupiscence des éditeurs : la masse de ses écrits et de ses dessins, disponibles à la Bibliothèque Nationale ou à la Maison de Victor Hugo, permet une présentation toujours renouvelée de ses textes non-littéraires (*Choses vues, Littérature et philosophie mêlées*, œuvre graphique, etc.) ; surtout, la multiplicité même de ses écrits lui assure de participer, sans y succomber, aux modes les plus diverses, et satisfait pêle-mêle les analystes sévères de la société bourgeoise, les adorateurs de Dieu, les contempteurs de la religion, les spiritistes, les promoteurs du tourisme, les abolitionnistes de la peine de mort, les défenseurs de la rime, de la poésie onirique, didactique ou lyrique, etc. Que l'on renie les idéaux et les esthétiques d'hier, Hugo est toujours là où on ne l'attendait pas, par les grâces d'un texte négligé jusque là. Voilà pour le contexte général, propice aux rééditions de Hugo ; pourtant, l'étude des chiffres nous conduira plus d'une fois à nuancer cet optimisme initial.

Victor Hugo et les autres
Étude synchronique — Durant la décennie 1961-1970, très représentative d'une édition en pleine croissance, sur les 3 199 rééditions d'auteurs du passé[36], 254 sont con-

sacrées à des titres de Victor Hugo : soit près d'un volume sur douze, presque autant que Flaubert, Stendhal et Zola réunis (respectivement 80, 115 et 75 titres). En fait, précédé seulement par Balzac, pour quelques années encore le romancier français par excellence, Hugo devance, et de loin, tous les autres écrivains. Mais au delà de la comparaison spectaculaire des scores des uns et des autres, que nous laissons au lecteur, certains faits ressortent de manière particulièrement significative : il est, avec Molière, le seul écrivain dont l'œuvre ne se limite pas essentiellement au roman, à dépasser les cent titres ; il est le seul poète romantique à se maintenir au premier plan : Musset n'a qu'un rang honorable, Lamartine et Vigny suivent loin derrière (20 et 27 titres) ; enfin, il est, pour sa perpétuation, le premier des écrivains « politiques », devant Zola, Voltaire ou Barrès. Aussi, compte tenu de la diversité de l'œuvre, que ne pourrait revendiquer un Balzac ou un Molière, les chiffres font incontestablement de Hugo le plus grand écrivain français, si la gloire est le signe de la grandeur.

Mais s'ébauche déjà, dans le même temps, l'image d'un écrivain anomique, échappant à la tyrannie des classifications traditionnelles de la littérature : poète avant tout, au moins chronologiquement, il semble résister à la prépondérance du roman

Tableau 24
Palmarès des auteurs

Ce tableau présente, pour tous les auteurs, morts avant 1940, qui ont fait l'objet de 5 rééditions au plus, le nombre de volumes[1] publiés durant la décennie 1961-1970 ; la bibliographie courante utilisée pour ce comptage est : *Les livres de l'année*.

373 : Balzac
200 : Hugo
129 : Dumas
122 : Molière
115 : Stendhal
 80 : Flaubert
 79 : Musset, Racine
 77 : Corneille
 75 : Zola
 65 : Verne
 61 : Baudelaire, Sade
 58 : Diderot, Voltaire
 51 : Maupassant, Mérimée
 49 : Rousseau
 43 : La Fontaine
 41 : Rabelais, George Sand
 38 : Daudet, Nerval
 37 : Anatole France
 33 : Barrès
 31 : Barbey d'Aurevilly
 29 : Marivaux, Montaigne
 27 : Apollinaire, Verlaine, Vigny
 26 : Beaumarchais, Rimbaud
 24 : Chateaubriand, Proust
 22 : Allais, T. Gautier
 21 : Mme de Lafayette
 20 : Lamartine, Vallès
 19 : Erckmann-Chatrian, Montesquieu, Pascal, Ronsard
 18 : Leroux
 16 : Constant, Mallarmé, Prévost
 15 : J. Renard
 14 : Lautréamont, Mme de Sévigné
 13 : Bloy, Labiche, La Rochefoucauld, Pergaud, Restif de la Bretonne
 12 : Courteline, Feydeau, Jarry, Villiers de l'Isle-Adam
 11 : Cyrano de Bergerac, Gobineau, Mistral
 10 : Boileau, Fromentin, Sainte-Beuve
  9 : d'Aubigné, Bossuet, La Bruyère, Laclos, Perrault, Mme de Staël
  8 : Roussel
  7 : Bernardin de St-Pierre, Chamfort, Du Bellay, Gourmont, Laforgue, P. Louys, Radiguet
  6 : Crébillon, Gaboriau, Lesage, Milosz, Saint-Evremond
  5 : Alain Fournier, Aloysius Bertrand, Brantôme, Sue

1) Dans nos statistiques sur les rééditions des auteurs du passé, nous utilisons selon le cas l'une des trois données suivantes :
• *le nombre d'entrées* à la Bibliographie de la France, c'est-à-dire le nombre de notices distinctes.
• *le nombre de titres*, que ce titre fasse l'objet d'un ou plusieurs volumes.
• *le nombre de volumes*, c'est-à-dire d'unités matérielles ; ainsi, une réédition des *Misérables* en trois tomes constitue 1 titre, mais 3 volumes.

dans les lectures de nos contemporains ; romantique malgré la versatilité des modes, il se maintient malgré la progression des poètes post-romantiques (Baudelaire, Verlaine, Rimbaud) ; usé par la tradition scolaire, il ne subit pas la même désaffection que les écrivains classiques (Racine, Corneille, La Fontaine, La Rochefoucauld, etc.).

Étude diachronique — Brossée en quelques traits, l'évolution de la littérature du passé depuis la dernière guerre peut être réduite à quatre mouvements principaux :

— chute des auteurs de théâtre, confirmée d'ailleurs par la littérature contemporaine, au profit des romanciers, accueillis de plus en plus favorablement au sein des institutions éducatives ;

— érosion des littératures classique et romantique, parallèlement à la remise en cause de l'enseignement littéraire ;

— forte progression, à la fin des années soixante, des nouvelles esthétiques romanesques et poétiques (Flaubert, Proust, Rimbaud, Apollinaire, etc.). Ce phénomène est évidemment lié au précédent : le balancement classique/romantique, aux vertus pédagogiques et commerciales usées, laisse la place à des oppositions plus modernes : littérature pré/post flaubertienne, pré/post rimbaldienne, et ainsi de suite, au gré des connaissances et des goûts de chacun ;

— chute générale, vers le milieu des années soixante-dix, de la littérature du passé, imputable à la lassitude durable du public à l'égard de la culture traditionnelle ; pour cette raison, elle semble irréversible.

Toutes ces circonstances ne jouent guère en faveur de Victor Hugo. Pourtant, le graphique XIX ci-dessous montre clairement que ce dernier traverse sans dom-

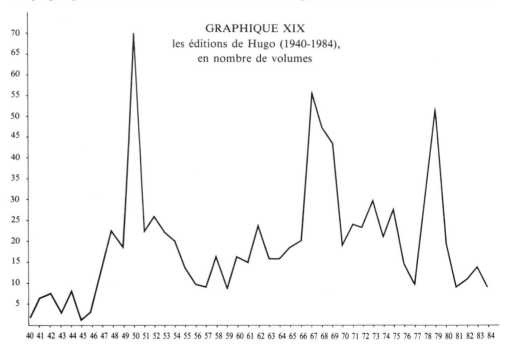

GRAPHIQUE XIX
les éditions de Hugo (1940-1984),
en nombre de volumes

mages les aléas du temps : si l'on omet les extrêmes, sa perpétuation tend constamment à la hausse jusqu'à la fin des années soixante-dix, et sa baisse récente n'est pas significative, dans la mesure où la proximité du centenaire amène naturellement les éditeurs à attendre 1985 pour lancer de nouveaux produits sur le marché. Restent trois pointes remarquables : 1950, 1967-1969, 1978-1979 ; la première est due à l'entrée de l'écrivain dans le domaine public, la deuxième à la masse des éditions d'œuvres complètes *(Cercle du bibliophile, Club français du livre, Éditions Rencontre)*, la troisième à la multiplication des éditions pour la jeunesse *(L'école des loisirs, Gallimard, Hachette, Hemma, Transit, etc.)* et, derechef, aux clubs de livres et aux éditions de luxe *(Beauval, de Bonnot, Guilde du disque)*.

Cette fois, examinons concurremment les chiffres de Hugo et de sept écrivains qui lui sont à différents titres comparables : Balzac, Baudelaire, Flaubert, Lamartine, Rimbaud, Stendhal, Vigny (voir ci-après le tableau 25 et les graphiques XX à XXIII).

Quelques traits sont communs à la majorité d'entre eux : l'édition des auteurs

Hugo compté

Tableau 25
Hugo... et les autres (Balzac, Baudelaire, Flaubert, Lamartine, Rimbaud, Stendhal, Vigny),
d'après le nombre annuel d'entrées à la Bibliographie de la France

	HUGO		BALZAC		BAUDELAIRE		FLAUBERT		LAMARTINE		RIMBAUD		STENDHAL		VIGNY	
1940	1		5		2		1		1		2		2		0	
1941	1		1		2		2		2		1		2		0	
1942	2	12	21	65	3	26	4	24	1	10	1	7	2	9	2	12
1943	3		11		9		6		3		1		1		2	
1944	5		27		10		11		3		2		2		8	
1945	1		18		7		6		2		1		6		3	
1946	2		29		19		15		5		5		12		3	
1947	5	30	57	80	12	72	20	70	6	25	1	10	26	63	4	28
1948	13		48		23		17		3		0		17		11	
1949	9		28		11		12		5		5		12		7	
1950	43		43		10		10		4		1		13		5	
1951	46		46		5		7		6		3		8		4	
1952	15	137	31	161	13	34	7	34	4	18	3	9	3	34	3	18
1953	16		29		3		6		2		0		6		5	
1954	17		12		3		4		3		2		4		1	
1955	13		12		4		5		6		3		6		4	
1956	12		12		2		4		2		3		6		2	
1957	15	62	9	73	2	19	4	30	0	11	3	16	12	37	2	15
1958	9		21		6		9		1		3		6		2	
1959	13		19		5		8		2		4		7		5	
1960	9		26		5		6		2		1		7		0	
1961	12		29		3		4		3		5		5		2	
1962	12	64	23	121	4	20	6	26	1	9	0	8	17	45	1	6
1963	16		24		3		5		0		1		9		2	
1964	15		19		5		5		3		1		7		1	
1965	8		19		7		14		1		3		9		3	
1966	21		35		5		9		2		3		5		3	
1967	36	126	28	154	14	42	5	45	2	12	4	14	10	58	1	18
1968	37		42		11		5		2		4		15		7	
1969	24		30		5		12		3		0		19		4	
1970	17		25		2		4		2		5		12		3	
1971	9		14		1		7		2		1		8		3	
1972	27	85	27	117	5	20	12	43	0	6	3	14	11	52	2	12
1973	9		25		7		10		1		3		9		1	
1974	23		26		5		10		1		2		12		3	
1975	16		13		14		7		0		5		7		1	
1976	16		12		6		3		2		8		3		2	
1977	5	73	20	78	5	34	8	27	1	7	3	22	7	33	0	5
1978	13		14		4		4		3		5		9		2	
1979	23		19		5		5		1		1		7		0	
1980	25		19		4		6		1		3		4		1	
1981	15		18		6		10		2		3		4		2	
1982	14	88	9	79	6	29	6	35	1	7	8	19	4	33	1	6
1983	21		10		7		4		1		1		16		1	
1984	13		23		6		9		2		4		5		1	
Total	677		928		296		334		105		119		364		120	

GRAPHIQUE XX
nombre d'entrées, par auteur, pour 10 000 entrées à la Bibliographie de la France

— Lamartine   Vigny

371

du passé reprend très fortement dès la Libération, quand disparaissent les contraintes politiques et surtout économiques qui pesaient sur l'industrie du livre (pour Victor Hugo, ce phénomène est reporté jusqu'en 1950) ; elle connaît une nouvelle pointe dans les années 65-70, avec le succès des formats de poche et l'explosion des clubs de livres ; enfin, quoique les chiffres absolus restent importants, voire supérieurs à ceux des périodes précédentes, elle est, durant les années soixante-dix, en déclin relatif par rapport à la progression globale de l'édition.

Parfois aussi, les commémorations viennent améliorer certains scores : centenaires de la mort de Balzac, de Baudelaire et de Lamartine, respectivement en 1949, 1967 et 1969 ; centenaire de la naissance de Rimbaud, précédant d'un an l'entrée dans le domaine public, en 1954. En revanche, le centenaire de la mort de Vigny, en 1963, ne semble avoir aucune influence sur les rééditions de l'écrivain. Il est vrai que les deux poètes romantiques (Vigny et Lamartine) ne subsistent plus qu'à l'état de vestiges, et leur perpétuation tend dangereusement vers zéro. Baudelaire, dont la modernité scandaleuse fait recette durant les années quarante, reste une valeur sûre de l'édition ; bien représenté dans le format de poche et en bibliophilie, il avoisine aussi fréquemment les marquis de Sade, les Brantôme et autres Ovide chez les éditeurs qui, sous couvert du passé, fournissent le public en œuvres réputées érotiques.

Flaubert et Stendhal ont une trajectoire originale : après avoir été abondamment réédités durant les années quarante, ils connaissent une baisse sensible durant les quinze années suivantes, avant de remonter nettement entre 1965 et 1975 : à vingt ans de distance donc, deux pointes remarquables, et, probablement, deux générations de consommateurs, deux lectures différentes, voire, peut-être, contradictoires ; les deux romanciers, dont on a longtemps apprécié l'investigation perspicace, et quasi balzacienne, des sociétés de la Restauration et du Second Empire, se trouvent progressivement annexés au XXe siècle et aux esthétiques nouvelles que le nouveau roman contribua à promouvoir.

Mais il est particulièrement instructif de comparer les courbes de Balzac et de Victor Hugo : alors que les chiffres du premier sont, jusqu'à 1965, presque toujours large-

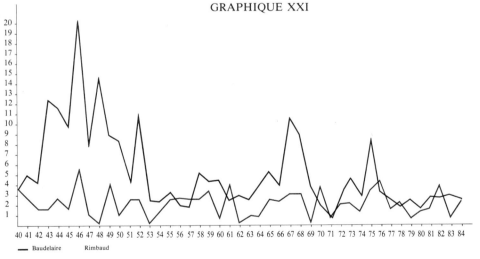

GRAPHIQUE XXI

—— Baudelaire   Rimbaud

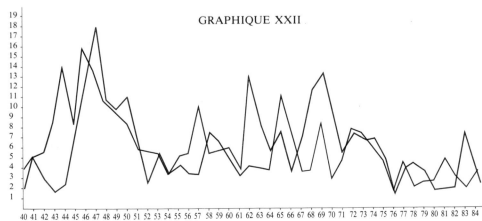

GRAPHIQUE XXII

—— Flaubert   Stendhal

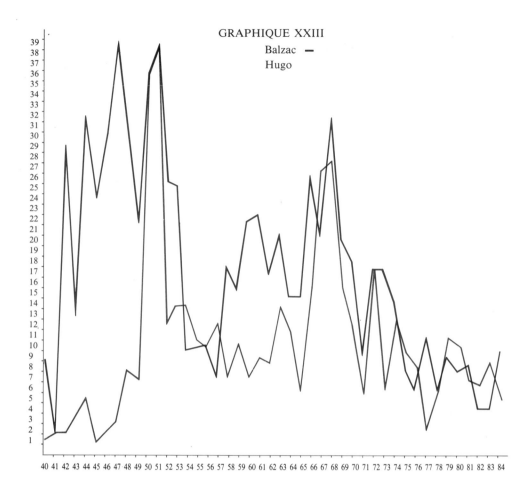

GRAPHIQUE XXIII

Balzac ▬

Hugo

ment supérieurs à ceux du second, les deux tracés coïncident *grosso modo* de 1966 à 1978 ; à partir de cette date, V. Hugo dépasse l'auteur de la *Comédie humaine*. On assiste ici à deux phénomènes considérables pour l'histoire de la réception littéraire : d'une part, l'effritement du succès de Balzac, à partir de 1969, sans doute au bénéfice de Stendhal, de Flaubert et Proust, d'autre part et en conséquence, la substitution de Hugo à Balzac comme grande figure littéraire du XIXᵉ siècle et comme parangon de la puissance créatrice.

La nature des éditions de Victor Hugo

L'expression *lire un auteur* relève du langage métaphorique : on ne lit jamais que des livres, composés, fabriqués, façonnés, présentés pour favoriser leur consommation. Traiter de la perpétuation d'un auteur sans examiner la nature des produits offerts sur le marché de la librairie amène nécessairement à renouveler les plus anciens préjugés idéalistes, que l'on s'arme ou non de la raison des chiffres. Comment donc peut-on lire un auteur du passé ? La formule la plus ancienne consiste à proposer, avec une œuvre dont la qualité, attestée par sa notoriété, paraît indubitable, un beau livre. Dans ce cas, le plaisir de l'œil et la satisfaction d'orner sa bibliothèque l'emportent sur toute autre considération : le texte fonctionne comme un signe neutre de culture, balisé par la tradition, et que l'éditeur se contente d'« emballer » avec plus ou moins de bonheur, très rarement avec un réel souci d'exactitude scientifique. Comme pour un bon vin, les principaux arguments publicitaires sont l'âge et le cru, c'est-à-dire la qualité de chef-d'œuvre. Les titres de collection reviennent avec monotonie à ces deux vertus cardinales : *Les cent chefs-d'œuvre de l'esprit humain, Club des chefs-d'œuvre, Bibliothèque de culture littéraire, Livres de toujours, Héritage du temps, Classiques de tous les temps, Permanence, Club des classiques, Les grands romans classiques français* ; l'éditeur peut aussi mettre l'accent sur la présentation matérielle de l'ouvrage : *Le coffret du bibliophile, Le musée du bibliophile, Le cercle du bibliophile, Le cercle du livre précieux, Trésor des couleurs, Peintres du livre, Pastels*. Il s'agit, pratiquement, des éditions de luxe et des clubs de livres ; nous parlerons de « livres-objets ».

A l'opposé, les éditions populaires offrent, pour un coût réduit, jadis par des publications en livraisons, maintenant sous la forme de livres en format de poche, des textes célèbres qui permettent des tirages importants et des bénéfices aussi peu aléatoires que possible.

Les éditeurs de littérature contemporaine, lorsqu'ils font appel au domaine public, tablent à la fois sur la vénération des lecteurs à l'égard de génies incontestés et sur la modernité des œuvres du passé ; ils privilégieront donc la publication d'écrits vierges de tout usage pédagogique. Au contraire, l'édition classique, représentée ici par ses collections de « petits classiques », doit s'en tenir aux programmes officiels ou aux recommandations des circulaires administratives. Toujours pour le public scolaire, mais en marge de l'enseignement, l'édition pour la jeunesse présente des textes abrégés, souvent adaptés et illustrés, et capables de séduire l'imagination enfantine.

Quant à l'édition universitaire et d'érudition, concurrencée auprès du public estudiantin par les formats de poche, elle se limite, pour les besoins des chercheurs ou des candidats aux concours de recrutement de l'Éducation Nationale, à des éditions critiques ou commentées.

Enfin, le véritable livre de bibliophilie, qui suppose une réalisation totalement artisanale et un tirage extrêmement réduit, se différencie d'abord des autres produits par son prix ; il ne peut donc subsister que par le recours à un peintre-illustrateur célèbre (le texte devient alors prétexte à peinture) ou par l'action concertée d'amateurs fortunés, réunis en clubs de bibliophilie. Dans les deux cas, la rentabilité de l'entreprise est assurée, et seul compte le plaisir que s'offre une élite culturelle et sociale.

Étude synchronique — De 1961 à 1970, 58,3 % des volumes de Hugo sont des « livres-objets » : ce pourcentage, très supérieur à la moyenne, reste proche des scores obtenus par les autres « grands » du XIXe siècle (60 % pour Balzac, 64,3 % pour Stendhal) ; il est d'ailleurs logique que, pour d'évidentes raisons de rentabilité, les producteurs de beaux livres s'intéressent d'abord aux auteurs les plus prolifiques. De même, si, pour Victor Hugo, l'édition universitaire stagne à un faible niveau

Tableau 26
Répartition pour les années 1961-1970, et par type de livre des rééditions de Hugo, Balzac, Baudelaire, Flaubert, Molière, Musset, Stendhal, Voltaire (les pourcentages sont établis à partir du nombre de volumes)

	Livre objet	Livre populaire	Édition courante	Édition classique	Bibliophilie	Édition universitaire
Moyenne générale	42,6 %	25,7 %	11,9 %	11,3 %	1,3 %	4,4 %
Hugo	58,3 %	17,3 %	10,2 %	11,8 %	0 %	2,4 %
Balzac	60 %	29 %	7 %	2,7 %	1 %	0,3 %
Baudelaire	36,1 %	37,6 %	13,1 %	8,2 %	5 %	0 %
Flaubert	31,2 %	46,3 %	6,3 %	11,3 %	1,2 %	3,7 %
Molière	27,9 %	18 %	2,5 %	50 %	0 %	1,6 %
Musset	70,7 %	13,3 %	2,7 %	13,3 %	0 %	0 %
Stendhal	64,3 %	20 %	8,7 %	5,3 %	0 %	1,7 %
Voltaire	50 %	13,8 %	6,9 %	17,3 %	1,7 %	10,3 %

(2,4 %), c'est que des maisons de littérature contemporaine (Gallimard et sa *Bibliothèque de la Pléiade*) et des clubs de livres (le *Club français du livre*) produisent de véritables éditions de référence, réalisées sous la responsabilité de spécialistes. Aussi, le plus souvent, ne revient-il aux éditeurs universitaires que l'exhumation, pour un petit nombre, d'auteurs mineurs ou oubliés qui ne pourraient trouver un écho suffisant auprès du public cultivé.

En revanche, les 10,2 % réalisés par Hugo dans l'édition de littérature contemporaine constituent un chiffre relativement élevé pour un auteur pratiqué depuis longtemps à l'école et ne bénéficiant d'aucun phénomène de mode. Ce résultat est *a priori* significatif, puisqu'il mesure l'intégration de l'écrivain aux courants contemporains de la culture écrite, celle du moins dont on parle et qui a les honneurs de la presse. Mais on ne lit en fait dans ce type de publications ni les romans de Victor Hugo, ni ses pièces de théâtre, ni ses œuvres poétiques, mais la correspondance avec Juliette Drouet, les écrits autobiographiques, les Tables tournantes, etc. ; là encore, les écrivains du XIXᵉ siècle servent de prête-nom (car ils sont interchangeables : tantôt Hugo, tantôt Baudelaire ou Flaubert), et les oripeaux du passé recouvrent élégamment les idéologies de l'heure.

17,3 % de volumes en collections populaires : ce chiffre est modeste, et plus proche des 18 % de Molière ou des 13,8 % de Voltaire que des 29 % de Balzac, des 37,6 % de Baudelaire ou des 46,3 % de Flaubert. Or, le grand événement de l'après-guerre, dans l'édition de la littérature du passé, est l'apparition et le succès des collections en format de poche (1953 : *Le livre de poche* ; 1958 : *J'ai lu* ; 1962 : *Presses-Pocket, Le Monde en 10/18* ; 1964 : *Garnier-Flammarion*). Il n'a pas suscité le grand mouvement de démocratisation culturelle que l'on pouvait imaginer alors ; en revanche, il offre à la masse croissante des collégiens et des lycéens la possibilité de lutiner dans la littérature en marge des programmes imposés, et aux enseignants le plaisir — et maintenant, le devoir — d'échapper aux contraintes des manuels et des « petits classiques » ; se profilent ainsi dans les formats de poche les engouements, plus ou moins spontanés, de la jeunesse scolarisée, c'est-à-dire, à quelques exceptions près, du seul public véritable des auteurs du passé. Victor Hugo a donc manqué en partie le « poche », au moment où, par exemple, Baudelaire retrouve une nouvelle jeunesse (37,6 % d'éditions populaires) et où Jules Verne, dont les *Voyages extraordinaires* sont réédités dans *Le livre de poche*, échappe enfin au ghetto de la littérature enfantine. Cet échec relatif explique le score très honorable de Victor Hugo dans les « petits classiques » : au moins dans les années soixante, l'auteur des *Contemplations* apparaît encore comme l'écrivain scolaire type, et cette représentation, imposée par la pratique pédagogique, nuit à son image littéraire. Aussi n'inspire-t-elle guère les bibliophiles, qui s'attachent avec obstination aux marges de la littérature scolaire (Rimbaud, Lautréamont, Baudelaire, etc.), plutôt qu'aux écrivains les plus célébrés et, peut-être, trop populaires.

Étude diachronique — Trois évolutions significatives ressortent de la masse des chiffres présentés dans le tableau 27 ci-contre :

— La part du « livre-objet » dans les éditions de Victor Hugo tend *grosso modo* à la hausse jusqu'en 1979. Or, on sait que le « livre-objet » reproduit avec le plus grand scrupule les listes des manuels, à quelques escapades près vers le roman sentimental et le livre d'aventures : l'adulte, une fois installé dans la vie, achète pour sa bibliothèque les auteurs qu'il a fréquentés, enfant, à l'école, encourageant ainsi une vision apaisée, jusqu'à l'engourdissement, de la littérature, quelles que soient les qualités, intellectuelles et matérielles, de telles éditions. Le succès obtenu ici par Hugo, apparemment positif, constitue donc un danger pernicieux pour le devenir de l'œuvre.

— Subissant durement la concurrence des nouveaux manuels de littérature, puis la crise de l'enseignement littéraire, les « petits classiques » connaissent deux baisses sensibles, de 1955 à 1962, et de 1974 à nos jours. Celles-ci s'accompagnent d'une part d'un report limité des éditions de V. Hugo vers le livre populaire, mais surtout d'un accroissement des livres pour la jeunesse, particulièrement remarquable ces dernières années. Tout se passe comme si Hugo, perdant, avec beaucoup d'autres, l'appui de l'école, dérivait vers la littérature enfantine, au lieu de conquérir, par des voies moins convenues, le public adolescent.

— Pourtant, cette tendance n'atteint ni l'édition de littérature contemporaine, ni l'édition universitaire, plus active que jamais.

A l'heure actuelle, trois images de l'écrivain co-existent donc : le poète officiel, sacralisé par la République et par les récitations de l'enseignement primaire ; le créateur d'histoires, sorte d'Alexandre Dumas *bis* ; enfin, le marginal de tout poil, révélé par ses textes non littéraires, marginal de la politique, de la religion et de la littérature : en somme, le marginal de l'Histoire. Mais faut-il préciser que les deux premières l'emportent largement, en termes de chiffres, sur la dernière ?

L'étude par genres (tableau 28)

La hiérarchie que le succès établit entre les différents genres pratiqués par Hugo est bouleversée de fond en comble de 1940 à 1984 : jusqu'en 1954, nous avons d'abord affaire à un poète, chef de file et symbole du romantisme ; les romans n'arrivent alors que très rarement au niveau des œuvres poétiques. Mais, de poète, Victor Hugo

	livre objet	livre populaire	édition courante	édition classique	édition pour la jeunesse	biblio-philie	édition univer-sitaire	divers	Total
1940	2	0	0	0	0	0	0	0	2
1941	1	4	0	1	0	0	0	0	6
1942	1 4 (15,40 %)	2 13 (50 %)	0 2 (7,7 %)	1 2 (7,7 %)	0 0 (0 %)	3 3 (11,5 %)	0 0 (0 %)	0 2 (7,7 %)	7 26
1943	0	0	1	0	0	0	0	2	3
1944	0	7	1	0	0	0	0	0	8
1945	1	0	0	0	0	1	0	0	2
1946	0	2	0	1	0	0	0	0	3
1947	5 16 (26,2 %)	6 13 (21,3 %)	4 11 (18 %)	0 16 (26,2 %)	0 1 (1,7 %)	0 3 (4,9 %)	0 0 (0 %)	1 1 (1,7 %)	16 61
1948	6	5	6	3	0	2	0	0	22
1949	4	0	1	12	1	0	0	0	18
1950	19	3	3	36	9	0	0	0	70
1951	10	1	3	5	3	0	1	0	23
1952	11 53 (32,9 %)	1 6 (3,7 %)	7 22 (13,7 %)	3 56 (34,8 %)	2 19 (11,8 %)	0 0 (0 %)	1 3 (1,9 %)	1 2 (1,2 %)	26 161
1953	6	0	6	6	4	0	0	0	22
1954	7	1	3	6	1	0	1	1	20
1955	6	0	2	2	4	0	0	0	14
1956	4	0	1	1	2	0	1	1	10
1957	4 26 (44 %)	2 7 (11,9 %)	0 5 (8,5 %)	2 5 (8,5 %)	1 12 (20,3 %)	0 1 (1,7 %)	0 2 (3,4 %)	0 1 (1,7 %)	9 59
1958	6	5	2	0	3	1	0	0	17
1959	6	0	0	0	2	0	1	0	9
1960	4	6	1	0	5	0	1	0	17
1961	7	0	3	0	4	0	2	0	16
1962	17 31 (34,9 %)	4 18 (20,2 %)	2 15 (16,8 %)	0 7 (7,9 %)	1 15 (16,8 %)	0 0 (0 %)	0 3 (3,4 %)	0 0 (0 %)	24 89
1963	0	4	5	3	4	0	0	0	16
1964	3	4	4	4	1	0	0	0	16
1965	2	3	3	6	3	0	1	0	18
1966	4	8	1	6	1	0	0	0	20
1967	40 111 (60,4 %)	9 29 (15,8 %)	2 10 (5,4 %)	3 21 (11,4 %)	2 10 (5,4 %)	0 0 (0 %)	0 3 (1,6 %)	0 0 (0 %)	56 184
1968	36	5	0	3	1	0	2	0	47
1969	29	4	4	3	3	0	0	0	43
1970	10	3	2	2	1	0	1	0	19
1971	10	1	1	9	2	0	1	0	24
1972	0 56 (47,5 %)	9 20 (16,9 %)	4 10 (8,5 %)	4 17 (14,4 %)	3 8 (6,8 %)	0 1 (0,8 %)	1 4 (3,4 %)	2 2 (1,7 %)	23 118
1973	18	6	1	2	2	1	0	0	30
1974	18	1	2	0	0	0	1	0	22
1975	18	1	1	2	4	1	0	0	27
1976	9	0	2	1	1	0	2	0	15
1977	5 76 (55 %)	1 7 (5,1 %)	3 14 (10,2 %)	0 7 (5,1 %)	1 25 (18,1 %)	0 1 (0,7 %)	0 7 (5,1 %)	0 1 (0,7 %)	10 138
1978	23	0	3	1	7	0	0	0	34
1979	21	5	5	3	12	0	5	1	52
1980	9	3	3	1	3	0	1	0	20
1981	0	6	2	0	1	0	0	0	9
1982	3 18 (28,6 %)	2 16 (25,4 %)	0 12 (19 %)	1 2 (3,2 %)	3 11 (17,5 %)	0 0 (0 %)	1 3 (4,7 %)	1 1 (1,6 %)	11 63
1983	5	2	3	0	3	0	1	0	14
1984	1	3	4	0	1	0	0	0	9
Total	391 (43,5 %)	129 (14,4 %)	101 (11,2 %)	133 (14,8 %)	101 (11,2 %)	9 (1 %)	25 (2,8 %)	10 (1,1 %)	899

devient brusquement romancier. Rien là de bien original : la poésie du passé, après avoir résisté, grâce à la tradition scolaire, à la concurrence du roman, omniprésent depuis longtemps dans la littérature contemporaine, décline rapidement lorsque les grands romanciers du XIXe et du XXe siècle trouvent droit de cité dans l'École ; Lamartine et Vigny, on l'a vu, ont été spectaculairement touchés par ce mouvement, dont seul est épargné pour quelques années un quarteron de poètes maudits.

L'évolution du théâtre est plus surprenante : alors que le genre est en plus mauvaise situation encore que la poésie, les pièces d'Hugo sont rééditées avec une grande régularité jusqu'en 1971. Il est probable que la lassitude manifestée par les lecteurs à l'égard du théâtre classique (pour l'essentiel, Corneille, Molière et Racine) amène les pédagogues et les programmateurs des théâtres à rechercher dans le patrimoine littéraire des auteurs plus modernes : ils y trouvent Hugo et Musset. Néanmoins,

Tableau 28
Répartition par genre des rééditions de Victor Hugo
(en nombre de titres, et à l'exception des éditions d'œuvres complètes)

Genre / Année	Poésie		Roman		Théâtre		Divers	
1940	1		0		0		1	
1941	0		0		1		0	
1942	1	3	1	2	0	1	0	2
1943	1		1		0		0	
1944	0		0		0		1	
1945	1		0		0		0	
1946	0		1		0		0	
1947	1	12	4	13	2	4	2	3
1948	4		5		1		0	
1949	6		3		1		1	
1950	27		7		5		5	
1951	7		7		1		0	
1952	5	43	5	31	1	13	3	11
1953	2		6		3		1	
1954	2		6		3		2	
1955	5		4		3		1	
1956	1		7		0		1	
1957	0	7	5	34	0	4	2	6
1958	1		11		1		1	
1959	0		7		0		1	
1960	1		8		0		0	
1961	3		5		1		2	
1962	1	11	6	32	0	6	2	5
1963	1		10		2		0	
1964	5		3		3		1	
1965	3		7		3		3	
1966	6		6		2		1	
1967	6	23	8	37	0	7	1	6
1968	3		8		1		1	
1969	5		8		1		0	
1970	4		6		1		2	
1971	6		6		4		0	
1972	2	17	8	38	0	6	5	10
1973	3		15		1		2	
1974	2		3		0		1	
1975	1		12		0		1	
1976	1		3		1		1	
1977	1	9	3	42	0	6	0	7
1978	2		11		0		0	
1979	4		13		5		5	
1980	3		6		0		1	
1981	3		2		0		3	
1982	1	12	1	15	1	1	0	8
1983	2		4		0		3	
1984	3		2		0		1	

le théâtre de Hugo résiste mal au vent de nouveauté qui souffle dans l'enseignement du français dans les années soixante-dix.

Enfin, le nombre des « divers » (la correspondance, les textes politiques, etc.) confirme nos constats précédents : à mesure que la poésie et le théâtre perdent leurs lecteurs, le public se passionne pour les parages de la littérature. Car cette tendance n'est pas propre à Hugo ; son œuvre s'y prête seulement mieux qu'une autre.

Le destin de quelques œuvres

Les feuilles d'automne et Les contemplations — De 1940 à 1984, 133 éditions des *Fleurs du mal,* 50 des *Contemplations,* 42 des *Feuilles d'automne,* 35 des *Destinées,* 10 des *Harmonies.* Ces chiffres établissent le palmarès, mais ne disent pas tout : une œuvre littéraire peut être soit publiée isolément et en texte intégral, soit éditée dans le cadre d'une collection d'œuvres complètes, soit, enfin, publiée en édition abrégée ou à l'intérieur d'une sélection des œuvres de l'auteur, pour les besoins de la grande diffusion (livre pour la jeunesse, anthologie scolaire, « format de poche »). Seule la première manière permet d'évaluer sûrement l'intérêt que le public porte à un texte donné, et à tout ce texte.

Appliquons cette classification à nos cinq recueils de poésie : *Les harmonies poétiques et religieuses* sont, et de loin, les plus mal loties, puisqu'elles n'ont été l'objet, en quarante-cinq années, d'aucune édition isolée ; la poésie de Lamartine paraît indivise, sous la forme d'œuvres complètes ou de florilèges scolaires. Le schéma est sensiblement différent pour les *Destinées* : à vingt ans de distance, le même mouvement se répète : forte hausse, suivie, sur une quinzaine d'années, d'un lent déclin. Mais alors que les *Destinées* sont toujours intégrées, de 1950 à 1964, aux œuvres complètes ou à une anthologie de Vigny, elles sont éditées sous ce seul titre, à partir de 1965, au moins une fois tous les cinq ans. Dans ce cas, le recueil posthume de Vigny, jusqu'alors annexé aux *Poèmes antiques et modernes,* qui vieillissent apparemment plus mal, s'en sépare et les devance même durant les dernières années.

Quant aux *Fleurs du mal,* toujours abondamment publiées, elles voient croître la part relative des œuvres complètes et des anthologies, due aux rééditions récentes des *Petits poèmes en prose,* des *Paradis artificiels* et des critiques artistiques. Ainsi Baudelaire survit-il au déclin de la prosodie classique.

D'un côté *Les harmonies* et *Les poèmes antiques et modernes,* de l'autre *Les destinées* et, au premier rang de la gloire poétique, *Les fleurs du mal.* Au-delà des qualités inégales de ces œuvres et de leurs esthétiques, la date de publication est décisive. Alors que la Révolution française est traditionnellement considérée comme la césure principale de l'histoire moderne de la France, il semble que le Second Empire joue le même rôle pour la littérature et distingue, aux yeux du lecteur contemporain, le « jadis » du « naguère ». L'étude des recueils de Hugo le confirme : *Les feuilles d'automne,* que sa tonalité intimiste éloigne pourtant de la turbulence idéologique de 1830, ne connaissent que trois éditions isolées de 1940 à 1984, soit quatre fois moins que *Les contemplations.* N'exagérons d'ailleurs pas le succès de cette dernière œuvre : ses rééditions, qui ne connaissent pas le sort malheureux des autres recueils romantiques, traduisent pourtant la calme existence d'un texte célèbre, trop célèbre sans doute pour susciter des engouements passagers. En conséquence, peu d'éditions séparées ; elles disparaissent même totalement à partir de 1974.

Hernani, Ruy Blas — Si Vigny est encore moins heureux au théâtre qu'en poésie (12 éditions de *Chatterton* en quarante-cinq ans), les trois autres drames romantiques obtiennent des scores équivalents : 37 éditions pour *Lorenzaccio,* 45 pour *Hernani,* 44 pour *Ruy Blas.* Les différences se trouvent dans la nature et l'évolution de leur perpétuation : *Hernani* est assez régulièrement publié, mais à un faible niveau, en « petits classiques », et l'essentiel des rééditions est assuré, à partir de 1961, par des collections d'œuvres complètes ; cette pièce profite donc peu de l'effacement des classiques. A l'opposé, *Lorenzaccio* n'est pas publié isolément avant 1952, puis émerge peu à peu des *Comédies et proverbes* et bénéficie de plus en plus d'une flatteuse réputation de modernité. L'évolution est similaire pour *Ruy Blas,* qui, malgré une lente baisse depuis vingt ans, reste assez fréquemment réédité. Pourquoi *Lorenzaccio* et *Ruy Blas,* et non pas *Hernani* ? Tout a été dit, ou presque, sur l'esthétique romantique et sa rupture d'avec la dramaturgie classique, sur l'exaltation des sentiments et les ruptures de registre. En revanche, les aventures auxquelles participent Lorenzo et Ruy Blas peuvent être lues, et le fait est nouveau, comme autant de remises

GRAPHIQUE XXIV

Les harmonies

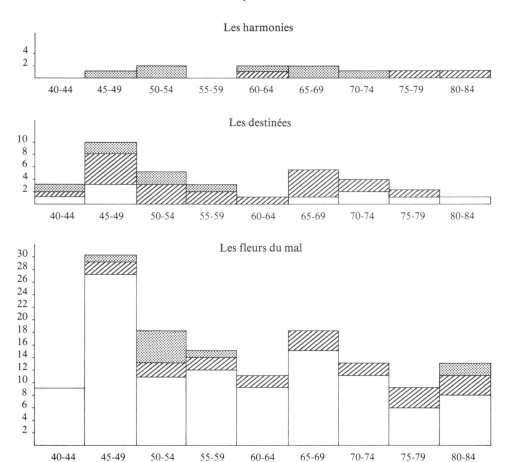

Les destinées

Les fleurs du mal

Les contemplations

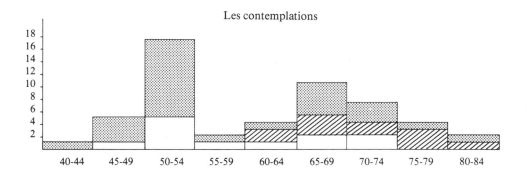

Les feuilles d'automne

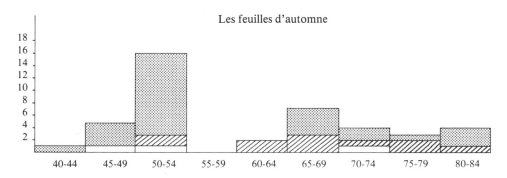

N.B. : Nous comptabilisons parmi les éditions intégrales et isolées la publication, en 1973, d'un seul poème des *Feuilles d'automne,* illustré par Magritte dans une édition bibliophilique. Cette publication traduisant, pour un certain public, la vitalité littéraire de la poésie hugolienne, la catégorie adoptée, à défaut d'une autre, nous semble respecter au mieux l'esprit, sinon la lettre, de notre cadre de classement.

Rééditions en édition intégrale et isolée (nombre de titres)

Rééditions en édition d'œuvres complètes (nombre de titres)

Rééditions en édition abrégée, ou à l'intérieur d'une sélection des œuvres de l'auteur (nombre de titres)

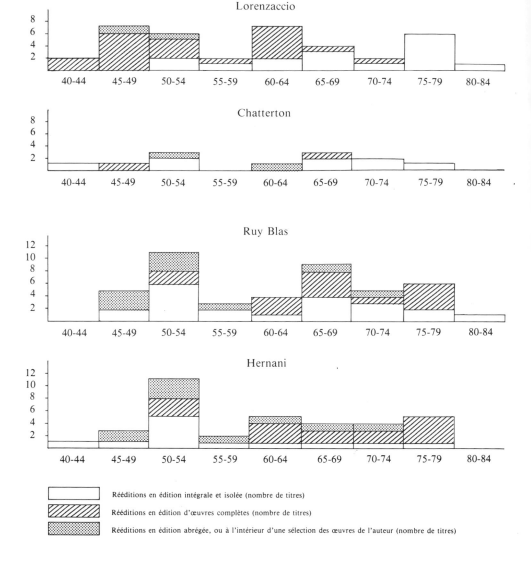

Rééditions en édition intégrale et isolée (nombre de titres)

Rééditions en édition d'œuvres complètes (nombre de titres)

Rééditions en édition abrégée, ou à l'intérieur d'une sélection des œuvres de l'auteur (nombre de titres)

en cause des équilibres et des conventions sociales ; cette interprétation politique, qui va avec l'air du temps, permit non seulement de rejeter la tradition psychologisante qui fit longtemps les beaux jours, au moins dans le cadre scolaire, de l'interprétation du drame romantique, mais encore de transformer les apparentes lourdeurs et exagérations, inévitablement accueillies par les rires des potaches et du public théâtral, en autant d'effets de distanciation avant la lettre. Ce type de lecture a aussi favorisé un retour en force de l'*Illusion comique* de Pierre Corneille, du *Don Juan* de Molière et du théâtre de Marivaux.

Notre-Dame de Paris, Les misérables — De 1940 à 1984, *Les misérables* totalisent 108 éditions, *Le rouge et le noir* 88, *Madame Bovary* 87, *Notre-Dame de Paris* 70 ; si l'on ne considère cette fois que les éditions isolées et en texte intégral, les scores sont respectivement de 40, 74, 72 et 43. D'une série à l'autre, *Les misérables* passent du premier au dernier rang : best-seller incontesté de la littérature enfantine, il occupe, en tant qu'œuvre littéraire à part entière, une place bien plus modeste. L'analyse, titre par titre, nous amènera aux mêmes conclusions.

— Après une pointe élevée durant les années 1945-1947, *Madame Bovary* et *Le rouge et le noir* font l'objet de nombreuses rééditions durant toute la période, malgré une baisse plus ou moins accentuée à partir des années soixante-dix ; cette dernière est d'ailleurs logique : à l'usure générale de la littérature du passé vient s'ajouter un phénomène particulièrement net pour les œuvres romanesques. En effet, la réimpression massive, en format de poche, des succès d'hier et d'aujourd'hui, réduit considérablement les débouchés de l'édition traditionnelle des classiques : les éditions Garnier en firent l'expérience à leurs dépens. Presque seul en ce cas, Galli-

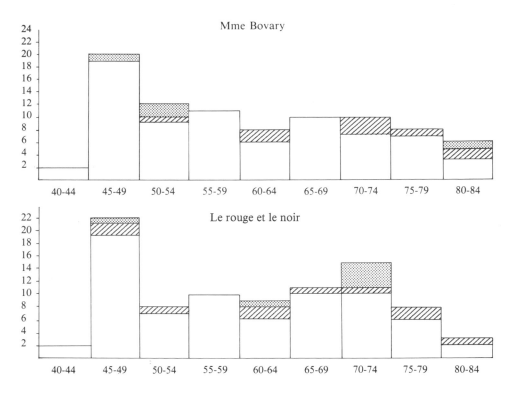

Mme Bovary

Le rouge et le noir

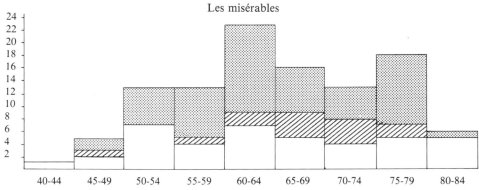

Les misérables

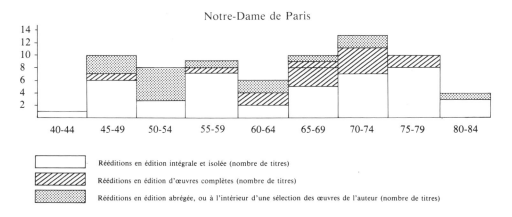

Notre-Dame de Paris

☐ Rééditions en édition intégrale et isolée (nombre de titres)

▨ Rééditions en édition d'œuvres complètes (nombre de titres)

▧ Rééditions en édition abrégée, ou à l'intérieur d'une sélection des œuvres de l'auteur (nombre de titres)

mard résiste, par le prestige de ses collections *(Bibliothèque de la Pléiade, collection Blanche)*, à l'invasion du livre à bon marché, mais d'une qualité toujours améliorée ; signe des temps, c'est en « poche » — dans la collection *Bouquins* des éditions Laffont — que paraîtra, pour le centenaire de 1985, l'édition des œuvres complètes de Victor Hugo.

En outre, le public semble diversifier à partir des années soixante, et, plus sensiblement, des années soixante-dix, sa connaissance de Stendhal et de Flaubert, qui cessent d'être identifiés à leurs seuls romans « vedette » ; on peut du moins le supposer en observant la progression des œuvres complètes.

— A partir de 1946, et à l'exception de brèves périodes, *Notre-Dame de Paris* est constamment publié isolément et en texte intégral ; sous cette forme, le nombre de rééditions tend même à croître de 1965 à 1979, alors que celui des éditions abrégées diminue considérablement de 1965 à 1979, passant de 8 pour la décennie 1945-1954 à 2 pour les années 1970-1979. Au contraire, les éditions en texte intégral des *Misérables* stagnent, il est vrai à un niveau assez élevé (de 4 à 7 titres par période de cinq années), et les adaptations se taillent la meilleure part, représentant jusqu'aux deux tiers de l'ensemble des rééditions, durant les années 1975-1979 : à en croire les chiffres, et malgré les apparences, *Notre-Dame de Paris* est le roman en vogue de Victor Hugo, tandis que *Les misérables* sont de plus en plus cantonnés à la littérature enfantine[37] ; bien sûr, celle-ci, qui permet, par le biais des adaptations et des illustrations, de renouveler indéfiniment la lecture des textes, n'est pas indigne de recueillir les œuvres célèbres du passé ; mais, tout simplement, Victor Hugo n'avait pas écrit *Les misérables* pour elle, et ces détournements indus laissent toujours de vagues relents de récupération ; regrettons l'affadissement des *Fables* de La Fontaine ou d'*Alice au pays des merveilles* ; leurs auteurs n'en écrivaient pas moins pour les enfants. Rien de tel pour Victor Hugo : seulement l'ambition de « faire le poème de la conscience humaine », et d'ainsi « fondre toutes les épopées dans une épopée supérieure et définitive ».

L'étude des tirages

L'étude des tirages met évidemment l'accent sur les produits de grande diffusion et sur les phénomènes de masse ; elle permet d'évaluer la popularité d'un écrivain, mais non pas sa consommation au sein d'un groupe social ou professionnel restreint. Fixons donc d'abord quelques ordres de grandeur.

— Le livre-objet rassemble des conceptions très diverses du luxe ; le beau livre peut descendre jusqu'à quelques centaines d'exemplaires, mais tel éditeur, dont les produits sont de moindre qualité, le *Cercle du bibliophile* par exemple, peut avoisiner par ses tirages les collections en format de poche. De même, la bonne image du *Club français du livre* auprès des classes moyennes lui permet une production relativement importante. Compte tenu de ces disparités, le tirage moyen s'établit autour de 8 000 exemplaires.

— Selon l'auteur et la collection, le tirage est aussi très variable pour un titre de « poche » ; de plus, on observe depuis de nombreuses années une baisse en volume des tirages, la jeunesse accordant, dans ses loisirs, une place moindre à la lecture. Les chiffres peuvent donc aller de quelques milliers d'exemplaires à plus de 100 000.

— On peut en dire autant des « petits classiques », dont les tirages moyens diminuent depuis une quinzaine d'années, malgré les scores encore assez élevés des pièces classiques.

— Tous les autres types d'éditions sont quantités négligeables, et leurs tirages vont de moins d'une centaine, pour la bibliophilie à quelques milliers, pour l'édition de littérature contemporaine.

Le nombre de réimpressions, pour un même titre, importe autant que le volume des tirages : le corpus des auteurs du passé est réduit à quelques dizaines de « vedettes », essentiellement celles des manuels ; dans ces conditions, chaque auteur fait assez vite le plein de son public, et, parce qu'on ne peut vendre dix fois Balzac ou Hugo aux mêmes lecteurs, les secteurs éditoriaux capables de réimprimer massivement sont ceux qui visent le seul public en constant renouvellement, à savoir la jeunesse scolarisée ; cette circonstance explique la prépondérance des « poche » et des « petits classiques » : durant les années 1964-1966, ils rassemblent 30,5 millions d'exemplaires, soit 83 % des rééditions d'œuvres du passé. C'est assez dire que la perpétuation littéraire est assurée en premier lieu par la jeunesse, c'est-à-dire à des degrés divers, par l'école.

Tableau 29
Le palmarès des auteurs (d'après le nombre d'exemplaires produits pour les années 1964-1966)
N.B. : Tous les chiffres de tirages présentés dans cette étude ont été obtenus à partir du dépouillement des archives du Dépôt Légal (Bibliothèque Nationale)

	1964	1965	1966	TOTAL
Molière	1 091 340	1 027 385	2 060 000	4 178 725

Racine	914 980	934 180	929 000	2 778 160
Balzac	703 984	1 045 460	822 900	2 572 344
Corneille	591 960	1 166 000	631 000	2 388 960
Zola	550 700	583 600	648 000	1 782 300
Verne	8 910	0	1 682 000	1 690 910
Hugo	664 280	554 000	650 500	1 578 780
Dumas	271 000	369 300	353 600	993 900
Stendhal	340 100	297 540	268 126	905 766
La Fontaine	291 793	269 500	343 000	904 293
Daudet	170 000	321 400	369 500	860 900
Maupassant	334 426	237 600	275 000	847 026
Flaubert	188 482	351 000	265 602	769 084
Rousseau	315 126	147 750	294 000	756 876
Voltaire	290 426	149 000	292 600	732 026
Proust	16 000	301 250	410 000	727 250
Baudelaire	231 600	279 500	193 088	704 180
Alain-Fournier	168 000	297 000	199 000	664 000
Montaigne	125 450	202 000	285 000	612 450
Musset	126 126	207 000	236 000	569 126
A. France	119 000	254 038	190 000	563 038
Chateaubriand	249 140	160 000	142 500	551 640
Beaumarchais	178 000	135 000	184 000	497 000
Mérimée	240 000	147 000	81 500	468 500
Diderot	69 660	119 126	267 752	456 538
Courteline	142 000	122 500	188 500	453 000
La Bruyère	157 000	97 090	151 088	405 178
Pascal	107 100	128 000	167 000	402 100
Verlaine	205 300	96 650	94 500	396 450
Marivaux	105 450	104 500	142 000	351 950
Allais	6 950	113 000	192 000	311 950
Sand	151 000	88 900	66 000	305 900
Mme de Lafayette	60 500	53 500	125 000	239 000
Rabelais	85 000	38 000	104 500	227 500
Barbey d'Aurevilly	76 290	62 000	88 300	226 590
Rimbaud	113 000	48 500	56 126	217 626
Nerval	105 857	90 300	21 350	217 507
Vigny	43 000	102 000	64 500	209 500
Boileau	125 500	10 000	70 000	205 500
Laclos	79 600	69 726	39 600	188 926
Ronsard	119 400	16 000	47 500	182 900
Prévost	36 000	69 000	69 000	174 000
Lamartine	39 540	93 200	31 000	163 740
Vallès	114 200	16 000	33 000	163 200
Pergaud	41 000	121 440	0	162 440
Mme de Sévigné	50 000	8 180	100 000	158 180
La Rochefoucauld	29 475	49 000	68 626	147 101
Montesquieu	78 000	37 000	31 000	146 000
Apollinaire	37 000	6 500	96 150	139 650
Barrès	26 500	16 000	90 500	133 000
Rostand	132 000	0	0	132 000
Mallarmé	14 000	38 500	68 500	121 000
T. Gautier	20 000	0	96 500	116 500
Labiche	55 000	0	60 500	115 500
Bossuet	27 540	35 000	45 000	107 540
Fromentin	0	5 000	96 000	101 000
B. Constant	0	66 500	34 126	100 626
Dumas fils	27 500	33 000	39 600	100 100
Supervielle	0	0	88 400	88 400
Retz	0	0	88 000	88 000
Jarry	31 411	20 254	34 126	85 791
Sade	19 126	52 000	12 000	83 126
Lautréamont	66 000	16 500	0	82 500
Fènelon	25 000	10 000	40 000	75 000
La Varende	0	0	69 000	69 000
Huysmans	68 000	0	0	68 000
Mirbeau	66 000	0	0	66 000
J. Renard	0	4 500	54 500	59 000
Bernardin de St. Pierre	0	11 000	45 000	56 000
P. Louys	0	0	55 000	55 000
H. de Régnier	0	0	55 000	55 000
Regnard	0	50 000	0	50 000

(tous les autres auteurs ont été publiés à moins de 50 000 ex.)

Étude synchronique — 1964-1966 : si les « Lagarde et Michard » suscitent déjà quelques réticences, le public des lycées et des scolaires les pratique assidûment et connaît ses classiques ; encouragé par l'attrait financier des formats de poche, il sait aussi se distraire à la lecture des auteurs du siècle précédent, sans être rebuté par les archaïsmes de style et de vocabulaire. Les chiffres de tirage les plus élevés se répartissent donc logiquement entre poètes classiques (par ordre, Molière, Racine et Corneille) et romanciers du XIXᵉ siècle (Balzac, Zola et Jules Verne). Mais Hugo vient en septième position, avec 1 578 780 exemplaires en trois ans, et ce chiffre atteste de l'extraordinaire popularité de l'écrivain, alors que l'école a dès ce moment entamé le piédestal qu'elle lui avait édifié, ainsi qu'à La Fontaine, au cours de longues décennies. Ainsi devance-t-il, et d'assez loin, les romanciers les plus lus, ou, du moins, les plus commentés par l'intelligentsia (Stendhal : 905 766 ; Maupassant : 847 026 ; Flaubert : 769 084 ; Proust : 727 250). En outre, si Baudelaire, compte tenu de la relative rareté de ses œuvres, totalise un nombre considérable d'exemplaires (704 180), les autres poètes post-romantiques suivent à un rang plus modeste (Verlaine : 396 450 ; Rimbaud : 217 626) ; enfin, les poètes romantiques, à l'exception de Musset qui bénéficie de réimpressions en « petits classiques » de ses œuvres théâtrales, sont encore plus mal lotis (Vigny : 209 500 ; Lamartine : 163 740).

Étude diachronique — Les chiffres des années 1964-1966 appartiennent à une époque révolue, où tout concourait au succès de la littérature du passé : l'accroissement rapide de la population scolaire, le caractère encore très traditionnel de l'enseignement littéraire, l'explosion des collections de poche, qui ont tout le charme de leur relative nouveauté. On pouvait alors, pour la seule année 1966, lancer sur le marché 2 060 000 exemplaires de Molière, 929 000 de Racine, 631 000 de Corneille et 1 682 000 de Jules Verne.

Les années soixante-dix seront l'époque du reflux : les tirages des « formats de poche » baissent, subissant à la fois le désintérêt croissant de la jeunesse à l'égard des auteurs du passé et une certaine banalisation du produit lui-même ; quant aux « petits classiques », toujours présents dans l'enseignement, leur importance se trouve réduite par l'éclipse des auteurs du XVIIᵉ siècle et par l'introduction de nouveaux supports pédagogiques. C'est dans cette perspective qu'il faut interpréter le tableau 7 : Molière, pourtant le plus lu de la triade classique, voit ses chiffres de tirage s'effondrer de 1970 à 1975 ; Balzac, dont le sort est moins directement lié aux institutions éducatives, revient en 1975 à son niveau de 1960, et semble s'y maintenir ; Stendhal et Proust, qui n'ont jamais été des auteurs aussi populaires, connaissent la même évolution, mais de manière moins sensible, et se stabilisent, depuis une décennie, autour de 150 000 exemplaires par an. En revanche, Voltaire et Rabelais, dont la faible diffusion ne permet pas des écarts considérables, semblent réguliers sur toute la période. Enfin, on attendait des modernes Sartre et Aragon des évolutions toutes différentes ; il n'en est rien : réalisant des scores faibles jusqu'au développement du *Livre de poche*, ils progressent rapidement durant les années soixante, pour revenir à des chiffres plus mesurés au début des années soixante-dix ; d'ailleurs, au regard des chiffres, ils sont comparables aux écrivains du passé : Aragon est généralement en deçà de Baudelaire, Sartre quelque part entre Balzac et Hugo. Quoi qu'il en soit,

Tableau 30
Hugo et les autres, en nombre d'exemplaires publiés

	1950	1955	1960	1965	1970	1975	1980	Total
Hugo	1 692 956	264 570	459 200	554 000	439 700	535 550	353 837	4 166 213
Molière	136 000	713 000	1 710 300	1 027 385	1 449 600	387 118	322 500	5 745 903
Voltaire	140 000	100 500	177 000	149 000	427 913	149 036	133 500	2 276 949
Baudelaire	208 146	25 626	63 000	279 500	124 000	157 900	199 546	1 057 718
Stendhal	106 126	65 000	176 228	297 540	313 200	211 250	176 510	1 345 854
Balzac	396 839	133 550	444 100	1 045 460	700 045	431 350	407 595	3 558 939
Rabelais	127 250	22 000	68 150	38 000	161 500	57 500	57 500	531 900
Sartre	24 100	20 900	480 500	637 036	633 900	587 750	86 100	2 470 286
Aragon	0	4 200	44 950	140 500	153 200	85 000	86 100	513 950
Proust	0	89 600	47 600	301 250	168 150	107 800	151 000	865 400

il apparaît que le destin de la production contemporaine est bien plus lié qu'on ne le croit souvent à la littérature d'hier : à plus d'un titre, leur succès ou leur survie relève de la même problématique, et la défaillance actuelle de l'une et de l'autre ne saurait être compensée par quelques best-sellers d'un été ou d'un automne, qu'il s'agisse du dernier Goncourt ou de l'exhumation d'une correspondance célèbre.

Dans ce déclin général de la consommation littéraire, les chiffres réalisés par les éditions de Victor Hugo (tableau 30) restent étonnamment stables, et se situent, bon an mal an, autour de 400 000 exemplaires, à l'exception de l'année 1950, qui amène, avec l'entrée de l'auteur dans le domaine public, une floraison de « petits classiques » ; aussi dépasse-t-il ou égale-t-il, à quelques milliers d'unités près, Molière, Balzac, Sartre et, bien-sûr, tous les autres.

Mais ne nous laissons pas prendre à l'illusion des chiffres globaux : la perdurée du phénomène Hugo est faite de glissements, voire de bouleversements de l'œuvre au sein du champ de la perpétuation littéraire. Sur ce point, les tirages confirment les trois hypothèses principales que l'étude des titres permettait d'avancer.

— La hiérarchie qui s'établit quantitativement entre les différents types d'édition est profondément transformée de 1950 à 1980 (tableau 31 ci-dessous) : les « petits classiques » déclinent lentement de 1950 à 1965, passant de 73 à 38 % du total des réimpressions, puis s'effondrent à partir de 1970. Le déclin profite aux éditions pour la jeunesse, qui gagnent 14 % en dix ans, la chute brutale au livre-objet, qui représente, en 1970 et en 1975, plus de la moitié de l'ensemble (61 et 57 %). Les lecteurs de « petits classiques », si nombreux durant les années cinquante, ne sont-ils pas les futurs acheteurs de beaux livres ? Quant aux collections de « poche », elles ne semblent pas pouvoir dépasser leur score de 1965, soit 38 %, chiffre au demeurant modeste pour un auteur populaire du XIXe siècle (durant la même année 1965, la proportion est de 48 % pour Balzac). Reste l'année 1980, au profil plus indistinct ; assiste-t-on à une diversification des images de Hugo et à l'éclatement de son public, propice à l'œuvre et à sa réception ? Il est trop tôt pour en juger, et c'est finalement l'année 1985 qui en décidera. En tout cas, l'étude des tirages par genre n'autorise aucune conclusion de ce type.

— *Les misérables* poursuivent leur brillante carrière dans l'édition enfantine (tableau 33) : sur les 4 927 185 exemplaires produits durant les années 1960-1984 2 973 208 sont absorbés par les « petits classiques » ou les livres illustrés pour la jeunesse, donc par des éditions toujours abrégées et souvent adaptées ; autrement dit, quatre lecteurs sur dix seulement ont lu le roman dans le texte intégral. Encore y a-t-il, sur ces 40 %, 37 % de « livres-objets », et on sait que leurs possesseurs ne font pas nécessairement suivre, loin s'en faut, leur achat d'un acte de lecture.

— Plus généralement (voir tableau 33), alors que la poésie de Hugo connaît une chute forte et durable à la fin des années soixante, ses romans progressent tout aussi rapidement, réalisant jusqu'à 86,7 % de la production en 1975 ; quant à son théâtre, il connaît une hausse remarquable durant les années soixante, avant de revenir à un niveau extrêmement bas : cette brève envolée traduit clairement la tentative

Tableau 31
Les rééditions de Victor Hugo, en nombre d'exemplaires publiés et par type de livre

	Édition scolaire	Édition pour la jeunesse	Collections de poche	Livre-objet
1950	1 227 895 73 %	176 000 10 %	0 %	16 742 1 %
1955	176 000 67 %	40 000 15 %	0 %	49 570 19 %
1960	283 000 62 %	110 000 24 %	0 %	15 000 3,3 %
1965	213 000 38 %	103 000 19 %	213 000 38 %	8 000 1 %
1970	30 000 6 %	10 000 2 %	110 000 25 %	269 000 61 %
1975	30 000 6 %	126 000 24 %	49 500 9 %	306 600 57 %
1980	22 000 6 %	98 320 28 %	118 810 34 %	56 307 16 %

Tableau 32
La diffusion des *Misérables*, en nombre d'exemplaires publiés et par type de livre

Type d'édition Année	1 livre- objet	2 livre classique	3 livre pour la jeunesse	4 édition populaire	Total
1950	59 508	166 000	80 000	44 000	349 508
1955	0	50 000	0	0	50 000
1960	0	30 000	180 000	0	210 000
1961	0	30 000	95 000	0	125 000
1962	0	50 000	40 000	0	90 000
1963	40 000	35 000	61 000	150 000	286 000
1964	6 000	50 000	130 000	60 500	246 500
1965	10 000	0	83 000	33 000	126 000
1966	13 400	40 000	122 000	175 000	350 400
1967	54 000	0	149 727	16 500	220 227
1968	43 000	167 000	116 000	66 000	392 000
1969	37 600	20 000	127 181	49 500	234 281
1970	35 000	0	0	0	35 000
1971	26 200	25 000	118 000	11 000	180 200
1972	0	20 000	162 000	136 500	318 500
1973	6 803	55 000	65 000	100 500	227 303
1974	81 000	0	12 000	0	93 000
1975	62 000	80 000	61 000	33 000	236 000
1976	37 700	0	141 000	44 000	222 700
1977	0	0	47 300	16 500	63 800
1978	62 874	0	120 000	53 000	235 874
1979	200	9 000	96 000	50 000	155 200
1980	57 200	41 000	37 000	34 500	169 700
1981	45 000	10 000	58 000	64 500	177 500
1982	13 000	6 000	112 000	72 000	203 000
1983	40 000	14 000	93 000	54 000	201 000
1984	55 000	0	65 000	8 000	128 000
	725 977 (14,7 %)	682 000 (13,9 %)	2 291 208 (46,5 %)	1 228 000 (24,9 %)	4 927 185 (100 %)

de substitution, par l'école, des drames romantiques aux pièces classiques (tableau 32 ci-contre)

Conclusions

La statistique, pas plus qu'une autre méthode, ne permet de percer, quelles que soient les corrélations que les chiffres font apparaître, les secrets de la lecture indi-

Tableau 33
Les rééditions de Victor Hugo, en nombre d'exemplaires publiés et par genre

	Poésie	Romans	Théâtre	Divers	Total
1950	800 645 49,5 %	524 603 32,5 %	176 000 10,9 %	114 630 7,1 %	1 615 878
1955	107 828 40,6 %	100 000 37,7 %	49 914 18,8 %	7 828 2,9 %	265 570
1960	126 200 27,2 %	220 000 47,4 %	108 000 23,3 %	10 000 2,1 %	464 200
1965	202 000 36,5 %	238 000 42,9 %	100 000 18,1 %	14 000 2,5 %	554 000
1970	(les tomes de l'édition du Club Français du Livre, qui absorbent une part non négligeable du nombre d'exemplaires, rend impossible la distribution par genre)				439 700
1975	28 300 5,3 %	464 250 86,7 %	10 000 1,9 %	33 000 6,1 %	535 550
1980	44 287 12,5 %	285 450 80,6 %	8 000 2,3 %	16 000 4,6 %	353 837

viduelle, saturée des fantasmes de chacun et de toutes les idéologies ; mais elle reste le meilleur moyen de se prémunir des errements auxquels entraîne le discours subjectif et nostalgiquement enthousiaste du critique, et invite, parfois avec rudesse, au réalisme et à la mesure : sentiments salutaires en cette période de mutation du livre. En effet, aux éditeurs qui mettent en place depuis vingt-cinq ans de gigantesques machines de production et de distribution, il faut d'abord du volume. A cet égard, la différence est grande entre les beaux livres des années 40-50, confectionnés artisanalement par des entreprises personnelles, et les clubs de livres structurés qui les remplacèrent le plus souvent, et où le souci commercial l'emporte généralement sur toute autre considération. De la même manière, on ne trouve plus guère, et pour cause, l'équivalent des livres de prix en grand format, au lourd cartonnage et aux illustrations colorées, ni même celui des collections scolaires de classiques, à l'époque où ils n'étaient pas tous « petits » (voir la publication, chez Delagrave et en 696 pages, de l'*œuvre* de Victor Hugo). Pris dans cette mouvance, les auteurs du passé, lorsqu'ils sont libres de tout droit, forment un vivier commode où les éditeurs puisent, évitant ainsi, autant qu'il est possible, les aléas de l'édition de littérature contemporaine ; quant à Victor Hugo, il constitue un excellent argument de vente. Aussi sert-il souvent à lancer une collection, dont il signe le premier volume : en 1945, *La légende du beau Pécopin* est le premier des *dix chefs-d'œuvres classiques* des éditions du Verbe ; en 1948, le *Club français du livre* consacre à *Notre-Dame de Paris* le premier tome de la célèbre collection *Portiques*. De même, *Quatre-vingt-treize* ouvre la *Bibliothèque mondiale* (1954), *Notre-Dame de Paris*, encore lui, la collection *Gerfaut* des éditions Gérard, plus connues pour leurs *Marabout* ; en revanche, Hugo n'arrive qu'en seconde position pour la collection *J'ai lu l'essentiel* (*Victor Hugo témoin de son siècle*, 1962), et ne revient plus, par la suite, en tête de collections à grande diffusion.

Il est vrai qu'à côté des grandes maisons d'édition, subsiste la multitude des petits entrepreneurs, pour qui l'aventure de la publication garde la marque d'une passion individuelle et financièrement risquée. Pour ces éditeurs au catalogue restreint, le choix d'un auteur du passé, même du domaine public, résulte de la rencontre heureuse d'un texte et d'un lecteur, et de la volonté, matériellement assumée, de revendiquer, pour les œuvres d'hier, les attraits de la modernité. On aurait voulu s'attarder ici, par exemple, sur telle édition de *La sainte boutique* par la revue de l'*Idée Libre* (1947), de *Pages choisies sur l'École* par le Cercle parisien de la ligue française de l'enseignement (1956), ou d'*Écrits sur la peine de mort* par les éditions Actes-Sud (1979). Victor Hugo n'est pas seulement idéologue ou « amant de génie » (titre d'un recueil de lettres et de carnets publié par Fayard en 1979) ; il est aussi poète, illustré par Magritte en 1973 (« un jour au mont Atlas les collines jalouses... », 1973), et poète jusque dans sa prose, pour les *Amis bibliophiles*, qui, en publiant *Le rêve de Jean Valjean* en 1975, la seule édition bibliophilique des *Misérables* depuis 1940, se montrent ainsi sensibles à la puissance onirique du grand roman populaire.

Mais à quoi bon un catalogue ordonné de titres et d'éditeurs, sans la consultation des volumes mêmes et le charme ambigu que procurent les livres rares ou précieux ? Revenons donc aux chiffres : ils sont assez divers pour admettre plusieurs interprétations, selon la conception que chacun a de la gloire d'un écrivain. Quelques conclusions s'imposent pourtant : toutes considérations sociales écartées, Victor Hugo est un des auteurs français les plus connus et les plus constamment lus. Parce que son œuvre protéiforme se prête à toutes les manipulations, l'importance de ses rééditions, en titres et en tirages, n'est durement touchée par aucune des évolutions de la mode ; la redingote ensanglantée de monsieur Mabeuf a remplacé les gilets rouges de la bataille d'Hernani : qu'importe, puisque Victor Hugo triomphe ? Il importe pourtant qu'on lise les textes et que, avec l'homme public et le mythe collectif, l'écrivain y trouve aussi son compte. Un pessimiste dira que, si l'on omet les publications universitaires, de plus en plus attachées à l'analyse minutieuse des brouillons, et certains éditeurs littéraires, qui dévoilent les mystères des tables tournantes et les secrets d'alcôve, il reste pour l'essentiel un roman tronqué et caricaturé ; et notre homme craindra que l'écrivain ne paie d'un trop grand prix sa popularité, se souvenant du mot dédaigneux de Victor Hugo : « la popularité, c'est la gloire en gros sous ».

En fait, Hugo ne pouvait rester seul en marge des transformations de la librairie et de la culture littéraire survenues dans cette deuxième moitié du vingtième siècle : ainsi la réduction des œuvres d'un même auteur à quelques textes, voire à un titre, est-elle favorisée à la fois par l'annexion des écrivains du passé à l'édition industrielle et par la standardisation des lectures individuelles qu'un siècle d'enseignement de la littérature a imposée. Du reste, la situation a considérablement changé depuis quelques années : dans la hiérarchie des savoirs nécessaires à la réussite scolaire et à la reconnaissance sociale, la littérature s'est brusquement rabaissée, du moins auprès des jeunes générations, et le patrimoine longtemps mis à contribution, durant les années soixante, pour le lancement de nouveaux types de livres, laisse de plus en plus la place aux produits de l'édition programmée. Il est donc probable que, bientôt, la fréquentation des œuvres littéraires deviendra le fait d'adultes consentants, et déterminés, pour des raisons diverses, à perpétuer une forme spécifique de culture. A cet égard, le centenaire de 1985 vient au bon moment : on connaît l'homme Hugo ; il faut maintenant redécouvrir une œuvre, qui a perdu son *aura*, mais aussi son boulet scolaire, et qui, pour son bonheur peut-être, n'a été mise au service d'aucune des récentes idéologies littéraires.

E.P.

L'ensemble de l'équipe a contribué à la saisie des données et à la mise au point de la problématique et des méthodes de cette étude. La rédaction de la partie « les éditions de Victor Hugo depuis la Seconde Guerre » est due à M. A. Vaillant et celle de « Théâtre, poésie, roman » à M. E. Petitier.

* Nous remercions la direction du Dépôt légal d'avoir autorisé M. A. Vaillant, ancien élève de l'ENS pensionnaire à la Bibliothèque nationale, à employer pour cette étude des documents auxquels son statut lui donne accès.
Nous remercions également les éditions Gallimard et les héritiers de la propriété littéraire d'Aragon, de Proust et de Sartre, d'avoir permis la publication des chiffres du tirage de ces auteurs.

1. Les monographies mises à part, la seule étude sérieuse de l'édition des œuvres de Hugo est due à J. Seebacher : « Victor Hugo et ses éditeurs avant l'exil » dans V. Hugo, *Œuvres complètes, édition chronologique sous la direction de J. Massin*, C.F.L., 1967-70, t. VI. Nous tenons aussi à remercier de l'intérêt qu'il a pris à ce travail et des informations dont il l'a enrichi M. C. Duchet. Les enquêtes et les travaux qu'il a suscités ou dirigés (les trois numéros (43-44-47) consacrés au livre par la revue *Romantisme* en particulier) ont fait de lui l'un des pionniers et des meilleurs spécialistes de la connaissance de l'édition littéraire au XIXe siècle.

2. *Avertissement* : toutes les données chiffrées et *toutes* les informations utilisées dans ce chapitre proviennent d'une origine unique : les relevés de la *Bibliographie de la France*. Ceux-ci n'ont été vérifiés ni complétés par aucun recours à telle ou telle autre source de recensement. Dans la mesure où l'étude est bibliométrique et non bibliographique, elle ne cherche pas à établir des résultats exhaustifs et strictement exacts ; elle vise à mettre en lumière des tendances objectives et à permettre des comparaisons rigoureuses. L'utilisation d'une source unique s'impose donc, qui égalise les risques d'erreurs pour toutes les œuvres choisies comme échantillons d'étude. Il en découle que tous les renseignements qualitatifs qu'on lira (nature et prix des éditions, illustrations, etc.) sont issus des notices de la *Bibliographie de la France*, telles qu'elles ont été rédigées, et non d'un contrôle bibliographique.

3. Le parallélisme de sa courbe avec celle d'*Hernani*, surtout, est frappant ; car ce drame présente dans ses éditions, à la différence de *Ruy Blas*, des marques semblables quoiqu'atténuées d'irrégularités apparentes.

4. Certaines œuvres, bien entendu, n'attendent pas leur passage au domaine public pour être publiées en collections scolaires. De façon générale, comme on l'a déjà suggéré, il faut se garder de réduire la question de la réception à des facteurs juridiques (entrée dans le domaine public) ou, par exemple, symboliques (célébration d'un centenaire). Ce type de contingences, qui peut déterminer des stratégies d'édition, ne fait que favoriser des phénomènes rendus possibles par un contexte idéologique-commercial. Il est des célébrations sans aucun écho ; et certains passages des auteurs au domaine public sont sans effet sur le nombre de leurs éditions.

5. Il est d'ailleurs symptomatique de considérer a contrario les chiffres suivants : de 1961 à 1980, 19 publications : 3 en « œuvres complètes », 3 en « Théâtre », une seule en « Comédies et Proverbes », 2 avec *Andrea del Sarto*, 11 totalement séparées.

6. a) Certains de ces pourcentages doivent être considérés avec prudence en raison de la petitesse des valeurs en question.
b) entre 1915 et 1939, les pourcentages augmentent énormément, principalement à cause des éditions « classiques ».

7. Un volume à 3,50 F sous la Monarchie de Juillet ne peut être dit « populaire » que par excès de langage ; mais c'est un volume peu cher.

8. Pour être exact : ce public existait précédemment en tant que *lecteurs*, dans les cabinets de lecture, mais le volume Charpentier suscite sa transformation en *acheteurs*.

9. *Avertissement* : tous les résultats présentés dans ce chapitre proviennent des relevés de la *Bibliographie de la France*, source absolument unique (voir note 2). Il s'ensuit ici, notons-le, qu'avant 1915 le risque d'erreurs affecte légèrement plus *Les fleurs du mal* que les autres œuvres ; mais ceci n'est assurément pas de nature à modifier ou à déformer les « tendances lourdes » observées dans cette étude.

10. Il est « techniquement » difficile de mesurer avec rigueur le nombre d'éditions séparées des *Feuilles d'automne* dans la mesure où à partir de 1841, sans doute pour des raisons de format, le texte est toujours publié en association : d'abord avec *Les chants du crépuscule* ainsi parfois que *Les orientales* ou *Odes et ballades*, puis, après 1910, avec *Les voix intérieures* ou *Les rayons et les ombres*. Il faut donc se fier à la page de garde : puisque l'édition strictement indépendante ne peut plus exister, sont éditions « séparées » toutes celles qui ne s'inscrivent pas explicitement dans une série collective.

11. On pourra compléter avec profit ce sondage en le confrontant aux chiffres fournis par J. Seebacher (voir note 1) ; ceux-ci portent sur les années 1838-1846 et ne sont pas comparatifs.

12. Dans l'année de parution des *Fleurs du mal*, 1857, 12 019 livres étaient imprimés en France ; en 1917, 5 052 seulement.

13. Il est évident, répétons-le, que cette manifestation n'est en rien induite par une quelconque « essence » des textes considérés. L'émergence dans une partie du public, apparemment dominante, d'une autre pratique des textes est un phénomène idéologique et social qui trouve un objet de réalisation dans *Les fleurs du mal*. Il peut aussi le trouver ailleurs, en fonction d'une sélection notamment guidée par l'image présupposée des œuvres. C'est cette image présupposée qui entrave vraisemblablement le passage des textes de Hugo à travers un tel filtre. Et, en sens inverse, il n'a pas existé d'imperméabilité « naturelle » des *Fleurs du mal* à une lecture du type « Hugo 1860 ».

14. *Avertissement* : à titre exceptionnel, dans ce chapitre, les relevés bibliométriques sont fondés sur une exploitation *corrigée* des données de la *Bibliographie de la France* — du moins en ce qui concerne les deux œuvres de Hugo. En effet, ils s'appuient sur une étude bibliographique qui, à partir de la même source principale, mais prenant en considération quelques incohérences et quelques lacunes flagrantes et, compte tenu de la notoriété des éditions concernées, importunes, a procédé aux rectifications nécessaires pour que les listes d'éditions soient plus conformes à la réalité. Ces remaniements ponctuels ne sont pas de nature à provoquer, par rapport à la règle de la source unique, une altération des résultats.

15. La « classicisation » du roman de Stendhal n'est-elle pas effective, selon la courbe quinquennale, depuis 1875 ?

16. Dans une signification bien différente de celle qu'on pouvait lui prêter en 1850.

17. Selon les mesures effectuées sur les œuvres étudiées ici et prises isolément.

18. Rappelons que *Madame Bovary* est le premier roman publié de Flaubert.

19. Au risque de nous répéter, nous souhaitons saisir cette occasion de préciser à nouveau que l'entrée de l'œuvre dans le domaine public, en 1935, signe l'origine de ce démarrage mais n'en

énonce pas la cause. Et si le passage de Baude-laire au domaine public, en 1917, favorise la promotion de l'œuvre, on n'observe rien de tel quant à Stendhal, dont les droits sont disponibles dès 1892 mais qui attend, comme Flaubert et comme Baudelaire, les lendemains de la Grande Guerre pour rencontrer la gloire.

20. Il ne nous appartient pas d'en faire ici ni le relevé, ni l'analyse. Mais songeons à la précocité (1907) des adaptations filmées des *Misérables*, par exemple.

21. Observons que toutes les éditions « populaires » de *Madame Bovary* sont aussi parues, de 1857 à 1868, dans la collection Lévy à 1 franc, et que tout autorise à y voir une publication d'opposition.

22. Pour les recueils poétiques, rappelons-le : 48,8 % et 45,5 %.

23. Par « modernité », nous n'entendons pas une appréciation de type esthétique, mais le constat d'un fait chronologique ; autrement dit, Hugo participe pleinement à l'*actualité* littéraire, mais davantage par ses œuvres anciennes que par celles du jour.

24. On notera avec intérêt, et sans examiner ici les questions que cela soulève, que cette globalisation de la lecture correspond au vœu le plus opiniâtre de Hugo lui-même.

25. En 1848 et 1849, ni *Hernani*, ni *Ruy Blas*, ni *Les feuilles d'automne*, ni *Notre-Dame de Paris* ne sont édités, par contre *Lorenzaccio*, *Chatterton* ou les *Harmonies* connaissent chacun une parution. La quasi-totalité des publications de Hugo dans ces années est constituée de Discours.

26. Annette Rosa (*Victor Hugo, l'éclat d'un siècle*, p. 160) rappelle que les rééditions des *Châtiments* se sont multipliées pendant le siège de Paris en 1870-71. Si l'on tient compte du caractère pamphlétaire de ce recueil, cette observation ne peut que confirmer notre hypothèse.

27. Hugo l'a sans doute chèrement payé : depuis plus d'un siècle et jusqu'à aujourd'hui, une partie de la critique, sous des formes bien diverses, lui en aura tenu rigueur. Cette popularité, qu'on a imaginée à partir de données douteuses, et qui pique de troubles préjugés, a fait concevoir tout un mythe littéraire misérabiliste de l'auteur des *Misérables*, qui le pousse vers Eugène Sue ou les mélodrames, loin du domaine réservé des élites.

28. En 1855, *Lorenzaccio*, Stendhal ou Lamartine ne peuvent-ils être lus, de même que Hugo, comme textes d'opposition républicaine ? Cette hypothèse n'est pas à négliger.

29. C'est-à-dire sans décider quelle « modernité » serait la plus grande, de *Notre-Dame de Paris*, des *Misérables* ou de *Madame Bovary*...

30. La IIIᵉ République — mais la « modérée », pas la militante — assure, par contre, la conservation et la transmission des autres écrivains « romantiques » étudiés ici (Stendhal, Lamartine, Musset, Vigny). On peut donc supposer que la discrimination ne s'opère en fonction ni d'une mode littéraire fondée sur un jugement cohérent, ni d'ailleurs, sur un contenu politique rationnellement apprécié ; mais plutôt, selon la mythologie à bon droit perpétuée d'un rapport de l'auteur au peuple.

31. Faut-il rappeler que pour nous la « nature » des textes ne saurait rendre compte de tels phénomènes ? On peut faire une étude structurelle des œuvres de Hugo ; on peut les concevoir sous l'angle de la rupture ; et rien n'empêche de lire l'Histoire au travail dans l'itinéraire de Rimbaud. Mais les modes de réception sont largement déterminés par la confrontation de l'image préalable d'un auteur avec un protocole de lecture. Comme le mythe constitué et perpétué de Hugo s'oppose aux nouveaux Canons, et comme la part d'inertie propre aux mouvements des mentalités collectives rend malaisée la modification rapide des configurations idéologiques, le discours dominant tend à reléguer l'œuvre de Hugo dans l'inessentiel.

32. Louis Aragon, *Avez-vous lu Victor Hugo*, Éditeurs français réunis, 1952, p. 8.

33. Exactement 64 années et 205 jours après sa mort : 50 ans de délai légal, 6 ans et 83 jours pour la première guerre mondiale, 8 ans et 222 jours pour la seconde.

34. D'après la *Bibliographie de la France*.

35. D'après les statistiques du Syndicat national de l'édition, qui débutent en 1958.

36. On entend ici par auteur du passé tout écrivain mort avant 1939.

37. Les trois rééditions de 1983, sans doute favorisées par le succès du spectacle de Robert Hossein, ne sont guère significatives.

Note bibliographique

Rien de plus simple, en apparence, que de compter des livres ; on s'attendrait donc à disposer, à partir de 1829[2], d'un nombre confortable d'enquêtes bibliométriques et d'outils méthodologiques sûrs et éprouvés. Ce serait oublier la timidité des chercheurs à soumettre le livre et le travail intellectuel qu'il concrétise à la raison des chiffres. Aussi ne pourra-t-on faire état ici, malgré les exhortations répétées de trop rares spécialistes[3], que d'initiatives isolées, menées avec beaucoup de pragmatisme, et qui ont toutes tenté, à leur manière, de répondre aux trois questions cardinales de la bibliométrie : que compter, comment et pourquoi ?

Que compter, autrement dit, quelles sources ? Jusqu'en 1810, date de la réorganisation du Dépôt légal par Napoléon 1er, les données portant sur la production imprimée sont incertaines et lacunaires[4], et les historiens ont naturellement privilégié les fonds d'archives qui éclairent la consommation du livre (catalogues de bibliothèques ou de cabinets de lecture[5], registres de libraires[6]) ; malheureusement, ce genre d'étude sort difficilement du cadre de la monographie. Depuis 1811, on s'appuie, avec plus ou moins de confiance, sur le Dépôt légal[7] et la Bibliographie de la France qui en est l'émanation[8]. Mais on aimerait, pour corriger et affiner les résultats obtenus, pouvoir consulter un corpus assez large d'archives d'éditeurs et de libraires[9]. Enfin, il semble, pour l'époque contemporaine, que l'enquête sociologique se substitue très souvent au travail bibliométrique : cette solution commode conduit nécessairement à des questionnaires et à des conclusions abstraits[10].

Comment compter, quels cadres de classification adopter ? Malgré les progrès spectaculaires qu'ont réalisés depuis une vingtaine d'années les historiens lu livre[11], aucun principe de classement capable de rendre compte de la diversité des livres n'a pu être présenté pour l'établissement de statistiques fiables et comparables entre elles. Entre la pure description, qui consacre les singularités, et les oppositions sommaires (circuit lettré/populaire, grand/petit format, édition programmée/non programmée, etc.), il convient de définir un moyen terme que n'épuisent ni les critères intellectuels traditionnels (droit, médecine, littérature, etc.) ni les divisions professionnelles (livres scolaires, édition de littérature générale, etc.)[12].

Pourquoi compter, quels résultats scientifiques attendre de la bibliométrie ?

Il peut s'agir d'un simple intérêt statistique, répondant au souci de mieux connaître, d'un point de vue économique[13] ou culturel[14], la production imprimée française.

Les historiens et les sociologues, pour leur part, en s'attachant, synchroniquement ou diachroniquement, à la consommation de livres, étudient la diffusion des idéologies, les enjeux spécifiques à chaque groupe ou classe et la stratification sociale qu'ils révèlent[15].

Et la recherche littéraire ? Elle est, a priori, concernée au premier chef, puisqu'elle seule s'intéresse exclusivement aux textes. Ce n'est pas le lieu d'analyser ici ses réticences ; disons seulement qu'en ce domaine plus qu'en aucun autre, la prudence doit être de règle, et que la confiance aveugle à l'égard de la bibliométrie serait tout aussi dommageable que l'incrédulité ignorante d'aujourdhui. Mais on voit d'emblée que ce problème théorique — en fait, celui des rapports qu'entretiennent l'écrit et le livre, la création et la « publication » — est un des enjeux majeurs de la théorie littéraire, qui n'a pourtant jamais cessé d'en faire l'économie[16]. Nous nous contenterons donc de cette classification provisoire : la recherche bibliométrique, dans le domaine littéraire, porte sur des phénomènes de réception ou de production ; dans le premier cas, l'objectif est de suivre les aléas publics d'un auteur[17] ou d'un ensemble plus ou moins large d'œuvres[18] ; dans le deuxième, le plus ardu et le plus contesté, l'enquête s'efforce de montrer comment la diffusion des textes, en importance et en nature, intervient en amont, c'est-à-dire sur la création littéraire : c'est sans doute sur ce terrain que la bibliométrie littéraire donnera les meilleures preuves de son efficacité.

A.V.

1. Cette bibliographie, qui indique les grandes lignes de la recherche bibliométrique, ne vise pas à l'exhaustivité, mais relève certains travaux jugés particulièrement significatifs.

2. De 1829 date en effet l'archétype de l'étude bibliométrique (Philarète Chasles, « Statistique littéraire et intellectuelle de la France », in Revue de Paris, 1829, vol 7).

3. Cf. en particulier, Robert Estivals, La Bibliométrie bibliographique, Lille, Service de reproduction des thèses de l'Université, 1971, 2 vol.

4. Cf. Robert Estivals, Le Dépôt légal sous l'Ancien Régime de 1537 à 1791, Paris, Rivière, 1961.

5. Cf., à titre d'exemple, Michel Marion, Recherches sur les bibliothèques privées à Paris au milieu du 18e siècle (1750-1759), Paris, 1978 ; Françoise Parent-Lardeur, Les Cabinets de lecture, la lecture publique à Paris sous la Restauration, Paris, Payot, 1982.

6. Cf. Albert Labarre, Le Livre dans la vie amiénoise du 16e siècle. L'enseignement des inventaires après décès du 16e siècle (1503-1576), Paris et Louvain, Nauwalaert, 1971 ; Henri-Jean Martin et Micheline Lecocq, Livres et lecteurs à Grenoble, les registres du libraire Nicolas (1648-1669), Genève, Droz, 1977, 2 vol.

7. Les archives du Dépôt légal constituent, avec d'autres documents portant sur l'imprimerie, la librairie, la presse et la censure, la section F18 des Archives nationales.

8. Pour une critique de la Bibliographie de la France, cf. David Bellos, « The bibliographie de la France and its sources », in The Library, mars 1973, pp. 64 sqq ; « Le marché du livre à l'époque romantique : recherches et problèmes » in Revue française d'histoire du livre, 1978, t. 47, pp. 647-660.

9. Voici la plus récente monographie consacrée à une maison d'édition, et, sans doute, une des meilleures : Jean-Yves Mollier, Michel et Calmann Lévy ou la naissance de l'édition moderne (1836-1891), Paris, Calmann-Lévy, 1984.

10. Cf. ces deux enquêtes devenues classiques : Robert Escarpit et Noël Robine, Le Livre et le conscrit, Paris, Cercle de la librairie, 1966 ; Servo, Analyse sectorielle de l'édition, Paris Cercle de la librairie, 1975.

11. Pour une bibliographie détaillée sur l'histoire de l'édition, on se reportera à la somme historique de Roger Chartier et H.-J. Martin : Histoire de l'édition française, Paris, Promodis, 3 tomes, 1982-1985.

12. Sur les problèmes de classification et de statistique pour la production imprimée de l'Ancien Régime, cf. H.-J. Martin, « Classements et conjonctures » in Histoire de l'édition française, o.c., pp. 429-457.

13. Cf. les Données statistiques sur l'édition de livres en France publiées annuellement par le Syndicat national de l'édition.

14. Cette tâche revient naturellement à la Bibliothèque nationale et au Dépôt légal : cf. les articles d'Eugène Morel (le Mercure de France, 1er mars 1909, pp. 181-184 ; 1er avril 1910, pp. 466-482 ; 16 février 1912, pp. 760-774) et, pour l'époque contemporaine, de Brigitte Picheral (Livres-Hebdo, 7 septembre 1980, pp. 101-103 ; 4 juillet 1983, pp. 61-65).

15. Cf. Livre et société dans la France du 18e siècle, La Haye, Mouton, 1965 ; Pierre Orecchioni, « Le marché du livre », in Histoire littéraire de la France, Paris, éditions sociales, IV, I, pp. 420-439 ; H.-J. Martin, Livres, pouvoirs, société à Paris au 17e siècle, Genève, Droz, 1969.

16. Pour les problèmes pratiques et théoriques de la bibliométrie littéraire, nous nous permettons de renvoyer à notre thèse de doctorat dirigée par Roger Fayolle (La Perpétuation des œuvres littéraires françaises du passé... (1961-1970), univ. Paris III, dactyl., 1985).

17. Cf. Henri Mitterrand, « Zola en librairie » in Catalogue général de la Bibliothèque nationale, t. 231, Paris, Imprimerie nationale, 1981, pp. III-XXIV.

18. Cf. Angus Martin, « Romans et romanciers à succès de 1751 à la Révolution d'après les rééditions », in Revue des sciences humaines, t. 35, 1970, pp. 383-389.

19. Cf. James S. Allen, Popular French romanticism ; authors, readers and books in the 19th century, Syracuse university presse, 1981 ; Christophe Charle, La Crise littéraire à l'époque du naturalisme, Paris, Presses de l'École normale supérieure, 1979.

*Benjamin
Grand chemin de la postérité 1842-43 (cat. 35)
1842-43
Villequier, Musée Victor Hugo

Roger Fayolle
Marie-Christine Bellosta

La critique et le rayonnement littéraire

Le XIXᵉ siècle

Familier du Cénacle, dès 1828, et confident de Victor Hugo, Antoine Fontaney rapporte, dans son *Journal intime,* sans aucune flagornerie, les propos du poète. A la date du 28 avril 1832, il transcrit, en l'accompagnant de commentaires amusés, quelques mots échangés entre Hugo et Louis Boulanger dont la lithographie *Le feu du ciel* n'avait fait l'objet que d'un petit nombre de critiques, comme celle de Sainte-Beuve dans la *Revue de Paris,* le 15 février précédent :

« Victor nous a dit ce soir, comme nous partions, quelques mots qui le caractérisent tout entier. — Cela serait bien sa devise. — Il était question d'articles sur *Le feu du ciel.* Boulanger disait : '' Ils viendraient trop tard. '' — '' Vous avez tort, a repris Victor. Tout article est bon. Il n'en est pas un qui ne fasse entrer votre nom dans la tête d'un certain nombre d'individus. Pour bâtir votre monument, tout est bon. Que les uns y apportent leur marbre, les autres leur moellon ! Rien n'est inutile ! »[1]

Voilà qui montre à quel point le jeune vainqueur de la bataille d'*Hernani* était déjà conscient de l'importance du rôle de la critique, qu'elle fût louangeuse ou sévère. Pour lui, il ne suffisait pas de s'écrier : « Exegi monumentum » : le monument de sa gloire dépendait surtout du nombre de ceux qui auraient parlé de son œuvre.

Depuis plus d'un siècle et demi, ils ont été en effet innombrables à apporter leur pierre à la gloire hugolienne, et leur apport consista plus souvent non pas même en de modestes moellons mais en de grossiers paquets de boue plutôt qu'en des blocs de marbre éclatant ! Qu'importe ! le monument est là et, en 1872, Hugo pouvait prendre acte de cet acharnement de la critique à « faire entrer son nom », accompagné de toutes sortes d'épithètes, dans la tête du public :

« Je suis un Mithridate de la critique. Vous comprenez que j'ai fini par m'endurcir, moi qui, depuis trente-huit ans, suis accoutumé à être tué tous les quinze jours par la *Revue des Deux Mondes*[2]. »

Convaincu depuis longtemps que la critique, quelle qu'elle soit, est indispensable à la gloire, il lui a fallu pourtant se prémunir contre ses coups répétés, tout en répondant aussi lui-même aux agressions multiples des Zoïles envieux.

C'est donc bien adopter le point de vue même de Victor Hugo que d'entreprendre d'esquisser les différentes orientations de l'accueil que lui fit la critique. Mais son œuvre et sa place sont si considérables dans ce XIXᵉ siècle, qui fut aussi « le siècle de la critique » qu'il est impossible de dresser un inventaire exhaustif des comptes rendus, des chroniques, des feuilletons, des séries d'articles et des volumes qui lui ont été consacrés. L'énorme répertoire bibliographique de Thieme procure des centaines de références, mais, à l'usage, il se révèle bien incomplet[3]. Comme l'écrivait Jules de Goncourt à Flaubert en 1861, Hugo a été « un terrible accapareur de public et de critique ». Le public semble d'ailleurs avoir été plus facilement séduit et subjugué que les critiques. A tel point que, lorsque ceux-ci se montraient soucieux de leur propre réputation, ils faisaient preuve d'une prudente circonspection dans l'expression publique de leur opinion, comme Henri de Rochefort, hésitant, dans *Le Figaro* du 29 octobre 1865, à se montrer sévère pour les *Chansons des rues et des bois :* « En essayant d'abattre Hugo aujourd'hui, je risquerais de passer plus tard pour un imbécile. C'est ce que je veux éviter à tout prix. » Tous n'ont pas eu de tels scrupules, mais il est bien vrai que, surtout à partir des années 60, la véhémence de certains éloges publics est souvent corrigée par l'âpreté des jugements privés formulés par les mêmes auteurs : les gens de lettres tenaient compte du pouvoir que représentait alors le poète des *Contemplations* et de *La légende des siècles,* même s'ils n'appréciaient pas vraiment l'homme ni l'œuvre.

Pour rendre compte de cette énorme réception critique, dont le volume de publications diverses égalerait probablement celui de l'œuvre d'Hugo même, la meilleure méthode n'est peut-être pas de recourir à un découpage chronologique. Bien sûr, il convient de séparer les manifestations de l'activité critique — *grosso modo* — au XIXᵉ et au XXᵉ siècles. Depuis la célébration du centenaire de la naissance, la critique s'est de plus en plus appuyée sur des méthodes diverses qui, quelles qu'elles soient, la préservent souvent de la hâte de juger. Ses ouvrages peuvent alors être véritablement distingués des publications du siècle précédent : il s'agit moins de *réactions à* Hugo et plus volontiers d'*observations sur* Hugo, même si celui-ci est resté suffisamment vivant pour inspirer toujours une critique d'humeur. Or, il n'y a pas trente-six façons de céder à son humeur : sympathie ou antipathie obéissent à des constats d'agréable similitude ou de déplaisante étrangeté, dont la formulation est banalement répétitive. Nous pourrons donc tenter de montrer comment la critique autour du cas Hugo, phénomène littéraire exceptionnellement encombrant, se cristallise très vite en quelques thèmes surabondamment ressassés depuis un siècle et demi.

Arrêtons-nous pourtant un moment sur les débuts. Dans les années 1820, le jeune poète semble déjà bénéficier d'une gloire à laquelle aucun des écrivains de sa génération ne saurait prétendre et qui porte ombrage à celle des plus célèbres de ses aînés. Sans doute ses premières odes pouvaient-elles attirer l'attention des lecteurs, mais n'oublions pas « la devise » d'Hugo selon Fontaney : « Tout article est bon. » Les articles où apparaît son nom sont déjà nombreux et ne sont pas tous, loin de là, de simples feuilletons littéraires. A la faveur des violents débats politiques du moment, les ultras le célèbrent, dès 1819, pour « ses nobles sentiments » (*La Quotidienne* du 30 octobre 1819 dans un bref compte rendu des *Destins de la Vendée*) et le saluent, en 1824, comme « le premier poète lyrique de l'époque » (*Le Drapeau Blanc* du 25 mai 1824), tandis que les libéraux déplorent, en 1822, sa hargne à « réveiller les discordes civiles » (article d'Héreau sur les *Odes et poésies diverses,* publié dans le tome XV de la *Revue Encyclopédique*) ou se moquent du « plus distingué des congréganistes pleureurs » (*La Pandore,* 11 mars 1824). Dès l'origine, les jugements portés sur Hugo sont donc inséparables des affrontements des partis et des avatars des luttes de classes qui furent si âpres tout au long de sa carrière. Mais le jeune poète sait aussi comment faire parler de lui. Il s'emploie à répandre très tôt le mot fameux de Chateaubriand : « l'enfant sublime », dont nul ne saura jamais s'il fut réellement prononcé en 1820 ; toujours est-il que, dès 1824, chacun s'y référait comme à une parole historique par laquelle le glorieux barde du *Génie du christianisme* avait désigné son successeur. Savoir courtiser les détenteurs du pouvoir politique et du pouvoir littéraire et leur faire dire au besoin ce qui peut avancer son propre succès, tel est, à cette époque difficile et décisive des débuts, un aspect essentiel de la stratégie de Victor Hugo. La première chose à conquérir est un nom et, pour cela, il faut que les puissants vous nomment et vous appellent ainsi à l'existence sociale. Mais il convient aussi de conquérir le public, c'est-à-dire de deviner ses goûts pour mieux les satisfaire. Stendhal a bien analysé ce second aspect de l'ascension hugolienne, même si ses jugements sont durcis par l'amertume que lui inspire le regret d'avoir été moins habile. Le jeune Stendhal avait rêvé, comme Hugo, de conquérir la gloire littéraire par le théâtre. En 1835, il se persuade que son échec est dû à un excès de délicatesse, tandis que son jeune rival a su être de son temps : ·

« La Révolution, de 1789 à 1835, en donnant l'idée d'aller au spectacle et l'argent pour payer à la porte à un grand nombre de Français incapables de sentir les choses fines, a créé le genre grossier et exagéré de MM. Victor Hugo, Alexandre Dumas, etc. » (*Journal,* 25 février 1835.)

Se faire remarquer des maîtres et reconnaître d'un large public, cet objectif a déjà été atteint par Hugo avant 1830. Il est alors assez célèbre pour qu'on puisse espérer être lu en faisant rire à ses dépens, tel Chatelat qui publie en 1829 *Les Occidentales ou Lettres critiques sur les Orientales de Victor Hugo* ou Baour-Lormian qui tire, la même année, son *Canon d'alarme* afin de réveiller Boileau et de l'avertir qu'« avec impunité les Hugo font des vers ». Son autorité est même suffisamment consacrée pour que d'autres jeunes poètes le reconnaissent déjà comme leur maître et lui offrent en 1829 un exemplaire de l'édition de 1605 des œuvres de Ronsard, orné de dédicaces flatteuses comme celle d'Alexandre Dumas : « Le soleil du poète — écoutez : c'est la gloire. »

Une gloire encombrante

C'est vrai. La gloire du jeune Hugo est déjà là, conquise à force de travail, de talent et d'habileté, et faite aussi bien des louanges de ceux qui l'ont très tôt prédite (*Le Réveil* affirme en 1823 : « M. Victor Hugo est maintenant un colonel qui ne peut manquer de devenir maréchal de France ») que des sarcasmes de ceux qui jugent cette gloire imméritée, surtout quand ils ont contribué à la faire reconnaître

Une vue du Père la Chaise en 1930
Lithographie anonyme, 1830. Paris, M.V.H.
La mort anticipée de Victor Hugo va devenir
un leitmotif de la critique

La plume de Oflempio
Bois anonyme
La Silhouette, 5 août 1843
Paris, M.V.H.

(voir par exemple l'effroi de la presse après l'*Ode à la colonne,* dès février 1827, et son impuissance à faire condamner de si « détestables vers »).

Si tôt installé dans la gloire, Victor Hugo eut la chance insolente de s'y maintenir longtemps, trop longtemps aux yeux de beaucoup qui n'ont pas cessé, au cours de sa carrière, de l'estimer « fini ». Dès février 1834, Sainte-Beuve constate que « beaucoup de gens s'apitoyaient récemment sur M. Victor Hugo car la critique avait eu contre son œuvre, contre sa personne, depuis quelques mois, de presque unanimes et vraiment inconcevables clameurs » (article de la *Revue des Deux Mondes* à propos de l'*Étude sur Mirabeau*). Le 15 mars 1838, Gustave Planche remarque que « l'autorité de son nom s'affaiblit de plus en plus » et prédit que ce nom « va disparaître bientôt sous le flot envahissant de l'oubli » (article de la *Revue des Deux Mondes* sur la publication des *Œuvres complètes*). En 1839, dans une lettre où elle se dit navrée de l'emphatique trivialité de *Ruy Blas,* George Sand pose la question : « Hugo est-il donc fini ? » Et l'on pourrait multiplier les diagnostics de ce genre. Pour ne retenir que deux ou trois exemples des plus catégoriques, citons Leconte de Lisle qui, en 1852, dans la préface des *Poèmes antiques,* écrit (sans nommer Hugo directement, mais le verdict est clair) : « Les maîtres se sont tus ou vont se taire, oubliés déjà, solitaires au milieu de leurs œuvres infructueuses. » Imprudente impatience, plus étonnante que les silences de Gustave Planche qui, en 1853 (après les *Châtiments* par lesquels, selon lui, Hugo s'est évidemment placé hors de la littérature), écrit une série de trois articles sur « la poésie, le théâtre, le roman en 1853 » sans citer une seule fois le nom d'Hugo. Mais il n'est pas facile de le faire disparaître ainsi. Après les *Contemplations,* Barbey d'Aurevilly, dans une chronique du 19 juin 1856, écrit : « Il faut se hâter de parler des *Contemplations* car c'est un de ces livres qui doivent descendre vite dans l'oubli des hommes. C'est un livre accablant pour la mémoire de M. Hugo, et c'est à dessein que nous écrivons '' la mémoire ''. A dater des *Contemplations,* M. Victor Hugo n'existe plus. On doit en parler comme d'un mort. » Même attitude chez Francisque Sarcey, dans *Le Nain Jaune* du 7 mai 1864, à propos de *William Shakespeare :* « Victor Hugo ne se doute pas de l'impopularité où il tombe peu à peu (...) Voilà que tout s'effondre et que le dieu croule : le grand Pan est mort. » Ou enfin Zola, en 1877, dans une chronique du *Messager de l'Europe* consacrée à la deuxième série de *La légende des siècles :* « Je ne crois pas à la descendance de Victor Hugo ; il emportera le romantisme avec lui, comme une guenille de pourpre dans laquelle il s'était taillé un manteau royal. » C'était ainsi lier le succès du poète à celui du mouvement dont il avait été le prestigieux porte-parole : le romantisme dont tous les ennemis de l'imagination, de la fantaisie, de l'exaltation lyrique, de l'affirmation de la liberté dans l'art n'ont pas fini de souhaiter l'échec. Mais d'autres sont assez nombreux pour assurer son triomphe et sa survie, c'est-à-dire le triomphe et l'immortalité d'Hugo. Il serait facile d'opposer aux déclarations péremptoires des fossoyeurs la kyrielle des hommages des admirateurs, qui ne sont pas uniquement des hugolâtres aveugles, mais plutôt des romantiques de toujours. La description de la réception critique de Victor Hugo est donc tout entière placée sous le signe de l'antithèse, cette figure simplificatrice si souvent désignée comme le caractère principal de l'œuvre hugolienne : artifice de présentation commode, marque de puérilité et d'indigence de pensée.

Le monstre Antithèse

Toute sa vie, Hugo se serait plu à jongler avec les mots pour opposer les images et les sons, comme un excellent élève de rhétorique. C'était, dès 1823, le sentiment de Cassé de Saint-Prosper, qui rendait compte dans les *Lettres Champenoises* du recueil des *Odes et poésies diverses :* « Je lui reprocherai d'avoir fait trop usage d'une figure brillante, mais qui, par cela même, ne doit être employée qu'avec une extrême réserve : l'antithèse. » Il formulait donc déjà ce reproche, cette observation chagrine de maître d'école qui va accompagner inexorablement, dans la marge, toute l'œuvre d'Hugo. Le 24 juillet 1832, dans un article du *Journal des Débats* sur ses romans, Sainte-Beuve découvre l'antithèse à la source de cette création romanesque, notamment dans *Han d'Islande,* et il la rapporte à une conception juvénile de la nature humaine : « Les poètes adolescents, encore entiers, n'imaginent pas d'autre nature humaine que celle-là, double en général et absolue, excessive en chaque sens. » Pareillement, Gustave Planche, le 16 novembre 1835, déplore, dans *Le Constitutionnel,* la puérilité des *Chants du crépuscule :* « Ni les hommes de la vie positive, ni les hommes de la vie réfléchie, ne peuvent sur la foi d'une antithèse de collège se demander si l'humanité est aujourd'hui en marche vers un avenir meilleur ou si elle est menacée de prochaines et profondes ténèbres. » Deux ans et demi plus tard, le même Planche conclut un article sur la publication des *Œuvres complètes* (15 mars 1838) par cet avertissement : « Que Victor Hugo renonce à la puérilité [...], nous applaudirons à sa victoire. » La même année, dans ses lettres à Madame Hanska, Balzac parle de « bêtise » et d'« enfantillage » à propos de *Ruy Blas* et, dans son compte rendu des *Rayons et les ombres,* il célèbre Hugo comme « le plus grand poète du XIXe siècle », mais « l'admiration ne (lui) ferme pas les yeux ». Il constate dans son œuvre « une forme absolue, dominatrice, une sorte de monotonie dans la conception » qui tient à l'usage constant d'une « figure de rhétorique » qui est « devenue le moyen de manifester la pensée » et qui « engendre la composition même ». Pourtant, il ne s'agit plus cette fois de l'antithèse, mais de « l'énumération », autre artifice scolaire et manie hugolienne. Mais Hugo ne se décidera jamais à vieillir. Vingt-cinq ans plus tard, Jules Vallès (article du *Figaro,* le 2 novembre 1865) ne trouve dans les *Chansons des rues et des bois* « qu'un tapage d'école, un amas de puérilités [...], une macédoine d'antithèses ». Lors de la reprise d'*Hernani,* en 1867, le même Vallès avertit ses lecteurs de ne pas confondre « faiseur d'antithèses et meneur de peuples » (*La Rue,* 29 juin 1867). En 1888, la remarque prend la valeur d'une constatation objective sous la plume de l'inventeur de *La critique scientifique,* Émile Hennequin, qui déclare : « L'antithétisme divise toute l'œuvre de Victor Hugo. » Certains, qui l'admirent pourtant et qui le défendent avec ardeur, sont navrés de devoir sacrifier au « monstre Antithèse » telle ou telle partie de l'œuvre. Ainsi Paul Stapfer, dont l'ouvrage *Racine et Victor Hugo* (1887) est, pour l'essentiel, un vigoureux pamphlet en hommage a la sensibilité et à la pensée d'Hugo, écrit toutefois à propos de ses drames : « On ne dira jamais assez combien superficiel et artificiel est un système où le drame consiste dans un choc violent d'antithèses monstrueuses [...], où la rhétorique a la parole comme elle ne l'avait jamais eue au XVIIe siècle. » Seuls les plus attentifs à faire crédit à Victor Hugo cherchent à reconnaître dans ce recours insistant à l'antithèse autre chose qu'un truc d'école. Tel Zola (avant ses chroniques sévères de 1877 et 1881) s'écriant après la reprise de *Ruy Blas,* en 1872 : « Jamais la langue humaine n'a eu cette rhétorique vivante et passionnée. » Ou, plus sérieusement, le philosophe Renouvier reliant, dans un article de *La Critique Philosophique* sur *La légende des siècles,* le 17 mai 1877, l'emploi de l'antithèse à « une espèce de magisme ou, si l'on veut, de manichéisme, mais relevé par l'espérance d'un triomphe définitif du bien ». En 1893, le même Renouvier, dans son volume *Victor Hugo, le poète,* met bien en lumière « la pensée fondamentale où réside la cause de ce qu'on a appelé chez lui le goût et l'abus de l'antithèse et qui n'est, aux yeux du philosophe, autre chose que l'interprétation du monde au point de vue dualiste, disons tout de suite manichéen. »

Un artisan sans âme

Voilà bien un thème essentiel sur lequel deux traditions critiques s'opposent à propos de Victor Hugo : ses poèmes, ses romans, ses drames, ses discours ne sont-ils qu'un jeu prodigieusement habile et parfaitement artificiel avec les figures du langage, ou y sent-on l'expression d'un être vivant authentique et sensible ? Là aussi, dès l'origine, les avis sont nettement partagés. En 1823, dans ses chroniques adressées à des journaux anglais, Stendhal caractérise le jeune Hugo comme « toujours exagéré à froid » et Charles Nodier, dans un compte rendu favorable de *Han d'Islande,* se demande pourquoi il a « fallu qu'un tel talent se soit cru obligé de recourir aux artifices et aux horreurs qu'il a renfermés dans son œuvre ». Mais, en 1824, Gaspard de Pons, dans un article des *Annales de la Littérature et des Arts* consacré aux *Nouvelles odes,* entend, dans les poèmes d'un jeune poète déjà « si plein de pensées », « l'accent le plus déchirant du cœur jaillir naturellement des plus savantes combinaisons de la tête » et il conclut en s'écriant : « Ce jeune homme a la tête dans le cœur. » Même admiration de la part d'Alexandre Soumet (*La Muse Française,* mars 1824) pour Hugo qui possède la qualité essentielle du poète moderne : « le génie des émotions ». En revanche, la même année, Tissot, rendant compte des mêmes *Odes,* blâme le poète de « se donner un enthousiasme factice ». Bien sûr, les uns (Pons, Soumet, etc.) retrouvent dans son œuvre leurs propres sentiments de royalistes catholiques, et les autres (Stendhal, Tissot, etc.)

fidèles à l'ironie voltairienne et à l'enseignement des idéologues, se défient de l'expression d'émotions qu'ils ne connaissent pas. Mais, très vite, les réactions devant l'œuvre de Victor Hugo ne se partagent plus si commodément selon des clivages idéologiques.

A partir de la publication des *Orientales,* où la presse ultra est déçue de ne plus trouver trace de royalisme ni de catholicisme, l'image de la froide affectation d'un poète insensible se généralise dans la critique. Une brève chronique anonyme du *Globe* (21 janvier 1829) signale dans *Les orientales* « des descriptions trop minutieuses », « l'absence trop fréquente de sentiments profonds », « un luxe tout extérieur, une poésie pour les yeux ». Quelques semaines plus tard, dans *La Revue Française,* fondée en 1828 par Guizot et Rémusat, Guizard ne trouve dans *Les orientales* que « des impressions fugitives et toutes sensuelles » : « sa poésie est un feu roulant de formes, de dimensions, de couleurs, d'enluminures purement pittoresques ». Nodier lui-même, sur l'amitié duquel Hugo croyait pouvoir compter, déplore, dans *La Quotidienne* du 1ᵉʳ novembre 1829, cet « orientalisme laborieux » qui reste très loin des « admirables compositions de Byron et de Moore ». Dans un tableau des « Poètes lyriques contemporains », proposé en 1830 par *Le Mercure du XIXᵉ siècle,* le « mérite » de Victor Hugo, « rénovateur décidé », est hautement reconnu mais le critique lui reproche de « faire quelquefois de la poésie avec de l'érudition et de méconnaître trop souvent sa nature éminemment créatrice pour recourir aux petites ressources de l'art ».

Ce reproche, venu de divers horizons, va suivre Hugo à propos de beaucoup d'autres œuvres. En novembre 1835, Sainte-Beuve, rendant compte des *Chants du crépuscule,* remarque que, « dans ce mélange souvent entrechoqué de réminiscences monarchiques, de phraséologie chrétienne et de vieux saint-simonisme, il n'est pas malaisé de découvrir, à travers l'éclatant vernis qui les colore, quelque chose d'artificiel, de voulu et d'acquis ». En 1843, Balzac écrit à madame Hanska, après avoir vu *Les Burgraves :* « Il y a surtout absence de cœur, qui se fait de plus en plus sentir. Hugo n'est pas vrai. » Il fait ainsi écho à George Sand qui, le 23 juin 1842, mettait en garde le jeune poète ouvrier Charles Poncy contre une trop naïve admiration pour l'auteur des *Rayons et les ombres :* « C'est parce que son cœur manque de flamme que sa muse manque de goût. » Faut-il rappeler les jugements célèbres de Baudelaire dans le *Salon de 1846 :* « M. Victor Hugo, dont je ne veux certainement pas diminuer la noblesse et la majesté, est un ouvrier beaucoup plus adroit qu'inventif, un travailleur bien plus correct que créateur » et dans le *Salon de 1855 :* « M. Victor Hugo est un grand poète sculptural qui a l'œil fermé à la spiritualité » ? Rendant compte des *Contemplations,* le 15 janvier 1857 dans son journal *Réalisme,* le jeune Edmond Duranty dénonce, chez le poète qui se complaît à de folles visions apocalyptiques, « un comédien de poésie, un esprit masqué, où rien n'est sincère, pas même la vanité ». Il ne voit là que des « tours de jonglerie ». Pourtant le même recueil des *Contemplations* et la première série de *La légende des siècles* ont bouleversé Baudelaire qui publie désormais les éloges les plus vifs d'Hugo. En 1859, dans un article sur Théophile Gautier : « Victor Hugo, grand, terrible, immense comme une création mythique, cyclopéen pour ainsi dire, représente les forces de la nature et leur lutte harmonieuse. » Le 15 juin 1861, dans *La Revue Fantaisiste,* il le célèbre comme l'artiste « le plus apte à se mettre en contact avec les forces de la vie universelle ». Le 20 avril 1862, à propos des *Misérables,* il souligne l'exceptionnelle vérité humaine du roman et surtout d'un chapitre comme « Tempête sous un crâne » : « Il faudrait chercher beaucoup [...] pour trouver dans un autre livre des pages égales à celles-ci où est exposée, d'une manière si tragique, toute l'épouvantable casuistique inscrite dès le commencement dans le cœur de l'Homme universel. » Mais n'a-t-il pas lui-même adopté un masque pour célébrer un nouvel Hugo, puisqu'il écrit, le 10 août 1862, à sa mère : « Tu as reçu sans doute *Les misérables* [...] Ce livre est immonde et inepte. J'ai montré, à ce sujet, que je possédais l'art de mentir. » ? Il n'aurait donc pas cessé de considérer Hugo comme un habile artisan et ne serait, en secret, pas très éloigné de Veuillot qui, dans la *Revue du Monde Catholique* du 25 avril 1862, constate qu'Hugo, dans *Les misérables,* « s'oublie à des parades également indignes de son sujet, de son âge et de sa valeur » : il proteste « contre le mauvais goût qui prodigue de telles verroteries sur une étoffe vraiment admirable et contre la décadence qui préfère la verroterie aux diamants. »

Ce même thème est inlassablement repris. « A gauche », Jules Vallès lance son

Deuxième année. — N° 66   Un numéro : 10 centimes   25 Avril 1869.

RÉDACTEUR EN CHEF
F. POLO

ABONNEMENTS
PARIS
Un an............ 5 fr. »
Six mois ...... 3 »
Trois mois 1 50

Rue du Croissant, 16.

JOURNAL HEBDOMADAIRE

DIRECTEUR
F. POLO

ABONNEMENTS
DÉPARTEMENTS
Un an............ 6 fr. »
Six mois........ 3 50
Trois mois...... 2 »

Rue du Croissant, 16.

LE NOUVEAU LIVRE DE VICTOR HUGO, PAR GILL.

Il convient aujourd'hui de céder la place au maître des maîtres...

L'Homme qui rit vient de paraître...

Empressons-nous de détacher une tranche de l'œuvre substantielle et robuste de Victor Hugo, et servons-la en régal et en primeur à nos lecteurs...

EFFET DE NEIGE

Il chemina un certain temps sur cette piste. Par malheur les traces étaient de moins en moins nettes. La neige tombait dense et affreuse. C'était le moment où l'ourque agonisait sous cette même neige dans la haute mer.

L'enfant, en détresse comme le navire, mais autrement, n'ayant dans l'inextricable entrecroisement d'obscurités qui se dressaient devant lui, d'autre ressource que ce pied marqué dans la neige, s'attachait à ce pas comme au fil du dédale.

Subitement, soit que la neige eût fini par les niveler, soit pour toute autre cause, les empreintes s'effacèrent. Tout redevint plane, uni, ras, sans une tache, sans un détail. Il n'y eut plus qu'un drap blanc sur la terre et un drap noir sur le ciel.

C'était comme si la passante s'était envolée.

L'enfant aux abois se pencha et chercha. En vain.

venin, le 29 juin 1867, au moment de la reprise d'*Hernani* : « Hugo est venu au monde la tête et la poitrine vides, sans cerveau ni cœur ; mais comme ce Memnon dont il parle, il chante dès qu'un rayon le touche. » « A droite », un nationaliste, qui s'abrite sous le pseudonyme de Jules Leffondrey, stigmatise *Victor Hugo le petit* dans un pamphlet paru sous ce titre en 1883 : « Esprit sans portée, ne voyant que les surfaces, n'opérant que sur des mots, [...] Victor Hugo a produit une poésie vide et sonore [...] Le comédien est partout, la poésie, nulle part. » La triomphale apothéose des obsèques de 1885 n'interrompt pas l'écho de ce fastidieux refrain. Dans sa *Légende de Victor Hugo,* écrite en juin 1885, Paul Lafargue dénonce le grand homme panthéonisé comme « le plus grand étalagiste de mots et d'images du siècle ». Il s'accorde ainsi avec Émile Faguet qui, en 1887, dans ses *Études littéraires sur le XIXe siècle,* présente Hugo comme « un simple facteur de guitares », capable au demeurant de se tirer d'affaire « très habilement », « car il sait son métier ». Façon d'indiquer au chroniqueur de *La Gazette de Cologne* que « le jugement des Français » n'est pas aussi unanimement favorable à Hugo qu'il feignait de le croire. Cette gazette écrivait en effet, au lendemain même de la mort du poète : « Ce que les Français trouvent sublime dans ses œuvres nous paraît forcé ; ce qu'ils considèrent comme grandiose nous paraît grimaçant ; ce qu'ils nomment souffle pindarique nous semble ampoulé et nous déplaît,... » A ce compte, il y a beaucoup d'Allemands parmi les Français et même dans les rangs de la patriotique Ligue française : Jules Lemaitre, dans un article sur *Toute la lyre,* recueilli en 1888 dans le tome IV des *Contemporains,* condamne l'œuvre vide et sonore de « cet Espagnol retentissant » qu'est Hugo, si indigne de représenter « la tradition du génie français ». De même le médiocre romancier Félicien Champsaur, en 1889, dans la préface d'un ouvrage intitulé *Le cœur,* élimine Hugo en une phrase : « trop égoïste, il n'a pas su être amoureux ; avec son art prodigieux, il n'a pu qu'en donner l'illusion ». Et pourtant, dans des études plus sereines, Ernest Dupuy et Paul Stapfer avaient, en 1887, cherché à montrer la chaleureuse sensibilité d'Hugo. Dupuy, dans son *Victor Hugo, l'homme et le poète,* se plaît à relever « des vers profonds, révélateurs du mystère de l'âme » et notamment « cette sonate pathétique : *La tristesse d'Olympio* ». Stapfer, dans *Racine et Victor Hugo,* retrouve chez celui-ci « l'âme même du XIXe siècle, dont il a épousé tour à tour les aspirations changeantes, les enthousiasmes contradictoires ». Il affirme : « Rien d'humain ne lui fut étranger » et il s'indigne car « il est vraiment trop absurde de lui contester un cœur largement ouvert à toutes les émotions humaines, bien que cette absurdité manifeste soit un des articles reçus de la critique courante. » Article si longtemps reçu, que l'on y revient, en faisant mine d'exprimer prudemment une opinion originale comme Henry Fouquier, dans *L'Écho de Paris,* le 11 juin 1891 : « Je ne suis pas sûr qu'Hugo fût très sensible », ou avec une tranquille intrépidité comme Léon Bocquet qui, en février 1902, répond à l'enquête de *L'Ermitage : Les poètes et leur poète :* « Jongleur de mots et de rimes, Hugo en impose par ses merveilleux tours d'acrobatie versificatrice, sauf à communiquer le divin frisson poétique. »

La libre fantaisie

Paradoxalement, cet intarissable débat à propos d'un Hugo qui ne serait qu'un très habile artisan dénué d'une sensibilité vraiment humaine, se double d'un autre débat, tout aussi prolongé de générations en générations, au cours duquel ce qui se trouve incriminé chez le poète c'est l'absence de savoir-faire, le manque d'ordre et d'harmonie, l'abandon à une improvisation trop souvent extravagante. Sur ce thème, dès 1822, la *Revue Encyclopédique,* libérale en politique et classique en littérature, donne le ton dans un compte rendu des *Odes et poésies diverses :* « Pensées, images, expressions, tout est jeté au hasard dans les Odes de M. Victor Hugo. » Mais les rédacteurs de *La Quotidienne* ne sont pas moins sévères. Ainsi Mély-Janin, pourtant membre de la Société des Bonnes Lettres et favorable aux principes de la nouvelle école, se montre très réticent : selon lui, Hugo connaît sans doute les règles de son métier mais il s'amuse à les enfreindre en ne se pliant pas aux lois du genre lyrique et il s'abandonne à parler « un jargon presque inintelligible ». Négligence aussi évidente aux yeux de Gaspard de Pons qui écrit, en 1824, dans les *Annales de la Littérature et des Arts :* « M. Hugo n'a pas encore appris à maîtriser entièrement sa propre force, dont le sentiment intime lui fait dédaigner parfois les précautions vulgaires, mais indispensables, de la rhétorique, et c'est là ce qui l'entraîne à négliger un peu trop l'harmonie de certains vers. »

À des dizaines d'années d'intervalle, la caricature souligne, à propos d'*Hernani,* les mêmes outrances attribuées au drame romantique :

Pescheux
Hernani
Petite parodie illustrée, à l'occasion de la reprise d'*Hernani* à la Comédie-Française en 1867
Le Bouffon, 9 juil. 1867
Paris, M.V.H.

Caran d'Ache
Le Petit Hernani (projet d'opérette).
Le Journal, 3 sept. 1894
Paris, M.V.H.

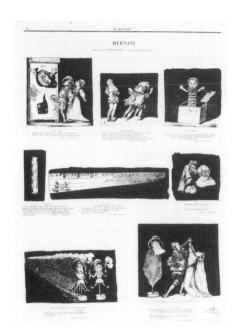

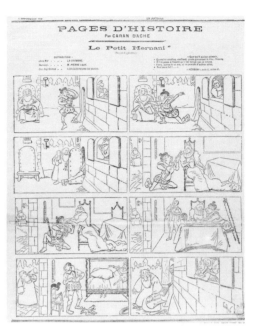

Langlumé
Sublime d'Hernani, plat romantique
À la création d'*Hernani* (1830), la « bataille » fait rage autour du vers célèbre :
« J'écraserai dans l'œuf ton aigle impériale »,
que le caricaturiste parodie ainsi :
« Je crèverai dans l'œuf ta panse impériale. »
Paris, M.V.H.

A ses débuts, même parmi ses plus ardents alliés politiques, Hugo se voit donc reprocher une absence de travail et un manque de maîtrise qui se traduisent par un fâcheux abandon à un naturel barbare. Ce grief est, lui aussi, très souvent et très longtemps formulé et parfois par ceux qui reprochent en même temps à ce trop adroit artisan de n'avoir aucune sensibilité authentique. En novembre 1826, Dubois annonce dans *Le Globe* la prochaine parution des *Odes et ballades* et il admoneste l'auteur : « Par quelle fatalité une si vive audace de conception ne peut-elle se plier à un travail plus soigné, à une plus lente et plus paisible exécution ? Croit-on être véritablement poète en se condamnant à ne produire que de brutes ébauches, au lieu d'admirables statues ? » Ce refus d'une nécessaire discipline, c'est ce que regrette Sainte-Beuve dans le même *Globe,* quelques semaines plus tard (le 9 janvier 1827) à propos du troisième livre des *Odes et ballades* : « En poésie comme ailleurs, rien de si périlleux que la force. » Des réactions analogues se manifestent à propos d'*Hernani.* Les deux académiciens chargés de préparer un rapport sur ce drame, en octobre 1829, ne sont pas seuls à condamner les « vices de l'exécution » ; en février 1830, *Le Drapeau Blanc* parle de « chef-d'œuvre de l'absurde » et *La Gazette de France* de « fable grossière ». Le 8 janvier 1832, Nisard écrit dans le *Journal des Débats,* après la publication des *Feuilles d'automne :* « Il y a un défaut remarquable dans tous les ouvrages du poète, c'est *le trop.* » Le 30 avril 1840, Henri Heine, dans sa correspondance pour l'*Augsbürger Allgemeine Zeitung,* affirme : « Tout chez Hugo est barbarie baroque, dissonance criante et horrible difforme. » Le 7 mai 1843, dans une lettre à Charles Poncy, George Sand constate que Victor Hugo « a perdu tout respect pour la logique et le bon sens » : « Il s'en va droit à l'Hôpital des Fous, monté sur un Pégase débridé et qui a pris le *vertigo.* » En 1846, dans un essai sur « le grotesque en littérature », Charles Labitte rend Hugo responsable, notamment par ses folles théories de la Préface de *Cromwell,* du déchaînement d'une « littérature débraillée dont tout le monde est las » : ces théories « ont fait de l'art une sorte de mascarade à paillettes ». Dix ans plus tard, ce sont les *Contemplations* qui apparaissent à Caro comme « un défi à la pauvre et chétive raison », et ceux qui condamnent ou déplorent la folle extravagance d'Hugo ne sont pas tous, comme ce rédacteur de la *Revue Contemporaine* des porte-parole du catholicisme le plus conservateur. Jules Vallès, le 2 novembre 1865, estime que, depuis les *Contemplations,* Hugo s'égare de plus en plus et il lui prédit une irrémédiable « décadence » car « on ne se joue pas impunément, si grand qu'on soit, de la raison et du bon sens ». Ainsi, à quarante ans d'intervalle, ce qui se passait d'abord pour l'insuffisante maîtrise d'un adolescent trop fougueux est condamné comme l'absolue déraison d'un esprit qui aurait perdu tout contrôle.

Il n'est pas nécessaire de pousser plus loin l'illustration, ennuyeusement répétitive de cet autre procès fait à Hugo, présenté non plus comme un ingénieux fabricant d'illusions poétiques, sans cœur ni âme, mais comme un écrivain abandonné à de folles inspirations et incapable de maîtriser de déraisonnables ardeurs. Peut-être sera-t-il plus intéressant d'indiquer comment cette conception d'un Hugo ignorant des règles et des lois de l'art véritable s'articule à un débat majeur autour de la fantaisie hugolienne, de la part dominante qui serait toujours donnée dans ses œuvres à l'imagination : Hugo, poète *subjectif,* indifférent à toute réalité, ou poète *objectif,* en proie au réel ?

Objectif *ou* subjectif

Là encore, le ton est donné très tôt, dès juin 1824, par les importants articles que le « Monsieur Z » du *Journal des Débats* (c'est-à-dire Hoffmann, avec qui Hugo engage une vive polémique) consacre à la querelle romantique à propos des *Odes et ballades.* Pour Hoffmann, l'erreur des romantiques et de Victor Hugo est d'avoir « préféré les abstractions aux réalités et les rêves de l'imagination à l'imitation de la nature réelle et sensible [...] Ils ont fini par dire : il n'y a de beau que ce qui n'existe pas. » Mais c'est justement ce dont se réjouit Charles Nodier qui, dans *La Quotidienne,* le 23 octobre 1826, célèbre « le charme fantastique des créations idéales de Victor Hugo, dont les productions inimitables seront un de nos plus beaux titres de gloire aux yeux de l'avenir ». Quand, au même moment, *Le Globe* se met à chanter lui aussi (mais non sans réserves) la louange d'Hugo, Dubois le crédite surtout du fait que « ses compositions frappent l'imagination : c'est un délire si l'on veut, mais un délire de poète ». Dès lors, ce mot d'*imagination* apparaît comme le plus apte à caractériser son originalité. En décembre 1826, un article anonyme de *La Gazette de France* compare Béranger, Lamartine et Hugo : « L'auteur des *Chansons* est le poète du peuple ; l'auteur des *Méditations* est le poète de la religion ; l'auteur des *Odes* est [...] le poète de l'imagination. » En mars 1830, dans *Le Globe,* Magnin considère qu'avec *Hernani,* Hugo a créé « le drame d'imagination » et c'est pour applaudir à cette « innovation », tandis que Rémusat, dans la *Revue Française* du même mois, qualifie aussi *Hernani* de « tragédie de l'imagination » mais ajoute aussitôt : « cela équivaut à dire tragédie de mensonge ». C'est dire que les ultras de *La Quotidienne* ne sont pas les seuls à penser qu'Hugo s'éloigne dangereusement du vrai, même si, selon Laurentie (article du 4 avril 1830), c'est uniquement parce que son imagination débridée l'éloigne des vérités du christianisme. Gustave Planche, plus vigoureusement encore que beaucoup d'autres, dénonce ce primat accordé par Hugo à l'imagination : dans un compte rendu de *Marie Tudor,* le 15 novembre 1833, il estime que son devoir de critique est d'« éprouver constamment la poésie par l'histoire et la philosophie » car « nous refusons à l'imagination, si brillante qu'elle puisse être, le droit de se jouer des autres facultés humaines ».

Pourtant, quelques années plus tôt, Sainte-Beuve s'était insurgé contre cette caractérisation trop partielle de l'œuvre d'Hugo. Dans ses articles du *Globe* sur les *Odes et ballades* (2 et 9 janvier 1827), il s'écrie : « On a fait de son talent, aux yeux de bien des gens, une sorte de monstre [...] Ce n'est là qu'une ignoble et injuste parodie », car, selon lui, il arrive au contraire à ce poète de trop s'attacher à la réalité et de pécher par « abus d'analyse et de description ». C'est exactement au même moment, le sentiment exprimé par Goethe dans ses *Conversations avec Eckermann* (le 4 janvier 1827) : il porte au crédit d'Hugo de s'être affranchi de « la pédanterie du parti classique » et d'avoir « en lui beaucoup d'objectivité », c'est-à-dire d'offrir un sentiment plus immédiat et une expression plus directe de la réalité.

Chaque œuvre de Victor Hugo ne fait qu'apporter une pièce nouvelle au débat. Avec *Les orientales,* il déconcerte ceux que réjouissait la puissance de son imagination. *Le Globe* (article anonyme du 21 janvier 1829) n'y trouve plus qu'une « poésie pour les yeux ». C'est aussi le sentiment d'un rédacteur anonyme du *Mercure du XIXe siècle* qui reprend le reproche adressé à Hugo de faire « de la poésie uniquement pour les yeux » mais continue d'appeler cette poésie là une « poésie d'imagination » (dans le sens de « poésie d'images ») pour l'opposer à la « poésie de sentiment ». Avec *Notre-Dame de Paris,* nous voyons Goethe changer d'avis sur Hugo à la lecture de ce roman où l'imagination déborde. Le 27 juin 1831, il confie à Eckermann : « C'est le livre le plus abominable qui ait jamais été écrit [...] Il est sans naturel et sans vérité. » Au contraire, Michelet insère, dans le chapitre VIII du Livre IV de son *Histoire de France* : « La passion comme principe d'art au moyen âge » (chapitre qu'il désavouera dans l'édition de 1861 et dissimulera dans les

DE LA BLAGUE! ENCORE DE LA BLAGUE! TOUJOURS DE LA BLAGUE! — NOTES ET CROQUIS SUR « LE ROI S'AMUSE »

Sahib
De la blague ! Encore de la blague ! Toujours de la blague. Notes et croquis sur « Le roi s'amuse »
La Vie Parisienne, 9 déc. 1882
Paris, M.V.H.

annexes ou éclaircissements), ce vibrant hommage à Hugo : « Je voulais parler de *Notre-Dame de Paris*. Mais quelqu'un a marqué ce monument d'une telle griffe de lion, que personne désormais ne se hasardera d'y toucher [...] Il a bâti à côté de la vieille cathédrale une cathédrale de poésie, aussi ferme que les fondements de l'autre, aussi haute que les tours. » Hommage chaleureux et éloquent à la puissance d'imagination de ce romancier-poète dont Montalembert, dans ses articles de *L'Avenir* en avril 1831, avait autrement apprécié « le style inimitable » pour sa prodigieuse précision : « On lit des mots, des lignes et l'on se croit en face d'un tableau ; chaque description écrite se transforme à notre insu en peinture vivante. »

Abominable égarement ? puissance poétique ? saisissante vérité d'une peinture ? Les divergences sont claires ! On les retrouve à propos de ses drames. Gustave Planche les condamne tous car ils n'ont aucune vérité historique non plus que psychologique. L'œuvre dramatique d'Hugo « avec ses défauts et ses qualités, écrit-il le 1er décembre 1832, à propos du *Roi s'amuse,* ne relève absolument que de sa libre fantaisie ». En revanche, Gérard de Nerval, en novembre 1833, salue *Ruy Blas* comme « une singulière et puissante composition, mêlée d'histoire et de roman, de rires et de larmes, de rêverie et de vérité ».

Les recueils poétiques, publiés entre 1831 et 1840 suscitent des réactions pareillement opposées. Planche, qui n'est pas à une contradiction près quand il s'agit d'abattre l'ennemi romantique, se déchaîne, dans un article sur la « moralité de la poésie » (1er février 1835) contre l'absence d'« invention » chez Hugo : « Il n'est pas vrai qu'un nombre déterminé de choses réelles, littéralement observées et reproduites, puisse, en s'additionnant, arriver à produire de la beauté. » Il oppose ainsi « deux poésies » : celle qui « s'adresse aux yeux » (Hugo) et celle qui « s'adresse à l'âme » (Lamartine) et sa préférence va, bien sûr, à la seconde. La très violente attaque de Nisard, dans un article de la *Revue de Paris :* « M. Victor Hugo en 1836 » (31 janvier 1836), part d'un point de vue tout différent. Nisard constate que « chez Victor Hugo, l'imagination tient lieu de tout » : « C'est avec son imagination toute seule, sans frein, sans contrôle, sans intelligence, que M. Victor Hugo écrit ». Reprenant la distinction entre écrivains « objectifs » et écrivains « subjectifs », il considère, à l'inverse de Goethe, Hugo comme « le type même de l'écrivain subjectif », d'autant plus médiocre qu'il « n'est qu'un homme de second ou de troisième ordre, qu'un *sujet* très incomplet, qui n'a qu'un peu plus d'imagination et de mémoire que le commun de ses contemporains ». Dix ans plus tard, dans le *Salon de 1846,* Baudelaire place aussi Victor Hugo au second rang, mais pour de toutes autres raisons. Sa définition du romantisme (intimité, spiritualité, etc.) lui fait mettre Delacroix « à la tête du romantisme » et « en exclut naturellement Victor Hugo » comme un écrivain trop objectif ou trop matérialiste : « Trop matériel, trop attentif aux superficies de la nature, Hugo est devenu un peintre en poésie », tandis que « Delacroix est devenu un poète en peinture ».

Avec la publication des *Contemplations,* les hommages des admirateurs de la puissance créatrice d'Hugo se font plus chaleureux. George Sand, revenue de ses préventions, le compare à Michel-Ange et l'égale à Shakespeare. Laurent Pichat évoque les visions de Dante : « Victor Hugo revient d'un voyage aux pays dantesques et nous dit des choses qu'il a vues. Il a été pris dans ces escaliers vertigineux, vis de l'infini, où l'on va sans savoir si l'on monte ou si l'on descend, si l'on marche ou si l'on est entraîné. » En revanche, les réalistes se moquent méchamment de la façon dont il se laisse entraîner par les divagations de son imagination dans « Le gouffre géant des sombres abîmes romantiques » (sous-titre de l'article de Duranty dans *Réalisme,* 15 janvier 1857). Les *Contemplations* et *La légende des siècles* ont convaincu Baudelaire que, chez Hugo, imagination et compréhension du réel vont de pair : dans son grand article du 15 juin 1861, il célèbre « l'homme le mieux doué, le plus visiblement élu pour exprimer par la poésie ce que j'appellerai le mystère de la vie ». Ainsi subjectivité et objectivité se rejoignent, sauf aux yeux de ceux qui, attachés soit au dogme d'une religion, soit aux vérités de la seule raison, continueront toujours de faire le procès de cette imagination délirante. Tel Veuillot, notant dans une de ses *Études sur Victor Hugo* recueillies en 1886 : « Il voulut tout imaginer [...] Quand quelque hasard alluma sa chandelle, il la souffla, ne voulant pas que rien pût l'empêcher d'imaginer à son aise. » Tel Henry Fouquier (*L'Écho de Paris,* 11 juin 1891) : « L'imagination avait envahi son cerveau, supprimant tout, comme un tyran qui, pour régner seul et tranquille, fait massacrer ceux qui l'ont aidé à conquérir le trône. » Retenons, au lendemain de la mort du poète, un dernier (?) texte critique où l'opposition « subjectif/objectif » est encore évoquée et Hugo célébré comme un génie « objectif». C'est l'article d'Henry Michel dans *Le Temps* du 24 mai 1885 : « Plus que jamais, on est tenté de voir aujourd'hui dans le subjectivisme de la sensation le dernier mot de l'art. C'est de l'art assurément, mais un art inférieur et malsain. Comme Goethe et Shakespeare, Hugo a prouvé que le vrai génie, le génie bien-pensant est essentiellement objectif. » Opinion révélatrice d'une curieuse évolution : naguère la sensation était la marque même d'une objectivité matérialiste et l'imagination était une faculté éminemment subjective ; maintenant que se définit une nouvelle esthétique impressionniste, la sensation est considérée comme prisonnière de la subjectivité, tandis que la puissance imaginative du génie atteint seule l'objectivité.

Un penseur ?

Victor Hugo, habile ouvrier au langage parfaitement dépourvu de sensibilité, ou improvisateur impétueux incapable de discipliner son inspiration, ou encore interprète des élans de sa seule imagination qui, selon certains, l'égare et, selon d'autres, lui permet de découvrir les mystères de la nature. Voilà quelques-uns des thèmes autour desquels s'est constitué l'intarissable débat de la critique sur l'abondante œuvre hugolienne. On comprend dès lors l'importance qu'a pu prendre une question sans cesse posée : celle de l'intelligence d'Hugo. A-t-il une pensée ? Est-il capable d'idées ?

Des réponses dubitatives ont été formulées très tôt, même par Rémusat qui, le 26 janvier 1828, dans un article du *Globe* très favorable à la préface de *Cromwell,* s'inquiète de voir l'auteur « accueillir les idées avec trop peu de sévérité : lorsqu'il raisonne, on dirait encore qu'il imagine ». Du moins lui reconnaît-il la capacité d'avoir des idées, ce dont Vigny semble douter, qui note, dans son *Journal d'un poète,* le 20 août 1831 : « Personne n'a jamais eu autant de forme et moins de fond, et il n'a pas une idée qui lui soit propre, pas une conviction, pas une observation sur la vie, ou une rêverie au-delà du temps. » De même, si Viennet note dans ses *Mémoires,* le 26 février 1830, à propos d'*Hernani,* que Victor Hugo « a quelquefois de grandes pensées » mais qu'« il les rend d'une manière si ridicule que le rire étouffe immédiatement l'admiration », et s'il rejoint ainsi Antoine Jay qui, dans *La conversion d'un jeune romantique* (1830) remarque que, dans les drames d'Hugo, « si la pensée n'avorte pas, elle en sort sous des formes ridicules », Nisard, parlant des *Feuilles d'automne,* est plus catégorique : « Ce ne sont plus des pensées, ce sont des impressions vagues, qui ne s'analysent pas, qui ne se touchent pas du doigt. » (*Journal des Débats,* 8 janvier 1832).

En somme, la qualité de « penseur » est, dès ses débuts, volontiers refusée à Hugo, soit qu'on le juge radicalement indifférent à l'expression d'idées ou même incapable d'en concevoir, soit qu'on estime les pensées qu'il peut développer dans

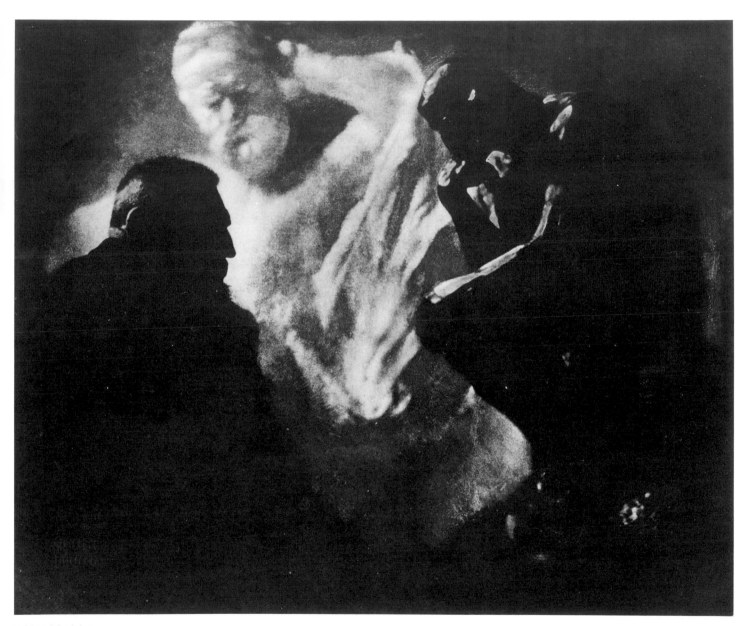

Edward Steichen
Rodin devant Le penseur *et l'un des projets
pour le monument à Victor Hugo.* 1902
(cat. 215)
Deux archétypes du « Penseur » associés par
un grand photographe
Paris, Musée Rodin

*André Gill
L'homme qui pense (cat. 102)
L'Éclipse, 4 oct. 1874
Paris, M.V.H.

ses œuvres absolument inacceptables car non conformes à ce que pensent les bien-pensants d'obédiences diverses. Ainsi nous avons vu que Montalembert (*L'Avenir,* 11 avril 1831) ne manquait pas d'admirer « le style inimitable de *Notre-Dame de Paris* », mais il déplore l'absence d'une leçon morale solidement édifiante et il proteste « contre le coupable sacrifice offert par le génie au goût dépravé [...] d'une littérature dégradée et mourante ». Dans le compte rendu donné par *Le Globe* saint-simonien, le 13 février 1832, du recueil *Les feuilles d'automne,* Xavier Joncières concède qu'il ne s'agit pas de « sacrifier la personnalité au socialisme, pas plus que ce dernier à la personnalité » mais il croit pouvoir annoncer qu'Hugo exprimera bientôt dans des « poésies politiques » des sentiments et des idées liés à « la vie générale » et non plus seulement « le bonheur de famille, la poésie d'intérieur, la douceur d'être deux » : « aujourd'hui, la place du poète est au forum ». Pendant quelque temps, ceux qui veulent encore espérer qu'il se ralliera à leur parti attendent de lui qu'il prête éloquemment sa voix à leurs idées. C'est même ce que laisse entendre Gustave Planche, dans son article du 15 juillet 1837, en conclusion du bilan pourtant férocement négatif qu'il vient de dresser de l'œuvre d'Hugo : « Dès qu'il voudra se mettre à sentir et à penser, il trouvera pour toutes ses émotions et toutes ses idées des paroles empressées et fidèles. » Mais voudra-t-il un jour sentir, penser et exprimer ce qu'attendent de lui ceux dont les conseils l'impatientent et qu'il traite volontiers de « Zoïle à l'œil faux » (pièce XI des *Voix intérieures*). Le 1er mars 1840, dans sa chronique : « Dix ans après en littérature », Sainte-Beuve déplore la « persistance » d'Hugo : « ce refus d'admettre, en daignant les connaître et en y prenant un intérêt sérieux, les travaux qui s'accomplissent, les idées qui s'élaborent, les jugements qui se rassoient et auxquels un art qui s'humanise devrait se proportionner. » Une bêtise orgueilleuse et obstinée, voilà ce que stigmatisent de plus en plus vivement les adversaires d'Hugo.

Quand paraissent les *Contemplations,* Gustave Planche, le 15 mai 1856, retrace l'histoire du poète qui, « de 1818 à 1829, néglige l'idée pour le mot », puis « en 1832, ne sépare plus le mot de l'idée » et enfin « aborde sans hésiter les plus redoutables problèmes et s'attribue le privilège de chasser les ténèbres par la seule force de sa parole ». Mais, puisqu'il prend ainsi des mots sonores pour des pensées élevées, il est certain que « la partie philosophique des *Contemplations* mérite seulement l'indulgence et le sourire ». Indulgence que ne réussit pas à éprouver Louis Veuillot : le 27 mai 1856, il déclare dans *L'Univers* qu'« en dépit d'une forme supérieure, la poésie de M. Hugo reproduit fidèlement toutes les misères de sa pensée, comme sa pensée porte l'empreinte profonde des misères de l'âme éloignée de Dieu ». D'autres critiques catholiques, comme Edme Caro (*Revue Contemporaine,* 15 juin 1856), estiment que les *Contemplations* sont « un défi à la pauvre et chétive raison » et que « M. Victor Hugo est une intelligence haletante aux prises avec l'impossible. » Au rebours des saint-simoniens de 1832, il souhaite — et la critique réussira longtemps à imposer cette image familière du bon papa Hugo — que le poète se contente de chanter les plaisirs du foyer et les satisfactions du sentiment car « quand il sent, quand il aime, quand il souffre, il retrouve aussitôt et comme par enchantement des accents qui nous émeuvent ». Au témoignage des frères Goncourt (*Journal,* 4 mai 1860), Flaubert fait preuve de la même sévérité : « Nous causons avec Flaubert des *Légendes des siècles*. Ce qui le frappe surtout dans Victor Hugo, qui a l'ambition de passer pour un penseur, c'est l'absence de pensée. » Son indignation redouble à la lecture des *Misérables* mais il n'ose en faire état que dans sa correspondance privée, dans une lettre à Madame des Genettes (juillet 1862) : « *Les Misérables* m'exaspèrent. Je ne trouve dans ce livre ni vérité ni grandeur. [...] Et quelle philosophie ! Celle de Prudhomme, du Bonhomme Richard et de Béranger. » Il n'est donc pas loin de partager l'avis de Barbey d'Aurevilly (*L'Opinion,* 29 avril 1862) : « M. Victor Hugo a le génie des mots, et c'est là même tout son génie. [...] Talent qui fut robuste, il est spirituel comme Hercule. Seulement Hercule nettoya les étables d'Augias, M. Hugo y aurait ajouté. » Cette appréciation injurieuse nous suffira pour donner une idée de l'extraordinaire violence de la campagne des journaux bien-pensants contre ce méchant penseur qu'est Victor Hugo. Pour vingt Barbey, on trouve quand même un Paul de Saint-Victor qui, dans *La Presse,* fait ainsi l'éloge des *Misérables :* « Ce qui frappe dans cet amoncellement de misères si hardiment exposées c'est l'impartialité qui les domine, la sérénité qui y règne, la puissante intelligence qui les observe et qui sait, au besoin, absoudre la cause de l'effet. » Un tel hommage pourrait suffire à clore un

Marcelin
Achetez mes soporifiques uniques
L'Espiègle, 1866
Paris, M.V.H.

vain et fatigant débat. C'est sans doute l'opinion d'Hugo lui-même. Agacé de voir ses détracteurs dénaturer ou nier sa pensée (tel Barbey lui-même qui, le 15 novembre 1865, est heureux de retrouver dans les *Chansons des rues et des bois* « l'art inouï du vers »), il écrit cette mise au point pour dénoncer la fausse opposition de la forme et du fond : « Fouillez les étymologies, arrivez à la racine des vocables, *image* et *idée* sont le même mot. Il y a entre ce que vous nommez *forme* et ce que vous nommez *fond* identité absolue, l'une étant l'extérieur de l'autre, la forme étant le fond rendu visible. Si cette école du passé avait raison, si l'image excluait l'idée, Homère, Eschyle, Dante, Shakespeare, qui ne parlent que par images, seraient vides. La Bible qui, comme Bossuet le constate, est toute en figures, serait creuse. Ces chefs-d'œuvre de l'esprit humain seraient '' de la forme ''. De pensée point. Voilà où mène un faux point de départ » (texte publié en 1901 dans *Post-scriptum de ma vie*).

Mais « l'école du passé » avait un bel avenir devant elle ! En 1887, dans ses *Études littéraires sur le XIXe siècle,* Émile Faguet fait la moue : « Hugo a peu d'idées, la moindre image fait mieux son affaire. » Un peu plus loin, il développe son opinion à propos d'*Ibo* (*Contemplations,* VI,2) : « *Ibo* est une ode d'un mouvement merveilleux, mais les idées d'*Ibo,* ces idées à la conquête desquelles le poète s'élance d'un transport si magnifique, quelles sont-elles ? C'est *Justice, Amour, Foi, Raison, Beauté, Idéal, Liberté, Droit.* Voilà qui est bien, mais il faudrait définir un peu tout cela, d'une indication rapide au moins, parce que ce sont choses qui ne vont point de soi ensemble et que les hommes ont quelquefois opposé la raison à la foi, le droit à l'idéal, la beauté à la raison et la justice à l'amour. » La condamnation des idées hugoliennes étant ainsi mieux argumentée que sous d'autres plumes, Guyau (l'un des quelques philosophes français qui, à la fin du siècle, prennent au sérieux la pensée d'Hugo) prend la peine de la réfuter dans un chapitre de son traité de *L'Art au point de vue sociologique,* publié en 1889 : « Vous demandez au poète des définitions philosophiques, une dissertation en vers et vous ne voyez pas que Victor Hugo a réellement défini, comme il le devait, « d'une indication rapide », chacune des vérités du monde moral : — la *beauté* est « sainte » parce qu'elle est, comme il l'a dit ailleurs, « la forme que Dieu donne à l'absolu » ; — « l'*idéal* germe chez les souffrants », parce que c'est la douleur même qui nous fait concevoir et entrevoir à travers nos larmes, par delà ce monde visible, un monde invisible et meilleur. [...] Nous doutons qu'une définition valût cette condensation poétique d'idées et de sentiments ».

Déjà, en 1887, Paul Stapfer s'était écrié, dans son *Racine et Victor Hugo :* « Hugo jette sa pensée palpitante et vivante dans la bataille des opinions » et il avait condamné l'injuste arrêt rendu par tant de critiques : « Hugo est un penseur à la façon des visionnaires [...] Il n'est pas juste qu'éblouis par les magnifiques énumérations du poète, nous méconnaissions la force de la pensée d'où ce jaillissement d'images est sorti comme de son germe. » Ce n'est pas juste, mais Jules Lemaitre, dans un article de cette même année 1887 intitulé : « Pourquoi lui ? » (tome IV des *Contemporains*) constate encore : « Le poète de *La Légende* a souvent enchanté nos imaginations ; il a peu agi sur notre pensée, ayant peu pensé lui-même. » L'année suivante, dans son fort méchant article sur *Toute la lyre,* il mêle l'éloge à la condescendance apitoyée : « Nul poète n'a eu à ce degré, avec cette abondance, cette force, cette précision, cet éclat, cette grandeur, l'imagination de la forme (...) Je sais bien que ce pauvre Hugo n'a que cela. »

Après Stapfer, Charles Renouvier s'indigne, dans des articles publiés en 1889 par *La Critique Philosophique* et réunis en volume sous le titre *Victor Hugo, le poète* en 1893 : « Quelqu'un a dit et beaucoup d'autres ont répété : '' Victor Hugo, c'est l'artiste, un artiste extraordinaire, le premier peut-être des artistes de la parole. '' Par ce mot *artiste,* on entendait *ouvrier,* et c'était une manière de dénier au poète la sincérité du sentiment et le sérieux de la pensée ; c'était dire que le fond manquait chez ce grand modeleur de formes. Ce jugement est faux, absolument et en tout. » Mais ce jugement réapparaît toujours. En 1889, Anatole France le reprend dans un article retenu pour la première série de *La Vie Littéraire :* « il faut bien reconnaître que Victor Hugo a remué plus de mots que d'idées. [...] Il vécut ivre de sons et de couleurs et il en saoûla le monde ». Émile Hennequin, dans une de ses *Études de critique scientifique,* publiées en 1890, décrète imperturbable : « S'il est un titre que Victor Hugo a usurpé, c'est celui de penseur. [...] En cette antithèse fondamentale et inaperçue du poète : la nudité du fond et la richesse de la forme, l'œuvre de Victor Hugo se résume. » En 1898, dans un bien curieux *Essai d'étude anthropologique sur Victor Hugo,* Gaston Papillault souligne à quel point Hugo serait resté étranger au progrès de la pensée scientifique de son siècle : « Du travail énorme du siècle, de ses recherches sociologiques, des lois complexes qui lentement arrivaient à se dégager, un vaste écho est venu jusqu'à lui et ne lui a suggéré que quelques images plus éclatantes que justes. » En 1901, dans sa série de *Figures et caractères,* Henri de Régnier pense pouvoir résumer ainsi le jugement de la postérité : « Hugo n'est pas un de ces hommes qui se survivent par les idées [...] Une force unique soutient l'édifice de son œuvre, la force verbale. » Et pourtant, c'est encore un philosophe qui s'inscrit en faux contre un tel arrêt. Dans la *Revue Hebdomadaire* du 22 février 1902, Izoulet rappelle que « l'éminent chef de l'école néo-kantienne, M. Renouvier est venu venger Hugo d'un injuste mépris ». Il pense, lui aussi, que, dans l'œuvre d'Hugo, « les idées fourmillent sous la magnificence du verbe : ce n'est donc pas un simple verbal, un forgeron retentissant, comme on l'a dit souvent ; tant s'en faut ! » Il cherche enfin à expliquer « cette erreur courante » : « D'abord on lit peu et mal. Ensuite, pour les lecteurs *aux faibles yeux,* dans les écrivains éclatants, les idées sont comme voilées de leur propre splendeur [...] L'opulence verbale d'un auteur fait nier sa richesse mentale. Enfin, le lecteur ne voit rien dans un auteur que ce qu'il porte en lui-même. Lire, c'est se reconnaître. »

En cette année de commémoration du centenaire de la naissance, « l'erreur » ainsi dénoncée par Izoulet court bon train, même dans les articles globalement élogieux. Ainsi, dans le numéro spécial de *La Plume,* le 1er mars 1902, Rémy de Gourmont célèbre Hugo « patron de la langue française » et place cette perfidie : « Si la pensée avait égalé chez lui le génie verbal, il eût été un Dieu et il faudrait l'adorer » et Laurent Tailhade se désolidarise avec éclat des hommages de « la société bourgeoise » qui a cru devoir « bombarder l'auteur des *Misérables* '' poète lauréat '', le deuxième du siècle après Béranger » : « Ils se ressemblent tous deux par l'absence totale d'aristocratie, par un goût tenace et bébête pour le pleur sentimental [...] Hugo est conservateur de tous les préjugés que, l'un après l'autre et sans dégoût, il porta dans les buccins de l'hyperbole tonitruante. Il flagorne les divers genres de bêtise ou de pleutrerie. »

Un danger pour l'ordre

Il suffit. Peut-être faut-il bien, comme le suggère Izoulet, être philosophe (et philosophe d'une certaine école !) pour se reconnaître, lisant Hugo, en Hugo philosophe. Mais peut-être aussi s'agit-il rarement ici de pensée philosophique, au sens le plus élevé et le plus rigoureux du terme, mais, plus trivialement, de morale et de politique. Au printemps 1830, les premiers admirateurs d'Hugo l'abandonnent, consternés, non pas tant parce qu'ils ne trouvent plus d'idées dans *Les orientales* ou dans *Hernani,* mais parce qu'ils n'y retrouvent plus leurs idées catholiques et ultra-monarchistes. Lamartine est, quant à lui, très net dans son opinion sur *Notre-Dame de Paris* en 1831 lorsqu'il écrit à Hugo lui-même : « C'est immoral par le manque de Providence assez sensible ; il y a de tout dans votre temple, excepté un peu de religion. » Il est tout aussi net, en 1863, quand il présente *Les misérables* dans son *Cours familier de littérature* sous le titre : *Considérations sur un chef-d'œuvre ou le Danger du génie :* « Ce qui fait de ce livre un livre dangereux pour le peuple, dont il aspire évidemment à être le code, c'est la partie dogmatique, c'est l'erreur de l'économiste à côté de la charité du philosophe ; en un mot, c'est l'excès d'idéal, ou soi-disant tel, versé partout à plein bord, et versé à qui ? à la misère imméritée et quelquefois très méritée des classes inférieures, négligées, oubliées, suspectes, souvent coupables, à la misère de la partie souffrante de la société ; idéal faux qui, en se présentant à ces misères déplorables, imméritées ou méritées, de l'humanité manuellement laborieuse, présente à ses yeux la société comme une marâtre sans entrailles, qu'il faut haïr et logiquement détruire de fond en comble pour faire place à la société de Dieu. »

Voilà au moins qui devient clair, après tant de phrases plus ou moins littéraires sur l'abus des figures, sur l'absence de cœur, sur la nullité de la pensée, sur la pure virtuosité verbale, sur la puissance délirante de l'imagination. Tant d'efforts pour déposséder Hugo de la gloire littéraire sont inspirés par une double inquiétude : ce formidable poète s'est placé en dehors de la vraie religion catholique et il se propose d'apporter au peuple misérable du siècle industriel un nouvel évangile. Voilà qui explique les fureurs des Nisard, des Veuillot, des Caro, que nous avons déjà suffisamment cités, ou celle de Cuvillier-Fleury condamnant *Les misérables* dans le *Journal des Débats* du 29 avril 1862 : « M. Hugo n'a pas fait un traité socialiste. Il a fait une chose que nous savons par expérience beaucoup plus dangereuse [...] Il a mis la réforme sociale dans le roman ; il lui a donné la vie qu'elle n'avait pas dans les fastidieux traités où s'étale obscurément sa doctrine. » Voilà qui explique aussi les craintes, souvent secrètement exprimées, d'écrivains qui admirent et jalousent la gloire littéraire d'Hugo mais redoutent la portée de son action, tels Flaubert ou Baudelaire et même Leconte de Lisle qui aurait tempéré ses éloges publics d'une épigramme sur Hugo « bête comme l'Himalaya ». Colères et ricanements que résument bien, par exemple, cette phrase de *La Croix,* en guise d'oraison funèbre, le 23 mai 1885 : « Il était fou depuis trente ans » ou celle-ci, à la même date, du journal anglais *The Standard :* « Son rôle a été tout au plus celui de chef choriste du parti du désordre. » Et qui aurait pu penser, jadis, parmi tous les porte-parole du grand « parti de l'ordre » que ce bel « enfant sublime », cher au vicomte de Chateaubriand, serait l'objet d'un tel opprobre ? Lui que raillait Armand Marrast dans *Le National* du 17 avril 1845, après sa nomination comme pair de France : « M. Pasquier, couvert de son mortier, a lu l'ordonnance qui élève à la dignité de pair de France Monsieur le vicomte Victor Hugo... Nous ne le savions pas ! Il était vicomte ! Victor Hugo est mort, saluez M. le vicomte Hugo, pair lyrique de France... » A cette date, un républicain libéral pouvait se moquer de cet anoblissement d'un poète qu'il aurait cru incapable d'une pareille ambition. Mais beaucoup plus nombreux seront ceux qui s'étonneront qu'il ne se soit pas installé dans sa confortable position de grand notable. Ce qu'on ne lui pardonne pas, ce sont ses palinodies. Et pas seulement du côté des défenseurs de l'ordre qu'effarouche la métamorphose d'Hugo en prophète socialisant, mais aussi chez plusieurs porte-parole des différents courants de la pensée républicaine et socialiste, rendus sceptiques et méfiants par le cours sinueux de l'évolution hugolienne. Ainsi, Proudhon, après avoir applaudi *Napoléon le Petit* et les *Châtiments* comme « un premier pas dans la voie de la littérature vivante », est déconcerté par les *Contemplations* et *La légende des siècles* qui sont « un pas en arrière ». En 1862, il donne, dans une lettre à Gustave Chaudey, son opinion sur *Les misérables,* aussi sévère que celle de Barbey d'Aurevilly : « C'est d'un bout à l'autre faux, outré, illogique, dénué de vraisemblance, dépourvu de sensibilité et de vrai sens moral, etc. » Même défiance chez Vallès pour qui Hugo « n'est plus, à partir des *Contemplations, bouche d'or ;* c'est *bouche d'ombre,* et dès lors, l'on peut prévoir la décadence... » Citons enfin Paul Lafargue qui, emprisonné à Sainte-Pélagie au printemps 1885, s'indigne des grandioses obsèques d'Hugo et de l'utilisation faite de sa gloire pour sceller une fallacieuse réconciliation nationale (il n'avait sûrement pas lu *La Croix*). Dans sa féroce *Légende de Victor Hugo,* il rappelle ce que furent les « convictions » politiques successives du poète et il dénonce son opportunisme : « Ainsi que les modistes et les couturières parent les mannequins de leurs étalages des vêtements les plus brillants pour accrocher l'œil du passant, de même Victor Hugo costuma les idées et les sentiments que lui fournissaient les bourgeois d'une phraséologie étourdissante, calculée pour frapper l'oreille et provoquer l'ahurissement. »

Pourtant, en ces jours de deuil grandiloquent, beaucoup de chroniqueurs et d'orateurs proclamaient, comme Octave Mirbeau (*La France,* 24 mai 1885) qu'Hugo était « l'âme inspirée du siècle, l'âme sonore de la France ». Mais la ferveur populaire ne correspondait pas à une réelle unanimité nationale. Depuis trente ans, sa « folie » consistait à avoir changé de camp et choisi définitivement « son » camp. Ceux qui se considèrent comme les propriétaires de la France ne le lui pardonnent pas. Pour eux, Hugo n'est pas même français. Là encore, le thème de la « barbarie » romantique vient de loin. Mais, après 1870, les chantres de la tradition cherchent à l'orchestrer avec une vigueur nouvelle. Certains admirateurs d'Hugo, comme Paul Stapfer, ajoutent imprudemment leur voix en admettant qu'« Hugo n'est pas un Français de race » : « C'est un Latin du Bas-Empire, un Asiatique, un Byzantin, un Goth, un Hercule chinois, tout ce que vous voudrez plutôt qu'un vrai Français » (*Les artistes juges et parties,* 1872). Après quoi, Jules Lemaitre pourra noter négligemment dans son article de 1887 : « Pourquoi lui ? » : « Il serait étrange qu'on imposât à notre âge le nom d'un poète qui est certes de premier ordre, mais qui représente si imparfaitement la tradition du génie français » et les

Georges Pilotell
Le vote de Paris
La Caricature, 18 fév. 1871
Le thème du « danger pour l'ordre »
Aux élections législatives du 8 février 1871,
Hugo fait partie des députés de gauche élus par
Paris, qui vont siéger dans une assemblée à
forte majorité conservatrice
Paris, M.V.H.

nationalistes royalistes pousseront leur offensive. Maurras, dans un article de *La Gazette de France,* « Protozoaire ou vertébré » (18 novembre 1901) affirme : « C'est une décadence de l'art poétique français que Victor Hugo représente. » En 1907, dans sa grande thèse-pamphlet sur *Le romantisme français,* Pierre Lasserre constate que, dans toute l'œuvre d'Hugo, « l'autorité, sous toutes ses formes, est usurpation, brigandage, attentat contre la nature humaine, tout au moins simagrée ». Dès l'origine, par les caractères anarchistes de l'inspiration romantique même, Hugo était l'ennemi de la société. Façon adroite de dépasser le reproche d'opportunisme si souvent formulé d'Edmond Biré à Lafargue, c'est-à-dire dans les divers courants idéologiques de la critique, par tous ceux qui refusaient de voir dans la diversité de l'œuvre hugolienne l'unité d'une inspiration esthétique « romantique » ou l'unité d'une évolution « vers la lumière ». Pourtant, sur ce point aussi, Hugo lui-même s'était expliqué, et notamment dans la dernière préface, écrite en 1853, pour ses *Odes et ballades* : « De toutes les échelles qui vont de l'ombre à la lumière, la plus méritoire et la plus difficile à gravir, certes, c'est celle-ci : être né aristocrate et royaliste et devenir démocrate. Monter d'une échoppe à un palais, c'est rare et beau, si vous voulez ; monter de l'erreur à la vérité, c'est plus rare et c'est plus beau. [...] Dans cette âpre lutte contre les préjugés sucés avec le lait, dans cette lente et rude élévation du faux au vrai, qui fait en quelque sorte de la vie d'un homme et du développement d'une conscience le symbole abrégé du progrès humain, à chaque échelon qu'on a franchi, on a dû payer d'un sacrifice matériel un accroissement moral, abandonner quelque intérêt, dépouiller quelque vanité, renoncer aux biens et aux honneurs de ce monde, risquer son foyer, risquer sa vie. Aussi, ce labeur accompli, est-il permis d'en être fier... »

Quoi d'étonnant si une telle profession de foi n'est guère comprise de ceux qui détiennent le pouvoir d'exprimer et de faire imprimer leur opinion ? Dans la masse des publications consacrées à Hugo pendant un siècle, très rares sont les articles où ce cheminement du poète est interprété comme il le faisait lui-même. Citons celui de Jean Rodes, paru dans le numéro de *La Plume* du 1er mars 1902 sous le titre : « Victor Hugo libertaire ». L'auteur cherche à réfuter le reproche cent fois fait d'opportunisme politique : « En vain rappellera-t-on le lointain passé monarchiste, napoléonien et vaguement religieux du poète ! Car ce furent là les étapes successives que sa pensée jeune eut à franchir pour atteindre à sa libération. Il nous plaît au contraire d'y voir l'image des luttes que la plupart d'entre nous ont dû engager contre les atavismes, les influences de famille, d'éducation et de milieu, pour se libérer à leur tour. Et c'est justement par cette évolution de sa personnalité morale qu'il emplit le siècle, dont il est, à nos yeux, la grandiose synthèse et l'aboutissement. » Il est sûr, en tout cas, en ces dernières années du siècle, que la gloire d'Hugo signifie d'abord popularité et que, pour un Jean Rodes qui s'en réjouit, on trouve beaucoup plus d'essayistes et de critiques qui s'inquiètent de ce phénomène et qui ne cherchent guère ni ne parviennent à l'analyser, sinon peut-être Paul Bourget qui, dans le septième essai de ses *Études et portraits* (1885), l'explique par le caractère même de l'inspiration épique d'Hugo : « Épique, telle est bien la définition naturelle de cette poésie aux ampleurs démesurées, aux visions grandioses, aux impersonnalités sublimes. [...] Il y a une interprétation religieuse, et d'ailleurs inexacte, de la Révolution, éparse dans la vague rêverie de beaucoup de Français... Il ne faut pas chercher ailleurs la cause du succès d'Hugo parmi les foules. Elles ont aimé en lui un grand écrivain dont le génie vibrait à leur haleine. Elles crurent voir, dans cette faculté de transformation épique de la vie, une sorte de charité intellectuelle qui manque aux purs analystes. Il y avait là une singulière illusion, car cette soi-disant charité n'est qu'une flatterie et la plus dangereuse. Mais un écrivain épique est nécessaire à la vaste conscience flottante d'une époque. »

Des injures des critiques aux hommages des poètes

En somme, dans ce monument de témoignages qui, c'était l'avis du jeune Hugo lui-même, contribuent à figurer la gloire même de l'artiste, l'apport des critiques est, pendant longtemps et pour l'essentiel, très négatif : c'est un long et incessant effort pour dénoncer comme factice, démagogique, dangereuse, cette parole poétique et prophétique dont rien n'empêche pourtant le rayonnement public. Les petites phrases assassines, les mots vengeurs, se font écho d'année en année et assimilent Hugo à toutes sortes d'animaux et de personnages caricaturaux. Esquissons un aperçu de cette ménagerie : Nisard, le 8 janvier 1832, à propos des *Feuilles* d'automne : « Ne serait-ce pas de la poésie de ruminant ? » Sainte-Beuve, le 1er novembre 1835, sur les *Chants du crépuscule :* « un Goth revenu d'Espagne et qui s'est fait romain ». Heine, dans sa chronique de *Lutèce* datée du 30 avril 1840 : « il est hugoïste » et plus loin : « c'est un beau bossu ». Le « mot » le plus célèbre, du moins avant que Gide ait soupiré, en 1905, son « Hugo, hélas ! », est sans conteste celui de Veuillot sur l'auteur des *Contemplations :* « Jocrisse à Pathmos. » Lanson le trouvait si juste qu'il jugea convenable de le reprendre dans les dix premières éditions de son *Histoire de la littérature française* de 1894 à 1909. Mais, dès le 29 juin 1856, Barbey d'Aurevilly y avait ajouté sa variante, toujours à propos des *Contemplations :* « le Jocrisse fondamental l'y emporte sur le Dorat libertin » et Jules Lemaitre avait renchéri dans son article de 1888 sur *Toute la lyre :* « C'est Homais à Pathmos. » Pour tourner en dérision le prophétisme de Victor Hugo, « Jules Leffondrey », en 1883, le compare à Mahomet : « Mahomet est un précurseur de Victor Hugo. [...] Mahomet annonce aux Arabes qu'il est l'envoyé de Dieu, Hugo persuade aux Français qu'il est le phare de l'humanité. [...] Lequel des deux a fait les choses les plus étonnantes ? Il faut être juste et attribuer la palme à Victor Hugo. » Et sus à l'Infidèle et, par exemple, à « ce Lama imbécile » que stigmatise Léon Bloy dans *Le Pal,* le 4 mars 1885 : « ce Lama imbécile, dont personne n'ignore la pitoyable sénilité intellectuelle, la sordide avarice, le monstrueux égoïsme et la parfaite hypocrisie comme grand-père et comme citoyen ».

Il est curieux que ces sarcasmes (et nous avons oublié « l'enfant de chœur » d'Anatole France ou « le portier sonore » de Tailhade) aient été plus souvent cités que des formules tout aussi percutantes, mais en forme d'éloges. Pourquoi ne pas faire un sort à Baudelaire, voyant dans Hugo « un Œdipe obsédé par d'innombrables Sphynx » (article du 15 juin 1861) ? ou à Renan le comparant à « un Cyclope à peine dégagé de la matière » (article du 23 mai 1885) ? Sans doute la liste de tels hommages serait-elle plus vite faite. Nous pouvons remarquer en effet que ceux qui contribuent, malgré eux, à la gloire d'Hugo par l'application obstinée qu'ils mettent à l'attaquer, à le condamner, à dénoncer sa pernicieuse influence, sont pour la plupart des journalistes, des essayistes, des moralistes, des prosateurs, disons des rebutés de la poésie. Mais ceux qui, tout au long du siècle, ont voulu devenir à leur tour poètes, ont, dans leur immense majorité, chanté la louange d'Hugo et pas nécessairement dans le secret espoir de bénéficier de sa protection et de son prestige.

En juin 1840, Leconte de Lisle, alors âgé de vingt-deux ans, termine une de ses *Esquisses littéraires,* consacrée à une étude de Sheridan et de « l'art comique en Angleterre » par cette phrase apparemment sans aucun rapport avec son sujet : « L'Angleterre attend l'heure du réveil intellectuel ; mais la jeune France se glorifie à juste titre du génie régénérateur de Victor Hugo. » En 1842, Nerval conclut une brève pièce de vers « A Victor Hugo qui m'avait donné son livre du *Rhin* » par ce tercet :

« Moi, je sais que de vous, douce et sainte habitude,
Me vient l'enthousiasme, et l'Amour, et l'Étude,
Et que mon peu de feu s'allume à vos autels. »

En janvier de la même année, Banville, qui n'a pas dix-neuf ans, consacre à Hugo la troisième pièce du Livre III de ses *Cariatides* (et il ne fait le même honneur à aucun autre poète) :

« Sur ton front brun comme la nuit,
Maître, aucun fil d'argent ne luit
Et nul décembre sacrilège
  Ne met sa neige.
Pourtant, dans ton labeur sacré,
Tu te vois déjà vénéré,
O génie immense et tranquille,
  Comme un Eschyle. »

En 1843, Philothée O'Neddy, à trente-deux ans, est déjà depuis longtemps détourné de sa vocation de poète « frénétique » mais il reste un adorateur d'Hugo et il écrit, dans *La Patrie,* à propos de la reprise de *Lucrèce Borgia :* « Tout cela bouleverse l'âme, altère la pensée, glace les os, donne froid aux cheveux, arrête les pulsations du cœur, comme ferait le déploiement d'une vision biblique et le retentissement des malédictions d'un prophète du vrai Dieu. » Après la publication des

Contemplations, le mouvement de ralliement des poètes autour de l'exilé est éclatant : Banville échange avec Guernesey une correspondance abondante et il fait hommage à Hugo, en 1857, de l'édition de ses *Poésies complètes ;* Leconte de Lisle fait de même, en 1858, pour les siennes et Hugo le salue comme un des plus grands poètes du siècle ; en mars 1859, Mistral envoie à Hauteville House son poème *Mireïo* accompagné d'une lettre dithyrambique ; à l'automne de la même année, Baudelaire dédie successivement à Hugo *Les petites vieilles, Les sept vieillards* et *Le cygne.* Aussi Timothée Trimm, en présentant les *Chansons des rues et des bois* aux lecteurs du *Petit journal* (25 octobre 1865), peut-il écrire qu'Hugo a toujours été « discuté » mais qu'il est certainement « le poète des poètes ». En 1866, c'est le poète anglais Swinburne qui, dans la première série de ses *Poésies et ballades,* rend

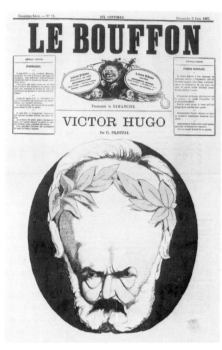

*André-Benoît Perrachon
Hommage aux poètes du siècle.* 1888 (cat. 230)
Dans le médaillon, les noms de Musset, Hugo et Lamartine
Lyon, Musée des Beaux-Arts

*Georges Pilotell
Victor Hugo* (cat. 81)
Le Bouffon, 9 juin 1867
Villequier, Musée Victor Hugo

un vibrant hommage à Hugo : « Toi, le premier des hommes et leur ami [...] ô le plus haut poète du cœur, tu es notre chef et seigneur, tu es seigneur et roi. » En juin 1867, à l'occasion de la reprise d'*Hernani,* quatorze jeunes poètes l'assurent de « leur respectueux attachement et de leur admiration sans bornes. » En août 1869, Banville publie ses *Trente-six ballades joyeuses,* dont la vingt-neuvième est la « Ballade de Victor Hugo, père de tous les rimeurs ». Le refrain (« Mais le père est là-bas dans l'île ») consacre l'image du « père Hugo » et, après que chaque strophe a illustré sa paternité sur les diverses écoles poétiques, l'envoi conclut :

> « Gauthier parmi ces joailliers
> Est prince, et Leconte de Lisle
> Forge l'or dans ses ateliers ;
> Mais le père est là-bas dans l'île. »

Trois ans plus tard, « le père » n'est plus « là-bas » mais « ici », et Banville affirme avec force dans son *Petit traité de poésie française* (1872) : « On est poète en raison directe de l'intensité avec laquelle on admire et on comprend ses œuvres titaniques. »

Cela restera-t-il vrai ? Verlaine, en 1881, dans un sonnet « A Victor Hugo », en lui envoyant *Sagesse,* ne s'associe pas au triomphe du poète qui fut célébré devant son domicile pour son entrée dans sa quatre-vingtième année, car, dit-il :

> « J'aime Dieu, son Église, et ma vie est de croire
> Tout ce que vous tenez, hélas, pour dérisoire,
> Et j'abhorre, en vos vers, le Serpent reconnu. »

Mais il conclut pourtant :

> « Or je sais la louange, ô maître, que vous doit
> L'enthousiasme ancien ; la voici, franche, pleine,
> Car vous me fûtes doux en des heures de peine. »

Charles Cros, pour sa part, s'associe joyeusement à la liesse populaire et écrit le 26 février 1881 : « Quatorze vers à Victor Hugo », repris dans *Le collier de griffes,* dont voici les deux derniers tercets :

« Ne craignons pas, rameaux en mains, musique en tête
De troubler son repos par la bruyante fête,
Puisque cet homme est bon, encore plus que poète,
Et comme, en souriant, toi seul tendais les bras
Aux vaincus poursuivis, traqués comme des rats,
Je crois, Victor Hugo, que tu nous souriras. »

Pourtant, en 1887, Jules Lemaitre croit pouvoir annoncer, dans son article : « Pourquoi lui ? », que « les jeunes poètes se détournent » d'Hugo : « Interrogez-les. Vous verrez que ceux qu'ils préfèrent, c'est Baudelaire et Leconte de Lisle et que leur véritable aïeul, ce n'est point Victor Hugo, c'est Alfred de Vigny. » Il est vrai qu'en 1891, Tristan Corbière, dans une strophe de la pièce « Un jeune qui s'en va » recueillie dans *Les amours jaunes,* semble bien irrévencieux pour :

« Hugo, l'homme apocalyptique,
l'Homme-ceci-tûra-cela
Meurt, gardenational épique !
Il n'en reste qu'un — celui-là ! »

Dans sa réponse à l'enquête de Jules Huret sur *L'évolution littéraire,* menée dans *L'Écho de Paris,* du 3 mars au 5 juillet 1891, Leconte de Lisle s'inquiète : « Hugo, jusqu'à Hugo qu'on veut déboulonner [...] Il n'est pas jusqu'au dernier des symbolistes qui, à l'exemple de Jules Lemaitre, ne s'ingénie à le représenter comme un simple Jocrisse ! » Pourtant, certaines réponses à la même enquête auraient pu le rassurer, comme celle de Pierre Quillard : « Hugo ? mais c'est l'ancêtre qu'on ne déracinera point et nous ne sommes pas complices de Jules Lemaitre, ni des attaques savantes et détournées d'Anatole France et de quelques autres esthètes. » D'ailleurs, Mallarmé lui-même, dans des pages publiées le 26 mars 1892 et reprises dans *Crise de vers,* marque bien que la radicale transformation survenue dans la poésie française ne signifie nullement méconnaissance et dédain de l'œuvre d'Hugo même : « Un lecteur français, ses habitudes interrompues à la mort d'Hugo, ne peut que se déconcerter. Hugo, dans sa tâche mystérieuse, rabattit toute la prose, philosophie, éloquence, histoire, au vers et, comme il était le vers personnellement, il confisqua chez qui pense, discourt ou narre, presque le droit à s'énoncer. [...] Le vers, je crois, avec respect attendit que le géant qui l'identifiait à sa main tenace et plus ferme toujours de forgeron, vînt à manquer, pour lui, se rompre. Toute la langue, ajustée à la métrique, y recouvrant ses coupes vitales, s'évade, selon une libre disjonction aux mille éléments simples. »

Mieux encore, le 15 juillet 1893, Adolphe Retté évoque, dans *La Plume,* le banquet de la jeunesse organisé un mois plus tôt en l'honneur de Victor Hugo : « C'est avec une profonde stupéfaction chez ceux qui, abusés, furent de bonne foi, avec un dépit mal dissimulé chez ceux qui propageaient la légende roublarde de notre haine contre le père Hugo, que fut accueillie l'idée de ce banquet où nous venons de proclamer notre admiration pour le grand lyrique. »

Cependant, en 1902, quand *L'Ermitage* organise à son tour une enquête sur le thème « les poètes et leur poète », beaucoup de réponses de poètes montrent combien ceux-ci sont exaspérés par les « préoccupations extra-littéraires » qui « se mêlent à l'hugolâtrie de l'heure présente » et par la façon dont « les universitaires ont accaparé ce mage gros de science et d'avenir » (réponse de Léon Bocquet). Il est curieux de voir alors quelques mesquins petits poètes reprendre à leur compte les rengaines de la critique. Fagus se méfie : « Victor Hugo, avocat avec indifférence de toutes les causes sonores, sous quoi, dénué de pensée réelle et de passion authentique, l'artiste se fait voir impur et incomplet, et, bénisseur et vindicatif, l'homme se fait voir petit. » Jules Viguier ironise : « Qu'on dise : '' M. Victor Hugo est toute la poésie et toute la pensée du XIXᵉ siècle '', cela est bien ; mais qu'on ajoute : '' Jules Verne en est toute la science ''. » Quant à Léon Bocquet, il croit peut-être se montrer original en dénonçant, pour se démarquer des « hugolâtres », « les exercices de rhétorique et les boniments antithétiques débités sous le masque d'un Ézéchiel, d'un prédicant ou d'un tribun ». Brutal et décevant retour à la case départ, mais Léon Bocquet, pas plus que Cassé de Saint-Prosper, ne nous ont laissé d'œuvres marquantes dans lesquelles ils auraient fait preuve de leur magistrale indifférence aux plats exercices de rhétorique.

Aimer Hugo

Après avoir ainsi effectué, sur près d'un siècle, le fastidieux parcours du jeu de l'oie de la critique, on serait tenté, au risque de passer pour un médiocre imitateur de vieilles figures de l'ancienne rhétorique, de parodier les pages, naguère célèbres, que Sainte-Beuve écrivit sur le thème « Aimer Molière, c'est... » Il paraît possible, en effet, après avoir renoncé à définir une périodisation claire et même à distinguer des traditions critiques idéologiquement marquées, de décrire quelques attitudes communes à ceux qui ont consacré, positivement, la gloire d'Hugo.

Aimer Hugo, c'est peut-être d'abord être resté jeune, car, comme le constate George Sand, en 1864, après avoir lu *William Shakespeare*, « Victor Hugo est resté le plus jeune de sa génération » : « Que de vers sublimes, que de prose magnifique, que de vigueur et d'abondance nous aurions perdues, s'il se fût laissé tout doucement vieillir. » Même ses détracteurs, s'ils ont su être jeunes un moment, où même le redevenir, ont aimé Hugo. Jules Lemaître fait cet aveu, au début de son terrible article sur *Toute la lyre :* « Je l'ai profondément et religieusement admiré dans mon adolescence et ma première jeunesse. Pendant dix ans, je l'ai lu tous les jours et je lui garde une reconnaissance infinie des joies qu'il m'a données. J'ajoute que c'est peut-être pendant ces dix années-là que j'ai eu raison. Mais nos âmes vont se modifiant... » Ainsi, Flaubert, quand il cède à ses inquiétudes de « propriétaire », trouve que *Les misérables* sont faits pour « la crapule catholico-socialiste », mais, une dizaine d'années auparavant, il écrivait à Victor Hugo : « Monsieur, vous avez été dans ma vie une obsession charmante, un long amour ; il ne faiblit pas. Je vous ai lu durant des veillées sinistres et, au bord de la mer, sur des plages douces, en plein soleil d'été [...] Votre poésie est entrée dans ma constitution comme le lait de ma nourrice. Tel de vos vers reste à jamais dans mon souvenir, avec toute l'importance d'une aventure » (lettre du 15 juillet 1853).

Aimer Hugo, quand on fait partie du beau monde et qu'on écrit pour le Tout-Paris, c'est avoir gardé le sens de la générosité et la reconnaître dans les œuvres du poète, pourvu qu'on les lise directement sans prendre conseil auprès de ceux qui écrivent pour ce même milieu mondain et le mettent en garde contre tous les fallacieux artifices de l'auteur. Ainsi Madame de Girardin n'accepte pas qu'on rejette les romans et les poèmes d'Hugo comme immoraux et factices. Contrairement à bien des lecteurs de son rang, elle ne juge pas Hugo moins recommandable que Lamartine. Dans sa *Lettre parisienne* du 30 novembre 1838, elle dresse un long parallèle entre les deux poètes romantiques et elle résume ainsi la leçon d'Hugo :

« Cette étude de l'âme humaine dans les monstruosités les plus hideuses, cette découverte de la beauté dans la laideur, cette recherche de la perle divine dans tous les fumiers humains est un généreux et sublime travail. [...] Tous les hommes sont frères par l'âme. Voilà ce que Victor Hugo nous a démontré dans toutes ses œuvres ; bien loin de jeter le mépris sur ces êtres misérables que le crime, la honte et le ridicule ont proscrits, il vous apprend à les plaindre comme des victimes, alors que vous les poursuivez comme des parias. »

Aimer Hugo, ce n'est pas veiller attentivement au strict respect du dogme, que l'on soit catholique ou socialiste, mais être sensible à une certaine qualité d'humanité. Curieusement, près d'un demi-siècle après Mme de Girardin, c'est un hommage analogue que *La Revue Socialiste* rend à Hugo dans une chronique signée du pseudonyme « Almaviva » : « Le Titan littéraire qui s'est éteint dans une traînée de gloire touche au socialisme par sa pitié intellectuelle pour les faibles, par sa haine tenace du despotisme, par son culte de la liberté et de l'humanité, par son « ... obstination farouche d'être doux ». [...] Nos troubles politiques le virent toujours parler de clémence aux vainqueurs [...] Hugo, abstraction faite de son indestructible monument littéraire, sera surtout l'homme de la clémence, de la douceur et des réformes sociales ; c'est par là que le XXᵉ siècle le comptera comme l'un de ses plus illustres précurseurs » (6 juin 1885).

Aimer Hugo, c'est quand on lit dans ses poèmes les mots *Justice, Amour, Idéal, Liberté, Droit,* ne pas faire comme Faguet qui ne reconnaît là que des mots, ni comme Lafargue qui demande qu'on se défie de ces aguichantes « grues métaphysiques », mais, par delà les divisions partisanes, faire plutôt comme Michelet qui, en 1862, détaché de ses sympathies romantiques des années 30, écrit cependant à Hugo : « Vous êtes bon. Là nous communions. Là est la solide racine de notre éternelle amitié : la pitié et l'horreur du sang, le grand amour de l'homme, la foi au monde qui nous vient à pas lents. »

Aimer Hugo, c'est, quand on s'est soi-même engagé hardiment dans le combat pour une société plus juste, avoir, comme Clovis Hugues, apporté dans cette lutte assez d'enthousiasme poétique pour entendre l'appel d'Hugo et se prendre d'émulation avec lui. De sa prison, en 1873, le militant de la Commune de Marseille dédie « à Victor Hugo (son) maître » un long poème, *Les intransigeants,* et, le 3 juin 1877, il écrit dans *La Jeune République :* « Victor Hugo est plus qu'un poète : il est le poète. Comme force, il crée son siècle ; comme résultat, il est créé par lui ; le génie peut se définir ainsi : la collaboration d'une époque et d'un homme à l'œuvre du progrès éternel. Hugo écrit ses impitoyables satires comme Danton signait ses décrets : en aimant. »

Retenons pour finir un singulier témoignage de ce rayonnement d'Hugo. Des deux côtés du globe, deux rochers se répondent : sur l'un, à Guernesey, Hugo écoutait l'océan, rêvait et inventait ; sur l'autre, en Nouvelle-Calédonie, face à un autre océan, une autre exilée, Louise Michel, condamnée à la déportation pour sa participation à la Commune de Paris, avait gravé « pour les cyclones » une strophe de la pièce II,2 des *Châtiments :* « Au peuple », celle qui s'achève par ces vers :

« On voit traîner sur toi, géante République,
  Tous les sabres de Lilliput.
  Le juge, marchand en simarre,
    Vend la loi...—
  Lazare ! Lazare ! Lazare !
    Lève-toi ! »

Il y a juste cent ans, Louise Michel, écrivant ses *Mémoires,* rapporte ce souvenir après avoir rappelé sa fidèle admiration pour Hugo : « Tout enfant, j'ai envoyé des vers à Victor Hugo ; je lui en ai envoyé toute ma vie, sauf depuis le retour de Calédonie. Pourquoi faire ? Le maître était fêté par tous, même par ceux qui, autrefois, étaient loin de le fêter. » Mais, en apprenant que Maxime du Camp, « pourvoyeur des tueries chaudes ou froides », doit prononcer un discours sur la tombe d'Hugo, elle laisse éclater son indignation, « criant de la prison, comme les morts crieraient s'ils sentaient à travers le néant, à travers la terre : « Arrière les bandits ! Salut au barde qui maudissait les bourreaux. »

Aimer Hugo, ce n'est donc pas nécessairement aimer indifféremment tous ses semblables.

R. F.

Le XXᵉ siècle

L'arbre vous plaît à l'heure où la hache le fend.
V. H.

Des sondages dans l'étendue considérable de la critique de Hugo au XXᵉ siècle imposent immédiatement quelques remarques[4].

Du côté des spécialistes : critique de l'œuvre ou enquête sur l'homme ?

On observe d'abord que la critique biographique, que Nicole Savy décrit *supra* et sur laquelle nous ne reviendrons pas, en constitue une large proportion — la moisson des derniers jours de 1984, auxquels nous avons arrêté nos investigations (trois biographies, dues à Alain Decaux, Hubert Juin et Jean-François Kahn) est significative à cet égard. Cette proportion reflète sans doute, au travers des besoins de l'édition, l'intérêt éprouvé par le public, et elle n'a rien qui surprenne : prêtant la parole à un « je », lyrique, souvent autobiographique, se retournant sur elle-même dans des mouvements de récapitulation, instaurant par l'exemple une nouvelle attitude de l'individu dans l'histoire, l'œuvre de Hugo suscite l'envie de connaître l'homme. Cette envie n'est que partiellement pertinente ; Hugo sujet écrivant se désignait souvent par les mots « l'auteur », « celui qui trace ces lignes » ; ce sujet-là n'est pas exactement défini par les activités sexuelles ou mondaines de « Totor » ou de « M. Victor Hugo », mais bien par les « lignes tracées ». Quoi qu'il en soit, la critique s'est beaucoup consacrée à la biographie de Hugo et les spécialistes de l'homme ne furent généralement pas spécialistes de l'œuvre, tandis que les spécialistes de l'œuvre étaient nécessairement amenés à intégrer à leur critique des éléments de biographie. Ce phénomène est d'autant plus important que la biographie a pu servir à disqualifier l'œuvre par l'homme (on songe aux travaux d'Edmond Biré ou à la *Tragique existence de Victor Hugo* (1937) par laquelle Léon Daudet concluait trente ans de discours sur l'homme-œuvre), et qu'il a fallu attendre des biographies positives ou neutres pour que la critique non-spécialiste réexamine le cas Hugo : le *Victor Hugo par lui-même* d'Henri Guillemin (1951) et l'excellente biographie due à André Maurois, *Olympio ou la vie de Victor Hugo* (1954), furent les meilleurs artisans du renouveau critique d'après-guerre.

Du côté des non-spécialistes : lire ou trancher ?

Entre l'œuvre et le critique non-spécialiste de Hugo, diverses instances font écran ; c'est le sort que subit tout œuvre « classique », mais, s'agissant de Hugo, ces instances ne sont pas indifférentes : qu'on ait pu si longtemps écrire « le père Hugo » (dernière occurrence : *L'Express,* 7-13 décembre 1984), expression aussi désinvolte que *familière*, en est un signe. Mais d'où vient cette familiarité ? Qui a fait lire Hugo aux critiques de notre siècle ?

D'abord la France, propriétaire du Panthéon. L'antirépublicain ou l'individualiste de tradition risquent donc de sourire avant de lire. Et puis la famille, car, très souvent, les livres de Hugo sont déjà dans la maison. C'est son père qui initie l'enfant Colette (*Sido*, « Le Capitaine ») ; c'est sa mère qui pose *Les contemplations* sur la table de « Jean Santeuil » ; et « Victor Hugo le multiple nichait sur tous les rayons à la fois » dans la cage originelle des *Mots*. Cet enracinement (tout ensemble ou contradictoirement) public et privé de l'œuvre hugolienne n'est sans doute pas étranger au caractère passionné de la critique de ce siècle : le lecteur de Hugo fut moins appelé à lire qu'à trancher par rapport à la tradition, favorable ou défavorable, de son milieu. Par ailleurs l'adulte a pu déduire de ses enthousiasmes d'enfant que Hugo fait partie de la littérature enfantine ; pour un Georges Piroué que ses souvenirs ont fait réfléchir (« Je me souviens d'une soirée. Mon père lisait Les misérables... », *Victor Hugo romancier*, 1964), combien de Fernand Divoire qui disent « préférer ne pas le relire » de peur d'être désillusionnés (*Les Nouvelles Littéraires*, 23 avril 1927). Hugo est le poète de ceux qui relisent, disait Gide.

Troisième instance de transmission, l'école qui, dès avant notre siècle, a « enseigné » Hugo, non sans refléter les différends idéologiques de la collectivité et les humeurs des individus enseignants. Le critique n'a jamais tout-à-fait oublié l'image de Hugo qu'on lui a donnée, quitte à la dépasser ou à la détruire selon les rapports qu'il entretient avec sa propre éducation. « Les beaux vers de Boileau, ce ne sont pas les professeurs de rhétorique qui nous les ont signalés, c'est Victor Hugo », notait Proust dans la préface de *Sésame et les lys* (1905), et Pascal Pia, dans un article de 1970 (*Romanciers, poètes et essayistes du XIXe siècle*, 1971) : « il m'a fallu des années pour surmonter la répulsion que m'avait inspirée le Hugo scolaire. [...] voici longtemps que j'ai cessé de résister au Hugo dont [...] ».

Officiellement donc, « tout le monde » a fait lire Hugo à ces adolescents bien élevés qui deviennent critiques ou écrivains. Mais la lecture ainsi obtenue n'installe-t-elle pas plus de « résistance » aux textes (pour reprendre le mot de Pia) que de réelle familiarité ? Tout au long du siècle, ceux qui connaissaient l'œuvre de Hugo ont été surpris des ignorances de leurs interlocuteurs ; ainsi Pierre Louÿs, vers 1914, obligeant tous les détracteurs qu'il rencontrait à lire de près quelques textes (témoignage de Fernand Gregh dans *Les Nouvelles Littéraires,* 23 avril 1927), André Breton et Louis Aragon, en 1921, convertissant leurs amis dadaïstes en une nuit de lecture collective (Aragon, *Hugo poète réaliste,* 1952), ou André Gide, vers 1942 : « Il m'avoua ne connaître de Hugo presque rien... » (*Anthologie de la poésie française*, 1949).

Bien des universitaires peuvent témoigner que l'immense majorité des bacheliers d'aujourd'hui ne connaît « presque rien » non plus de l'œuvre du prétendu poète national, cette ignorance collective se manifestant ensuite par l'infime proportion de « mémoires de maîtrise » et, *a fortiori,* de thèses consacrées à Hugo. Cocteau n'avait peut-être pas tort de juger que la « gloire » qu'on lui faisait était une façon de se débarrasser d'une œuvre qui demandait un effort de réflexion : « Il va de soi que Hugo représente le type de génie dont les peuples se déchargent par une transformation de la personne en boulevards, rues et places » (*Le cordon ombilical,* 1962).

L'existence de ces relais entre l'œuvre et le lecteur a produit divers effets. L'œuvre y a gagné un genre particulier de « rayonnement littéraire » car des images et des rythmes hugoliens ont été gravés dans la mémoire de tous les écrivains — comme le montrent les citations qui affleurent dans leurs écrits intimes, et comme ils l'ont souvent avoué (« Hugo m'a appris à parler », se rappelait Éluard en1952). Mais elle a aussi été victime d'une réduction, d'une focalisation sur certains textes qu'on dirait canoniques, élus on ne sait par qui, arbres cachant les forêts, par exemple *Booz endormi* dont on trouve cent appréciations, de Barrès à Pérec (à travers le « Booz assoupi » de *La disparition* en 1969), en passant par Péguy et Proust. La scolarisation de Hugo a peut-être aussi eu pour effet, singulièrement à partir de 1970, le goût unanime de la critique non-spécialiste pour les à-côtés de l'œuvre, dont l'école est supposée ne pas parler : les correspondances amoureuses, les dessins, les voyages, les *Choses vues*...

La haine et le piétinement

La critique de Hugo est la plus passionnée qui soit, comme en témoigne l'emploi, naguère encore banal, des mots « hugolâtre » et « hugophobe ». Ces mots signifient qu'il y eut un culte officiel et des critiques qui s'y opposèrent violemment, des gens qui aimaient Hugo et d'autres pas ; mais ils eurent fonction d'injure et signifiaient aussi que l'admiration des uns était considérée par les autres comme une hérésie de bas étage (« -lâtre ») et que l'hostilité des autres était considérée par les uns comme une réaction incontrôlable (« -phobe »). Il semblerait ainsi que l'œuvre de Hugo ait sollicité des régions de l'individu où sont ancrées la foi et la répulsion. Comme le remarquait Valéry en 1935 : « On prétend que Victor Hugo est mort [...]... Mais un observateur impartial en douterait. Hier encore, on s'attaquait à lui comme à un simple vivant. On essayait de l'exterminer. C'est là une grande preuve d'existence. »

La critique hugophobe traite en effet le plus souvent Hugo en contemporain, se refusant à intégrer à ses jugements des paramètres historiques et lui reprochant des caractéristiques d'écriture qu'elle passe volontiers, par contre, à Lamartine, à Balzac, ou à tel autre écrivain romantique qu'elle lui préfère.

Une critique ainsi immobilisée dans le présent de la haine est naturellement sourde : au long du siècle, l'admiration ou les savoirs des uns n'ont jamais convaincu les autres. Tel méprise Hugo au nom de Rimbaud sans remarquer que la « lettre du voyant » salue *Les misérables* ; tel le dénigre au nom de Baudelaire sans tenir compte de ses *Réflexions sur quelques-uns de mes contemporains* et malgré les précisions apportées par Léon Cellier dans son *Baudelaire et Hugo* (1975). Un autre ne craint pas d'écrire, au mépris de l'histoire littéraire : « Il n'a jamais suscité ni raffermi la vocation d'aucun écrivain notable » (*L'Express,* 7-13 décembre 1984). Des bribes de savoirs erronés et des affirmations dès longtemps réfutées réapparaissent toujours, l'exemple le plus caricatural de ce phénomène étant peut-être l'*Hugoliade* d'Ionesco parue en 1982. Ce texte, publié en roumain en 1935-1936, se référant abondamment à Maurras et Léon Daudet, se situait alors, innocemment ou non, parmi les attaques lancées contre les symboles culturels de la démocratie ; de plus cette « Vie grotesque et tragique » s'estimait alors fondée sur de doctes études, notamment, précisa Ionesco en 1982, sur « les trois ou quatre livres de E. Biré » — négligeant donc les corrections apportées aux travaux de Biré par quarante ans de critique spécialisée. Et c'est ainsi qu'on a retrouvé dans les librairies de 1982 les idées que Biré avait émises en 1883 et l'Action française serinées autour de 1930 : un siècle de piétinement.

De tels ressassements, de telles complaisances aux mythes hostiles rendent infaisable une histoire exactement chronologique de l'image critique de Hugo. Ses modifications ne sont pas intégrées par la critique défavorable, et ne le sont qu'avec retard par la critique favorable ou indifférente de la presse.

Trois courbes pour une histoire

Il n'y aurait pas une histoire de la critique de Hugo en ce siècle à faire, mais trois. Celle de la critique non-spécialiste, celle de la critique spécialiste, et celle de ceux qui sont à la fois non-spécialistes par leurs savoirs, et spécialistes par leur état : les créateurs. Le cloisonnement n'est évidemment pas sans fissure : il arrive qu'un créateur (Proust) recueille d'un spécialiste (Stapfer) un savoir qu'il fait sien (l'érudition de Hugo) ; qu'un organe non-spécialiste (*Europe*) recourre à un spécialiste (Denis Saurat) ou à un créateur (Vercors) ; et qu'un spécialiste (Jean Masin) insère l'opinion d'un créateur (Michel Butor) dans son entreprise (l'édition chronologique des *Œuvres*). Cependant les trois espèces de critique n'ont pas les mêmes visées, et les ondulations de leurs courbes ne sont pas aisément superposables.

La critique non-spécialiste. C'est elle qui intéresse au premier chef la « gloire » de Hugo car elle a fait le climat culturel des époques successives. L'œuvre de Hugo affichant des opinions politiques, cette critique fut politiquement déterminée. La violence des dénigrements et l'enthousiasme des approbations se sont ainsi modulés selon la pression historique. Du côté droit, le triomphe de la république (1902) et la montée du fascisme (1934) furent des moments de fièvre pour la critique hostile (qui s'en prit à Hugo, soit individuellement, soit en tant que monstre sacré du *romantisme*) ; la désillusion de la première après-guerre (1922) fut pour elle un moment de plénitude ; la défaite du nazisme et de ses collaborateurs, le déshonneur officiellement attaché dans les années suivantes à l'intelligentsia compromise, la radiation par l'Académie française des plus hugophobes de ses immortels, tout cela fit disparaître l'hugophobie de choc des colonnes des périodiques. Du côté gauche, le cinquantenaire de 1935 fut placé sous le signe de la vigilance antifasciste et du Front populaire, et le cent-cinquantenaire de 1952 sous celui de la Résistance. (L'urgence historique fut même telle, pendant les deux guerres, que l'œuvre de Hugo, sans plus de relais critique, y retrouva directement la parole : Romain Rolland en témoigne pour la première guerre — « Le vieux Orphée » — et Aragon pour la seconde — « Hugo vivant »). La critique non-spécialiste ne fut pas seulement inféodée aux conflits idéologiques, elle se fit aussi l'écho de la mode littéraire.

La critique des créateurs. C'est elle qui importe le plus, qualitativement du moins, à la « gloire » de Hugo. Elle peut être manifestement conforme à des convictions idéologiques : nul ne s'étonnera de l'aversion d'André Salmon ou de Montherlant, de l'hommage de Romain Rolland ou d'André Malraux (voir par exemple ses *Oraisons funèbres*). Mais chez les créateurs, la frontière ne passe pas seulement entre la droite et la gauche ; celui qui disait dans *William Shakespeare* « l'utilité du Beau » et s'exclamait qu'« un service de plus est une beauté de plus ! », devait s'attirer les mépris de tous ceux pour qui « tout ce qui est utile est laid » — et l'adhésion, gauche et droite mêlées, d'un certain nombre de ceux qui pensent que la littérature tire à conséquences collectives : adhésion de Barrès, admiration de Péguy et d'Aragon, salut complice de Céline. Au-delà de ces clivages idéologiques ou pratiques, les créateurs ont porté sur Hugo des jugements de connaisseurs qui savent ce qu'est le choix d'un mot (éloge de Proust) ou la perfection intouchable d'un vers (hommage de Valéry) ; de ce fait, comme on l'observe lors des enquêtes que la presse a faites auprès d'eux, les écrivains dont le nom allait passer à la postérité ont généralement émis des opinions plus favorables que ceux dont le nom est aujourd'hui perdu. Les variations du jugement des auteurs ont également dépendu de leurs programmes d'école littéraire (l'admiration des surréalistes est comme une récupération esthétique) ou simplement de leur place dans la succession des générations : ils mirent Hugo au purgatoire tout le temps qu'il leur fallut se défendre de son influence (et là aussi la question de Hugo est liée à la question plus vaste du romantisme). « Voici que nous favorisons le retour, parmis nous, d'un écrivain de première grandeur dont l'éclat indiscret, la pesante influence tinrent ébloui, maîtrisé, un demi-siècle de littérature française. La prose elle-même crut n'en point réchapper, tant que le lyrisme énorme de Victor Hugo l'obséda », écrivait Colette en 1938 (repris dans *La jumelle noire*). Achevé en 1938, ce processus de réintégration nous semble avoir été amorcé vers 1923-1924 par le ralliement de Valéry et des surréalistes.

La critique des spécialistes. Son histoire est facile à faire car elle a progressé d'une moindre à une plus grande connaissance, à travers l'accumulation des enquêtes biographiques et historiques, le dépouillement des inédits, la datation des textes, l'édition de plus en plus savamment commentée des œuvres. Cela ne signifie pas qu'elle ait été à l'écart du mouvement général des idées (vers 1925, à l'heure où l'irrationalité intéressait les intellectuels, plusieurs hugoliens se passionnèrent pour les étrangetés du poète ; en 1943, il fut psychanalysé...) ni qu'elle puisse prétendre à plus de neutralité idéologique qu'un autre discours : au début du siècle, son parti pris de savoir valait un refus d'adhérer aux préventions réactionnaires ; quant au renouveau des études hugoliennes, dont l'édition chronologique de Jean Massin est le monument, il s'est amorcé dans la foulée de la Libération.

Quarante ans de connaissances

Toute lecture dépendant des éditions, il faut d'abord rappeler l'immense travail que fut l'édition des *Œuvres complètes* par l'Imprimerie nationale. Pour chaque œuvre, l'éditeur donnait une étude du manuscrit (variantes, inédits et reliquat) et des notes (notice historique et revue de la critique). C'est Paul Meurice qui a publié les trois premiers volumes en 1904-1905. A sa mort, Gustave Simon prenait la relève en publiant vingt-quatre volumes de 1906 à 1914, puis deux volumes en 1924 et 1927. Cécile Daubray achevait l'entreprise en donnant douze volumes de 1933 à 1942. Ces *Œuvres complètes* firent connaître une masse énorme d'inédits, particulièrement *Choses vues* en 1913, *Mille francs de récompense* en 1934, *Océan* et *Tas de pierres* en 1942. Leurs éditeurs avaient été précédés dans leur travail par Maurice Souriau pour l'édition critique de la Préface de *Cromwell* (1897) et par Paul et Victor Glachant pour le commentaire des manuscrits des pièces de théâtre (1902-1903) ; et ils ne l'avaient pas mené à terme que déjà des érudits procuraient des éditions critiques approfondies pour *Les contemplations* (Joseph Vianey, 1922), *La légende des siècles* et *Châtiments* (Paul Berret, 1921-1927 et 1932), ainsi que pour les contributions de jeunesse à *La Muse Française* et au *Conservateur Littéraire* (Jules Marsan, 1920-1921 et 1922-1928).

Jusqu'aux années 20, il semble que la critique savante se soit essentiellement posé trois questions : mais d'où cela sort-il ? pourquoi est-ce si beau ? comment est-ce pensé ?

Un de ses premiers soins fut en effet de cerner l'identité culturelle du poète, par la comparaison, le jeu des sources et des influences. Paul Stapfer avait commencé en étudiant la « ressemblance entre Rabelais et Victor Hugo » (1884)[5] et le jugement que Hugo portait sur Racine (1886), puis, dans *Victor Hugo et la grande poésie satirique en France,* les rencontres de Hugo et de d'Aubigné (1901). L'abbé Claudius Grillet se penchait sur *La Bible dans Victor Hugo* (1910), montrant ce qu'avaient de biblique le lyrisme et l'épopée hugoliens et jugeant que la « rhétorique des prophètes » avait nourri la satire politique chez Hugo, mais avait aussi causé, quand il en avait « abusé », sa « décadence littéraire ». Peu après que Christian Maréchal eut montré ses premières années créatrices comme une « période de lutte, d'amour et d'ascension dans la foi » à l'ombre de Lamennais (1905), l'abbé Pierre Dubois étudiait ses origines religieuses en montrant qu'il ne s'était jamais véritablement converti au catholicisme (*Victor Hugo, ses idées religieuses de 1802 à 1825* ; et *Bio-bibliographie de Victor Hugo*, 1913). Samuel Chabert et Amédée Guiard montraient en 1909 et en 1910 ce qu'il y avait de virgilien dans sa perception et sa description de la nature, ainsi que dans son approche des mythes antiques. Et tandis qu'Eunice Morgan Schenck étudiait *La part de Nodier dans la formation des idées romantiques de Victor Hugo* (1914), Léon Séché, par de très précieuses enquêtes de biographie intellectuelle sur les *Muses romantiques* (1910) puis sur le *Cénacle de Joseph Delorme (1827-1830)* (1913), précisait ses rapports avec les poètes et les artistes de sa génération. De son côté, l'abbé Auguste Rochette tâchait de classer *L'Esprit dans les œuvres poétiques de Victor Hugo* (1911), le jugeait inclassable et regrettait que « Victor Hugo ait parfois laissé Pégase pour enfourcher la monture de Sancho ». Des réflexions se développèrent d'autre part dans la direction ouverte par Léon Mabilleau qui avait défini en 1893 le génie spécifique de Hugo comme un travail sur la perception et l'image, donc sur les formes et le « mouvement du style ». En 1904-1905, Edmond Huguet publiait deux études sur « les métaphores et les comparaisons chez Victor Hugo » : *Le sens de la forme* et *La couleur, la lumière et l'ombre*. En 1915 André Joussain, s'attachant à la mise en œuvre littéraire de la peinture et de la vision, consacrait une thèse importante au *Pittoresque dans le lyrisme et dans l'épopée* hugoliens. La révolution métrique de Hugo était explorée par Gustaf Aae qui s'intéressait à l'emploi du trimètre (1919) et par l'abbé Rochette qui étudiait l'alexandrin (1911). De tous ces travaux, un lecteur soucieux de distribuer à Hugo de bons et de mauvais points pouvait conclure que c'était un poète travailleur qui s'était développé dans la culture chrétienne et avait su s'intégrer les grandes œuvres de la littérature et les innovations de son siècle, un poète de l'image, « plus artiste encore que poète » (pour Joussain), et un musicien qui avait libéré la puissance émotive de la langue française. Généralement hugophiles, ces savants formulaient parfois des affirmations propres à alimenter l'hugophobie : « C'est l'image, c'est le verbe, c'est le mot, écrivait Stapfer, qui seul a engendré toutes les théories religieuses, politiques, sociales, morales et littéraires de Victor Hugo ». Mais rares étaient les trissotins haineux ; citons pourtant l'exemple de Jacques Boulenger s'employant à montrer en 1904 que Hugo, étant « incapable de penser », n'avait rien compris à Rabelais. Imbu de rationalité, le début du siècle lui cherchait en effet querelle sur le terrain de l'« intelligence » et voulait qu'un poète eût une « pensée » articulée, traduisible et résumable.

Le *Victor Hugo, le philosophe* de Charles Renouvier (1900) fut longtemps l'ouvrage de référence (et la cible des hugophobes) dans ce domaine. Renouvier décrivait la « pensée » de Hugo en en montrant les faiblesses par rapport aux systèmes philosophiques, les paradoxes et les simplifications, mais aussi l'organisation dualiste et les bases solides : Hugo criticiste « quand il y pense, nous voulons dire quand la croyance à l'immortalité de la personne, à la personnalité divine, à une loi providentielle autre que le développement des vertus immanentes de la Chose, l'oblige à revenir aux idées de liberté et de devoir ». Inconscient de ses emprunts divers aux philosophies existantes, il transfigure par le mythe l'électisme de sa pensée ; mettant en œuvre des symboles dans lesquels les personnifications ordinaires du langage se recherchent en réalité, il « possède l'imagination des anciens mythographes et des premiers philosophes ». C'est cette activité de mythographe « primitif » que Paul Berret, qui fut l'universitaire hugolien le plus écouté de sa génération étudia de près. Sa *Philosophie de Victor Hugo (1854-1859)* démêlait des influences diverses (Leroux, les saint-simoniens, le spiritisme) et montrait comment le poète avait exprimé une partie de ses idées sous forme de mythes dans *La légende des siècles,* en précisant les sources de deux mythes du progrès, « Le Satyre » et « Pleine mer — Plein ciel » ; il complétait ses recherches l'année suivante en étudiant *Le moyen âge dans La légende des siècles et les sources de Victor Hugo.*

Dans les années-tournant de l'entre-deux-guerres, entre 1923 et 1928, la critique des œuvres de Hugo atteignait une sorte d'âge adulte, tout en s'enrichissant de directions nouvelles. Ce mûrissement n'était pas seulement l'effet du temps qui passe. Les études de sources, les enquêtes biographiques permettaient de recomposer une première image objective de Hugo — tandis que la documentation continuait de s'accumuler, qu'il s'agît de documents, de témoignages, d'études sur l'entourage de Hugo (Pierre Dufay faisait connaître Eugène Hugo en 1924, Louis Barthou continuait avec le Général Hugo en 1926 le travail sur inédits qu'il avait fourni avec *Les amours d'un poète,* Louis Guimbaud, jusque là spécialiste des maîtresses du poète, s'intéressait en 1930 à sa mère...), de mises au point biographiques (deux *Jeunesse de Victor Hugo* paraissaient en 1928, dues à Edmond Benoît-Lévy et à André Le Breton), ou de bilan politique (la *Vie politique de Victor Hugo* de Pierre de Lacretelle paraissait en 1928 sans parvenir à faire oublier le *Victor Hugo, homme politique* (1907) de Camille Pelletan dont la compréhension était plus sympathisante, puisque Pelletan avait été journaliste au *Rappel* avant d'être ministre de Combes).

Cette maturité de la réflexion sur l'œuvre s'est manifestée dans le *Victor Hugo* (1927) que Paul Berret donna sitôt finie son édition de *La légende des siècles,* dans ceux d'André Bellesort (1929) et de Fernand Gregh (1935), qui avait commencé dès 1901 sa carrière de poète-hugolien. Elle se manifestait aussi par une vague de monographies sur les œuvres : le travail de Le Breton sur *Les misérables* en 1924, celui de Maurice Levaillant sur la *Tristesse d'Olympio* en 1928, et, la même année, celui de Guimbaud sur *Les orientales,* celui de Benoît-Lévy sur *Les misérables* en 1929, celui de Marc Blanchard sur *Marie Tudor* en 1934, celui d'Henri-François Bauer sur les *Ballades* en 1935, sans oublier, la même année, les conclusions de Paul Berret sur *La légende des siècles.* Sur les marges de cette critique tranquille, en 1922, à l'heure où l'hugophobie maurrassienne lançait ses plus violents assauts, naquit autour de Gustave Simon le projet d'une Fondation Victor Hugo, qui mobilisa de nombreux hugoliens et se concrétisa en 1927. Cette Fondation dota la Sorbonne d'une chaire Victor Hugo, dont Gregh prononça le 2 février 1927 la conférence inaugurale, et qui fut d'abord occupée par Le Breton, puis, à partir de 1929, par Georges Ascoli. Cette Fondation a assuré la publication de plusieurs thèses ainsi que de l'*Essai sur Victor Hugo* du poète autrichien Hugo von Hofmannsthal traduit en 1937 par Maria Ley-Deutsch, auteur de recherches sur

« le Gueux chez Victor Hugo » (1936). Dans les mêmes années, une curiosité nouvelle attira les hugoliens vers les aspects obscurs ou hermétiques de l'aventure intellectuelle et morale de Hugo. L'attention jusque-là tournée vers les recueils d'avant l'exil ou vers *La légende des siècles* glissait à présent vers *Les contemplations* et les posthumes, *Dieu* et *La fin de Satan*. Le spiritisme avait déjà intéressé les savants (voir Paul Berret, *Revue des Deux Mondes*, 1922), à l'heure où Gustave Simon publia les procès-verbaux des séances de tables tournantes, facilitant ainsi l'accès à un nouveau champ de réflexion. En 1929 paraissaient *Victor Hugo spirite* de l'abbé Grillet et *La religion de Victor Hugo* de Denis Saurat. Tandis que les commentaires de Claudius Grillet trahissaient un peu les réticences d'un abbé, Denis Saurat prit la question totalement au sérieux. Gommant l'image que Renouvier avait donnée de Hugo philosophe, il reconstituait en un système cohérent la « nouvelle religion » que Hugo avait imaginée à l'écoute de la « Bouche d'ombre » ; il démêlait ainsi des thèmes occultistes (sur lesquels Auguste Viatte allait revenir en décrivant « le milieu d'où Victor Hugo tire ses idées » — *Victor Hugo et les illuminés de son temps*, 1942) ; il mettait surtout en circulation l'image d'un poète franc-tireur de la métaphysique, esprit « à la taille du Cosmos ». Ce moi sans bornes allait inspirer à Marcel Raymond un remarquable essai sur « Hugo mage » (*Génies de la France* », 1942) et devenir sous la plume de Gabriel Bounoure une « sombre conscience cosmique en qui se révèle la totalité de l'être », car « il a conçu la conscience humaine comme la nature à l'état sublimé, et la nature comme la conscience à l'état perdu et aveugle » (*Abîmes de Victor Hugo*, 1936). Ce Hugo « voyant » sur lequel insiste la critique d'avant-guerre (voir aussi Léon Emery, *Vision et pensée chez Victor Hugo*, 1939) est intégré autrement que le Hugo-1900 dans l'histoire littéraire ; il n'est plus associé à Lamartine et Vigny ; Marcel Raymond le place avec Nerval dans cette lignée qui mène ensuite « de Baudelaire au surréalisme » (1933) et Albert Béguin, étudiant le romantisme comme une ouverture à l'imaginaire *L'âme romantique et le rêve*, 1937), fait des « poèmes mythiques » de Victor Hugo une des « trois œuvres capitales qui sont à la source de toute la poésie moderne » avec *Aurélia* et *Les fleurs du mal*.

Quarante ans d'hugophobie

On ne saurait comprendre l'hugophobie ambiante de la première moitié du siècle si l'on ignore l'énorme attirance que *L'Action Française*, fondée en 1908 par Charles Maurras exerça sur les intellectuels. La condamnation de Hugo par Maurras était politique : « Protestantisme, criticisme, romantisme, démocratie, hugocratie, toutes ces étrangetés se tiennent » (« La Journée de Victor Hugo », 1901) ; maître du romantisme et « père » de la république, Hugo lui semblait responsable de la décadence de la France ; mais était-il même français ? » Il y a une « France éternelle », une culture proprement française à défendre [...] contre le charme des particularités de Victor Hugo » (*Ibid.*). Il lui semblait impossible d'admettre qu'un vers de Hugo puisse être aussi beau qu'un vers de Racine, ou même de Lamartine, jugé plus proche d'Horace, c'est-à-dire du vrai. Même dans ce qu'il considérait comme les meilleurs recueils, ceux de 1830-1840, il se disait « choqué par on ne sait quelle hâblerie de l'accent » (« Protozoaire ou vertébré. A propos de Victor Hugo », 1901). Il formula ses griefs « littéraires » contre Hugo dès avant 1902 dans des articles qui furent repris dans *Barbarie et poésie* (1925), puis, au moment du Centenaire dans des articles rassemblés en recueils en 1922 et 1927, puis dans *Romantisme et révolution* (1922) qui est le condensé de l'anti-romantisme de la droite militante. En voici la théorie :

La « Réponse à un acte d'accusation » est au principe d'un « corps d'idées fausses aussi inhabitables par l'esprit humain que pernicieuses et funestes au genre humain. [...] liberté divine du Mot, liberté souveraine du Citoyen, égalité des thèmes verbaux ou des éléments sociaux, vague fraternité créant le « droit » de tous et leur droit à tout » (*Romantisme et révolution*). Cette liberté est la cause du « désastre infligé à la pensée et à l'art », chez Hugo mais aussi par les parnassiens, les décadents et les « mallarmistes » qui en sont les héritiers (« Protozoaire ou vertébré ». Car libérer l'imagination, c'est l'« asservir à la matière pure » (« Le Jour des morts », 1896) ; reconnaître dans le mot un « être vivant » condamnait le romantisme à l'irrationalité, au mensonge, à une tyrannie du souffle et du son, à un « charabia pittoresque » où les mots, « étant à la fois signes et choses signifiées », « s'émancipent de tout espèce de sens » (« Trois romantiques », 1896). De plus,

« encanaillant » l'art pour séduire un public élargi, Hugo fut « celui dont les moyens, un peu voyants, correspondaient le mieux à la rusticité des nouveaux lecteurs » (« Le Centenaire de Hugo », 1902), d'autant que, sans rien inventer, il privilégiait dans la description de l'homme le laid et le stupide, préférait « Thersyte » à « Ulysse » (*Romantisme et révolution*).

Ces thèses furent diffusées en particulier par la thèse-pamphlet de Pierre Lasserre (*Le romantisme français*, 1907) ; lors de sa soutenance, le jury émit les plus fermes réserves sur le sérieux de l'ouvrage, face à un public de maurrassiens — rumeur de bataille rangée qui fit acheter le livre, réédité en 1908 et 1919. Après avoir présenté la philosophie de Rousseau comme un « nihilisme » de « détraqué » et avoir dénoncé les « sentiments romantiques » comme ayant mené à la « désorganisation des mœurs », Lasserre exécute Hugo : voici Hugo condamné, par son incapacité à penser, à multiplier les figures de rhétorique, mené par « l'instinct de révolution » à inventer une humanité monstrueuse de « forçats sublimes » et de « saltimbanques métaphysiciens », Hugo « emphatique » et « mélodramatique » par « impuissance psychologique », Hugo digressif par incapacité à ficeler un drame...

Plus lu encore fut Léon Daudet. Ayant connu le « père Hugo » et divorcé de Jeanne Hugo, possédant le génie de la diffamation, Léon Daudet a fourni à l'hugophobie maurrassienne la caution du « vécu ». Certes, il affirme que Hugo fait partie de la grande culture française (*Le monde des images*, 1919), mais, ce vague hommage rendu, il ne manque pas une occasion de l'attaquer. Ce peut-être par le biais du « souvenir » (*Fantômes et vivants,* 1914), ou bien encore à l'occasion d'une théorie de « l'inconscient héréditaire », dit « hérédisme », où l'on apprend que le « moi hugothique » est « ravagé par l'instinct génésique », « véritable bric-à-brac héréditaire, où il y a de tout : de la vanité, de la peur, de l'hypocrisie, du relief, [...] de la truculence, de la gourmandise, même de la goinfrerie auditivo-visuelle : goût des allitération, [...] des jeux d'encre sur le papier, etc. » (*L'Hérédo*, 1916). Daudet a surtout diffusé le mythe de la « bêtise » et de l'« insincérité » de Hugo ; voici le raisonnement, tiré du *Stupide XIXᵉ siècle. Exposé des insanités meurtrières qui se sont abattues sur la France depuis 130 ans* (1922) : certains critiques ont soutenu qu'il y avait du romantisme chez les classiques, par exemple chez Corneille, mais « c'est idiot, le Romantisme ne consiste pas dans une certaine impétuosité [...] du langage. Il consiste dans le désaccord d'une pensée pauvre et d'une expression riche, et dans la débilité du jugement, qui fait tantôt de la pitié, tantôt de la colère [...] la règle forcenée de l'univers et du style. On conçoit qu'un tel déséquilibre mène rapidement à l'insincérité, puisque la comédie de la sensibilité, ou de la sensualité, devient indispensable à quiconque veut émouvoir continûment, sans être ému lui-même, ou au-delà de sa propre émotion. [...] Il n'y a pas de plus grand Tartuffe que Victor Hugo ». Prétendant connaître sa biographie, Daudet y insiste dans « Victor Hugo ou la Légende d'un siècle » (1922) ou dans *La tragique existence de Victor Hugo* (1937). Tartufferie que ses poèmes familiaux : il trompait sa femme ! Fumisterie que ses épopées de l'âme : ce n'était qu'un gros mangeur !, etc. Daudet n'a vu de sincérité que dans les poèmes arrachés à Hugo par le deuil, l'exil politique et « l'amusement » : les « Pauca meae », *Châtiments, L'art d'être grand-père, Les chansons des rues et des bois* (« Victor Hugo grandi par l'exil », 1929).

L'hugophobie maurrassienne connut aussi des formes plus courtoises chez des critiques lettrés. Ceux-là ont surtout travaillé à montrer que le romantisme n'a rien inventé. Par exemple Daniel Mornet explique doctement dans *Les Nouvelles Littéraires* en 1927 que les idées de la préface de *Cromwell* sont très « banales », ayant traîné chez des esthéticiens du XVIIIᵉ siècle, et ne sont au demeurant que des « rêves », puisque Hugo a lui-même rarement mêlé le sublime et le grotesque dans ses drames, qu'« *Hernani* n'est qu'une carcasse de tragédie classique transposée dans un décor romantique », et que « les recueils lyriques de Victor Hugo n'étaient pas beaucoup plus romantiques que ses drames ». Hugo ne dut donc de sortir du rang qu'à sa « combativité » de « chef ». Pour sa part, Thierry Maulnier affirmait : « La place de Lamartine, de Hugo, de Vigny, de Musset dans l'histoire de la poésie française ne tardera pas [...] à apparaître ce qu'elle fut réellement, c'est-à-dire extrêmement mince. Ils n'apportèrent rien de nouveau dans la poésie [...] et s'attribuèrent la qualité de romantiques par un véritable abus de vocabulaire » — si bien qu'il ne sauvait qu'un vers de *La légende des siècles* dans son *Anthologie de la poésie française* (1939), ce que Mauriac jugeait « stupide »

(*Journal*, 1939) mais que Brasillach considérait comme une « savoureuse plaisanterie » (*Les quatre jeudis*, 1944). Ce maurrassisme bien élevé intimidait les critiques de la grande presse au point qu'ils n'osèrent formuler leur admiration ou leur plaisir autrement que selon le schéma « je sais bien que... mais tout de même... ». Ainsi, pour le centenaire d'*Hernani*, Gérard d'Houville dans *Le Figaro* (« Cette histoire inouïe n'a probablement ni queue ni tête, mais qu'est-ce que ça fait... ») ou Henry Bidou dans le *Journal des Débats* (« tout cela se retrouverait sans peine de Corneille aux derniers successeurs de Campistron », mais le vieux contenu est « versé dans un vase nouveau [...] d'une ciselure qu'on n'avait point vue ») reprenaient comme allant de soi les affirmations des hugophobes héritiers de Brunetière.

L'hugophobie ambiante plaça en effet les amateurs de Hugo en posture de contradicteurs. Le cas de Proust est à cet égard exemplaire : sa défense de Hugo passe par une satire des hugophobes. C'est M. de Charlus qui oppose Racine et Hugo (*A l'ombre des jeunes filles en fleurs*) ; c'est la marquise de Villeparisis qui croit détruire la gloire des écrivains romantiques par le rappel de détails biographiques (*ibid.*). Le Narrateur laisse à penser qu'il faut être aussi anachronique que Mme d'Argenton pour crier à la « laideur » (*Le côté de Guermantes*) et que le parti maurrassien de privilégier les œuvres d'avant l'exil, soutenu par la duchesse de Guermantes, relève du préjugé (*ibid.*). Pour lui, le temps a déjà versé Hugo dans ce trésor des « classiques » où il « voisine avec Molière » (*A l'ombre des jeunes filles en fleurs*). Aux poèmes d'avant l'exil où « Victor Hugo pense encore », il préfère les œuvres postérieures où il « se contente, comme la nature, de donner à penser » ; certes, ces « pensées » d'avant l'exil sont déjà « inassimilables à ces vers qu'on peut découvrir chez un Corneille », car leur « romantisme » « pénètre jusqu'aux sources physiques de la vie, modifie l'organisme inconscient et généralisable où s'abrite l'idée (*Le côté de Guermantes*) ; mais ces premiers livres sont au « vrai » Hugo ce qu'est la « Prière d'Élisabeth » aux *Maîtres chanteurs* (*La prisonnière*) ; et peu importe le « disparate » de la construction des grands recueils : « l'unité » « rétroactivement » imposée par l'écrivain est une « beauté nouvelle » (*ibid.*). Proust a également pris le contrepied des poncifs maurrassiens en faisant remarquer « l'érudition » de Hugo quant « à la légitimité » des mots qu'il choisissait (Préface de *Sésame et les lys*, 1905), en montrant de « combien de précision de détail » est faite « la beauté de loin si vague et si générale » de ses textes : « ces mots exacts sont comme les clous précieux qui fixent immuablement la trame du style » (« Un Professeur de beauté », 1905). Proust n'en tomba pas moins une fois, « A propos de Baudelaire » (1921), dans la critique à la Sainte-Beuve et dans la complaisance pour son ami Léon Daudet ; tout en affirmant qu'on ne saurait trouver « dans toutes *Les fleurs du mal* » « une pièce égale » à *Booz endormi* (le poème que le Narrateur récitait à Albertine à la fin de *La prisonnière*), il glisse des reproches d'origine biographique (« Hugo n'a cessé de parler de la mort, mais avec le détachement d'un gros mangeur... ») ou d'implication idéologique (Hugo ne savait pas parler « du peuple » aussi bien que Baudelaire) ; c'est à peine s'il ne le qualifie pas de « faiseur » : « Victor Hugo fait toujours merveilleusement ce qu'il faut faire. »

Parmi les diverses nuances de l'hugophobie, il convient aussi d'évoquer l'hostilité des catholiques « triomphalistes ». Par exemple l'abbé Théodore Delmont qui part en guerre en 1902 dans son *Centenaire de Victor Hugo* contre les tenants de « la libre pensée, de la Franc-maçonnerie, du laïcisme » et de « la littérature rationaliste et impie ». « Penseur médiocre et dévoyé », Hugo ne lui semble valoir que pour ses premiers recueils ; pour le reste, « on sait que c'est après avoir lu les *Châtiments* et ce vers : « Tu peux tuer cet homme avec tranquillité » que Caserio est venu à Lyon assassiner le président Carnot » — ce qui, comme le remarque Pierre Albouy (*opus cit.*), rappelle Veuillot rendant ce vers complice de l'attentat d'Orsini et suppose que ni Veuillot, ni Delmont n'ont lu « Non » (*Châtiments*, III, 16). A la même lignée appartient la « Digression sur Victor Hugo » que Claudel publia en 1928. Fulmination déconcertante aux yeux d'une postérité qui le rapproche souvent de Hugo ! Après cinq pages haineuses sur le faciès de Hugo tel que le sculpta Rodin, il écrivait que « le sentiment le plus habituel à Victor Hugo », est « *l'épouvante*, une espèce de contemplation panique », qui a fait de sa vie une nouvelle « course d'Oreste » atteint par « les premiers symptômes de la folie », et qui a donné à ses vers « l'accent inhumain de l'épileptique et du ventriloque ». La foi de Hugo dans le progrès ? Il n'a réalisé « qu'un seul détail du jardin à venir, c'est la meilleure utilisation des vidanges pour l'agriculture ». Hugo religieux ? « La Religion sans religion de Victor Hugo, c'est quelque chose comme [...] le topinambour qui est le parent pauvre de la pomme de terre ». Hugo n'a donc pas vu Dieu, « mais personne n'a tiré tant de choses de cette ombre que fait l'absence de Dieu ». Et Claudel d'imaginer à plaisir un « Victor Hugo polynésien », voyant abject, sculptant une « brebis Epouvante » pour les « besoins idolâtriques d'une multitude d'obscurcis ». Et c'est à Hugo que l'on devait les « balbutiements de l'imbécillité » qui caractérisaient les années 20 : « cette fin n'est autre que le terme fatal de toutes les religions de la nature, c'est l'anti-nature, [...] c'est Sodome... ». Semblable exécration surpasse même celles de Veuillot, que Claudel louait, il est vrai, « d'avoir raison, toujours ». Nous avons vu *supra* qu'au même moment des universitaires d'Église critiquaient Hugo avec plus de bienveillance. Quant à Claudel, il n'en a pas démordu, manifestant en 1947, dans *Le Figaro*, sa satisfaction de ce que les occupants allemands ont débarrassé Paris de la statue de Victor Hugo, et déclarant en février 1952 : « Le temps n'a fait qu'accentuer mes réserves » (*Liberté de l'Esprit*).

Des hugophiles à droite

Certaines exceptions interdisent de prétendre que l'image de Hugo ait toujours été noircie du côté droit. Celle de Barrès, tout d'abord, dont le prestige fut si grand en son temps. Il prononça publiquement l'éloge de Hugo le 19 mars 1908 à la Chambre et le 2 mars 1919 en Sorbonne, demandant qu'on fasse une « union sacrée » de l'admiration, car « il a passé au milieu de nous comme un fleuve qui [...] recueillait et mêlait toutes les sources de notre sol et tous les nuages de notre ciel ». Ses convictions l'inclinaient à faire de Hugo un usage patriotique, mais surtout il voulait qu'on cessât de traiter « ce contemplateur » « comme un mort de la veille » sur qui nous renseignent les journalistes malicieux capables « d'interprétations basses » ; « on a raison d'écouter sa voix comme une voix primitive », apte « à rendre sensibles d'innombrables fils secrets qui relient chacun de nous à la nature entière », aux « secrets du passé » et aux « énigmes du futur » nature entière », aux « secrets du passé » et aux « énigmes du futur » (« Funérailles de Victor Hugo », 1897, repris en 1908). Dans ses *Cahiers* (publiés de 1929 à 1936), son rapport à Hugo était si intime qu'il avouait écrire *Les déracinés* en songeant aux *Misérables* et qu'il associait Hugo aux vertus de l'origine lorraine, voyant en lui une « rencontre du génie latin et du génie germanique », un « fils de Virgile » capable de peindre « comme Claude Gellée » « le mystère en pleine lumière ». Il célébrait la « musique de sa prose et de ses vers », louant particulièrement « l'immense clavier sonore » des dernières œuvres, admirant la faculté de ne pas « donner aux mots leur sens tout court » et ressentant la même « vénération » devant le vocabulaire hugolien que « devant le dictionnaire de la langue française ». L'acuité du regard de Hugo fascinait également Barrès : « Son imagination vigoureuse, rassasiée d'avoir des vues sur le monde des sens, en a pris sur le monde surnaturel. Ce conquérant a fini en mystique » (*Les maîtres*).

Un « génie naturellement mystique » : c'est ainsi que Péguy définissait Hugo dans *Victor-Marie, comte Hugo* (1910). Ce livre, complexe parce que Péguy y joue un jeu serré entre ses anciens amis dreyfusistes et ses nouveaux alliés nationalistes, est le lieu d'une impossible conciliation qui engage plus Péguy lui-même que l'œuvre de Hugo, ou qui, du moins, engage profondément la compréhension de Hugo dans le conflit intellectuel et idéologique d'alors. Avec pour épigraphe « A moi, comte, deux mots. », ce livre tend à dominer un débat qui consistait (on l'a vu *supra*) à opposer des termes : Corneille-Racine/Hugo, classicisme/romantisme, ordre/désordre, christianisme/hérésie... Pour Péguy les lignes de partage, telles qu'on les trace quand on est « peuple » et qu'on a « quarante ans », ne passent pas où l'on croit. Il n'y a pas de sentiments qui soient dominés et classiques ou bien irrationnels et romantiques ; un sentiment « romantique », « mené à un degré supérieur de culture » devient « classique », comme Barrès le disait dans son *Adieu à Moréas* que Péguy cite pour conclure. La ligne de partage ne passe pas non plus entre « ordre » et « désordre », mais entre « ordre » et « ordonnance », c'est-à-dire qu'il faut opposer Corneille et Hugo d'une part, à Racine de l'autre. Et puis le christianisme de Corneille et le paganisme de Hugo apportent la même révélation ; dans *Polyeucte* ou dans *Booz endormi*, la sainteté est « éternellement de provenance temporelle », « de production charnelle ». Hugo est semblable aux « plus grands poètes de l'antiquité païenne », mais son « don de voir la création comme si elle sortait ce matin des mains du créateur » ressemble à une grâce.

Le second livre hugolien de Péguy, *Clio*, intègre sans cesse l'exemple de Hugo dans une réflexion sur l'histoire comme « vieillissement ». Le « vieillard » y est opposé au « vieux », l'archéologique au légendaire et au populaire, l'histoire historique à la mémoire chroniqueuse, et Hugo figure chaque fois dans le deuxième terme de l'opposition, élu par Péguy. Ainsi s'inscrivent des notations sur *La légende des siècles*, des développements sur l'inusable jeunesse du regard poétique, sur *Châtiments* (« le plus grand tambour qui ait battu dans le monde et qui ait roulé depuis le commencement du silence du chœur antique »), sur *Les Burgraves* et sur la longévité de Hugo que Péguy envie d'avoir représenté tout un siècle « en relief », et plus d'un siècle par le relais de Napoléon. *Victor-Marie, comte Hugo* et *Clio* se développent sur une exaltation patriotique et républicaine (« O drapeau de Wagram !... ») et reprennent ou font mine de reprendre quelques-uns des griefs de la critique hugophobe : Hugo « faiseur », Hugo vulgaire, Hugo génie que « parasite » la politique et que « gâte » le talent ; mais ces deux livres sont empreints d'une profonde sympathie et sont pleins de pistes de réflexion (« Il y aurait une thèse à faire, dit l'histoire... ») ; et surtout ils contiennent les plus étonnantes explications de texte qu'on ait imprimées, « car ce que nous venons de faire, mes pauvres enfants, ce n'est jamais qu'une analyse »... mais il fallait le talent de Péguy pour faire bien comprendre les réussites, « pleines de chance », des rimes, des rythmes, des audaces (Jérimadeth — J'ai rime à -dait) et des ruptures.

L'éclipse et la guerre

Dans son ensemble, la littérature de pointe de la Belle Époque prenait ses distances vis-à-vis de Hugo, avec d'autant plus d'agacement, peut-être, que le grand public, quant à lui, faisait fête « aux insanités néoromantiques des Richepin, des Rostand et des Sardou » (R. Rolland), que l'on considérait comme ses héritiers. Sur les 125 poètes qui répondirent en 1902 à la question de *L'Ermitage*, « Quel est votre poète ? », 93 répondirent « Hugo » ; dans les commentaires dont ils assortissaient leurs votes, revenaient les noms de Vigny (48), Verlaine (47), Lamartine (46), Baudelaire (44), Musset (37), Leconte de Lisle (21), Mallarmé (14)... Hugo triomphait, mais les commentaires étaient sévères. Si Paul Fort répondait laconiquement « Hugo », que de commentaires contournés dont la réponse de Gide, « Hugo, hélas ! », est le résumé ! Si ce mot fit fortune, c'est sans doute qu'il reflétait le « conflit intérieur » éprouvé devant une question qui ne séparait pas « la sensibilité littéraire du jugement intellectuel », comme écrivait Rémy de Gourmont (*Épilogues*, 1905). « Hugo... » répondait avec Gide la « sensibilité littéraire », « ... hélas ! » ajoutait le critique pris sur le fait de trahir ses engagements esthétiques ou idéologiques. La réponse de Gide est d'autant plus représentative de cette époque que, personnellement, il n'a cessé de lire Hugo avec admiration jusqu'à sa mort, comme le montrent son *Journal* et son *Anthologie de la poésie française*. Les 33 réponses faites à la question posée par Fernand Divoire dans *Opinion* en 1909 (« Quelle influence estimez-vous qu'Hugo a encore sur l'œuvre des jeunes, sur la vôtre ? ») manifestaient encore un recul. 20 disaient que Hugo exerçait une influence indéniable (5 s'en félicitaient, 5 spécifiaient qu'il s'agissait d'une influence au second degré, *via* les symbolistes, ou bien de cette influence qu'exerce nécessairement un classique), 7 niaient absolument être sous influence, 6 regrettaient que cette influence puisse s'exercer : « Il est des morts qu'il faut qu'on tue » ; Paul Fort répondait « Hugo-Fort ever », André Salmon par des poncifs hugophobes sur la « bêtise » de Hugo et sa parenté avec Béranger, Paul Reboux que c'était de la littérature pour la jeunesse (on se souvient de Reboux pour ses pastiches, parmi lesquels un pseudo-Hugo, « Colo-le-nain », 1925) ; trois poètes de feue l'Abbaye, Arcos, Mercereau et Vildrac, répondaient, sans dénigrer Hugo, que les voies de la littérature avaient changé. En effet cette avant-guerre lisait Baudelaire, Verlaine, Rimbaud ou Mallarmé ; et elle s'interrogeait sur le roman plus qu'elle n'en produisait. La plus célèbre de ses interrogations, « Le Roman d'aventure » de Jacques Rivière (*N.R.F.,* 1913), propose une esthétique du « distinct » et du « séparé », choisissant Bruegel contre Monet, Bach contre Wagner... et le « classicisme » contre le « romantisme », accusé d'être non seulement « un art démodé « mais « un art inférieur, une sorte de monstre dans l'histoire de la littérature », et dont les œuvres « font vibrer une certaine fibre grossière » par « un je ne sais quoi d'abrupt et de magistral » qui « se ramène toujours à un certain manque d'*application* » : « les vides du dedans, l'absence de transitions, le défaut de peuplement intérieur donnent à l'œuvre cet aspect violent et bousculé qui est la façade de l'œuvre de génie ». En attendant de pouvoir « s'appliquer » selon des modèles français, Rivière propose de suivre Dostoïevski.

Ceux-là mêmes qui étaient des héritiers de Hugo ont participé à ce mouvement de refus ; l'itinéraire de Romain Rolland, tel qu'il l'a raconté dans « Le Vieux Orphée » (*Europe*, 15 juin 1935) est significatif à cet égard. Il a passé sa jeunesse loin de Hugo, étant pris par Renan, puis par l'éblouissement du roman russe, Tolstoï, Dostoïevski. Dans ses premiers articles, de la *Revue d'Art Dramatique,* il n'a parlé de Hugo qu'à l'occasion et « de haut, en quelques mots dédaigneux ». Pourtant « sans qu'[il] y songeât », « l'idée du « Théâtre du peuple » et « les premiers de [son] cycle de drames de la Révolution » sortaient de « ce Corneille pour populo » qu'il avait vu jouer en 1882 : une adaptation de *Quatrevingt-treize*. Il fallut la guerre pour le ramener à Hugo.

A cette heure, les clercs de l'« union sacrée » inféodaient la culture aux besoins de la propagande : le « Victor Hugo patriote » de Jules Lemaitre, publié dans *Les Annales* le 5 juillet 1914, tombait à point, et, à l'autre bout du conflit, le livre d'Albert Fua, *La voix de Victor Hugo dans la guerre mondiale* (1920), anthologie patriotique, nous montre ce que put être, pendant cinq ans, l'usage public des citations du poète. Par contre, ceux qui demeuraient « au-dessus de la mêlée », se souvinrent que Victor Hugo avait fondé le Congrès de la Paix : « ses Appels grandiloquents à l'humanité, dont on souriait, aux temps où fleurissaient dans le potager le dilettantisme et le positivisme, prirent leur sens révolutionnaire et héroïque, après que [...] les Cavaliers de l'Apocalypse eurent passé ». Les pacifistes européens ont relu Hugo pendant la Grande guerre et félicitaient Rolland d'avoir repris son flambeau (voir la « Lettre sur Romain Rolland » de Frederick van Eeden en 1915) — « et ce sera plus tard mon plus beau titre de gloire », confiait Rolland à son *Journal*. Cette relecture entraîna une révision du jugement : « ce n'était plus seulement la grande musique de Hugo qui nous exaltait ; c'était la pensée profonde et la foi, nouvellement révélée, des *Contemplations* » de *La fin de Satan* et de *Dieu* (« Le vieux Orphée »).

Les années-tournant et la réapparition

1923 : L'heure de la Victoire était passée, la désillusion s'installait avec la crise monétaire ; *Romantisme et révolution* et *Le stupide XIXᵉ siècle* venaient de paraître ; l'abbé Brémond se prononçait *Pour le romantisme*, préludant à la querelle de la « poésie pure » ; l'édition de l'Imprimerie nationale reprenait ; Gustave Simon publiait les tables tournantes. C'est aussi en 1923-1924 que des poètes reconstituaient sans le savoir une sorte de front hétéroclite pour la gloire de Hugo. Certains d'entre eux, nés vers 1870, étaient académiciens ou presque : Anna de Noailles qui publiait une « Apologie pour Victor Hugo » en juin 1923 dans *Les Nouvelles Littéraires*, Henri de Régnier qui, en août, réalisait *Ruy Blas* pour la *Revue des Deux Mondes*, et Paul Valéry qui donnait en octobre une conférence à Londres. « L'idée m'est venue, ce soir-là — écrivait-il à Paul Souday, le grand critique hugophile du *Temps* — de considérer la production de Hugo dans son progrès technique, qui fut incessant. Cette intention m'a conduit nécessairement à parler des deux facteurs de ce progrès, — longévité et puissance de travail. Par sa longévité, Hugo a eu le temps de multiplier ses expériences, et de profiter merveilleusement de celles de ses disciples, ce qui est excessivement remarquable ». Le XIXᵉ siècle est désormais assez loin pour que Valéry le dessine en perspective, avec Hugo dominant l'horizon : « Pour le *mesurer*, il suffit de rechercher ce que les poètes [...] ont été *obligés* d'inventer pour exister auprès de lui. Le problème capital de la littérature, depuis 1840 jusqu'en 1890, n'est-il pas : Comment faire autre chose que Hugo ? ». Ce point de vue qui paraissait neuf en 1923 n'était guère que le développement du sixième paragraphe de la *Crise de vers* de Mallarmé (1892 — « Monument en ce désert, avec le silence loin… «). Valéry poursuivait sa démarche l'année suivante en réfléchissant sur la « situation de Baudelaire » ; il avançait que les deux poètes sont « complémentaires », l'auteur des *Fleurs du mal* ayant « recherché ce que Victor Hugo n'avait pas fait » ; Baudelaire lui semble atteindre au « *charme continu* », cependant que Hugo a écrit des « vers auxquels aucuns vers ne se comparent », *La corde d'airain, Dieu, La fin de Satan* et « A Théophile Gautier » atteignant « le plus haut point de la puissance poétique et de la noble science du versificateur ». La même année, des poètes nés vers 1890 reconnurent un autre Hugo. Dans la préface de son *Libertinage*, prenant le « parti du mystère et de l'injustifiable » et célébrant la méthode du « flou », Aragon lui rendait hommage : « Cette impuissance d'*abstraire*, j'accepte qu'elle qualifie le romantisme ; qu'elle explique à ceux que mes goûts inquiètent, que j'aime Victor Hugo, Émile Zola et Henry Bataille ». Quelques mois plus tard, Breton lançait le *Manifeste du surréalisme* où, après la définition du terme, se trouvaient quelques exemples permettant de le cerner, parmi lesquels : « Hugo est surréaliste quand il n'est pas bête ». Bien des facteurs motivaient sans doute ce repérage généalogique, l'admiration personnelle (voir la lettre d'André à Simone Breton du 5 septembre 1920), une certaine fermeté politique dans un climat de réaction (« Je fais ici l'apologie du flou et non celle du compromis », préface au *Libertinage*), mais surtout une nouvelle compréhension de Hugo, relu à travers Rimbaud, « voyant »...

Hugo réapparaissait aussi un peu plus tard dans un autre secteur de la littérature vivante, où le roman psychologique et bourgeois était violemment contesté (secteur délimité par : le projet de littérature prolétarienne autour d'Henri Barbusse, 1928, *Mort de la pensée bourgeoise*, d'Emmanuel Berl, 1929, *Nouvel âge littéraire* d'Henri Poulaille, 1930, *La maison du peuple*, 1927, *Les conquérants*, 1928, *Hôtel du Nord*, 1929, *Voyage au bout de la nuit*, 1932).

Pour ces intellectuels, le souvenir de Hugo était présent. Tous ne se tournaient pas vers lui avec respect : les marxistes orthodoxes partageaient encore les opinions exprimées par Paul Lafargue en 1885, Emmanuel Berl jugeait que le romantisme, « contre-révolutionnaire », a « mené droit au triomphe fasciste de 1851 », *(Mort de la pensée bourgeoise)*. Mais ces attaques étaient rares ; communément le nom de Hugo revenait sous leur plume comme un symbole, avec ceux de Zola et Tolstoï ; ainsi dans *Monde,* en 1930, Jacques Baron rappelait aux écrivains « les grandes leçons d'Hugo et de Zola », et Georges Altman « relisant *Les misérables* », y voyait la preuve qu'une œuvre peut servir la cause du peuple et être complexe, mêler réalisme et poésie.

Pour le public le plus large, la réapparition de Hugo se fit, au fil des célébrations, dans des articles fournis à la grande presse par des critiques lettrés ou des universitaires. A partir de celui que Marie-Jeanne Durry donna sur *Bug-Jargal* au *Figaro* en 1926, la critique reparcourut l'œuvre de Hugo à pas de centenaire : 1927, la préface de *Cromwell*, fin 1928 — début 1929, *Les orientales*, 1930, *Hernani*, 1931, *Notre-Dame de Paris*, 1932, *Claude Gueux*, 1933, *Lucrèce Borgia* et *Marie Tudor*, 1935, *Angelo*, et, cette démarche se poursuivant au-delà du Cinquantenaire, 1937 « Tristesse d'Olympio », 1938, *Ruy Blas*. 1927, 1930, 1935, 1938 furent des moments forts de cette remontée. En 1927, l'éditorial que Maurice Martin du Gard écrivait pour le numéro spécial d'hommage à Hugo des *Nouvelles Littéraires*, avait le ton d'une contre-attaque ; y participaient Anna de Noailles, F. Gregh, P. Souday, J. Delteil, G. Picard, R. Escholier, F. Lefèvre, A. Thibaudet, A. Aulard, Ed. Benoît-Levy, P. Bost, L. Buzzini, L. Guimbaud, L. Treich ; il contenait une enquête auprès des écrivains contemporains, qui manifestait que Hugo était devenu un classique, relu avec plaisir par la plupart d'entre eux, avec une préférence pour les *Contemplations,* les poèmes religieux et le théâtre. C'est aussi en 1927 que Julien Benda, dénonçant *La trahison des clercs,* rappelait que Lamartine, Michelet, Hugo étaient des clercs qui ne trahissaient pas. En 1930, le centenaire du romantisme confondu avec celui d'*Hernani* intéressa un très large public : « Après avoir honni et vilipendé le romantisme pendant près de vingt ans, [...] les intellectuels, en1930, témoignent pour son Centenaire d'un engouement de prime abord surprenant. [...] une foule de gens s'attendrit sur les manuscrits [...] à la Bibliothèque Nationale ; vingt écrivains font à Carnavalet des conférences où l'on refuse du monde, et il n'est guère de théâtre « sérieux » où l'on ne reprenne ces temps-ci Musset, Hugo, Dumas et Mérimée », remarquait un critique, d'ailleurs hostile (Stephan Priagel, *Monde*, 1930). L'anniversaire d'*Hernani* avait été préparé par les universitaires — *La Revue Hebdomadaire* échelonna sur les quatre premiers mois de 1929 la publication du cours d'André Bellesort — et la trentaine d'articles consacrés à l'*Hernani* de la Comédie-Française étaient en général admiratifs, quoique alourdis de préjugés divers.

1935 : la haine, l'hommage et la vigilance

L'atmosphère restait cependant si fraîche qu'en mars 1934, *La Critique Littéraire* publiait un extrait du *Victor Hugo* de F. Gregh où celui-ci se demandait si l'œuvre de Hugo n'allait pas subir « l'inique et triste aventure infligée à Ronsard ». Comme le regrettaient Francis Ambrière (dans le *Mercure de France*) et Émile Henriot (dans *Les Annales*) en 1935, le cinquantenaire commença en 1934 par un assaut hugophobe. Georges Batault, déjà auteur d'un *Problème juif*, publiait *Le pontife de la démagogie* où il vitupérait ensemble Hugo « pénétré d'influences juives » et la République accusée de mener la France à sa perte avec ses idées tout entières tirées des vaticinations de Guernesey. Claude Farrère, qui n'était pas encore académicien mais qui était déjà ami de Mussolini, saluait ce pamphlet dans *Gringoire* en accumulant calomnies et sottises : *Les misérables* étaient immoraux, le fameux vers déjà incriminé par Veuillot et Delmont, était cette fois responsable de la mort de Barthou, Hugo était un imbécile, lâche, verbal, « prestidigitateur de rimes, et c'est tout ». L'attaque fit tant de bruit qu'A. Thibaudet dut démontrer dans la *N. R. F.* que Hugo était « intelligent », « penseur » et « lucide » et que G. Ascoli consacra la séance inaugurale de son Cours Victor Hugo à donner une *Réponse à quelques détracteurs de Victor Hugo* (publiée en 1935 ; en toute logique historique, en 1944, G. Ascoli mourut à Auschwitz). Cette attaque se poursuivit toute l'année dans *Candide*, *L'Action Française* (par les soins de Daudet et de Brasillach) et *Je Suis Partout* (sous la plume de Batault). Quand Raymond Schwab proposa dans *Les Nouvelles Littéraires* en mars 1935 de « sortir Hugo de la cave » pour lui donner une tombe sur laquelle on pourrait enfin aller se recueillir (« Ce sera un acte symbolique. Depuis vingt ans, une intimidation intellectuelle s'est développée contre lui, à ce point que les jeunes professeurs de lycée n'osent plus le nommer que pour faire rire la classe... »), *Je Suis Partout* répondit qu'il fallait effectivement vider le Panthéon de son « illustre vermine ».

Cette passion dérangea pourtant assez peu la sympathie dont la presse populaire entoura la célébration et l'hommage que la France intellectuelle rendit à Hugo — sur un fond de cérémonies officielles dont la gauche regrettait le peu d'ampleur. A la question posée par Gaston Picard dans *Les Nouvelles Littéraires* (« Qu'avez-vous lu de meilleur de Hugo ? Qu'avez-vous lu de plus mauvais ? ») les écrivains répondirent sans animosité et de manière variée. Rares étaient ceux qui le rejetaient dans le passé, comme André Suarès et Max Jacob « désirant de pas répondre » car « il y a eu le siècle Hugo, le siècle Baudelaire, nous vivons le siècle Apollinaire ». Certains étaient enthousiastes comme Lucien Descaves et Roland Dorgelès (qui répondaient « de meilleur ? Tout », « de pire ? Rien »), certains étaient hugophiles comme Tristan Bernard et Henri Barbusse (qui citait des beautés mais ne voyait au pire que du médiocre), d'autres tranchaient dans la prose comme Philippe Soupault (« de mieux ? *Choses vues*, « de pire ? *Les travailleurs de la mer* »), Eluard détournait la question (« de Mieux ? Tout », « de pire ? Tout, car j'ai tout oublié »), Céline préférait *Châtiments*, « mais le pire ? Il n'est plus là pour se défendre ! Tout le monde peut y aller ! » (Céline, qui pensait avoir le génie de la « légende », avait projeté en 1933 de développer à sa manière un sujet traité par Hugo, et, en 1959, ne rêvait pas plus belle publicité qu'un « panneau où l'on proclamerait que j'ai l'âme du style et le style de l'âme ; que je suis à la fois Victor Hugo et Rabelais »).

Les éloges vinrent de toutes parts. Le plus ambigu fut celui que Claudel publia dans *Les Nouvelles Littéraires* : sans se déjuger mais à la lumière, cette fois, de « cette épopée magnifique et si confuse appelée *Les misérables* », il affirmait que « l'instinct propulaire ne s'était pas trompé » car il était bon que fût « incorporée à la patrie » la vertu d'« indignation » qui rend cette œuvre « triomphale » (« Sur Victor Hugo »). Des politiques lettrés, Edouard Herriot dans *Marianne* et Léon Blum dans *Le Populaire*, célébraient l'œuvre du poète. Léon-Paul Fargue publiait dans *Les Nouvelles Littéraires* l'hommage le plus joyeux qu'on ait rendu à un Hugo « Père Noël » de la littérature du XXᵉ siècle : « c'est le tableau électrique de la poésie moderne avec toutes ses manettes » (« Le vieux dieu »). Dans *La Revue de Paris* Albert Thibaudet chicanait un peu plus son admiration ; s'il portait au pinacle les poèmes de 1830-1840 et *Les contemplations*, il supportait mal *Dieu*, et l'œuvre postérieure à 1860 ne l'intéressait pas ; sa sensibilité le persuadait que, si Hugo importait davantage par sa « situation », Lamartine était plus « présent » dans la lecture contemporaine (« Situation de Victor Hugo »). L'intuition de

Valéry était inverse ; « le jugement dernier des ouvrages par la qualité de leur forme » étant « intervenu », Hugo s'élève désormais à ses yeux bien au-dessus de Lamartine, Musset, Vigny, dont les œuvres souffrent de « relâchements ». « Critique de premier ordre », critique en acte, il a su se ressourcer à Horace et à la poésie du premier XVIIᵉ siècle ; « inventeur » prodigieux, il en vient à se donner « le pouvoir de tout dire » : « ce qu'on nomme la Pensée devient en lui, par un étrange et très instructif renversement de la fonction, [...] le moyen et non la fin de l'expression », expliquait-il sur les ondes de *Radio-Paris*. (« Victor Hugo créateur par la forme »). Jules Romains, quant à lui, saluait la création mythologique de Hugo comme ce qui rend son œuvre « *habitable* par tous les hommes », « une sorte de pont entre l'humanité la plus ancienne et l'humanité la plus actuelle » (conférence reprise dans *Saints de notre calendrier*). Aragon célébrait un Hugo qui « met les pieds dans le plat », le provocateur de « L'amour f... le camp comme un b... », le fantaisiste de « Quiconque est amoureux est esclave et s'abdique... », l'auteur du chapitre « L'argot », et surtout « Hugo réaliste » qui donne avec *Châtiments* « une merveilleuse leçon de réalisme dans la poésie », un réalisme où Aragon aperçoit une « préfiguration » du réalisme socialiste ; poète en crise de mutisme, il voulait faire aimer « Les Trois chevaux », et, romancier de la réalité, *Les misérables* (« Hugo réaliste » et « Le retour à la réalité »). Enfin, le Congrès international pour la défense de la culture, organisé à Paris par l'Association des Écrivains et Artistes Révolutionnaires et présidé par Maxime Gorki, commençait ses travaux par une journée d'hommage à Victor Hugo, le 20 juin.

Au regard de l'histoire, ce cinquantenaire s'inscrit aussi dans les marges du rassemblement culturel qui avait commencé avec la fondation du Comité de Vigilance des intellectuels antifascistes en mars 1934, et qui contribua à la consécration du Front Populaire le 14 juillet 1935. Le parti communiste rompant son isolement, la critique de Hugo que Jean Fréville fait dans *L'Humanité* passe en quinze jours d'une admiration très réticente (assortie de tous les griefs jadis formulés par Paul Lafargue) à une adhésion : « le prolétariat, qui recueille l'héritage culturel de la bourgeoisie incapable de le préserver, saura garder à Hugo sa vraie place, qui est parmi les plus grands ». *L'Humanité* donnait ensuite des articles hugophiles de Paul Nizan et Aragon. C'est donc toute la gauche qui relisait Hugo en y puisant des forces. Le recueil critique de ce Hugo-1935 est le numéro spécial d'*Europe*, auquel participèrent Romain Rolland, Heinrich Mann, Alain, Pierre Abraham, Jean Cassou, André Chamson, Luc Durtain, Jean Guéhenno, René Lalou, Marcel Raymond, Denis Saurat, Philippe Soupault, Jean-Richard Bloch. Leurs articles éclairaient les diverses facettes de l'humanisme hugolien, Ph. Soupault mettant l'accent sur sa révolte, J. Cassou sur son courage et son humilité, D. Saurat, M. Raymond, J.R. Bloch sur sa présence métaphysique au monde. Quant à l'« Hommage à Victor Hugo » d'Alain, il est l'aboutissement d'une familiarité avec les textes qu'on perçoit dans ses *Propos* depuis 1910. Alain admirait la poésie hugolienne (voir *Propos* et *Système des Beaux-arts*, 1920), mais, quant au contenu philosophique, il préférait la prose : « certainement Hugo à raison en son immense effort de réconcilier tout à tout. Si ce n'est peut-être qu'emporté par l'ivresse de nature, rythme, marche, ou danse, ou chant, le poète restitue l'unité des dieux en un panthéisme fraternel, ce qui est diviniser le désir et tout embrasser. La prose a plus de prudence, même dans Hugo » (*Histoire de mes pensées*, 1936). Il répétait que « la philosophie des *Misérables* n'est pas une philosophie au rabais », mais une réflexion complexe à lire aussi sérieusement que Rousseau et Spinoza. Alain a pensé Hugo dans la mesure où des épisodes de ce roman, tournés et retournés dans ses *Propos*, ont fait partie de ses propres outils à penser l'action et l'éthique. *Les misérables* lui semblaient le monument de « toute idée du droit » (« Jean Valjean », 1925), et le lieu où se manifeste « dans la révolution chrétienne l'idée toute pure de la Libre pensée », un « texte suffisant pour les serviteurs de l'esprit, toujours menacés par un gigantesque désespoir » (*Les dieux*, 1934). L'« Hommage à Victor Hugo » de 1935 cherchait la cohérence de toute l'œuvre dans le parti pris de la liberté et, surtout, dans la logique de la poésie. Reconnaissant l'honneur de l'esprit dans l'« ânerie » de *L'âne*, Alain montrait en quoi « la poésie, hymne du temps lui-même, construit une sorte de temps hors du temps » où le poète est placé en possession du monde, en position d'insolence et de communication égalitaire. *Les misérables* instruisent en conséquence le « procès de l'homme » en sa durée historique : les personnages s'y organisent en une société cruelle qui ne se transfigurera en humanité que par le passage à la solitude et à la souffrance, par le travail de la conscience de Jean Valjean : « récompense de l'homme et sa victoire finale ». Alain éclairait ainsi la nécessité du rapport de Hugo à Dieu, son « évangélisme absolu » et expliquait comment, une fois avérée la divinité de l'homme, la « course à l'abîme » des grands poèmes religieux figure une quête de « la preuve de Dieu par le monde » en même temps que la limite de la poésie, « le beau vers étant expérience religieuse ». L'abondance de Hugo lui semblait liée au caractère infini de la poésie et à la nécessité de « faire descendre en soi cette grande pensée que le poids du monde n'est que le poids des fautes » : « Les choses que l'on sait sont toutes pareilles. [...] L'alexandrin est le vrai pas de l'homme. »

Le second vingtième siècle

La guerre et ce qui s'ensuivit

On a beaucoup relu en France pendant la dernière guerre mondiale, et l'esprit de résistance a fait relire Hugo. Tandis que l'occupant allemand envoyait à la fonte la statue de Victor Hugo, on imprimait son « Appel aux Français » de 1871 sur des tracts interdits. Hugo coïncida ainsi une nouvelle fois, la dernière en date, avec la littérature vivante. Nombre de ces poètes de la Résistance dont Pierre Seghers devait faire l'anthologie retrouvaient, en même temps que le sens du « Beau Utile », les moyens de son art. Aragon l'intégrait à sa pratique : la préface aux *Yeux d'Elsa* (1942) renvoyait à la fin de celle des *Voix intérieures* comme à la suite d'un message codé, *En Français dans le texte* (1943) rendait en conclusion la parole à la statue de Hugo. Il l'intégrait aussi à sa réflexion critique lorsqu'il proclamait l'éternelle jeunesse de la rime (« La rime en 1940 », 1940), lorsqu'il comprenait l'épopée, de la *Chanson de Roland* à l'année 43 en passant par Hugo, comme une « poésie de circonstances » (« Les poissons noirs », 1946), lorsqu'il définissait le « génie de la France » par le double héritage du christianisme *et* du matérialisme et s'en prenait aux snobismes littéraires (« La conjonction Et », 1942), ou lorsqu'il réfléchissait, à propos. de *Brocéliande* et songeant à « J'ai rime à-dait », à l'« exactitude historique en poésie » (1945). Dans le même temps Marcel Arland hébergeait bienveillamment Hugo dans son *Anthologie de la poésie française* (1941) avec un choix propre à faire connaître *Dieu* et *La fin de Satan* ; Marcel Raymond publiait son « Hugo mage » dans *Les Cahiers du Rhône,* (1942) et préparait des *Poèmes choisis de Victor Hugo* (publiés en 1945) ; Léon-Paul Fargue et Henri Parisot publiaient une anthologie poétique, *...La bouche d'ombre* (1942), avec le parti pris de retenir les poèmes « le plus spécifiquement modernes, soit qu'ils se rattachent à un certain *sur-romantisme* à la William Blake, précurseur du surréalisme, soit que leur densité, leur cocasserie ou la nouveauté de leur accent les situent à l'origine de tel ou tel des autres grands courants poétiques contemporains » — on y trouve beaucoup d'extraits de *Ce que dit la bouche d'ombre, La fin de Satan, Les chansons des rues et des bois, L'art d'être grand-père* et *Toute la lyre ;* la préface de Fargue n'était qu'une reprise de son article de 1935 à présent précédé de trois paragraphes sur l'épopée hugolienne, car c'était bien là le Hugo-1942 (« Un poète d'avenir », texte repris dans l'édition Poésie/Gallimard des *Contemplations,* 1973). Georges Cattaui et Paul Zumthor donnèrent également une anthologie poétique et une anthologie prosaïque en 1944 et 1945. Plus tard, après qu'Éluard eut fort conventionnellement retenu « Booz endormi » dans son *Le meilleur choix de poèmes est celui que l'on fait pour soit* (1947) et que Gide eut fait à Hugo la plus large place dans son Anthologie (1949), Pierre Moreau et Jean Boudout donnaient des *Œuvres choisies de Victor Hugo* (1950) et Philippe van Tieghem (à qui l'on devait, en 1970, un très pratique *Dictionnaire de Victor Hugo*) publiait Hugo en « petit classiques Larousse ».

Une fois la France libérée, l'hugophobie se vit donc contrainte de changer de visage. C'est Thierry Maulnier, en toute fidélité à *L'Action Française,* qui en rajeunit et en fixa pour longtemps les traits dans *Langages,* « L'Énigme Hugo » (1946), longue liste péremptoire de tout ce que, selon lui, Hugo n'est pas : pas un maître (mais toujours inférieur à quelqu'un) dans quelque genre que ce soit, pas un inventeur, pas un audacieux, pas un penseur, pas un esprit religieux, pas un inspirateur pour les générations suivantes, pas un ancêtre des surréalistes, rien ; si :

le seul écrivain qui ait osé faire de la littérature le lieu de sa propre « mythification ». Du moins, l'hugophobie catholique avait-elle disparu ; même, ce sont des intellectuels catholiques, Jean-Bertrand Barrère et Henri Guillemin, qui allaient donner une nouvelle impulsion à la critique hugolienne.

Le Cent-cinquantenaire de 1952 refléta, comme toutes les célébrations précédentes, l'état d'esprit public : c'était l'heure où la page historique de la Libération était tournée, où de Gaulle clamait dans le désert, où les communistes étaient en guerre froide, où la France du plan Marshall et de la Troisième force se tournait vers Antoine Pinay. L'anniversaire de Hugo ne donna donc lieu qu'à de maigres célébrations officielles ; la firme Ford fut même autorisée à faire sa publicité en exposant une automobile sur le socle désormais vide de la place Victor-Hugo, incident symbolique contre lequel protestèrent Claudel (dans *Le Figaro Littéraire* du 31 mai) et Aragon (dans *Avez-vous lu Victor Hugo ?*) ; en même temps que Raymond Escholier (« Victor Hugo doit veiller sur Paris », *Les Nouvelles Littéraires,* 3 avril), ces deux poètes demandaient qu'on érigeât à Hugo un nouveau monument, Claudel proposant que ce fût un rocher brut rapporté de Guernesey, Aragon interviewant Pablo Picasso qui demandait à le sculpter lui-même (*Les Lettres Françaises* du 30 mars) ; en vain. Hugo ne fut véritablement fêté en 1952 que du côté gaulliste (par *Liberté de l'esprit*) et dans le secteur communiste (par *L'Humanité-Dimanche, La Nouvelle Critique, La Pensée, Les Lettres Françaises* et *Europe*).

Le numéro spécial d'*Europe* n'était en prise sur l'actualité que par trois articles (« Défendre la République » de Pierre Abraham, « Hugo le pacifique » de Pierre Gamarra, et « Hugo vivant », témoignage d'Aragon sur le Hugo-Résistance) ; il servit essentiellement de point de rencontre à tous ceux qui, communistes ou non, se sentaient hugophiles en 1952. D'une part des hugoliens de longue date : Fernand Gregh, Louis Guimbaud, Raymond Escholier, Denis Saurat et Maurice Levaillant qui se réjouissait qu'« on ne discute plus guère que le vrai Hugo soit celui de l'exil ». D'autre part des hugoliens d'avenir, comme Henri Guillemin commentant un inédit de *Dieu* et Pierre Albouy étudiant la « toute-puissance du poète » devant Dieu et son « humilité » devant le peuple. Des hugophiles enfin : Vercors s'intéressant au destin dans *Quatrevingt-treize,* Claude Roy s'émerveillant de la multiplicité « des poètes nommés Victor Hugo », Alice Ahrweiler rapprochant des *Châtiments* le *Chant général* de Pablo Neruda... Au parti communiste, des hommages publics étaient prononcés par Marcel Cachin, Georges Cogniot et Florimond Bonte, et par des poètes : Paul Éluard qui défendait la « vulgarité » de Hugo (« Hugo est-il vulgaire ? Oui, si c'est être vulgaire que d'exprimer son cœur sans douter du cœur des autres » — « Hugo vulgaire »), et surtout Aragon qui, par son hugophilie instruite et militante, est avec Péguy le plus intéressant des écrivains-critiques de Hugo. Son anthologie poétique *Avez-vous lu Victor Hugo ?* commentait les étapes de l'œuvre en s'arrêtant, pour les posthumes, à *Toute la lyre.* Son *Hugo poète réaliste* retraçait l'itinéraire du créateur « comme une immense fable dont la morale est celle de la vie », cet itinéraire étant compris comme « une obéissance surprenante à l'histoire » et à la « réalité », dans la forme même ; analysant un des poèmes « les plus démonétisés, paraît-il, à en croire ceux qui n'aiment dans la montagne Hugo que la curiosité, l'ombre ou le détail baroque », « Souvenir de la nuit du 4 » de *Châtiments,* et le comparant à son double prosaïque d'*Histoire d'un crime,* Aragon montrait où est le réalisme en poésie (« ...Il avait dans sa poche une toupie en buis... »), dans « les idées », dans « l'amour », dans « le typique » et non dans « le photographié », dans la forme enfin. De l'autre bord, *Le Figaro Littéraire* publiait un montage de citations d'*Actes et paroles* intitulé « Non, je ne suis pas stalinien » par Victor Hugo » (8 mars) et jugeait « dans la ligne » l'explication de texte de « Souvenir de la nuit du 4 » (29 mars). Claudel y publiait le 31 mai un hommage contrasté qui s'achevait par le vœu d'un monument érigé au « plus grand poète » français — qui « fut l'Inspiré par excellence » — mais n'en comparait pas moins sa « technique » « semi-hypnotique » aux « *You-you* des vociférations marocaines » (« Victor Hugo entre deux abîmes »). Totalement élogieux était au contraire l'article de François Mauriac, « Victor Hugo ou l'héroïsme de la banalité » (« Consentir à être l'écho sonore de tout un peuple, c'est consentir d'avance à ce que M. Jules Lemaitre vous prenne pour un idiot... »), article que *Le Figaro Littéraire* donnait le 23 février, en même temps que les réponses, en majorité favorables, à son enquête « Les jeunes écrivains lisent-ils Hugo ? » Contre : Max-Paul Fouchet, Lucien Becker, François-Régis Bastide et René Char (« Dans son entier, il est impossible. Un Barnum hâbleur, opportuniste et rusé [...]. Mais sitôt mort de cette mort violente que lui inflige Baudelaire [...], ses contrées belles se libèrent, son aurore cesse de jacter, des pans de poèmes se détachent et splendides, volent devant nous » — repris dans *Recherche de la base et du sommet* en 1965). Pour : Maurice Fombeure, Jean Dutour, Jean Cayrol, Henry Queffélec, Robert Merle, Robert Marguerit, Jacques Audiberti (« Il est le système métrique de la littérature française »). Dans *Les Nouvelles Littéraires* de la même semaine, seul Montherlant trouvait que Hugo ne représentait « Rien ! », en reprenant la thématique de Thierry Maulnier en 1946 ; l'opinion de Julien Gracq était froide (« Je ne le relis pas, j'avoue (*Les misérables* excepté)... » mais proche de Valéry en 1923 : « Il y a un sens dans la façon de considérer son époque (quand on considère sur quoi elle débouche) qui permet de le voir à peine — dès que le coup d'œil sur le XIXe siècle se fait franchement rétrospectif, il en redevient la vedette sans rivale » ; Jules Supervielle reconnaissait sa dette envers le poète par un poème, « Peut-être ainsi parlait le poète... » ; André Maurois, Henri Guillemin, Raymond Escholier se coalisaient pour raconter sa vie. Mais c'est l'enquête de *Liberté de l'esprit* qui était la plus favorable. François Mauriac concluait : « Victor Hugo commence à peine à être connu. Le voilà au seuil de sa vraie gloire. Son purgatoire est fini », et défendait « son » Hugo contre ceux qui l'oubliaient trop, « le Victor Hugo des *Morceaux choisis,* des *Rayons et des Ombres,* des *Contemplations...* » Gabriel Marcel affirmait que Hugo surplombait désormais à l'évidence la totalité du XIXe siècle, « les surréalistes [...] auront contribué à remettre Hugo à sa vraie place » ; suivaient les hommages de Jean Paulhan, de Luc Estang, de Roger Caillois, de Georges Duhamel et de Léopold Senghor ; contre Hugo cependant : Henri Mondor, Albert Ollivier, et, dans la thématique de Thierry Maulnier, Albert T'Serstevens et Roger Nimier.

L'année 1952 voyait aussi l'entrée de Hugo dans les « Poètes d'aujourd'hui » de Pierre Seghers, avec une anthologie de Louis Perche qui mettait l'accent sur les rapports de Hugo avec la poésie du XXe siècle ; une autre anthologie, due à Claude Roy, faisait connaître une biographie éventuelle de Hugo par lui-même *(Victor Hugo raconté par Victor Hugo) ;* du côté du savoir, le *Hugo, l'homme et l'œuvre* par lequel Jean-Bertrand Barrère prenait la tête des spécialistes universitaires d'après-guerre, associait la biographie à l'étude des œuvres.

Le renouveau de la critique : archéologues et commentateurs

L'image de Hugo que donnait la presse de 1952 reflétait en grande partie les approches proposées par *...La bouche d'ombre* (voir *supra*) et par le *Victor Hugo par lui-même* (1951) d'Henri Guillemin, petit livre humain, passionné et passionnant, qui devait rapprocher de Hugo plusieurs générations de lecteurs. Guillemin était venu à lui en 1946 par sa curiosité des inédits, à l'heure où les manuscrits allaient tomber dans le domaine public. En une quarantaine de publications dont la série n'est pas close, il intéressait le public à de nouveaux textes (ajoutant des *Pierres* (1951) à *Océan* et des *Cris et chansons lointaines* (1953) à la *Dernière gerbe)* et aux alentours de l'œuvre *(Souvenirs personnels, Carnets intimes, Journaux),* non sans jalonner ses découvertes d'aperçus de synthèse (par exemple, *Victor Hugo et la sexualité,* 1954). Regrettant que les miettes des écrivains parvinssent ainsi à la postérité, Mauriac en appelait à « la vraie gloire », celle « de disparaître dans le rayonnement d'une œuvre, et d'échapper ainsi à Guillemin » (*Mémoires intérieurs,* 1959.) Le mouvement s'étendait cependant, alimentant la curiosité publique ou fournissant de nouveaux instruments de lecture à la critique savante : Paul Souchon publiait *Mille et une lettres d'amour* en 1951, René Journet et Guy Robert un *Carnet* en 1959, trois *Albums* en 1963 puis le *Journal de ce que j'apprends chaque jour (1846-1848)* en 1965, Jean Gaudon un *Carnet* en 1960, les « procès-verbaux » des « tables parlantes » en 1963, puis des *Lettres de Victor Hugo* à Juliette Drouet en 1964, Frances Guille le *Journal* d'Adèle Hugo en 1968-1971 (à qui Truffaut allait donner le regard d'Adjani), Pierre Georgel l'*Album* puis la *Correspondance* de Léopoldine Hugo en 1967 et 1976, Sheila Gaudon la *Correspondance* entre Hugo et Hetzel en 1979... Et nous ne citons là que quelques-uns des produits de ce déchiffrement qui demeure encore inachevé mais dont l'étape majeure reste marquée par l'édition chronologique des *Œuvres complètes* dirigées par Jean Massin de 1967 à 1970 ; celui-ci fit appel aux publications et à

l'énergie de plusieurs générations de chercheurs (Jean-Bertrand Barrère, Mary Billington, Jean Gaudon, Sheila Gaudon, Yves Gohin, Tony James, René Journet et Guy Robert, Bernard Leuillot, Anne Martin) pour mettre au point des « dossiers biographiques » qui contenaient *Carnets, Albums, Journaux,* correspondances et documents divers.

Plus importantes pour la connaissance de l'œuvre furent les découvertes de textes (les trouvailles déjà citées de Guillemin, les trois *Cahiers de vers français* (1815-1818) présentés en 1952 par le Chanoine Venzac, *L'Enfer sur terre* (1812) publié en 1959 par Herbert Koch, *Le verso de la page,* découvert par Pierre Albouy en 1960), et les exhumations de fragments inédits et de projets de rédaction. Un certain nombre de ces textes furent intégrés à l'édition de Jean Massin — où établis à cette occasion (par Jacques Seebacher, Anne Ubersfeld, Guy Rosa...) Ils furent surtout publiés dans les *Cahiers Victor Hugo* dirigés par Francis Bouvet chez Flammarion, et par les « Annales de la Faculté de Besançon » aux Belles Lettres avec le concours du C.N.R.S. En matière d'examen et de publication des manuscrits, tous ces patients érudits reconnaissent pour leurs maîtres René Journet et Guy Robert qui, de 1955 jusqu'à la mort récente de Guy Robert, ont fourni la publication exhaustive des manuscrits des recueils poétiques des années 1830-1840, des *Contemplations,* des *Misérables,* des *Chansons des rues et des bois,* et ont donné un *Dieu* et une *Fin de Satan* définitifs (sans compter de nombreux fragments) ; aucune étude de génétique littéraire ne se fera désormais qui ne s'appuie sur leur travail.

Ce retour au manuscrit accompagnait ou fondait les commentaires de nombreuses éditions savantes, qu'elles fussent publiées par des éditeurs à diffusion restreinte (comme *L'âne* présenté par Pierre Albouy et *Mangeront-ils ?* par R. Journet et G. Robert chez Flammarion en 1966 et 1970, *Claude Gueux,* annoté par Paul Savey-Casard aux P.U.F. en 1967, *Ruy Blas* publié par Anne Ubersfeld aux Belles Lettres en 1971-1972, ou *Littérature et Philosophie mêlées* procuré par R.W. James chez Klinsieck en 1976), ou bien par la collection de la Pléiade, seconde génération : Pierre Albouy y donna l'ensemble des œuvres poétiques d'avant l'exil (1964), les *Châtiments* et *Les contemplations* (1967), *Les chansons des rues et des bois, L'année terrible* et *L'art d'être grand-père* (1974), Jacques Seebacher *Notre-Dame de Paris* et Yves Gohin *Les travailleurs de la mer* (1975). Et sans doute est-ce par le biais de l'édition que, de l'avant-68 à nos jours, la critique spécialisée a le plus efficacement diffusé ses connaissances et ses interprétations, aidée en cela par l'évolution des collections de poche qui se font désormais concurrence jusque sur le terrain de la qualité de l'annotation, de sorte qu'il n'y a plus de solution brutale de continuité entre la critique conçue en Bibliothèque Nationale et la lecture populaire ou scolaire : les éditions de poche de *Cromwell* par Anne Ubersfeld (1968), des *Contemplations* par Pierre Albouy (1973) et des *Châtiments* par Jacques Seebacher (1979), entre autres exemples possibles, en font foi.

Le renouveau de la critique, les images

Le renouveau ne fut pas brutal, certains points de vue restant en continuité avec la fin de l'entre-deux-guerres. Le *Victor Hugo, poète de Satan* (1946) de Paul Zumthor se penchait à nouveau sur les grands poèmes posthumes, Denis Saurat revenait sur sa *Religion de Victor Hugo* en en accentuant l'occultisme (*Victor Hugo et les dieux du peuple,* 1948) et Maurice Levaillant retraçait en 1954, à la lumière du spiritisme, « la crise mystique de Victor Hugo (1843-1856) ». En 1965, Georges Cattaui tirait Hugo vers l'orphisme (*Orphisme et prophétie chez les poètes français — 1850-1950.)* Désormais les amateurs de gouffre pouvaient refléter en Hugo leurs propres fascinations, ainsi Pierre Schneider décrivant en 1953 un émouvant « Poète-Océan » « plus inconcevable » que Rimbaud et plus bricoleur que Raymond Roussel, « le premier noyé [dans la folie] à ne pas perdre la parole » *(La voix vive),* et Charles Duits écrivait en 1975 sous une forme poétique son hommage au « grand échevelé de l'air »... On continua également à s'interroger sur le catholicisme de Hugo. Après que Charles Lecœur eut adressé au grand public une anthologie poétique sur la « philosophie religieuse de Victor Hugo » (1951), Bernard Guyon insistait sur « la signification spirituelle des *Odes et ballades* et des *Orientales* (1818-1828) » (*La vocation poétique de Victor Hugo,* 1953) et le Chanoine Géraud Venzac concluait ses recherches de biographie intellectuelle : « Victor Hugo '' catholique '' vers 1825 ou 1830, puis '' chrétien '' de 1830

Tim
Dessin illustrant le livre d'Arnaud Laster, *Pleins feux sur Victor Hugo,* Paris, Comédie-Française, 1981

environ à 1850 environ. Et enfin, après 1850, mystique indépendant, théosophe. » — ce qui ne l'empêchait pas d'être « ému » par l'« authenticité religieuse » d'après 1850 (*Les origines religieuses de Victor Hugo,* 1955.) Jean-Bertrand Barrère se ralliait en 1965 à son point de vue, tout en le nuançant sur le point de savoir si le catholicisme du jeune poète se mariant sans être baptisé n'était vraiment que de façade, et il recensait les éléments de la relation de Hugo à Jésus *(Victor Hugo devant Dieu).* L'année précédente, Pierre Albouy avait conclu quant à lui au voltairianisme initial et final du poète *(La création mythologique chez Victor Hugo)* et Jacques Seebacher, du même avis, avait présenté la théologie des *Contemplations* comme une pratique du syncrétisme garantie par l'adhérence au texte de la subjectivité (édition des *Contemplations*).

La première impulsion du renouveau de la critique spécialisée fut donnée par Jean-Bertrand Barrère, dont la *Fantaisie de Victor Hugo* réussissait là où l'abbé Rochette avait échoué en 1911 ; de la poésie lyrique à la légende en passant par le *Théâtre en liberté, Le Rhin* et *Les travailleurs de la mer,* il expliquait les ressorts d'une grande imagination qui se divertit. Ce travail, publié en 1949 et 1960, sonnait comme un appel à prendre en compte la richesse de la totalité de l'œuvre, et un encouragement à résoudre les problèmes ouverts. Il répandait de plus l'idée que Hugo n'était point un rhétoriqueur mais un artiste, et un esprit beaucoup plus fin et beaucoup plus maître de ses techniques et de sa culture qu'on ne croyait ; Jean-Bertrand Barrère examinait de près, un peu plus tard, ce « travail » de l'artiste *(Victor Hugo à l'œuvre,* 1965.) Le renouveau venait d'autre part du développement d'une réflexion attentive aux profondeurs psychiques ; en 1943 Charles Baudouin faisait une *Psychanalyse de Victor Hugo* qui, au-delà des raideurs et des schémas de causalité que certains reprochent aux lectures psychanalytiques, repérait des constantes des mythes hugoliens ; en 1950, une remarquable étude de Georges Poulet décrivait la poésie hugolienne comme une expérience de l'espace et du temps s'avérant « poésie négative », où « rien ne tombe sinon en Dieu » (repris dans *La distance intérieure,* 1952). La réflexion sur Hugo profitait par ailleurs d'études plus globales sur le romantisme, celles de Raymond Schwab *(La renaissance orientale,* 1950) et de Léon Cellier *(L'épopée romantique,* 1954.) De plus le mécanisme des centenaires continuait de jouer ; en 1962 venait l'heure des *Misérables,* dès longtemps annoncée par Alain ; un colloque à la Faculté de Strasbourg *(Centenaire des Misérables, 1862-1962. Hommage à Victor Hugo)* et un numéro spécial d'*Europe* rassemblaient une trentaine d'analyses — à quoi s'ajoutait *Le mythe du peuple dans Les misères* où René Journet et Guy Robert expliquaient son émergence entre « Les misères » et *Les misérables* (1964). La vitalité de la réflexion se manifesta d'abord par une foule de recherches ponctuelles (dont témoignent, par exemple, les ''Archives des Lettres modernes'' consacrées à Hugo, au nombre de sept en 1968, dont quatre centrées sur *Les contemplations,* dues à Léon Cellier, Pierre Moreau, Francis Pruner et Philippe Lejeune) et par plusieurs thèses importantes : celle de Géraud Venzac en 1955 (voir *supra.*), celle de Paul Savey-Casard *(Le crime et la peine dans l'œuvre de Victor Hugo,* 1956) qui apportait pour éclairer ces notions importantes les lumières de l'histoire du droit, celle de Jean Mallion, *(Victor Hugo et l'art architectural,* 1962) qui s'intéressait à la fois au « poète archéologue », voyageur, « antiquaire », et à ses combats contre les « démolisseurs », celle de Pierre Albouy, *La création mythologique chez Victor Hugo* (1963).

Mais voici qu'avec la personnalité de Pierre Albouy, nous abordons une période particulièrement riche de la critique spécialisée, dont nous ne saurions prétendre rendre objectivement compte, par manque de recul : c'est elle qui est encore au travail dans la préparation du présent Centenaire, c'est elle qui s'enseigne dans les universités et qui se propose à vous dans les librairies. L'édition de Jean Massin manifestait en 1967 l'ampleur du mouvement ; pas moins de trente-quatre critiques ou chercheurs y commentaient des œuvres, des périodes créatrices ou des aspects de l'art hugolien (Pierre Albouy, Henry Bonnier, Jean-Paul Brisson, Jean Bruhat, Michel Butor, Léon Cellier, Claude Duchet, Jean Gaudon, Claude Gély, Pierre Georgel, Yves Gohin, Henri Guillemin, Pierre Halbwachs, Tony James, Arnaud Laster, Bernard Leuillot, Jean Massin, Charles Mauron, Jean-Luc Mercié, Henri Meschonnic, Raphaël Molho, Pierre Moreau, Georges Mounin, Gaëtan Picon, Georges Piroué, Robert Ricatte, Guy Rosa, Samuel S. de Sacy, Jacques Seebacher, Jacques Téphany, Anne Ubersfeld, Eliette Vasseur, Jean-Pierre Wytteman, Paul

Tim
Dessin illustrant le livre
d'Arnaud Laster, *Pleins feux sur Victor Hugo,*
Paris, Comédie-Française, 1981

Zumthor) ; et encore tous les critiques de Hugo n'y figuraient-ils pas : ailleurs, Jean-Pierre Richard apportait sa contribution de critique thématique (*Études sur le romantisme,* 1970), Paul Bénichou ses lumières d'historien des idées (*Le sacre de l'écrivain, 1750-1830,* 1973), Jean Maurel ses intuitions de philosophe diogénique, Charles Villiers les rationalisations convaincantes de son *Univers métaphysique de Victor Hugo* (1970), sans oublier, venus des États-Unis, les travaux de Victor Brombert et les études de Michael Riffaterre (*L'esprit créateur,* 1965, *Essais de stylistique structurale,* 1971.) Quatre livres ponctuèrent cette période (*La création mythologique chez Victor Hugo* de Pierre Albouy, *Le temps de la contemplation. L'œuvre poétique de Victor Hugo des Misères au Seuil du gouffre (1845-1856)* de Jean Gaudon (1969), *Le roi et le bouffon. Étude sur le théâtre de Hugo de 1830 à 1839* d'Anne Ubersfeld (1974) et *Pour la poétique IV. Écrire Hugo* (1977) d'Henri Meschonnic), mais cette critique s'est aussi beaucoup exprimée nous l'avons dit, dans l'édition commentée des textes, et tout autant dans les revues, soit que s'y poursuive une réflexion personnelle (on songe à Michel Butor publiant tour à tour, dans les années 1964-1965, dans *Tel Quel, Critique* et la *N.R.F.*), soit que des numéros spéciaux ou des constitutions de « dossiers » y jalonnent la réflexion collective : *Cahiers de l'Association internationale des Études françaises* de mars 1967, *Romantisme* en 1971 et 1973, *Les Nouvelles Littéraires* du 8 janvier 1973, *La Revue des Sciences humaines* et *L'Arc* en 1974, *Le Magazine Littéraire* de janvier 1974, *La Quinzaine Littéraire* du 16-30 juin 1976, et

Lendemains de mai 1978. De façon générale, le Hugo-1964-1984 nous apparaît à partir de points d'optique où se combinent les apports de la psychanalyse, des critiques marxistes ou historicistes, et de la linguistique : on assiste ainsi à une révision de la question centrale du « je » (voir par exemple le ''Hugo fantôme'' de Pierre Albouy, repris dans l'*Histoire littéraire de la France,* 1974, ou bien ''Poétique et politique de la paternité'' de Jacques Seebacher repris dans l'édition Massin), à une révision des questions philosophiques ou idéologiques, qu'il s'agisse de l'organisation des mythes *(La création mythologique...),* des schémas théâtraux *(Le roi et le bouffon)* ou de la question (désormais présente dans toute critique) de Dieu, du « moi de l'infini » ou de « l'immanence », pour reprendre un titre d'Yves Gohin (1968). Le Hugo d'aujourd'hui est pris au sérieux comme idéologue et comme artiste, soit qu'on montre l'inscription de l'actualité historique dans l'écriture romanesque (édition de *Notre-Dame de Paris* par Jacques Seebacher), soit qu'on analyse la rhétorique (Anne Ubersfeld voyant dans l'antithèse une pensée de la contradiction), soit qu'on s'attache au prix d'études textuelles des plus précises à rendre compte de la littérarité *(Écrire Hugo)...* Cette critique vise donc à penser ensemble ce qui naguère était considéré séparément, par exemple le travail poétique/politique (Henri Meschonnic), ou à expliquer ce qui ne l'était pas encore, par exemple le comique (Anne Ubersfeld). Du point de vue des œuvres envisagées, ces années semblent avoir privilégié *Les contemplations* (voir particulièrement les travaux de Jean Gaudon), *Châtiments, Les chansons des rues et des bois, L'âne,* et, plus récemment *L'art d'être grand-père, Les misérables* et leur « préface philosophique », *L'homme qui rit, Le dernier jour d'un condamné, Claude Gueux, Quatrevingt-treize, Le Rhin* et *William Shakespeare* devenaient des références fréquentes ou constantes et le théâtre devait à Anne Ubersfeld sa résurrection.

Dans le même temps, c'est précisément le théâtre et le roman qui jouissaient de la meilleure critique dans la presse ; celle-ci s'est intéressée à quelques grandes reprises (par exemple le *Ruy Blas* de Jean Vilar ou *Les Burgraves* d'Antoine Vitez) mais s'est montrée surtout bienveillante pour les comédies ou mélodrames qu'elle ne connaissait pas *(Mangeront-ils ?, Mille francs de récompense...)* Le retour aux *Misérables,* déjà visible dans les enquêtes faites auprès des écrivains en 1952, se fit en même temps que dans la critique spécialisée ; ses adaptations au théâtre et au cinéma, ou encore la publication du *Victor Hugo romancier* (1964) de Georges Piroué, provoquaient chez certains critiques une réflexion sur le roman (par exemple celle de François Mauriac dans *Le Figaro Littéraire* du 26 janvier 1957). La critique littéraire de la presse se fit régulièrement l'écho des publications majeures (elle a évidemment salué l'édition des *Œuvres complètes* dirigées par Francis Bouvet chez Pauvert en 1966, et l'édition de Jean Massin), mais sa curiosité était surtout vive pour les publications de documents (par exemple le *Journal* d'Adèle ou la correspondance avec Juliette Drouet), pour les *Choses vues* publiées par Hubert Juin en 1972 (on s'émerveilla unanimement de trouver en Hugo un ''journaliste'' prodigieux...) et pour les dessins (sans guère les associer aux œuvres dont ils sont l'ombre, le délassement, l'envers ou l'incubation.) On s'inquiéterait, pour l'avenir de Hugo, de cette prédilection pour les inconnus ou les « à-côtés » de l'œuvre (en y voyant la manière la plus cultivée de refuser de parler littérature), si Hugo ne rejoignait ici le cas général d'une pratique de la lecture dont Julien Gracq se faisait l'écho en 1981 : « Il est remarquable que, dans cette fin du vingtième siècle, nous nous nourrissions souvent par préférence, chez les grands écrivains du passé, de ce qu'ils auraient regardé comme les miettes de leur table. Chez Gide, plutôt de son *Journal* que de tout le reste, et souvent même, chez Hugo, de ses *Choses vues* [...] et davantage souvent aujourd'hui de la *Correspondance* de Flaubert que de *L'éducation sentimentale.* [...] Délaissement du *chef d'œuvre* au profit de tout ce qui, de l'écrivain, babille et jase encore autour de lui en liberté » *(En lisant, en écrivant).* Les gens heureux n'ont donc pas (non plus) de littérature ?

On n'a pas trouvé d'hugolâtres dans la presse de ces dernières années ; mais quelques hugophiles avertis et militants ont cherché à faire partager leur plaisir ou leur réflexion, comme Jean-François Kahn ici ou là dans ses activités d'homme de média, ou comme Claude Roy qui, après une anthologie sur le thème « Victor Hugo, témoin de son siècle » (1962), faisait briller ses lumineux *Soleils du romantisme* (1974). Les abords du présent Centenaire ont montré que l'hugophobie n'existait plus guère, mais que la « résistance » aux textes de Hugo se manifestait un peu partout par des réticences d'entre les lignes, des jugements convenus, des sourires entendus et une prédilection pour le biographisme. Quelques cas d'hugophobie cependant ; hugophobie courtoise d'un Angelo Rinaldi (« La Fanfare du père Hugo », *L'Express,* 7-13 décembre 1984), exprimée dans la thématique de Thierry Maulnier-1946 ; hugophobie survoltée de Philippe Muray dans son *Dix-neuvième siècle à travers les âges* (1984), sorte de pamphlet-fleuve écrit sur le thème du *Stupide XIXᵉ siècle. Exposé des insanités meurtrières qui se sont abattues sur la France depuis 130 ans* de Léon Daudet, texte qui part en guerre contre « la littérature de masse et de messe », où le mot « socialisme » est imprimé là où l'on eût trouvé, en 1922, « république », et où sont attaqués pêle-mêle, Sartre accusé de faire à Baudelaire « des procès de Moscou », l'alexandrin accusé de n'être ni « biblique », ni « catholique », le socialisme présenté comme un « socialo-occultisme »... et Hugo : « Hugo n'arrive en somme, avec sa versification colossale, que pour dévoiler par ses vers de douze pieds indéfiniment recommencés la religion passionnelle de la métempsychose qui est devenue le culte naturel de la nouvelle société. [...] Presque tout le XIXᵉ siècle s'exprime au fond en alexandrins, même lorsqu'il s'agit de prose. Et il continue encore au XXᵉ : il suffit de penser à l'œuvre d'un Aragon, le soviétisme à la française dans le surenchérissement des douze pieds... » Ce pamphlet a du moins le mérite de nous aider à deviner où sont passés les intellectuels chez qui recrutait jadis l'hugophobie : peut-être ont-ils désormais d'autres chats à fouetter, de grandes œuvres plus récentes à flétrir ?... Le temps passe.

De ces quatre-vingt ans de critique que nous venons de survoler, qu'est-ce qui est le plus « à la gloire de » Victor Hugo ? Que son œuvre, comme écrivait Alain ait « fait le partage » et continue à le faire si l'on y regarde de près ? Que des savants aient sacrifié à le déchiffrer ou à le comprendre toute leur vie de travail ? Qu'il se soit toujours trouvé des créateurs de premier plan, Péguy, Valéry, Breton, Aragon, pour célébrer comme des modèles les prétendus défauts que dénonçaient les huées ? Que l'ensemble de la critique ait été condamnée à être d'abord partiale et puis partielle ? Peut-être, car chaque génération a élu selon ses besoins trois ou quatre directions dans l'expérience hugolienne, trois ou quatre volumes sur le rayon des *Œuvres complètes,* jamais les mêmes, et il nous en reste.

M.-C. B.

1. Texte cité dans Victor Hugo, *Œuvres complètes,* éd. Massin, IV, p. 1274.
2. *Actes et paroles,* « Depuis l'exil — Reliquat — Moi », éd. Massin, XVI, p. 376.
3. Nous avons pu recourir à quelques études antérieures :
— Gustave Kahn : « Victor Hugo et la critique », *Revue Blanche,* mars 1902.
— Tristan Legay : *Victor Hugo jugé par son siècle,* Crès, 1918.
— Claude Gely : *Hugo et sa fortune littéraire,* Ducros, 1970.
— Pierre Albouy : « La vie posthume de Victor Hugo », éd. Massin, XVI, p. I-XL.
4. Il ne pouvait s'agir en effet que de sondages. Nous nous sommes laissé guider dans nos lectures par les points de vue de Pierre Albouy (« La Vie posthume de Victor Hugo », *Œuvres complètes* de Victor Hugo, 1970), de Claude Gély (*Hugo et sa fortune littéraire,* 1970), et de Jean-Michel Péru (« Cinquantenaire d'un cinquantenaire. Victor Hugo 1935 », France-Culture, 1985).
5. Nous faisons l'économie ici de références bibliographiques inutilement précises. Le lecteur spécialiste se reportera à la *Bibliographie* d'Hector Talvart et Joseph Place (1949).

La critique caricaturale

Une « croquade » anonyme parue dans *Le Journal pour Rire* du 3 juillet 1852 dépeint une situation caractéristique : le nez d'Émile Augier s'allonge de dépit en voyant l'affiche de *Marion de Lorme* qui recouvre celle de *Diane*, sa grande œuvre. Les ouvrages de Hugo ont ainsi suscité de nombreuses images de dérision au moment de leur parution, ou, pour les drames, lors de leur création ou de leur reprise. Par leur abondance même, elles confirment et amplifient ce « phénomène Hugo », auquel aucun écrivain contemporain ne pouvait se mesurer.

Les caricatures sur l'œuvre

Celles-ci interviennent sitôt le livre paru et précèdent souvent l'illustration proprement dite. Elles présentent une seule idée, importante et forte, sur l'œuvre, en chargeant en quelque sorte le « mot-clé » de la critique immédiate : ainsi, la caricature de *Han d'Islande*, la première de l'œuvre, montre le héros sanguinaire, thème repris par les vignettes de titre postérieures sur un autre motif ; la lithographie de Daumier, *Page d'Histoire* (*Le Charivari*, 16 novembre 1870), admirée par Hugo, servit de thème sur une proposition de Hetzel, au médaillon du titre dessiné par Schuler et gravé sur bois par Pannemaker. Dans sa lettre du 16 mai 1872, pourtant, celui-ci jugeait « franchement, tout en admirant Daumier », cet aigle écrasé sous le poids fulgurant des *Châtiments* « par trop charogne ». Ces deux exemples témoignent de l'acuité critique de la caricature dans toute sa concentration.

Dès *Notre-Dame de Paris*, et plus encore après l'exil, lorsque Hugo devient le premier des « hommes d'aujourd'hui », son propre personnage est présent dans ces caricatures liées au lancement d'un livre : la lithographie de *La Charge* (1833, n° 10) avait déjà montré un portrait-charge composé, où le buste de Hugo était transformé en fragment d'architecture gothique et accompagné, en guise de légende, d'un calembour sur le nom propre, *Hugoth* assimilant l'auteur de *Notre-Dame de Paris* à la défense du gothique. Les trois caricatures de *Quatrevingt-treize* (*Hugo illumine le monde par son nouveau chef d'œuvre*, la charge de Paul Meurice tenant ce livre dans *Les Hommes d'Aujourd'hui*, la célèbre caricature par Gill de Hugo, en sculpteur de bustes) montrent que la notoriété de l'auteur détourne la caricature du compte-rendu satirique vers le portrait-charge de l'auteur. Par un effet pervers de sa gloire,

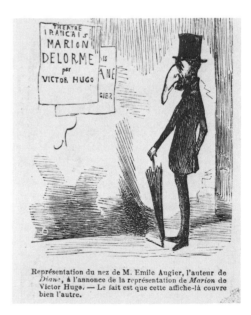

Han d'Islande (Étude de sang prise aux abattoirs)
Lithographie anonyme suivant de peu la publication du roman (1823)
Paris, M.V.H.

V. Morland
Parodie illustrée d'Hernani *(acte II)*.
Le Journal Amusant, 13 juil. 1867.
Paris, M.V.H.

Représentation du nez de M. Émile Augier...
Le Journal pour Rire, 3 juil. 1852.
Paris, M.V.H.

Badigard
Caricature de Lucrèce Borgia.
La Lanterne de Bidoche, fév. 1870.
Paris, M.V.H.

Hadol
Marion Delorme ! en v'là une qui nous fait joliment du tort !
L'Éclipse, 23 fév. 1873.
Paris, M.V.H.

Cham
— *Tu as la colique ? — Hi ! Hi ! Lucrèce Borgia a regardé de notre côté lorsqu'elle a dit : vous êtes tous empoisonnés.*
Le Charivari, 8 mars 1870.
Paris, M.V.H.

celui-ci s'interpose entre l'œuvre et le lecteur en annulant la critique caricaturale interne.

Celle-ci est en revanche utilisée dans les fréquentes caricatures suscitées par la création et la reprise des drames, à moins qu'elle ne soit sous-entendue par des images évoquant la réaction de Hugo face à l'accueil du public (pour l'échec des *Burgraves* en 1843), ou les commentaires suscités dans la rue par les affiches de représentation. Ainsi, la médiocre caricature de Morland sur *Hernani* dans *Le Journal Amusant* du 13 juillet 1867, ou celle, plus drôle et grand-guignolesque, de Badigard pour *Lucrèce Borgia,* qui reprend à Nanteuil (éd. Hetzel illustré) l'idée de montrer la lettre B s'envolant à tire d'aile pour découvrir l'« orgia » dans le nom des Borgia. En 1843, à propos des *Burgraves,* Charles Jacque montre Rachel, qui s'est prise

à son personnage, en sorcière lancée à la poursuite de l'auteur *(Une tragédienne jouant une scène de haute comédie),* et Moynet rappelle sur un coin de scène le groupe ridicule des vieillards « gothiques », s'offrant devant une salle vide à un Hugo morose, dans une lithographie de *La Caricature* de 1843 :

« C'est l'hospice de la vieillesse
Par un incurable habité. »

Dans une vignette photogravée de sa revue illustrée hebdomadaire pour *L'Éclipse* (23 février 1873), Hadol rend compte de la « doxa » de la rue sur *Marion de Lorme* par le « procédé du passant » : deux cocottes se chuchotent devant l'affiche du Français : « en v'là une qui nous fait joliment du tort ! »

Lorsqu'elles sont différées par rapport à la

date d'édition ou de représentation, les caricatures citent une expression célèbre de l'écrivain — *Ceci tuera cela* (Daumier), *Une salade dans un crâne* (Bertall) — pour commenter l'actualité par un jeu, entre le littéral et le figuré, de la légende transposée à une situation nouvelle, ici, celle de l'Empire détruisant le sol français ou celle de Hugo avant sa lettre ouverte du 26 mai 1871. De tels mots d'esprit figurés procèdent des mécanismes, analysés par Freud, qui engendrent l'image de rêve, devant un contexte réel tragique. Enfin, l'image forte qui retient le souvenir d'une œuvre, celle du bouffon pour *Le roi s'amuse,* ou le groupe des burgraves pour la pièce de ce nom, peut être appliquée aux hommes politiques jusqu'à leur imposer un sobriquet : Thiers, que la caricature a toujours surnommé « le petit Foutriquet », devient un

Marion Delorme ! en v'là une qui nous fait joliment du tort!

— Tu as la colique?
— Hi! Hi! Lucrèce Borgia a regardé de notre côté lorsqu'elle a dit: vous êtes tous empoisonnés.

mélange de concierge balayeur, de Macbeth et de Triboulet dans la caricature de Gill pour *L'Éclipse* du 23 mars 1882 *(To be or not to be).*

Les « burgraves » représentent pour tout le monde, de 1848 à 1850, le groupe de la rue de Poitiers réuni autour de Thiers, comme dans la lithographie de Daumier *Les Burgraves allant en guerre* et dans *Les Burgraves de 1850, triglogie en trois logis et quatre tableaux, dessinée par Bertall* (*Le Journal pour Rire*, 13 avril 1850), dont les vignettes filent adroitement la métaphore à travers une page qui est déjà une histoire en images.

La parodie illustrée

Les parodies, genre d'époque, sont nombreuses. Les premières sont des vaudevilles ou des revues montées sur scène et consacrées aux drames : leur publication, assimilable à un livret-programme et sans doute vendue sur les lieux du spectacle, n'est guère illustrée et tient compte du texte seul, en adoptant les normes d'édition en vigueur : en 1833, une couverture imprimée encadrée d'ornements typographiques avec la marque monogrammée de l'éditeur Barba pour *Tigresse mort-aux-rats* ; en 1834, une vignette de titre sans doute polytypée, gravée par Thomp-

son, pour *Au rideau, ou Les singeries dramatiques, revue-prologue à grand spectacle, par MM. Cogniard (frères) représentée pour la première fois sur le théâtre du Cirque-Olympique, le 9 décembre 1834* ; en 1835, une couverture imprimée d'une typographie très romantique par la disposition des lignes et le choix des caractères de fantaisie, avec deux vignettes différentes sur le titre et le contreplat, qui représentent un bouffon, pour *Le fils du Triboulet* des mêmes auteurs, chez Barba. L'apparition progressive de la vignette « omnibus », en rapport avec le titre et l'aspect pittoresque de l'impression de

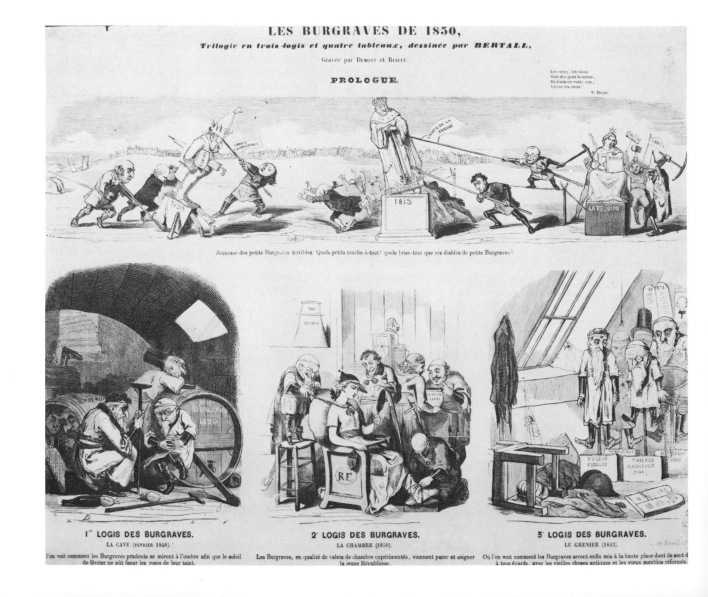

Couverture de L'homme qui ri...gole.
Paris, M.V.H.

Publicité pour Les buses-graves *de Bertall.*
L'Illustration, 25 mars 1843.
Paris, M.V.H.

Bertall
Les burgraves de 1850.
Caricature du 13 avril 1850 (emplacement
inconnu).
Paris, M.V.H.

la couverture, sont conformes à l'évolution contemporaine du livre romantique. Il est intéressant de remarquer que le choix de la vignette aux attributs de la littérature et de la parodie d'*Au rideau*, tirée d'un fonds d'imprimeur, rejoint le thème de la vignette de titre spécialement dessinée par Gill pour ses *Chansons des grues et des boas* (1865), où se retrouve la lyre associée à la marotte du fou. En 1843, à la pleine époque du livre illustré romantique, la vignette a fini par pénétrer à l'intérieur de la parodie : elle abonde, à côté de charmants ornements typographiques, dans la *Trilogie des Burgraves* de Ledru, mais toujours par l'association plus ou moins arbitraire de vignettes préexistantes avec le contenu du texte.

Par la suite, les parodies seront quelquefois illustrées, sans l'être toujours. *L'homme qui rit* de Touchatout (1869) n'a qu'une vignette de titre, et *Les horizontales* de Beauclair (1885) un frontispice seulement ; en revanche, les livraisons de *L'homme qui ri...gole* (1871) sont illustrées de quelques vignettes utilisées à plusieurs reprises ; et leur couverture conçue sur deux registres, qui montre les spectateurs hilares à côté de la grimace fixe de l'homme qui rit, est si proche par l'invention du frontispice de Vierge pour l'édition de la Librairie illustrée (1874-75) qu'elle l'a peut-être inspiré. Souvent quelconque, l'illustration de la parodie touche, lorsqu'elle est réussie, aux archétypes figurés permanents de l'œuvre de Hugo : ainsi, le motif de la grimace est-il retenu en vignette de titre pour *L'homme qui ri...gole* et pour *L'homme qui rit* de Touchatout, dont l'évocation dans un médaillon par Régamey rejoint l'image de Quasimodo dans l'oculus.

Cette image avait été donnée par Johannot comme une sorte d'archétype de la vignette romantique. L'illustration des parodies joue en effet sur la représentation amusée des images attendues dans le livre illustré : ainsi, la métaphore du fronton, pour le frontispice, est reprise, sous la forme réduite du théâtre de marionnettes, dans *Toquémalade*. Une telle miniaturisation met en cause la relation de l'auteur à son œuvre, sur une idée que retrouvera au cinéma Jean Renoir dans son « Petit Théâtre », comparable au « Théâtre de Victor Hugo » de Devambez dans *Carlos s'amuse* (*Le Rire*, 1er mars 1902). L'image parodique vise ici la toute-puissance de l'auteur, qui manipule ses personnages comme des marionnettes.

Les buses-graves, trilogie à grand spectacle, avec fantasmagories, ombres chinoises, assauts d'armes et de gueules, entrées de ballets, idyl-

les, ballades, odes, élégies, chansonnettes, etc. par M. Tortu-goth, chargée de vignettes par Bertall est la première publication illustrée par un dessinateur, Albert d'Arnoux, qu'appréciera Balzac. Cette parodie amusante des *Burgraves*, qui met en scène Hugo en violoniste, comporte aussi une parodie du livre illustré romantique, de ses mises en pages et de ses procédés, comme l'omniprésence de la vignette (p. 50-51), l'encadrement des ballades (p. 12-13), l'affichage en trompe-l'œil du titre et l'inclusion de l'imprimé dans l'imprimé (p. 30-31)... Le prospectus annonce clairement cette intention d'un pastiche interne au genre du livre illustré.

L'histoire en images

Töpffer, l'inventeur genevois de la « littérature en estampes », a démontré la différence entre celle-ci et la littérature tout court, illustrée ou non, en publiant simultanément deux versions de son *Dr Festus* (1840) et en expliquant dans la préface que « cette histoire extraordinaire [...], figurée d'abord graphiquement dans une série de croquis, a été traduite ensuite de ces croquis dans le texte que voici. C'est donc la même histoire sous une double forme [...] Ce qu'elles ont de différent change beaucoup ce qu'elles ont de semblable ». Précédent immédiat de la bande dessinée, auquel manque encore la bulle, l'histoire en images n'a donc rien à voir avec la réécriture littéraire de la parodie ; elle adopte et transpose le texte de départ dans un autre langage, plus condensé, celui qu'analyse Töpffer dans l'*Annonce de l'histoire de M. Jabot* (1837), à l'aide « d'une série de dessins [...] au trait » : « Chacun de ces dessins est accompagné d'une ou deux lignes de texte. Les dessins, sans ce texte, n'auraient qu'une signification obscure ; le texte, sans les dessins, ne signifierait rien. Le tout ensemble forme une sorte de roman, un livre qui, parlant directement aux yeux, s'exprime par la représentation, non par le récit. Ici, comme on le conçoit aisément, les traits d'observation, le comique, l'esprit, résident dans le croquis lui-même plus que dans l'idée que le croquis développe ».

L'éditeur Aubert, avec son beau-frère Philipon, sut exploiter la formule de Töpffer, dont il réédita les albums dans des journaux tels que *Le Journal pour Rire* ou le *Musée Philipon, journal pour tous* (1842-43). Dans la première livraison de ce dernier, l'avis *Au public* de Philipon explique notamment : « C'est une mise en scène des drames, des comédies du monde et des théâtres [...]. C'est tout ce qui passe par la tête des artistes. PEU DE TEXTE ET BEAUCOUP

Baric
Parodie de Quatrevingt-treize
Paris, Association des Lettres et des Arts, 1874
Paris, M.V.H.

André Gill
Les travailleurs de la mer *travaillés par Gill*
La Lune, mars-avril 1866
Paris, M.V.H.

D'IMAGES, telle est la devise de notre bannière ». Dans la 43e livraison, cette bannière vient, entre deux épisodes du *Petit Poucet, traduction libre de Perrault*, s'attaquer aux *Burgraves*, sous le titre : « *Les Burgs infiniment trop graves, tartinologie découpée en trois morceaux*, — Paroles de M. Victor Hugo, — Décors et costumes de M. Eustache, — Intermèdes de Mlle Maxime, — Musique du parterre ».

La complémentarité du texte et de l'image suppose une pratique nouvelle de la lecture qui se retrouve dans les albums de Baric, disciple de Cham, pour parodier *Les misérables* et *Quatrevingt-treize*. Ces albums sont édités par

Arnauld de Vresse, le successeur d'Aubert. Le texte de Hugo y est contracté en une sorte de canevas narratif sur lequel s'articulent des images qui tiennent lieu de descriptions (lieux et portraits) ou de narration (scènes). La structure grammaticale simplifiée est un enchaînement de propositions indépendantes. Chaque vignette rattachée à la suivante par l'ordre de la lecture présente un tableautin qui n'est pas dénué de références internes à l'histoire de la caricature et de l'image : ainsi le « coing à l'eau-de-vie » de *93*, qui rappelle les calligrammes en forme de poire du *Charivari* de 1835, et les « cris de la ville » représentés par des « bulles » dans la

même page. Les « histoires en images » sont présentées comme une création au second degré dans leur titre, qui s'achève sur le nom du dessinateur-auteur : « *Les travailleurs de la mer/ travaillés par Gill* » dans la « 6e Lune » de mars-avril 1866, remarquables par le jeu qu'introduit Gill dans la « une » du journal autour du motif circulaire de *La Lune* représentée par l'en-tête. Et encore : « Hernani/drame en 5 actes/en vers par Victor Hugo/et en charge par V. Morland », lequel joue sur la discordance entre la familiarité du texte et la noblesse des costumes en associant les procédés de dégradation burlesque et d'emphase héroï-comique. Ou

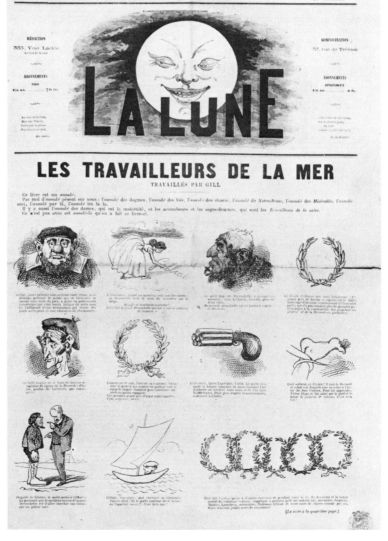

enfin : *Pages d'histoire par Caran d'Ache / Le petit Hernani* dans *Le Journal* du 2 septembre 1894, qui est, suivant la formule de Willette, une « histoire sans paroles ». Avec Willette, le souvenir des spectacles d'ombres subsiste derrière l'histoire sans parole. De même, l'idée de la « revue », spectacle à la mode, inspire la présentation en images de *Marion de Lorme à la Comédie-Française* dans *La Vie Parisienne* du 15 mars 1873, tout comme l'histoire en images de Pescheux, à partir d'*Hernani*, s'inspire des spectacles de lanterne magique dans *Le Bouffon* (9 juille 1867). Le modèle des spectacles populaires de l'époque vient ici raviver le modèle introduit par Töpffer. — S.L.M.

V. Morland
*Parodie illustrée d'*Hernani.
Le Journal Amusant, 13 juil. 1867.
Paris, M.V.H.

Sorel
Silhouettes théâtrales : Marion Delorme.
La Caricature, 23 janv. 1886.
Paris, M.V.H.

Sahib (?)
Marion de Lorme *à la Comédie-Française.*
La Vie Parisienne, 15 mars 1873.
Paris, M.V.H.

Les buses-graves, trilogie à grand spectacle
par Ch.-D. Dupaty et E.-F. Langlé
Vignettes de Bertal. Paris, Tresse, 1843
Une parodie illustrée des *Burgraves*
Paris, M.V.H.

Roselyne Laplace, Gilles Mourier,
Danielle Leclère, Laurence Olivieri
et Josette Acher
sous la direction d'Arnaud Laster

Les parodies

Les parodies du théâtre

« Cet auteur, que je considère au-dessus de la critique comme au-dessus de la louange, ne saurait prendre en mauvaise part un excès d'hilarité ; le rire est si douce chose… »
Marie Tudor racontée par Mme Pochet à ses voisines (note liminaire du « sténographe »).

Tigresse Mort-aux-Rats
par Henri Dupin et Jules. Paris, Barba, 1833.
Une parodie de *Lucrèce Borgia.*
Paris, M.V.H.

Le fils de Triboulet
par Théodore et Hippolyte Cogniard et Edmond Buret, Paris, Barba, 1835.
Une parodie du *Roi s'amuse.*
Paris, M.V.H.

Qu'est-ce qu'une parodie ? Parmi bien des sources de documentation, nous emprunterons notre définition au *Dictionnaire de la langue française* de Robert : « Imitation satirique d'une œuvre sérieuse dans le style burlesque ».

Une forme d'expression, donc, qui convient parfaitement à l'esprit français, volontiers ironique et frondeur. Et lorsque cet esprit prend pour cible Victor Hugo, chef de la « nouvelle vague » littéraire, auteur très productif de surcroît, on peut s'attendre à une véritable explosion de verve, donnant naissance à de nombreuses parodies. En 1941, Travers dénombrait cinquante titres[1], ce qui faisait déjà de Hugo l'un des auteurs les plus parodiés de son siècle (avec Dumas fils et Sardou). Pour notre part, nous en avons recensé une soixantaine, mais, selon la formule consacrée, le « corpus » demeure ouvert, car il serait à la fois présomptueux et peu honnête de prétendre à l'exhaustivité d'un inventaire dont la matière est à ce point éparse et variée. Il nous a en effet paru souhaitable d'élargir le champ de nos investigations à des ouvrages qui, pour ne pas répondre au sens strict du terme, n'en sont pas moins le fruit d'intentions indéniablement parodiques, et que, de ce fait, nous avons inclus dans cette étude. Ce parti pris nous a permis de tenir compte des pots-pourris, opérettes, monologues, « amphigouris », « trifouillis » et autres « tartinologies » de la même veine, sans écarter les productions dont le générique porte les noms de héros hugoliens, sortes de prolongements, si l'on peut dire, des drames du poète[2].

Certaines de ces œuvres ont été représentées (fût-ce à Guignol !), d'autres pas ; certaines ont eu les honneurs de la publication, d'autres sont restées à l'état de manuscrits, d'autres enfin semblent avoir disparu. Il est d'ailleurs intéressant de constater que, si la plupart d'entre elles ont vu le jour dans un délai très court après la création de l'œuvre prétexte — parfois seulement une huitaine de jours — et si l'on en trouve quelquefois plusieurs à l'affiche en même temps, il n'est pas rare qu'une reprise, même très postérieure, d'une pièce de Hugo ait suscité une nouvelle série de parodies. Ce fut notamment le cas pour celles de *Marion de Lorme* et de *Marie Tudor* en 1873.

Bien entendu, il ne s'agit pas ici de passer en revue, à des fins d'analyse de détails, tous les textes qui figurent sur notre liste (voir pp. 452-454), mais seulement d'indiquer les principaux points d'attaque des auteurs de parodies.

Les plus visibles concernent les titres et sous-titres, pour lesquels nous renvoyons à l'inventaire ci-dessous. Mais nous ne résistons pas au plaisir d'en citer quelques-uns parmi les plus « croustillants » : *Harnali, ou La contrainte par cor ; Hernani, les petits chevaux, le dancing et la trompette du funiculaire ; Gothon du passage Delorme ; Tigresse Mort-aux-Rats ; Lucrèce, orgeat ! limonade !! bière !!! ; Ruy Blas des Batignolles ; Les Burgs infiniment trop graves…* Nous leur joindrons certains pseudonymes d'auteurs (Ose-Trop-Goth, Tortu Goth) qui sont déjà tout un programme !

Le contenu n'est malheureusement pas toujours à la hauteur de la fantaisie des titres, et se révèle parfois d'une affligeante pauvreté d'invention, les parodistes exerçant, avec un inégal bonheur, leur imagination aux dépens tant du fond que de la forme des ouvrages.

Les noms des personnages ne sont pas plus épargnés, et l'on doit reconnaître que certaines trouvailles ne manquent pas de sel : Guanhumara, devenue Coinavieura, Goualeusemara, Gueunonmara, voisine avec des Barberousse changés en La Barbiche, Barbesale ou Vieille-Frimousse (lequel est âgé de 250 ans), tandis qu'Otbert se présente sous les traits de Gobelair, Hautebête, Alenvers ou Petenlert ; Don Ruy Gomez-Dégommé Comilva, a pour pupille Doña Sol-Belle-Sole, Parasol, Quasifol, ou… Doña Fa ; Marie qui, on le verra d'après les titres, passe par toutes les étapes du sommeil, a pour amant un Fabiano Fabiani transformé en Nigodino

Nigodini, comte de Prend-Racine, ou Macarono Patditali, « le dernier favori... qui commence à se raser » ; Don César de Bazan-Homard de Bouracan s'oppose à Don Salluste-Sale-Rustre ou Sale-Lustre ; De Profundis se substitue à de Nangis, et Cuirverni à Saverny... Et ce ne sont là que quelques exemples d'une liste fort longue. S'y ajoutent des personnages secondaires, souvent inventés, tels que Don Pimento y Mustardo et Don Pepe Patafiol dans *Hernina,* ou, dans *Marie, tu dors encore,* Lord Dinner, Lord Viétan, Lord Tiker et Lord Ifiss, accompagnés de cette mention : « L'or étant une chimère, ces quatre rôles sont tous supprimés. Lord Chestre seul est conservé » ; ou encore, dans *les Buses-Graves,* des « fils, filles, frères, sœurs, tantes, neveux, nièces, parrains, marraines[...] papas et mamans de Buses-Graves », ce qui n'a rien d'étonnant lorsque les protagonistes ont noms Double-Vieux (110 ans), Double-Vieille (107 ans), Simple-Vieux (80 ans)... Plus originale est la distribution des *Barbus-Graves* où sont réunis les personnages mêlés à la querelle littéraire : Hugo, Dumas, Ponsard, Vacquerie, et l'on devine le parti qu'a pu en tirer l'auteur, de même que celui du *Vray Ruy Blas,* qui imagine Hugo ayant récrit sa pièce en rattachant tous les personnages à la famille des Rougon-Macquart de Zola, afin de devenir « le pontife du naturalisme ». Certains auteurs, toutefois, préfèrent conserver les noms originaux. Est-ce, ainsi que l'insinue l'auteur des *Burgs infiniment trop graves,* parce qu'ils ont jugé inutile de « se casser la tête pour inventer des noms plus ou moins baroques », alors que « M. Victor Hugo s'était plu lui-même à donner à ses divers personnages des sobriquets délicieux » ?

L'un des traits caractéristiques de la parodie consiste à rabaisser la condition sociale des personnages. On voit donc Rossignol « amoureux d'une grande dame... la pâtissière d'en face » ; Hernina, petit d'Espagne ; Jeanneton (Jane Talbot), marchande de berlingots, et Marie, marchande de peaux de lapins ; Dégommé, marchand de vin à La Villette ou traiteur à Clichy-la-Varenne ; Leduc (le duc de Ferrare), marchand-épicier-droguiste-apothicaire à Bagnolet. Quant aux activités de l'héroïne de *Lucrèce, orgeat ! limonade !! bière !!!,* dont le texte n'a pu être retrouvé, on les imagine aisément. Le langage des personnages est naturellement approprié à leur nouvelle condition, et peut aller jusqu'à la trivialité, voire l'obscénité. D'où, par exemple, ces démarquages du billet reçu de son mari par la reine d'Espagne (« Madame, il fait grand vent et j'ai tué six loups » [II,3]) : « Bichette, la rivière est grosse de poissons/ Et depuis ce matin j'ai happé six goujons » (*Ruy Blagas,* II,4), ou « Reine, à la chasse j'ai fait les cent dix-neuf coups ;/ Il fait un temps de chien ; j'ai tué trois coucous » (*Ruy Blag,* sc. 1).

Il va de soi que le cadre de l'action est, lui aussi, travesti. L'intrigue de *Ruy Blas* passe, avec *Ruy Blag,* de la cour d'Espagne à celle du shah de Perse, dont la reine est devenue l'épouse ; *Toquémalade* débute dans « un champ de navets, dépendance du couvent de Saint-Rupin », etc.

A partir de là, les parodistes, la plupart du temps, suivent pas à pas l'intrigue de la pièce prétexte, en l'adaptant au contexte social qu'ils ont choisi. Nous prendrons pour exemple la plus connue des parodies d'*Hernani : Harnali, ou La contrainte par cor.* L'action se situe dans le milieu du théâtre. Elle évoque l'amour du héros pour Quasifol, sa jalousie et son désir de vengeance envers Charlot, qui a pris au théâtre sa place de contrôleur — le reléguant au rang de marchand de billets — et qui courtise aussi Quasifol. Tous les éléments du drame s'y retrouvent : l'enlèvement de la jeune fille, la passion qu'elle inspire à son tuteur, le long monologue de l'ambitieux Charlot sur la tombe de celui auquel il va succéder au poste de régisseur :

« Ô grand homme ! bel homme ! homme aussi grand que beau !
Comment peux-tu tenir dans ce petit tombeau ? » (IV, 1),

monologue qui fait écho aux vers du poète :

« Charlemagne est ici ! Comment, sépulcre sombre,
Peux-tu sans éclater contenir si grande ombre ? » (IV, 2).

Seul, le dénouement diffère. Justifiant son nom, Quasifol, dans un accès de délire, décrit le trouble causé au Théâtre-Français par la nouvelle pièce :

« J'entends chez le voisin un bruit confus de voix !

...

D'où vient ce désaccord ? pourquoi dispute-t-on ?

...

La raison reviendra...

— Pour extirper les cors ! » (V, 5).

Et, sur le conseil de Comilva, tous se relèvent :

« Nous ne devons pas, nous, jouer la tragédie.

Et prenant à rebours les moyens de succès,

Faire pleurer ici les rieurs des Français » (V, 5).

Bien souvent, en effet, les parodies se terminent sur une pirouette : le poison se transforme... en laudanum ou en limonade ; un personnage réapparaît, comme dans ces deux variantes de *Marie Tudor* : *Marie, tu dors encore,* où Macarono, décapité, revient avec sa tête sous le bras, ce qui permet à la reine de commuer, s'il en réchappe, la peine capitale en travaux forcés à perpétuité..., et *Marie, tu ronfles,* où Fabiano fait un caprice de cabotin : « Il faut que tout le monde meure, ou je ne meurs pas... Croyez-vous que ce soit amusant de mourir avant le baisser du rideau et, s'il y a un rappel, on n'en est pas. » D'où cette suggestion de Belazor (Gilbert) : « Si nous finissions gaiement... Eh bien, une petite gigue d'Outre-Manche et nous irons nous coucher » (sc. 28).

D'autres auteurs cherchent à tout prix une originalité pour présenter leur intrigue, comme, par exemple, la nécessité où se trouve une troupe de comédiens de jouer *Hernani,* dont le manuscrit leur a été volé. Il en résulte un mélange de vers de Hugo, de reconstitutions approximatives et de texte, prose ou vers, de pure invention. Le fin du fin pour les parodistes consiste d'ailleurs, en ce domaine, à faire figurer des vers entiers de Hugo dans un contexte qui les rend ridicules.

Parmi les points d'attaque, on relève aussi la construction des pièces. Jugeant qu'*Hernani* pourrait se terminer après le quatrième acte, Dégommé Comilva, dans *Harnali,* relance l'action par cette réplique dite « d'un air sombre » en a parte : « J'ai toujours la trompette » (IV, 5)... Ailleurs, c'est un personnage rajouté par l'auteur, celui du régisseur en l'occurrence, qui, dans *N.i.Ni,* fait une annonce au public : « L'Administration a l'honneur de prier le public de vouloir bien rester en place. On pourrait croire que la pièce est finie ; mais avec un petit moment de préparation, nous allons vous donner le second et le *seul* dénouement de la pièce » (IV, 5). Il s'agit là de la version laudanum... Des adresses au public sont ainsi assez fréquentes, telles que, dans *Gothon du passage Delorme,* le monologue du lampiste, qui remplace tous les personnages du deuxième acte :

« Ma parole d'honneur, cet acte est inutile !

Je ne crois pas pour lui devoir brûler mon huile ! » (II).

A l'inverse, on peut utiliser des interventions de la salle, comme à la fin de *Tigresse Mort-aux-Rats,* où un spectateur, scandalisé, manifeste bruyamment sa désapprobation. Son épouse, victime d'un malaise, est transportée sur scène, où elle absorbe... le poison destiné à Tigresse ! Mais, qu'on se rassure, tout finira bien...

Parmi les éléments de construction, le monologue est bien souvent en butte à

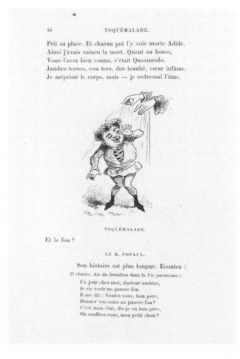

Toquémalade
par M.-L. Hoche, Paris, « chez un marchand de, et pour les amateurs de... romantiques », 1882.
Une parodie de *Torquemada.*
Paris, M.V.H.

l'ironie des auteurs. Tel celui de la scène VI de *Torquemada* qui, considérablement réduit dans *Toquémalade,* est suivi de ce commentaire : « La tirade que Toquémalade vient de se débiter à lui-même l'a tellement épaté qu'il demeure pendant une heure 1/4 en extase sans reprendre respiration » (sc. 6), ou celui de *Barberousse,* au cours duquel, dans *les Buses-Graves,* Barbesale soupire :

« Ah ! je voudrais bien qu'un personnage vînt
Pour m'interrompre enfin…
                                        — J'accours, cher camarade,
Vous relever enfin d'une rude tirade » (II, 1).

De nombreuses parodies s'attaquent aux complications et aux obscurités de certains passages. Très éloquente à cet égard est la présentation des *Hures-Graves,* « trifouillis en vers… et contre *les Burgraves* », qui, sous le titre, porte :

Le tricentenaire	1er fouillis
Un des quatre mendiants	2e fouillis
La cave égarée	3e fouillis
	Total : Trifouillis

De même, à propos du récit de Fosco, on peut lire dans *les Burgs infiniment trop graves,* cette constatation : « Ce récit, palpitant d'intérêt, captive au plus haut point l'attention de Karl, Kurz, Swan, etc., et ils font tous leurs efforts pour suivre le fil de l'histoire ; mais ils ont beau ouvrir les oreilles et la bouche, ils n'y comprennent pas grand-chose. Quant aux spectateurs du Théâtre-Français, c'est bien différent ; ils n'y comprennent rien du tout » (I). Obscurités qui, selon un personnage de *Marie Tudor racontée par Mme Pochet,* ont tout de même du bon, car « si c'était clair, ça s'rait pas si amusant. On d'vinerait tout tout d'suite » (III)… Ces obscurités s'accompagnent, selon les parodistes, d'invraisemblances psychologiques, qu'ils dénoncent complaisamment. Toujours dans *Marie Tudor racontée…,* on relève cette réflexion à propos du changement d'attitude de Jane Talbot vis-à-vis de son fiancé : « Ah ! ça, c'te p'tite bégueule de Jeanne, la v'là donc qu'elle aime Gilbert maintenant, pourquoi qu'elle l'aimait pas tout d'suite, on n'raccourcirait pas son Gilbert. — Dam', c'est dans la pièce » (III).

Autre reproche adressé à Hugo : sa tendance à utiliser des procédés éventés, ou tout au moins à faire des redites par rapport à ses œuvres antérieures ; témoins, dans *Harnali,* la scène où Charlot, cherchant désespérément une cachette, pense tout à coup à une armoire :

« Jamais on n'y songea… oui, c'est un nouveau tour.
— Renouvelé des Grecs, et de *Monsieur Vautour* » (I, 1),

et, dans *Marionnette,* celle où Idiot (Didier) veut se faire arrêter :

« Vous n'avez donc jamais vu jouer *Hernani,*
Malheureux ignorant ? — Attendez donc ! mais si.
Eh bien ! ne dit-il pas : ''Je veux que l'on m'arrête'' ?
Il criait à tue-tête, et je crie à tue-tête »… (III, 6).

On censure aussi l'abus des issues dérobées, ainsi que le remarque Dumanet à propos de la chambre de la Catarina d'*Angelo, tyran de Padoue* : « J'conçois pas qu'tout l'mond'vienn'dans c'te chamb'e, ousque personn' doit v'nir. — En v'là d'un' bonn' puisque c'te malheureuse a tout autour d'ell' des ouverrturr's par ousque tout l'mond' peut s'introduirr' sans qu'ell' s'en dout'… »

Certains textes sont à cet égard extrêmement ironiques, tel *Cornaro,* où l'on voit descendre des cintres, dans une chambre close, un personnage assis sur un banc porteur de cette inscription : « Porte secrète ! »

Autre série de reproches : les jeux de scène et l'interprétation, dont on relève sans ménagements les outrances, comme lorsque Marionnette se jette sur Idiot pour le conjurer de la suivre :

« Ton âme est toute à moi, me l'as-tu pas promise ?
— Ce n'est pas un motif pour me mettre en chemise » (V, 4).

Reste le style, pour lequel on est très sévère ; d'abord en ce qui concerne les hardiesses de versification, que l'on trouve résumées dans cette réplique de Comilva à Harnali qui le supplie de surseoir d'un jour à sa vengeance :

« Quoi ! remettre à demain ! Tu voudrais donc que j'eusse
Trompetté pour Sa Ma - jesté le roi de Prusse ? » (V, 4).

Puis vient le lyrisme, dont nous voyons un exemple typique dans le duo d'amour des *Burgraves,* entre Régina et Otbert :

« … Régina ! dis au prêtre

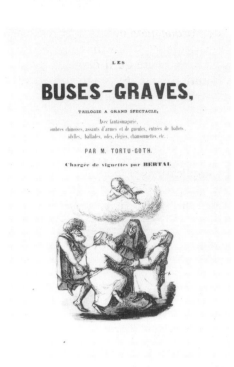

Les buses-graves, trilogie à grand spectacle, par M. Tortu-Goth, 1843
Page de titre avec vignette par Bertal
Paris, M.V.H.

Qu'il n'aime pas son Dieu, dis au Toscan sans maître
Qu'il n'aime pas sa ville, au marin sur la mer
Qu'il n'aime point l'aurore après les nuits d'hiver ;
Va trouver sur son banc le forçat las de vivre,
Dis-lui qu'il n'aime point la main qui le délivre ;
Mais ne me dis jamais que je ne t'aime pas ! » (I, 3),

ce qui devient, dans *les Hures-Graves* :

« Ah dis au va-nu-pieds qu'il n'aime pas les bottes,
Au pochard endurci qu'il a peur des ribottes,
Au petit ramoneur qu'il n'aime pas un sou,
Au chien qu'il craint les os, au chat qu'il craint le mou !
...
Au Théâtre-Français qu'il n'aime pas le Goth,
...
Mais cesse de douter de mon amour extrême ! » (I, 4).

Et que dire de ce passage de *Marie, tu ronfles,* où Gilbert dit à Jane : « Encore un instant. Je sais bien que cette scène d'amour, au clair de la lune, ne laisse pas de faire longueur, mais je m'en fiche, je suis poète, et c'est le moment de placer un peu de poésie... » (sc. 7).

Le luxe de détails n'obtient pas davantage grâce aux yeux des parodistes, comme on le voit dans *Poltrono* :
« Qu'est-ce qui se trouve après la première porte ? — La seconde. — Et après la seconde ? — Probablement la troisième. — Et après la troisième ? — Sans doute le mot de la charade » (I, 6), pas plus que la couleur locale, qui trouve un détracteur en la personne du lampiste de *Gothon* :

« Tout l'embrouillamini dont l'auteur nous régale,
Ils appellent cela de la couleur locale.
Couleur !... On n'y croit plus... » (II).

On a pu constater que, bien souvent, les reproches débordent le cadre du théâtre de Hugo pour entrer dans la querelle du romantisme en général, ainsi qu'il ressort des répliques suivantes : « Ah ! vous me battrez ?... battre une femme ? — C'est très romantique », lit-on dans *Poltrono* (III, 2), ou, dans *Gothon* : « Je ne vous comprends pas ; seriez-vous romantique ? » (I, 4), ou encore, dans *Oh ! qu'nenni* :

« Il a de la moustache — à la François Premier.
Attendu qu'aujourd'hui, grâce au goût romantique,
Il faut que la jeunesse ait un'couleur antique » (III, 11).

On note d'ailleurs à ce propos maintes allusions à Racine et à ses confrères classiques, ainsi qu'aux écrivains du XVIIIe siècle, comme l'indiquent ces injures adressées à Dégommé par Oh ! qu'nenni : « Vieillard stupide !... tête à perruque !... ganache !... partisan de Voltaire, de Racine, de Rousseau ! » (III, 16).

Le tout est très fréquemment émaillé de calembours et de jeux de mots, dont nous ne donnerons que deux exemples, tirés des *Hures-Graves* — « Tant qu'Alto t'aimera, je serai contre Alto » (I, 4) — et de *Marionnette* : dans le texte de Hugo, Marion disait à Didier : « Seyez-vous, je vous prie » (I, 2), expression dont les parodistes tirent la plaisanterie suivante :

Marionnette :   ... « Seyez-vous.
Idiot (naïvement) :   Oui, quelquefois du nez.
Marionnette :   Je vous dis de vous seoir. Seyez-vous.
Idiot :   Pardonnez !
J'entendais, saignez-vous ?
Marionnette :   Oui, le mot est gothique,
Mais vous n'entendez rien au style dramatique » (I, 3).

Nous ne pouvions clore ces indications sur le style sans citer ce vers de Hautebête quittant son amante Aubergine, dans *les Buses-Graves* :
« L'aimer jusqu'à la mort et ne jamais mourir ! » (II, 3).

Ainsi, qu'il s'agisse du fond ou de la forme, les humoristes font feu de tout bois et utilisent le moindre détail susceptible de prêter à rire ou à sourire. Et, chez Victor Hugo, on doit admettre qu'ils sont légion... Dans un autre ordre d'idées, deux comparses (le chirurgien du *Roi s'amuse* et le Richelieu de *Marion de Lorme*) ont fait l'objet de monologues dans lesquels un comédien qui, finalement, ne les a pas

Troisième Année. — Numéro 103.　　　**10 CENTIMES**　　　13 Février 1870

DIRECTEUR :

GASTON ZAP

ABONNEMENTS

PARIS

Un an.......
Six mois......
Trois mois....

BUREAUX :

31, PLACE CADET, 31

A la Photographie de

PIERRE PETIT

DIRECTEUR :

GASTON ZAP

ABONNEMENTS

DÉPARTEMENTS

Un an..........　6 fr.
Six mois........　8 50
Trois mois ...　　2 »

BUREAUX :

31, PLACE CADET, 31

A la Photographie de

PIERRE PETIT

PARODIE

PERSONNAGES :

Dona Lucrezia Borgia !!
Don Alphonse d'Este, son mari, descendant d'Hercule.
Gennaro, capitaine, élevé par des pêcheurs de Calabre.
Gubetta, le vieux complice.
Maffio, Jeppo, Apostolo, Ascanio, Oloferno, inutilités.
Rustighello, le fidèle serviteur.
La princesse Negroni.
Un huissier rouge.
Des moines blancs.
Pages noirs.
Seigneurs panachés.
Un souffleur.

ACTE PREMIER.

PREMIER TABLEAU.

(A Venise-la-Belle. *Fête de nuit.* — Bal masqué et travesti.
— Entrée libre pour les dames. — Des musiciens jouant des
instruments. — Gondoles. — Chœur des canotiers. — Dans
le fond, Venise-la-Belle dans la joie des fêtes que l'obscurité empêche de voir.)

SCÈNE PREMIÈRE.

(Quelques masqués en *o* et en *i* causent entre eux, ou,
comme on dit à Venise, *causent du sucre.*),

JEPPO.

Il faut avouer, Messeigneurs, que nous vivons dans un
moment bien étrange, et que, par le temps qui court, on

ferait bien d'avoir sur soi quelques revolvers .. C'était
en 14.. la Bourgogne était heureuse...

GENNARO (bâillant).
Allons bon, voilà Jeppo qui va tenir le crachoir...

MAFFIO.
Gennaro, je vais te raconter ton
histoire.

GENNARO.
Allons bon, en voilà encore un qui
va nous raser.

GUBETTA (d'une voix creuse).
Sommes - nous assez distingués,
Messeigneurs !

GENNARO.
Eh ! là-bas ! le vieux complice,
vous n'avez pas la parole.

MAFFIO.
Je commence. (Tous se rangent en
cercle. Le ciel s'obscurcit.) Gennaro, tu es un brave capitaine d'a-
venture. Tu ne connais ni ton père
ni ta mère. (On rit.) Sont-ils bêtes, ce
n'est pas drôle ; à la façon dont tu a-
longes une mornifle, on ne doute pas
que tu sois un vrai gentilhomme. Tu
as du cœur et du biceps ! Cœur et bi-

joués, s'évertue à trouver gestes et intonations qui feront de ces personnages, réduits à une seule réplique, des figures de premier plan...

Enfin, d'autres œuvres comptent au nombre de leurs personnages des héros hugoliens. C'est ainsi que l'on voit Marion de Lorme simuler la mort pour échapper aux poursuites de Richelieu *(Une nuit de Marion Delorme),* ou pour... entrer au carmel, projet dont saura, bien sûr, la détourner un nouveau soupirant *(Marion carmélite)...*

Plus intéressants sont les prolongements de *Ruy Blas* que, dans des revues, l'on retrouve aux prises avec... Hermione, symbole du théâtre classique, ce qui donne lieu à des affrontements passionnés :

« Hermione : Du Théâtre-Français vous voyez l'Hermione.

...

Ruy Blas : Moi, je suis un chef-d'œuvre et mon nom est Ruy Blas »

(*Les mines de blagues,* sc. 9),

et, dans *Rothomago* :

« Ruy Blas : Flanquez là le vieux genre et tous vos tristes rôles.
Venez, je vous dirai les choses les plus drôles.

Hermione : Mes auteurs, j'en conviens, sont peut-être un peu vieux,
Mais j'attends, pour changer, qu'on me parle comme eux »

(sc. 7).

Quant à l'auteur du *Sixième acte de Ruy Blas,* il imagine que tous les personnages ont échappé à la mort, ce qui permet au roi de revenir de la chasse, de constater l'infidélité de son épouse et, après avoir crié vengeance, d'accorder un pardon général.

Nous terminerons par l'évocation d'une pièce qui, sous le titre de *Carlos s'amuse,* montre les personnages des œuvres les plus célèbres de Hugo dans des situations imprévues : scène de ménage entre Hernani et Doña Sol, refus de Marion d'épouser Didier, Lucrèce Borgia devenue tenancière d'un restaurant à l'enseigne de « Au rhum antique », etc., le tout couronné par l'apparition de... Victor Hugo.

On aura compris que ces textes parodiques font partie intégrante de la querelle du romantisme et recouvrent des jugements littéraires parfois hostiles : le comique n'a-t-il pas toujours été un très bon véhicule des intentions satiriques ? Et si certaines productions, plus dures et plus agressives, visent manifestement à faire tomber le chef de la nouvelle école, la plupart se contentent d'être des divertissements sans autre prétention que d'amuser lecteur ou public aux dépens d'un auteur dont les qualités ne sauraient être mises en doute. Le vaudeville final est souvent à cet égard très instructif :

« Y a des auteurs à présent/ Qui nous font des rêves creux
Et veul'nt nous faire avaler/ Des chos's qu'on n'gob'ra jamais »,

constate Oh ! qu'nenni, tandis que, dans *les Buses-Graves* :

« Nos vers sont un peu sans façon,/ Mais cette critique indiscrète
N'enlève pas un fleuron/ A la couronne du poète.
Faites en juges bienveillants/ La part de notre parodie.
On travestit les grands talents/ Mais la France, dans tous les temps
Sut faire la part du génie. »

Genre très en vogue au XIXᵉ siècle, la parodie n'existe pratiquement plus, l'exemple des représentations de la *Phèdre* de Pierre Dac pouvant s'inscrire au nombre des exceptions. Chansonniers et imitateurs ont succédé aux parodistes. Leurs moyens diffèrent, mais l'objectif est le même : porter en dérision ce qu'ils considèrent comme les défauts les plus saillants des personnalités mises sur la sellette. Car, tout comme dans la parodie, on ne s'en prend, pour ainsi dire, qu'aux « V.I.P. ». Un glissement de « cibles » s'est toutefois opéré au rythme du développement des médias et des activités socio-culturelles : les « têtes de turcs » ne sont plus les auteurs mais les personnes en vue du monde politique et artistique. Les intéressés ne se formalisent pas d'être « chansonnés » par un Maurice Horgues ou un Jean Amadou, ni imités par un Thierry Le Luron ou un Patrick Sébastien. Au contraire, beaux joueurs, ils regardent le plus souvent ces fantaisies comme la rançon du succès, rejoignant à cet égard Victor Hugo que le journaliste de *L'Écho des Salons* (24 mars 1830) pense avoir reconnu dans une loge, à la première d'*Harnali,* et qui aurait contribué au succès de la pièce « pour sa part d'applaudissements ». — R. L.

Parodie illustrée de Lucrèce Borgia
(à l'occasion de la reprise de *Lucrèce Borgia* à la Porte-Saint-Martin)
Le Monde pour Rire, 13 fév. 1870
Paris, M.V.H.

453

Hernani
Comédie-Française : 25 février 1830

N.i,Ni, ou Le danger des castilles
Amphigouri-romantique en 5 actes et en vers sublimes, mêlés de prose ridicule, par Pierre-Frédéric-Adolphe Carmouche, Frédéric de Courcy et Charles-Désiré Dupeuty.
Musique classique, ponts-neufs, etc., arrangés par Alexandre Piccini.
Paris, Bezou, 1830 (Bibliothèque de la Comédie-Française).
Théâtre de la Porte-Saint-Martin :
12 mars 1830.
Oh ! qu'nenni, ou Le mirliton fatal
Parodie d'*Hernani* en 5 tableaux, par Nicolas Brazier et Pierre-Frédéric-Adolphe Carmouche.
Paris, R. Riga, 1830 (C.-F.).
Théâtre de la Gaîté : 16 mars 1830.
Harnali, ou La contrainte par cor
Parodie en 5 tableaux et en vers, par Auguste de Lauzanne [pseud. d'Augustin Lauzanne de Vauroussel].
Paris, Bezou, 1830 (C.-F.).
Théâtre du Vaudeville : 23 mars 1830.
Hernani (présenté à la censure sous le titre : *Les nouvelles folies d'Espagne, ou L'invasion des Goths*)
Bêtise romantique en 5 tableaux moins un, précédés d'un tout petit prologue, par Alphonse Maneuveriez (d'après Henry Lecomte).
Manuscrit (Archives nationales).
Théâtre des Variétés : 23 mars 1830.
Fanfan le troubadour à la représentation d'Hernani
Pot-pourri en 5 actes.
Paris, Levasseur et Gosselin, 1830 (Bibliothèque Nationale).
Réflexions d'un infirmier de l'hospice de la Pitié sur le drame d'Hernani
Paris, Roy-Terry, 1830 (B.N.).
Hernani, les petits chevaux, le dancing et la trompette du funiculaire
Par Jean Bastia (1927 ?).
Hernina, ou L'enlèvement de la camerera mayor
Parodie romantique en 5 actes et en vers, par Jules Suberville.
Paris, André Lesot, 1939 (Bibliothèque de l'Arsenal).
Collège Sainte-Croix de Neuilly (division de seconde) : 24 mars 1938.

Marion de Lorme
Théâtre de la Porte-Saint-Martin :
11 août 1831.

Une nuit de Marion Delorme
Vaudeville en 2 actes, par Nicolas Brazier, Jules-Edouard Alboize [du Poujol] et Dulac.
Paris, J.-N. Barba, 1831 (Société des Auteurs et Compositeurs Dramatiques).
Théâtre des Nouveautés : 17 août 1831.
Gothon du passage Delorme
Imitation en 5 endroits et en vers, de *Marion de Lorme,* burlesque (avec des notes grammaticales), par Théophile-Marion Dumersan, Brunswick [pseud. de Léon Lévy, dit Lhérie] et Céran [pseud. de Jérôme-Léon Vidal].
Paris, J.-N. Barba, 1831 (Bibliothèque histo-

rique de la Ville de Paris).
Théâtre des Variétés : 29 août 1831.
Marionnette
Parodie en 5 actes et en vers, de *Marion de Lorme,* par Charles-Désiré Dupeuty et Félix-Auguste Duvert.
Paris, J.-N. Barba, 1831 (C.-F.).
Théâtre du Vaudeville : 29 août 1831.
Marion carmélite
Comédie-vaudeville en un acte, par Jean-François Bayard et Dumanoir [Philippe-François Pinel, dit].
Paris, au Magasin théâtral, 1837 (S.A.C.D.).
Théâtre du Palais-Royal : 19 octobre 1836.
Marion de l'Orne
Opérette-parodie en un acte et en vers, par Hippolyte Bedeau. Musique de Frédéric Barbier.
Non publié (d'après Travers).
Théâtre de l'Eldorado : 9 mars 1873.
Marions Delorme
Parodie-vaudeville en un acte,
et/ou *Margoton*
Parodie en 5 actes, par Louis Péricaud et Paul Meyan.
Non publié (d'après Travers).
Concert Parisien : 9 janvier 1886.
Marion de Lorme
Tragédie naturaliste en un acte seulement, par Alain Valabrègue. Costumes et décors de M. Lunel, 1886 (C.-F.).
Le Richelieu de Marion Delorme
Monologue d'Adolphe Racot, dit par Coquelin cadet, de la Comédie-Française.
Paris, Tresse et Stock, 1887 (Ars.).
Marion de Lorme, ou Un moment de caprice
Comédie mêlée de couplets. Sans date.
Manuscrit (A.N.).
Marion de l'Orme
Un acte, par René-André Polydore de Chazet et Edmond-Guillaume-François de Favières. Sans date.

Le roi s'amuse
Comédie-Française : 22 novembre 1832

Romantorgo, ou La cause perdue
Rêve en vers libre, dédié aux amis d'un grand poète, par Picard.
Paris, Delaunay, 1832 (B.N.).
Le fils de Triboulet
Comédie-vaudeville en un acte, par Théodore et Hippolyte Cogniard et Edmond Burat [de Curgy].
Paris, Barba, 1835 (S.A.C.D.).
Théâtre du Palais-Royal : 5 février 1835.
Rigoletti, ou Le dernier des fous
Vaudeville en un acte, par Jules-Edouard Alboize [du Poujol] et Adolphe Jaime.
Paris, J.-N. Barba, 1838 (B.N.).
Théâtre du Vaudeville : 21 septembre 1835.
Le chirurgien du Roi s'amuse
Monologue d'Arnold Mortier, dit par Coquelin cadet, de la Comédie-Française. Dessins de Sapeck.
Paris, Paul Ollendorff, 1883 (S.A.C.D.).

Lucrèce Borgia
Théâtre de la Porte-Saint-Martin :
2 février 1833

Une répétition générale
A-propos-vaudeville en 2 actes précédés d'un prologue, par Eugène Scribe, Desvergers [pseud. d'Armand Chapeau] et Varin [pseud. de Charles Voirin].
Non publié (d'après Travers).
Théâtre du Gymnase : 16 février 1833.
Tigresse-Mort-aux-Rats, ou Poison et contre-poison
Médecine en 4 doses et en vers, par Henri Dupin et Jules [pseud. de Jules-Henri Vernoy de Saint-Georges].
Paris, J.-N. Barba, 1833 (S.A.C.D.).
Théâtre des Variétés : 22 février 1833.
L'ogresse Gorgia
Gros cauchemar en 5 petites parties et en vers, vaudeville précédé de *La queue du Diable,* prologue en vile prose et suivi du *Couplet au public,* épilogue, par Julien de Mallian.
Non publié (d'après Travers).
Théâtre de l'Ambigu-Comique :
23 février 1833.
Lucrèce d'Orgeat
Parodie en un acte, par Hippolyte Bedeau. Musique de Frédéric Barbier.
Non publié (d'après Travers).
Théâtre de l'Eldorado : 24 mars 1870.
Lucrèce, orgeat ! limonade !! bière !!!
Parodie en un acte et en prose, par Paul Cézano et Vesseron. Musique de Gaston Serpette.
Non publié (d'après Travers).
Concert Gaulois : 6 avril 1870.

Marie Tudor
Théâtre de la Porte-Saint-Martin :
6 novembre 1833

Marie Crie-Fort
Parodie en 4 endroits et 5 quarts d'heure. Explications tirées de la pièce de *Marie Tudor* de M. Victor Hugo, et d'après Voltaire et d'autres historiens.
Paris, Gallet, 1833 (B.N.).
Théâtre du Temple : 28 novembre 1833.
Marie Dortu
Parodie-vaudeville en 4 tableaux, par***
Manuscrit (S.A.C.D.).
Théâtre des Funambules : 30 novembre 1833.
Marie Tudor racontée par Madame Pochet à ses voisines, mesdames Chalamelle, La Lyonnaise, mesdemoiselles Reine et Verdet. Assaisonnée de commentaires et réflexions de ces dames. Conversation escamotée par un sténographe [par Roberge].
Paris, chez l'éditeur, galerie Véro-Dodat [1833] (B.N.).
Marie tu dors et Londres est dans les fers
Drame en 14 journées et ennuyeux, par Claude.
La Vie Parisienne, 4 octobre 1873 (Maison de Victor Hugo).
Marie, tu ronfles
Parodie-vaudeville en un acte, par Félix Savard.
Manuscrit (A.N.).
Théâtre des Délassements-Comiques :
6 octobre 1873.
Marie, tu dors encore !
Drame presque historique en 2 actes et trois quarts d'heure, mêlé de chant, par Armand

Chaulieu [pseud. d'Alexandre Charles] et Louis Battaille.
Paris, Barbré, sans date (S.A.C.D.).
Concert Européen : 25 octobre 1873.
Marie, tu dors
Parodie en 4 actes, par Arthur Emmanuel et Henri Dupont.
Non publié (d'après Travers).
Théâtre de l'Alhambra : 29 octobre 1873.
Marie, tu dors ?
Parodie en 4 actes, par H. Martin.
Non publié (d'après Travers).
Concert Becker : 24 novembre 1873.
Marie, dors-tu ?
Nocturne tragiquo-comica en vers luisants et vers cassés... Paroles et musique de Lucien Gothi.
Paris, P. Tralin [1873] (B.N.).

Angelo, tyran de Padoue
Comédie-Française : 28 avril 1835

Cornaro, tyran pas doux
Traduction en 4 actes et en vers d'*Angelo,* par Charles-Désiré Dupeuty et Félix-Auguste Duvert.
Paris, Marchant, 1835 (B.H.).
Théâtre du Vaudeville : 18 mai 1835.
Angelo, tyran de Padoue
Drame en 4 actes et en prose, raconté par Dumanet, caporal de la 1re du 3e, 22e régiment de ligne, orné de réflexions sur le jeu des acteurs, par l'auteur des parodies de *Marie Tudor,* d'*Angèle,* des *Mal-Contents,* etc. [Roberge].
Paris, Jules Laisné, 1835 (S.A.C.D.).
Poltrono, tyran... on ne sait pas d'où
Imitation burlesque d'*Angelo, tyran de Padoue,* par Auguste Jouhaud.
Bruxelles, Auguste Jouhaud, 1835 (Ars.).

Ruy Blas
Théâtre de la Renaissance : 8 novembre 1838

Ruy-Brac
Tourte en 5 boulettes, avec assaisonnement de gros sel, de vers et de couplets, par Maxime de Redon.
Paris, J.-N. Barba, 1838 (B.H.).
Théâtre Comte : 28 novembre 1838.
Ruy-Blag
Parodie en prose rimée de *Ruy Blas,* insérée dans *le Puff,* revue en 3 tableaux, par Pierre-Frédéric-Adolphe Carmouche, Varin [pseud. de Charles Voirin] et Louis Huart.
Paris, Marchant, 1839 (B.H.).
Théâtre des Variétés : 31 décembre 1838.
Les mines de blagues
Revue fantastique à spectacle, mêlée de couplets, par Clairville [Louis-François Nicolaïe, dit] et Delacour [Alfred-Charlemagne Lartigue, dit].
Paris, E. Michaut, 1838 (S.A.C.D.).
Théâtre de l'Ambigu-Comique :
31 décembre 1838.
Ruy Blas des Batignolles
Opérette en un acte, par Jacobi, Edouard et Émile Clerc.
Théâtre des Fantaisies-Parisiennes :
4 avril 1876.

Le vray Ruy Blas
Par A. Dreyfus (1879 ?).
Rothomago
Revue en un acte, par Théodore et Hippolyte Cogniard.
Paris, Marchant, sans date (S.A.C.D.).
Théâtre du Palais-Royal : 1er janvier 1839.
Ruy Blag
Parodie en prose d'un drame en vers, en 5 incidents, par Auguste Jouhaud.
Manuscrit (S.A.C.D.).
Théâtre Lazary : septembre 1841.
Ruy Blagas — Le Ruy Blas d'en face
Parodie-vaudeville en 4 actes, par Émile Blavet et Henri Chabrillat.
Manuscrit (Ars.).
Théâtre des Folies-Dramatiques : 13 avril 1872.
Ruy Black, ou Les noirceurs de l'amour
Parodie en un acte et 2 tableaux, en vers et en prose, mêlée de couplets, par Charles Gabet.
Paris, L. Bathlot, 1873 (S.A.C.D.).
Théâtre des Folies-Bergère : 20 avril 1872.
Le sixième acte de Ruy Blas
Fantaisie en vers, œuvre posthume et postiche de Victor Hugo, découverte et présentée par un membre de la Ligue, par Adrien Hanotelle.
Paris, E. Dentu, 1893 (B.N.).
Ligue des Lézards décoratifs : 10 juin 1893.
Guignol Ruy-Blas
Parodie en 3 actes et en 5 tableaux, par Albert Chanay.
Non publié (d'après Travers).
Théâtre Guignol Mourguet (Lyon) : décembre 1904.
Ruy Blas
Parodie [de Guignol] en 5 tableaux, par Auguste Maucherat. Sans date.
Non publié (d'après Travers).

Les Burgraves
Comédie-Française : 7 mars 1843

Les Hures-Graves
Trifouillis en vers... et contre *les Burgraves ;* parodie en 3 actes, par Dumanoir [Philippe-François Pinel, dit], Clairville [Louis-François-Nicolas, dit] et Paul Siraudin.
Paris, C. Tresse, 1843 (B.H.).
Théâtre du Palais-Royal : 21 mars 1843.
Les Buses-Graves
Parodie des *Burgraves* en 3 actes et en vers, par Charles-Désiré Dupeuty et Eusèbe-Ferdinand Langlé [pseud. de Joseph-Adolphe-Ferdinand Langlois].
Paris, Tresse, 1843 (B.N.).
Théâtre des Variétés : 22 mars 1843.
Les Boules graves
Trilogie en 3 parties et en vers par Barthélemy Jarnet et Eugène Fillot.
Manuscrit (A.N.).
Autorisation de la censure pour le Théâtre du Luxembourg : 29 mars 1843.
Les Barbus-Graves
Parodie des *Burgraves* de M. Victor Hugo, par Paul Zéro [pseud. de Paul-Aimé Garnier].
Paris, aux bureaux de la Revue de la province, 1843 (S.A.C.D.).
Les Bûches graves
Pièce de résistance, servie au Théâtre-Français, par Étienne-Hippolyte [Chol de] Clercy.

Publié à Paris en 1843 (d'après Travers).
Les Buses-Graves
Trilogie à grand spectacle, avec fantasmagorie, ombres chinoises, assauts d'armes et de gueules, entrées de ballets, idylles, ballades, odes, élégies, chansonnettes, etc., par Tortu Goth [pseud. de Charles-Albert d'Arnould, connu sous le nom de Bertall]. Chargée de vignettes par Bertall.
Paris, Ildefonse Rousset, 1843 (B.H.).
Les Burgs infiniment trop graves
Tartinologie découpée en 3 morceaux. Paroles de M. Victor Hugo. Décors et costumes de M. Eustache. Intermède de Mlle Maxime. Musique du parterre [texte par Louis Huart, d'après Vicaire].
Paris, Aubert, sans date (Ars.).
Les Burgraves de 1850
Trilogie en 3 logis et 4 tableaux, dessinée par Bertall et gravée par Dumont et Riault.
Journal pour Rire, 13 avril 1850 (Ars.).

Torquemada
Publié en 1882

Toquémalade
Parodie méli-mélo-drame-à-tics médicinaux, par Ose-Trop-Goth [pseud. de M.-L. Hoche].
Paris, chez un marchand de romantiques et pour les amateurs de romantiques, à l'aube du xxe siècle [1882] (Maison V.H.).
Tirage à 70 exemplaires avec cet avertissement : « Pour soixante-dix toqués on a mis soixante-dix fois sous la presse cette bambochinade... »

et aussi...

Carlos s'amuse
Drame romantique en 5 actes et en vers, par E.-P. Lafargue, qui met en scène les personnages des drames célèbres de Hugo.
Le Rire, 1er mars 1902 (Ars.).
Doña Nina
Drame en vers par Sylvius [pseud. du marquis de Belhoy et d'Edmond Texier, d'après *l'Intermédiaire des chercheurs et des curieux*].
N'ayant pas retrouvé le texte, nous ne savons pas à quelle pièce il se rattache.

La poésie parodiée

Les Contemplations

Le recueil *Les recontemplations* — « moins de douze mille vers » nous est-il obligeamment signalé dès la couverture —, œuvre de Joseph Van II (en fait Louis-Joseph Alvin) est ambigu. S'il reprend parodiquement l'architecture des *Contemplations* (il est divisé en deux parties : « Ludus 1856-Seria 18... ») ; s'il en réécrit certains titres (*Ce que dit la ligne à l'oreille — A celle qui manque à la France,* etc.), voire certains vers (« Elle était déchaussée, elle était décoiffée » — *Cont.*, l. I, XXI — devient : « Elle était débraillée, elle était mal peignée »...) ; s'il en reprend sarcastiquement certains thèmes (« J'aime l'araignée et j'aime l'ortie » — *Cont.*, l. III, XXVII — devient : « Méduse, homard, langouste, écrevisse/ Sont fort à mon gré »...), cela tombe très vite dans un système lassant (« Mais notre planète tassée/ Profanant le doux miel Amour,/ Vous engendrait, hyène Atrée,/ Ours Henry VIII, chacal Timour ! », etc.) et creux — défaut dont l'auteur a dû s'apercevoir puisqu'il dévie peu à peu, et finit par offrir ce qui doit être sa propre production (tels ses *Tableaux flamands, Enfance de Jésus* et autres *Baigneuse de Némi* — cette dernière ne consistant qu'en une pesante imitation des *Ballades*), qui n'a parfois d'hugolien que son système de rimes (aabccb) et de strophes (2 alexandrins — 1 vers de 6 syllabes — 2 alexandrins — 1 vers de 6 syllabes). L'humour reprend un — court — instant ses droits en fin de volume, avec un *Supplément au dictionnaire de l'Académie française par un des membres de l'illustre compagnie,* où on peut lire ce genre de définitions : « ALEXANDRIN : sorte de vers peu dégourdi — J'ai disloqué ce grand niais d'alexandrin. » (Voir *Cont.*, l. I, VII) ou : « BAGNE LEXIQUE : espèce de prison dans laquelle les grammairiens enfermaient les mots, avant la réforme — Vilains, rustres, croquants, que Vaugelas, leur chef,/ Dans le bagne lexique avait marqué d'une F » (ibid.). Cela dit, l'absence de talent n'entraîne nullement l'absence de hargne : « Tu butines sur les sommets,/ Tu sais moissonner dans le vide ;/ Mais la saine raison jamais / Sombre songeur, ne fut ton guide ».

G. M.

Victor Hugo revu et corrigé à la plume et au crayon par Gill
Les chansons des grues et des boas, 1865

Gill commence par un dessin de Pégase, supporté par des béquilles, et portant une visière sur les yeux. Le texte qui lui fait face s'appelle *Le Cheval* et décalque le texte de Hugo :

Gill	Hugo
« Hugo le saisit par la bride	« Je l'avais saisi par la bride ;
Et, mêlant poings, Raphidim, nœuds,	Je tirais, les poings dans les nœuds,
Alérion, sourcils et ride	Ayant dans les sourcils la ride

Les chansons des grues et des boas
par André Gill. Paris, 1865
Paris, M.V.H.

LE CHEVAL.

AS-TU DÉJEUNÉ JACOB ?

Fait des efforts vertigineux.	De cet effort vertigineux.
Oui, c'est un grand cheval de gloire,	C'était le grand cheval de gloire,
Quand par Hugo il est monté ;	— Que fais-tu là ? me dit Virgile,
(...)	Et je répondis (...),
— Que fait Hugo ? se dit Virgile	(...)
Mais lui, mettant Pégase au vert,	— Maître, je mets Pégase au vert. »
— Maître, tu n'es qu'un imbécile ;	
Tu vas voir comme on fait des vers. »	

On retrouve ce même parallélisme dans *Interruption à une lecture de Hugo*[3] :

Gill	Hugo
« Je lisais Hugo. — J'ouvris	« Je lisais Platon. — J'ouvris
La porte de la cuisine,	La porte de ma retraite.
(...)	(...)
Je dis à la virago :	Et je lui dis : — (...)
Ne seriez-vous pas duchesse ? »	Ne seriez-vous pas déesse ? »

En sortant du collège est accompagné du dessin de deux collégiens :

Gill	Hugo
« Puisqu'on nous lâche d'un cran	« Puisque nous avons seize ans,
(...)	(...)
Je sais l'art d'aimer ; j'y suis	Je sais l'art d'aimer ; j'y suis
Très-fort, car j'ai lu Brantôme,	Habile et fort au point d'être
Boccace et Piron, et puis	Stupide, et toutes les nuits
Justine. Je suis un homme. »	Accoudé sur ma fenêtre. »

Réalité, n'a de commun que le titre et une vague ressemblance dans le premier vers

Gill	Hugo
« La peinture n'est pas la même, »	« La nature est partout la même, »

Paupertas, semble prendre le contrepied de la thèse de Hugo :

Gill	Hugo
« Être Rothschild n'est pas l'affaire ;	« Être riche n'est pas l'affaire ;
L'affaire est-elle de jeûner ? »	Toute l'affaire est de charmer. »

car Gill n'aime ni les beautés trop maigres, ni les maigres repas.

Réponse à T. T., s'inspire de *Réponse à l'esprit des bois* :

Gill	Hugo
« Nain qui barbotte,	« Nain qui me railles,
Petit, ventru,	Gnome aperçu
Tigre de botte	Dans les broussailles,
Gâteux, intru ; »	Ailé, bossu ; »
(...)	(...)

mais l'un est « un écrivain blême », directeur d'une « ridicule feuille de chou » (Gill), l'autre n'est qu'une « Fable ».

Dans *Saison de la vente, le soir,* le début rappelle *Saison des semailles le soir*

Gill	Hugo
« C'est le moment cher au libraire,	« C'est le moment crépusculaire,
Quand un livre d'Hugo paraît.	J'admire assis sous un portail,
Déjà le comptoir qui s'éclaire	Ce reste de jour dont s'éclaire
Sous les monacos disparaît ; »	La dernière heure du travail. »

et *Senior est junior*

Gill	Hugo
« Et tandis que bank-notes et piastres	« Le soir, mettre sous clef des piastres
Vont s'entasser chez l'éditeur,	Cause à l'âme un plus doux émoi
Je vois s'enfoncer dans les astres,	Qu'une rencontre sous les astres (...) »
Le crâne immense de l'auteur. »	

L'anniversaire correspond à *Célébration du 14 juillet dans la forêt*

Gill	Hugo
« Qu'il est joyeux aujourd'hui,	« Qu'il est joyeux aujourd'hui,
L'homme aux chefs-d'œuvre sans nombre. »	Le chêne aux rameaux sans nombre, »

et c'est Hugo qui est fêté, comme le chêne :

Gill	Hugo
« A pareil jour, sur la terre, »	« Tous les ans à pareil jour,
(...)	(...)
Auguste dit en pleurant :	C'est la fête du grand-père. »
C'est la fête du beau-père ! »	

Une caricature de Hugo, une autre du « maigre G. » sont accompagnées de petits textes plus originaux. Puis le recueil s'achève sur *Au Cheval :*

Gill	Hugo
« Cheval reprends ton triste vol, »	« Monstre, à présent reprends ton vol. »

et sur des dessins avec des légendes : l'un sur le fameux « torchon radieux », et l'autre représentant un vieillard-perroquet, sur un perchoir, imaginé d'après les vers de Hugo :

> « On entend Dieu dès l'aurore
> Dire : As-tu déjeuné Jacob ? » *(Senior est junior).*

Il porte en légende : « Sur un perchoir ? un patriarche ! Ce que c'est que de nous ! »

Le recueil est amusant, et très respectueux envers Hugo.   D. L.

Une chansonnette des rues et des bois, 1865

C'est une plaquette anonyme d'une trentaine de pages, éditée par la *Librairie du Petit Journal.* Elle comprend cinq poèmes heptasyllabes qui rappellent la forme des *Chansons des rues et des bois,* et en imitent l'inspiration.

Le premier s'appelle *Sans cheval*[4], il fait allusion
> « Aux laveuses de Meudon »
aux promenades conjuguées dans la campagne, sous l'égide de
> « Celui qui bat la campagne
> (...) Olympio-Pitou[5]. »

Le second poème *A l'oseille* emploie les mêmes impératifs pluriels que *Le poète bat aux champs,* critique la cascade de noms propres que l'on trouve souvent chez le poète :
> « J'accommode une purée
> De noms propres et communs. »
et parle de « l'argot de Pantin ».

Qu'il n'y a qu'une femme au monde soutient que malgré des noms différents,
> « C'est toujours la même femme »
et
> « Pour moi, je les aime toutes. »

Les allusions se précisent avec le nom de Lisette qu'on trouve chez Hugo, et ces couplets :
> « Ma chansonnette lascive
> Ne demande qu'à voler,
> Et même un peu de lessive
> Ne me fait pas reculer[6].
> Ça me change, moi le mage,
> Et le prophète effaré,
> De voir Colinette en nage
> M'apostropher dans un pré. »

Plus d'antithèses, Pluies d'antithèses, ne dépare pas la collection des critiques rituelles adressées à Hugo.

Enfin dans *Un peu de mélancolie,* le masque tombe :
> [...] « Ô Place Royale ! Ô Place !
> Souvenirs non décriés !
> Jeunes gens, c'est moi qui passe ;
> Cachez vos noirs encriers ![7]
> Jeunes gens ! Je suis le maître
> Si l'un de vous raille ici,
> Je lui pardonne, peut-être

> Est-ce un peu ma faute aussi.
> Car dans ce livre-délire,
> Qu'il fallait vous dédier,
> Tel à qui j'appris à lire
> Apprend à parodier. »

D. L.

La légende des siècles

D'après la ballade d'André Tarbet *(1900)* bien évidemment inspirée par *Après la bataille* — il suffira de citer les trois derniers vers pour que le lecteur en saisisse toute la portée et tout le sel éventuels : « Le coup passa si près qu'son pneu Mich'lin creva./ Papa de tout son long roula dans la poussière ;/ '' Gonfle-lui tout d'même son pneu '', dit mon père. »

Les frères d'Armes — œuvre de Delprat (1865) — avaient plus d'ampleur et de saveur. C'est une réécriture, habile et plutôt drôle, de différents textes de *La légende des siècles,* tels que *Le cycle héroïque chrétien, Welf, castellan d'Osbor,* etc. — saupoudrée d'un peu de scatologie, d'éruditions diverses et fantaisistes, de clins d'œil et d'humour, le tout entrelacé à des souvenirs précis de l'œuvre, comme par exemple ces vers : « Un berger, Wolff, serf, vit, dans le gouffre des nues,/ Un ange qui lavait avec soin ses mains nues. » (Voir, dans *La confiance du marquis Fabrice* : « Un archange essuyer son épée aux nuées. » — et ce « Wolff, serf », est bien évidemment Welf, l'homme libre). On y voit par exemple un vieux chevalier, le marquis Friedrich, ôter, pour la première fois depuis trente ans, son armure : « Un page, en ricanant, dit : '' Le vieux n'est pas beau. ''/ L'écuyer Darius, aimant beaucoup son maître,/ Jette, sans dire un mot, l'enfant par la fenêtre. »

L'ensemble, de la même veine, se lit sans déplaisir, et la parodie, pour être douce, n'en est pas moins efficace.

Ceux à qui s'adressait la *Réponse à un acte d'accusation* (Cont., I, 1, VII) semblent n'avoir jamais désarmé, et leur haine reste toujours vive, même en *1877,* comme en témoigne une autre parodie : *Discours de NEMO (Ignotus) successeur de Victor Hugo, prononcé à l'Académie française le jour de sa réception,* discours qui n'est en fait qu'une tentative de théorisation du texte suivant : *Les pauvres gens, translaté du baragouin en français.* (Il y aurait, à ce propos, une étude à faire sur ce genre littéraire — mineur, sans doute, mais insistant — qui consiste à traduire du français en français.)

Le *Discours* est constitué d'une série d'attaques en règles contre Hugo-individu, aussi bien que Hugo-écrivain, Nemo reprochant à peu près tout au premier (ses volte-face politiques, son avarice, son arrivisme, son socialisme, ses amours, etc.) et ne reconnaissant presque rien au second. Ainsi se fait-il fort de prédire que la prose de Hugo ne survivra pas aux dix années à venir, que son théâtre est absurde et outré, et que seules les *Odes* (et encore !), à quoi l'on peut joindre quelques pièces (mais « de faible envergure ») témoignent de quelque talent, le reste des poèmes étant voué aux gémonies pour les atteintes qu'on y trouve à la versification classique (les modèles de Nemo sont Racine pour les vers et Voltaire pour la prose et, plus vaguement, « l'esprit » — mais, l'on s'en doutait, pas le Voltaire des anticléricaux), pour leurs antithèses ridicules, leurs rythmes ternaires abusifs, leurs démesures en tous genres, etc.

Bref (c'est la substance de la réponse de « M. Outis ») : « Voltaire a bouleversé le monde intellectuel pendant plus d'un demi-siècle. Son influence, heureuse ou malheureuse, s'y conserve toute florissante. Victor Hugo a bouleversé la littérature pendant un quart de siècle. La dernière trace du désordre qu'il y avait jeté en est déjà effacée. » Les attaques sont parfois moins polies : « Même arrivé à sa complète décadence littéraire, il a été adoré par quelques fanatiques dans ses déjections intellectuelles comme le grand Lama dans ses déjections physiques » (p. 53).

Mais l'on arrive enfin à la grande affaire : la « translation » des *Pauvres gens* — dont nous extrairons deux citations au hasard afin de montrer à quel point, en effet, elle était nécessaire pour que ce poème devienne le « pur joyau » que Hugo n'avait pu et su qu'entrevoir (les deux textes sont en regard). Voici ce qu'écrit Hugo : « Il s'en va dans l'abîme, il s'en va dans la nuit. (1)/ Dur labeur ! tout est noir ; tout est froid ; rien ne luit. (2) » Voici les notes : « (1) Aller dans l'abîme et dans la nuit ne me semble pas heureux ; j'ai peut-être tort *(sic)*. (2) Enfilade de mots pour arriver à la rime *luit*. D'ailleurs, puisqu'il fait nuit noire, rien ne peut luire. » Voici la « translation » de Nemo ; « Il affronte l'abîme, il affronte la nuit./ Audacieux labeur ! Le danger le poursuit. »

Autre exemple. Hugo : « Et, par instants, à mots entrecoupés, sa bouche (1)/ Parlait, pendant qu'au loin grondait la mer farouche. » Le scoliaste : « (1) Absence de repos d'hémistiche. J'ai changé le vers suivant, en haine de la tempête qui revient seize vers plus loin. » Le translateur : « Des mots entrecoupés lui sortaient de la bouche ;/ Fut-on jamais piqué d'une pareille mouche ! » *(re-sic).* Ce n'est plus un joyau, c'est un aveuglement !

Cela dit, sans vouloir s'étendre plus sur ce livre à l'intérêt certain — lire Nemo, c'est recevoir, mais en négatif, une image assez juste du travail, des aspects et des ruptures de Hugo par rapport au vers et à la prose —, on ne peut qu'être amusé de découvrir que, pour certains « gendelettres », en 1877, le combat littéraire opposait encore le Classicisme et le Romantisme, quand Rimbaud, Mallarmé et quelques-autres avaient déjà fait plus que fourbir leurs armes.

G. M.

Mélanges
Les petits Châtiments

L'auteur (Ben Mill) dédie son livre (1882) « à tous les Déshérités », aux « Prolétaires », ses « Frères ». Il n'a pu faire paraître son ouvrage plus tôt en raison de « la loi sur la presse », « si dure pour toutes les plumes ». Il fait l'éloge des « puissantes et magnifiques imprécations » de son « illustre et vénéré maître », Victor Hugo, dans « son immortel ouvrage les *Châtiments* ».

Pour Ben Mill, « la question *sociale* » est brûlante. « Les artisans demandent des ateliers », les vieillards « des asiles », les enfants « des écoles », les femmes « leur émancipation » et le peuple « du pain ».

L'ouvrage se compose de deux parties. La première est constituée d'une sorte de *Légende des siècles,* évoquant le peuple français : *Gaule et France.* Ces *Petites pages d'une grande Histoire*, commencent à l'*Ère payenne*, et sont écrites à la gloire des « Fiers Gaulois, preux Romains, héros des nobles luttes », en qui le « fiel catholique » a « éteint le feu sacré ». Dans l'*Ère chrétienne*, il exalte la France qui sut résister aux Barbares. Puis au *12e siècle*, le « peuple fut grand dans sa fureur austère ». Il célèbre dans *1789,* l'abolition des privilèges. Dans *1830,* il évoque les massacres de la rue Transnonain, de Saint-Merry, et de la Croix-Rousse, car la révolution n'avait servi qu'à remplacer un « *sire goupillon* » par « un *sire quenouille* ».

Avec *1851,* on retrouve les accents des *Châtiments* :

« (...) La République morte,
Il fusille, il torture, emprisonne et transporte,
Il baillonne, il proscrit, décrète la terreur,
Et sur la France en deuil, *se bombarde* empereur.

1870 chante la chute de l'empire, et la résistance du peuple face à la Prusse :

« Chaque homme est un héros, chaque ville une gloire »

et s'achève sur la revendication de l'Alsace et de la Lorraine :

« Par dessus la frontière ils nous tendent les mains ! »

La deuxième partie rassemble des « chants et chansons humanitaires et patriotiques » sous le titre *Glas et Tocsin.*

Trois chansons peuvent passer pour folkloriques : *Le moine rouge,* légende bretonne ; *Le Mont Blanc,* bucolique et descriptive, et *Le taupier,* qui évoque des traditions paysannes.

Toutes les autres sont des chansons militantes, à la gloire de la République *(Vive la République),* des appels à la révolte *(La justice du peuple, Coup de balai, Le réveillon des peuples),* à la *Revanche,* mais aussi à la Fraternité, et à la Paix *(Droit et force, L'Association, Travail et liberté, La dernière révolution).* Ces chants d'espoir répondent aux chansons abordant la misère *(Miserere, Le dernier ami, Les quatre âges de l'artisan, Le temps),* les injustices sociales *(Le nouveau Lazare),* les incarcérations arbitraires *(Mazas).* Certaines sont anticléricales *(Les vertus théologales),* et résonnent déjà des luttes laïques, faisant rimer « ânes » et « soutanes » *(Coups de sifflet).* On retrouve un *Te Deum* qui évoque celui du *1er janvier 1852*[8] ; il y montre « l'escroc africain », les « soudards tarés » qui « A l'Élysée ont redoré leurs bourses ». Mais la plupart des textes sont plus proches de P. Dupont et d'E. Pottier que de Hugo.

D. L.

Les *Châtiments* semblent avoir particulièrement divisé hugolâtres et hugophobes.

Dans la première catégorie, *Les petits Châtiments,* de Ben Mill, se présentent ouvertement comme une imitation des « puissantes et magnifiques imprécations de (l')illustre et vénéré maître (et de) son immortel ouvrage les *Châtiments* ».

L'auteur, qui a connu l'autoritarisme de Louis-Philippe et de Napoléon III, l'insurrection canaque de 1878 (il a séjourné en Nouvelle-Calédonie), qui a composé des chants humanitaires et patriotiques sur les airs de Béranger *(Glas et Tocsin),* qui s'est heurté à la censure impériale, profite des lois sur la presse récemment votées pour publier ses « petites pages d'une grande histoire », jalonnées par des dates glorieuses (1789, 1830), ou sinistres (1851, 1870).

Il fustige toutes les tyrannies et se « jette dans la mêlée avec la conviction d'accomplir un devoir » : celui de mettre en garde contre les tentatives éventuelles d'« audacieux liberticides » et de participer — au-delà de la « lutte entre prolétaires et capitalistes » — à l'avènement de l'équité et de « l'union entre toutes les conditions sociales ».

L'hostilité envers l'engagement politique du poète est encore violente dans une parodie des *Châtiments* et de *Napoléon le petit,* intitulée *Les Durs.*

Ce titre semble renvoyer au nom même des auteurs, Jean-Jacques et Félix Bur. Il donne le ton, aussi, à un ensemble de 348 vers ne rimant pas toujours, et souvent mal, et prétendant imiter la manière hugolienne alors que les anomalies prosodiques foisonnent. Le texte est publié sous forme manuscrite, calligraphiée, avec illustrations, à Paris, par la librairie Sicoë et Cie. On peut s'interroger sur les motivations qui ont poussé ces deux détracteurs de Victor Hugo à exprimer un bonapartisme décadent... en 1944. Comment ne pas remarquer l'étrange ressemblance entre Napoléon III abdiquant pour sauver son peuple de la « boucherie » prussienne en 1870, et cet ex-vainqueur des Allemands — dans une sanglante bataille, pas très loin de Sedan, en 1944 —, qui fit don de sa personne à la patrie... en 1940 ?

Dans ce panégyrique du « bon » empereur, patriote et social, le « méchant » poète est ramené au rang de M. Thiers, dans le clan des assassins des ouvriers et de la liberté.

L'admiration délirante des auteurs pour Napoléon III, « splendide, magistral, grandiose », qui « donne sur (sa) liste civile » pour acheter une mitrailleuse patriotique n'a d'égal que leur mépris visqueux pour Hugo et ses *Châtiments,*

« Qui ne sont sur le sol qu'un crachat criminel,
Un mélange sordide et de bave et de fiel. »

L. O.

Parodies des romans

Le dernier jour d'un condamné

Une parodie vaudeville jouée au Théâtre des Variétés le 15 mai 1829 se pare la première de ce titre. Due à Dartois, Masson et Barthélemy, elle est précédée d'un prologue en vers : un journaliste y discute avec trois demoiselles des mérites respectifs des spectacles parisiens. Quoique « les pièces qu'on y joue [aient] un trop mauvais ton », ils sont tentés par les Variétés où l'on donne *Le dernier jour d'un condamné, époque de la vie d'un romantique,* en un tableau, espérant des scènes de prison et même d'exécution ; car

« Tous les genres sont bons [...]
Hors le genre ennuyant. »

Le nom du « roi des romantiques » qui sait répondre « par un sourire [...] aux traits de la satire », leur semble une garantie suffisante.

Du crime du condamné de Hugo, on ne sait rien, sinon qu'il est affreux. Ici sont mises en scène les deux femmes du condamné — « en Angleterre, à London ». Il reçoit une identité : Dick, et on apprend qu'il doit être pendu pour bigamie. Le dialogue reprend certaines expressions du roman, attestant par là son audience dans un public assez large : « mon esprit est en prison dans une idée [qui] me secoue de ses deux mains... », mais trahit le texte par omission. Un libraire propose à Dick de lui acheter le manuscrit où il note ses « sensations [...] minute par minute ». Certaines phrases mêlent la préface du *Dernier jour* à celle des *Orientales,* recueil de poèmes à peu près contemporain : « Cette idée d'écrire est une fantaisie que j'ai prise [...] ou plutôt j'ai été prise par elle et je n'ai pu m'en débarrasser qu'en la jetant sur le papier... Ce caprice d'écrire m'est venu un jour en regardant coucher le soleil. » Il est question aussi du « statu quo européen [...] lézardé [...] [qui] craque du côté de Constantinople ». Le condamné reçoit la visite de son enfant, qui lit l'arrêt de mort comme chez Hugo, mais la petite Marie change ici de sexe et s'appelle Daniel, peut-être pour évoquer l'image de la fosse aux lions. Les auteurs inventent enfin un dénouement heureux grâce à l'arrivée d'une troisième femme, la loi n'ayant pas prévu « le cas de trigamie ».

J.A.

Le lendemain du dernier jour

Parution anonyme en 1829, ce livre de Joël Cherbuliez se veut une parodie du *Dernier jour d'un condamné*. Il prétend être la confession écrite sur un « lambeau de chair avec du sang » d'un guillotiné ici-bas, et damné dans l'au-delà. La préface suit de très près le texte de V. Hugo et commence par la même tournure impersonnelle : « Il y a deux manières d'envisager ce livre[9]. » Les premiers chapitres semblent toujours décalquer l'œuvre de Hugo.

Au chapitre I, l'exclamation répétée :

« Condamné à mort ! » *(DJC)* devient « guillotiné ! »

« cette pensée infernale » *(DJC),* « avant-goût de l'enfer »

Au chapitre II, la même faiblesse prend le narrateur devant les magistrats :

« Je m'appuyai au mur pour ne pas tomber » *(DJC)* devient « les valets du bourreau ont été obligés de s'avancer vers moi pour me soutenir ».

« Plutôt cent fois la mort » que les travaux forcés à perpétuité dit le condamné avant le verdict » *(DJC)* ; « mille fois mieux la guillotine que les galères », dit le héros de la parodie.

Mais on note une différence : « il fait beau » lit-on dans le *DJC,* « la pluie tombait encore » dans *Le lendemain.*

Au chapitre suivant, il y a encore « c'est horrible ! » comme dans le *DJC.* Le chapitre ne suit plus la trame hugolienne, mais on retrouve les idées de la préface de *Cromwell* dans le chapitre V : « Ici-bas le sublime se trouve toujours à côté du grotesque. » Dès le chapitre VI, le récit plonge dans le fantastique grotesque. Le supplicié, porté dans un amphithéâtre de chirurgie, livré aux étudiants, puis inhumé, ressemble à ce Mr. Lackobreath du conte grotesque de Poe *(Loss of breath).*

Au chapitre IX, le narrateur se souvient qu'il a une fille, comme dans le *DJC,* elle s'appelle Marie. Puis c'est la descente aux enfers, le dialogue avec le diable, les damnés qui gémissent et parlent : c'est l'*Enfer* de Dante revu et corrigé par le Nodier de *Smarra*[10] ; on y rencontre un criminel qui ressemble à Han d'Islande, une fille séduite, abandonnée et infanticide. Et les réflexions sur la justice et la peine de mort corroborent plus les thèses de Hugo qu'elles ne les parodient : « le crime applaudit le crime », remarque le damné qui pose la question : « Sur cette terre, qu'on dit soumise aux lois de la justice, dans ces pays qu'on appelle civilisés, la foule n'est-elle pas avide d'empoisonnements et de meurtres ? » Pour lui, l'éducation passe avant la répression. Et la faute qu'on reproche à certains vient souvent de « l'injustice des hommes ». On ne sait pas si Cherbuliez est contre la peine de mort, mais son damné affirme : « Dieu est plus clément que l'homme, il ne ferme pas la porte au repentir. »

Le damné ne donne pas les détails de son propre crime mais dit qu'il a agi par vengeance.

Après le sabbat, le damné se tait. C'est l'éditeur qui reprend la parole et prétend avoir reçu ce fameux manuscrit d'un « monstre » venu de l'Enfer, « visite qui me sera enviée par tous les romantiques ».

Avec la description de l'empire des tourments, « ce gouffre sans fond où voyage éternellement le malheureux damné suspendu dans l'espace entre le remords et... », « un vaste empire sans forme, sans couleur, sans lumière autre que celle des flammes (...) », on pouvait espérer une mythologie hugolienne, mais l'auteur préfère reprendre les laborieuses descriptions chrétiennes des diables et des sorcières. La question sur « l'éternité des peines » reste sans réponse.

D. L.

Les misérables pour rire

C'est un long poème d'A. Vemar (1862), divisé en cinq chants dont les titres rappellent ceux des livres des *Misérables.* L'auteur hésite entre l'alexandrin (début du troisième chant), l'octosyllabe et l'heptasyllabe. Les jeux de mots y sont tellement

Parodie des Misérables
par Baric, Paris, A. de Vresse, 1863 (?)
Paris, M.V.H.

laborieux et l'expression torturée, qu'on retrouve difficilement les épisodes des *Misérables* que l'œuvre est censée parodier.

Chant 1, *Fantine :* la bonté de Mgr Myriel (« myrrhe et miel ») y est raillée. Le nom de Mme Magloire, bien entendu, lui vaut un jeu de mot ainsi que son « asthme de carreau ». Jean Valjean apparaît comme une brute sans scrupule, dépourvue de tout sentiment et il n'est pas aisé de retrouver dans ces vers :

> « Ce n'était pas le curé
> Dit-on, qui fut le volé.
> Il le reçoit comme un père
> Ne faisait rien à demi
> A son couvert donne un frère
> Et l'appelle cher ami »

la scène sublime où, touché par la générosité de l'évêque, il va commencer sa transformation. Son dernier vol est aussi peu clairement exprimé :

> « Puis il voit Petit Gervais
> Qu'il traite de Savoyard. »

On délaisse enfin « le vert bonnet » pour le « bonnet rose » de Fantine, laquelle ayant une « en...gyne » doit « cacher son fruit ». On passe ensuite à « M. sur M. » pour trouver M. Madeleine.

> « Vive la gendarmerie !
> Pour rester dans ses papiers
> Il suffit d'un incendie
> Où l'on brûle ses papiers. »

Aucune allusion au dévouement de l'homme qui « avait sauvé au péril de sa vie, deux enfants ».

De l'épisode Bamatabois, voici comme il est rendu compte (V) :

> « Survient fort mal à propos
> Un effet de neige horrible.
> C'est un passage terrible
> Qui donne froid dans le dos. »

Pas un mot de l'injustice des hommes, ni de la révolte de Fantine, ni de la générosité de M. Madeleine, et on racontera l'épisode de la charrette plus tard (Fauchelevent).

Dans *L'affaire Champmathieu,* M. Madeleine « montant sur ses grands chevaux » arrive « au pas... de Calais » pour sauver l'innocent et redevenir « Jean comme avant ». Mais il n'est pas question de la promesse faite à Fantine.

Le chant 2, *Cosette,* commence bien par l'évocation de la défaite de Waterloo. Thénardier entre en scène. Il

> « vole la montre à Pontmercy
> Qui s'éveille à cette secousse
> Au mauvais larron dit merci »

sans qu'on sache pour quelle raison il le remercie.

Dans l'évasion de Jean Valjean « sauvant ceux d'un bon matelot », on ne sait ce que représente « ceux » :

> Il « Profite qu'il est en nage
> Et se sauve avec sous le flot »

mais on se demande avec qui, avec quoi.

Jean Valjean arrive enfin à Montfermeil pour offrir à Cosette, *l'enfant martyr,* une « poupée en or » et l'emmener avec lui. Ils se réfugient au « noir couvent de Picpus », où la mère « Crucifixion » « dévoile quelque chose » au père Fauchelevent. L'opération de l'enterrement devient incompréhensible.

Chant 3, *Marius :* après un hymne à Paris en alexandrins, on retrouve l'histoire de Gavroche racontée en strophes très irrégulières, celle de Pontmercy en octosyllabes comme la dispute de Marius et de son grand-père. On n'oublie aucun des noms des amis de l'ABC, aucun des complices de Thénardier, mais on ne nous dit pas la pauvreté de Marius qui « chaque jour s'habille en fête » pour rencontrer au Luxembourg M. Leblanc et sa fille. Le chant s'achève sur l'embuscade de Javert.

> « Marius marri de tout ceci,
> Voudrait bien l'être de Cosette. »

Chant 4, *l'idylle et l'épopée :*

Le 4ᵉ chant commence par une critique directe à Hugo, « étrange peintre » qui devrait laisser l'Histoire à « Dumas » au lieu de faire de « la réclame » pour E. Sue.

Suit un astucieux parallèle entre Jean Valjean et Cadet Roussel qui, comme lui, « du nombre trois était friand » puisqu'il possède « trois noms », « trois bonnets », « trois logements » avec « trois habitants ».

On tait les véritables motifs qui poussent Jean Valjean à posséder 3 domiciles différents, à ne plus aller au Luxembourg, mais l'auteur détaille avec complaisance la rencontre que font Cosette et Jean Valjean avec « la chaîne », car c'est un prétexte pour écrire une « chanson du forçat », où il démontre que chacun « sans bonnet vert » est « forçat », ce qui permet de ne pas s'attendrir sur le sort des condamnés.

Il semble que l'auteur ait plus de sympathie pour Gavroche, « une fleur sur le fumier », que pour les amours de Cosette et Marius, traitées à gros traits. Rien n'est dit de la décision de mourir que prend Marius quand son grand-père refuse son consentement au mariage avec Cosette.

Le café Corinthe n'est pas le lieu de retranchement des émeutiers mais un « caboulot » où « la grisette » rencontre l'étudiant. Et on ignore pourquoi, à « l'enterrement de Lamarque », on tire « en masse des coups de fusil ». D'ailleurs, « l'épopée » est traitée d'« équipée ». On ne dit pas pourquoi Marius, blessé, est emmené « dans l'égout ».

Chant 5, *Jean Valjean :*

Ce chant très court, en octosyllabe, ne retient que la traversée de l'égout. La rencontre de Thénardier « pour portier » n'est pas explicitée, non plus que le suicide de Javert :

> « Puis il serra la main à Jean
> Au lieu de lui faire une scène,
> Il se plongea dedans la Seine,
> Car il avait du sentiment.
> Avant de terminer son sort
> Sur l'argot il fit ce rapport. »

Chant 6, *argot, art goth :*

Ce chant commence par quelques remarques sur l'argot qui se veulent persiflages : « c'est un langage comme il faut » utilisé par « le vieillard comme le marmot », « de Venise » à « Nankin ». Puis on retourne aux héros du roman, on revient à la barricade :

> « Quand on a trop de personnages
> Et qu'on veut abréger des pages
> La barricade est leur tombeau. »

et on apprend enfin qu'Éponine, Enjolras et Gavroche sont morts « en héros ».

A propos du mariage de Marius et de Cosette on sait surtout que Valjean donne « une belle dot ». L'éloignement de Jean Valjean est mentionné mais pas la révélation de Thénardier, ce qui permet de bouffonner avec « la suprême aurore » de Jean Valjean.

> « Comme il n'attendait plus personne
> Soudain, il trouve à ses genoux
> Ses deux enfants [...]

Les quatre vers de la *Conclusion* reconnaissent au moins l'immense notoriété du héros créé par Hugo, « son nom durera toujours ». Il n'est pas aisé de trouver un fil conducteur dans ces bouts rimés, sans esprit et sans style, dont le but évident est de nier la portée sociale du roman.

D. L.

Les antimisérables

C'est un « long poème satirique et critique », de F. Tapon Fougas, contre « l'hugolâtrie et la janinocratie ». L'auteur veut qu'il soit « un moxa », un « brûlot » attaché aux flancs des Misérables pour les détruire, et, dès la préface, attaque « les juifs littéraires » et « les banquiers juifs ».

Les vers sont des décasyllabes, en hommage à *La Pucelle* dont on invoque l'auteur au premier chant.

Maire Madeleine les prend pour aller déposer, croit-on, ses économies dans le bois de Montfermeil.

Referré sous le nᵒ 9430, il se *déferre* sous le prétexte de sauver un matelot,

Et profite de la circonstance pour piquer une tête; il disparaît sous un navire,

Et reparaît à Montfermeil, assez à temps pour aider la *misérable* Cosette à porter son seau.

Chant premier, l'évêque Tout Miel accueille Jean V'lajean et l'auteur accuse Hugo de peindre Fantine d'après Murger et de Kock.

Le *deuxième chant* critique les « chastes nudités » des enfants Thénardier au nom de la décence, et raille l'abandon de Cosette, « clef du roman ».

Dans le *chant troisième,* « Jean V'lajean perce sous Madeleine », Fauchelevent devient Engoulevent, et Champmathieu est puni « d'avoir mangé la pomme ».

Au *chant quatrième,* l'auteur trouve risible que les cheveux de Jean V'lajean deviennent blancs en une nuit, que ceux de Fantine soient « presque blancs » à vingt-six ans. On passe alors à des calembours sur les couleurs : « Où le blanc tourne au vert », « le Chat vert (Javert) croque la souris blanche ». Cosette s'appelle Chosette, et si Jean V'lajean s'échappe, c'est que

> « Tous les héros des œuvres de Hugo
> Ont dans leur poche une clef d'Angelo. »

Le *cinquième chant* critique la longueur du prologue sur Waterloo, puis fait un rapprochement entre le portrait de Thénardier et celui d'un homme de lettres (non nommé). Quant à la Thénardier, elle serait la presse hugolâtre, et la pauvre Chosette un écrivain « étouffé entre deux araignées romantiques »[1].

Dans le *sixième chant,* Chosette devient Poucette, elle quitte les Thénardier, et l'auteur en profite pour vilipender les éditeurs et le banquet des *Misérables.*

Le *septième chant* raille « l'amour paterne d'un vieux hibou pour une petite alouette dans la masure Corbeau ». Puis « Chatvert reparaît à l'horizon », mais « perd la piste en prenant sa prise ».

Dans le *huitième chant,* l'auteur admet que Hugo connaît la règle de saint Benoît pour peindre le couvent où Jean V'lajean retrouve Engoulevent, lequel pour ne pas faire preuve d'ingratitude, « l'enterre tout vivant », « tel le grand pélican blanc ». Ainsi, Jean V'lajean devient aide-jardinier, et Chosette pensionnaire. Au passage, l'auteur règle ses comptes avec E. About, auquel il a prophétisé « l'éclipse de son nom à lui, About, et la déchéance de sa gloire et de son règne littéraire ».

Le *chant neuvième* coupe et retaille le livre de Hugo, « confus et sans suite », mais délaisse le « portrait usé du gamin de Paris » pour s'attacher à l'histoire du baron de Pontmercy.

Le *chant dixième* défend avec vigueur « la grande ganache de bourgeois », Gillenormand. On se moque de la sensibilité de Marius qui se fait bonapartiste et « baron », et on raille les antithèses hugoliennes sur le « jour et la nuit ».

Le *chant onzième* commence par une dissertation sur les noms propres « Hugogènes » et, au milieu de l'histoire de Marius dans la masure Corbeau, mangeant de « la vache hydrophobe », se glisse une attaque en règle contre Hugo, dont « le socialisme sent le charlatanisme ».

Le *chant douzième* ironise sur la chasteté de Marius, sa rencontre avec Cosette au Luxembourg, et le début de leur amour.

Dans le *chant treizième,* l'auteur assimile l'ignoble bande, complice des Thénardier, à celle des romantiques.

Le *chant quatorzième* fait grief à Hugo de ne pas faire intervenir « la justice suprême » dans *Les misérables,* lui reproche « le doigt de Dieu mis à l'index ». On retrouve Marius partagé entre le désir de sauver « le père de Cosette » et celui de ne pas nuire à Thénardier.

Dans le *chant quinzième,* le piège tendu dans « l'affreux bouge » fonctionne, mais « Chatvert entre en scène pour offrir son chapeau pour une tombola au profit des galères ». Puis l'auteur se lance dans la défense d'un « vrai poète », persécuté pour ses écrits prophétiques et le donne en modèle à Hugo : « Voilà les vrais poètes » et non pas ceux « qu'on fit mousser dans tous les journaux juifs ».

Le *chant seizième* critique « la prose qui s'escrime », « qui se boursoufle et qui s'enfle sans rime et sans raison », et c'est pourquoi il met en vers les promenades de Cosette avec Jean V'lajean, les recherches de Marius, et les lettres qu'il dépose « sous une pierre ».

Le *chant dix-septième* met aussi en vers l'idylle de la rue Plumet. Il oppose « l'égoïsme de Roméo-Marius » à « l'héroïsme » et au « désintéressement d'Éponine ». On y retrouve Gillenormand qui « conseille » à Marius « de baiser tout ce qu'il voudra », mais « de ne pas épouser ». Le chant s'achève sur l'épisode du « buvard indiscret ».

Dans le *chant dix-huitième,* au nom de l'apolitisme, l'auteur parcourt les derniers épisodes, traite l'émeute de « suicide en masse », annonce « la mort de tout le

Parodie des Misérables
par Baric, Paris, A. de Vresse, 1863 (?).
Paris, M.V.H.

Les parodies

monde... s'il en reste ». Puis, il indique que « Jean V'lajean et Chatvert sont les seuls survivants » et qu'ils doivent « se suicider autrement ». Jean V'lajean « tombe d'égout en cloaque et de Thénardier en Chatvert ». Enfin, Thénardier « regarde passer la noce » et Jean Valjean « fait des boulettes pour avaler sa langue ».

L'auteur conclut que l'œuvre est un tissu de « ficelles vieilles », né du drame Bouchardy, que le « goût public » en est « abâtardi », que tout y est « faux » et il s'écrie : « A BAS CE SOT TRAVERS ».

Le lecteur qui n'aurait pas lu *Les misérables,* les vrais, aurait bien du mal à comprendre le récit tortueux, la versification laborieuse, et les attaques paranoïaques des *Antimisérables.* — D. L.

L'homme qui rit

Bien qu'il soit beaucoup question de mer, les parodies ne sont pas toutes d'une très belle eau. Ainsi peut-on passer rapidement sur *L'homme qui pleure,* mince (dans tous les sens du terme) ouvrage dû à « Sainte Paresse » en 1869, où Ursus semble être incarné par un certain Bovis, misogyne, propriétaire d'une peau de bœuf dont il se vêt de temps à autre, d'un serviteur Zébédé et d'une pie, Fémina, (avatar, sans doute, d'Homo), qu'il adore et qui s'échappe chez les voisins, les « Larmalœil », dont le mari a la curieuse faculté, si c'en est une, de pleurer au lieu de rire et de rire au lieu de pleurer — d'où le titre —, état de fait sans rapport avec les Comprachicos, comme ce nous l'est précisé page 12. L'*Almanach illustré de l'homme qui rit,* dû à la plume apparemment infatigable de A. Vémard (qui a en outre commis des *Misérables pour rire*, et des *Travailleurs de l'amer*), en 1870, n'est en fait qu'un résumé plat du roman auquel l'auteur de la parodie reste en tous points fidèle, à ceci près que c'est en strophes irrégulières de vers heptasyllabiques et ennuyeux ; seuls quelques timides calembours tentent en vain de laisser souffler l'esprit : « C'est un pays de Cocagne/ Décidément pour le lord,/ Que cette Grande-Bretagne/ Où le lord possède l'or. »

Fait notable néanmoins, la parodie n'est pas doublée de satire ad hominem : « Parodier, c'est un bravo qu'on atteste/ En se créant dans le manteau d'un roi/ Quelque pourpoint d'occasion ; quant à moi/ J'ai beau tailler, je n'aurai qu'une *veste.* » On ne saurait mieux dire...

L'homme qui rit, autre parodie, de « Touchatout », aux éditions du Tintamarre (1869), exploite à son tour l'inépuisable filon de la traduction — rendue nécessaire parce que « les chefs-d'œuvre de Victor Hugo se composent d'éclairs superbes et de beautés inintelligibles », — quoiqu'avec moins de verve, moins de venin et moins d'acuité que ne le fera « Nemo » en son temps. Les lecteurs que fatiguaient la lecture in extenso du roman s'y reporteront avec fruit : c'est un honnête résumé, à peine ironique, de l'intrigue de *L'homme qui rit,* çà et là corsé de ce qu'il faut de mots d'esprit, de plaisanteries d'époque (contre Louis Veuillot, le Figaro, etc.) et de calembours. Quelques reproches y sont assénés de temps à autre à Hugo quant à la progression dramatique que semblent, aux yeux de Touchatout, ralentir les trop nombreuses énumérations et les trop longues descriptions (ainsi, les chapitres II à XXVIII du livre 2 sont fondus en un seul). Des citations textuelles, entre guillemets, permettent de se moquer de certaines invraisemblances. (« L'enfant marchait avec peine '' poussant la neige de ses genoux[12] '', ce qui est matériellement impossible mais fait de l'effet sur le lecteur. ») Enfin, on reproche aussi à Hugo les 300 000 francs pour lesquels il a vendu son manuscrit à l'éditeur Lacroix, ce qui expliquerait la raison de certaines « longueurs » (ce prix semble avoir fasciné tout le monde : il n'est pas un parodiste qui n'y revienne et n'en reparle à satiété, la plume jalouse et éblouie). La seule réelle invention du livre est de placer, à la fin de chaque chapitre un « Glossaire » pour expliquer certaines des citations reprises dans le cours du résumé (exemple : « L'âme de l'homme redoute cette confrontation avec l'âme de la nature[13] ; c'est-à-dire : l'homme a une peur de chien. ») Petite notation politique : ce livre a bien été mis en vente sous ce que l'on nomme l'Empire libéral ; on y lit en effet, en guise de condensé du discours de Gwynplaine face aux lords : « Voulez-vous vous taire, vieux baveux !... Il y a des millions d'individus qui meurent de faim, vous dis-je ; il est temps de songer à l'extinction du paup... » Gwynplaine éclata alors de son '' rire ''. »

Nous avons conservé pour la fine bouche le texte à notre sens le plus intéressant, malgré son titre facile. Il s'agit de *L'homme qui ri...gole,* de 1869, par MM. Le

Parodie de L'homme qui rit
par Touchatout, Paris, 1869
Paris, M.V.H.

L'homme qui ri…gole
par Le Guillois et Arsène de Saint-Clair, Paris.
L. Fleury, 1869
Paris, M.V.H.

Guillois et Arsène de Saint-Clair. L'intrigue y tourne à la franche farce (Homo n'est plus un loup mais un caniche baptisé « l'Agneau », le combat de boxe devient une dévoration d'un vélocipède jaune par un vélocipède rouge, les Comprachicos se transforment en « Arrache-Chicots », etc., etc.) et s'achève, après quelques faiblesses, sur un paroxysme imprévu ; après une contrainte par corps (apportée, évidemment, par « VACHERIE »), les auteurs proposent un épilogue à ce roman « qui en manque, ô Vichnou de l'incompréhensibilité ». On voit alors Rigolo (c'est Gwynplaine) retrouver, en tombant à l'eau, Tétarda (lire Dea), Ustus, la reine Hanneton, Mimi Gentiane, Bah-qu'il-fait-chaud, et bien d'autres, dans une cloche de verre en partance vers « Charenton-Chaillot-Gheel-House », où ils vont demander à « Immortel, Soleil, Gigantesque, Victor Hugo » un « souvenir éclatant de sa générosité ». Le Maître, assis sur une table, allume des feux de Bengale, entonne des vers (« — Apothéose du génie », dit le Maître. — Apothéose du ramollissement, murmura le caniche.) Et leur remet un papier contenant « deux sous ».

Les reproches habituels ne manquent pas, qui se rapportent à la rapacité de Hugo, à sa soif d'argent, aux éternels 300 000 francs versés par Lacroix, à son socialisme, à ses fils, etc.

Mais là n'est pas l'intérêt de ce savoureux dé-lire. Il est bien plutôt dans le démontage et la mise en état de fusion des procédés de l'écriture hugolienne selon une lecture étonnamment rigoureuse (si l'on peut dire) et, nous paraît-il, efficace et drôle.

Ainsi des descriptions qu'affectionne Hugo, telle (HQR, livre I, ch. 1) : « Les ourques de Biscaye étaient dorées et peintes. Ce tatouage est dans le génie de ces peuples charmants, un peu sauvages. Le sublime bariolage de leurs montagnes, quadrillées de neiges et de prairies, leur révèle le prestige âpre de l'ornement quand même » — qui devient, dans notre texte : « En Biscaye, les ourses sont dorées et peintes.

Sublime bariolage des montagnes !

Quadrille de neiges et de prairies ! » aux accents presque rimbaldiens.

Ainsi des images baroques de Hugo (cf. HQR, livre I, ch. 1) : « Une fille qui laisse pendre et traîner son lacet sur un dossier de fauteuil dessine, sans s'en douter, à peu près tous les sentiers de falaises et de montagnes. Le sentier de cette crique, plein de nœuds et de coudes, presque à pic [...] » — se transforme ici en : « Dans les reliefs de la falaise, une fille ayant laissé traîner son lacet, le lacet avait gelé le

Deux pages de *L'homme qui ri...gole*
Paris, M.V.H.

Parodie de Quatrevingt-treize
par Baric. Paris, Association des Lettres et des
Arts, 1874 (?)
Paris, M.V.H.

long d'un fauteuil et formé un sentier, plein de nœuds et de cordes. »

Ainsi de son goût de poète pour les allitérations tendant à surmotiver le signifié : « Il était concret, discret, secret, abstrait » écrivent nos auteurs.

Ainsi, toujours, de sa passion pour les exclamations et les phrases non-verbales, qui donnent, revues et corrigées, des sentences du type : « La haine, c'est l'amour. L'amour, c'est la haine. Bric-à-brac et sublimé corrosif. Fournaise et éteignoir. Colin-tampon et Ezéchiel », où courent aussi les antithèses chères à l'auteur des *Recontemplations* (voir supra « la Poésie Parodiée »).

Ainsi, encore, des titres mystérieux, qui se retrouvent travestis et mis à nu : *Les lois qui sont hors de l'homme* (HQR, II, I) devient *Les oies qui sont hors d'elles-mêmes,* etc.

Il en va de même pour les répétitions, pour l'usage de la typographie comme révélation des rapports entre la lettre et le monde, pour les phrases courtes, les paragraphes saccadés de quelques phrases parfois réduites à un mot.

Mais la charge est parfois si forte, et si bien faite qu'elle en vient presque à se confondre avec sa cible. Ainsi il nous semble que telle phrase (à propos de « la Reine Hanneton, ton, ton, tontaine tonton [qui] en avait un dans le plafond ») : « Elle transpirait des aisselles et de la pensée » — ou telle autre (à propos de Bah-qu'il-fait-chaud) : « On eût dit une barrique... La tête était le robinet. Il en sortait le vinaigre de l'ingratitude » ne dépareraient pas, l'échevèlement en moins, un texte signé Hugo soi-même.

Mais, aussi bien, ces retournements — la parodie devenant son propre texte, comme Gwynplaine se réveille lord — sont déjà, ou sont encore de Victor Hugo. Car la parodie (la bonne parodie, s'entend) est un art difficile aux résultats rarement convaincants. Et il n'est sans doute pas innocent que demeurent lisibles celles, seulement, qui ont tenté de miner, ou de mimer, plutôt le signifiant que le signifié des textes hugoliens, en pointant bien, par là, l'irrécupérable modernité.

G. M.

93, par B

La parodie de Baric se présente sous forme de bande dessinée. Mais sous chaque vignette, le texte est important. Il exagère les dialogues. Ainsi, La Flécharde répond « je ne sais pas » à toutes les questions.

Il souligne des impossibilités : « l'équation imaginaire 9 = 380 », en se gardant bien d'en donner une explication.

Il souligne la répétition des situations : « une heure avant le coucher du soleil ».

Il crée des rapprochements cocasses :

« Des *bleus* du bataillon du Bonnet *rouge* fouillent les ténèbres *vertes* du bois de la Sauldraie » ;

des raccourcis burlesques :

« (il) décore l'homme et le fait fusiller illico, pour l'empêcher de mourir de joie ».

Il expose des causes saugrenues :

« On devine [que sa présence] a un but extraordinaire en voyant à bord, un paysan qui mâche du chocolat, a le pied marin et toutes ses dents, malgré ses cheveux blancs »

persifle la vigueur de Lantenac « *bon* pied », « *bon* œil ».

Mais il se garde bien de donner les véritables raisons de son débarquement, et transforme totalement son attitude : « (il) recommande la clémence et la modération ». Comme on ne parle pas du massacre d'Herbe en Pail, il est difficile de comprendre ce texte :

« Cependant Telmare, guidé par la fumée, arrive à Herbe en Paille, où il ne trouve plus que 4 pieds de femme dont 2 encore vivants, qu'une tête et une face lui offrent de porter dans son carnichot, ce qu'il accepte en pensant : « Si j'avais su ! »

L'enlèvement des enfants est occulté également. Et le lecteur se retrouve à Paris avec une vignette montrant la foule des rues de Paris, un portrait de Cimourdain, le dessin d'un « Coing à l'eau de vie non trempé dans le Styx », et l'histoire s'arrête à la nomination de Cimourdain.

La verve de l'auteur s'est vite tarie. Il était pour le moins difficile de continuer en omettant de parler des enfants otages, des royalistes, de la mère survivante du massacre et de la guerre.

D. L.

1. Seymours Travers, *Catalogue of nineteenth century french theatrical parodies,* New York, King's Crown Press, 1941.
Certains textes cités, plus critiques que parodiques, n'ont pas été retenus par nous.
2. Nous remercions tout particulièrement les bibliothécaires et/ou conservateurs de la Société des Auteurs et Compositeurs Dramatiques, de la Bibliothèque Historique de la Ville de Paris, de l'Arsenal, de la Comédie-Française et de la Maison de Victor Hugo, dont l'efficacité nous a été d'un grand secours dans la recherche des textes.
3. Le poème des *Chansons des rues et des bois* est intitulé « Interruption à une lecture de Platon ». La comparaison est flatteuse.
4. Le premier poème du recueil de Hugo s'appelle *Le Cheval.*
5. Ange Pitou, chansonnier royaliste mort en 1842.

6. Dans *Paulo minora canamus* Hugo parle de « la laveuse », et dans *Choses écrites à Créteil,* il écrit :

« J'ai vu, j'ai couvert de clins d'yeux
Une fille qui dans la Marne
Lavait des torchons radieux. »

7. *Odes et ballades : La légende de la nonne*
« Enfants, voici des bœufs qui passent
Cachez vos rouges tabliers. »
8. Les *Châtiments* (livre I, VI).
9. « Il y a deux manières de se rendre compte de l'existence de ce livre » (en tête des premières éditions).
10. *Smarra* est paru en 1821.
11. Sans doute Tapon-Fougas s'identifie-t-il à cet évrivain dont le talent est brimé par Hugo et ses amis !
12. *L'homme qui rit,* livre III ch. III.
13. *L'homme qui rit,* livre I, ch. III.

GRANDS ÉCRIVAINS. — N° 15

VICTOR HUGO (1802-1885)

Roger Fayolle
Isabelle Jan

Le Victor Hugo de la jeunesse

Hugo des écoliers, des collégiens et des lycéens

Peu soucieux de la façon dont Victor Hugo exaltait à leurs dépens une pédagogie naturelle et sauvage, les pédagogues officiels de l'institution scolaire se sont vite attachés à choisir dans l'œuvre immense du poète ce qui pouvait servir leur propre projet éducatif.

Aussi Hugo est-il l'un des tout premiers écrivains français à avoir connu de son vivant la consécration des programmes scolaires. Dès 1866, Victor Duruy ose prescrire l'étude de quelques textes (à dire vrai, deux poèmes seulement : « Lui » des *Orientales* et « La prière pour tous » des *Feuilles d'automne*) aux élèves de troisième année de l'enseignement spécial, ce nouvel enseignement secondaire à la fois moderne et professionnel qu'il tente de promouvoir. Mais ce n'est qu'avec la réorganisation complète de l'instruction publique, entreprise sous l'impulsion de Jules Ferry, que les programmes commencent à faire une place aux écrivains français du XIXᵉ siècle, même dans l'enseignement secondaire classique, à la faveur de l'introduction, à partir de 1880, de « morceaux choisis de prosateurs et de poètes français des XVIᵉ, XVIIᵉ, XVIIIᵉ et XIXᵉ siècles » pour les classes de Troisième, de Seconde et de Rhétorique. Quand l'enseignement spécial est réorganisé par le décret du 10 août 1886, les élèves de première année sont invités à lire un recueil de morceaux choisis de Victor Hugo intitulé : *Les enfants — Le livre des mères,* anthologie publiée en 1858 et douze fois rééditée jusqu'en 1909. Cette même anthologie apparaît en 1887 dans la liste triennale des auteurs français sur lesquels devait porter l'épreuve de lecture expliquée au Brevet supérieur. Elle mérite donc qu'on s'y arrête un instant pour voir quel était ce premier Hugo recomposé à l'intention de jeunes écoliers et collégiens et de futurs maîtres de l'école primaire.

Élégant petit volume, édité par Hetzel dans sa « Bibliothèque d'éducation et de récréation », *Le livre des mères* est présenté dans une courte préface par l'éditeur lui-même, qui écrit notamment : « Victor Hugo, contraste étrange, si l'on pense aux qualités robustes et parfois terribles qui distinguent son œuvre générale, restera comme le plus tendre, le plus aimable, comme le plus véritablement sensible de nos poètes. Sur le doux terrain de la famille, il est sans rival dans le passé aussi bien que dans le présent. »

Cinquante-sept extraits de longueur très inégale (de quatre à deux cent quarante vers) sont groupés selon un classement thématique : « Les têtes blondes », « Les jeunes filles », « Les orphelins et les pauvres », « Souvenirs d'enfance », « Les mères », « Les deuils et les tombes », « Pauca meae ». Cette organisation souligne très clairement une progression de la joie vers la tristesse et le deuil, mais à l'intérieur de chaque partie, les extraits sont très étrangement mêlés sans aucun souci de la chronologie : ainsi les quinze sixains de « Moïse sur le Nil » (Ode III du Livre IV des *Odes et ballades*) sont reproduits dans la première partie après les premiers vers de la pièce 23 du livre V des *Contemplations* : « Le vallon où je vais... » et avant la pièce 20 des *Feuilles d'automne* (« Dans l'alcôve sombre... ») donnée en entier. Les pièces 21 (« Lazzara ») et 33 (« Fantômes ») des *Orientales* servent curieusement de conclusion à la seconde partie : « Les jeunes filles », juste après la pièce 4 des *Rayons et les ombres* : « Regard jeté sur une mansarde », vigoureusement censurée par l'éditeur, qui a supprimé les allusions à Napoléon, l'interpellation à Voltaire et les quatre strophes finales que le poète s'adresse à lui-même. Outre « A Villequier », intégralement cité, les morceaux les plus longs sont de très importants fragments (233 vers) de « La prière pour tous » *(Feuilles d'automne)* et de « Dieu est toujours là » : les deux premières parties (60 quatrains) mais pas la dernière où Hugo montre Dieu étendant son pardon sur tous. Voilà un premier Hugo de l'école : un Hugo pieux, charitable, mais aussi sévère, émerveillé par la fraîcheur de l'enfance, mais aussi affligé et douloureusement résigné aux souffrances incompréhensibles qui lui sont parfois imposées. Tel est celui que de futurs instituteurs étaient invités à faire découvrir avant qu'à la fin du siècle, « l'édition des écoles » (un volume de 320 pages d'extraits, publié en 1897) leur procure une image beaucoup plus riche et surtout plus « républicaine » des divers aspects de l'œuvre hugolienne.

Hugo a donc été choisi très tôt pour représenter la littérature française contemporaine. Il le fait comme poète lyrique sensible au charme et aux misères de l'enfance (un Hugo pour l'école primaire et pour les premières classes du lycée), puis comme auteur dramatique audacieux venu doter le théâtre français de chefs-d'œuvre nouveaux dignes de rivaliser avec les grandes pièces classiques du XVIIe siècle : la bataille d'*Hernani* est, pour des générations de lycéens, le grand événement de l'histoire littéraire du XIXe siècle. Il est très peu évoqué comme poète épique, sinon à travers quelques pièces d'inspiration biblique ou médiévale de *La légende des siècles,* encore moins comme romancier, et en ce cas plutôt pour *Notre-Dame de Paris* et non pas pour *Quatrevingt-treize* ou *Les travailleurs de la mer.*

L'évolution de cette image scolaire de Hugo peut être étudiée dans les recueils de morceaux choisis publiés depuis un siècle environ. Le Hugo du bachelier de la fin du XIXe siècle est aisément défini à partir de divers recueils en usage autour de 1900 (ceux de Marcou et de Brunetière notamment). La présentation de Hugo poète est fondée sur un noyau d'une demi-douzaine de textes : « Napoléon II », « La conscience », (ces deux pièces sont toujours citées), « A Villequier », la partie de « L'expiation » consacrée à Waterloo et « Saison des semailles — Le soir ». Quant au romancier, il n'est le plus souvent évoqué qu'à propos de Paris vu des tours de Notre-Dame, inévitable emblème de *Notre-Dame de Paris.* La séparation prescrite des prosateurs et des poètes conduit à réduire la part faite au théâtre : on ne trouve que quelques rares citations d'*Hernani* et de *Ruy Blas,* parfois présentées au milieu des poèmes.

En 1910, l'énorme recueil de Desgranges : *Morceaux choisis des auteurs français du moyen âge à nos jours, préparés en vue de la lecture expliquée* (Hatier, 1452 pages) se signale par l'importance particulière donnée à Victor Hugo poète qui, traité en vingt pages et sur un choix de huit textes, se détache nettement de tous les poètes du XIXe siècle. Deux extraits de Hugo ont par ailleurs été spécialement distingués par Desgranges pour lui permettre de proposer deux modèles d'explication de textes : « Ce siècle avait deux ans... » et « Les pauvres gens ». « Napoléon II » a disparu du choix des morceaux exemplaires. Cinq illustrent Hugo lyrique : la pièce des *Chansons des rues et des bois :* « Saison des semailles — Le soir » est toujours là, rejointe par « Oceano nox » et « L'enfant grec » qui avaient déjà souvent connu la consécration scolaire et par « Aux arbres » *(Contemplations)* et « Le pain sec » *(L'art d'être grand-père).* Trois autres morceaux représentent Hugo poète épique : l'inévitable extrait de « L'expiation » : « Waterloo, Waterloo,... », un long extrait d'« Aymerillot » et, choix remarquable, les deux chapitres des *Misérables* décrivant la charge des cuirassiers, puisque, selon Desgranges, « Hugo prosateur est encore un poète épique ». Aussi n'est-il absolument pas cité dans le substantiel chapitre consacré aux romanciers du XIXe siècle. En revanche, une cinquantaine de pages illustrent la théorie du drame romantique, à partir d'un long extrait de la préface de *Cromwell,* et sa pratique à l'aide de cinq fragments empruntés à quatre pièces : deux d'*Hernani* pour montrer « le lyrisme dramatique », un de *Ruy Blas* pour faire découvrir « le grotesque », un des *Burgraves* pour signaler la présence de « l'épopée au théâtre » et enfin la scène VI de *La grand-mère,* texte peu connu du *Théâtre en liberté* (mais celui-ci figure au programme de l'agrégation en 1910). Tel est le Victor Hugo essentiel que le lycéen français a été invité à expliquer jusqu'au lendemain de la seconde guerre mondiale. Il s'agit d'un Hugo épique, qui a excellé dans les tableaux de bataille et les récits d'actes héroïques, tout en sachant être aussi un bon grand-père familier et souriant.

Ne négligeons pas la fortune d'une série lancée par Hachette : *Les textes français,* choisis par Chevaillier et Audiat. Le volume *XIXe siècle* pour les classes de Troisième, Seconde et Première, est publié en 1927. Les auteurs semblent s'être ingéniés à ne retenir aucun des textes cités par Desgranges. Aussi font-ils découvrir un autre Hugo. Pour présenter le poète lyrique ils proposent deux pièces des *Feuilles d'automne* à propos de « Soleils couchants » (XXXV, 1 et 6), l'« Hymne » des *Chants du crépuscule* (III), 88 vers de « La tristesse d'Olympio » et « Fonction du poète » *(Les rayons et les ombres)* et trois poèmes des *Contemplations* (« Demain, dès l'aube... », « Mors », « Le mendiant »). La satire et l'épopée hugoliennes sont définies à part à l'aide de deux pièces des *Châtiments* (« Le manteau impérial » et « Sonnez, sonnez toujours ») et de « Booz endormi ». Les théories du dramaturge romantique sont abondamment illustrées par trois extraits de la préface de *Cromwell* puis — sous le titre : « Le héros romantique » — par la scène III de l'acte IV d'*Hernani,* et — sous le titre : « Le comique dans le drame »

— par la scène II du premier acte de *Ruy Blas*. Enfin Hugo romancier n'est pas sacrifié au poète épique comme chez Desgranges. Une place lui est faite à côté de Vigny à propos du roman historique avec trois extraits de *Notre-Dame de Paris*, dont — bien sûr — le classique « Paris à vol d'oiseau » ; mais surtout, nouveauté intéressante, un extrait des *Misérables* (« Le forçat chassé du cabaret » I,II,1) représente « le roman social », catégorie jusque-là ignorée des manuels. L'originalité de Chevaillier et Audiat consiste surtout à indiquer plus clairement qu'aucun de leurs prédécesseurs la portée sociale de l'œuvre de Victor-Hugo, jusque-là trop visiblement réduite soit à la célébration des sentiments de la famille, soit à la représentation de grandes batailles ou de vastes tableaux historiques. Ce nouveau manuel ne néglige pas l'importance que prend chez Hugo la fonction sociale du poète : il ne s'agit pas seulement de raconter aux enfants de belles et grandioses histoires, mais de leur montrer le chemin du progrès.

Un événement important dans l'évolution de l'image scolaire de Hugo se produit en 1931. Maurice Levaillant publie chez Delagrave une anthologie de près de 700 pages intitulée : *L'œuvre de Victor Hugo* (elle atteindra son 56e mille en 1945) et il la présente ainsi :

« Victor Hugo est reconnu désormais pour l'un de nos grands auteurs classiques ; en vérité, il est l'un des plus grands. [...] Or, par une sorte de paradoxe, aux élèves de nos divers ordres d'enseignement, [...] il manquait un livre qui permit d'étudier classiquement ce classique ; c'est ce livre qu'on a entrepris de leur offrir. »

La place nous manque ici pour étudier la façon dont est construit ce « Hugo classique ». Pour nous en tenir au choix de textes poétiques, indiquons que 82 textes ont été cités, dont près de la moitié sont empruntés aux trois grands recueils de l'exil : *Châtiments, Contemplations* et *Légende des siècles*. Les *Odes et ballades* ne figurent plus que pour 6 extraits et les recueils des années 30 pour 22. Une place modeste, mais significative est faite aux productions tardives ou posthumes, comme *Toute la lyre* et *La fin de Satan*. Ainsi se trouve définitivement fixée, en particulier pour le public des futurs bacheliers, car l'anthologie de Levaillant servira de mine aux fabricants des manuels ultérieurs, la présentation de Hugo poète. L'accent n'est plus mis sur la précoce et géniale activité du jeune chef du Cénacle romantique. Hugo devient plutôt le vieux barde qui a raconté sa vie dans les *Contemplations* et les vicissitudes de l'histoire passée et de l'histoire contemporaine dans *La légende des siècles* et les *Châtiments*. L'illustration vient conforter cette image en vulgarisant, plus que toute autre reproduction, une photographie de Hugo, vieil homme à barbe blanche, qui s'impose à la place du portrait du jeune auteur d'*Hernani*.

Une enquête parallèle, conduite dans les manuels destinés aux classes du premier cycle, permet de constater que, pendant la première moitié du xxe siècle, Hugo, poète de la famille et de l'enfance, tend à occuper de plus en plus la place privilégiée traditionnellement faite à La Fontaine (55 textes de Hugo sur 208 extraits choisis par Rouger et France pour leur *Anthologie poétique* publiée en 1955 chez Nathan à l'intention des classes du premier cycle du second degré) mais qu'après 1970, il disparaît presque totalement de ces recueils au profit d'auteurs de notre siècle. Aucun texte de Hugo dans l'ouvrage *Textes et activités de français* publié chez Nathan en 1975 pour les classes de 6e et 5e ; pas davantage chez Bordas, où Fournier et Bastide (*Le français — Lire, écrire, parler,* 1974) ne proposent aux élèves de 6e aucun texte de Hugo sur 120 morceaux choisis ; même situation chez Larousse : un seul Hugo (treize vers du *Théâtre en liberté* illustrant le thème de « l'air » à propos des quatre saisons) sur soixante textes cités par Gaugue et Vidal, *Étude de l'expression française,* 1971, classe de 6e. Nous sommes loin du substantiel *Livre des mères* des collégiens d'il y a cent ans !

Il ne suffit pas de repérer quels textes sont donnés à lire aux élèves pour découvrir un aspect de l'œuvre de Hugo plutôt qu'un autre. Il faudrait aussi examiner quel discours est tenu dans les brèves notices qui accompagnent les textes et surtout dans les manuels d'histoire littéraire. Comment la vie de Hugo y est-elle racontée ? Quels jugements sur son œuvre y sont-ils vulgarisés ?

Sur le premier point, les recherches faites dans les manuels publiés depuis un siècle permettent de voir comment les plus anciens se consacraient surtout à évoquer les événements de la carrière de l'écrivain en mettant l'accent sur sa précocité et en retenant comme date importante celle de son élection à l'Académie en 1841. Très représentative de ce point de vue, l'*Histoire de la littérature française* de René

Doumic, publiée en 1888 et qui atteint son 460ᵉ mille avec sa 38ᵉ édition en 1920 : la vie du poète y est résumée en 42 lignes dont une trentaine traitent de son enfance, de ses « précoces succès académiques », de son rôle dans le premier cénacle romantique et du triomphe que représente son élection à l'Académie. Les douze lignes suivantes évoquent à la hâte « la part active » que l'écrivain prit ensuite « au mouvement politique de son siècle ». D'autres mettaient en avant la vie publique de Hugo et ce second type de discours s'organise autour d'une autre date charnière : le coup d'État de 1851 et l'exil. On souligne le plus souvent son opportunisme (Faguet et Lanson), l'absence chez lui de « convictions bien arrêtées » (Caruel) et l'on condamne son manque de caractère (l'abbé Blanloeil ou Brunetière). Plus tard, le discours des historiens met au premier plan les événements de la vie privée, comme chez Abry et Crouzet qui, en 1912, retiennent comme date essentielle 1843, un peu à cause de l'échec des *Burgraves* qui marque le déclin du romantisme, mais surtout à cause de la mort de Léopoldine qui plonge Victor Hugo dans un douloureux silence. C'est seulement après 1930, et à l'exemple de Levaillant, que la vie sentimentale du poète est clairement évoquée et le nom de Juliette Drouet directement cité.

Si la présentation de la vie de Victor Hugo évolue vers un intérêt plus grand porté aux événements de l'existence personnelle du grand écrivain (il semble important de faire comprendre que ceux-ci ne sont pas des génies appartenant à une espèce de monde à part mais aussi des hommes comme les autres avec leurs peines et leurs joies), le discours sur l'œuvre paraît s'orienter vers une caractérisation d'allure plus objective et se dépouiller de jugements de valeur trop ouvertement sévères. Mais en est-il bien ainsi ?

Dès les premiers manuels d'histoire de la littérature française, Hugo est présenté comme un habile rhéteur. C'est l'opinion de Demogeot dans l'un des derniers chapitres de son *Histoire de la littérature française depuis ses origines jusqu'en 1830*, publiée en 1852 : « L'antithèse, cette perfide beauté qui a séduit trop souvent le poète... ». Doumic insiste sur ce point : « Ce qu'il y a d'essentiel dans l'art de Victor Hugo, c'est la rhétorique. Le poète a usé — et souvent abusé — de tous les procédés : énumération, antithèse, etc. ». De même Lanson salue en lui un « prodigieux ouvrier » ; « le plus habile artiste en vers » dit Faguet ; Calvet repère des procédés de « composition musicale ». L'opinion massivement répandue par les manuels de l'enseignement laïque (inspirés du Lanson) comme par ceux de l'enseignement confessionnel (qui pillent aussi volontiers Lanson, Brunetière et Faguet) fait de Victor Hugo un artiste attentif à jouer avec des sonorités, des images et des mots. Hugo ne peut pas être considéré comme un penseur malgré son ambition d'être « l'instructeur des peuples, le '' phare '' de l'humanité ». Les manuels reprennent volontiers un jugement de Lanson, pour qui « ce très grand poète fut un homme médiocrement intelligent, [...] incapable de définir et de raisonner » ; chez lui, « la pensée devient hallucination, le raisonnement devient description : au lieu d'un philosophe, nous avons un visionnaire ». Le discrédit est ainsi commodément jeté sur les grands thèmes de la pensée hugolienne. Doumic, plus sommaire, n'y rencontre que « des idées banales qui ne s'élèvent guère au-dessus du lieu commun ». Ce serait même là le secret de son succès, car « il s'est toujours appliqué à flatter les sentiments du public » (abbé Blanloeil) et « la banalité de la plupart de ses idées a contribué à sa popularité » (Brunetière). Même des manuels très récents reprennent le même thème en l'habillant d'autres couleurs : Hugo est « possédé par la parole » et, tout bien considéré, il ne sait pas ce qu'il dit (manuel Bordas, 1972). « Il fut le Verbe totalement » et il s'impose toujours à nous par « l'une des plus colorées et des plus somptueuses écritures de notre langue française » (manuel Nathan, 1980).

En revoyant le texte de sa trop volumineuse histoire, pour en faire en 1929, avec Paul Tuffrau, un manuel illustré mieux adapté à l'usage des lycéens, Lanson a supprimé l'approbation qu'il donnait au « mot cruel » de Veuillot stigmatisant les « méditations délirantes » de Hugo : « Jocrisse à Patmos ». Il est devenu impossible de ne pas admirer Hugo comme l'écrivain capital en qui se résume tout un siècle. Mais le ricanement devant sa prétentieuse « bêtise » est à peine étouffé. Combien d'auteurs de manuels oseraient-ils reprendre à leur compte ce qu'écrivait, dès 1902, Georges Pellissier dans son original *Précis d'histoire de la littérature française* : « Certains critiques, qui lui en veulent sans doute d'avoir combattu l'esprit d'oppression sous toutes ses formes, ne louent son extraordinaire « faculté verbale » que pour en faire une sorte de prodigieux rhéteur » alors qu'il a, « dans toutes les questions qui intéressent l'humanité, ouvert, grâce à son imagination divinatrice, des vues nouvelles et profondes et, si je puis dire, tracé de lumineux sillons. » Ce modeste professeur de rhétorique semble avoir bien senti pourquoi l'importance de Victor Hugo pouvait être si encombrante. Croire aux vertus de la démocratie et en vouloir le plus complet triomphe n'a pas fini d'apparaître comme la naïve ambition d'un généreux rêveur. Mais pourquoi donc ne pas apprendre aux enfants les vertus de ce rêve-là ?

R. F.

Le cercle de famille

Le XIXe siècle a été le siècle de l'enfance. Le concept dégagé et magnifié par Rousseau, relayé par la Révolution Française et l'idéologie de l'avenir, s'est ancré dans la réalité sociale et s'y est diversement, mais largement déployé. A tel point qu'un romantique — artiste ou philosophe — se définit aussi dans un rapport plus ou moint direct avec l'univers d'avant la puberté. Les premiers pas et les premiers émois envahissent tout, notamment la littérature. La figure de l'enfant ne se dérobe plus derrière une porte entrebaillée comme dans une fresque de Véronèse. Elle ne se dissimule plus derrière un déguisement liturgique mais se montre telle qu'elle est. L'enfance multiplie ses figures, abandonne l'archétype de l'angelot pour s'inscrire au grand jour de la quotidienneté. L'adulte va s'interroger sur son enfance et se projeter sur les enfants qui l'entourent. L'enfance éclate en enfances. Le pédagogisme est roi. De façon évidente ou détournée, il affirme sa présence, posant comme préalable implicite qu'on se doit à présent de réserver aux enfants un traitement spécifique.

A partir d'une idéologie prégnante et générale, autant de discours, d'attitudes, de prises de positions, de conflits. Toutes ces images contrastées et même contradictoires de l'enfant du XIXe siècle, nous, habitants du XXe siècle finissant, nous les déchiffrons à la lumière de nos jugements de valeur, de nos nouveaux maîtres, de nos récents savoirs, de nos propres préjugés.

Nos bébés
par Mme Amélie Ernst. Illustrations par B. Borione. Épinal, Pellerin, 1889
Victor Hugo en personnage de « littérature enfantine ». Remarquer dans la vignette de gauche le portrait de Bonnat (cat. 96)
Paris, M.V.H.

Ainsi en va-t-il pour Hugo, écrivain de l'enfance, écrivain pour enfants... écrivain enfantin, voire ? Parmi les multiples représentations du poète, celle qui a le plus altéré sa figure est bien la dernière, l'art d'être grand-père. Il a été le grand-père absolu, après avoir été le plus tendre et le plus éprouvé des pères, lequel avait succédé à un fils respectueux, avant d'avoir été, aux tout commencements, l'enfant sublime. Dans toutes ces expressions d'une relation à l'enfance, Hugo manifeste son excellence. Mais, en fin de compte, la dernière image, celle du Bon-Papa de

LE LIVRE DES MÈRES

LES ENFANTS
PAR
VICTOR HUGO

DESSINS DE Eug. FROMENT

COLLECTION HETZEL

Eugène Froment
Frontispice du recueil publié par Hetzel en
1857 sous le titre *Les enfants (le livre des
mères)*. Nouvelle édition illustrée
Coll. privée.

*Victor Hugo et ses jeunes invités au « déjeuner
des enfants pauvres »*
Le Monde Illustré, 14 oct. 1884
Paris, M.V.H.

Georges et de Jeanne, réunit toutes les autres et parvient à les estomper.

Pendant des décennies on a imposé à un public enfantin rassemblé par l'école, mais plus ou moins perméable, une représentation de l'Indulgence incarnée. Le portrait de ce vieux monsieur si confortablement vêtu et dont le visage barbu s'illuminait d'un sourire dès qu'un enfant approchait. Pour tous les écoliers de France le poète était ce monsieur-là. Son œuvre se résumait en un florilège où les caprices de Jeanne, les cancreries de Charles, les bêbêtes et les bonshommes, tout comme les maladresses de Mariette, la bonne, donnaient l'occasion au grand-père, ou à un père déjà compréhensif, d'exercer son aptitude infinie à aimer les enfants. Mieux encore à apprécier les enfantillages. Douces enfances bourgeoises saisies sous la lampe, en cette heure de crépuscule propice aux câlins et aux attendrissements.

Selon le point de vue où l'on se place on peut considérer cette imagerie et son utilisation avec indulgence ou avec agacement. Tout d'abord ne pas prendre la partie pour le tout, confondre, c'est bien évident, un montage avec l'œuvre. Mais à l'intérieur de ce montage ne pas mettre sur le même plan *Jeanne était au pain sec* et *Les pauvres gens*. On peut aussi retirer son épingle du jeu en faisant remarquer que c'est Hugo le premier responsable. C'est lui qui a d'abord infléchi en ce sens une part non négligeable de sa poésie devançant ainsi les éducateurs et les futurs fabricants de culture enfantine. Et cela avant même d'être grand-père. En 1858 il autorise Hetzel à publier le *Livre des enfants,* une anthologie thématique propre à charmer les mères de familles. « … sur ce doux terrain de la famille, déclare Hetzel dans sa préface, il est sans rival dans le passé comme dans le présent ». Et ainsi la voie est ouverte à une exploitation vers un public défini. Hugo restera le poète du cercle de famille, et de recueil en recueil, les anthologistes conforteront cette image.

Regroupés de la sorte et ainsi renvoyés à une fonction ces poèmes évoquent ceux des keepsakes pour enfants que Lewis Carroll a si insolemment parodiés dans *Alice au pays des merveilles* (1865). Dans les poésies moralisatrices de l'époque victorienne, l'enfant aussi est pâle et pourtant rose. A l'instar de Léopoldine, il fait la charité, chante comme un oiseau, travaille comme une abeille. Là aussi ses caprices sont effacés par une caresse. Et Carroll de s'en donner à cœur joie. Pas simplement parce que la poésie moralisante, la poésie à l'usage des petits est un genre difficile et qui, même maniée de main de maître, frôle à tout instant la mièvrerie, mais parce que c'était une manière pour lui de découvrir un tout autre rapport à l'enfant. La seconde moitié du siècle, c'est le moment où, parmi la diversité de ses nouveaux attributs, comme par surprise et au détour d'un vers, l'enfant devient objet de désir :

« Il est des parfums frais comme des chairs d'enfants[1]. »

Ces chairs si douces sous les rubans et les dentelles, ces fossettes, ces bouches soyeuses sont délibérément recherchées par Lewis Carroll et crûment fixées, dans leur diabolique candeur, par son appareil photographique. Ces fantasmes existent bien évidemment chez Hugo, pour qui, comme pour Carroll, l'enfant est prioritairement une petite fille, mais ils sont fortement jugulés par son personnage. A l'inverse de Carroll, Hugo n'était pas célibataire et les censures étaient d'autant plus fortes.

Tout comme Carroll, Hugo offrait des goûters à ses amis les enfants. On sait ce qui se racontait aux goûters du professeur d'Oxford. On le sait moins dans le cas de l'écrivain français. On pourrait lui accorder le bénéfice du doute, néanmoins, ce qui nous est parvenu, sur le tard il est vrai, est plutôt navrant : « Vous êtes petits, vous êtes gais, vous riez, vous jouez, c'est l'âge heureux. Eh bien, voulez-vous — je ne dis pas être toujours heureux, vous verrez plus tard que ce n'est pas facile — mais voulez-vous n'être jamais tout à fait malheureux ? Il ne faut pour cela que deux choses très simples : aimer et travailler. Aimez bien qui vous aime ; aimez aujourd'hui vos parents, aimez votre mère, ce qui vous apprendra à aimer votre patrie, à aimer la France, notre mère à tous. Et puis travaillez. Pour le présent, vous travaillez à vous instruire, à devenir des hommes, et, quand vous avez bien travaillé et que vous avez contenté vos maîtres, est-ce que vous n'êtes pas plus légers, plus dispos ? Est-ce que vous ne jouerez pas avec plus d'entrain ? C'est toujours ainsi. Travaillez et vous aurez la conscience satisfaite.

Et quand la conscience est satisfaite et que le cœur est content, on ne peut pas être entièrement malheureux[2]. »

Après cela évidemment, Hugo peut passer directement dans le manuel de morale et d'éducation civique. Selon le vœu de Jules Ferry, aucun père de famille ne saurait être blessé par un tel discours.

Hugo satisfait-il ainsi la morale laïque qui vient de s'instituer, ou serait-ce les

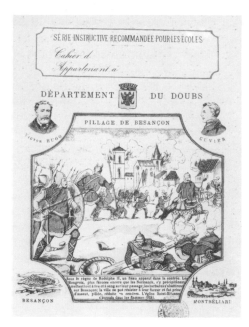

Protège-cahier d'écolier
Paris, M.V.H.

Victor Hugo parmi les enfants
« Tableau d'Histoire » scolaire destiné au cours élémentaire (collection Rossignol, Coopération Pédagogique)
Mont-Saint-Aignan, I.N.R.P., Musée National de l'Éducation

hussards noirs de la République qui ont un peu trop tiré Hugo dans leur direction ? Ce faisant n'ont-ils pas négligé le côté politique de Hugo, au profit d'une idéologie familiale et patriotique tellement sommaire qu'elle a pu, par la suite, servir à n'importe qui ? Certes, après Hugo lui-même, les principaux responsables du Hugo des enfants sages et de « l'âge heureux » sont les professeurs.

Si Pierre Audiat, dans un avant-propos[3] de 1950 salue en Victor Hugo l'annonce d'un « progrès moral », au regard des textes qu'il réunit il s'agit bien d'éveiller l'enfant aux trois concepts qui, dix ans auparavant, avaient fondé l'État français du maréchal Pétain, le Travail, la Famille, la Patrie.

Rapprochement malencontreux, certes, mais qui n'a rien de farfelu. Ces valeurs si naïvement ressassées, expliquent fort bien le rejet par une certaine intelligentsia de l'image patriarcale : « En ce buste populaire [...] revit le patriarche — ample front et barbe chenue — dont le visage, où l'âge, les travaux, les luttes ont mis leurs plis, savait s'éclairer pour l'enfance du plus doux des sourires[4]. » Pendant plus de cinquante ans, sans peur du ridicule, des universitaires, des républicains bien-pensants, des radicaux soucieux de n'effaroucher personne, des politiques en quête de mythologies à offrir au bon peuple ont seriné cette antienne, sans y voir le moindre mal, sans mesurer le tort qu'ils faisaient subir ainsi à l'œuvre même. Et surtout sans tenir compte d'une jeunesse, plus tout à fait jeune, neveux et nièces, de ceux qui n'avaient pas eu la joie de mourir pieusement pour la patrie, ayant auparavant pourri tout vifs dans les tranchées. Une jeunesse qui s'était donnée d'autres lectures et se sentait peu disposée à écouter le fils du général Hugo, le papa de Léopoldine, le grand-papa de Jeanne. Une jeunesse qui préférait Rimbaud et les *Premières communions* à *Ma fille vient prier,* qui découvrait Kafka et la *Lettre au père* et se sentait plus angoissée par l'aventure de M. K. que par l'obstination de Javert. Plus troublée par la logique provocante de Bataille et les divagations d'Artaud que par les *Chansons des rues et des bois.*

On peut donc considérer qu'il y eut alliance objective de certains professeurs avec certaines faiblesses du grand homme, pour maintenir dans un fixisme séparé du réel l'image tutélaire et momifiée. Parmi tous ceux qui ont le plus servi à l'édification de la jeunesse, un poème accuse fortement le divorce entre cet Hugo-là et l'avenir, et c'est : « Mon père ce héros au sourire si doux ».

Sans insister exagérément sur le fait que, dans les dernières années du XIXe siècle, tout le monde avait bien compris qu'un père n'est jamais un héros et que le sourire d'un militaire ne peut pas être doux, il y a, dans cette pièce, sous une forme presque caricaturale, un trait insistant chez Hugo, et qui vient sans doute de son inextinguible soif de justice. La répétition incessante d'une idée fixe, fort intéressante sur le plan métaphysique, mais qui limite considérablement la communication avec l'enfance et la jeunesse. C'est l'idée, toute puissante, qu'il n'y a de mal que chez le méchant. Et que, pour le reste, justice doit être rendue. L'enfant aime sa mère, mais il aime également son père et il est aimé par eux. Comme si la filiation était là, en fin de compte, pour arrêter le mal. Le père de Léopoldine rachète l'amant de Léonie Biard. Et le fils du général Hugo rappelle à tout propos, et souvent hors de propos, la nécessité de l'aïeul. Les enfants sont bien au centre de la scène. Depuis *L'art d'être grand-père* et la célèbre photo, équilibrée comme un dessus de cheminée, du poète entre Georges et Jeanne, l'image s'est installée jusqu'à l'écœurement des adultes. Après la délégation des pouvoirs parentaux à ce Papa suprême, on considéra qu'il en faisait quand même un peu trop — et surtout le doute s'infiltra.

Si Hugo reste dans la mémoire des Français comme le poète le plus pratiqué à l'école (après La Fontaine) et l'un de ceux dont on se souvienne le mieux (après La Fontaine), il semble néanmoins qu'il ne soit pas devenu largement et franchement populaire auprès de la jeunesse. Et cela pour les raisons mêmes qui l'ont fait choisir. L'écrivain pour enfant peut, à la rigueur, être un grand-parent, il ne peut en aucun cas être un père, on pourrait presque dire par définition. L'image du père, et par conséquent son discours, voilà très précisément ce qui écarte l'enfant. En l'occurrence l'image brouille entièrement le discours qui, bien souvent, s'évade et emprunte d'autres chemins. Mais trop tard. Hugo, là, comme dans bien d'autres pages, a été prisonnier de sa figure et a dit le contraire de ce qu'il montrait. La force du destin avait choisi pour lui la filiation et, ce faisant, le séparait de l'enfance qu'il ne cessait de glorifier. En s'adressant à sa fille, il éloigne la foule des enfants. Car le seul discours adulte que les enfants reçoivent sans restriction est celui de l'oncle. Ceci est vrai anthropologiquement, le devient sociologiquement. Mais Hugo contrairement à Carroll, à Andersen, à Jules Verne ne pouvait se présenter ainsi de façon biaisée, équivoque. Il lui faut toujours être de face et en pied. Déjà statufié.

Aussi doit-on se résigner. Aujourd'hui, le poète de l'enfance, c'est Prévert, celui de la jeunesse, Rimbaud.

Hugo reste néanmoins le créateur de figures enfantines grandioses. Il a été un des premiers romanciers de l'enfance malheureuse. On pourrait dire que « l'âge heureux » se trouve essentiellement dans la poésie où les éducateurs l'ont dénichée, en exagérant d'ailleurs son importance, pour l'offrir à l'enfant lecteur. Mais le sentiment d'une enfance tragique est tout entière dans les romans, dans chaque roman et elle n'a pas vraiment franchi cette barrière. A l'exception de Cosette, sans doute. *Les misérables* étaient traditionnellement donnés à lire entre douze et quatorze ans. C'était même un des premiers romans de l'adolescence. D'après les sorties des bibliothèques municipales on peut vérifier que la tradition n'a pas entièrement disparu. Mais à en juger par la pauvreté éditoriale, tant des éditions intégrales illustrées que des adaptations, l'œuvre romanesque de Hugo ne fait pas un succès auprès des jeunes. Là encore la volonté enseignante est manifeste : « Nul n'a su

P. Kauffmann
Cosette
Projet d'illustration pour une édition des *Misérables* destinée aux enfants
Paris, M.V.H.

Prospectus publicitaire pour *Les misérables*, Paris, Rouff 1888-89
Paris, M.V.H.

parler des enfants mieux que Victor Hugo et ceux-ci tiennent une place de choix dans l'œuvre de l'immortel Grand-Père » (...) afin de permettre aux jeunes lecteurs — avant qu'ils abordent le texte intégral de *Quatrevingt-treize* — de vivre les aventures des trois frères et sœur, nous présentons ici, extraite du roman de Victor Hugo, leur touchante histoire, qui contraste par sa fraîcheur avec les péripéties dramatiques de la guerre civile[5]. » Cet avant-propos manifeste clairement le souci de rapprocher l'âge heureux qui fut l'enfance du poète lui-même, puis celle de Léopoldine de l'enfance sombre qu'on trouve dans les romans. Or, rien de commun entre les deux mondes. L'aventure des trois enfants de *Quatrevingt-treize* n'est pas un moment de « fraîcheur ». Alain, Gros-René et Georgette sont des misérables, comme Cosette, comme Gwymplaine et Dea, comme Gavroche. Ils n'entreront jamais dans le jardin des Feuillantines, ils ne connaissent pas « ... ce passé charmant » des vacances et du cercle de famille. Les éditeurs se sont vite découragés. De loin en loin ils présentent le même texte, plus ou moins abrégé, sous une couverture modernisée et sans plus de succès. Une vente de fonds très lente.

On peut mesurer l'emprise d'une œuvre sur le public enfantin par l'iconographie à laquelle elle a donné lieu. Certains personnages littéraires deviennent alors ce que les Américains appellent des « characters ». Ainsi de *Pinocchio*, des animaux du *Livre de la jungle,* d'*Alice*. Ce transfert est parfois immédiat, ce qui fut le cas des personnages de Dickens, immédiatement popularisés par diverses imageries. Il n'en a pas été ainsi des enfants créés par Hugo. Sauf Cosette peut-être. Grâce à l'illustration de Bayard, elle se retrouve aujourd'hui son balai à la main, dans des albums d'images. En revanche, le motif de la poupée trop chère est assez fréquent. Il est passé dans le roman subtilement populiste de Colette Vivier, *La porte ouverte*[6] où les petites filles pauvres rendent une sorte de culte à la poupée inaccessible dans la vitrine. L'auteur savait ce qu'elle devait aux *Misérables*.

Mais ces imprégnations sont rarissimes. Les enfants de Hugo n'ont guère fait de petits. Parce qu'ils étaient trop grands ? auraient dit Reboux et Muller. Sans doute. Les figures enfantines de Hugo sont écrasantes et révélatrices d'une ambiguïté. L'excès même de ses attendrissements de Bon-Papa nourri de confitures est suspect. Dès qu'il s'agit d'enfants, Hugo s'ingénue à brouiller les pistes. Le discours est commode et fait écran à une réalité bien inquiétante. On pourrait multiplier les exemples : dans les romans, dans *La légende des siècles,* et jusqu'à *L'art d'être grand-père* où, à côté de niaiseries trop ressassées, surgit un poème aussi fondamentalement contestataire que *Les griffonnages de l'écolier*. L'enfant, quand il n'est pas volontairement et anecdotiquement rattaché à Hugo lui-même, quand il n'est pas de sa lignée, amène avec lui la revendication, le cri, le hurlement, quand ce n'est pas la férocité, le sadisme. C'est le rire énorme de Gwynplaine. Un seul exemple suffira — la mort d'Angus, « l'enfant blond ».

Tiphaine accourt, s'élance, tombe
Sur l'enfant, comme un loup dans les cirques romains.
Et d'un revers de hache il abat ces deux mains
Qui dans l'ombre élevaient vers les cieux la prière ;
Puis, par ses blonds cheveux dans une fondrière
Il le traîne.

Et riant de fureur, haletant;
Il tua l'orphelin, et dit : Je suis content !
Ainsi rit dans son antre infâme la tarasque[7].

La bestialité n'est pas ici un effet de mode, la fantaisie d'un lecteur de romans gothiques. Elle est essentielle. Elle se double d'une révolte d'autant plus radicale qu'elle est celle des monstres, et plus monstres encore d'être enfants. Hugo ne pouvait laisser ses « Caprices » sortir au grand jour, sans contrepartie. Il préservait donc son personnage de fils modèle, de père martyr, d'académicien et de prêcheur humanitaire et présentait, autant qu'il le pouvait, une façade rassurante. Pour se rassurer lui-même. Et, derrière le mur de la respectabilité bourgeoise et républicaine, les monstres se pressent en foule.

Assurément cette cour des miracles enfantine n'est pas pour les enfants. Il y a là des mythes et les mythes appartiennent à tout le monde et peuvent se retrouver là où on les attend le moins. Si, comme l'affirme à juste titre Jean Maurel, Gavroche est le Petit Poucet, il est tout à fait évident que Notre-Dame-de-Paris est une variante de la Belle et la Bête. Le geste de la Ésméralda faisant boire Quasimodo est repris par Cocteau dans *La belle et la bête*. Le génie du cinéaste rejoint celui du romancier dans cette offrande implicitement contenue dans le mythe, mais qu'il fallait exprimer.

L'adoption de Gwynplaine et de Dea par Ursus constitue à elle seule un petit roman d'éducation auquel les pédagogues, à ma connaissance, n'ont guère réfléchi et qu'ils ne proposent jamais aux enfants, allez savoir pourquoi ? Cependant, l'homme Ursus et le loup Homo, patients et ingénieux, sont les vrais maîtres d'une éducation complète. Tout comme dans le *Livre de la jungle,* ils nourrissent et instruisent les deux petits tout nus. N'y aurait-il dans son œuvre que ces seules pages, Hugo serait un écrivain de l'enfance réelle, et point seulement des enfances souhaitées. Il est rejoint là par un autre créateur, Charlie Chaplin, qui, dans le *Kid,* par on ne sait quelle mystérieuse correspondance, retrouve le bricolage génial, minutieusement décrit par Hugo, pour allaiter son petit gosse perdu. Le biberon à balancier, grâce auquel Dea tète pour la première fois, renaît ainsi sous nos yeux, s'anime entre les mains d'un autre magicien, le vagabond, le misérable Charlot.

I. J.

1. Baudelaire, *Les fleurs du mal* (1857), Correspondances.
2. *Depuis l'exil,* allocution au déjeuner des enfants de Veules-les-Roses, 25.IX.1884, éd. Massin, t. XV-XVI 1, p. 1485.
3. Pierre Audiat, *Textes choisis pour la jeunesse,* Classiques Hachette, Paris, 1950.
4. Maurice Rat, *Poèmes choisis de Victor Hugo,* Fernand Nathan éditeur, Paris, 1950.
5. Avant-propos in : *Les trois enfants* (sous-titre : *Quatre vingt-treize*), Hachette, collection des Grands Romanciers, Paris, 1960.
6. Bourrelier éditeur, Paris, 1955. Réédition GP Rouge et Or, Paris, 1970.
7. *La légende des siècles,* L'aigle du casque, éd. Massin, t. XV, p. 724.

*Victor Hugo
Dessin sans titre. 1854 (cat.645)
Paris, Louvre, Cabinet des Dessins

Paul Chenay, d'après Victor Hugo
John Brown. 1860
Paris, M.V.H.

Pierre Georgel   # Les avatars du « peintre malgré lui »

Hugo, qui écrivait en 1862 : « Je n'aurais jamais imaginé que mes dessins [...] pussent attirer l'attention[1]... », trouverait-il aujourd'hui saugrenu qu'on s'occupât, comme on va le faire ici, de leur « fortune[2] » ? On pourrait le croire, par exemple quand il parle de ces « quelques espèces d'essais de dessins... », « ces choses qu'on s'obstine à appeler mes dessins... », « ces traits de plume quelconques, jetés plus ou moins maladroitement sur le papier par un homme qui a autre chose à faire[3]... » Pourtant, c'est encore lui qui se dit « tout heureux et très fier[4] » des lignes flatteuses que Baudelaire leur consacre dans le *Salon de 1859*, et qui les conserve, les encadre, les expose sur ses propres murs, les offre à son entourage, voire à des peintres et à des critiques d'art, en laisse enfin reproduire, bon gré mal gré, plusieurs dizaines.

La contradiction n'est qu'apparente et les propos de Hugo doivent être replacés dans leur contexte, autour de 1860. Une polémique larvée oppose alors la doctrine de « l'art pour le progrès », préconisée par l'auteur des *Misérables*, à celle de « l'art pour l'art », dont les partisans, non sans quelque malice, exaltent ses dessins aux dépens de ses écrits. Et c'est précisément à ce moment qu'un graveur, Paul Chenay, que le hasard a introduit dans l'entourage de Hugo, finit par lui arracher la permission de publier un album entier de ses dessins[5]. En cherchant d'abord à contourner l'obstacle, puis à tempérer l'enthousiasme de certains zélateurs — notamment le critique Philippe Burty, qui va l'exhorter, pendant des années, à faire connaître ses dessins et même à s'adonner à la gravure[6] —, Hugo entend parer une opération de diversion préjudiciable à ses livres, pour ramener l'attention du public sur ce qu'il considère comme l'essentiel. Il a donc intérêt à rappeler qu'il a « autre chose à faire[7] » et à présenter comme un « simple délassement[8] » son activité de dessinateur. Jusqu'à ses dernières années, cette attitude n'évoluera guère. Puis, quand son œuvre ne lui appartiendra plus et vivra désormais de sa vie propre, il prendra le parti de léguer à la Bibliothèque Nationale, autrement dit d'offrir au public, les centaines de dessins restés en sa possession : « Je donne tous mes manuscrits, et tout ce qui sera trouvé écrit ou dessiné par moi, à la Bibliothèque Nationale de Paris[9]... »

Cette dernière mesure rétablit les perspectives. La position de Hugo à propos de ses dessins se définit en deux temps : occultation provisoire, révélation à long terme. Elle s'explique par les circonstances et par une stratégie dont il entend rester maître, mais aussi, plus profondément, par la conscience qu'il a de leur fonction et de leur situation. Si beaucoup d'entre eux — les croquis d'après nature, les caricatures, la plupart des compositions imaginaires, marquées par la tradition du pittoresque —, s'intègrent sans peine au panorama de l'art contemporain, beaucoup d'autres lui sont étrangers, au moins en apparence. C'est à ces pages « un peu sauvages[10] », comme il dit, que Hugo pense probablement, quand il parle, dans sa préface à l'album Chenay, des « heures de rêverie presque inconsciente[11] », où, loin du public et des circuits professionnels, la main joue avec les matériaux et laisse parler l'indicible. De là, la liberté de certains de ses dessins, si « modernes » en apparence, et qu'il évitait d'affronter au conformisme contemporain. De là aussi leur pouvoir de révélation, celui d'une écriture « automatique », où les désirs et les failles de l'être transparaissent à l'abri de la censure.

Cependant, dès l'origine[12], aux environs de 1825 et dans la décennie suivante, les dessins de Hugo eurent un public. Un public restreint, à la mesure d'une production encore modeste, mais fêtée de bon cœur par le « cercle de famille » et les amis de la maison : « petites caricatures » gribouillées sous les yeux des intimes puis déposées sur le lit des enfants, qui les « trouvent en s'éveillant, le matin, à leur grande joie[13] » ; croquis de voyage envoyés à la famille, et dont chaque arrivée provoque « les explosions de joie de toute la marmaille[14] ». On commence à les montrer aux visiteurs, des dames en demandent pour leur album, certains aboutissent même dans des collections d'amateurs, comme le *Beffroi de Lière*, publié en 1838 dans l'*Album cosmopolite* avec un commentaire de Théophile Gautier, aussitôt repris dans *La Presse* sous le titre « Monsieur Victor Hugo dessinateur[15] ». Le détail n'est pas négligeable : *La Presse* est un journal à grand tirage, Gautier un critique déjà connu, et il ne craint pas d'écrire : « M. Hugo n'est pas seulement un poète, c'est encore un peintre, mais un peintre que ne désavoueraient pas pour frère Louis

Victor Hugo
Vue du port de Pasajes. Envoyée par Hugo à sa fille Léopoldine en 1843
Coll. privée

Victor Hugo
Dessin sans titre. 1837. Dédicacé à Louis Boulanger
Dijon, Musée des Beaux-Arts, Donation Granville

Pista donne un coup de pied au cul à un gamin qui lui a manqué. Vers 1832. Une des « petites caricatures » destinées par Hugo à ses enfants
B.N., Manuscrits

Alfred Marvy, d'après Victor Hugo
Paysage. 1847
Coll. privée

Boulanger, C. Roqueplan et Paul Huet... » Dès lors, et jusqu'à l'exil, les reproductions gravées vont se succéder dans des revues comme *La France Littéraire*, qui reste relativement confidentielle, mais aussi *L'Illustration* et *L'Artiste*. En 1847, Hugo confiera même quatre dessins à l'excellent aquafortiste Marvy, qui en tirera des gravures destinées à une loterie[16]. Et les commentaires vont bon train, comme Auguste Vacquerie, alors dans le premier feu de son hugolâtrie, l'observe dans un poème de 1842, publié trois ans plus tard :

> « Chacun explique à son gré
> Vos dessins que chacun vante[17]... »

Tout cela est peu de chose auprès de la gloire littéraire de Hugo, et c'est surtout par rapport à son œuvre d'écrivain qu'on s'intéresse alors à ses dessins. Sans doute, en 1847, l'un d'eux est-il publié dans un portefeuille de gravures intitulé *Les paysagistes actuels*, où il voisine avec des œuvres de Corot, Daubigny, Dupré et Decamps notamment. Mais cette première incursion sur le terrain des artistes ne porte guère à conséquence, car, pour Hugo, le dessin reste une activité tout à fait secondaire. Il n'en va plus de même dans les années suivantes, de 1848 à l'exil, où il cesse pratiquement d'écrire, et où cette interruption de la création littéraire

s'accompagne d'une intense activité graphique. Le *Burg à la croix* et d'autres dessins, datés de 1850 pour la plupart, sont de véritables tableaux, longuement travaillés, où s'exprime un génie poétique réprimé et dont le fantastique échappe aux conventions de l'art contemporain. Pourtant Hugo s'abstient de les divulguer, comme s'il en sentait la profondeur et la qualité insolite, et quand Théophile Gautier les évoque, dans un article de 1852, publié à l'occasion de la vente du mobilier de l'exilé, il commence par écrire : « Victor Hugo, s'il n'était pas poète, serait un peintre de premier ordre[18] », ce qui revient à le reconnaître comme peintre, mais aussi à rappeler la primauté de son activité d'écrivain.

La mise à distance du public et le refus de toute ingérence dans le domaine réservé des peintres interviennent donc au moment même où l'œuvre dessiné de Hugo prend vraiment corps. Cette démarche va se confirmer par la suite. Comme on vient de le rappeler, elle se manifeste surtout dans les années 1860, où l'écrivain intensifie son apostolat humanitaire, et où, simultanément, les nostalgiques d'un certain romantisme, rassasiés de littérature morale, s'ingénient à invoquer ses dessins, dont ils exaltent le « prodigieux sentiment plastique » (Gautier[19]) ou « la magnifique imagination » (Baudelaire[20]). L'entrée en scène de Chenay, la publication d'une gravure en 1860, et surtout, deux ans plus tard, celle d'un album (qui se solde de surcroît par un échec commercial), sont pour Hugo des opérations

Victor Hugo
Dessin sans titre. 1854
Coll. privée

Paul Chenay, d'après Victor Hugo
Le burg
Planche contenue dans l'album de 1862
Coll. privée

Couverture de l'album *Dessins de Victor Hugo gravés par Paul Chenay.* Paris, Castel, 1862
Coll. privée

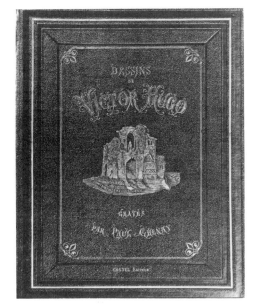

intempestives, car elles l'introduisent de force — « à mon corps défendant et malgré moi[21] », dira-t-il — où il ne voulait pas s'engager. Et le malentendu prend aussitôt des proportions considérables, comme en témoigne ce commentaire aigre-doux de Paul Huet : « Tout Paris est dans les aqua-tinta de Hugo, qui vient de publier avec accompagnement de grosse Caisse les élucubrations fantaisistes de ses rêves.[22] » Ce dont Hugo n'a plus qu'à tirer les conséquences, comme il le fait en dédicaçant l'album fatidique à Juliette Drouet :

> « L'auteur, sous votre aile, aujourd'hui,
> Cache ces dessins qu'on déterre.
> Plaignez-le pour ce double ennui,
> Étant le proscrit volontaire,
> D'être le peintre malgré lui[23]. »

La gravure réalisée par Chenay en 1860 avait du moins une portée politique. Elle reproduisait un dessin exécuté six ans plus tôt, à Jersey, à la suite de la pendaison d'un criminel, dont Hugo avait vainement demandé la grâce. Ce dessin n'avait pas de titre et représentait simplement un gibet dans les ténèbres, puissant emblème du châtiment. En 1859, Hugo était intervenu à nouveau — tout aussi vainement — en faveur d'un autre condamné, John Brown, l'abolitionniste américain. C'est pour appuyer sa campagne de protestation qu'il consent alors à la reproduction du dessin de 1854, qui est gravé avec la date *1860* et le titre *John Brown*. Le commentaire dont Hugo l'accompagne dans une lettre au graveur souligne bien qu'il obéit à une intention humanitaire et non esthétique : « Tout ce qui concourt au grand but : Liberté constitue pour moi le devoir, et je serai heureux si ce dessin, multiplié par votre art, peut contribuer à maintenir présent dans les âmes le souvenir de ce libérateur de nos frères noirs[24]... »

Tout au contraire, l'album de 1862, composé uniquement de paysages et précédé d'une étude du grand-prêtre de l'art pour l'art, Théophile Gautier, est vierge de toute intention idéologique. C'est du reste un public composé d'amateurs d'art qui l'accueille, comme Baudelaire, qui note à deux reprises un projet d'article sur cet album, les frères Goncourt et Philippe Burty. Ce dernier lui consacre, dans la jeune *Gazette des Beaux-Arts*, un article où il souligne fort justement la coïncidence de cette publication avec « la doctrine nouvelle » : le grand mouvement de protestation contre toutes les formes de sclérose, de routine, de compromis, qui secoue alors les arts plastiques et aboutira l'année suivante au Salon des Refusés et à la réforme de l'École des beaux-arts[25] : « Chose étrange, et sur laquelle nous ne craignons pas d'insister, ces vingt-quatre dessins sont, à leur façon, ce que la préface de *Cromwell* fut pour l'école littéraire de 1830. Ils contiennent toute la doctrine nouvelle[26]... » Cette vue témoigne du talent critique de Burty, mais elle va à l'encontre de la tactique adoptée par Hugo en le situant directement parmi les débats de l'art contemporain. De fait, les publications de Chenay suscitent de

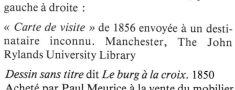

Quelques dessins de Victor Hugo offerts à des amis, pendant l'exil ; de haut en bas, puis de gauche à droite :

« *Carte de visite* » de 1856 envoyée à un destinataire inconnu. Manchester, The John Rylands University Library

Dessin sans titre dit *Le burg à la croix*. 1850
Acheté par Paul Meurice à la vente du mobilier de Victor Hugo en 1852
Paris, M.V.H.

Paul Meurice dans son cabinet de travail, vers 1900
Au mur, les *Phares* (voir plus loin, « Hugo illustrateur de lui-même) et *Le burg à la croix*

Souvenir d'une vieille maison de Blois, 1864, offert à Philippe Burty
Paris, M.V.H.

*F. L. Méaulle
Bloc de bois gravé d'après* Le burg à la croix. 1876 ? (cat. 646)
Coll. privée

Dessin sans titre de 1866, dit *Le vieux pont,* offert à Charles Hugo
Paris, Louvre, Cabinet des Dessins

Dessin sans titre (poste de vigie à Jersey). Vers 1855. Ce dessin, dont le cadre a été dessiné et pyrogravé par Victor Hugo, était exposé dans la salle de billard de sa maison de Guernesey, Hauteville House
Paris, Louvre, Cabinet des Dessins

Dessin sans titre de 1860, offert à « Miss Joss », de Guernesey
Coll. privée

Dessin sans titre de 1855, offert à Jules Laurens
Carpentras, Musée Duplessis

Dessin dit *Vallée des Vaux*, offert à Cornélie Bouclier
Compiègne, Musée National du Château

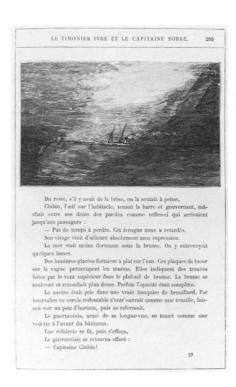

Les travailleurs de la mer, Paris, Hugues, 1882
(cat. 858)
Gravure de L. F. Méaulle d'après Victor Hugo
Coll. privée

Charles Courtry, d'après Victor Hugo
L'éclair, planche contenue dans *Sonnets et
eaux-fortes,* recueil réalisé sous la direction de
Philippe Burty, Paris, Lemerre, 1862
Coll. privée

multiples réactions de la part d'artistes professionnels (de vieux romantiques comme Boulanger, qui décerne au *John Brown* le titre d'« œuvre d'art » et déclare : « la poutre est d'un maître[27] », mais également de plus jeunes), tandis que l'influence diffuse des dessins de Hugo se fait sentir sur la gravure contemporaine, de Gustave Doré à Chifflart et peut-être à Bresdin[28]. Plus tard, Van Gogh, pour ne citer que lui, exprimera à plusieurs reprises son admiration à leur égard.

Cependant, tout en essayant de défendre ses dessins contre la curiosité du grand public, Hugo continue à les montrer à son entourage et à en offrir à ses amis[29] : comme il l'explique en 1863, « ces griffonnages sont pour l'intimité et l'indulgence des amis tout proches[30] ». Les bénéficiaires sont sa famille, Juliette Drouet, les fidèles Meurice et Vacquerie, des amis d'autrefois comme Jules Janin, Delphine de Girardin et Léonie Biard, des compagnons d'exil, des républicains de la nouvelle génération... D'autres dessins sont rapportés par des visiteurs venus de France, comme Louise Colet et les peintres Jules Laurens et Chifflart[31]. Chaque année, à l'époque des étrennes, arrivent à Paris des « cartes de visite » de la main de Hugo, où son propre nom se déploie dans des paysages symboliques[32]. Ces distributions amicales, qui entretiennent le zèle des amateurs, se poursuivent après l'expérience Chenay, mais, instruit par celle-ci, Hugo s'emploie pour quelques années à décourager les quémandeurs. Même Burty, dont l'insistance finit par « dégénérer en obsession » (comme il en convient lui-même), ne parvient pas à lui soutirer l'eau-forte dont il rêve et doit se contenter d'un dessin à reproduire, plus quelques autres pour sa collection personnelle[33]. Mais ce sont les dernières cartouches du « peintre malgré lui », débordé par sa propre gloire. Après son retour en France, dans le tourbillon du travail, des visites, des assemblées politiques, des nouveaux livres et des rééditions qui se succèdent, il perd rapidement le contrôle de ces dessins qu'on se dispute — les intimes, les relations mondaines, les conquêtes de passage, les critiques d'art comme Jules Claretie et Paul de Saint-Victor, les interprètes des reprises théâtrales comme Sarah Bernhardt et Mounet-Sully... —, qu'on reproduit, sur lesquels on écrit dans les journaux, et qui, enfin, à partir de 1876, deviennent une des grandes attractions du « Victor Hugo illustré » publié par Eugène Hugues à l'intention du public populaire[34]. C'est notamment là que paraissent les dessins dont Hugo avait enrichi le manuscrit des *Travailleurs de la mer* et que seuls de rares initiés, comme Chifflart, avaient eu l'occasion de voir.

Trois ans après la mort de Hugo, en 1888, la galerie Georges Petit présente la première exposition de ses dessins, organisée par Paul Meurice[35]. Elle est inaugurée par le président de la République et fait grand bruit dans les journaux. « Pour la première fois, note le chroniqueur du *Figaro*, Albert Wolff, nous voyons se dessiner la silhouette du peintre qui a sa place dans l'histoire du siècle[36]. » Et il lance l'idée, aussitôt reprise par Verhaeren dans un article publié par une revue belge[37], que « quelques-unes de ces pages devraient aller au Louvre ». Le prestige des musées est à son comble. Pour un artiste moderne, l'entrée au Louvre, sans même passer par « l'antichambre » du Luxembourg, serait la consécration : quel retournement pour « le peintre malgré lui » ! En attendant, Meurice se dépense pour un projet à peine moins ambitieux : la création de la Maison de Victor Hugo. Inaugurée pour le Centenaire de 1902 (avec un peu de retard), elle présente, dès l'ouverture, plusieurs centaines de dessins de Hugo, et c'est, comme en témoigne Edmond Rostand, « une révélation stupéfiante[38] ». Mais le public n'est pas au bout de ses surprises, car les pièces les plus singulières — pour des yeux habitués à la routine des Salons — sont restées enfouies dans les papiers de Hugo : taches d'encre, empreintes, découpages, gribouillis des Tables..., une frange incertaine, née du hasard, du jeu, de la rêverie, et dont Hugo doutait à juste titre qu'on pût la désigner du nom de « dessin ». Ces pratiques ne faisaient que transparaître dans les exemples plus orthodoxes retenus par le prudent Meurice, mais ce qu'on en devinait suffisait à défrayer la chronique. Hugo ne parlait-il pas déjà de ses « mixtures bizarres[39] » dans une lettre de 1860 ? Depuis, une légende circule à leur sujet, et elle se corse d'année en année jusqu'aux élucubrations de Léon Daudet dans son livre de 1896, *Le voyage de Shakespeare* : « Il possédait une méthode de travail unique, invraisemblable [...]. Il projetait, sur une feuille de papier, du vin, de l'encre, du jus de pruneau, quelque fois du sang, quand il se piquait une veine[40]... »

Il faut encore quelques années pour que la révélation soit complète, et il est significatif qu'elle émane directement du milieu surréaliste, seul capable de percevoir à la fois la vertu poétique de ces étranges productions et la révolution esthétique qu'elles impliquent. Les intermédiaires sont Jean Hugo, l'arrière petit-fils du poète, peintre lui-même, et sa première femme, Valentine, peintre également, qui participa au groupe surréaliste, fut l'amie intime d'Eluard et partagea un moment la vie d'André Breton vers 1931-1932. C'est par elle que Breton accéda, l'un des premiers, aux fameuses taches d'encre, dont il souligne, dans un texte de 1936, la « puissance de suggestion sans égale[41] », et dont il conserva toute sa vie plusieurs exemples offerts par Valentine. Dans le voisinage des surréalistes, citons aussi Jean Cocteau, qui tenait de Jean Hugo deux dessins de Victor Hugo, et, dans l'entourage immédiat de Breton, Max Ernst et André Masson, qui m'ont eux-mêmes confirmé[42] la fascination exercée sur eux par « la double vue » du poète (la formule est d'André Masson, dans un essai de 1971[43]). Enfin, parallèlement à ces découvertes limitées à un milieu d'avant-garde, la publication progressive du fonds de la Bibliothèque Nationale et de plusieurs collections privées allait révéler au public, à partir de 1960[44], toute l'étendue du registre parcouru par les dessins de Hugo. Il convient notamment de citer les publications de René Journet et Guy Robert[45], destinées à un public érudit mais largement exploitées dans des ouvrages de vulgarisation, l'album publié en 1963 par les éditions du Minotaure[46], éditions de tradition surréaliste, l'édition Massin de 1967-1969[47], qui se propose pour la première fois de réunir la totalité de l'œuvre graphique (et en recense déjà plus des deux-tiers), et qui, surtout, l'intègre aux *Œuvres complètes*, enfin les expositions présentées en 1971-1972 à Villequier et à Paris, puis, en 1974, au Victoria and Albert Museum de Londres[48].

La quasi-totalité des vues qui ont été émises sur les dessins de Hugo (nous en avons recensé plusieurs centaines) tourne — à part les simples manifestations de

L'exposition *Drawings by Victor Hugo* au Victoria and Albert Museum de Londres, 1974

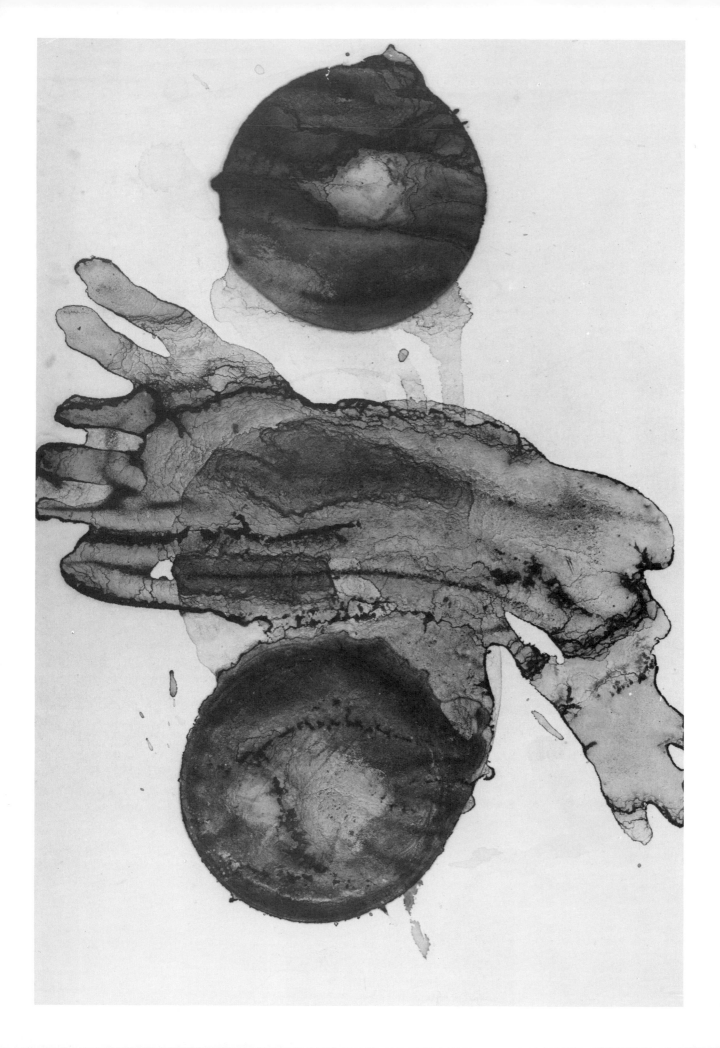

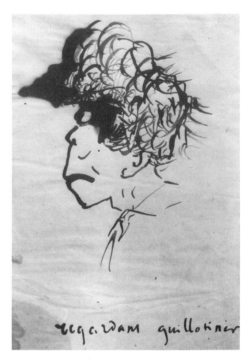

Les dessins de Victor Hugo dans le « musée imaginaire » surréaliste :

Lavis sans titre offert par Valentine Hugo à André Breton. Le cadre a été choisi par Breton
Coll. privée

Tache d'encre
Ancienne collection Valentine Hugo
Coll. privée

Découpage
Anciennes collections Valentine Hugo, Georges Hugnet
Coll. privée

Lavis avec empreinte de dentelle
Ancienne collection Valentine Hugo
Coll. privée

Regardant guillotiner
Offert par Jean Hugo à Jean Cocteau
Coll. privée

Victor Hugo
Dessin sans titre
Ancienne collection Valentine Hugo
Coll. privée

curiosité — autour de deux aspects, qui sont effectivement les plus intéressants à considérer : leur riche imagination, qui en fait le prolongement direct de l'œuvre littéraire, et leur situation exceptionnelle dans l'histoire de l'art. Sur le premier aspect, qui concerne surtout les compositions imaginaires, les meilleurs choses ont été dites par des écrivains : Gautier, Baudelaire, Verhaeren, Huysmans, Claudel, Breton...[49], et par quelques peintres étrangers aux préjugés de leur profession, comme Van Gogh et André Masson (rappelons aussi que Picasso possédait plusieurs dessins de Hugo)[50]. Tous s'accordent pour souligner la qualité fantastique de ces pages et le trouble qu'elles inspirent au spectateur, de la sensation de « cauchemar » notée par Gautier en 1852[51] à l'« espèce de contemplation panique » dont parle magnifiquement Claudel en 1928[52]. Il convient de se reporter directement à ces textes, dont la densité poétique fait écho à celle des œuvres qu'ils commentent. Mais on pourrait en dire autant des commentaires de certains critiques d'art, comme Burty dans ses bons jours, Gustave Geffroy, Focillon, et, plus près de nous, Gaëtan Picon.

Le second aspect, plus historique mais inséparable d'une appréciation critique, a donné lieu à des vues bien schématiques. Elles s'expliquent par l'apparente solitude de cet art proprement marginal, et qui ne demandait qu'à le rester, et par la persistance des vieux débats académiques dans la critique et dans le public. Il est dans la démarche même de Hugo dessinateur de se tenir à l'écart, d'ignorer le métier des « vrais » peintres, le déroulement de leur carrière, leur confrontation avec le public et la critique... et l'on s'ingénie à le promouvoir au rang de « véritable artiste »[53], soit pour le louer de sa connaissance du métier — reconnue notamment par Louis Boulanger[54], puis par d'aussi habiles praticiens que Benjamin-Constant, Bartholomé, Albert Besnard, Émile Besnard[55], Jacques-Émile Blanche[56]... — soit pour lui reprocher son « absence complète de maîtrise technique »[57] — et l'on pourrait citer d'autres autorités, comme Schuler, l'illustrateur des *Châtiments*, qui déplore son manque de « connaissances anatomiques »[58], ou le bon magister André Lhote, déclarant, à propos du *Vieux pont* du Louvre : « Pour faire de ce beau lavis, peut-être *inspiré* (rien n'est moins sûr), un tableau digne de ce nom, il faut des journées de travail et de réflexion...[59] »

Ce point de vue normatif trouve ses applications les plus perverses dans les interventions que ses tenants vont jusqu'à faire subir aux dessins mêmes. Les responsables de musées détiennent, à cet égard, un redoutable pouvoir, et c'est ainsi que les conservateurs successifs de la Maison de Victor Hugo, en particulier Raymond Escholier et Jean Sergent, gardiens de la réputation de sérieux du grand homme[60], s'employèrent pendant quelque soixante ans à écarter des yeux du public tout ce qui pouvait nourrir la « puérile légende »[61] des « mixtures ». Mais on fait mieux que cacher : on améliore. Du vivant même de Hugo, en 1882, l'édition Hugues des *Travailleurs de la mer* bouleverse l'ordonnance du manuscrit, déplace les dessins, en ajoute d'autres, leur adjoint des légendes qui altèrent leur rapport avec le texte, les mêle aux compositions des autres illustrateurs. Surtout, on veille à ce que la transcription gravée élimine les audaces des originaux, les ramenant ainsi à la norme narrative qui prévaut alors dans l'édition illustrée[62]. Croira-t-on que ces pratiques se poursuivent jusque dans l'édition réputée « scientifique » de l'Imprimerie Nationale et sous l'apparence impartiale de la photographie ? On en jugera par la confrontation d'une vue inachevée du Port de Pasajes, contenue dans un album de 1843, avec sa reproduction retouchée pour l'illustration d'*Alpes et Pyrénées*[63].

Finalement, ce sont souvent les mêmes auteurs qui ont à la fois exprimé l'originalité profonde de Hugo dessinateur et défini sa place avec justesse. Pour la plupart, ils se situent à la fin du XIXe siècle, comme Huysmans, Verhaeren et Geffroy, ou au début du nôtre, comme Claudel. Ils pressentent que ces œuvres doivent être considérées en marge du goût et du métier, comme des faits de nature plus que de culture, « sans rhétorique, paraphrase ou traduction »[64]. Le premier à développer longuement cette idée est Henri Focillon, dans un article de 1914, repris cinq ans plus tard dans *Technique et sentiment*[65]. Une telle pensée devançait l'esthétique surréaliste, et Breton, qui trouve « satisfaisant pour l'esprit » que les dessins de Hugo soient « l'œuvre d'un homme qui n'était ni graveur ni peintre de profession », va leur assigner une place révélatrice dans son panorama de l'« art magique », opposé aux arts culturels[66]. A sa suite, Gaëtan Picon, dans sa préface à l'album du Minotaure, dégage les conséquences de la « promotion ontologique » des dessins en les situant dans l'ensemble de l'œuvre. « La plupart » lui paraissent répondre à « la vision-intuition du surnaturel » qui est, selon lui, la « visée essentielle de l'œuvre littéraire », mais tandis que celle-ci est rarement fidèle à cette ambition, « le dessin est l'espace de l'essentiel » : domaine de l'ignorance et de la spontanéité, il s'oppose à l'écrit, domaine du discursif, de l'expérience, de l'« art »[67].

Cette opposition consacre le renversement des valeurs défendues par la critique académique, mais elle-même, jusqu'à un certain point, repose sur un postulat académique. Elle définit d'abord un idéal de spontanéité et de « surnaturalisme », puis établit « la hiérarchie de l'œuvre » (l'expression est employée) selon sa conformité à cet idéal. Gaëtan Picon va jusqu'à écrire : « Les vrais dessins sont ceux dont Hugo pourrait dire, comme de celui-là qui date de 1865 : Dessiné sans lumière à cinq heures du soir : ce que je vois sur le mur...[68] », ce qui revient à considérer les quatre-cinquièmes de l'œuvre graphique comme des accidents insignifiants !

On peut maintenant envisager une approche plus complète et peut-être plus équilibrée du sujet. Il ne s'agit plus de prendre parti mais d'appréhender l'ensemble du phénomène. Il faut donc commencer par dresser un catalogue, portant sur quelque trois mille pièces, et en établir la chronologie, si possible à partir d'informations objectives. Ce difficile travail est aujourd'hui très avancé et nous espérons le mener à bien dans les prochaines années. La mise en perspective chronologique a notamment l'intérêt de préciser à travers le temps les rapports de l'activité graphique et de l'activité littéraire. On voit par exemple, au cours de l'année 1850, quand le poète paraît frappé de stérilité, le dessin prendre la relève et assumer en partie les fonctions dévolues à la poésie, puis la création graphique décroître sensiblement en 1852-1853, années de production littéraire intense. Pendant l'été 1866, Hugo exécute simultanément deux séries d'œuvres, dessinées (les trois *Phares* et d'autres pièces de grandes dimensions) et écrites (les premiers

Victor Hugo
Vue du port de Pasajes. 1843
B.N., Manuscrits

Reproduction retouchée du même dessin dans l'Édition de l'Imprimerie Nationale d'*Alpes et Pyrénées,* Paris, Ollendorf-Albin Michel, 1910

chapitres de *L'homme qui rit*)[69], qui se complètent et s'éclairent l'une l'autre. Il y a là un mécanisme complexe, étalé dans la durée, où chaque variété d'expression a sa raison d'être, ce qui rend tout classement hiérarchique inefficace et ne se prête guère, il faut l'avouer, aux raccourcis d'un exposé synthétique.

D'autres recherches récentes cherchent à renouveler l'approche historique du sujet. Elles confirment la position *excentrique* des dessins de Hugo par rapport au gros de la production contemporaine, mais, en même temps, elles les rattachent à d'autres traditions, longtemps ignorées ou méprisées, dont l'étude a beaucoup progressé au cours des dernières années. On n'a longtemps considéré l'art du XIXᵉ siècle que dans ses aspects publics, sinon officiels. Le travail d'inventaire accompli par l'histoire de l'art permet aujourd'hui d'embrasser un panorama plus complet. Les fonds d'atelier, les cartons à dessins, les albums d'estampes d'abord réservés à quelques *happy few*, l'illustration, le décor de théâtre et de diorama, jusqu'aux travaux de dames et aux jeux de société composent une masse disparate, de qualité et de finalité fort diverses, qu'il convient de prendre en considération car elle fait alors partie de l'expérience commune. Cette « imagerie » n'est pas imperméable à la culture savante ; parfois même, elle ne fait que la refléter maladroitement. Elle a aussi ses propres conventions. Elle n'en constitue pas moins un trésor, où bien des artistes ont puisé, surtout ceux qui, comme Hugo, se voulaient indépendants de l'Art avec une majuscule. On a montré, par exemple, comment la vision en silhouette propre à de nombreux dessins et découpages de

Hugo, et qui paraîtrait isolée si l'on ne s'attachait qu'aux productions célèbres du romantisme français, est une modalité constante de l'imagerie « populaire » (appelons-la ainsi faute de mieux)[70]. On a également indiqué la place centrale des dessins de Hugo dans un certain « romantisme des années 1860 »[71]. Ainsi se confirme peu à peu, autour d'un cas exemplaire, la cohérence longtemps insoupçonnée de toute une culture marginale. Ajoutons que c'est de cette culture que procèdent directement certaines structures fondamentales de l'art du XXᵉ siècle. Il est donc indispensable de l'étudier si l'on veut avoir une idée précise du jeu de filiations et de ruptures qui constitue l'histoire de l'art moderne.

En même temps, la librairie est envahie par les reproductions de toutes sortes, cartes postales, albums, couvertures de livres, souvent distribuées à tort et à travers (n'a-t-on pas vu le seul dessin exécuté par Hugo pour une édition illustrée, l'édition Hugues de *Quatrevingt-treize*, reproduit sur la couverture d'une édition de … *Han d'Islande* !) et par des essais peu approfondis. L'interprétation qui prévaut s'inspire lourdement de l'esthétique surréaliste, traduite en incantations où revient souvent le mot « mystère ». Cet aspect n'est pas le plus satisfaisant de la « fortune critique » de Hugo, mais lui-même avait d'avance pris ses distances en présentant les dessins de l'album Chenay : « Ils se tireront comme ils pourront du grand jour pour lequel ils n'étaient point faits ; la critique a sur eux désormais un droit dont je tremble pour eux ; je les lui abandonne…[72] ».

P. G.

1. Lettre à l'éditeur Castel en préface à *Dessins de Victor Hugo gravés par Paul Chenay*, Paris, 1862, (ci-dessous abrégé en « album Chenay »). Éd. Massin, t. XIII, p. 863.

2. Nous utilisons ici trois de nos travaux, déjà anciens : « Histoire d'un *peintre malgré lui* : Hugo, ses dessins et les autres », éd. Massin, t. XVIII, pp. 13-80 ; *Dessins de Victor Hugo,* Paris, 1971 ; « Le romantisme des années 1860. Correspondance Victor Hugo - Philippe Burty », *Revue de l'art,* n° 20, 1973, pp. 8-64.

3. Lettre à Castel (voir note 1) et lettre à Burty, 27 janv. 1863, *Correspondance Victor Hugo-Philippe Burty,* p. 39.

4. Lettre à Baudelaire, 29 avril 1860, éd. Massin, t. XIII, p. 1098.

5. Sur cet épisode, voir en dernier lieu : J.-L. Mercié, *Victor Hugo et Julie Chenay,* Paris, 1967.

6. Voir notre édition de la *Correspondance Victor Hugo - Philippe Burty,* mentionnée dans la note 2.

7. Lettre à Castel (voir note 1).

8. Théophile Gautier, préface à l'album Chenay, éd. Massin, t. XVIII, p. 2.

9. Testament du 31 août 1881, éd. Massin, t. XVI, p. 963.

10. Lettre à Burty, 5 nov. 1868, *Correspondance Victor Hugo-Philippe Burty,* p. 53.

11. Lettre à Castel (voir note 1)

12. Mis à part les dessins d'enfant, dont la production a cessé à l'âge habituel.

13. Antoine Fontaney, *Journal intime* (16 avril 1832), Paris, 1925, p. 133

14. Lettre de Pierre Foucher à Victor Hugo, 6 oct. 1840, éd. Massin, t. VI, p; 1194

15. *La Presse,* 27 juin 1838

16. Voir Correspondance *Victor Hugo-Philippe Burty,* p. 38

17. Auguste Vacquerie, *Demi-teintes,* Paris, 1845, pp. 95-96.

18. « Vente du mobilier de Victor Hugo », article repris dans *Histoire du romantisme* (éd. de 1927, pp. 126-127).

19. Préface à l'album Chenay, éd. Massin, t. XVIII, p. 2.

20. *Salon de 1859, oeuvres complètes,* II, Paris, 1976, p. 668.

21. Lettre à Paul Meurice, 6 mars 1863, éd. Massin, XII, p. 1214.

22. Lettre à M. Sollier, 3 janv. 1863, *Paul Huet, 1803-1869, d'après ses écrits, sa correspondance et ses contemporains. Documents réunis par son fils, M. René Paul-Huet,* Paris, 1911, p. 330.

23. Cité dans L. Guimbaud, « Victor Hugo caricaturiste », *La Contemporaine,* 10 juil. 1901, p. 102.

24. A Paul Chenay, 10 janv. 1860, dans J.-L. Mercié, *Victor Hugo et Julie Chenay,* Paris, 1967, p. 97.

25. Et qui venait d'aboutir à la création de la Société des Aquafortistes, qui préconise également le retour à la spontanéité et à la naïveté. Sur ses rapports avec Hugo, voir P. Georgel, « Le romantisme des années 1860 », pp. 18-19.

26. *La Chronique des Arts et de la Curiosité,* déc. 1862, p. 53. Voir « Le romantisme des années 1860 », p. 17.

27. Lettre de Mme Victor Hugo à Julie Chenay, 21 janv. 1861, éd. Massin, t. XII, p. 1110.

28. Voir « Le romantisme des années 1860 », pp. 20-24.

29. Voir « Histoire d'un *peintre malgré lui*... », pp. 27-28.

30. Lettre à Paul Meurice, 6 mars 1863, éd. Massin, t. XII, p. 1214.

31. Pour les deux derniers, voir : P. Georgel, « Hugo et Jules Laurens », appendice 2 de « Le romantisme des années 1860 » ; et du même, « Chifflart et Victor Hugo », catalogue de l'exposition *Chifflart,* Saint-Omer, 1972.

32. Voir notre étude, à paraître : « *Cartes de visite,* par Victor Hugo ».

33. Voir la *Correspondance Victor Hugo-Philippe Burty.* Le dessin de Hugo que Burty fait reproduire à l'eau-forte est *L'éclair,* dans *Sonnets et eaux fortes,* Paris, Lemerre, 1869.

34. Voir : « Histoire d'un *peintre malgré lui*... », pp. 48-51. Voir en outre, sur l'éd. Hugues, l'article de S. Le Men publié ici même, « L'édition illustrée, un musée pour lire ».

35. Voir : « Histoire d'un *peintre malgré lui*... », pp. 53-55.

36. *Le Figaro,* 3 mai 1888 (article repris en préface à la deuxième édition du catalogue).

37. *Art Moderne,* Bruxelles, 3 juin 1888.

38. *Les Nouvelles Illustrées,* 2 juil. 1903, p. 21.

39. Lettre à Baudelaire mentionnée dans la note 4.

40. Léon Daudet, *Le voyage de Shakespeare,* Paris, 1896 (éd. de 1929, p. 167). Hugo est décrit sous le masque d'un personnage du XVIᵉ siècle, mais l'identité du modèle n'était un secret pour personne.

41. André Breton, « Oscar Dominguez », article de 1936 repris dans *Le Surréalisme et la peinture,* Paris, 1965, pp. 128-129.

42. Dans des conversations que se situent en 1970 et 1971.

43. André Masson, « Le peintre Victor Hugo », préface à P. Georgel, *Dessins de Victor Hugo,* Paris, 1971, p. 15.

44. Rappelons toutefois l'importante collection de dessins, provenant du fonds de la Bibliothèque Nationale, présentée à l'exposition *Victor Hugo* à la Bibliothèque Nationale en 1952.

45. Éditions de *Carnet, mars-avril 1856,* Paris, 1959, *Théâtre de la Gaîté,* Paris 1961, et *Trois albums,* Paris, 1963.

46. *Victor Hugo dessinateur,* préface de Gaëtan Picon, notices de Georges Herscher et Roger Cornaille, Paris, 1963.

47. Tomes XVII et XVIII de l'éd. Massin *Œuvres complètes.*

48. *Dessins de Victor Hugo,* Villequier, Musée Victor Hugo, 1971, puis Paris, Maison de Victor Hugo, 1971-1972 ; *Drawings by Victor Hugo,* Londres, Victoria and Albert Museum, 1974.

49. Gautier : voir ci-dessus, notes 15 et 18 ; Baudelaire : *Salon de 1859* (voir note 20) ; Verhaeren : voir note 37 ; Huysmans : *La Jeune Belgique,* t. IX, mars 1890, pp. 135-136 ; Claudel : *Positions et propositions,* t. I, Paris, 1928, pp. 43-45.

50. Deux d'entre eux doivent être reproduits dans G. Picon, *Le soleil d'encre,* à paraître chez Gallimard en 1985.

51. Texte cité, voir la note 18.

52. Texte cité, voir la note 49.

53. Philippe Burty, article cité dans la note 26.

54. Voir la lettre citée dans la note 27.

55. Cités par R. Escholier, *Victor Hugo artiste,* Paris, 1926, p. 124.

56. Voir la lettre inédite de J. E. Blanche à Georges Hugo (1919) citée dans P. Georgel, *Dessins de Victor Hugo,* p. 30

57. P. et V. Glachant, *Papiers d'autrefois,* Paris, 1899, p. 143.

58. Lettre de Théophile Schuler à P.J. Hetzel, 19 déc. 1872, citée dans « Histoire d'un *peintre malgré lui*... », p. 65.

59. A. Lhote, *Traité du paysage,* Paris, 1941, p. 181.

60. Voir leurs livres respectifs : R. Escholier, *Victor Hugo artiste,* Paris, 1926 ; J. Sergent, *Dessins de Victor Hugo,* Paris-Genève, 1955.

61. R. Escholier, *op. cit.*

62. Voir P. Georgel, Les dessins de Victor Hugo pour « Les travailleurs de la mer », Paris, 1985.

63. Victor Hugo, *Œuvres complètes, En voyage,* II, Paris, Ollendorf. Albin Michel, 1910.

64. P. Claudel, texte cité (voir la note 49).

65. H. Focillon, *Technique et sentiment,* Paris, 1919.

66. A. Breton, *L'art magique,* Paris, 1957.

67. *Victor Hugo dessinateur,* Paris, 1963.

68. *Ibid.,* p. 14.

69. Voir ci-dessous, « Hugo illustrateur de lui-même ».

70. P. Georgel, « La vision en silhouette », *L'Arc,* n° 57, 1974, pp. 25-32.

71. Article cité dans la note 2.

72. Lettre à Castel citée dans la note 1.

« Victor Hugo illustré »

*Louis Boulanger
La charrette du condamné (cat. 712)
Paris, M.V.H.

Pierre Georgel   **A travers le XIXᵉ siècle**

L'abondance des images inspirées par l'œuvre de Hugo est impressionnante et concerne toutes les formes d'expression plastique : la gravure et le livre illustré, « multiples » par définition, la peinture, le dessin, la sculpture et les « objets d'art », eux-mêmes multipliés par l'estampe et la photographie ; les adaptations scéniques, le cinéma et leurs dérivés. Cette production est liée à la fortune littéraire de Hugo et à l'évolution des techniques d'impression et de diffusion, si bien qu'il faudrait, pour l'évaluer avec précision, une enquête fondée sur d'immenses dépouillements, faisant intervenir de nombreux paramètres et tenant compte notamment de la composition sociologique des publics. Une telle étude aurait surtout des résultats quantitatifs, mais aussi des implications d'ordre esthétique, en particulier sur les notions d'art savant, à l'usage d'une « élite », et d'art populaire, à l'usage de la « masse ».

Si l'on s'en tient aux perspectives traditionnelles de l'histoire de l'art, une observation s'impose : l'extrême variété des styles mis en œuvre. La plupart des mouvements artistiques du XIXᵉ siècle, du moins en France, se sont retrouvés dans l'illustration de Hugo : non seulement le romantisme, dans toute sa variété et avec tous ses prolongements, mais la tradition ingresque, le réalisme et le naturalisme d'inspiration sociale, l'art « pompier » de la Troisième République, le symbolisme, le paysage d'après nature, de Paul Huet à Frédéric Bazille... Il y a, entre la somme hugolienne et le foisonnement artistique du siècle, une sorte de rapport d'homologie, qui fait paraître bien relatives les classifications consacrées. Hugo et son œuvre ont été des carrefours, les révélateurs de vastes régions de la sensibilité et de l'imagination, particulièrement riches en interférences.

*Le dernier jour d'un condamné
Paris, Hetzel, 1855 (cat. 720)
Gravure sur bois d'après Paul Gavarni
Coll. privée

*J.-F. Raffaëlli
Eau-forte dans *Le dernier jour d'un condamné*, Édition nationale, Paris, Testard, 1890 (cat. 722)
M.V.H.

Les séquences autour desquelles s'organise cette partie de l'exposition, et qui juxtaposent autour d'un texte ou d'une figure de l'œuvre des illustrations de date et de technique diverses, montrent comment, par exemple, dans l'illustration du *Dernier jour d'un condamné,* le fantastique romantique de Boulanger et de Nanteuil, vers 1830, puis de Chifflart, une trentaine d'années plus tard, alterne avec l'objectivité réaliste de Gavarni (1855) et de Raffaëlli (1890). Des romantiques : Boulanger et Colin, des classiques : Delaroche et Signol, un symboliste : Fantin-Latour, mais aussi Corot, Tassaert, Henner, ont illustré « Sara la baigneuse » ; Cabanel, Bazille, Frölich et Carrière ont illustré « Booz endormi »... La veine humanitaire des *Misérables* et de poèmes tels que « Les pauvres gens » ou « Chose vue un jour de printemps » a surtout touché des réalistes — Brion, Steinlen,

Alphonse de Neuville
La mort d'Éponine. 1862
Paris, M.V.H.

*Gustave Brion
Fantine. 1862 (cat. 835)
Paris, M.V.H.

Gustave Brion
Napoléon à cheval
Gravure sur bois dans *Les misérables*, Paris,
Hetzel et Lacroix, 1865
Coll. privée

Paul Gauguin
Autoportrait, dit « Les misérables ». 1888
Amsterdam, Rijksmuseum Vincent van Gogh

Pompon, Geoffroy... — mais aussi le prix de Rome Léon Comerre, et Gauguin s'est imaginé lui-même en Jean Valjean dans une peinture intitulée *Les misérables...* Le roman, du fait de son irréductible richesse, a donné lieu aux illustrations les plus divergentes dans l'esprit comme dans la forme : en 1862, l'année de sa publication, le papillotage des gravures anodines d'Alphonse de Neuville et la sobriété monumentale des dessins de Gustave Brion pour l'édition Hetzel ; trois ans plus tard, au Salon de 1865, le grandiose un peu clinquant du *Waterloo* de Bellangé, prélude à force peintures et gravures sur les mêmes pages, souvent traitées dans la même manière superficielle ; puis le pathétique d'Emile Bayard dans ses dessins pour l'édition Hugues et celui, bien différent, d'Eugène Carrière dans sa *Fantine* de 1904 ; l'épopée canaille du *Gavroche* de Willette (1905)... ; et ce ne sont que quelques exemples — si bien que l'édition Hugues, qui place côte à côte un grand nombre de ces images, apparaît comme un monument de l'éclectisme.

Rares sont en définitive les titres ou les secteurs de l'œuvre dont l'illustration est circonscrite à un moment ou à un groupe précis. Le cas exceptionnel du poème des *Châtiments*, « Souvenir de la nuit du 4 », qui est étudié plus loin, s'explique par la conjonction de circonstances politiques (l'avènement des républicains au pouvoir), d'un événement littéraire (la publication d'*Histoire d'un crime*) et d'un fait d'histoire de l'art (le naturalisme en peinture).

Plus déconcertante est la longue mainmise d'artistes d'obédience classique sur certains poèmes à consonance érotique publiés dans *Les orientales*. Outre « Sara la

*Hippolyte Bellangé
Les cuirassiers à Waterloo, passage du chemin creux. Salon de 1865 (cat. 911)
Bordeaux, Musée des Beaux-Arts

*Jean Lecomte du Noüy
L'esclave blanche*. 1888 (cat. 832)
Nantes, Musée des Beaux-Arts

Gustave Boulanger
La captive
Eau-forte dans *Les orientales*, Édition natio-
nale, Paris, Lemonnyer, 1885
Paris, M.V.H.

*Louis Boulanger
La captive*. 1830 (cat. 828)
Paris, M.V.H.

*J.-A.-D. Ingres
Odalisque à l'esclave*. 1858, d'après la peinture
de 1839 (cat. 833)
Paris, Louvre, Cabinet des Dessins

baigneuse », « La captive » et « La sultane favorite » ont alimenté un demi-siècle
d'académisme en visions d'un orient voluptueux. Dans les livrets de Salons, une
dizaine de « captives » peintes ou sculptées renvoient directement, par leur titre ou
leur épigraphe, au poème IX des *Orientales*, mais combien d'« odalisques » ou de
« femmes d'orient » leur doivent-elles aussi quelque chose ? Une des toutes
premières illustrations de « La captive », pourtant due à Louis Boulanger et située,
dans l'œuvre de celui-ci, entre *La ronde du Sabbat* et *Le feu du ciel,* est démarquée

d'un archétype classique, la pseudo *Ariane* (en fait, une *Cléopâtre*), dont la pose,
topos des peintres de bacchanales, et notamment de Titien et Poussin, s'accorde à
la « couleur locale » du poème. Celui-ci ne précise pas l'attitude de la captive, mais,
tout « romantique » que soit Boulanger, la citation classique s'est imposée à lui.
Elle se retrouve quelques années plus tard, avec les mêmes ingrédients exotiques,
dans l'*Odalisque à l'esclave* d'Ingres, qui a fort bien pu s'inspirer à son tour de
Hugo, même s'il avait déjà peint des odalisques et utilisé la pose de l'*Ariane* dans sa
Dormeuse de Naples. Puis le type à la fois ingresque et hugolien de l'orientale,
arabesque de chair déployée dans un orient de fantaisie, va s'imposer, avec ou sans
référence à Hugo, et se prolonger jusqu'au début du XXe siècle, avant de se
renouveler chez Matisse. Un bel exemple de cette veine, peint sous l'influence
d'Ingres en 1847-1848, est l'*Albaydé* de Cabanel, que l'artiste avait d'abord songé à
intituler *Nourmahal-la-rousse,* d'après le poème XXVII des *Orientales*, avant de lui
donner le nom d'une autre belle, évoquée au début du poème « Les tronçons du
serpent »[1].

On pourrait citer bien d'autres exemples de lectures « classiques » de ces mêmes
poèmes, où, par ailleurs, plusieurs générations de romantiques ont trouvé la
substance de brûlantes rêveries. Souvent, elles ne s'éloignent pas plus du texte que

*Louis Boulanger
La ronde du sabbat. 1828 (cat. 707)
Paris, M.V.H.

Alexandre Colin
Han d'Islande
Coll. privée

Louis Boulanger
Les fantômes
Paris, M.V.H.

*Mlle Henry
Quasimodo sauvant la Esméralda des mains de ses bourreaux. 1832 (cat. 774)
Paris, M.V.H.

*Louis Boulanger
Six personnages de Victor Hugo (cat. 717)
Dijon, Musée des Beaux-Arts

*Antoine Wiertz
Quasimodo. 1839 (cat. 762)
Bruxelles, Musée Antoine Wiertz

*Louis Boulanger
Mazeppa. Vers 1839 (cat. 711)
Villequier, Musée Victor Hugo

*L.-E. Rioult
Claude Gueux rapportant le pain volé. 1834
(cat. 715)
Paris, M.V.H.

*T.-E. (?) Fragonard
Angelo, tyran de Padoue (cat. 716)
Bagnères-de-Bigorre, Musée Salies

*Achille Devéria
La Sultane favorite (cat. 827)
Paris, M.V.H.

*Louis Boulanger
Le feu du ciel. 1831 (cat. 710)
Paris, M.V.H.

*Achille Devéria
Claude Frollo, Esméralda et la Sachette
(cat. 780)
Coll. privée

*Paul Gavarni
La captive. 1843 (cat. 830)
Paris, M.V.H.

celle d'un Boulanger ou d'un Nanteuil. A lui seul, Emile Signol, prix de Rome en 1830 et peintre religieux fidèle à la tradition néo-classique, présente au Salon de 1850 trois peintures sur des poèmes des *Odes et ballades* et des *Orientales*, « La fée et la péri » (ballade XV), « Sara la baigneuse » et « Fantômes » (*Les orientales,* XXXIII), poème riche en images fantastiques, que Boulanger avait illustré de macabres compositions marquées par le souvenir de Goya. Les deux premières sont conservées : par leur clarté de composition, leur traitement épuré du nu, leur lumière égale, leur facture lisse et homogène, elles sont en complète opposition avec la véhémence d'un Boulanger ou d'un Nanteuil dans tant de leurs pages hugoliennes, comme avec la recherche dramatique de l'effet dans l'*Hernani* de Granet ou avec le grotesque exaspéré du *Quasimodo* de Wiertz. Quant aux orientalistes de la fin du siècle, ils puisent à leur tour dans la poésie de Hugo, qu'ils se situent dans la lignée d'Ingres — Gérôme, Gustave Boulanger, Léon Perrault, Lecomte du Noüy... — ou, comme Benjamin-Constant, dans celle de Delacroix.

Le rayonnement de l'œuvre de Hugo sur les arts plastiques s'étend bien au-delà des illustrations proprement dites, mais il est souvent difficile à cerner, faute d'indices objectifs. On sait ainsi par Théophile Silvestre que Diaz, le futur

Émile Signol
La fée et la péri. Salon de 1850
coll. privée

*N.-V. Diaz de la Pena
Claude Frollo et Esméralda (?). Vers 1835
(cat. 775)
Montpellier, Musée Fabre

F.-M. Granet
Hernani reçoit de Charles Quint, son rival, l'ordre de la Toison d'Or et la main de Dona Sol, sa maîtresse
Deux études pour la peinture du Salon de 1838
À gauche : Paris, Musée du Petit-Palais
(cat. 713)
À droite : Paris, Louvre, Cabinet des dessins
(cat. 714)

paysagiste de Barbizon, qui avait vingt-quatre ans lors de la publication de *Notre-Dame de Paris* et débuta au Salon la même année, peignait vers cette époque, « sous l'impression de *Notre-Dame de Paris,* de *Lucrèce Borgia* [...], des figures et des processions de moines »[2], parmi lesquelles se situe probablement la peinture de Montpellier identifiée comme une illustration de *Notre-Dame* ; mais il peignait aussi des « orientales » et, selon toute vraisemblance, n'a pas ignoré le recueil de 1829 — tout comme le sculpteur Antonin Moine, par exemple, a pu se souvenir des *Odes et ballades* pour ses gnômes et ses scènes de sabbat des environs de 1830. Dans quelle mesure Puvis de Chavannes a-t-il pensé à « Booz endormi » (1859) dans son *Sommeil* (1867) ? Dans quelle mesure le vers célèbre des *Chansons des rues et des bois* sur « le geste auguste du semeur » (1865) a-t-il retenti dans l'imagination de Van Gogh, lecteur assidu de Hugo, et contribué à ses tableaux sur le même thème (1884 à 1890) ? Il y avait certes un précédent mémorable, *Le semeur* de Millet (1850), où le geste du semeur est mis en évidence avec une grandeur hiératique, mais Van Gogh, qui unissait dans sa ferveur l'auteur de *L'angélus* et celui des *Misérables*, a peut-être voulu les associer dans une même image (un peintre de moindre envergure, Aimé Perret, l'avait déjà fait dans un *Semeur* de 1881, présenté au Salon avec la citation du poème.) Et Millet lui-même, si l'on en croit Alfred Sensier, avait été « vivement impressionné » par les livres de Hugo. « Ses grandes peintures poétiques de la mer et des splendeurs célestes, son rythme de bronze l'agitaient comme la parole d'un prophète... »[3]

De telles confidences, émanant des artistes eux-mêmes ou de commentateurs informés, sont parfois seules à révéler un lien plus profond, mais moins évident au premier abord, que celui de bien des illustrations directes. Une lettre de Charles Hugo nous apprend, en 1843, que l'atelier de Thomas Couture, au moment où il entreprend *Les Romains de la Décadence*, est « peuplé » des livres de Hugo[4]. En 1867, le peintre flamand Henri Leys déclare, à propos de ses peintures décoratives de l'Hôtel de Ville d'Anvers : « J'ai appris tout cela dans *Notre-Dame de Paris* et dans *La légende des siècles* »[5]. Bien d'autres, vers la même époque, ont contracté dans *Notre-Dame de Paris* et d'autres écrits du poète le goût des paysages de pierre, des monuments que le passé enveloppe de prestige. Meryon, que Baudelaire

rapproche de Hugo dans le *Salon de 1859* et dont Philippe Burty associe la vue de Notre-Dame à *Notre-Dame de Paris*, se déclare « fort satisfait » du rapprochement et évoque lui-même Esméralda dans un de ses poèmes[6]. Le graveur Maxime Lalanne, dans une lettre de 1863, témoigne de la même influence sur l'abondante production de gravures représentant le vieux Paris dans les années 1860[7].

D'autres indications peuvent être fournies par des titres, légendes ou épigraphes, qu'ils figurent à même l'œuvre, sur un cartel, dans les marges d'une gravure, ou qu'ils soient cités dans un catalogue ou par une autre source. La relation entre l'œuvre présentée et l'œuvre évoquée est souvent loin d'être directe. Il s'agit alors — surtout à la fin du siècle, où l'esprit symboliste se plaît à l'équivoque — d'indiquer une filiation diffuse, des affinités indéfinissables en termes rationnels. Les vases de Gallé et de Daum où sont gravés des vers des *Contemplations*, de *La légende des siècles* ou des *Chansons des rues et des bois*, jouent tantôt de l'harmonie et tantôt de la dissonance entre le sens des vers inscrits et celui des motifs figurés. A la même époque, nombreuses sont les peintures ou sculptures évoquant la vie des pêcheurs (notamment une peinture de Josef Israels et un bas-relief de Constantin Meunier) qui s'intitulent *Les travailleurs de la mer* ou *Un*

Charles Meryon
Le Petit Pont. 1852
B. N., Est.

*Antoine Daum
Vase « J'aime l'araignée et j'aime l'ortie ».
1910 (cat. 931)
Suwa (Japon), Musée Kitazawa

*Alphonse Osbert
Les chants de la nuit. Salon de 1896 (cat. 913)
Paris, coll. Yolande Osbert

Vincent van Gogh
Le semeur (croquis dans une lettre. 1888)
Amsterdam, Rijksmuseum Vincent van Gogh

travailleur de la mer, sans avoir de rapport visible avec le roman. Il en va de même des *Feuilles d'automne* ou des *Chants du crépuscule* (avec diverses variantes : « Chants crépusculaires », « Chants de la nuit »...), dont les titres figurent à maintes reprises dans les livrets des Salons. La plupart de ces œuvres ne sont pas identifiées, mais l'exemple des *Chants de la nuit* d'Osbert (1896 ; à rapprocher de son *Chant du crépuscule,* exposé un an plus tard) montre bien le rapport à la fois obscur et suggestif qui s'établit entre le contenu du livre et celui du tableau.

Plus précises, certaines de ces « correspondances » mettent le texte cité en relation avec d'autres œuvres littéraires ou artistiques, prenant ainsi la portée de véritables commentaires critiques. Un dessin de Rodin, qui représente un groupe d'hommes, peut-être un cercle de damnés, et aurait servi à l'illustration des *Fleurs du mal*, porte ainsi, de l'écriture du sculpteur, le nom de Hugo et les titres *Les contemplations* et *Les châtiments* ; un autre, image d'un couple enlacé, fait voisiner, parmi ses inscriptions, des références à Dante, Hugo et Baudelaire... Le bas-relief de Dalou intitulé *Les châtiments* est tout imprégné de souvenirs de Michel-Ange : ce rapprochement entre *Les châtiments* et le *Jugement dernier,* qui échapperait au spectateur s'il n'était spécifié par le titre, est implicite mais profond. Dans le cas de *L'énigme* de Gustave Doré, le jeu intervient à l'intérieur même de l'œuvre poétique de Hugo, avec un effet d'écho particulièrement réussi. On attendrait, pour cette vision à la fois allégorique et réaliste du siège de Paris, une citation de *L'année terrible*, mais, par un raccourci pénétrant, celle qui figure dans le catalogue de la vente de l'atelier Doré provient du poème « A l'arc de triomphe », dans *Les voix intérieures*. Il y a enfin les références placées dans un

*Emmanuel Frémiet
Chevalier errant. Vers 1878 (cat. 875)
Paris, Musée d'Orsay

Benjamin Constant
La douleur du Pacha
Eau-forte dans *Les orientales*, Édition natio-
nale, Paris, Lemonnyer, 1885
Paris, M.V.H.

*Lorenz Frölich
Caïn et l'œil de Dieu. 1888-1894 (cat. 893)
Coll. Kai Stage

*Gustave Doré
La chute de Claude Frollo (cat. 808)
Paris, M.V.H.

*Louis Boulanger
Vive la joie ! Salon de 1866 (cat. 802)
Dijon, Musée des Beaux-Arts

J.-L. Gérôme
Sultan Mourad
Eau-forte dans *La légende des siècles*, Édition
nationale, Paris, Testard, 1886
Paris, M.V.H.

*Medardo Rosso
Gavroche. Salon de 1886 (cat. 924)
Torino, Galleria d'Arte Moderna

*G.-A. Rochegrosse
Nemrod (cat. 917)
Paris, M.V.H.

*T.-A. Steinlen
Les pauvres gens (cat. 847)
Gravure sur bois dans *Cinq poèmes*, Paris, Pel-
letan, 1902
Paris, M.V.H.

*G.-A. Rochegrosse
L'ange Liberté (cat. 918)
Paris, M.V.H.

*J.-P. Laurens
La chute de Satan (cat. 916)
Paris, M.V.H.

*Henri Jacquier
Après la bataille. Salon de 1909 (cat. 932)
Vienne, Musée des Beaux-Arts et d'Archéologie

*Pierre Puvis de Chavannes
*La Ville de Paris investie confie à l'air son
appel à la France* (cat. 902)
Esquisse pour une peinture de 1870 utilisée
pour illustrer *L'année terrible.*
Paris, Musée Carnavalet

Eugène Carrière
Fantine abandonnée. 1903
Paris, M.V.H.

*Jules Dalou
Les châtiments (cat. 914)
Paris, Musée d'Orsay

*Gustave Doré
L'énigme. 1871 (cat. 912)
Paris, Musée d'Orsay

*Auguste Rodin
Groupe d'hommes (cercle de damnés ?)
(cat. 925)
Paris, Musée Rodin

*Charles Moreau-Vauthier
Joseph Barra mort. 1880 (cat. 901)
La Roche-sur-Yon, Ecomusée de la Vendée

effet calculé de porte-à-faux, pour marquer une distance, voire une rupture, entre l'image et l'œuvre citée. Le procédé est courant dans la caricature ; Manet s'en est-il souvenu, de façon plus ambiguë, dans le titre de son *Olympia* ? Quelles qu'en soient les autres connotations, celui-ci risquait fort, à sa date, d'être compris comme une allusion ironique à Olympio, le double imaginaire de Hugo.

Notons qu'un certain nombre d'œuvres présentées comme des illustrations de Hugo ne l'étaient pas à l'origine et ne le sont devenues qu'après coup. On ignore généralement si l'artiste souscrivait à cette interprétation. Moreau-Vauthier était-il d'accord pour que son *Joseph Barra* de 1880 fût inséré dans *Le livre d'or de Victor Hugo* (1883) pour illustrer trois vers de *L'année terrible* ? Quoi qu'il en soit, cette initiative est heureuse, car elle met en lumière les souvenirs héroïques de la grande Révolution, qui contrastent, dans le recueil, avec les turpitudes de la guerre de 1870. De plus, il fait en quelque sorte communiquer Hugo et David, dont le tableau de Moreau-Vauthier rappelle ostensiblement la *Mort de Barra*, véritable icône républicaine. Le livre illustré abonde en « remplois » de ce type, et beaucoup méritent d'être pris en considération.

Ainsi se dessine un vaste champ, aux frontières incertaines, où la présence de Hugo se situe à des niveaux très divers, et dont la description détaillée recouperait les perspectives d'un panorama presque complet de l'art français pendant près d'un siècle. Hugo y apparaît comme une source d'inspiration à peu près constante, mais aussi comme une référence majeure, par rapport à laquelle chacun, ou presque, a l'occasion de se situer un jour ou l'autre. Dans certaines situations, de la part de certains artistes, le choix d'un sujet ou d'une simple épigraphe peut équivaloir à un manifeste. Ainsi des divers *Souvenir de la nuit du 4*, déjà signalés, au Salon de 1880 et dans les années suivantes. Citons encore, en remontant cette fois au temps de la « bataille » romantique, les deux paysages de Paul Huet exposés au Salon de 1831 avec des épigraphes empruntées aux *Odes et ballades*. Un tel hommage, un an après *Hernani*, dans cette exposition historique, marquée par l'émergence d'un nouveau style de paysage, revenait à placer celui-ci sous le patronage du romantisme, en la personne de son « chef », et surtout à souligner leurs liens organiques : le critique de *L'Artiste* félicita Paul Huet d'avoir « bien entendu toute la poésie, tout le charme mystérieux, tout le silence de la douce pensée de M. Victor Hugo »[8].

A la limite, le fait même d'écarter ou d'ignorer Hugo peut être significatif. Ainsi, l'absence de toute allusion à son œuvre chez les impressionnistes, si elle s'explique aisément par leur volonté de contact direct avec la nature, sans l'intermédiaire de textes littéraires, a néanmoins le caractère d'un rejet plus ou moins conscient : qu'on pense à l'intimité de Monet avec Bazille au moment où celui-ci peignait son *Ruth et Booz*, et surtout au fait que Renoir débuta au Salon de 1864 avec une *Esméralda* qu'il détruisit symboliquement par la suite.

Le propos général de l'exposition imposait de répartir les œuvres de cette section

*Paul Huet
Paysage. Le soleil se couche derrière une vieille abbaye au milieu des bois. Salon de 1831 (cat. 708)
Valence, Musée des Beaux-Arts

*Paul Huet
Le cavalier. 1868, d'après la peinture du Salon de 1831 (cat. 709)
B. N., Est.

suivant les textes dont elles procèdent. L'enchaînement des séquences a néanmoins été calculé de telle sorte qu'elles dessinent une large courbe chronologique, allant des années 1830 aux environs de 1900. De plus, un certain nombre d'œuvres isolées sont regroupées en fonction de leur date au début et à la fin de la section, dont elles soulignent ainsi les temps forts. Elles sont reproduites, pour la plupart, dans l'illustration du présent chapitre. Nous renvoyons enfin par avance au mémoire que Corinne Van Eecke prépare, à l'Ecole du Louvre, sur « l'œuvre de Victor Hugo illustré par les peintres »[9].

P. G.

1. Lettres inédites d'Alexandre Cabanel à Alfred Bruyas, sept. 1847-juill. 1848, Paris, Bibliothèque de l'Institut d'Art et d'Archéologie (communiquées par Philippe Bordes).
2. Théophile Silvestre, *Les artistes français,* t. I, Paris, 1926, p. 144.
3. Alfred Sensier, *La vie et l'œuvre de J.-F. Millet,* Paris, 1881, p. 39.
4. Lettre de Charles Hugo à Victor Hugo, 7 août 1843, publiée par Pierre Georgel, « De Thomas Couture à Jean Valjean... », *The Artist and the Writer in France : Essays in Honour of Jean Seznec,* Oxford, 1974, p. 101.
5. Cité par [Charles Hugo], *Victor Hugo en Zélande,* Paris, 1867 (éd. Massin, t. XIII, p. 1118).
6. Cité par Loÿs Delteil, *Le peintre-graveur illustré (XIXᵉ et XXᵉ siècle),* t. II, Paris, 1907.
7. Lettre de Maxime Lalanne à Victor Hugo, 4 déc. 1863, publiée par Pierre Georgel, « Le romantisme des années 1860... », *Revue de l'Art,* n° 20, 1973, p. 23.
8. V. Schoelcher, « Salon de 1831. Opinion », *L'Artiste,* 1831, t. I, p. 272.
9. Je remercie bien vivement Corinne Van Eecke de m'avoir communiqué, pour la préparation de cet article, son dépouillement des livrets et archives des Salons.

Boîte à bonbons à l'effigie d'Esméralda
(cat. 786)
Paris, M.V.H.

Jean Gaudon   # La lettre et l'esprit

Un vieillard barbu, vigoureux, armé d'un gourdin et ceint d'une besace aide une petite fille à porter un seau. Elle est pieds nus, en guenilles, et a sur la tête un bonnet phrygien. Des corbeaux volent dans le ciel. Cette lithographie de Willette est intitulée *Victor Hugo et la jeune République,* ce qui est parfaitement adéquat s'il ne s'agit que d'identifier le contenu manifeste, mais insuffisant pour prendre conscience d'une référence culturelle pouvant seule donner sens aux signes que sont le seau et la besace. Cette image d'un Victor Hugo tutélaire et déterminé n'est en réalité lisible que pour ceux qui l'associent à une des scènes les plus célèbres des *Misérables.* Panofsky avait, en son temps, cerné le problème. Pour un *bushman* australien, soulever son chapeau n'est pas, disait-il, interprété comme un geste de courtoisie. De même, un barbu donnant la main à une petite fille pourrait bien n'être pour lui qu'un barbu donnant la main à une petite fille, et je gagerais que la grande majorité des Philippins et une forte minorité de Français feraient cette même lecture, incomplète. Mais les Philippins sauront à quoi se réfère une crucifixion, jusqu'à, parfois, se porter volontaires pour revivre la scène. Le *bushman* peut-être pas. Willette, tout près de la naissance de la République sait que son système de signes fonctionne bien. Il peut donc l'utiliser, se référer implicitement au roman, faire de l'image le point de rencontre de deux systèmes de signification sans se demander combien de temps son public suivra : le créateur d'images qui travaille dans l'instant et pour l'instant n'a pas à se poser ces questions-là.

Une bonne partie des images qui, pour nous, attestent la gloire de Victor Hugo sont ainsi fondées sur la possibilité prêtée au public d'identifier au premier coup d'œil un texte généralement absent ou ce qu'il en reste : une trace dans la mémoire, scène, attitude ou silhouette. S'il y a « illustration », c'est dans l'autre sens. C'est l'œuvre absente qui, littéralement, illustre, donne éclat et signification à une image dont l'efficacité dépend de l'aptitude qu'a son auteur à profiter de la popularité d'un texte ou de son créateur. Hugo/Valjean en père adoptif de la République est un parfait exemple de cette récupération, historiquement justifiée — ce Hugo-là a été celui des instituteurs fervents de la Troisième République — et à plus long terme problématique.

Une jeune fille absorbée dans ses rêveries. Une jeune fille qui danse. Dans les deux cas elle est accompagnée d'une chèvre. Ses accessoires comportent un tambour de basque. Derrière elle se profilent parfois les tours de Notre-Dame de Paris, avec la flèche de Viollet-le-Duc. Sous sa forme rêveuse elle sert, entre autres choses, à vendre des bonbons. La reconnaissance, dans ce dernier cas, n'est pas absolument

obligatoire. Les couvercles de boîtes sont souvent ornés d'images qui obéissent à un code esthétique sans rapport avec un code littéraire. Disons simplement que la référence culturelle est censée apporter à l'objet une plus-value, et qu'on la sait, à l'époque où on l'utilise, facilement décryptable. Quand on donne son nom à un produit, Esméralda confère à ce produit un lustre, comme ce « cognac Esméralda » ou ce « Esméralda Velvet » dont je ne sais s'il est étoffe ou boisson veloutée (cf. Black Velvet). Cette danseuse qui, sur la réclame de cognac, fait des pointes sur un semis d'étoiles est donc, au même titre que le Hugo/Valjean, un exemple d'utilisation du texte, à cela près qu'il s'agit dans un cas d'un objet de consommation et dans l'autre de politique. L'image n'est pas destinée à rendre compte de ce texte, ni d'en proposer un équivalent plastique, mais de le réduire à quelques traits emblématiques, le nom n'étant destiné qu'à valoriser le cognac dans un système où l'on estime que la référence culturelle est valorisante, et non à faciliter la lecture de l'image : précieux témoignage sur ce que représente l'image historique de Victor Hugo, comme le sont tous ces objets que l'on aimerait pouvoir exactement dater, cylindres, papiers peints, assiettes, tapisseries, camées, pendules introduisant dans le décor quotidien — et pas seulement dans le décor populaire — un univers romanesque, mais aussi croisement de la popularité et de la mode, où la publicité peut, dans certains cas, jouer le rôle de la charrue et, dans d'autres, celui des bœufs.

Qu'il y ait, au dix-neuvième siècle, des relations étroites entre le mobilier et la peinture n'est pas surprenant. Le tableau de chevalet est un objet mobilier que son unicité rend précieux et que sa vulgarisation, sous forme de lithographie ou de pendule, valorise encore. La place privilégiée du tableau dans la société bourgeoise n'implique pas cependant une transformation quelconque dans la relation de l'image à l'œuvre littéraire. Tout au plus peut-on remarquer, dans les reproductions, un appauvrissement du réseau des signes. La lithographie de la pendule se borne à désigner Esméralda par ses attributs conventionnels. Dans la peinture de Steuben qui en était la source, le personnage était représenté dans la cellule de Quasimodo, que l'on apercevait dans l'ombre. Au premier plan, le sifflet donné par Quasimodo, dont Hugo avait spécifié que la Esméralda l'avait laissé à terre, ce qui atteste, de la part de l'artiste, une lecture attentive, ou plutôt littérale. Mais le littéral n'est jamais un gage de fidélité. La tradition emblématique autant que le goût de son public poussent Steuben à donner au groupe de la jeune fille et de la chèvre je ne sais quoi de lascif qui est parfaitement incongru, puisque c'est dans ce chapitre que Hugo insiste sur la « pudeur » de la Esméralda qui prend, pour s'habiller, des précautions excessives pour éviter les regards indiscrets. L'illustration fait donc du consommateur un voyeur. C'est aussi le cas de Wiertz qui, sans renvoyer à une scène précise, inscrit dans son tableau les lettres du nom de PHOEBUS *(sic)* et une

épée qui pourrait être celle du galant capitaine ou une de celles avec lesquelles « l'égyptienne » accomplit certains de ses tours. Le peintre a ici largement profité de l'autorisation que lui donnait Hugo de représenter la danseuse « les épaules nues », détail que les autres artistes n'avaient pas retenu. L'implication du consommateur-voyeur est devenue plus grande encore et plus brutale. C'est lui que regarde, droit dans les yeux, cette beauté pulpeuse et aguichante. La créature pudique du roman est devenue provocante. Point n'est besoin de se demander, devant ces images, à quoi rêvent les jeunes filles dont rêvent les peintres — ou leurs clients.

On sera d'autant plus reconnaissant à Diaz d'avoir dépassé ce voyeurisme de bonne compagnie et d'être allé, seul contre tous, jusqu'au bout d'une tentation de l'érotisme qui est une des lignes de force du roman. L'œuvre de Diaz est une représentation scrupuleuse, quoique avare de détails, de la scène au cours de laquelle Claude Frollo tente de violer la Esméralda, choisissant le moment où la main de Quasimodo s'abat sur l'épaule du mauvais prêtre. Le fantasme qui faisait de la bohémienne un objet de désir atteint ainsi son paroxysme. Au prix d'une infidélité à la lettre du texte — la Esméralda n'est jamais, dans le roman, cette créature abandonnée, que l'on doit supposer évanouie — Diaz recrée l'atmosphère d'une scène que Hugo dit violente, et traduit la brutalité du désir. Cette toile, qui est à la fois dans une certaine logique du livre et dans celle de son imagerie, permet ainsi de jeter sur cette imagerie un regard rétrospectif. On comprend que la Esméralda des pendules et des assiettes était moins la représentation d'un personnage romanesque que celle du fantasme de ce personnage, vu tout au long du livre comme un objet de désir. Dans la mesure où les artistes se sont inconsciemment identifiés avec ceux pour qui la Esméralda était une proie virtuelle (Gringoire, Phœbus et Claude Frollo), Wiertz et Steuben avaient, à un niveau différent de celui de Diaz, appréhendé et transmis un des sens du texte. L'imagerie populaire leur avait, à sa manière, fait écho, en traduisant ce désir inavouable en termes de consommation, et en faisant de l'héroïne un objet que l'on croque, que l'on suce, que l'on boit.

Qui connaît et qui reconnaîtra Albaydé aux « beaux yeux de gazelle » ? Il faudrait pour cela avoir beaucoup fréquenté *Les orientales* et avoir prêté attention à ce nom joliment exotique, placé au début des *Tronçons du serpent,* un poème particulièrement cruel qui dit allégoriquement la fragilité des êtres et de leurs amours. Précisons un peu la question : qui, en 1848, date de ce tableau, peut réagir au titre qui est inscrit sur l'étiquette et évoquer à partir de là le souvenir de ce sombre poème ?

On pourrait dire que ce tableau s'inscrit dans la tradition orientalisante et que le texte n'est qu'un prétexte à présenter, encore une fois, un objet érotique. Ce n'est peut-être pas si simple. La manière dont une végétation à la Douanier Rousseau pénètre l'espace réputé clos de la chambre (mais ce pourrait être un trompe-l'œil), ce convolvulus insolite qui figure sans doute l'attachement et que la jeune femme tient entre ses doigts, sont bien des éléments d'une lecture possible du poème, mais une lecture où l'horreur physique de l'élément allégorique a été sacrifié à une symbolisation esthétisante, et où le caractère féroce du sujet a été escamoté, quelques dissonances de détail remplaçant mal la grande métaphore du serpent tronçonné.

Double rêverie sur un nom séduisant et sur un *carpe diem* discret, *l'Albaydé* de Cabanel n'illustre rien. On peut y voir, sous une forme un peu secrète, trop lisse pour être sans mystère, un des exemples les plus parfaits de toutes les images qui sont censées se référer à des poèmes des *Orientales,* la médiation d'un titre culturellement respectable autorisant les artistes à s'abandonner à un fantasme érotico-exotique qui se déguise en mode. « Captives » et « Sultanes favorites » font ainsi escorte à l'héroïne de *Sara la baigneuse,* poème charmant des *Orientales* qui refait périodiquement surface (Berlioz l'avait mis en musique) à des époques où l'on pourrait penser qu'il n'était pas dans toutes les mémoires. Mais que savons-nous au juste du cheminement souterrain de ce qui s'apprend si facilement par cœur ? Pour ne prendre que les Salons, je relève entre 1837 et 1907 quinze peintures et huit sculptures sous ce titre. Ne s'agit-il que de nus en situation ? Pas tout à fait. Certes, l'identification du sujet ne se fait pas avec autant de facilité que pour une Annonciation, un Jugement de Pâris, ou même une Esméralda. Mais qu'importe l'identification ? Le consommateur, comme dans le cas de *l'Albaydé* de Cabanel, n'est pas renvoyé à un poème que probablement il ignore, mais mis en présence d'un objet de délectation. Le peintre, lui, a lu, et fait son choix dans le réseau

*Alexandre Cabanel
Albaydé. (cat. 831)
Montpellier, Musée Fabre

lexical proposé par le poète : hamac, escarpolette, eau, pied d'albâtre, et aussi indolence, rêverie, enjouement, pudeur. L'existence de la tradition iconographique de l'escarpolette provoque un intéressant clivage dans le traitement du poème. La lithographie éditée par Motte d'après Boulanger, le tableau de Colin, et surtout les différentes versions de l'interprétation de Fantin-Latour doivent à ce thème cher au dix-huitième siècle polisson la possibilité de traduire ce qu'il y a, dans le texte de Hugo, de sensualité franche. Le hamac provoque de plus profondes langueurs et des rêveries plus lourdes. Non peut-être chez Tassaert, toujours épidermique, mais chez Signol et surtout chez Henner qui, ayant hésité entre trois poses, choisit la plus rêveuse, la plus pudique et la plus aguichante. Comme dans le cas de la Esméralda de Wiertz, le regard qui fixe l'« hypocrite lecteur » (sur l'esquisse, Sara baissait les yeux) élimine à la fois le folâtre et le chaste. Pour cette baigneuse-là, être vue est une crainte plus équivoque encore que celle de la Galatée virgilienne.

La Sara de Henner peut induire dans l'esprit du « lecteur » une rêverie romanesque, c'est-à-dire produire un second texte qui serait, par rapport à celui de Hugo, tangentiel. Mais cette capacité de production secondaire, dont Diderot avait usé et abusé n'est infinie que dans l'hypothèse d'une œuvre poétique peu contraignante, soit par nature, soit par son destin propre. L'équilibre à trouver est d'autant plus délicat que l'on ne peut à la fois s'appuyer sur la notoriété d'une œuvre littéraire et en ignorer superbement le contenu. A moins, naturellement, que le consommateur n'ait de ce contenu qu'une idée vague, mais tienne malgré tout au signal culturel.

Il faudrait pouvoir déterminer, dans la peinture que l'on appelle figurative, le seuil ou les seuils d'identification, savoir à partir de quel moment le titre « l'escarpolette » ne suffit plus pour voir le tableau, et ce qu'ajoute pour le visiteur du musée le titre de *Sara la baigneuse*. Les « quatre saisons » de Poussin ont traditionnellement deux titres, *L'Été* étant aussi nommé *Ruth et Booz,* en référence à un épisode biblique supposé bien connu. Qu'apporte le second titre ? Rien, diront certains esthéticiens modernes. L'essentiel, diront les historiens pour qui la seule présence de ces personnages-là, dans ce grand paysage, est l'essence même de la peinture d'histoire, par opposition à la peinture de genre. « Il faut lire l'histoire et le tableau », disait Poussin, pour qui la dimension culturelle était un élément capital de la jouissance de la peinture. Mais comment interpréter, dans le cas de *Ruth et Booz,* le mot histoire ? Souvenir d'un récit ou texte précis ? La question se pose inéluctablement pour tous ces tableaux qui, à partir de la publication de *La légende des siècles,* envahissent les Salons. Pour Girardot, c'est un texte, que le visiteur est invité à lire, car il est inscrit sous le tableau :

« L'ombre était nuptiale, auguste et solennelle. »

Ces trois adjectifs ne correspondent à rien de précis dans la grammaire picturale, tout est possible y compris une peinture dépourvue de personnages ou même — mais l'époque ne le permettait pas — sans référent identifiable. Les peintres de *Booz endormi* s'en tiendront à la représentation d'un vieillard barbu et d'une jeune fille en fleur. A l'exception de Girardot, desservi par sa citation et paralysé par le

*Alexandre Cabanel
Ruth et Booz.* Vers 1868 (cat. 884)
Montpellier, Musée Fabre

réalisme, les artistes ont choisi ce qui était chez Hugo la voie métaphorique et ont inscrit dans l'espace, sous forme d'instrument agricole (Frölich) ou de croissant de lune (Bazille) la « faucille d'or » du dernier vers. Seul Cabanel arrive à inventer une forme qui soit presque l'équivalent pictural de la métaphore hugolienne. Suspendue à un des supports de la tente, sa faucille est à la fois un instrument agricole et croissant de lune. Ce tableau, parfaitement littéral et fort habile si l'on se place au point de vue de la traduction du poème, qui va jusqu'à oser l'équivalent d'une métaphore, ne peut donc être vu sans être lu, c'est-à-dire sans être accompagné, réellement ou virtuellement, du texte du poème.

Peindre une scène d'un poème de Hugo implique qu'ont été faits deux choix fondamentaux, dont le premier est un signe de conservatisme et le second un audacieux pari. Conservatisme, car l'artiste qui représente la fuite de Caïn avec ses enfants « vêtus de peau de bête » choisit de s'inscrire dans la tradition de la peinture d'histoire, à contre-courant de l'histoire de la peinture. Pari, car cette peinture dépend, pour être lisible, de fluctuations culturelles imprévisibles. Tous les *Ruth et Booz* du monde peuvent passer — pourront toujours passer ? — pour des représentations d'un épisode de la Bible, la présence de la faucille et plus encore sa place permettant à un petit nombre d'amateurs d'évoquer le poème de Hugo. Il n'en va pas de même du *Satyre* qui, sans gloses, est déjà aussi déroutant que les plus mystérieuses allégories de Piero di Cosimo. Quelque chose de l'image meurt lorsque meurt le sens. D'où la nécessité du texte, c'est-à-dire du passage à l'illustration.

*Lorenz Frölich
Le satyre chante pour les dieux. Vers 1890 (cat. 891)
Coll. Kai Stage

On pourrait dire que l'illustration commence au moment où l'artiste prend conscience du problème soulevé par Lessing, et que j'appellerai la maladie du temps. On se souvient de la thèse exposée dans le *Laokoon*. Devant la narration faite par Virgile, qui se déroule dans le temps, le sculpteur est contraint de choisir une scène sans extension temporelle et de l'investir du maximum possible d'expressivité, sans jamais pouvoir, quoi qu'il fasse, introduire dans son œuvre cette dimension qui est l'essence même de « l'histoire », la temporalité.

La bande dessinée, qui est une des plus vieilles formes de l'art occidental a tourné, d'une certaine manière, la difficulté, et a rendu possible cette mise en relation d'un texte et des images. Certes, chaque panneau de la prédelle ou chaque épisode de l'histoire de la Sainte Croix, dans l'église San Francesco d'Arezzo est plus ou moins complet en lui-même, et un assemblage de représentations culturellement mortes ne fait pas une histoire vivante, mais la temporalité dans la lecture est aussi nécessaire que lorsque l'on tourne les pages d'un livre. La notion de programme pictural, qui sous-tend une grande proportion de la peinture sacrée suppose un texte continu. Il en va de même lorsque Frölich, dans son *Satyre,* adopte carrément le système de la prédelle surmontée d'une représentation rectangulaire d'une scène principale : Hercule traînant le chèvre-pied devant les dieux. Trois épisodes constituent le registre inférieur, séparés par des phylactères. A gauche, la capture du

*Lorenz Frölich
Hercule et le satyre. 1889-1904 (cat. 890)
Maribo (Danemark), Musée des Beaux-Arts de
Lalande-Falster, don de la Fondation Néo-
Carlsberg

OLIVIER LE DAIM   LOUIS XI

LES TRUANDS   Cᵗᵉ LE FROLLO

NOTRE-DAME-DE-PARIS

ESMERALDA   QUASIMODO   LA SACHETTE

satyre par Hercule qui le prend par l'oreille ; au centre, occupant un espace plus large, l'arrivée du satyre devant les dieux de l'Olympe qui manifestent leur hilarité ; à droite, assis en face d'Apollon, le satyre chante devant l'assemblée des immortels. Dans la scène principale on aperçoit, dans les replis de nuages cotonneux, quelques-uns des figurants évoqués dans le prologue du poème, quadrige du soleil ou personnages mythologiques. Les inscriptions de la prédelle comportent, entre la scène de gauche et la scène centrale, le titre du poème, celui du recueil et le nom de l'auteur. A droite de la scène centrale, quelques vers : « Hercule l'alla prendre au fond de son terrier / Et l'amena devant Jupiter par l'oreille », ce qui correspond à la scène de gauche de la prédelle et au tableau du dessus. Puis deux autres citations : « L'éclat de rire fou monta jusqu'aux étoiles » et « Il chanta, calme et triste », ce qui traduit la scène centrale du registre inférieur et l'image de droite. Le va-et-vient est donc possible, dans les limites étroites fixées par les vers cités, et l'on peut s'émerveiller de la littéralité de la traduction picturale. Tout est fourni : texte et image. Mais qu'est-il advenu du poème lui-même, c'est-à-dire du chant du satyre proprement dit ? Ce « il chanta » intransitif est tout ce que Frölich peut dire, tout ce qu'il dira à nouveau dans cet autre tableau où il choisira le moment où le satyre prophétise. Debout, immense, armé de la lyre, il est devenu un personnage formidable. Toujours littéral, toujours scrupuleux, le peintre a représenté l'arrivée des animaux subjugués par le chant. Ils ont plus de chance que nous, qui jamais ne saurons ce que chante le grand Pan. Aucune grandiloquence ne traduit l'éloquence. Nous n'avons d'autre choix que de revenir au texte. Et sans doute d'oublier Frölich.

La conception séquentielle de l'illustration, la seule possible lorsque l'œuvre littéraire est narrative, conduit, dans le cas des illustrateurs de Hugo à quelques réussites et à pas mal d'échecs. Il faudrait sans doute considérer à part ce qui, dans le même esprit que *Le satyre* de Frölich, mais en utilisant différemment l'espace, organise un parcours à partir d'une scène ou plutôt autour d'elle. Le choix de la scène centrale est évidemment déterminant.

Le polyptyque de Couder sur *Notre-Dame de Paris,* datant de 1833, est centré sur la scène dont on pourrait dire qu'elle est un des pivots de l'intrigue et qui a le mérite de rassembler trois des personnages principaux sur quatre, sans oublier la chèvre emblématique : celle au cours de laquelle Claude Frollo poignarde Phœbus. Pour l'encadrement de cette image, Couder est beaucoup moins habile que Nanteuil, dont les frontispices architecturaux, reprenant et développant une très ancienne tradition, créent, outre un espace central occupé par la scène majeure, un grand nombre de niches où s'inscrivent scènes et personnages, tournant autour de la rencontre, dans l'*in-pace* de la Tournelle, d'Esméralda, tache blanche prostrée au pied de l'escalier, et de Claude Frollo, tenant à la main son falot. Lecture différente de celle de Couder, moins anecdotique, puisque c'est le chapitre *Lasciate ogni speranza* qui sert à Nanteuil de point focal. On aimerait, à partir de là, saisir un ordre narratif qui serait imposé par l'organisation de l'espace, mais l'illustrateur en a décidé autrement. L'opposition, dans deux grandes niches qui se font face, de Phœbus et de Claude Frollo partage l'espace en un registre supérieur, où l'on retrouve le système du fronton et un espace inférieur qui joue le rôle de la prédelle, sans pour cela dégager un sens. Le fronton est couronné par la scène du pilori, qui retrouve ainsi la place éminente qui lui revient, mais la prédelle se lit de droite à gauche, sans que cette entorse à la coutume entraîne, pour la totalité de l'image, une lecture circulaire. Enlevée par Quasimodo en bas et à droite, Esméralda meurt en bas et à gauche. La lecture de ce frontispice est donc, en l'absence de tout texte, une découverte progressive, de l'ordre de la devinette ou de la reconnaissance. Cela fait de lui, curieusement, une sorte de postface, apportant au lecteur qui vient de terminer le livre le plaisir d'identifier scènes et personnages. L'apparente prolifération des scènes ne peut cependant faire illusion. Il n'y a pas à proprement parler illustration. Rien qu'une sorte d'imagerie où triomphe, par le choix des ornements gothiques et de la structure fondamentale de l'image, Notre-Dame de Paris elle-même. C'est sans doute le seul gain, du point de vue de la lecture, de cette mise en page plus confuse que complexe.

Les « suites » constituent une catégorie à part, dans la mesure où elles proposent un découpage à partir de ce que l'auteur considère comme les moments forts du roman, avec ou sans texte. Il faudrait faire une place spéciale à celle de Boulanger, entièrement centrée sur le personnage de la Esméralda, où des images violentes,

*Célestin Nanteuil
Notre-Dame de Paris* (cat. 704)
Frontispice pour *Notre-Dame de Paris,* Paris, Renduel, 1833
Dijon, Musée des Beaux-Arts

*L. Ch. A. Couder
Scènes tirées de* Notre-Dame de Paris. Salon de 1833 (cat. 728)
Paris, M.V.H.

*Louis Boulanger
Sujets tirés de Notre-Dame de Paris. Salon de
1833
1. *L'amende honorable* (cat. 732)

2. *La Sachette défendant Esméralda* (cat. 734)

3. *La Sachette, Esméralda et Claude Frollo* (cat. 733)

4. *Enlèvement d'Esméralda* (cat. 730)
Paris, M.V.H.

mélodramatiques, simplificatrices, parviennent à faire passer quelque chose de la passion de Frollo, de sa sensualité, de sa cruauté. La Esméralda y est réduite, dans toutes les images ici présentes à une chose que l'on maltraite, que l'on menace, que l'on tue : lecture frénétique qui a le mérite de souligner autre chose que le pittoresque gothique et qui atteste une véritable recherche du sens, le style de Boulanger parvenant à une espèce de dépouillement monumental qui redonne à l'histoire d'Esméralda ce qu'elle recelait de bruit et de fureur. C'est aussi ce que cherche à faire, avec moins de bonheur et avec l'aide des mots, Nicolas Maurin. La lecture est une fois de plus centrée sur le personnage lui-même, avec sa légèreté, sa compassion, ses élans, sa rêverie amoureuse et sa tragédie. Plus diversifiée, mais incontestablement moins forte, elle sacrifie au désir de montrer toutes les facettes du personnage ce qui était, chez Boulanger, unité de dessein. Comme chez Boulanger d'ailleurs, le personnage de Quasimodo qui a, dans l'imagerie du roman, une force considérable, est sous-évalué et sacrifié à Frollo, le démoniaque.

On ne peut parler de lecture à propos des albums de Bès et Dubreuil ou de Migette. Dans le premier cas, quatre scènes seulement ont été retenues : la tentative d'enlèvement qui permet de mettre en scène, outre la Esméralda, le galant Phœbus et un Quasimodo presque normal ; la scène du pilori ; celle du meurtre qui introduit Claude Frollo ; la mort de la Esméralda qui montre la Sachette et, enfin, Notre-Dame. La chèvre est dans les trois premières.

L'album Migette, malgré son grand nombre de scènes, est trop dispersé pour que l'on puisse parler de lecture. Pour la première fois cependant, ce n'est pas la Esméralda qui est au centre (elle n'apparaît que trois fois sur huit), ni Quasimodo, représenté en bébé, sur la pierre des enfants trouvés et esquissé dans le coin supérieur gauche de la page-titre, ni même Frollo, dont la chute sur la page-titre est quasiment parodique, et qui n'apparaît que lorsqu'il recueille le bébé Quasimodo et dans le bric-à-brac de sa cellule. Non, le personnage central, c'est Gringoire qui a droit à trois planches : dans la chambre de la Esméralda, aux pieds du roi et dans son rôle de traître malgré lui, lorsqu'il vient arracher la pauvre Esméralda du lieu d'asile, accompagné d'un Claude Frollo méconnaissable en pénitent noir. Un plus grand nombre de personnages et une distribution arbitraire des scènes ne permet de comprendre ni le déroulement de l'action ni sa signification. Seul le lien fortuit entre la page-titre (sans texte) et la dernière planche donne une apparence de cohérence à ce qui n'en a guère. Mais les voies de l'illustration et les fantaisies des illustrateurs sont parfois impénétrables. La dispersion et le manque de subtilité du dessinateur aboutissent à un résultat inattendu qui n'a que le tort d'être à peu près insaisissable au lecteur non prévenu. En choisissant, à l'opposé de Boulanger, une lecture du roman plus anecdotique que dramatique, et en mettant l'accent sur Gringoire, le dessinateur a révélé ce qui constituait un des ressorts essentiels du drame selon Hugo : c'est l'innocent au cœur pur, un peu bouffon, un peu marginal, qui est, dans *Cromwell, Marion de Lorme* ou *Ruy Blas,* le ministre de la mort. Il s'appelle Rochester, ou Saverny, ou César de Bazan, ici, Gringoire. Étrange hasard

qui fait que le plus modeste des dessinateurs met, sans le savoir, le doigt sur la clef d'un tragique propre à Hugo, sans être capable de transmettre cette clef.

Une pieuvre, signée Vierge, enlace Gilliatt. L'eau de la grotte est animée de formes étranges, de coups de gouge qui ont l'air de figurer je ne sais quelle monstruosité naturelle, élémentaire. Il s'agit du frontispice des *Travailleurs de la mer,* dans l'édition Hugues.

Une pieuvre signée Victor Hugo. Pas de présence humaine, les arabesques des tentacules suffisant, avec le titre du « livre », à remplir toute une page de la même édition.

Une pieuvre signée Chifflart, une tête démesurée, monstrueuse, avec deux yeux d'extra-terrestre ou d'animal préhistorique, un Gilliatt hérissé, couteau levé, prêt à frapper. Sous cette image, le texte du roman se déroule :

« Le poulpe, en effet, n'est vulnérable qu'à la tête.

Gilliatt ne l'ignorait point.

Il n'avait jamais vu de pieuvre de cette dimension. »

Pourquoi, dans la même édition du même roman, ces trois images ? Ce doit être considéré comme la scène la plus importante de l'ouvrage, puisqu'on lui a consacré le frontispice de Vierge, mais même ainsi, pourquoi une telle redondance ?

Gravures sur bois dans Les travailleurs de la mer, Paris, Hugues, 1882

1. *Frontispice,* par Daniel Vierge (cat. 859)

2. *Combat dans le gouffre,* par N.-F. Chifflart (cat. 869)

3. *Les doubles fonds de l'obstacle,* par Victor Hugo (cat. 868)

Nous sommes ici en présence de planches isolées, arrachées à leur contexte, et il n'est pas tout à fait équitable de parler d'elles comme si les autres n'existaient pas. Injuste aussi de ne pas tenir compte, dans notre appréciation, de l'édition illustrée qui avait précédé celle-ci, dès 1869, et dans laquelle tous les bois avaient été exécutés à partir de dessins de Chifflart. Reste que les responsables de l'édition Hugues ont choisi de montrer trois fois la pieuvre, et que cette décision n'est pas dépourvue de motivations. Force poétique de l'épisode et extrême popularité sont sans doute difficiles à dissocier, et il est bien vrai que c'est cette scène-là qui a toujours représenté *Les travailleurs de la mer* dans les anthologies, comme les malheurs de Cosette chez les Thénardier ont résumé *Les misérables* pour des générations d'écoliers. La République de Jules Ferry, prudente autant que prude, a préféré ces exemples de vertu à des histoires de barricades et de prêtres concupiscents, et la figure de Hugo a été modelée par ces interdits autant que par ces exemples.

Il ne suffit pas cependant qu'un texte devienne classique pour que l'image suive parfaitement, et la prolifération scolaire du combat de Gilliatt et de la pieuvre n'a pas abouti à l'inscription de la gravure d'après Chifflart dans le grand livre d'images de la culture populaire. A ce jeu, le grand vainqueur reste Brion et sa Cosette pathétique dont il a, pour toujours, fixé l'image. Dans les deux cas, pourtant, il s'agissait d'une véritable illustration, continue, cohérente, et l'on peut parler des *Travailleurs de la mer* de Chifflart et des *Misérables* de Brion comme on parle du *Don Quichotte* de Gustave Doré. L'analogie, pourtant, n'est pas parfaite, et d'autres facteurs doivent être pris en compte. Dans la mesure où l'illustration vise la totalité du texte et non tel ou tel épisode, célèbre par le truchement de livres de classe peu illustrés, la pénétration de l'illustration dépendra de la popularité du livre, non de celle de l'épisode isolé. *Les misérables* sont, à cet égard, un cas à part, une des œuvres les plus lues dès sa parution, devenue depuis un des grands classiques de la littérature universelle. Que cette popularité ait nui aux romans qui suivirent est indéniable : plus chiches d'action, plus avares de personnages, plus éloignés de ce qui était, pour le lecteur d'alors, une combinaison de la réalité, telle qu'il la percevait et d'un imaginaire qu'il partageait avec ses contemporains, *Les travailleurs de la mer, L'homme qui rit* et même *Quatrevingt-treize* n'eurent pas le même impact. Ils parurent plus lointains, plus fantasmatiques. L'illustration s'en ressentit. A la multitude des personnages placés dans des situations et dans des décors variés succède, dans *Les travailleurs de la mer* de l'édition Hetzel-Lacroix, une autre stratégie. La réussite, esthétiquement parlant, est comparable à celle de Brion. Les marines de Chifflart, ses rochers fortement architecturés, le sens qu'il a des atmosphères orageuses forcent l'admiration. Rien de mièvre. Rien de bas. Rien

4. *La Jacressarde,* par N.-F. Chifflart (cat. 861)

5. *La maison visionnée*

6. *L'intérieur du rocher,* par N.-F. Chifflart Coll. privée

de grandiloquent. Gilliatt devient, au fil des pages, un personnage épique, et l'avant-dernière image, qui le représente prêt à être englouti par l'océan, est le parfait écho graphique de la phrase de Hugo : « Du bronze qui souffre, tel était ce visage. » Mises ensemble, les soixante-dix planches d'après Chifflart font au texte un cortège digne de lui. C'est pourquoi, si belles soient-elles, les images ajoutées par l'édition Hugues — et même celles gravées d'après des dessins de Hugo — ne peuvent que distraire de ce rapport intime dont Hetzel avait compris, pour les romans, la nécessité : les grandes illustrations des œuvres de Hugo sont l'œuvre d'un seul dessinateur.

Même dans le cas des réussites incontestables, il reste des obstacles à contourner : ceux qu'opposent souvent les mots eux-mêmes. Le rêve du *Dernier jour d'un condamné,* ou simplement la représentation du condamné en train d'écrire, ou encore la « tempête sous un crâne » des *Misérables* imposent au dessinateur un choix entre la représentation dérisoire de l'acte d'écrire ou de rêver, et cette rupture avec le temps et l'espace du récit qu'est la traduction plastique de la vision. Il est pris entre l'acte d'énonciation et l'énoncé. D'un côté, Gavarni et Raffaëlli, de l'autre Rivoulon fils et Chifflart, qui combine la monumentalité du personnage — ce qui pourrait bien être un contre-sens — et l'informel du rêve. Comme Brion

*N. F. Chifflart
Le rêve du prisonnier (cat. 721)
Saint-Omer, Musée de l'hôtel Sandelin

*Daniel Vierge
Les rues étaient des serpents (cat. 870)
Gravure sur bois dans *Les travailleurs de la mer,* Paris, Hugues, 1882
Coll. privée

dans le rêve de Jean Valjean, Vierge donne des cauchemars de Mess Lethierry une traduction maladroite, littérale. Il y a une distance incommensurable entre la traduction graphique de Vierge et la phrase de Hugo : « Les rues de Lons-le-Saulnier devenaient des serpents. »

Entre cette gaucherie et les portraits en pied des personnages de *Quatrevingt-treize* campés par Brion, pas d'hésitation possible. Illustrer un roman de Hugo, c'est créer des personnages et proposer du livre — comme Chifflart — une lecture cohérente et suivie. Aussi parfaitement que s'inscrive, dans le souvenir que nous gardons du roman, tel ou tel dessin particulier, le mur où nous l'épinglons ne vaudra jamais la page que l'on tourne, dans ce livre auquel il est destiné. L'œuvre « originale » quoi qu'en ait dit Hugo à propos des *Misérables* ne vaut pas ce qu'ont fait d'elle les tâcherons qui l'ont gravée dans le bois. C'est l'insertion dans le livre qui seule permet la confrontation et l'insertion des deux lectures, celle de l'artiste et la nôtre.

Peut-être est-ce une erreur de privilégier l'illustration des œuvres narratives. Ce qui vaut pour le roman vaut aussi pour le poème, à cela près que, dans le cadre du livre, la cohabitation de l'image et du texte n'est pas soumise aux mêmes contraintes pour un poème court et pour une histoire se déroulant dans le temps. Vierge, dont la contribution aux *Travailleurs de la mer* souffrait de n'être qu'un apport complémentaire à une illustration de Chifflart très pensée, prend une revanche éclatante dans ses images en marge de *L'année terrible*. Qu'il s'agisse des *Forts* ou d'*A qui la victoire ?* ou même de la vision finale d'un Paris rayonnant, ces nouvelles *Misères de la guerre* s'écartent de l'anecdote et même de la lettre du texte, pour en restituer, avec une dignité qui confine à la grandeur, le message global. L'image, enfin, parle de ce dont parle le poème, et milite sans prêcher, sans s'abaisser à un réalisme qui humilie le lecteur. On comprend un peu mieux, devant de telles compositions qui commentent le texte plutôt que de le suivre, ce qu'avait de dérisoire le sifflet de Quasimodo.

La tension perpétuelle entre le désir de tout dire, littéralement, et celui de dire autre chose est la pierre d'achoppement de l'illustrateur. Certes, un grand texte dit toujours autre chose, et sa présence même, que je crois être la condition *sine qua non* de l'illustration, en fait sans arrêt la preuve. Au dessinateur, devant ce défi, de jouer. A lui de montrer qu'il a les qualités nécessaires, et la modestie qui convient. Qualité, ici, ne signifie pas qu'un illustrateur doit nécessairement appartenir au Panthéon des grands créateurs : ceux-là ne sont pas toujours assez modestes pour se mettre au service d'une œuvre littéraire, sauf lorsqu'ils s'appellent Delacroix ou Botticelli, et qu'ils illustrent Goethe, Shakespeare ou Dante. Mais Gustave Doré fait aussi bien l'affaire, mieux peut-être que Botticelli, et il serait stupide d'exiger de l'illustrateur des moyens égaux à ceux de l'écrivain. Inventer un langage graphique cohérent, capable de figurer, avec la déperdition inévitable, ce qui constitue, de la part de l'écrivain, une unité de vision, devrait suffire.

*Gustave Brion
Cimourdain. 1875 (cat. 903)
Paris, M.V.H.

*Daniel Vierge
Les forts (cat. 898)
Gravure sur bois dans *L'année terrible,* Paris,
Hugues, 1879
Paris, M.V.H.

C'est d'ailleurs ce qui distingue essentiellement l'illustration de l'œuvre isolée, j'entends privée du support et de la concurrence du texte. Les tableaux et les gravures qui ne sont reliés à l'œuvre littéraire que par un titre ou, au mieux, une citation, devront suivre leur destin de tableaux ou de gravures. Déjà, la béquille-Hugo leur est aussi inutile qu'à Delacroix la béquille-Walter Scott ou même la béquille-Shakespeare. Aucune glose iconographique ne donnera à un tableau médiocre ce magnétisme qui n'est réductible à aucune analyse sociologique. Les critères de l'illustration, heureusement, ne sont pas du même ordre. Tant que l'image n'aura pas tué le livre, il sera possible de prendre, à la lecture des *Misérables* de Brion ou des *Travailleurs de la mer* de Chifflart, un plaisir complémentaire de celui que nous éprouvons à lire Victor Hugo. Une complémentarité qui ne présuppose pas l'égalité. Il importe simplement de ne pas confondre ces entreprises plaisantes et sévères avec la confection de pendules, la décoration des intérieurs néo-gothiques, et ces très beaux vases de Gallé, hommage délicat d'un créateur qui avait, semble-t-il, de bonnes lectures.

J. G.

VICTOR HUGO.

Publié par Eugène Renduel.

Ségolène Le Men

L'édition illustrée, un musée pour lire

L'une des principales éditions collectives illustrées de Victor Hugo, parue en trente-trois volumes de 1876 à 1897, fut dotée de l'en-tête *Victor Hugo illustré,* à la manière d'un titre de collection, dans ses parties *Théâtre* (1882-1891) et *En voyage* (1890-1895). La formule devait être reprise comme adresse d'éditeur, lorsqu'Eugène Hugues fut remplacé par Monaque, directeur de la « librairie du Victor Hugo illustré »[1]. Cette tournure absolue introduisait une nuance de sens nouvelle par rapport à l'édition Hetzel illustrée, parue de 1853 à 1855, qui se désignait comme *Œuvres illustrées de Victor Hugo, Victor Hugo illustré par* Beaucé (ou un autre artiste[2]). Sans être absolument inédite — pensons à l'éphémère projet Delloye-Lecou d'un *Balzac illustré* en 1838 —, pareille expression suppose une analyse de la double fonction inhérente au phénomène de l'édition illustrée : il y a là plus qu'un jeu de mots sur deux acceptions différentes du mot « illustration » qui, rapportée à un texte, le « met en lumière » par la représentation figurée, et, rapporté à un personnage (c'est-à-dire, pour un livre, à l'auteur), le met lui-même en lumière. L'illustration, d'emblée, connaît cette double fonction, imageante pour l'œuvre, glorifiante pour l'auteur : il s'agit ici de montrer comment ces deux fonctions cardinales ont pu s'articuler dans l'illustration des œuvres de Victor Hugo, et comment le projet glorificateur s'est manifesté en se modifiant peu à peu, avant d'être consciemment énoncé dans l'édition illustrée à partir de la « fête des quatre-vingts ans », avec le *Livre d'or de Victor Hugo* (1883) et le *Victor Hugo illustré* (formule apparue dans le premier volume de *Théâtre* de l'édition Hugues en 1882-83). Par sa longévité littéraire, Victor Hugo permet d'explorer l'histoire de l'édition illustrée en France depuis sa renaissance à l'époque romantique, dont il « illustre », l'une après l'autre, les étapes : l'édition originale à vignette, l'illustration romantique, les éditions populaires « à quatre sous » et l'histoire en images, l'édition de bibliophile et le livre de peintre, pour le XIXe siècle. Depuis, la bande dessinée, l'adaptation cinématographique, les réemplois enfin d'images du XIXe siècle... Parce que c'est de Victor Hugo qu'il s'agit, ce parcours exemplaire demeure particulier, et l'illustration de ses œuvres s'est adjointe de fonctions subsidiaires qui sont propres à cet auteur.

Victor Hugo dans l'histoire de l'édition illustrée

Vieux mot de la langue française, « illustration » et sa famille reparaissent dans le langage du XIXe siècle dans le sens de « dessin intercalé dans un livre, un journal », comme un anglicisme (*Revue Britannique,* 1829) ; « illustration » est perçu comme un néologisme dans cette acception du français moderne qui n'est admise au *Dictionnaire de l'Académie* que dans son *Complément* de 1839 : le mot vient ici reconnaître une pratique qui s'est généralisée au point de devenir une mode envahissante, depuis les premiers essais de vignettes romantiques. Les auteurs de la *Grande Encyclopédie,* qui résiste quant à elle à cette poussée de l'image, le constatent avec un léger dépit[3]. Mais l'acception originelle d'illustration, apparue en moyen français, « l'action de rendre illustre », « ce qui fait la gloire de », ressuscite dans les années 1840, lorsque l'idée d'illustration graphique empruntée à l'anglais retrouve ce mot vieilli : l'hebdomadaire fondé par Paulin, Joanne et Charton, en 1843, joue de cette ambivalence dans son titre, *L'Illustration ;* le journal par l'illustration, montre ce qui est illustre en le rendant plus illustre encore ; c'est par l'image qu'il s'affirme comme *media.* Les éditions illustrées de Victor Hugo ont suivi cette évolution globale qui s'articule sur le double sens du mot *illustration*[4], constant motif de jeu de mots dans toute la littérature physiologique.

Elles ont adopté les grandes étapes de l'histoire du livre illustré au XIXe siècle : le livre romantique, caractérisé par la vignette sur bois de bout et la gravure sur acier, de la fin de la Restauration à la Monarchie de Juillet, puis les éditions illustrées populaires compactes à deux colonnes, liées aux réemplois et à l'essor de procédés photomécaniques reproduisant le bois de bout sous le Second Empire, enfin les éditions de bibliophile sous la Troisième République, réaction marquée par le retour à la gravure hors-texte et à la gravure sur métal. Ces subdivisions, rapportées à gros traits, tiennent peu compte de dimensions inhérentes au corpus des éditions illustrées de Hugo : la position de Hugo dans le champ littéraire et son point de vue face à l'illustration, la nature des textes illustrés qui viennent infléchir la représentativité exemplaire d'une telle étude de cas. Il sera révélateur d'introduire d'autres critères, comme « l'illustrabilité » des genres littéraires et le rapport entre le phénomène d'illustration et l'édition du texte, originale ou non, afin de mieux apprécier la position spécifique des œuvres de Hugo face à l'illustration.

Les conditions de l'illustration

La plupart des éditions illustrées de Hugo constituent en fait des rééditions de textes parus, conformément à une règle non écrite de l'histoire du livre illustré. Les entorses à cet usage n'en sont que plus importantes, elles se rapportent à sa première période romantique ; entre 1824, où les *Nouvelles odes* sont publiées chez Ladvocat avec un frontispice de Devéria, gravé par Godfroy, *Le sylphe,* et 1833, où paraissent les frontispices de Nanteuil pour *Lucrèce Borgia* et *Marie Tudor* chez Renduel, dominent les éditions originales illustrées ; trois formules sont alors introduites successivement, les deux premières étant parfois juxtaposées, la vignette-frontispice gravée sur métal (Dévéria et Boulanger), la vignette gravée sur bois de bout (Tony Johannot et Boulanger), le frontispice « à la cathédrale » (Nanteuil). Cette étape fondatrice du livre illustré romantique a été reconnue dès 1866 par Asselineau, dont la *Bibliothèque romantique* s'attache aux « éditions originales »,

*Célestin, Nanteuil
Lucrèce Borgia. 1833 (cat. 396)
Eau-forte pour *Lucrèce Borgia,* Paris, Renduel, 1833
Dijon, Musée des Beaux-Arts.

Tony Johannot
L'amende honorable
Gravure sur bois dans *Notre-Dame de Paris,* Paris, Gosselin, 1831
Paris, M.V.H.

Notre-Dame de Paris, Paris, Perrotin, 1844 (cat. 724)
Gravure sur bois d'après Édouard de Beaumont
Paris, M.V.H.

Les orientales, Paris, Hetzel, 1853
Page de titre d'après Gérard Seguin
Paris, M.V.H.

Hernani, Paris, Hetzel, 1853
Gravure sur bois d'après J. A. V. Foulquier
Paris, M.V.H.

Han d'Islande, Paris, Hetzel, 1866
Gravure sur bois d'après Édouard Riou
B.N., Imprimés

puis par Champfleury qui définit en 1883 le livre à vignette comme un livre illustré d'une vignette de titre ou d'un frontispice romantique paru entre 1830 et 1840 ; mais elle a été par la suite absorbée dans ce que Champfleury appelle « l'illustration romantique » où les images prolifèrent dans le livre jusqu'à en devenir le contenu principal[5].

Malgré leur très petit nombre[6], relativement à l'ensemble des livres illustrés parus dans la même période, les éditions originales à vignettes de Hugo ont joué un rôle important, à la fois exemplaire et matriciel : rôle exemplaire, dans la mesure où l'édition romantique fut d'abord celle des auteurs romantiques dont Victor Hugo, sitôt la préface de *Cromwell,* fut reconnu le « pape » incontesté ; rôle matriciel, puisque certaines de ces vignettes ont contribué à l'élaboration de nouvelles formules du livre illustré romantique. Cette impulsion inaugurale n'est pas suivie d'un pareil essor pour la deuxième période romantique, où l'édition illustrée de Hugo suit un mouvement d'édition lancé à partir de 1835 (*Gil Blas* illustré par Gigoux) et pressenti dès 1830 par l'*Histoire du roi de Bohême* illustré par Johannot : un seul livre, l'édition Perrotin de *Notre-Dame de Paris,* correspond en 1844, de manière

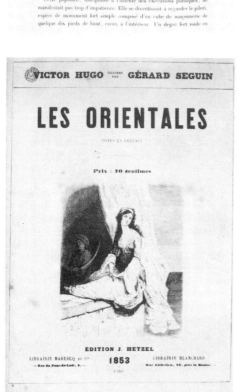

approximative et tardive, à la formule proprement dite de l'illustration romantique. C'est que la fécondité de Hugo est moindre — dans les années 1840, il ne publie que *Le Rhin* et les *Burgraves* —, mais surtout sa reconnaissance littéraire passe alors par l'édition non illustrée, au moment où l'illustration conquérante n'est plus seulement un supplément, mais un suppléant du texte et où un livre « s'achète pour les vignettes ». Les livres illustrés se présentent alors comme des textes écrits par une collection d'auteurs, journalistes pour la plupart, et par l'éditeur, autour des images dessinées par les principaux illustrateurs, Grandville et Gavarni ; ce sont souvent des travaux de commande coordonnés par l'éditeur. Sans exprimer d'avis aussi défavorable à l'image que Musset ou Flaubert, Hugo, passée la mode romantique des éditions à vignette liminaire, ne suscite guère de grandes éditions illustrées jusqu'à la rencontre de Hetzel, pendant l'exil. En effet, l'édition illustrée relève à cette date d'une lecture facile, distraite, qui appréhende le livre comme le journal à la mode, par feuilletage ; elle n'exige pas l'attention de la lecture sérieuse et littéraire, et s'adapte à des textes journalistiques.

Sous le Second Empire, le critère d'« illustrabilité » se déplace et ne dépend plus des prétentions littéraires ou journalistiques du texte, mais du public destinataire, qui, s'il est lettré, lit le texte seul, et s'il est supposé « populaire » sollicite l'appui de l'image. Les choix éditoriaux de Hetzel sont très révélateurs de cette distribution des publics liée à la présence ou à l'absence de l'image, qui n'avait pas existé auparavant, lorsque la pratique de la location des livres permettait à un public large

plutôt urbain la lecture du livre, cher, en cabinet de lecture et lorsqu'ensuite s'étaient introduites à meilleur marché les contrefaçons belges, concurrencées par la vente par livraisons illustrées à 50 centimes. Les éditions illustrées de Hetzel sont « populaires » par leur présentation, disposées sur deux colonnes, vendues par livraisons, chacune illustrée de deux vignettes à emplacement fixe, tandis que ses autres éditions relèvent, par la mise en page, le format et la typographie, du circuit lettré, voire, dans le cas des éditions « elzéviriennes », du circuit de la bibliophilie. Cette différenciation des publics qui s'amorce est décisive ; elle n'a cessé de croître jusqu'à aujourd'hui où il apparaît impensable au lecteur cultivé de lire les grands auteurs en édition illustrée.

L'illustration existait, il est vrai, en dehors du public enfantin ou populaire, pour une catégorie particulière de bibliophiles amateurs d'estampes et collectionneurs de livres anciens. Sous la Troisième République, cette tendance, exprimée jusque-là par des suites de « truffage » souvent destinées aux éditions originales, pour *Notre-Dame de Paris* (1831), *La légende des siècles* (1859) et *Les misérables* (1862), se renforce au moment où se constitue le marché parisien du beau livre d'amateur. Sur l'impulsion d'auteurs comme Asselineau, la bibliophilie jusque-là concentrée sur le livre ancien, s'ouvre aux éditions originales de textes modernes et commence à rechercher les petits romantiques, mais surtout les « originales » de Hugo. Les libraires-éditeurs, soucieux d'obtenir un label de qualité contre l'industrialisation des métiers du livre, éditent des publications de prestige qui sont d'abord des objets d'exposition, présentés aux expositions universelles, dans des galeries de marchands ou aux expositions du Cercle de la librairie : parmi les textes modernes adaptés à ces éditions d'amateurs, ceux de Hugo sont des textes de prédilection parce que la bibliophilie moderne s'élabore à partir de la littérature romantique, en pleine période hugolâtre où Victor Hugo se trouve consacré « l'écrivain du siècle » : le retour à ses grands textes romantiques correspond autant aux visées des éditeurs de luxe qu'à l'attente du public, comme le prouve le succès remporté par l'Édition nationale, et plus particulièrement dans cette édition par *Notre-Dame de*

Paris. Mais en revanche, Hugo est absent du livre de peintre, dont les textes de prédilection sont ceux de Verlaine, de Mallarmé et des symbolistes : projet d'avant-garde, le livre de peintre met en relation le peintre et le poète autour d'une création artistique commune ; les textes consacrés en sont exclus par définition, au profit des poésies qui, à partir de Mallarmé, s'énoncent sur l'espace visible et simultané de la page autant que sur le champ sonore de la parole proférée. De manière significative, c'est comme artiste que Hugo se trouve, par la persévérance de Burty, associé à l'invention du livre de peintre !

Au XXe siècle, les données fixées à la fin du XIXe siècle persistent pour Hugo, tout en s'amplifiant. L'espace légitime de la lecture littéraire est celui du texte : si l'illustration apparaît dans les grands projets d'édition collective, c'est au titre de document, comme une annexe explicative assimilée à l'appareil des notes, ainsi en est-il depuis l'édition de l'Imprimerie nationale jusqu'à l'édition Massin et aux éditions de poche. La « documentation iconographique », extrêmement précise dans le premier cas, s'estompe jusqu'à se réduire finalement à l'illustration de couverture illustrée plaquée sur le texte par un collage presque surréaliste, qui rejoint l'ancienne démarche du « truffage », dans l'édition de poche. Hugo connaît le sort de tous les grands écrivains, dont il est reconnu différent par sa qualité d'écrivain-dessinateur à partir des années 1960. Son absence dans le livre de peintre se confirme : *Le rêve de Jean Valjean* reste un hapax ; les textes de livres de peintre et d'artiste sont alors soit des classiques de l'Antiquité, comme la *Théogonie* d'Hésiode, soit des textes contemporains, de préférence des poèmes, dont le choix anthologique peut être dédié au peintre-illustrateur comme *L'inclémence lointaine* de René Char[7].

Quant au livre d'amateur, il a disparu avec la guerre de 1914, après avoir donné lieu, pour Hugo, à quelques grands livres (*Eviradnus* en 1900, et *Cinq poèmes* en 1902) parus aux alentours de la célébration du centenaire de sa naissance. La popularité de Victor Hugo trouve sa mesure dans d'autres formes d'illustration, conçues en dehors de la lecture légitime et universitaire et en-dehors de l'avant-garde picturale, pour les loisirs et la distraction : l'adaptation cinématographique et la bande dessinée, qui sont des marques de reconnaissance comparables aux choix des poèmes de Hugo pour la chanson française, comme *La légende de la nonne* chantée par Brassens...

Quatre points forts marquent donc l'histoire des éditions illustrées de Victor Hugo par rapport à celle de l'illustration en général[8] : les éditions originales romantiques à vignette liminaire (1824-1833), les éditions populaires illustrées (1853-1897, de l'édition de Hetzel à l'édition Hugues), les éditions d'amateur (autour de l'Édi-

C. Migette
Suite de lithographies sur Notre-Dame de Paris, Metz, Terquem et May, 1834
1. *Louis XI.*
2. *Une mère*
3. *Le trou aux rats*
4. *L'église*
5. *Le lieu d'asile*
6. *La chambre de la Esméralda*
Paris, M.V.H.

**Notre-Dame de Paris,* Édition nationale, Paris, Lemonnyer, Richard, Testard, 1889 (cat. 727)
Eau-forte d'après L.-O. Merson
Paris, M.V.H.

C. Migette
Couverture de la suite de lithographies sur Notre-Dame de Paris, Metz, Terquem et May, 1834
Paris, M.V.H.

Le dernier jour d'un condamné, Paris, Gallimard (Coll. Folio), 1977
Illustration de couverture d'après Henri de Toulouse-Lautrec

tion nationale), l'adaptation cinématographique ou télévisée et la bande dessinée au XXe siècle enfin. En retour, deux aspects importants du livre illustré sont mal représentés : l'illustration romantique proprement dite et le livre de peintre ou d'artiste. Entre tous les écrivains du XIXe siècle, c'est à celle de l'illustration de Balzac que cette trajectoire ressemble le plus, jusqu'aux éditions populaires et y compris celles-ci. Mais à partir de là, les deux voies se séparent. Cette divergence provient d'abord du croisement entre la naissance de la bibliophilie d'éditions modernes et le phénomène simultané de l'hugophilie, puis de l'hugolâtrie, qui assure le privilège de Hugo dans l'édition d'amateur. Elle est ensuite liée à l'appropriation culturelle profonde de l'œuvre de Hugo qu'implique son entrée dans le Panthéon scolaire de la Troisième République, simultanée dans les manuels de littérature et d'histoire ; celle-ci détermine le recours de prédilection à ses œuvres romanesques dans les circuits variés de l'adaptation littéraire au XXe siècle, à travers de nouveaux médias « d'illustration » qui s'ajoutent au champ littéraire légitime du livre non illustré. Le passage de l'illustration proprement dite aux médias contemporains qui lui ont servi de relais semble devoir être autant mis en relation avec l'entrée des œuvres de Hugo dans la littérature pour la jeunesse qu'avec le phénomène de l'édition populaire illustrée (qu'avait connu Balzac sans qu'il lui ait apporté de prolongement comparable dans l'adaptation dessinée ou filmée de notre époque). Alors qu'Alexandre Dumas et Jules Verne, autres auteurs « populaires » de la fin du XIXe siècle, qui sont la source d'adaptations contemporaines dessinées ou filmées, se sont introduits dans la littérature pour la jeunesse par la lecture domestique des loisirs, c'est la lecture scolaire des manuels qui a imposé l'entrée de Hugo dans ce domaine, et déterminé sa popularité durable.

III

Dans la forêt

Quelqu'un qui s'y serait perdu ce soir, verrait
Quelque chose d'étrange au fond de la forêt ;
C'est une grande salle éclairée et déserte.
Où ? Dans l'ancien manoir de Corbus.

                 L'herbe verte,
Le lierre, le chiendent, l'églantier sauvageon,
Font, depuis trois cents ans, l'assaut de ce donjon :
Le burg, sous cette abjecte et rampante escalade,

Eviradnus, Paris, May, 1901 (cat. 880)
Gravures sur bois d'après P. M. Ruty
B.N., Imprimés

L'illustration et les genres littéraires

L'illustrabilité des textes de Hugo ne varie pas seulement en fonction des données générales de l'histoire du livre illustré et de la position de Hugo dans le champ littéraire mais également en fonction des genres littéraires qui composent son œuvre. A l'intérieur de ces genres, certains livres se sont avérés plus que d'autres faits pour l'édition illustrée. Pour la période initiale, antérieure aux éditions collectives illustrées, un sondage a été effectué à partir de la bibliographie de Champfleury sur les livres à vignettes[9], présentée par genres par l'auteur lui-même. La première illustration pour une édition collective intervient en 1836, dans l'édition Renduel : à partir de cette date, l'analyse a porté sur le dosage des illustrations relativement aux genres littéraires, dans les éditions collectives illustrées.

En 1835, Hugo a publié une œuvre déjà abondante, qui comporte quatre recueils poétiques, cinq romans, sept drames, un volume d'essais, dont la réédition collective est entreprise par Renduel depuis le contrat de 1832. Relativement à la masse globale de livres à vignettes, dont il ne représente que trois et demi pour cent entre 1827 et 1835, Hugo apparaît loin d'avoir été un auteur privilégié ; toutefois, il demeure un auteur plus souvent représenté que les autres, ces « petits romantiques » qui sont, à quelques exceptions près[10], les auteurs d'un ou deux livres. Il est aussi le seul dont le talent à triple facette de poète, romancier et dramaturge, est représenté par la vignette. Alors que la plus grande partie des titres recensés par Champfleury sont des « romans, contes et nouvelles »[11] (165 entrées sur 285 au total) dont la production croît rapidement entre 1829 et 1833 (55 titres pour cette seule année) avant de retomber brutalement en trois ans, les vignettes des éditions de Hugo, réparties entre le drame, la poésie et le roman, représentent dix pour cent, six pour cent et un et demi pour cent de la masse respective des drames, des poésies et des romans à vignette. Le drame est donc le seul genre où Victor

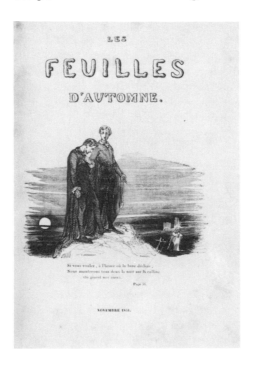

Les feuilles d'automne, Paris, Renduel, 1832
Page de titre d'après Tony Johannot
Paris, M.V.H.

Le roi s'amuse, Paris, Renduel, 1832
Page de titre d'après Tony Johannot
Paris, M.V.H.

Hugo, compte tenu de la dissémination des auteurs signalée, s'impose, à côté de Dumas, avec dix pour cent des drames à vignette, proportionnellement trois fois plus que de romans et six fois plus que de poésies.

Dès sa première édition collective, Victor Hugo s'intéresse de près aux rubriques qui subdivisent son œuvre, ainsi qu'à l'emplacement et à la rédaction des extraits de catalogue d'éditeurs qui en annoncent ou en récapitulent la publication sur les plats de la couverture imprimée ; sa correspondance avec Renduel en témoigne, et cette attitude sera par la suite confirmée dans ses autres correspondances d'éditeurs[12]. L'édition Renduel-Delloye, parue de 1832 à 1842 en 27 volumes, est répartie en roman (7 vol.), poésie (7 vol.), littérature et philosophie (2 vol.), théâtre (9 vol.), voyage (2 vol.) ; elle est illustrée en deux temps, en 1832-1833 et à partir de 1836 : en 1832-1833, Célestin Nanteuil et Tony Johannot illustrent les deux seuls genres du roman et du drame, à l'aide de vignettes qui sont originales ou de réemploi (pour *Le roi s'amuse, Drame I,* d'après l'originale Renduel de 1832). L'absence de la poésie est significative, puisqu'il n'y a pas de réemploi de la vignette de Johannot *A un voyageur* pour l'édition Renduel des *Feuilles d'automne* en 1832, dans le volume *Poésie IV,* paru deux ans après. Ce genre figure, il est vrai, dans la première planche à l'eau-forte de Nanteuil, mais il s'agit alors d'une effigie de Victor Hugo au milieu de ses œuvres parues qui récapitule l'ensemble de sa production antérieure[13]. L'illustration est romanesque, lorsqu'elle présente, dans la livraison des gravures de Nanteuil en 1833, les romans antérieurs de Hugo parus en 1824, 1826, 1829 et 1831, ou dramatique lorsqu'elle introduit, présentées par Nanteuil ou Johannot, les pièces nouvelles de 1832 et 1833 qui reflètent l'activité d'auteur de Hugo à ce moment : la vignette apparaît alors au service de la cause romantique dont elle illustre les genres de prédilection, ceux dans lesquels, précisément, la notion de genre est, de l'intérieur, remise en cause.

En 1836, la technique des gravures sur acier en hors-texte situe l'édition illustrée dans le contexte mondain du livre de luxe jeté sur les tables de salon dont la notion se cristallise dans celle du *keepsake* d'étrennes. Les genres d'élection, qui restent le drame (14 gravures) et le roman (12 gravures) s'ouvrent aussi à la poésie (7 gravures), car elle est le domaine par excellence du *keepsake* dans sa visée anthologique de recueil de morceaux choisis. Le choix des œuvres illustrées qui composent cette réimpression Renduel de 1836 préserve une image de Victor Hugo qui est celle des cénacles romantiques, puisqu'il s'agit d'œuvres parues entre 1826 (les *Odes et ballades*) et 1833 *(Marie Tudor).* Cet ensemble de 33 gravures, complété par un frontispice au portrait, détermine une orientation irréversible dans le choix des genres associés à l'illustration pour l'œuvre de Victor Hugo, puisque, d'éditeur en éditeur et de tirage en tirage, il se perpétue par la réimpression jusqu'en 1878. Les grandes étapes de cette transmission, fondée sur la réimpression illustrée Renduel-Delloye (de 1836 à 1842), sont l'édition Furne (de 1840 à 1846), l'édition Houssiaux (de 1856 à 1857), réimprimée par la Veuve Houssiaux (en 1860, 1864 et 1867) et par l'édition Hébert en 1875 et 1878. Même si des nuances nouvelles peuvent s'introduire à l'aide d'additions successives, comme les vignettes de titre dans l'édition Furne ou les gravures sur bois, en hors-texte, dans l'édition Houssiaux, l'impulsion initiale s'est perpétuée ; le drame et le roman sont restés plus illustrés ou mieux illustrés que les autres genres pratiqués par Victor Hugo, par la suite, tandis que des œuvres nouvelles sont venues s'ajouter au corpus initial et que la poésie a favorisé parfois de grandes entreprises. Enfin, l'évocation de l'écrivain romantique, cette strate originelle de l'édition illustrée, a persisté tout au long de la trajectoire des éditions illustrées de Victor Hugo.

Les œuvres illustrées de Victor Hugo, publiées par Hetzel (1853-1855) en édition populaire dite « à quatre sous », s'intercalent entre la publication de l'édition Furne et celle de l'édition Houssiaux. Le premier volume se rapporte au roman, et le second au drame : tous deux, parus en 1853, précèdent, suivant la préséance attendue, le volume de poésies, paru en 1854, et le volume d'œuvres diverses en 1855[14] : Hetzel réunit dans cette édition collective illustrée toutes les œuvres parues avant l'exil depuis *Han d'Islande* (1823) jusqu'aux *Burgraves* (1843). En contrepoint de cette grande rétrospective illustrée, l'édition dite « elzévirienne Hetzel » de 1869-70 en dix volumes in-18, publication de luxe destinée aux bibliophiles lettrés, contient une illustration réduite aux « ornements de Froment » et réunit de manière chronologique l'œuvre poétique seule ; l'édition dite « elzévirienne Lemerre » consacre 23 volumes entre 1875 et 1888 à l'œuvre de Hugo dans la célèbre « Petite bibliothèque littéraire » de l'éditeur parnassien, sur un projet éditorial comparable à celui de l'édition elzévirienne Hetzel : à nouveau, l'impulsion initiale de la série non illustrée est donnée à la poésie, complétée par le drame, et prolongée par un roman seul, *Notre-Dame de Paris*[15]. En retour, les éditions illustrées isolées publiées par Hetzel sont romanesques (*Notre-Dame de Paris* et *Les misérables* en 1865, *Les travailleurs de la mer* en 1869 même si[16], centrées sur les œuvres de l'exil, elles comportent aussi les *Châtiments* publiés en 1872).

L'édition Hetzel-Quantin, dite édition « ne varietur », des œuvres complètes confirme cette orientation bipolaire des genres, avec un pôle poétique réticent à l'illustration et un pôle dramatique et romanesque favorable à l'illustration. Les priorités entre les genres se trouvent inversées selon qu'il s'agit d'abord du texte ou d'abord de l'image, comme l'indiquent le classement des volumes, d'une part, et

Louis Boulanger
Lucrèce Borgia, Acte I, sc. 2
Gravure sur acier dans *Lucrèce Borgia,* Paris, Renduel, 1836
Paris, M.V.H.

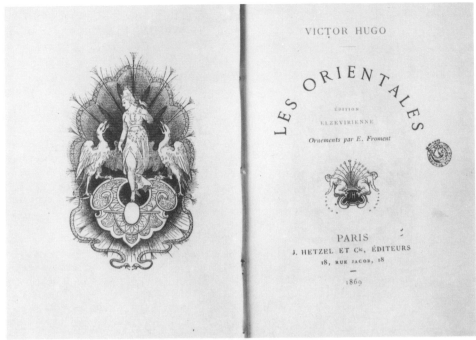

Le Rhin, Paris, Hetzel, 1855
Page de titre d'après J. A. Beaucé
Paris, M.V.H.

Les orientales, Paris, Hetzel, 1869
Frontispice et ornements par Eugène Froment
Paris, M.V.H.

Gustave Brion
Gavroche
Gravure sur bois dans *Les misérables,* Paris,
Hetzel, 1865
Coll. privée

l'ordre de présentation des planches dans l'album Flameng, qui est destiné au « truffage » de cette édition par l'amateur d'autre part. Les deux pôles de la production littéraire — la poésie, puis le drame et le roman — sont maintenus, tandis que le texte commence par la poésie et s'achève par le roman, et que les planches s'ouvrent sur le drame puis le roman pour se résoudre dans la poésie[17]. Dans les deux cas, une nette partition sépare l'écriture littéraire (poésie, philosophie, histoire, voyage, drame, roman) de l'écriture instrumentale (actes et paroles, œuvres diverses), qui achève l'un et l'autre parcours, et qui demeure dans l'histoire des éditions illustrées bien souvent en-deçà du seuil d'illustrabilité. Cependant, à cette date, c'est Victor Hugo poète qui est surtout célébré, même à travers l'illustration, ainsi que l'indique l'abondance des planches dédiées à cette expression : elles représentent le tiers de l'album (33 planches sur cent), et prennent ainsi plus d'importance que le roman (22 planches) et le drame, réduit à huit planches et placé au même rang que les multiples autres facettes de l'œuvre. Cette répartition, qui contredit la préséance entre les genres, introduite par leur classement dans l'album, rejoint la finalité de cette édition, d'abord savante et lettrée, où l'illustration intervient comme l'appendice subsidiaire d'un texte qui se lit d'abord seul.

Deux grandes éditions collectives illustrées achèvent ce parcours : l'édition Hugues (1876-1897) composée de 33 volumes, et l'Édition nationale (1885-1897)[18] faite de 43 volumes. Édition populaire l'une, l'autre édition d'amateur. Elles répartissent leurs illustrations dans tous les volumes et tous les aspects de l'œuvre ; pourtant une hiérarchie s'instaure par des moyens différents. L'édition Hugues joue sur le dosage des illustrations relativement au texte, et sur leur degré d'intégration : roman et poésie représentent à nouveau les seuils extrêmes opposés. Les illustrations insérées dans la justification y sont très abondantes pour l'œuvre romanesque, mais elles sont présentées en hors-texte, à raison d'un seul frontispice ou d'une planche par recueil, pour l'œuvre poétique. L'Édition nationale met en avant la notoriété des artistes, de telle sorte que le chef-d'œuvre incontesté de l'entreprise apparaît le *Notre-Dame de Paris,* en deux volumes, illustré par Luc-Olivier Merson.

Le critère d'illustrabilité ne dépend pas seulement de l'auteur, et des genres illustrés mais aussi des livres eux-mêmes. Ainsi certains livres de Hugo ont-ils connu une fortune illustrée plus grande ; le record en ce domaine est emporté par *Notre-Dame de Paris,* dont la trajectoire exemplaire mérite d'être évoquée ici[19]. Texte majeur de l'édition illustré de Hugo, ce livre témoigne de l'histoire de l'illustration au XIXe siècle, qui, à partir d'éditions illustrées chères mais diffusées auprès du grand public grâce à la vente par livraisons, bifurque à partir de 1853, vers des éditions populaires dites « à quatre sous » ou vers des éditions d'amateurs qu'une sorte de

Fantine était belle, sans trop le savoir..., (p. 71).

LIVRE TROISIÈME — EN L'ANNÉE 1817

I

L'ANNÉE 1817

1817 est l'année que Louis XVIII, avec un certain aplomb royal qui ne manquait pas de fierté, qualifiait la vingt-deuxième de son règne. C'est l'année où M. Bruguière de Sorsum était célèbre. Toutes les boutiques des perruquiers, espérant la poudre et le retour de l'oiseau royal, étaient badigeonnées d'azur et fleurdelisées. C'était le temps candide où le comte Lynch siégeait tous les dimanches comme marguillier au banc d'œuvre de Saint-Germain-des-Prés en habit de pair de France, avec son cordon rouge et son long nez, et cette majesté de profil particulière à un homme qui a fait une action d'éclat. L'action d'éclat commise par M. Lynch était ceci : avoir, étant maire de Bordeaux, le 12 mars 1814, donné la ville un peu trop tôt à M. le duc d'Angoulême. De là sa pairie. En 1817, la mode engloutissait les petits garçons de quatre à six ans sous de vastes casquettes en cuir maroquiné à oreillons assez ressemblantes à des mitres d'Esquimaux. L'armée française était vêtue de blanc, à l'autrichienne ; les régiments s'appelaient légions ; au lieu de chiffres, ils portaient les noms des

surenchère rend de plus en plus luxueuses : la gamme des prix de *Notre-Dame de Paris,* située entre trois francs et deux cent cinquante francs, en est un exemple-limite. Cette divergence se manifeste diversement : par l'abondance et la qualité des éditions illustrées ; par le recours à des effets particuliers, comme la suite Pille de l'édition Lemerre presque dépourvue d'illustrations par ailleurs, le tirage spécial pour la librairie Ferroud des deux tomes de l'Édition nationale, ou la plaquette de Falguière pour l'édition Guillaume ; par l'accent porté sur ce roman dans le lancement des éditions collectives illustrées enfin. La grande quantité des illustrations peintes ou sculptées, ainsi que des objets populaires en rapport avec le roman, témoigne également de la puissance des images de *Notre-Dame de Paris,* qui, dans *Le Livre d'or* de Blémont, paru en 1883 avec des photogravures reproduisant bon nombre des illustrations peintes de l'œuvre hugolienne, est illustré par huit hors-texte[20]. Un seul autre nom dispute à *Notre-Dame de Paris* cette intense popularité de tous les publics de l'édition illustrée : il s'agit des *Misérables* dont l'édition originale non illustrée fut, en 1862, accompagnée d'un album de photographies collées

Les misérables, Paris, Hetzel et Lacroix, 1865
Gravure sur bois d'après Gustave Brion
Coll. privée

*Notre-Dame de Paris, Paris, Marpon et Flammarion, 1888 (cat. 793)
Reliure avec plaquette d'après Alexandre Falguière
B.N., Imprimés

Une page du Livre d'or de Victor Hugo, Paris, Launette, 1883
Avec photogravure de la peinture de Jules Garnier, *La sultane favorite*
Paris, M.V.H.

et montées des dessins de Brion, gravés trois ans plus tard, en 1865, pour l'édition populaire illustrée Hetzel-Lacroix. D'emblée, les mêmes images auront servi aux deux pôles destinataires, par l'illustration photographique, le procédé moderne et luxueux d'alors (plus répandu en Angleterre, depuis Fox Talbot, mais exploité en France par Blanquart-Evrard), et par l'illustration « gillotée », ancien procédé adopté par l'édition populaire et par la presse illustrée. Ces deux veines se poursuivent dans l'édition Hugues, où les cinq volumes des *Misérables* paraissent de 1879 à 1882 et dans l'Édition nationale en 1890-91. L'un et l'autre resteront, en contre-point de *Notre-Dame de Paris,* certains des volumes les plus appréciés de ces éditions collectives. Mais *Les misérables* furent publiés après la grande époque de l'illustration romantique dont les avatars successifs nourrissent, depuis la grimace de Quasimodo de l'édition Gosselin, l'histoire exemplaire des éditions illustrées de *Notre-Dame de Paris.* Le roman *Les misérables* témoigne par sa fortune éditoriale d'une autre histoire, celle du passage de l'illustration proprement dite, fondée sur le livre, à l'adaptation audiovisuelle cinématographique.

La bibliographie et l'hugolâtrie

Dès les débuts de la bibliophilie moderne d'éditions originales, lancée par Asselineau, puis Béraldi, à la suite de Burty et de Janin, le goût des amateurs se porte avant tout vers les illustrations des vignettistes romantiques pour Hugo : ce goût se manifeste dans les années 1860, triomphe entre 1880 et 1890, et décroît dans l'entre-deux-guerres, au moment de la découverte des contrefaçons belges[21]. Collectionneur lui-même, Janin avait contribué dès leur apparition au lancement des vignettes romantiques par ses articles dithyrambiques sur les vignettes dans *L'Artiste* — revue qui reproduisait quelquefois les vignettes de titre en tête de ses comptes rendus. A partir de 1860 environ, il manifeste son intérêt pour la littérature du XIXᵉ siècle dans le *Bulletin du bibliophile* jusque-là tourné vers les époques passées[22]. Burty, qui est personnellement proche de Hugo, est l'un de ceux qui s'intéresse aux éditions illustrées modernes à la rédaction de la *Gazette des Beaux-Arts.* Le billet qu'il envoie à Hugo le 25 novembre 1865 témoigne de ses intérêts bibliophiliques : « J'ai déjà quelques-unes de vos éditions originales avec les eaux-fortes de Nanteuil, *Lucrèce Borgia, Marie Tudor,* etc., les *Odes et ballades* avec les illustrations de Boulanger[23]. »

Quant à Asselineau, il collabore au *Bulletin du bibliophile* à partir de 1855 et publie dès 1866 la première édition de ses célèbres *Mélanges tirés d'une petite bibliothèque romantique,* qu'il complète dans les éditions suivantes. Sa bibliographie, classée par noms d'auteurs et non par genres littéraires comme celle de Champfleury, ne suit pas l'ordre alphabétique, mais un ordre qui va du plus illustre aux plus petits auteurs ; elle débute, bien entendu, par Victor Hugo, malgré la restriction qu'apportait dans la préface (p. XI) son intention de réhabiliter ses « chers romantiques un peu oubliés », lorsqu'il prétendait n'avoir « rien à révéler sur Victor Hugo, Dumas, Théophile Gautier, Jules Janin, de Vigny, presque rien même sur Petrus Borel ».

Autour de 1880, la cote des vignettes d'illustration pour les éditions originales de Hugo dépasse de beaucoup la cote moyenne des vignettes romantiques, qui valent alors, pour Nanteuil et Johannot, entre un et deux francs pièce[24]. Béraldi l'indique dans une note de son article sur Johannot : Dans la vente G***, les vignettes romantiques formaient, écrit-il « une section spéciale. Elles avaient attiré les amateurs. [...] Dès qu'un morceau un peu friand se présente, on se le dispute.

Les quatre vignettes de Johannot pour *Notre-Dame de Paris,* 111 F.
Trois eaux-fortes de C. Nanteuil pour *Bug-Jargal, Le dernier jour d'un condamné* et *Notre-Dame de Paris* (les deux dernières en épreuves d'artiste), 180 F.
Cinq portraits de Victor Hugo, 100 F. — *Marion de Lorme,* lithographie d'Alfred Johannot, tiré de *L'Artiste,* 40 F. »

D'autres exemples achèvent l'analyse de la vente : ils confirment la cote élevée des estampes illustrant les grands écrivains romantiques qu'il faut rapprocher de la vogue contemporaine du « truffage » des grands textes littéraires[25]. Le climat hugophile du champ de la bibliophilie se marque par le choix des exemples où le nom de Hugo revient trois fois de suite, et figure en tête des énumérations. La légende de *Notre-Dame de Paris* se retrouve dans l'une des premières biographies de Hugo, celle de Barbou, publiée en 1881 (p. 199), qui présente le roman comme un grand succès immédiat de librairie —, ce que démentent d'après Jullien[26], les comptes de Renduel :

« Malgré les craintes que manifesta au début l'éditeur de *Notre-Dame de Paris,* ce livre admirable eut un succès immédiat. Dès 1832, il avait atteint sa 8ᵉ édition dans laquelle les eaux-fortes de Célestin Nanteuil remplaçaient les premières vignettes de Tony Johannot. Le nombre des éditions qui suivirent est pour ainsi dire incalculable. »

Parue après les sept pseudo-éditions Gosselin, cette « huitième » édition Renduel n'était en réalité que la troisième !

La trajectoire des œuvres de Victor Hugo dans l'histoire de l'édition illustrée apparaît moins liée aux orientations successives des œuvres, au fur et à mesure de leur publication, qu'à la fortune littéraire et à la carrière de Hugo. Cette corrélation entre la carrière et l'édition illustrée explique les différentes situations de l'édition illustrée de Hugo par rapport à l'illustration en général : d'abord, elle contribue à l'invention de nouvelles formes du livre illustré entre 1830 et 1833, puis elle consacre les formes reconnues de l'illustration romantique en 1844, ou bien se retire pour laisser place à l'édition non illustrée légitime. Cette position face à l'illustration romantique répond bien aux deux figures de Hugo, avant l'exil, d'abord le chef de l'avant-garde romantique, puis l'écrivain olympien soucieux de sa carrière et de son entrée à l'Académie. Avec l'exil, se forge une image de Victor Hugo proche du peuple, que reflète le phénomène de l'édition populaire illustrée. Le retour en

France le 5 septembre 1870 détermine un autre visage, celui de l'écrivain consacré, et Victor Hugo devient l'un des auteurs favoris du livre d'amateur illustré par les artistes officiels contemporains, alors qu'il échappe aux productions plus audacieuses, et plus essentielles à la postérité, du livre de peintre. Le croisement entre la naissance de la bibliophilie d'éditions modernes et celle de l'hugolâtrie explique que la fortune illustrée des œuvres romantiques d'avant l'exil[27] se perpétue dans la seconde moitié du siècle, favorisée par le goût de l'illustration en général pour les motifs de réemploi. La chronologie de l'œuvre et celle des éditions illustrées de chacun des livres de Hugo indiquent un tout autre aspect, celui de l'évolution des styles picturaux, qui concorde avec celle de la veine littéraire de Hugo[28]

Victor Hugo et l'illustration

Le livre illustré est un objet ambigu : c'est pourquoi les auteurs se montrent parfois réticents à l'illustration de leurs œuvres — Victor Hugo, quant à lui, s'y est souvent montré indifférent. Il marque en un sens le primat de la littérature sur l'art, puisque l'illustration reste « mineure » et secondaire par rapport au texte « majeur », mais il favorise aussi pour le lecteur devenu spectateur un glissement de la lecture à l'iconographie. Il est une manière de sortir du livre comme texte, mais il donne une vie aux personnages et aux moments du texte qui circonscrit la liberté du lecteur tout en parachevant la création de l'auteur-démiurge : comme dans le mythe de Pygmalion, par les images des livres, les personnages endossent une identité matérielle qui, tout en s'interposant entre le lecteur et le texte, s'imposent en une vision à laquelle il devient impossible d'échapper. C'est pourquoi l'illustration du livre apparaît pour les beaux-arts comme un intermédiaire privilégié dans l'apparition de nouveaux motifs liés à la littérature contemporaine. Par son registre visuel, l'illustration joue pour l'œuvre littéraire un rôle fondamental d'accès aux arts visuels, où le texte est réduit à n'être qu'un recueil de sujets, mais également un rôle important dans l'accès au livre, en facilitant au lecteur hésitant l'entrée du texte, ou en multipliant les allusions littéraires ou picturales pour le lecteur érudit. La spécificité de Hugo face à ces données générales de l'art et de la littérature du XIXe siècle est liée à son point de vue sur l'édition illustrée et, en retour à celui des illustrateurs sur la tâche d'illustrer ses œuvres ; elle se manifeste par l'aspect des illustrations elles-mêmes, qui peuvent être envisagées, de manière « horizontale », par rapport à un texte entier, ou de manière « verticale », par rapport un motif iconographique particulier et à ses variations d'un livre à l'autre.

Les illustrateurs face à Victor Hugo

La gloire de Hugo comme écrivain a eu des retombées sur l'histoire de ses éditions illustrées, puisque les illustrateurs ont souvent cherché à se surpasser pour illustrer ses livres et que, par la suite, ses éditions illustrées ont, entre toutes, attiré les bibliophiles du livre romantique. Pourtant lui-même, comme l'atteste sa correspondance, ne semble pas, à quelques exceptions près, avoir nourri d'intérêt particulier pour l'illustration de ses livres —, dont il fut l'illustrateur occasionnel, souvent malgré lui.

L'un des premiers signes de la dévotion hugolienne interne à l'histoire du livre illustré est le frontispice de la *Lénore* de Monpou en 1833[29] ; composé comme une stèle-dédicace, il porte sa monumentale inscription « à Victor Hugo » comme un signe précurseur des « cartes de visite » illustrées de l'écrivain. Les vignettes de Nanteuil et de Johannot pour les éditions Gosselin et Renduel comptent parmi les réussites incontestables de ces artistes, ce dont témoigne leur puissance d'archétypes par un jeu de variations et de reprises sensible dans les étapes ultérieures de l'édition illustrée[30] autant que leur valeur particulière au sein de l'œuvre de l'un et de l'autre.

L'admiration de Louis Boulanger pour l'écrivain dont il est dit *l'alter Hugo* est bien connue et ses aquarelles sur *Notre-Dame de Paris* exposées au Salon de 1833 fixaient de manière définitive le découpage des épisodes illustrés du roman. Les drames, les poésies, et, plus que tout autre livre, *Notre-Dame de Paris* devaient lui inspirer certaines de ses meilleures pages. Ce mouvement se poursuit, et l'illustration des œuvres de Hugo devait marquer l'œuvre illustrée d'artistes tels que

Jules Goddé
Lithographie pour la partition de *Lénore,* ballade de Burger, musique de Hippolyte Monpou
Coll. privée

*Célestin Nanteuil
Marie d'Angleterre* (cat. 397)
Eau-forte pour *Marie Tudor,* Paris, Renduel,
1833
Paris, M.V.H.

Notre-Dame de Paris, Paris, Gosselin, 1831
Page de titre d'après Tony Johannot
Paris, M.V.H.

Charles Daubigny
A vol d'oiseau.
Gravure sur bois dans *Notre-Dame de Paris,*
Paris, Perrotin, 1844
Coll. privée

Gustave Brion
Le père Fauchelevent
Gravure sur bois dans *Les misérables,* Paris,
Hetzel et Lacroix, 1865
Coll. privée

Lemud, Brion, Schuler, Chifflart, Vierge, Jean-Paul Laurens, Luc-Olivier Merson, Eugène Carrière : quelques exemples en sont donnés ci-dessous. Un second cas de figure est celui d'illustrateurs sollicités de manière très ponctuelle par un éditeur qui associe spontanément leur nom à l'un des aspects de l'œuvre hugolienne.

Ainsi Daubigny (1817-1878), illustrateur et peintre, fils d'un paysagiste, a été dans l'illustration de la presse et du livre un artiste spécialisé dans les vues pittoresques, qu'il s'agisse de paysages ou de sites : son premier succès au Salon, une *Vue de Notre-Dame de Paris* en 1838, et sa contribution aux principaux titres de l'illustration romantique proprement dite[31], le désignaient pour participer à l'édition Perrotin de *Notre-Dame de Paris* en 1844 où il conçut la plupart des culs-de-lampe qui proposent une série de détails architecturaux et de vues de Notre-Dame, sous des angles différents. Il introduit ainsi dans le livre une composante, celle du recueil de vues illustré, qui est un genre du livre illustré ou de l'album, tout en développant le leitmotiv de la contemplation de la cathédrale inhérent au texte. La multiplication des points de vue liée à la narration littéraire est introduite ici dans l'image par le procédé de la série. Par la suite, les noms de Daubigny et de Hugo devaient à nouveau se croiser dans l'ouvrage collectif dont Hugo écrivit l'introduction, le *Paris-Guide* (1858).

Ami et, depuis 1827, correspondant de Hugo, avec lequel il avait forgé le projet abandonné d'un album des Pyrénées, le baron Taylor (1789-1879) avait été avec Nodier l'éditeur des *Voyages pittoresques et romantiques dans l'ancienne France* (1820-1863). Cette veine se retrouve dans son illustration pour *Quatrevingt-treize* dans l'édition Hugues, où, à propos du cabaret de la rue du Paon, il représente la vue nocturne d'un coin du vieux Paris, éclairé par les lumières d'un « bouchon ».

D'autres artistes en restèrent aux projets d'illustration : dans ces œuvres préparatoires, seul le frontispice ne pouvait être l'esquisse d'une œuvre picturale autonome : ainsi, le projet de frontispice de Bracquemond[32]. Mais le plus souvent, la confrontation avec l'œuvre de Hugo détermine une contribution majeure : ce seul aspect a été retenu par la postérité de la carrière d'illustrateur de Brion, bien connu comme peintre ; ainsi Montrosier, dans la huitième livraison des *Artistes modernes* (1881), rappelle d'un mot « les superbes illustrations qu'il fit pour diverses publications et surtout pour *Les Misérables* et pour *Notre-Dame de Paris* de Victor Hugo ».

L'irruption de Hugo dans la biographie de Vierge (1851-1904) fut involontairement décisive ; arrivé à Paris peu avant la guerre de 1870, le jeune espagnol, Daniel Urrabieta, se fit connaître comme « journaliste du crayon » par ses reportages pour *Le Monde Illustré ;* présenté à Hugo par Léopold Flameng, *L'année terrible* lui fut un remarquable coup d'essai dans l'illustration du livre en 1874, réitéré

l'année suivante pour *L'homme qui rit,* alors qu'une nouvelle édition, complétée de dessins de Léopold Flameng, du titre précédent paraissait ; il collabora aussi à la grande édition populaire illustrée des *Travailleurs de la mer* (Paris, Librairie illustrée, 1876, repris dans l'éd. Hugues en 1882), donna des dessins pour *Notre-Dame de Paris, Quatrevingt-treize, Napoléon le petit,* et *Les misérables* dans l'édition Hugues ; enfin, dans l'hommage collectif rendu à Hugo à l'occasion du centenaire de sa naissance en 1902 par l'éditeur Pelletan, il illustra l'un des *Cinq poèmes* confiés chacun au talent d'un illustrateur différent, deux ans avant sa mort[33]. La première partie de sa carrière où dominent les éditions illustrées de Hugo s'achève brutalement lorsqu'au lendemain du reportage sur le quatre-vingtième anniversaire de Hugo il est terrassé par une hémiplégie paralysie droite qui le laisse aphasique,

*Daniel Vierge
L'enfant malade pendant le siège (cat. 895)
Gravure sur bois dans *L'année terrible,* Paris, Levy, 1874
Paris, M.V.H.

Daniel Vierge
Croquis pour L'enfant malade pendant le siège
Coll. privée

L'homme qui rit, Paris, Librairie illustrée, 1874-1875
Gravure sur bois d'après Daniel Vierge
Paris, M.V.H.

Quatrevingt-treize, Paris, Hugues, 1876
Gravure sur bois d'après William Taylor
Coll. privée

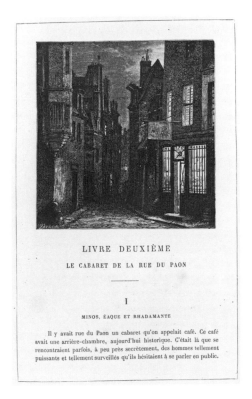

Les châtiments, Paris, Hetzel, 1872
Gravures sur bois d'après Théophile Schuler
1. *Frontispice*
2. *Page de titre*
Coll. privée

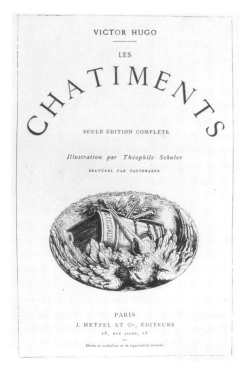

alexique, et inapte à dessiner de la main droite… Malgré ces handicaps, il redevint un prolifique illustrateur de livres qu'il fallait lui lire à haute voix, et, par sa nouvelle manière de dessiner au lavis, détermina un changement dans la technique de la gravure de teinte qu'il avait reprise à Doré, son précurseur. Les trois esquisses pour l'*Enfant malade pendant le siège* témoignent de l'élaboration d'une image, depuis le croquis sommaire jusqu'au dessin préparatoire ; auprès de Hugo, son style réaliste et documenté s'enrichit d'une fibre imaginaire qui lui apporte la dimension d'une vision fantastique et rejoint l'univers de Doré dans certaines œuvres en « tailles blanches » unissant la minutie à la prolifération grouillante de la matière.

Compatriote alsacien de Hetzel, qui l'introduit dans son écurie de dessinateurs et l'attache à l'illustration d'Erckman-Chatrian, Schuler connaît après 1870 la même condition d'exilé que Hugo, à Neuchâtel en Suisse. Quatre lettres à son éditeur, de mai à septembre 1872, permettent de suivre la genèse de son illustration des *Châtiments,* parue la même année[34], mais surtout témoignent que l'honneur d'illustrer Hugo lui apparaît comme un défi provocateur porté à son talent : la première lettre du 21 avril commence ainsi :

> « Bien merci, pour les bonnes commandes. Hugo me met le feu au ventre. Plus on le lit, plus c'est beau. J'ai déjà ruminé quelques compositions qui ne seront pas ordinaires.
>
> Mais il me faut du temps, cette illustration n'est pas une plaisanterie, vous me chargez d'une rude besogne dont je veux sortir *glorieusement ;* mais il me faut le temps, je le répète. »

et se termine sur ces mots :

> « Avec l'ardent désir que cette illustration devienne mon chef-d'œuvre, comme vous voulez bien le prédire, je vous serre cordialement les deux mains. »

La lettre suivante, du 16 mai, indique son impression de s'élever dans la hiérarchie littéraire en passant d'Erckman-Chatrian à Hugo et montre que son style doit s'adapter à celui de l'auteur illustré :

> « Th. Schuler se porte bien et est en plein Châtiments, ne m'en infligez pas, cette illustration est terriblement difficile. Pour Hugo il faut que je crée un nouveau dessin, j'ai été obligé de faire le frontispice deux fois. »

> « Je répète ce que j'ai dit, je ferai cette illustration sans interruption, mais impossible de la faire comme les Erck. Chatr., il y a trop d'étude premièrement parce que je veux reculer [devant] le banal. [...] Vous verrez, rien que par le frontispice, que je ne recule pas devant les hardiesses. »

Notre-Dame de Paris, Édition nationale, Paris,
Lemonnyer, Richard, Testard, 1889 (cat. 727)
Eau-forte d'après L.-O. Merson
Paris, M.V.H.

Le 23 mai, il souligne à nouveau la difficulté de cette glorieuse tâche :

« [Depuis] quelque *[sic]* tâtonnements qui m'arrivent à chaque illustration, je saisis la gamme voulue. [...] Le livre est difficile, et précisément parce qu'il l'est, je voudrais bien réussir. J'aime cela, le travail devient extrêmement intéressant. »

Ce thème revient dans la denière lettre du 4 janvier, où il répond à Hetzel :

« Heureux de vous voir satisfait de l'ensemble de mon illustration. [...] Si j'ai un peu réussi, c'est que je me suis donné du mal. »

Un texte de Hérédia donne un dernier exemple de cette contamination de la gloire de Hugo sur celle de ses illustrateurs[35] ; elle est liée à la définition de l'illustration comme image associée qui, par un jeu spéculaire, met en lumière, outre le texte, tous les acteurs réunis dans un livre illustré — l'auteur, l'illustrateur et l'éditeur. Dans la préface de *Les trophées,* recueil de sonnets illustré par Merson en 1893, José Maria de Hérédia se déclare fier de la collaboration du « Maître Luc-Olivier Merson » qui, dit-il, a « illustré et rendu illustre » l'œuvre de Hugo et de Flaubert[36]. Il s'agissait, pour Hugo, des deux volumes de *Notre-Dame de Paris* publiés en 1889 dans l'Édition nationale, qui obtinrent un succès large et durable, lié à la notoriété de l'artiste comme peintre.

La correspondance de Hugo garde peu de traces d'intérêt pour le livre illustré. Ses commentaires sont rares : il évoque les gravures de Cruikshank pour l'édition Robins en 1825, lorsqu'il écrit à son épouse, le 24 mai 1825 :

« Quand je reviendrai, je t'apporterai la fameuse traduction anglaise de *Han d'Islande,* avec d'admirables gravures à l'eau-forte de Cruikshank. L'effet n'en est pas agréable, mais elles sont terribles[37]. »

Victor Hugo face à l'édition illustrée

Cette brève analyse définit autant l'emblème provocateur et paroxystique que représente la vignette du titre romantique que la tonalité des gravures de Cruikshank. Hugo écrit à Urbain Canel pour lui demander s'il a prévu une vignette, et semble considérer la vignette comme un accessoire commercial de lancement dans la présentation d'un livre : il la mentionne lorsqu'il rédige une annonce de publication. Mais par la suite, la mode romantique du livre à vignette liminaire passée, il se conforme au retour à la norme de l'édition originale non illustrée. Alors que son intérêt pour la typographie et le lancement du livre lui fait nouer des liens de collaboration avec l'imprimeur en plus de l'éditeur, il se détourne de l'édition illustrée, associée au phénomène de la réédition, et, pour cette raison, abandonnée au ressort de l'éditeur. Seuls deux livres font exception à cette règle d'indifférence : *Les travailleurs de la mer,* illustré par Chifflart (Hetzel, 1869), et *L'année terrible,* par Flameng (Hetzel, 1873).

Ainsi, lorsqu'il commande des exemplaires de ses œuvres, dans une lettre à Paul Meurice, l'épithète « illustré » qualifie *L'année terrible* seulement :

« Je voudrais bien avoir :
12 *Marion de Lorme*
12 *Ruy Blas*
12 *Année terrible illustrée*[38]. »

Cet intérêt pour l'édition illustrée reste ponctuel, et, dans le cas de Chifflart, lié à sa propre création de dessinateur[39]. Bien que nulle part, Hugo n'ait formulé son opinion sur l'édition illustrée, son comportement et ses lettres la laissent pressentir : ce domaine appartient à l'éditeur plutôt qu'à l'auteur[40] ; aussi se soumet-il aux règles de l'édition qui varient selon la date et les publics visés. L'édition illustrée, semble-t-il, relève plutôt, dans son opinion, d'une lecture critique, que d'une création parallèle (comme le souhaitera le livre du peintre) : ainsi, lorsqu'il remercie les critiques des articles écrits sur son œuvre, les termes « enchâsser », « orner » qui lui viennent à la plume renvoient au vocabulaire de l'image d'illustration ; il refuse à Barbou de lire le manuscrit de *Victor Hugo et son temps,* pour ne pas influencer un discours critique le concernant, et semble tenir un principe analogue pour l'édition illustrée, s'éloignant de son élaboration, mais l'appréciant après coup au besoin et la reconnaissant comme un hommage dont il remercie (rarement) l'artiste.

Cette faiblesse documentaire est trompeuse pour l'époque des cénacles sur laquelle le *Victor Hugo raconté,* puis, entre autres, les souvenirs de l'*Histoire du romantisme* de Gautier, abondent : les monographies de Marie[41] ont mis en valeur

Les feuilles d'automne, Paris, Renduel, 1832
Exemplaire enluminé à la mine de plomb par
Hippolyte Bellangé
Paris, M.V.H.

Marchez, frères jumeaux, l'artiste avec l'apôtre !

L'un nous peint l'univers que nous explique l'autre ;

Car, pour notre bonheur,

Chacun de vous, sur terre, a sa part qu'il réclame ;

A toi, peintre, le monde ! A toi, poète, l'ame !

A tous deux le Seigneur !

Mai 1830.

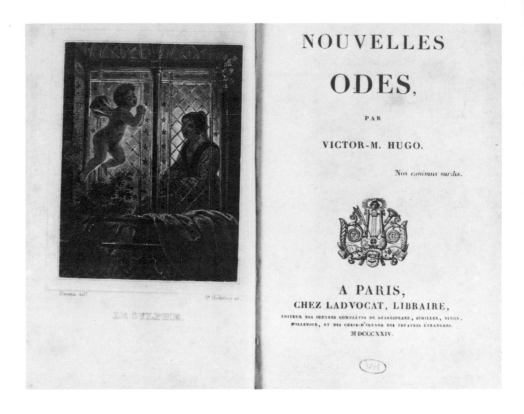

Nouvelles odes, Paris, Ladvocat, 1824
Frontispice d'après Achille Devéria
Paris, M.V.H.

ces relations entre Hugo et les artistes romantiques, Boulanger, les Devéria, les Johannot, Nanteuil. Cette fréquentation quotidienne entre voisins, de la rue de l'Ouest chez les Devéria à la rue Notre-Dame des Champs chez les Hugo, que complètent les réceptions de l'Arsenal et les excursions au cabaret de la mère Saguet, rendait inutile la correspondance écrite. Mais l'inspiration picturale de Hugo est sensible dès cette époque, et se manifeste dans la vignette des *Odes et ballades,* qui l'amène à modifier l'épigraphe du poème *Le sylphe* dans sa réédition. La vignette de Devéria représentait « l'enfant de l'air » en amour alexandrin frappant à la fenêtre moyenâgeuse d'une belle, pour illustrer l'invocation du sylphe à la jeune fille ; elle s'appuyait sur l'épigraphe citant *Les amours des anges* de Young : « elle apparaît... comme ces figures dont le poète voit les yeux étinceler à travers le feuillage sombre, quand, dans sa promenade du soir, il rêve de l'amour et du ciel ». Dans l'édition finale, Victor Hugo a substitué à l'épigraphe de 1824, qui livrait le contenu allégorique de la ballade, une citation de La Fontaine, dont le goût anacréontique et le caractère descriptif rejoignent la lecture de Devéria et la grâce un peu mièvre de son image :

    « Le vent, le froid et l'orage
    Contre l'enfant faisaient rage
    — Ouvrez, dit-il, je suis nu ! »
    La Fontaine

Malgré le vandalime du *Massacre de Saint-Barthélemy* dans *Quatrevingt-treize,* le livre illustré, enluminé, reste associé à l'enfance, dans le portrait par Boulanger de *Léopoldine au livre d'heures* comme dans la troisième ballade, *La grand-mère,* de Hugo :

    « Ou, montre-nous ta Bible et les belles images,
    Le ciel d'or, les saints bleus, les saintes à genoux,
    L'enfant-Jésus, la crèche, et le bœuf, et les mages,
    Fais-nous lire du doigt, dans le milieu des pages,
    Un peu de ce latin, qui parle à Dieu de nous. »

Il renvoie à l'apprentissage des rudiments et à la culture naïve du moyen âge, telle que la ressentira Nanteuil. Cette fonction pédagogique de l'image trouvera son plein épanouissement dans les éditions populaires illustrées de Hetzel, en concordance avec l'esprit des *Misérables.* Pourtant elle est pressentie de manière précoce. Il en est de même pour le goût de l'appropriation bibliophilique, qui apparaît dès l'exemplaire enluminé par Bellangé pour Victor Hugo de l'édition des *Odes et ballades* de 1831[42], et se confirmera pendant l'exil à travers les éditions « truffées » réalisées dans l'entourage de Victor Hugo, ou par l'écrivain lui-même[43]. La pratique spontanée chez Hugo du manuscrit enluminé et du dessin d'écrivain dut favoriser le goût de l'édition d'amateur pour la mise en image de ses œuvres. Tous ces indices témoignent que Hugo était sensible aux deux composantes de l'illustration qui devaient s'imposer dans ses éditions illustrées. Pourtant *Notre-Dame de Paris,* le texte le plus illustré, contient, de l'intérieur, pourrait-on dire, une profonde remise en cause de l'illustration et de toute culture de l'image, présentée comme périmée par le chapitre *Ceci tuera cela,* qui affirme la suprématie de l'imprimé, et de la « galaxie Gutenberg » dans la civilisation moderne.

Les étapes de l'illustration

L'illustration liminaire sert d'enseigne et de réclame au livre ; puis, issue des réemplois et des variations sur des archétypes et des poncifs iconographiques, l'illustration abondante adopte les textes à l'audience atteinte par le plus populaire des écrivains, en multipliant les langages de référence.

L'illustration romantique

L'éditeur de 1830 cherche, en renforçant l'expressivité de la page de couverture et de titre, à attirer l'attention du lecteur : outre le procédé « pittoresque » de la vignette et du frontispice, les autres procédés d'attraction sont les caractères de fantaisie, les traits de plume, le mélange des caractères, les jeux d'encadrement typographique, la couleur du papier de couverture[44]. Tout cet essor publicitaire accentue l'accès visuel du livre, que confirme la vignette, et qui s'adapte au parti romantique du mélange entre les genres et les expressions artistiques, de l'interaction entre l'art et la littérature vécue dans les cénacles : par la vignette, le livre se place sous le signe de l'image, de même que par l'épigraphe indiquée sur le livret du Salon[45], la toile se situe sous l'égide de la littérature. Dans cette fraternité entre les arts que mettent en valeur les souvenirs des romantiques, domine en réalité la littérature, et la figure de Hugo en particulier : ce sont les œuvres littéraires qui suscitent ces musées d'images exposées au mur des appartements parisiens de Hugo et de Renduel[46] et qui se résolvent dans le phénomène du livre illustré.

> « Quelle durée de temps comprend la période romantique ? Les vignettes en forment pour ainsi dire le cadre. S'il était possible de nettement circonscrire cette période, on dirait qu'elle commence par le maître et finit par le disciple. Victor Hugo est gros d'Auguste Vacquerie ; dans l'œuf du poème *Les rayons et les ombres,* germe *L'Enfer de l'esprit.* Ce fut donc pendant une période décennale, de 1830 à 1840, que les artistes donnèrent libre cours à leurs crayons[47]. »

Les vignettes, importées d'Angleterre sous la Restauration, deviennent une sorte de marque distinctive du romantisme dont la mode, lancée en 1830, atteint son faîte en 1833 ; plusieurs innovations les caractérisent : elles ressuscitent la gravure sur bois, grâce à la technique du bois de bout[48] ; elles transforment la forme de l'image d'illustration, par une nouvelle conception du champ iconique, non délimité par un cadre[49] ; elles s'introduisent dans un emplacement neuf, jusque-là réservé au fleuron ornemental ou à la marque[50].

L'« enseigne suggestive », l'« alléchante réclame »[51] de la vignette de titre, portée à son faîte par Johannot, apparaît dans l'édition illustrée de Hugo par des formules de transition, offertes par Achille Devéria et George Cruikshank. Bien que *Le sylphe* de Devéria (*Nouvelles odes,* Ladvocat, 1824) reste pourvu d'un contour rectangulaire orthodoxe, l'espace de la vignette est pressenti par cette image, où le motif, en vision frontale, de la fenêtre, se dissout dans l'obscurité d'un coin de mur pittoresque animé par la rambarde, les ornements et le lierre montant de la fenêtre. Dans la vignette *Les deux îles* (pour *Nouvelles odes,* édition de 1826) ce pressentiment se confirme par la conjonction de deux espaces de représentation, l'un réel, celui du navigateur au premier plan, l'autre imaginaire, celui de Napoléon en exil, dans le lointain. Il était aussi présent dans *La chauve-souris* gravée par Mauduit d'après Devéria (tome premier des *Odes,* Ladvocat, 1825) qui illustrait deux vers de l'ode XXVI, de veine fantastique :

> « Et chaque soir rôdant sur le bord des abîmes,
> Jette aux vautours du gouffre un pâle voyageur. »

HANS
OF
ICELAND.

Some say this Monster was a witch
Some say he was a devil

Dragon of Wantes.

J. ROBINS, AND C? LONDON.
1825.

Odes, Paris, Ladvocat, 1825
Frontispice d'après Achille Devéria
Paris, M.V.H.

Odes et ballades, Paris, Ladvocat, 1826
Frontispice d'après Achille Devéria
Paris, M.V.H.

*Hans of Iceland (traduction anglaise de *Han d'Islande*), Londres, Robins and Co., 1825 (cat. 706)
Eau-forte de Georges Cruikshank
Coll. privée

Deux ans après l'édition originale en quatre volumes in-12 (Persan, février 1823) de *Han d'Islande,* paraît une traduction anglaise réduite à vingt et un chapitres et à un seul volume in-12 de ce « conte noir » qui est le premier roman de Hugo paru. La présentation en anglais du texte appelle l'illustration un « attrait » *(attraction)* nouveau solidaire de la traduction et de l'adaptation dont elle est présentée comme un procédé équivalent[52]. En Angleterre, le métier d'illustrateur est d'ores et déjà reconnu comme l'indiquent les extraits de catalogue centrés non sur l'auteur mais sur le dessinateur Cruikshank à la fin du livre, où, sur cinq titres énumérés, le terme « illustration » apparaît à deux reprises : les autres expressions employées, « etchings by »..., « from sketches by »..., « coloured plates », « portrait » et « design », définissent la sphère notionnelle de l'illustration, associée à la gravure, au croquis, à certains genres picturaux. Placées dans la première moitié du livre, les quatre gravures apparaissent comme l'hameçon qui aide le lecteur à « mordre » à sa lecture. Elles figurent en regard du passage illustré, en hors-texte et belle page. Le frontispice illustre simultanément le titre du roman, l'épigraphe, et un épisode qui résume les trois autres images d'illustration : le crâne évoque la morgue et le cadavre de Gill Stadt ; le sang que boit Han d'Islande est celui des soldats ; recroquevillé dans son antre, Han apparaît dans le décor de la dernière planche, ici présenté comme un avatar du motif du seuil lié à l'emplacement du frontispice. La scène « farouche » et macabre servira d'archétype aux illustrations postérieures. L'absence d'encadrement, l'irrégularité du contour produisent l'effet formel de vignette romantique, ici corrélé avec des moments du texte proches de l'imaginaire et du fantasme, dans des scènes toujours nocturnes éclairées de torches ou d'un feu de bois, et interprétées par le style spontané de l'eau-forte-croquis. Les vignettes de *Bug-Jargal* et de *Han d'Islande* « bizarres », « grotesques », faites pour « inspirer la terreur », pour reprendre les termes utilisés par la critique contemporaine pour ces livres, témoignent d'une concordance entre la lecture des romans par les illustrateurs et celle du public contemporain qu'elles résument et dont elles facilitent peut-être la formulation : « les personnages de *Han d'Islande,* dans le roman de ce nom, et de Habibrah, dans *Bug-Jargal,* sont des monstruosités fantastiques dans le genre de celles de même nature que nous offrent les romans de Walter Scott », écrit le journaliste du *Drapeau Blanc.* Cette option provocatrice commune à l'œuvre de Hugo et à la vignette romantique a été indiquée par Asselineau[53].

Boulanger dans *Les orientales* (Gosselin et Bossange, 1829) réunit la gravure sur acier du frontispice à la vignette de titre sur bois de bout, avec d'un côté une jeune musicienne orientale rêvant au clair de lune par la fenêtre, de l'autre la chevauchée des djinns : la jeune femme vue de dos incite le lecteur à entrer dans le rêve que présente ensuite la vignette. Dans son illustration des *Odes et ballades* (Gosselin et Bossange, 1829), Boulanger reprend le même contraste expressif entre deux techniques, la gravure sur acier et sur bois, deux types d'image, le « tableau » et la « vignette », deux emplacements, le frontispice et la vignette de titre ; dans l'un, Victor Hugo romantique, jeune et mélancolique, rêve à la colonne Vendôme (« Ode à la colonne », tome Ier, page 281), dans l'autre, est suggérée la vision de Saint-Germain l'Auxerrois assaillie par une colonne de bonshommes démolisseurs. Boulanger se réfère à un passage de *Guerre aux démolisseurs* (l'article écrit en 1825 repris par la suite dans *Littérature et philosophie mêlées*) pour introduire un effet de parallélisme et d'opposition entre ces deux moments de l'histoire moderne, l'histoire héroïque passée, l'histoire « démolisseuse » présente, que figurent deux monuments parisiens[54]. La conjonction entre le frontispice et la vignette se retrouve dans l'édition Gosselin de 1829, des *Odes et ballades,* mais ici les deux visions concordent dans leur référence imaginaire, cependant que l'espace pictural du frontispice, souligné par un filet d'encadrement, est accentué par rapport à la vignette qui reste croquis : il s'agit en effet d'une gravure d'après le tableau de Boulanger, *La ronde du sabbat.* Les vignettes de Boulanger, *La ronde du sabbat* et *Les djinns* mettent l'accent sur les poèmes qui animent les polémiques, l'un par sa frénésie et le second par sa versification présentée comme un calligramme croissant et décroissant de l'arrivée puis du départ des djinns[55]. La vignette souligne la visibilité propre à la lecture du poème et liée à la disposition typographique.

D'invention précoce, toutes les vignettes antérieures à 1830 fondent la vignette romantique, dont Johannot tirera le meilleur effet pour *Notre-Dame de Paris* et *Le roi s'amuse.* Elles indiquent également le lien entre les images du livre et le musée de l'écrivain qui joint aux toiles inspirées par son œuvre, comme *La ronde du sabbat* de Boulanger, les œuvres d'art qui l'ont inspirée, qu'il s'agisse de créations graphiques, comme les *Caprices* de Goya (cités dans la vignette des *Djinns*) ou d'ouvrages d'architecture et de sites comme la colonne Vendôme et l'église Saint-Germain l'Auxerrois. Ce musée imaginaire de l'écrivain, Devéria, Boulanger, Johannot et Nanteuil l'ont assidûment fréquenté, l'ont sans doute infléchi au cours de leurs entretiens avec Hugo, ils l'ont aussi contemplé, projeté aux murs de son

Bug-Jargal, Paris, Canel, 1826
Frontispice d'après Achille Devéria
Paris, M.V.H.

Odes et ballades, Paris, Gosselin et Bossange, 1829
Frontispice d'après Louis Boulanger
Paris, M.V.H.

appartement ; et leurs vignettes, qui en dérivent, aident le lecteur anonyme à pénétrer dans l'intimité familière de l'auteur, comme elles apportent au lecteur romantique parisien l'agrément d'une connivence. Les vignettes romantiques, en permettant au lecteur de s'identifier à l'imaginaire visuel de l'auteur, apparaissent comme l'hyperbole du frontispice, dont l'une des fonctions présentatives traditionnelles était de montrer, par le portrait, miroir de l'âme, le personnage de l'auteur.

L'illustration romantique proprement dite ne concerne pour les œuvres de Hugo que la réédition Renduel de 1836 et l'édition Perrotin de *Notre-Dame de Paris* en 1844. Ces dernières confirment les tendances du livre illustré plutôt qu'elles n'imposent l'invention de nouvelles et grandes formules, et importent donc moins ici. Cependant des jalons vers le livre à illustrations multiples ont été jetés par Boulanger dans la suite consacrée à *Notre-Dame de Paris* qu'il a exposée au Salon[56], qui fixe le découpage des grands épisodes « illustrables » du roman de manière définitive, et par Nanteuil[57], dont le frontispice à la cathédrale, par sa disposition compartimentée, multiplie les coups d'œil sur le roman en définissant des moments successifs de la lecture qui pourront servir de repère au lecteur dans le fil de sa lecture. Les analyses de Riffaterre ont bien montré que la lecture progressait par sauts, et que l'interprétation du texte littéraire était le fruit de capitalisations successives qui en modifiaient rétrospectivement les analyses[58]. Les frontispices à la cathédrale de Nanteuil mettent en évidence ce mécanisme de la lecture solidaire du processus illustratif.

Les planches hors-texte de Renduel et Perrotin, légendées par rapport à leur insertion dans l'ouvrage — c'est-à-dire au chapitre du roman, à la scène du drame, au titre du poème —, et quelquefois dans l'édition, par un renvoi de page, proposent au lecteur une sélection de passages remarquables par l'évocation pittoresque ou la frénésie romantique, et caractéristiques du style de l'auteur et de l'œuvre : la planche peut être appréhendée comme un signet, et cette procédure est avant l'heure celle des morceaux choisis, forme didactique, propre aux manuels littéraires

de la seconde moitié du siècle[59], fondée sur la sélection de grandes pages littéraires. Cette visée anthologique coexiste avec la publication du texte intégral ; elle est confirmée par l'autonomie des planches qu'apporte la mode de diffusion par livraisons, entre les pages desquelles elles sont glissées, avant d'être récapitulées par rapport à l'ensemble dans l'avis au relieur ; c'est ainsi que l'« Avis pour le placement de 34 gravures des œuvres de Victor Hugo, édition en douze volumes Furne et Cie, 1840-41 » est introduit dans le dernier tome paru de l'édition Furne (tome XII). La serpente, teintée en rose dans l'édition Furne, souligne cette distinction du texte et du hors-texte. Ce dernier se conçoit en effet comme œuvre picturale dont les dessins préparatoires sont peints à l'aquarelle[60] et dont les compositions sont inventées par des artistes qui sont aussi des peintres comme Boulanger, Raffet et Rogier pour l'édition Renduel. Ce « keepsake » romantique n'est pas embarrassé par la redondance de l'illustration par rapport au texte, puisque les deux formes d'expression coexistent dans leur intacte spécificité, de tableau et d'écrit imprimé, l'image intervenant pour ponctuer la lecture, en souligner les grandes articulations. Mises bout à bout, ces planches composent une mosaïque de morceaux choisis dont la lecture intégrale du texte rétablit la continuité narrative.

L'effet de suite change en fonction du public destinataire : pour le lecteur lettré, il apporte l'amusement de la reconnaissance de la source écrite et du repérage des passages illustrés. Pour le lecteur populaire en revanche, au profit duquel sont

*Auguste Raffet
Assassinat de Phœbus (cat. 778)
Gravure sur acier dans *Notre-Dame de Paris,*
Paris, Renduel, 1836
Paris, M.V.H.

Suite de lithographies sur Notre-Dame de Paris, Paris, Dubreuil, 1842
1. *Mort de la Esméralda* (cat. 754)
2. *Frollo assassine Phœbus* (cat. 753)
3. *Phœbus délivre la Esméralda* (cat. 751)
Paris, M.V.H.

publiées dans les années 1830 les premières suites proprement dites consacrées à *Notre-Dame de Paris*[61], les suites joignent à la sélection disjonctive des épisodes qu'impliquent les images, une brève analyse du roman souscrite aux images qui sont destinées à être punaisées au mur. Ces légendes développées apportent un résumé romanesque composé pour l'horizon d'attente du lecteur populaire dont les goûts sont flattés, au point de transformer l'argument du roman *Notre-Dame de Paris* en canard d'exécution, par exemple dans un *Almanach nouveau pour 1845* ! Par le relais de l'image d'illustration, et des morceaux choisis, qui sont la forme lettrée de la contraction littéraire, la suite introduit une séquence narrative qui, non seulement résume, mais aussi transforme le texte en adaptation populaire. Deux formes d'illustration populaire en dérivent dans la seconde moitié du siècle, celles des éditions dites populaires et celles des histoires en images annonciatrices de la bande dessinée.

L'illustration populaire

Après Renduel et Perrotin, l'éditeur décisif pour les éditions illustrées de Hugo est Hetzel, relayé dans sa tâche d'éditeur populaire par Hugues. Alors que Hugo avait connu les éditeurs romantiques de livres illustrés pendant sa carrière parisienne, la rencontre de Hetzel est celle d'un compagnon d'exil, industriel du livre, humanitaire et républicain. Il introduit l'image dans le livre comme un attrait pédagogique associé aux publications pour la jeunesse et aux éditions populaires[62]. Dérivées dans le format et la mise en page des magazines à l'anglaise qui se sont introduits en France à la suite du *Magasin Pittoresque,* les éditions populaires illustrées à deux colonnes déterminent une forte baisse du prix des livres vendus par livraisons « à quatre sous », grâce à d'importants tirages, que l'apparition des procédés de reproduction photomécanique facilite ; ainsi, *Les misérables,* tirés à 300 000 exemplaires comme l'indique Béraldi, où le frontispice de Brion, signé Gillot, serait l'un des plus anciens spécimens du procédé mis au point par ce dernier[63]. La gravure sur

*Numa de Lalu
La Esméralda ou Notre-Dame de Paris. Alma-nach nouveau pour l'année 1843 (cat. 781)
Paris, M.V.H.

bois de teinte, avec des effets de taille blanche, permet de reproduire un dessin au lavis, et se répand dans l'édition populaire : ce traitement pictural du bois jusque-là gravé en fac-similé graphique a été introduit dans l'histoire de la gravure par Doré. Les tirages massifs destinent ces éditions à un public « populaire », mais quelques exemplaires de tête, numérotés sur papier velin ou sur papier de Hollande et de Chine sont réservés aux amateurs[64]. La popularité de Hugo, qui est le corrélat du « sacre de l'écrivain », atteint tous les publics que réunit de fait l'édition dite « populaire ».

Le projet d'édition reste bel et bien destiné au grand public. L'évocation des conduites populaires de la lecture est introduite dans la thématique des *Misérables,* avec les personnages de la Thénardier ou de la mère Plutarque, par exemple ; la première donne le type de la lectrice des romans populaires[65] ; quant à la servante de M. Mabeuf, Hugo décrit sa lecture ânonnante, lente et oralisée : « elle lisait haut, trouvant qu'elle comprenait mieux ainsi ». Marius pauvre habite « vis-à-vis Basset le marchand d'estampes de la rue des Mathurins » ; un passage du roman est consacré au fossoyeur du cimetière Vaugirard qui est aussi écrivain public[66]. En publiant *Les misérables* en édition à bon marché, Victor Hugo souhaite répondre à cette avidité de lecture, présente dans les milieux populaires alphabétisés, dont la culture n'était auparavant attestée que dans l'imagerie populaire produite, entre autres, par Basset ; il s'efforce d'en convaincre son éditeur Lacroix, qu'il a préféré à Hetzel, l'éditeur de l'exil, parce qu'il lui achetait son manuscrit un meilleur prix. Mais il présente cette stratégie de vente, destinée à un nouveau public du livre, en termes de coût seulement, dans sa correspondance, et reste muet sur la question des images, pourtant présentes dans l'édition Houssiaux qu'il cite en exemple à Lacroix[67]. Un passage d'une lettre de Burty à Hugo laisse entendre qu'il fut peut-être en désaccord avec Hetzel sur ce point de l'illustration comme composante décisive de l'achat populaire du livre ; le succès de l'édition populaire illustrée des *Misérables,* paru en 1865, prouve que Hetzel avait eu raison d'en faire le pari ; mais reconnaître ce pouvoir de l'image revenait à diminuer le mérite du texte, chose impensable pour le bibliophile lettré comme pour l'auteur :

> « J'avais cependant à vous féliciter du complet succès des *Misérables* illustrés. 150 000 exemplaires au bas mot, assure-t-on. Cette fois on ne dira point que ce sont les images qui soutiennent le livre ! Et cet Hetzel ! cet Hetzel qui ! ! Mais paix aux éditeurs de bonne volonté ![68] »

La représentation liminaire du lecteur indique aux nouvelles couches alphabétisées le mode d'emploi du livre ; l'illustration leur explique ainsi, à travers les situations et les postures de la lecture, comment se manie cet objet peu familier. Ainsi la scène ou Éthel fait la lecture à Schumacker est-elle toujours illustrée dans *Han d'Islande*. En tête de la préface de *Marion de Lorme illustrée par Foulquier* (Hetzel, Marescq, Blanchard, 1853) figure une jeune femme en costume théâtral, assise et accoudée à une table, tenant un livre ouvert sur ses genoux ; la gravure illustre la fin de la première scène ; elle renvoie à celle de la page 9, où le livre ouvert est jeté au premier plan, car son titre « La guirlande amoureuse, à Marion de Lorme », a déclenché une dispute amoureuse entre Didier et Marion ; mais, malgré cette charge symbolique du livre dans la pièce, l'image prend une valeur générale d'incitation à la lecture. Quant au frontispice du recueil, *Les enfants* (dessins de E. Froment, Hetzel, 1862), paru dans la bibliothèque des familles, il représente une mère assise sur les marches d'un perron, les yeux baissés sur le livre ouvert qu'elle lit à de jeunes enfants jouant et jardinant : par le sujet de cette gravure inspirée des *Heures du jour* de Runge dans son thème et son traitement, le livre énonce au lecteur sa propre destination, que confirme le titre de la collection. Peut-on aller jusqu'à interpréter le motif de l'apprentissage enfantin de la lecture dans *Notre-Dame de Paris* et dans *Les misérables,* comme une incitation à substituer l'œuvre de Hugo à l'abécédaire ? Une anecdote de Barbou rapporte l'émotion de l'écrivain lorsque des pasteurs lui avaient confié leur désir de « lire *Les misérables,* en chaire, après l'Évangile. Cela se fera ; en attendant, c'est dans ce livre que nous apprenons à lire à nos enfants » (p. 328)... Or l'abécédaire, sous sa forme non laïcisée, est resté jusqu'au XIXᵉ siècle un catéchisme, de sorte que l'hommage des pasteurs équivaut à une déification. Quoi qu'il en soit, le motif de Frollo apprenant à lire à Quasimodo demeure une façon d'indiquer par métaphore la fonction du livre illustré populaire qui est un apprentissage sinon de la lecture, au sens strict, du moins de la littérature.

Marion Delorme, Paris, Hetzel, 1853
Gravure sur bois d'après J. A. V. Foulquier
Coll. privée

Han d'Islande, Paris, Hetzel, 1866
Gravure sur bois d'après Édouard Riou
B.N., Imprimés

Gustave Brion
Quasimodo pousse Claude Frollo
Gravure dans *Notre-Dame de Paris,* Hetzel et
Lacroix, 1865
Paris, M.V.H.

Comment procède un tel apprentissage de l'usage du livre et de la lecture ? En premier lieu, il s'agit de maintenir des pratiques de lecture acquises dans des domaines de la « paralittérature » comme le « canard » populaire et le roman-feuilleton[69] : les sentiments d'épouvante et d'émotion mélodramatique que le lecteur s'attend à éprouver sont ainsi provoqués par l'illustration ; celle-ci exploite dans les premiers romans qui sont aussi les plus « populaires », *Bug-Jargal, Han d'Islande,* et *Notre-Dame de Paris*[70], les motifs qui ressortent du roman noir ou qui évoquent le fait divers : l'assassinat de Phœbus, où Frollo tient son poignard levé au-dessus du couple formé par Phœbus et Esméralda ; le chapitre *Asile,* où Quasimodo sauve au dernier moment la jeune condamnée ; la mort de Claude Frollo qu'annonce celle de l'écolier Jehan Frollo, tous deux précipités du haut des tours de Notre-Dame par Quasimodo... Tous les motifs liés aux exécutions capitales, qui définissent l'iconographie des canards criminels, sont mis en valeur : la charrette du condamné apparaît pour Esméralda et pour le condamné du *Dernier jour,* la scène d'exécution termine *Notre-Dame de Paris* et *Quatrevingt-treize ;* la thématique illustrée de la « cadène » dans *Les misérables,* écrits à une date où les « canards » ont disparu, perpétue la même veine. Outre cette appropriation du texte que favorise l'illustration en choisissant des motifs préalablement fixés par l'iconographie populaire, les éditions populaires adoptent les mises en pages et les supports de l'imprimé spécifiques à ces nouvelles couches de lecteurs. Plutôt que le format Charpentier in-18, qui renvoie à une littérature de colportage, soumise au timbre d'autorisation depuis 1852, les éditions populaires illustrées du Second Empire se constituent sur le modèle de la presse : le « roman-journal » ne relève ni de la littérature de colportage puisqu'il se présente et se vend comme un journal, ni de la presse politique, grâce à son contenu romanesque, et passe ainsi à travers les mailons de la censure. Cités plus haut, les *Bons romans* dont l'en-tête suggère une lecture populaire orale et familiale de la veillée — dite par le père de famille à la lumière de la lampe à pétrole, pour les enfants et l'épouse en train de coudre — joue sur le dosage du niveau culturel de trois romans-feuilletons : chaque livraison commence par le roman de cape et d'épée et s'achève par un texte de feuilletonniste, qui tourne plus souvent tous les cinq ou dix numéros. Le grand roman se faufile entre eux ; une illustration, choisie sur les critères qui viennent d'être indiqués, flatte le goût supposé du public et propose de lire Hugo comme un romancier populaire. Cette démarche s'insère dans le contexte de la politique de la lecture du Second Empire, qui prétend transformer les « mauvaises » lectures du peuple en « bonnes » lectures, par une infiltration militante et catholique dans la « bonne

Le dernier jour d'un condamné, Paris, Hetzel, 1855 (cat. 720)
Gravure sur bois d'après Paul Gavarni
Coll. privée

Édouard Riou
Cependant le jour se lève
Gravure sur bois dans *Quatrevingt-treize,* Paris, Hugues, 1876
Coll. privée

presse », mais ici laïque et littéraire ; l'illustration devient en effet un accessoire de l'acculturation du lecteur qui est censé glisser insensiblement de la paralittérature à la littérature proprement dite. La diffusion des éditions populaires illustrées Hetzel en prime de feuilletons-romans comme *Le Conteur, Le Monde Littéraire* et *La Nouvelle*[71], de même que les publications illustrées des romans dans la presse s'apparentent au même courant ; ainsi, entre autres, *Bug Jurgal,* dans *L'Univers Illustré* en 1892, avec des illustrations de réemploi d'Alphonse de Neuville ; l'image liminaire, « La lutte au bord de l'abîme », est une variante, agrandie à l'échelle de la page conçue comme un placard, sur le motif de la vignette inventé par Devéria dans l'édition originale.

Les éditions populaires illustrées Hetzel de Hugo, comme celles de George Sand qui les avaient précédées, se trouvent assimilées aux normes de l'ensemble d'un corpus, dont la mise en page s'inspire du modèle de la presse, par la justification typographique sur deux colonnes, le système des titres, la présence de l'image, la subdivision du texte en épisodes de feuilleton. La présence de Marescq comme coéditeur, puis l'adresse de la « Librairie centrale des publications illustrées à dix centimes » confirmeraient cette hypothèse si la simple vision des livraisons n'y suffisaient. Dans celle-ci, l'insertion de l'image est dictée par un emplacement fixe, celui de la double page en milieu de livraison, où le texte, réduit dans sa justification à un format oblong, signé « au rez-de-chaussée » de la page, rejoint l'habitude populaire de la lecture du roman en feuilleton de journal. Quant à la conception de l'image, elle se répartit entre « scènes », « types », et « sites » urbains ou paysages conformément au legs de l'édition romantique dont procède l'édition populaire ; la répartition de ces genres de l'image d'illustration dans les livres atteste, aux deux extrémités de la hiérarchie littéraire, la même suprématie des scènes et des types sur les sites dans les éditions populaires de Hugo et des feuilletonnistes qui rejoint celle du roman et du drame sur les autres genres littéraires : de plus, la dominante narrative, qui fait de l'illustration un « tableau », au sens rhétorique du terme, est partout manifeste, autant par la proportion des scènes par rapport aux autres genres, que par l'interprétation narrative donnée à des types ou à des sites[72], grâce à la légende où à des composantes secondaires de l'image. Ainsi le « type » de la lectrice, décrit ci-dessus, dans *Lucrèce Borgia :* elle représente l'héroïne du drame, dans les mains de laquelle le livre sera rétrospectivement perçu comme un élément narratif par lequel l'illustration, jusque-là isolée, redevient un épisode d'une séquence racontée.

Dès lors que l'illustration se construit comme un épisode à l'intérieur d'une

H. Scott
En mer
Gravure sur bois dans *Quatrevingt-treize,*
Paris, Hugues, 1876
Paris, M.V.H.

Hans of Iceland (traduction anglaise de *Han d'Islande*), London, Robins and Co., 1825 (cat. 706)
Eau-forte de George Cruikshank
Coll. privée

Marion Delorme, Paris, Hetzel, 1853.
Gravures sur bois d'après J. A. V. Foulquier
Coll. privée

séquence narrative, ce qu'avaient introduit auparavant les suites d'estampes, puis les éditions-keepsake, comme l'édition Renduel de *Notre-Dame de Paris ;* les conditions de *l'histoire en images* sont réunies. Si le véritable inventeur du genre de la « littérature en estampes » a été Rodolphe Töpffer qui l'a pratiqué dans l'album autographié des années 1820 et formulé de manière théorique dans *L'Essai de physiognomonie* de 1845, c'est par Cruikshank, illustrateur de Dickens, mais aussi praticien de l'histoire en images[73], qu'est introduite la notion de littérature en estampe dans l'édition illustrée de Hugo, dès le *Han d'Islande* de 1825, en trois eaux-fortes, centrées sur le thème sanguinaire du héros prédateur, et résumées par la vignette-frontispice. Mais l'histoire en images se définit dans sa forme par la conjonction de deux séquences, dont l'une, principale, est faite d'images, et l'autre secondaire, est un texte souscrit aux vignettes ; dans l'illustration des œuvres de Victor Hugo, elle n'apparaît comme telle qu'à l'époque de l'édition populaire illustrée dont elle partage le public et la référence au modèle de la presse. Lorsqu'elle est introduite, par exemple par Baric et par Cham, c'est sur le mode de la parodie, qui se présente comme un avatar satirique, par les journalistes du crayon, du compte rendu des nouveautés littéraires ou des dernières mises en scène : les textes de prédilection de ces histoires en images, parues dans les journaux illustrés ou bien en petits albums à couverture jaune, soumis au timbre du colportage, dans la collection des salons caricaturaux, ont été les romans tardifs, en particulier *Les misérables* et *Quatre-vingt-treize*. Mais la « bulle », constitutive de la bande dessinée, demeure absente de ces histoires en images.

L'illustration populaire procède aussi d'une vision précinématographique par ce langage de l'image fondé sur la séquence narrative. Les doubles pages illustrées favorisent, en effet, l'effet visuel d'un mouvement décomposé en deux de ses phases, initiale et terminative : dans *Marion de Lorme illustrée par Foulquier,* la vignette de la page 8, inspirée par le motif de la tendresse amoureuse, est parallèle et opposée à celle de la page 9, liée à la dispute entre les amants, mais ce contraste appartient au déroulement de la scène, comme dans la suite de Hogarth, *Le mariage à la mode ;* l'effet est celui d'une analyse des gestes des acteurs, à travers la décomposition des mouvements de scène. Rien d'étonnant si une telle vision s'affirme de préférence par rapport à l'univers théâtral, celui-ci est donné, entre autres, comme spectacle de référence par la vignette de titre de la couverture d'*Angelo illustré par J. A. Beaucé,* qui représente le héros en « type », c'est-à-dire comme un personnage seul en pied, devant une tenture perçue comme un rideau de scène. L'animation de l'image fixe est ainsi pressentie dans l'édition populaire illustrée qui, ce faisant, introduit des formes d'expression qui en seront au XXᵉ siècle le relais, le film et la bande dessinée.

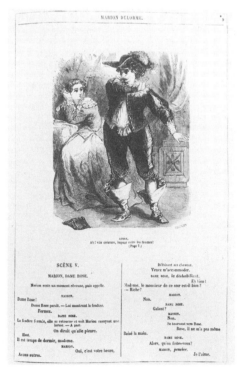

Angelo
Gravure sur bois d'après J. A. Beaucé dans
Angelo, Paris, Hetzel, 1853

Marcelin
Les romans populaires
Journal pour Rire, 10 sept. 1853
Paris, M.V.H.

Mais l'édition populaire illustrée des « bons livres » se distingue de l'histoire en images en ce sens qu'elle apparaît comme une culture octroyée, bien que fondée sur des modèles populaires ; l'image est exploitée par Hetzel pour servir cette stratégie de l'éditeur qui s'est lancé à la conquête des nouveaux lecteurs issus de l'alphabétisation de masse, le « peuple » et les enfants. L'annonce de la publication du *Nouveau Musée universel,* qui figure à la fin de l'édition Hetzel des *Voix intérieures* en 1854, exprime ces intentions dérivées d'une tradition de la pédagogie par l'image qui va de Comenius à la philosophie sensualiste anglaise :

> « Les Publications illustrées à 20 centimes, dont le prodigieux succès a rendu de si éminents services en mettant à la portée de toutes les fortunes et de toutes les intelligences les moyens de satisfaire le goût que tout peuple civilisé doit avoir pour la lecture et l'étude des productions de l'esprit, n'ont dû, en grande partie, la vogue méritée dont elles jouissent qu'à l'ingénieuse idée que l'on a eue de parsemer de nombreuses et attrayantes gravures les ouvrages publiés. En effet, quel que soit l'intérêt d'une œuvre littéraire, le plaisir qu'on éprouve en la lisant se trouve doublé lorsque les types des principaux personnages, les drames les plus émouvants, les sites historiques ou pittoresques, que le livre passe en revue, sont reproduits par un habile crayon. Le tout alors se classe facilement dans la mémoire et y reste gravé d'une manière presque ineffaçable. Aussi, le succès des Éditions illustrées à bon marché ne sera point un succès éphémère, et l'on reconnaît déjà l'utilité d'adopter ce mode de publication, même pour les ouvrages dont le caractère sérieux paraît en contradiction avec la futilité apparente de ce qu'on appelait autrefois des images. »

Cet essor pédagogique de l'image à la fois éducative et récréative est conjointe à une hiérarchie des auteurs ; les extraits du catalogue en témoignent lorsqu'elles reproduisent de bas en haut les titres des œuvres illustrées parues, dans la chronologie de leur publication : George Sand et Victor Hugo, Balzac et Eugène Sue, enfin Alexandre Dumas apparaissent dans l'« extrait du catalogue général des publications illustrées à 20 centimes en vente à la '' librairie centrale '' ». « Les romans populaires illustrés par Marcelin » qui, dit-il, se propose « la popularisation de la littérature par la charge » énumère les « grands modernes : Hugo, Balzac, Dumas, George Sand, Eugène Sue » avant de « descendre des sublimes hauteurs ». A la première place, dans l'énumération, et dans l'image, à la droite de Balzac, le roi du « populaire », Hugo est associé à *Notre-Dame de Paris,* et son buste repose sur un socle orné d'armes parlantes au frontispice de Notre-Dame, où l'on reconnaît la silhouette de Quasimodo sonneur se profilant dans l'ouverture du portail central.

L'illustration d'amateur

L'édition illustrée de l'amateur représente la conquête du public des bibliophiles jusque-là tournés vers les textes classiques et les livres anciens. L'édition d'amateur s'élabore d'abord comme un pastiche des éditions rares, elle préconise les exemplaires à grandes marges sur papiers spéciaux, les premiers états à côté des états finaux des gravures.

L'Édition nationale, société fondée en 1885, par Émile Testard, avec l'imprimeur Richard et le libraire-éditeur Lemonnyer, fut « créée dans le but de publier une édition artistique et monumentale des œuvres de Victor Hugo — édition définitive, complète, avec la collaboration de nos principaux artistes peintres, sculpteurs et graveurs »[76]. Lemonnyer s'était fait connaître comme libraire-éditeur de Rouen spécialisé dans les fac-similés photogravés des chefs-d'œuvre de la bibliphilie du xviiie siècle, ainsi mis à la portée de bourses plus modestes, comme les *Chansons* de Laborde illustrées par Moreau et Le Barbier , *Les Baisers* de Dorat, illustré par Elisen (50 F) ou *Les Contes et nouvelles* en vers de La Fontaine, illustrés par Duplessis-Bertaux (20 F)[77]. Il apporta à l'Édition nationale, dont il est le directeur de la vente, son expérience du livre ancien recherché par les bibliophiles ainsi qu'une clientèle d'amateurs. Richard était le directeur de la fabrication. Après faillite, la société fut dissoute en 1886. Testard vendit sa maison de brochage, « affaire sûre et prospère », pour sauver l'Édition nationale, et forma le 17 novembre 1886, une maison d'édition sous la raison sociale « Émile Testard et Cie », avec deux amis : « elle ne se contenta pas de publier seulement Victor Hugo, mais elle entreprit la publication d'autres œuvres littéraires et artistiques : Mérimée, Balzac, George Sand, Jules Simon, Jean Aicard, Ferdinand Fabre, etc. » Cet homme entreprenant, né en 1855, avait été bachelier à 16 ans, puis avait dû interrompre la préparation de l'École Centrale pour reprendre la maison de brochage de son père à sa mort en 1875 ; il « la fit prospérer au point que, de 30 ouvriers et ouvrières en 1875, cette maison en comptait une centaine en 1886, quand il la vendit pour créer une maison d'édition », il fut l'un des fondateurs de la Chambre Syndicale de la brochure, écrivit sous le speudonyme-anagramme de Dartès. Malgré la faillite de mauvaise gestion du début, la maison marcha « de succès en succès », accumulant les récompenses à toutes les expositions (Toulouse 1887, Barcelone 1888, Bruxelles 1888, Melbourne 1888-89), et à l'Exposition Universelle de 1889. En novembre 1891, les dessins originaux, tableaux et aquarelles de l'édition furent exposés triomphalement à la Galerie Petit (et à nouveau en novembre 1892). Les encouragements officiels de l'entreprise furent marqués par les visites du président de la République, du ministre et du directeur des Beaux-Arts. « Parmi les œuvres exposées brillèrent au premier plan deux collections sans égal : celles de 73 dessins de Luc-Olivier Merson pour *Notre-Dame de Paris,* et celle de 250 dessins de Georges Jeanniot pour *Les misérables.* La collection de Luc-Olivier Merson comptera comme un chef-d'œuvre, non seulement de l'illustration moderne, mais encore de l'illustration de toutes les époques. » Les collaborateurs choisis pour « l'interprétation des chefs-d'œuvre de nos gloires littéraires » sont les « célèbres illustrateurs » et les « maîtres peintres et sculpteurs » de l'époque avec quelques participants inconnus alors. Certains volumes restent en effet de grandes œuvres, le *Notre-Dame de Paris* de Merson, *Le dernier jour d'un condamné* de Raffaelli, de même que certaines illustrations, de Rochegrosse, Jean-Paul Laurens et Fantin-Latour, etc. Mais l'ensemble garde le cachet de l'art des célébrités, des « illustrations » de l'époque, et la maison d'édition, lancée par les œuvres de Victor Hugo, maintient sa spécialité de publications artistiques, illustrant des grands textes de la modernité reconnue —, à côté d'un seul classique, Molière.

De même que la maison Testard, lancée par l'Édition nationale de Victor Hugo, la librairie de l'amateur, fondée par Ferroud, et promise à un grand succès, connut une trajectoire fondée sur l'édition luxueuse des grands textes de la littérature française du XIXe siècle ; son troisième titre fut un tirage spécial du *Notre-Dame de Paris* de Testard. Elle publiait des ouvrages de prestige définis, sans aucun risque d'éditeur, par la stricte observance des traditions typographiques, et par la célébration des chefs-d'œuvre littéraires par des artistes reconnus comme peintres ou comme illustrateurs et aquarellistes, ainsi Rochegrosse et Lalauze[78] ; c'est « la formule de M. Ferroud », décrite par un article du baron Claye, « le roi Candaule et les éditions de la maison Ferroud » dans la revue *Le Livre et l'Image* : « j'observe d'abord que M. Ferroud ne considère pas qu'en matière de livre d'art le livre lui-même, le texte, soit une quantité négligeable. C'est un excellent principe [...] M. Ferroud n'édite que des œuvres d'écrivains consacrés, il a grandement raison ». Il s'est donné pour domaine « le champ de la nouveauté ». « Les éditions Ferroud sont d'un format excellent. Plus petit, les gravures seraient trop réduites ; plus grand, ce ne serait plus commode. » « L'impression ? Elle est irréprochable [...] la dimension des caractères est appropriée à celle des figures dans le texte ; car il y a une juste proportion à observer, un texte trop gros écrasant des eaux-fortes trop menues. — Et la mise en page ! Pour ne signaler qu'un point, tous les chapitres commencent en '' bonne page '', sans qu'il y ait jamais, en face, une de ces pages blanches qui viennent si désagréablement interrompre le texte. » « Mais au-dessus de tout, il y a le choix à faire des artistes pour l'illustration. M. Ferroud ne s'est jamais adressé, comme on l'a vu, qu'à des artistes hors de pair. » Avant de se lancer dans ce projet de livres d'art définis comme autant de « musées du Luxembourg » pour les grands écrivains, Ferroud, dont les livres aujourd'hui méconnus sont effectivement de grandes réalisations, avait débuté en 1887 en s'intéressant « aux entreprises des éditeurs, Quantin, Launette, Testard, Jouaust...

Ces éditeurs sont les mêmes qui dans les années 1880 choisissent les œuvres de Hugo pour support de leurs éditions artistiques de luxe : Quantin édite avec Chaumerot un très beau livre illustré de vingt et une compositions dessinées et gravées par Jean-Paul Laurens en 1885, *Le Pape,* et Launette publie *Le livre d'or...* Il s'y ajoute les ouvrages de la société de publications périodiques, *Le roi s'amuse* en 1883, *L'art d'être grand-père*, en 1884, ainsi que *Hernani* (Conquet, 1840). Quant à Pelletan, il ne s'intéressa à Hugo qu'en 1902 avec *Le couronnement* et *Cinq poèmes,* élaboré comme un véritable « livre de peintre » : il s'en explique dans le prospectus. Le Centenaire a dû susciter la parution par la Société française d'édition

EDITION NATIONALE

VICTOR HUGO

NOTRE-DAME DE PARIS

PARIS
ÉMILE TESTARD ET Cⁱᵉ, ÉDITEURS
10, RUE DE CONDE, 10
1889

Notre-Dame de Paris, Édition nationale, Paris, Lemmonyer, Richard, Testard, 1889 (cat. 727)
B.N., Imprimés

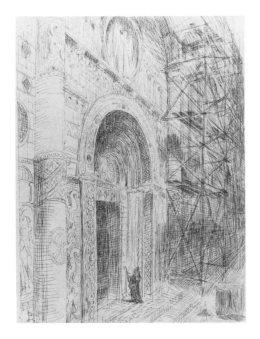  

*Jean-Paul Laurens
Eaux-fortes pour Le Pape, Paris, Quantin, 1885
1. *Le Pape aux foules* (cat. 919)
2. *On construit une église* (cat. 920)
3. *En voyant une nourrice* (cat. 921)
4. *Pensif devant la nuit* (cat. 923)
Coll. privée

Affiche de librairie pour Le livre d'or de Victor Hugo, Paris, Launette, 1883
Paris, M.V.H.

d'art de M. Henry May, ancien directeur de Quantin, d'*Eviradnus* (vingt-six compositions de P. M. Ruty dont vingt sur bois et six hors-texte gravés au burin par P. Gusman).

Mais revenons à l'Édition nationale : Le 28 février 1885, un article de J. Claretie saluait, dans *L'Illustration,* le premier fascicule de l'Édition nationale, paru pour le jour de l'anniversaire de Victor Hugo et donné aux convives du banquet offert en son honneur (cette idée d'associer la naissance d'une édition à l'anniversaire de l'écrivain avait également déterminé le jour de la publication de l'édition définitive Hetzel-Quantin). Claretie présentait l'Édition nationale comme une « apothéose matérielle » de l'écrivain de son vivant, honneur qui avait manqué à Voltaire, « lorsque Beaumarchais entreprit la fameuse édition de Kehl ». L'édition devient un « monument » destiné au culte de l'homme et de l'œuvre qui a pris la forme « d'une sorte de musée Victor Hugo ». Cette triple métaphore de l'apothéose, du monument et du musée, est filée tout au long de l'article ; celle du « musée » se retrouve dans la monographie dédiée dans *Les hommes d'aujourd'hui* à Emile Blémont, l'auteur d'une publication encore plus clairement glorificatrice, *Le Livre d'or de Victor Hugo,* à propos de l'appartement personnel de l'auteur. Cette veine hugolâtre de l'édition d'amateur est liée au phénomène du Panthéon républicain et de la déification des hommes illustres. Ainsi l'écrivain est-il décrit par Claretie comme l'allégorie réelle de la Poésie et de l'Idée, « personnification la plus haute » de l'une, et « plus auguste personnification » de l'autre. C'est en lui que se résume toute l'intelligence de la nation et du XIXᵉ siècle. La toute-puissance du livre et de la littérature ne saurait mieux s'affirmer. La sphère lexicale de la gloire comme rayonnement lumineux est associée à l'illustration dans son étymologie :

« d'année en année, le grand vieillard marche dans une gloire plus rayonnante et plus vénérée ».

« Le lecteur pourra trouver réunis, dans ce numéro, quelques-unes des compositions destinées à illustrer Victor Hugo (si l'on peut se servir d'une telle expression en parlant d'un tel homme). »

Jusque dans sa nature matérielle, le livre est désormais marqué du nom de Victor Hugo, inscrit dans le filigrane du papier ; mais ce « grand musée » se veut aussi un bien public, que tout fils de la nation pourra fréquenter, puisque l'édition se vend par fascicules, sinon par livraisons : « bibliophiles et public populaire, tout le monde voudra posséder ce maître-livre ». Cette prétention « nationale » de l'édition reste contredite par le prix des fascicules bi-mensuels fixé à six francs, mais elle est confirmée par la vocation de l'édition à être un objet d'exposition, qui fut, par exemple, la vedette de la classe 9, imprimerie et librairie, à l'Exposition Universelle de 1889, et dont les dessins furent présentés à la Galerie Petit et au Salon.

L'illustration éclectique du XIXe au XXe siècle

Il n'en reste pas moins que, par-delà la destination sociale opposée du livre d'amateur et du livre populaire (marquée par la présentation matérielle, la conception et le prix de vente) les motifs eux-mêmes restent identiques de part et d'autre : à partir de l'œuvre de Hugo, s'est en effet constitué, par strates successives, un corpus de motifs iconographiques spécifiques. A cet égard, les vignettes romantiques liminaires et les frontispices des toutes premières éditions ont joué un rôle fondateur entre 1824 et 1833, car pour la plupart, elles ont pris rétrospectivement une valeur d'archétypes. Bien peu sont restées des hapax, comme certaines vignettes de Devéria qui fournissent néanmoins des supports de variations iconographiques. Le *Bug-Jargal* de Devéria, le *Han* de Cruikshank et toutes les vignettes de Johannot ont servi d'archétypes aux éditions illustrées ultérieures de ces livres, autant par l'invention d'un épisode illustrable, que par la création d'un « type ». Le souci d'économie des éditeurs a contribué à ce phénomène par le biais de réemplois qui font qu'une image introduite se perpétue dans le corpus des illustrations dès lors voué à la prolifération des images. Stylistiquement, ces archétypes, en évoluant vers le cliché d'illustration, ont permis à l'illustration de se définir comme un langage autonome bien que solidaire du texte. Rapidement, ils ont été perçus moins comme

Les rayons et les ombres, Paris, Hetzel, 1854
Gravure sur bois d'après Gérard Séguin
Coll. privée

Les feuilles d'automne, Paris, Hetzel, 1854
Gravure sur bois d'après J. A. Beaucé
Coll. privée

Les misérables, Paris, Hetzel et Lacroix, 1865
Gravures sur bois d'après Gustave Brion
Coll. privée

des citations de prototypes que comme des clichés dépourvus d'auteur, comme des « noms communs » du lexique iconographique. Le motif de la grimace de Quasimodo en reste l'exemple le plus expressif.

Ce vocabulaire de poncifs s'enrichit également par croisements iconographiques avec des motifs habilités par des traditions de niveaux culturels différents : hérité de l'imagerie populaire, le motif du juif errant apparaît par exemple dans *Les odes* (p. 65, Victor Hugo illustré par Lorsay, Hetzel, 1856) avec cette légende :

« Il voit devant ses pas...
Le grand désert de l'avenir. »

et dans *Les rayons et les ombres* de l'édition Hetzel (XL. *Caeruleum mare*) :

« Il va ! la brume est sur la gloire... »

Le thème hugolien de la force qui va et de l'errance est spontanément associé au motif du juif errant. D'autres croisements s'opèrent entre les motifs de la grande peinture et l'illustration de Victor Hugo, comme celui de l'orientale et celui du semeur en témoignent ici. L'illustration se réfère aux traditions picturales, par l'effet de citations qui peuvent être liées à un peintre ou non. Ainsi, dans l'illustration de Brion pour *Les misérables* (Hetzel, 1865), la référence à Zurbaran dans le personnage agenouillé en robe monacale devant un crucifix et un crâne (p. 281), fait face à un intérieur d'église pénétré d'un grand rai de lumière au pied du crucifix (p. 280) : les deux images évoquent stylistiquement une Espagne influencée par la tradition hollandaise, qui est présente dans l'imaginaire du texte et dans la genèse de son avant-texte.

L'édition Hugues représente le point culminant de ce lexique iconographique qui s'est peu à peu constitué autour de Victor Hugo. Au catalogue de l'Exposition Universelle de 1889, la maison d'édition tout entière est désignée à travers l'édition collective illustrée de Hugo. Les réemplois systématiques intègrent les éditions illustrées de toutes les époques, regravées sur bois si cela est nécessaire par Méaulle, depuis les frontispices de Nanteuil, jusqu'aux dernières éditions illustrées populaires et aux éditions d'amateurs. Par exemple, l'illustration pour Hetzel et Lacroix des *Châtiments* par Schuler, ou celle du *Pape* de Jean-Paul Laurens... Hugues parachève ainsi ce projet d'un musée Victor Hugo présent dès l'origine des éditions illustrées, et destiné au plus grand public puisque l'édition, populaire, peut se transformer en édition d'amateurs par le tirage sur grand papier ou par l'appropriation bibliophilique du truffage. Dans l'édition Hugues, enfin, des chefs-d'œuvre de l'histoire de l'art se trouvent associés aux textes de l'écrivain du siècle : par exemple, *La barricade* de Delacroix, recadrée, ou encore le *Caprice 37* de Goya, *Si sabrà mas el discipulo ?* gravure elle-même inspirée par le cliché de l'âne à l'école qui provient de Bruegel.

Cette énumération pourrait être sans fin, car l'allusion fait partie intégrante du jeu de l'édition illustré. Il s'agit là d'un exercice de sagacité qui s'adresse à l'intelligence et à la sensibilité du lecteur, et qui définit aussi dans leur essence sémiologique les langages artistiques, la « littérarité » du fait littéraire, et l'iconicité du fait pictural. La nouveauté des éditions illustrées du Second Empire est d'avoir multiplié les langages de référence liés à la culture originelle du lecteur : l'illustration d'amateur s'enrichit de vocables nouveaux issus de l'imagerie populaire, des canards, de la caricature ; ainsi, l'illustration, très médiocre d'ailleurs, des *Châtiments,* dans l'Édition nationale, est entièrement fondée sur l'adaptation de motifs issus du langage caricatural et traduits dans le langage noble de l'allégorie. Inversement, l'édition populaire multiplie les clins d'œil à l'histoire de la peinture et de la gravure. Le lecteur « cultivé » s'initie à la culture de l'image et de l'imprimé populaire, et le lecteur « populaire » à la culture officielle et reconnue. Ce croisement des deux extrêmes définit la prétention démocratique et nationale des éditions illustrées de Hugo dans la seconde moitié du siècle, qui se veulent toutes, y compris l'Édition nationale présentée aux Expositions Universelles, destinées au public universel que sollicite la gloire solaire de Victor Hugo.

Le phénomène de l'édition illustré, lié dans l'histoire culturelle à l'avènement d'une culture éclectique, s'est tari au XXᵉ siècle. Par rapport aux textes de Hugo, il n'a connu de prolongements réels que dans le domaine « populaire » et « grand public » de la bande dessinée et du cinéma, deux formes nouvelles d'adaptation, dont les langages de référence jusque-là limités aux idiomes nationaux, s'élargissent à la culture occidentale du XXᵉ s., tout en maintenant les clichés inhérents à l'édition illustrée : dans le *Notre-Dame de Paris* de J. Delannoy, Esméralda, jouée par Gina Lollobrigida, devient un emploi de star hollywoodienne ; dans *Cinémastock II, Notre-Dame de Paris,* Gotlib présente en couverture un dernier avatar du motif de la grimace de Quasimodo dans l'oculus, dont le prototype, la vignette de couverture pour l'édition Gosselin de 1831, par Johannot, est de longue date devenu un cliché d'illustration ; mais la page de titre montre un Quasimodo géant, King-Kong à califourchon entre les tours de Notre-Dame, tandis que Claude Frollo devient une sorte de vampire avatar de Dracula... Tout le comique de la bande dessinée provient de ces vertigineux raccourcis qui « catapultent » les uns contre les autres des univers de référence aussi distants que possible ; le grand roman de la littérature française du XIXᵉ siècle donne le canevas au texte d'Alexis tandis que la référence au cinéma expressionniste allemand et au cinéma américain inspire le « cinémastock » de Gotlib ; la compilation en vrac de ces deux « stocks » amuse le grand public à tous les âges, à partir du lycéen qui étudie *Notre-Dame de Paris* dans un manuel de littérature française.

L'absence des grands noms de l'illustration romantique, Grandville et Doré, comme celle des fondateurs du livre de peintre, n'est pas fortuite dans l'édition illustré de Hugo, où l'illustrateur reste, quelle que soit la qualité souvent remarquable du résultat, toujours un assesseur de l'écrivain-roi. L'œuvre de Victor Hugo

Notre-Dame

DE PARIS.

1482.

TOME PREMIER.

PARIS,

CHARLES GOSSELIN, LIBRAIRE,

RUE S. GERMAIN-DES-PRÉS, N° 9.

Mars 1831.

Imprimerie de Cosson.

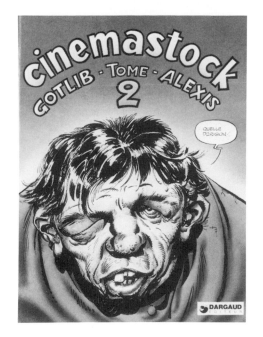

Cinémastock II, Paris, Dargaud, 1976.
Bande dessinée de Gotlib (texte) et d'Alexis (dessin).
Couverture : Quasimodo au concours de grimaces.
Paris, M.V.H.

Double page de *Notre-Dame de Paris*, dans *Cinémastock*, Paris, Dargaud, 1976.
Bande dessinée de Gotlib (texte) et d'Alexis (dessin).
Paris, M.V.H.

Notre-Dame de Paris, Paris, Gosselin, 1831
Couverture avec gravure sur bois d'après Tony Johannot
Paris, M.V.H.

représente le plus grand phénomène de l'édition illustrée du XIXᵉ siècle, car l'illustration lui a servi d'instrument privilégié destiné à diffuser l'œuvre littéraire auprès d'auditoires nouveaux, tant du côté du « populaire » que du côté de l'amateur et à confirmer sa très grande popularité ; elle est une forme d'adaptation de l'œuvre qui en préserve l'intégralité, à la différence des anthologies, des recueils de morceaux choisis, des résumés analytiques ou des histoires en images, des films et de la bande dessinée, dont les procédés de condensation, par l'extrait ou par la contraction, et de traduction dans un autre langage que le langage littéraire, attaquent d'une manière ou d'une autre l'intégralité de l'œuvre. De même que les « envois » qui occupent une place prépondérante dans la correspondance de Hugo, les illustrations permettent d'adresser le livre à un groupe de lecteurs.

A côté des auditoires traditionnels du livre, que l'illustration agace ou laisse indifférents et qui lisent des livres sans images, l'édition illustrée facilite au XIXᵉ siècle l'exploration de nouvelles sphères de lecteurs « ciblées » au moment de la mise en livre par la forme matérielle de l'édition, le choix des techniques d'illustration ou les procédures de vente. Entre les deux destinations extrêmes de l'édition illustrée, enfantine et populaire d'un côté, cultivée et lettrée de l'autre, les images fondent un langage commun, lié à l'œuvre hugolienne, qui s'est formé au fil des éditions par l'agglutination de tous les néologismes des dessinateurs décelés comme archétypes, et, dans la seconde moitié du siècle, par la diversification des langages de référence liée à l'étendue sans limite de la gloire hugolienne et de son empire. Pour filer la métaphore introduite dans la critique par P. Bénichou, l'édition illustrée de Hugo a été une sorte de sacrement de confirmation de l'écrivain. Le rôle de l'illustrateur est celui d'un lecteur-traducteur, qui répond à l'attente du destinataire choisi par l'éditeur, en adaptant dans sa manière les clichés de l'édition illustrée liés aux textes : c'est ainsi que se représente Robida, dans l'autoportrait *Les héroïnes de roman* où il rêve aux archétypes des grandes héroïnes qui plaisent à toutes les lectrices, depuis la grosse cuisinière captivée par une illustration de roman noir, dans le goût de Fantomas ressemblant à l'archétype de Raffet, *L'assassinat de Phœbus* (Renduel, 1836) jusqu'à la jeune fille rêveuse, esquissée en « remarque ». Le cliché d'Esméralda à la chèvre représente *Notre-Dame de Paris...* Les étapes successives des éditions illustrées formulent une histoire du musée imaginaire de Victor Hugo « lu et relu » par ses contemporains tout au long du XIXᵉ siècle.

S. L. M.

1. A la suite du volume, *Œuvre poétique de Victor Hugo — La fin de Satan — Dieu — Les années funestes,* Paris, Librairie du Victor Hugo illustré, s.d. 1888-1898, le premier volume datable paru sous cette adresse est *Littérature et philosophie mêlées — William Shakespeare,* Paris, Librairie du Victor Hugo illustré, s.d., dont les premières livraisons sont enregistrées à la B.F. le 19 déc. 1891 (T. et P. : p. 64, p. 68).

2. Constamment relevé dans les titres de collections dites « à quatre sous » : voir la liste établie par Cl. Witkowski, *Monographie des éditions populaires. Les romans à quatre sous. Les publications illustrées à vingt centimes 1848-1870.* Pauvert, 1981.

3. Extrêmement révélateur, ce passage de l'article *Livre* (tome XXII, p. 351) consacré à l'illustration au XIXe siècle mérite d'être cité, car il montre la conscience de cette inflation liée à un essor des techniques graphiques, en indiquant les grands moments de l'histoire du livre illustré, depuis la renaissance de la gravure sur bois associée à la littérature romantique : « L'école néo-grecque de David enfanta les illustrateurs tels que Prud'hon, Gérard, Girodet-Trioson, qui se manifestèrent dans la célèbre édition de Racine, de Pierre Didot. Puis la gravure au burin, comme moyen d'illustration, descend lentement dans la tombe, et à sa place la gravure sur bois renaît de ses cendres (v. *Gravure*). Elle se met au service de la littérature romantique et autre, pour interpréter les compositions des frères Johannot, de Devéria, de Jean Gigoux, de Daumier, de Gavarni, de Grandville, puis de Meissonnier et de Gustave Doré. Arrive ensuite la période contemporaine, qu'on connaît, où l'eau-forte se pose en rivale redoutable, et où tous les procédés mécaniques de la gravure, en noir et en couleurs, se font successivement une place dans l'illustration du livre, qui envahit tout, même les dictionnaires de langue. »

4. Voici, à titre d'exemple, la définition proposée par le *Complément* de 1862 au *Dictionnaire de l'Académie* (p. 603-604) : « *Illustration* s.p. (paléogr.) » Ornement colorié des anciens manuscrits. [...] Il se dit aujourd'hui des figures gravées sur bois et intercalées dans le texte d'un livre, ou même d'un grand nombre de gravures dans une édition de luxe. *Les illustrations de Walter Scott.* « *Illustration* (néol.). Personnages illustres. *Les illustrations de l'époque* ».

On peut noter que cette seconde acception, héritée du français de la Renaissance, est perçue comme néologique. Quant au terme d'illustrateur, il ne sert pas à définir l'activité du dessinateur qui orne un texte, mais renvoie de manière très générale à « celui qui donne du lustre, de l'éclat à une œuvre, qui en fait la réputation ».

5. Les raisons de cet oubli progressif sont doubles : d'une part, la vignette romantique fut toujours reproduite en-dehors de son contexte éditorial, ce qui favorisa la confusion entre vignette de titre unique et vignettes multiples dans le texte ; d'autre part, la notion d'illustration s'est trouvée infléchie par la formule de la seconde moitié du siècle, celle de l'illustration abondante, et multiple par définition ; les vignettes de la première période, dont Johannot était l'un des principaux artisans, se sont amalgamées à la quantité des vignettes produite après 1835 par le même artiste, dans la seconde période.

6. En voici la liste : *Les nouvelles odes,* par Victor-M. Hugo, Ladvocat, 1829 ; 2. *Han d'Islande,* London, Robins and Co, 1825 ; 3. *Odes et ballades,* par Victor Hugo, Ladvocat, 1825 ; 4. *Bug-Jargal,* par l'auteur de Han d'Islande, Urbain Canel, 1826 ; 5. *Odes et ballades,* par Victor Hugo (tome IV), Ladvocat, 1827 ; 6. *Les orientales,* Ch. Gosselin et Bossange, décembre 1828 (rééd. 1829) ; 7. *Odes et ballades,* Gosselin et Bossange, 1829 (éd. in-8 en deux vol.) ; 8. *Notre-Dame de Paris,* (Œuvres complètes de Victor Hugo), Ch. Gosselin, 1831 (éd. in-12 en quatre vol. et in-8 en deux vol.) ; 9. *Les feuilles d'automne,* Renduel, 1832 (nov. 1831) ; 10. *Le roi s'amuse,* drame, Eug. Renduel, 1832. 11. *Œuvres de Victor Hugo* illustrées par Célestin Nanteuil, Renduel, 20 décembre 1832 ; 12. *Lucrèce Borgia,* drame, Renduel 1833 ; 13. *Marie Tudor,* drame, Eug. Renduel, 1833 ; 13. *Angelo, tyran de Padoue,* drame, Eug. Renduel, 1834. Vignettes de Devéria (1, 3, 4, 5), Cruikshank (2), Boulanger (6, 7), T. Johannot (8, 9, 10), Nanteuil (11, 12, 13) : les meilleures descriptions des bois et des eaux-fortes demeurent celles d'Asselineau.

7. *Le rêve de Jean Valjean,* eaux-fortes originales de Lars Bo, Paris, les Amis bibliophiles, 1975.

8. Sur l'histoire du livre illustré en France au XIXe siècle, voir J. Adhémar et J.-P. Seguin, *Le livre romantique,* Paris, 1968 ; J. Brivois, *Guide de l'amateur,* Paris, 1883 ; E. Bayard, *L'illustration et les illustrateurs,* Paris, 1895 ; F. Calot, L. M. Michon, P. Angoulvent, *L'art du livre en France,* Paris, 1931 ; L. Carteret, *Le trésor du bibliophile romantique et moderne, 1801-1875,* Paris, 1926-1928 (4 vol.) ; R. Hesse, *Histoire du livre d'art du XIXe siècle à nos jours,* Paris, 1927 ; M. Melot, *L'illustration, histoire d'un art,* Genève, 1984 ; *Romantisme,* n° 43, 1984, *Le livre et ses images ;* M. Sander, *Les livres illustrés français du XIXe siècle,* Paris, 1924 (éd. fr.) ; G. Vicaire, *Manuel de l'amateur de livres du XIXe siècle, 1801-1893,* Paris, 1894-1920 (8 vol.).

9. N'ont été relevés que les titres antérieurs à 1835, dans la liste de Champfleury, *Les vignettes romantiques, Histoire de la littérature et de l'art, 1825-1840,* Paris, 1883.

10. Avec Desbordes-Valmore, Dumas, Forneret, Goethe, Lamartine, Sue et Sand.

11. Romans, contes et nouvelles : 60 % ; recueils poétiques : près de 20 % ; drames : 20 % ; politique, philosophie, histoire : moins de 1 %. Sondage effectué à partir des titres de la bibliographie de Champfleury, et non du nombre de volumes ou d'illustrations par volume.

12. Cet intérêt pour la « mise en livre » contraste avec le peu d'intérêt marqué pour l'illustration, sauf dans certains cas ponctuels.

13. Au sujet des frontispices de Nanteuil et des vignettes liminaires, voir notre communication au colloque *V.H.I.* sur « Les frontispices ».

14. Witkowski, n° 74 ; T. et P., p. 61.

15. T. et P., p. 63 : œuvres poétiques publiées

de 1875 à 1888 ; drames en 1876 ; roman (NDP), 1879.

16. S'y ajoute le recueil, dû à l'initiative de Hetzel, *Le livre des mères — Les enfants* (ill. Froment), 1862, étudié par Sh. Gaudon dans un art. à paraître. Le contrat du 8 sept. 1857 contenait cette clause ; « M. Victor Hugo autorise M. Hetzel à publier, avec illustrations, un livre intitulé Les enfants, par Victor Hugo » (exp. *Hetzel*, B.N., 1966, n° 164).

17. T. et P., p. 71, album publié de déc. 1885 à déc. 1888, avec l'ordre de présentation suivant : théâtre (8 pl.) ; roman (28 pl.) ; philosophie (4 pl.) ; histoire (6 pl.) ; voyage (4 pl.) ; poésie (33 pl.) ; divers (13). Après *Les mis.* (10 pl.), les grands romans *(NDP, TM, HQR)* sont illustrés de 4 pl., et les autres d'1 ou 2 pl.

18. T. et P., p. 64 et 72.

19. Éditions illustrées ; Gosselin, mars et avril 1831 (en sept pseudo-éditions) ; Renduel, 1833 et 1836 (éd. « keepsake », et éd. en 3 vol. reprise jusqu'en 1878, par Furne 1840, Houssiaux, 1857 et 1860, Hébert, 1875, 1878 ; Perrotin, 1844 ; Hetzel, Marescq, Havard, 1853 et Hetzel et Lacroix, 1865 ; les Bons romans, 1860 ; [Livre d'or] Launette, 1883 ; Hébert, 1886 [album Flameng] ; Guillaume, 1888 ; Nationale, 1889 ; T. et P. n° 26 ; analyse détaillée à paraître dans une prochaine chronique de la *Revue de l'Art*, « Ceci tuera cela » ; le prospectus Perrotin analyse les motifs de cette édition de *NDP* : « tout le monde a pensé comme nous que, s'il est un livre capable d'inspirer la verve des artistes et digne d'occuper leurs crayons, c'est assurément ce livre merveilleux ». « Cependant les éditions de *Notre-Dame de Paris* faites jusqu'à ce jour, ne contenaient point, ou presque point, de gravures. Nous venons combler cette lacune et joindre l'esprit du peintre au génie du poète. »

20. Hors-texte photogravés (procédé Goupil), à la suite de la p. 112 (J. Adeline, *La Esméralda*, Harpignies, *Vue de Notre-Dame*) et de la p. 116 (P. Kauffman, *Phœbus et la Esméralda*, G. Fraipont, *Claude Frollo*, F. Boggs, *Phœbus et Claude Frollo*) et de la p. 120 (Falero, *La Esméralda*, G. Pilotell, *Notre-Dame de Paris*).

21. Exp. *La Bibliophilie*, Paris, bibl. de l'Arsenal, 1984, p. 489 et 452.

22. *Ibid.* n° 58.

23. Voir P. Georgel, *RDA*, n° 20, p. 46 ; Burty signale dans une autre lettre son achat de l'éd. originale de *NDP* : « j'ai précisément acheté aujourd'hui votre *Notre-Dame*, l'édition in-8° de 1831, 2 volumes avec des croquis de Johannot ! » (*ibid.*, p. 48).

24. H. Béraldi, *Les graveurs du XIXᵉ siècle*, tome VIII, p. 254-55.

25. Ainsi la lettre de Burty à V. H. du 25 nov. 1865 : « mon cher maître, je voudrais bien avoir une photographie de vous pour mettre en tête de mon exemplaire que je vais faire relier magnifiquement. Et aussi un ou deux dessins ou croquis que je puisse ajouter au texte » (*RDA*, n° 20, p. 46). Le « truffage » est une habitude ancienne que mentionne Jouy dans *L'Ermite de la Guiane* en 1816 et qui revient à la mode dans la seconde moitié du siècle (voir l'art. de L. Viardot dans l'*Histoire de l'édition*

française, II, Paris, 1984) ; auteur du *Manuel de l'amateur d'illustrations,* le libraire Sieurin s'était spécialisé dans la vente de planches d'éditions « cassées » à cette fin (renseignement donné par monsieur J. Adhémar).

26. A. Jullien, *Le romantisme et l'éditeur Renduel,* Paris, 1897.

27. Dans l'édition populaire soumise au contrôle impérial dès 1852, la prépondérance des textes d'avant l'exil s'explique pour des raisons politiques.

28. Voir l'article précédent.

29. H. Monpou, *Lénore,* Ballade de Murger, traduction de Gérard, mise en musique par Hippolyte Monpou, Paris, Romagnesi, [1833] : frontispice lithographié à la plume de J. Goddé (n.s.), repr. par Champfleury, p. 63.

30. Voir les séquences *NDP* ci-dessous.

31. Il collabore aux *Français peints par eux-mêmes* (1842-44), aux *Chants et chansons populaires de la France* (1842), à *La grande ville* (1843), à *La Normandie* de Janin (1843), à *Mes prisons* de Pellico (1844) et au *Diable à Paris* (1844). *Dictionnaire des illustrateurs de 1800 à 1914,* Paris, 1983, p. 289.

32. *Œuvres de Victor Hugo,* frontispice inédit de Bracquemond (Béraldi, n° 481).

33. *Cinq poèmes,* Paris, éditions d'art Edouard Pelletan, 1902 (T. et P. n° 111) — *Bivar (LS)* est orné de sept compositions de Vierge gravées par Pelletan.

34. Voir l'édition de ces lettres du 21 avril, du 16 mai, du 23 mai et du 4 septembre 1872 (B. N. papiers Hetzel) dans la thèse dactylographiée de L. Schwartz, *Le réalisme folklorique dans la peinture alsacienne de 1848 à 1870,* École du Louvre, 1967 (aimablement communiquée par l'auteur). Van Gogh appréciait dans les illustrations de Schuler leur caractère littéral par rapport au texte illustré.

35. Cité par G. N. Ray, *The Art of the French illustrated Book, 1700 to 1914,* New York, Pierpont Morgan Library 1982, vol. II, n° 402.

36. *Ibid.* II, p. 355.

37. *Corr.* I.N. I, p. 414. Publicité pour cette édition illustrée sur l'un des plats de l'édition originale de *Bug-Jargal* (Urbain Canel, 1826) : « les amateurs qui seraient curieux de se procurer la traduction anglaise de *Han d'Islande,* ornée de quatre gravures admirables du fameux Cruikshank la trouveront chez le même éditeur, au prix de quinze francs » (Asselineau, p. 4).

38. Hauteville House, 5 février 1873, *Corr.* I.N. III, p. 350.

39. Il écrit de Chifflart : « il a supérieurement réussi l'illustration des *Travailleurs de la mer,* surtout le côté terrible » (13 juin 1889, lettre à Vacquerie, *Corr.* I.N. III, p. 203. Sur Hugo et Chifflart, voir P. Georgel, *RDA* 20 et exp. Saint-Omer, musée de l'hôtel Sandelin, 1972 (P. Georgel, « Chifflart et Victor Hugo »).

40. Sur Victor Hugo illustrateur de lui-même, voir, ici même, l'étude de P. Georgel.

41. A. Marie, *Le peintre poète Louis Boulanger,* Paris, 1925 ; *Alfred et Tony Johannot,* Paris, 1925 ; *Célestin Nanteuil,* Paris, 1924 ; exp. *Victor Hugo et les artistes romantiques,* Paris, MVH, 1951 ; exp. *Louis Boulanger,* Dijon, MBA, 1970 ; *Célestin Nanteuil,* Dijon, MBA, 1973. Voir aussi le témoi-

gnage d'Asselineau, « Tony, quand il composait les quatre délicieuses vignettes de *Notre-Dame de Paris,* connaissait le livre autrement que par la communication des épreuves. Il le savait par cœur ; il l'avait vécu, pour ainsi dire, dans les conversations de la Place Royale et dans les confidences du poète » et « Au temps dont je parle le crayon était vraiment confident de la plume, et complice aussi. La vignette se faisait en même temps que la page » (p. XVI).

42. *F. A.* (Renduel, 1832, 2 vol. in-12) exemplaire enluminé de 29 dessins à la mine de plomb par H. Bellangé (dont 6 reproduits dans le cat. de la bibliothèque de Guerquin et 4 dans celui de la librairie Sourget, 1984, n° 97 ; exp. *le Romantisme,* B.N., 1930, n° 91 et exp. *Maturité de Victor Hugo,* MVH 1953, n° 166 ; récemment acquis par la MVH).

43. Ainsi l'exemplaire du *Rhin* (Delloye, 1842) « truffé » d'autographes et de fleurs séchées cueillies par V. H. (MVH, ou celui des *Contemplations* (Lévy 1856, 3 vol.) ayant appartenu à madame VH (MVH) « truffé » d'une aquarelle de Boulanger en frontispice, de 13 lettres de V. H. et de 34 photographies du poète et de son entourage, enfin l'exemplaire de l'édition Hugues composé par V. H. pour la famille du graveur Méaulle (décrit par Ray, *op. cit.,* II, p. 355) : cet exemplaire interfolié de nombreux dessins, par V. H., Nanteuil et Delacroix entre autres, se trouve à la Pierpont Morgan Library de New York.

44. Voir notre article sur les « mises en pages », *Histoire de l'édition française,* t. III (sous presse).

45. Voir la communication de C. Van Eecke au colloque *VHI* sur l'« épigraphe-illustration ».

46. Voir Jullien, *op. cit.*

47. Champfleury, p. 333.

48. Voir H. Bouchot, *Les livres à vignettes du XIXᵉ siècle* (Paris, 1891) ; P. Gusman, *La gravure sur bois en France au XIXᵉ siècle* (Paris, 1929) ; H. Zerner, « La gravure sur bois romantique », *Médecine de France,* n° 150, pp. 17-52.

49. Voir H. Zerner et Ch. Rosen, *Romanticism and Realism, The Mythology of nineteenth Century Art,* New York et Londres, 1984, p. 2-5.

50. « Les mises en page », *op. cit.*

51. A. Marie, *Johannot,* p. 46 ; à propos de Nanteuil, Marie évoque à nouveau les « émouvantes enseignes » : « au-dessous d'un titre sonore et d'une épigraphe sybilline (...), l'appât d'une vignette obsédante et farouche », cf. n. 53.

52. « The following volume contains a *rifacimento* of a French romance bearing the same title [...] The Riffatore [...] has attempted to improve [the] appearance [of the hero] by reducing the length of his *tale.* This single pretention to a favorable consideration he feels is considerably strengthened by the four very ingenious and spirited etchings by Mr. George Cruikshank which his labours have been the occasion of introducing, and which give to this volume an attraction wholly unknown to the original ».

53. « Il y avait, écrit Asselineau, comme à toutes les époques de conviction et de lutte, un tel concours de volonté, une telle unité d'intentions, que l'œuvre du dessinateur et de l'impri-

meur, l'épigraphe, ce luxe d'alors et les annonces même de la couverture, complètent le livre et le commentent. [...] On exagérait la cocarde et on chargeait les couleurs du drapeau et plus le titre était surprenant, plus la vignette était farouche [...] plus on était sûr de ne pas être confondu avec l'ennemi. »

54. « La belle église romane de Saint-Germain-des-Prés, d'où Henri IV avait observé Paris, avait trois flèches, les seules de ce genre qui embellissent la silhouette de la capitale. Deux de ces aiguilles menaçaient ruine. Il fallait les étayer ou les abattre ; on a trouvé plus court de les abattre » etc.

55. Sur l'exploitation typographique du diagramme voir les art. de J.-D. Urbain et de S. Le Men dans *Langages,* 1984, n° 75, *Lettres et Icônes.*

56. Livret du Salon de 1833 : « n° 246, Sujets tirés de Notre-Dame de Paris de V. Hugo, aquarelles » : il s'agit de *L'enlèvement de la Esméralda* (II, IV), *La Esméralda choisit Gringoire pour époux* (II, VI), *La Esméralda chez madame de Gondelaurier* (VII, I), *Claude Frollo et la Esméralda* (VIII, IV), *L'amende honorable* (VIII, VI), *La Sachette, La Esméralda et Claude Frollo* (XI, I), *La Sachette défendant la Esméralda* (XI, I) (MVH) ; ces aquarelles qui font partie du legs Jullien ont peut-être été commandées par Renduel à Boulanger en vue d'une suite d'illustrations analogue à celle de Nanteuil, mais non gravée. L'édition Renduel de 1836, où Boulanger dessine la *Procession du pape des fous* (II, III) fixe de manière définitive le choix des épisodes principaux pour l'édition illustrée.

57. Les frontispices Renduel de Nanteuil, pour Hugo et Musset (qui les refusa) remettent en cause la définition traditionnelle du frontispice comme image unique, synthèse ou annonce du contenu.

58. M. Riffaterre, *La production du texte,* Paris, 1979.

59. Qui dérivent des keepsakes romantiques.

60. Ces aquarelles préparatoires sont conservées à la MVH ; celle de Tony Johannot, pour le chapitre *Sourd,* se trouve au musée de l'Ermitage de Léningrad.

61. Suite de *L'Artiste* pour *NDP* en 1831 ; suite Migette en 1834 ; suite de six illustrations de Vierge pour l'édition de la *LS* 1re série (lévy, 1859), T. et P. 57 A ; album Castelli et Brion pour *Les misérables,* T. et P. 59.

62. A. Parménie et C. Bonnier de la Chapelle, *Histoire d'un éditeur et de ses auteurs, P. J. Hetzel (Stahl),* Paris, [1953] ; *Hetzel,* n° spécial *Europe,* 1978.

63. Voir le cat. *G. Heilbrun-Collection des éditions populaires de Victor Hugo,* n° 41, Paris, s.d. [1959].

64. Ainsi les exemplaires sur Chine de la bibliothèque Meurice (MVH), ou les exemplaires décrits dans le cat. Heilbrun.

65. « Sans les romans qu'elle avait lus, et qui, par moments, faisaient bizarrement reconnaître la mijaurée sous l'ogresse, jamais l'idée ne fût venue à personne de dire d'elle : c'est une femme. »

66. Un dernier motif des *Misérables* est celui du cabinet de lecture : voir C. Duchet « Un libraire libéral sous l'Empire et la Restauration : du nouveau sur Royol »,

RHLF, vol. 65, pp. 485-493. J. Seebacher, « En marge des *Misérables,* I : le bonhomme Royol et son « cabinet de lecture », *RHLF,* oct. déc. 1962, pp. 574-590.

67. Lettre à Lacroix citée dans l'historique des *Misérables* (IN, p. 337) : « en publiant l'édition à bon marché de petit format, vous recommencez le mouvement et l'effet des premiers jours ! vous faites pénétrer le livre dans les couches profondes et inépuisables du peuple [...] le format bon marché fait vendre le format cher ; il sert de prospectus et sollicite les bibliothèques ».

68. Cité par P. Georgel, *RDA,* n° 20.

69. Sur l'histoire des pratiques de la lecture populaire, voir D. Roche, *Le peuple de Paris,* Paris, 1981, pp. 204-241 ; Fr. Parent *Les Cabinets de lecture — La lecture publique à Paris sous la Restauration,* Paris, 1982 ; *Histoire de l'édition française,* tome II, pp. 498-511 et 606-621, Paris, 1984 ; *Pratiques de la lecture* (dir. R. Chartier), Paris, 1985.

70. Publiés par *Les bons romans, B.J.,* n° 372-381 (ill. de J. Marcel et A. de Neuville) ; *H.I.,* n° 1-32 (ill. de Worms, Dumont, Rouget, Carbonneau, Coste) ; *N.D.P.* n° 43-72 (ill. de Foulquier).

71. Primes gratuites du roman-journal *Le Conteur* (n° 1-12 : *B.J.* et n° 33-44 : *Or.*) ; du *Monde littéraire* (n° 21-52 : *NDP ;* n° 13-44 : *HI ;* n° 42-52 : *LB*) ; de *La Nouvelle* (n° 37-46 : *DJC ;* n° 47-48 : *CG*). L'ensemble des publications s'échelonnent entre le 7 avril 1856 et le 12 mars 1857 et reprennent l'édition Hetzel populaire. En 1861, les *Cinq Centimes illustrés* proposent en prime gratuite pour tout abonnement de six mois un choix d'ouvrages parmi lesquels *Lucrèce Borgia.* Je remercie M. Gillet de ces renseignements.

72. *NDP* (25 « scènes », 7 « types » et 7 « sites ») figurent en prime du *Monde Littéraire* (livraisons du 28 mai au 11 sept. 1856) qui contient *La femme chez les Mormons* (15 « scènes », 2 « types » et un « site ») et *La rupture de ban* de G. Bell (50 « scènes », 38 « types » et 8 « sites »). Les « scènes » puis les « types » dominent car dans *NDP,* le « site » de la cathédrale confine au « type » du protagoniste du roman. Sur la définition rhétorique du « tableau », voir Fontanier, *Les figures du discours,* Paris, rééd. 1968, p. 431 (éd. or. 1830).

73. Sur Cruikshank, voir le cat. de l'exp. itinérante Arts Councils of Great Britain, 1974 et W. Bates, *George Cruikshank, The Artist, the Humorist and the Man,* Amsterdam, New York, 1972 (réimp. de l'éd. de 1879).

74. Arnault de Vresse, l'éditeur des parodies de Baric, est le successeur d'Aubert et l'éditeur des salons caricaturaux.

75. Publicité pour le *Nouveau musée universel* du bibliophile Jacob, figurant sur les plats de certains volumes de l'édition populaire Hetzel. Sur les rapports entre la pédagogie par l'image et l'alphabétisation enfantine ou populaire, voir l'article de D. Julia dans l'*Histoire de l'édition française, t. II,* et M. Ozouf, « La puissance des images », dans *La fête révolutionnaire* (Paris, 1976), pp. 241-249. L'article « des moyens d'instruction. Les livres et les images », dans le *Magasin Pittoresque* de 1833 (n° 13) annonce les idées de Hetzel : « nous

dirions volontiers : sans les dessins, il est impossible d'arriver à l'éducation complète des hommes, grands et petits. Nous attachons en effet une grande importance morale aux images, et nous croyons qu'elles comblent une lacune des livres.

Un livre sans images pourra être enrichi de graves leçons de morale [...] mais il n'aura qu'une influence imparfaite et douteuse parce que [...] une bonne partie du genre humain ne saura jamais lire qu'à moitié dans un livre sans images ».

76. D'après le dossier de demande de légion d'honneur de Testard (1893), A.N. F 12 5282 (signalé par M. Nonne).

77. B.N. : cat. Q 10 Lemonnyer, *Catalogue des réimpressions du XVIIIe siècle, avec spécimens de gravure,* et *Catalogue de l'exposition du cercle de la librairie* en 1881. Dans l'introduction de son catalogue, Lemonnyer, alors installé à Rouen (passage Saint-Herbland), fait valoir les intérêts de la photogravure dans la reproduction des livres anciens, rendus ainsi disponibles à des coûts bien moindres.

78. B.N. cat. Q 10 Ferroud.

Références citées en abrégé :

T et P. = Bibliographie des auteurs modernes de langue française (1801-1948), par H. Talvart et J. Place, t. IX, *Hugo-Huys,* Paris, 1949.

V.H.I. = Colloque *Victor Hugo et les Images,* Dijon, octobre 1984 (actes sous presse).

Le rêve du condamné

« Et puis il m'a paru que le cachot était plein d'hommes, d'hommes étranges qui portaient leur tête dans leur main gauche, et la portaient par la bouche, parce qu'il n'y avait pas de chevelure. Tous me montraient le poing, excepté le parricide.

J'ai fermé les yeux avec horreur, alors j'ai tout vu plus distinctement. Rêve, vision ou réalité, je serais devenu fou, si une impression brusque ne m'eût réveillé à temps. »

Le fantasme du condamné à mort, celui de la tête coupée, revient sans cesse dans la première partie du *Dernier jour d'un condamné* (1829), consacrée à l'attente du jour de l'exécution, avant de donner lieu au récit d'un cauchemar horrifiant, où le narrateur se voit assailli d'hommes décapités, qui tiennent, tels saint Denis, leur tête coupée, et la brandissent vers lui. Ce passage dicte à Boulanger la lithographie éditée par Motte, *Les spectres sans tête*, où trois spectres apparaissent, comme les sorcières de Macbeth, au prisonnier acculé sur le mur de sa cellule. L'une des têtes est le « soleil cou coupé » qui éclaire le clair-obscur de la cellule, en annonçant les lithographies, plus abstraites, du Redon de *Dans le rêve* (1879) ; mais c'est surtout du

Faust de Delacroix, édité aussi par Motte, que se rapproche, par l'inspiration « frénétique » et la technique au lavis, l'œuvre de Boulanger : pensons à la planche 15, consacrée à la vision de Marguerite (« Laisse cet objet, on ne se trouve jamais bien de le regarder... tu as bien entendu raconter l'histoire de Méduse ? »). Les parties latérales de l'encadrement du frontispice à l'eau-forte de Nanteuil pour *Le dernier jour d'un condamné* (1832), peuvent se lire comme le rêve du condamné, qui apparaît dans le compartiment central assis dans sa cellule. Quant à Chifflart, il montre, dans une vision monumentale et plastique, le prisonnier dans un état de transe hallucinée, les bras écartés comme pour conjurer le demi-cercle des têtes coupées. L'illustration de Rivoulon fils, dans une lithographie assez médiocre sur fond noir, est plus conventionnelle, tant par l'évocation du rêveur allongé et accoudé, conforme à l'iconographie de Jacob dans le songe, que par la sarabande des corps sans tête menés par la Mort, dans le style des « Métamorphoses du sommeil », d'après Grandville, parues dans le *Magasin Pittoresque* de 1846.

S.L.M.

*Antoine Rivoulon
Le rêve d'un condamné. 1829 (cat. 719)
Paris, M.V.H.

*Louis Boulanger
Le dernier jour d'un condamné. Vers 1830 (cat. 718)
Paris, M.V.H.

*Célestin Nanteuil
Le dernier jour d'un condamné. 1832 (cat. 705)
Eau-forte pour *Le dernier jour d'un condamné,* Paris, Renduel, 1832
Paris, M.V.H.

« Bandes dessinées » avant la lettre

Qu'une œuvre soit conçue comme un agencement de plusieurs motifs ou qu'une suite énumère les épisodes principaux du roman, l'idée reste la même : il s'agit d'illustrer la narration dans son déroulement. Le frontispice de Nanteuil permet le passage de la vignette liminaire de Johannot, aperçu emblématique sur un coin du roman, à la composition synoptique qui préside au « retable » de Couder et inspire, dans l'édition Perrotin, cartonnage et frontispice. Les suites peuvent former une série comprise dans plusieurs livraisons du journal, une planche après l'autre, comme celle de *L'Artiste*, ou paraître ensemble sous un seul titre, comme la suite Migette, *Notre-Dame de Paris, Sujets tirés du roman de Victor Hugo*. Quant aux suites d'imagerie populaire, elles sont destinées à être placardées plutôt que glissées entre les pages

d'un livre : leur format l'atteste. En ce sens, elles se rattachent à la première des suites exposées, celle de Boulanger (Salon de 1833, n° 246, *Sujets tirés de Notre-Dame de Paris, de Victor Hugo*, aquarelles) ; elles s'en inspirent aussi par une lecture centrée sur Esméralda, seul personnage représenté dans chacune des sept aquarelles de Boulanger.

Les suites de « truffage » annoncent, par le découpage des scènes-clés, qu'elles supposent, le phénomène de l'édition illustrée proprement dite, que manifestent, pour *Notre-Dame de Paris*, l'édition Renduel de 1836 et l'édition Perrotin de 1844. Quant aux suites d'imagerie populaire qui sont la contraction figurée du roman, elles introduisent une procédure qui fonde l'histoire en images, et, par-delà, la bande dessinée.

S.L.M.

Ce panneau à quatre compartiments est significatif d'une lecture picturale du roman centrée sur le personnage d'Esméralda, où les scènes d'intérieur, à gauche, s'opposent aux scènes d'extérieur, à droite. Le tableau se lit comme une bande dessinée, de haut en bas et de gauche à droite, illustrant les épisodes d'Esméralda chez les Gondelaurier, à la Cour des Miracles et en prison, enfin celui de l'exécution d'Esméralda.

Anonyme
Scènes de Notre-Dame de Paris (cat. 729)
Paris, M.V.H.

Reliure de Notre-Dame de Paris, Paris, Perrotin, 1844
Paris, M.V.H.

Aimé de Lemud
Fontispice pour Notre-Dame de Paris, Paris, Perrotin, 1844
Coll. privée

La suite Maurin, dont les lithographies existent en noir et en couleur, témoigne d'une conception « populaire » de l'image qui en appelle à l'émotion et qui, centrée sur l'héroïne, s'adresse d'abord à la lectrice de romans. A partir d'archétypes dérivés de l'édition romantique (de Johannot, éd. Gosselin, 1831, pour *La mort d'Esméralda* ; ou de Raffet, éd. Renduel, 1836, pour *La Esméralda, Phœbus et Claude Frollo*), ou apparentés à des versions peintes, comme celle de Gale pour la scène où *Djali apprend à former les lettres du nom de Phœbus*, s'élabore une double lecture romanesque, qui est tantôt « rose » et tantôt « noire », parfois mièvre et sentimentale, parfois pathétique et paroxystique. Toutes ces données se retrouvent dans l'album Madou, pourtant destiné à un public d'amateurs.

*Nicolas Maurin
Suite de lithographies sur* Notre-Dame de Paris, Paris, Bulla, 1834

1. *La Esméralda et Phœbus* (cat. 740)
2. *La Esméralda et Gringoire* (cat. 741)
3. *La Esméralda, Phœbus et Claude Frollo* (cat. 743)
4. *Mort de la Esméralda* (cat. 744)
Paris, M.V.H.

*Nicolas Maurin
Place Notre-Dame.* 1841 (cat. 739)
Paris, M.V.H.

Victor Hugo illustré

*J.-B. Madou
Suite de gravures sur* Notre-Dame de Paris
1. *Assassinat de Phœbus* (cat. 746)
2. *Esméralda et Quasimodo* (cat. 748)
3. *Esméralda et sa chèvre* (cat. 747)
Paris, M.V.H.

Suite de lithographies parues dans L'Artiste.
1831
1. Tony Johannot
Enlèvement d'Esméralda (cat. 735)
2. C.-J. Becœur
Esméralda en prison (cat. 737)
Paris, M.V.H.

Quasimodo

Les traductions anglaises introduisent Quasimodo dans le titre du roman, *The Hunchback of Notre-Dame* : inséparable de la cathédrale, devenue son habitacle, le personnage difforme de Quasimodo, le sonneur de Notre-Dame, borgne, sourd et muet, est apparu comme le héros du roman dans l'édition populaire où il est le partenaire incongru de la gracieuse Esméralda. Son visage n'est qu'une grimace et son corps qu'une caricature, entre Mayeux et Polichinelle : ces deux images ont été forgées par Tony Johannot, respectivement dans la vignette de couverture de l'édition Gosselin (1831) et dans une planche de l'édition Renduel (1836). Le visage-grimace s'impose d'une édition à l'autre avec des variantes (Perrotin, 1844, prospectus, hors-texte et bandeau, p. 41 ; Hetzel, 1867, p. 17 ; Hugues, 1877, p. 54-55 ; album Hébert, 1886, pl. 14) jusqu'à la couverture de l'album de bandes dessinées de Gotlib. A lui seul, Nanteuil en donne trois versions, dans un trumeau de sa décoration pour le fameux bal d'Alexandre Dumas, gravée dans *L'Artiste*, en 1833, puis dans des détails de son frontispice pour Renduel en 1833, enfin dans celui de la *Bibliographie romantique* d'Asselineau en 1866. Le corps-caricature a inspiré un dessin de Théophile Gautier, qui inverse la composition de Johannot, reprise également dans l'album Madou puis dans l'édition de la seconde moitié du siècle : ceci prouve à quel point Johannot avait aux yeux de tous donné vie à Quasimodo.

Le dernier motif-archétype est apparu en 1844 (éd. Perrotin) : celui de Quasimodo sonneur, chevauchant la cloche en pleine volée, dans l'inoubliable frontispice du livre IV, inversé par Seguin dans l'éd. Hetzel (couverture et p. 48). La vignette d'en-tête du *Tocsin* reprend la scène, en rapport avec le gnome diabolique vu par Rudder dans le frontispice du livre X, en 1867.

Notre-Dame de Paris, Paris, Hetzel et Lacroix, 1865 (cat. 725)
Gravure sur bois d'après Gustave Brion
Paris, M.V.H.

L.-H. de Rudder
Le concours de grimaces
Gravure sur bois dans *Notre-Dame de Paris*,
Paris, Perrotin, 1844
Paris, M.V.H.

L.-H. de Rudder
Frontispice pour le Livre X de *Notre-Dame de Paris,* Paris, Perrotin, 1844
Paris, M.V.H.

*José Cardona
Quasimodo (cat. 760)
Paris, M.V.H.

Tony Johannot
Quasimodo et Esméralda
Gravure sur acier dans *Notre-Dame de Paris,*
Paris, Renduel, 1836
Paris, M.V.H.

Victor Hugo illustré

L.-O. Merson
Quasimodo et Esméralda
Eau-forte dans *Notre-Dame de Paris,* Édition nationale, Paris, Lemonnyer, Richard, Testard, 1889
Paris, M.V.H.

*Célestin Nanteuil
Décors pour le bal d'Alexandre Dumas. 1833
(cat. 755)
Dijon, Musée des Beaux-Arts

*Anonyme
Quasimodo (cat. 757)
B.N., Imprimés

Le bal d'Alexandre Dumas, donné en 1833, fut décrit par Eugène Devéria comme une « jeune et folâtre réunion d'artistes et de célébrités » dont il évoque un à un les costumes. Cet événement du cercle parisien des romantiques fut célébré par une eau-forte publiée dans *L'Artiste*, dans laquelle Nanteuil reproduisait sous forme de « macédoine » les éléments du décor qu'il avait lui-même réalisé, mais dont d'autres éléments reviennent à Boulanger, Ziegler et Delacroix. En bas à droite de la planche, la grimace de Quasimodo orne comme un mascaron un panneau qui pourrait être un trumeau.

*Théophile Gautier
Esméralda et Quasimodo dans une tour de Notre-Dame (cat. 761)
Paris, Musée Carnavalet

Double page de Notre-Dame de Paris, dans
Cinémastock II, Paris, Dargaud, 1976
Bande dessinée de Gotlib (texte) et d'Alexis
(dessin)
Paris, M.V.H.

*Notre-Dame de Paris, Paris, Hetzel et Lacroix,
1865 (cat. 725)
Gravure sur bois d'après Gustave Brion
Paris, M.V.H.

Louis Steinheil
Quasimodo sonneur
Frontispice pour le livre *IV* de *Notre-Dame de
Paris,* Paris, Perrotin, 1844
Paris, M.V.H.

Gérard Séguin
Quasimodo sonneur
Gravure sur bois pour la page de titre de *Notre-
Dame de Paris,* Paris, Hetzel, 1853
Paris, M.V.H.

Henry Dusino
Bandeau de titre
Le Tocsin, 1 sept. 1867
Paris, M.V.H.

Gotlib consacre une seule vignette, en haut à gauche de la page de droite, à l'iconographie attendue de la chevauchée de Quasimodo sonneur, tandis que l'épisode donne lieu à une puissante évocation du vertige de Quasimodo, liée à la diversité des points de vue et des raccourcis. La perception sonore de Quasimodo est rendue par le graphisme de l'onomatopée « Dong », qui, introduite comme un projectile en bas de la page 48, s'épanouit et se répète sur la page 49 tout entière en débordant les cadres des vignettes.

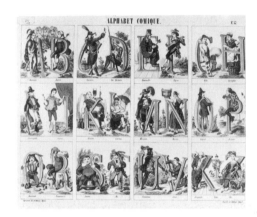

*Anonyme
Alphabet comique. 1862 (cat. 756)
B.N., Est.

*Anonyme
Alphabet de l'enfance. 1857 (cat. 758)
B.N., Est.

*Anonyme
Alphabet récréatif. 1840 (cat. 759)
B.N., Est.

Q comme Quasimodo

Dans la scène de la grimace, la tête de Quasimodo s'encadre suivant la disposition formelle de la lettre-cadre, l'une des modalités de la lettrine, héritée de la miniature médiévale, qui se perpétue dans le livre romantique : ainsi, la lettre ornée pour la « femme sans nom » dans *Les Français peints par eux-mêmes...* Les abécédaires d'imagerie édités par Pellerin sous le Second Empire ont adopté, non pas le motif de la grimace, mais celui de la silhouette de Quasimodo, pour composer à propos de la lettre « Q », une sorte d'allégorie grotesque de la laideur. Le type de Quasimodo, placé au-dessous de Mayeux dans l'*Alphabet récréatif*, apparaît, entre Polichinelle et Robert Macaire, comme l'unique personnage de l'œuvre de Hugo intégré à la culture enfantine, qui se forge alors sur un mode caricatural à partir des résidus de la culture populaire. Seul, l'*Alphabet de l'enfance* reprend le prototype visuel de Johannot, moins familier, semble-t-il, que le nom de Quasimodo aux imagiers et à leur public. Cette adoption fut précoce, à en juger par le compte-rendu parodiant la lecture populaire de *La Caricature* (21 avril 1831, n° 25, rubrique *Charges*, col. 196) : « Et puis, il y avait là un volumineux bossu joliment farceur, qui est laid, oh laid ! je crois que c'est M. Mahieux ; il aimait aussi la danseuse et puis sa musique, par c'qu'il était sourd. J'ai pas bien compris c'qui venait faire là, mais c'est égal, y m'a joliment réjoui par les émotions qu'il m'a subtilisées. » Un tel commentaire, qui situe Quasimodo dans une tradition de caricature populaire, évoque la statuette-charge (perdue) du sculpteur Dantan jeune et annonce celle de Cardona.

S.L.M.

Esméralda, ange ou démon ?

L'entrée en scène d'Esméralda dans le roman, au chapitre « Besos para golpes » (II, III), fonde le leitmotiv, qui parcourt le texte, de la danseuse au tambour de basque, accompagnée de sa chèvre savante Djali : c'est l'image qu'ont retenues les représentations gravées, peintes ou sculptées de l'héroïne. Le point de vue du poète Gringoire témoigne ici de la difficulté à saisir la personnalité ambiguë d'Esméralda, que tous les artistes vont rencontrer : d'abord séduit par cette « salamandre » qu'il perçoit comme « une nymphe, une déesse, une bacchante du mont Ménadéen », il finit par reconnaître, non sans désillusion, que « c'était tout bonnement une bohémienne ». Cette première évocation d'Esméralda est à tout jamais fixée dans l'imaginaire collectif (que note, par exemple, l'en-tête de la lettre E du *Grand Larousse du XIXe siècle*) par le dessin de Brion, réduit et mal gravé dans l'édition Hetzel (1867, p. 25), mais qui trouve sa plénitude dans le hors-texte de l'édition Hugues, traité en bois de teinte. Toute la complexité du personnage, qu'avait souvent méconnue l'édition illustrée, se trouve restituée dans cette lumineuse figure de danseuse, tout à la fois pure et séductrice. L'édition romantique, suivie par l'édition populaire, l'avait dépeinte en jeune fille éplorée, aux traits mélancoliques. Dépourvue d'individualité, elle n'existait que par les couples successifs et opposés qu'elle formait en harmonie avec Phœbus ou en contraste avec Quasimodo et Frollo. A cette image édulcorée font exception quelques scènes, comme celle de l'enlèvement d'Esméralda ou encore celle de l'assassinat de Frollo, dont Raffet a donné l'archétype dans l'édition Renduel de 1836, repris aussi bien dans la suite populaire Maurin que dans l'album d'amateur Flameng (1886).

*Charles de Steuben
La Esméralda. 1841 (cat. 766)
Lithographie de Jazet
B.N., Est.

*Charles de Steuben
La Esméralda. Salon de 1839 (cat. 764)
Nantes, Musée des Beaux-Arts

Victor Hugo illustré

*Bernard Hildebrand
Camée à l'effigie d'Esméralda. Salon de 1895
(cat. 792)
Paris, Musée d'Orsay

*Gaston Saint-Pierre
Esméralda enfant (cat. 773)
Marseille, Musée des Beaux-Arts

*William Gale
La leçon de lecture (cat. 767)
Sydney (Australie), Art Gallery of New South
Wales

Dans toute la diversité des supports de la diffusion du roman par l'image, c'est le personnage d'Esméralda, danseuse à la chèvre, jeune fille au tambourin, qui a le plus souvent personnifié *Notre-Dame de Paris*.

L'interprétation innocente domine à l'époque troubadour, des lithographies d'Achille Devéria et de Grévedon aux papiers peints. Elle persiste dans les deux peintures de Steuben : l'une illustre le chapitre « Sourd » et reprend les linéaments de l'illustration de Johannot (Renduel, 1836) pour Esméralda jouant avec sa chèvre sur un coin de paillasse ; l'autre, dont une estampe de Jazet conserve la trame, représente Esméralda dansant sur les pointes avec Djali. Le tableau de Gale introduit une scène très populaire dans l'imagerie lithographique, mais seulement implicite dans le texte de Hugo, à la fin du chapitre « Du danger de confier son secret à une chèvre » : Esméralda apprend à Djali à assembler les lettres du nom de Phœbus. Le même sujet est traité par *La Esméralda* de Perlet, avec une pose plus érotique. L'interprétation d'une Esméralda plus trouble est suscitée par certaines scènes du roman : elle séduit Phœbus par le marivaudage (Chifflart) ; elle se replie dans un coin de cellule où apparaît la silhouette encapuchonnée de Frollo, vue de dos, pareil à un pleurant funéraire dans la scène de l'*in-pace* par Schuler. Ce dessin assez flaxmanien de 1847 a inspiré l'illustration de Seguin pour l'édition Hetzel de 1853 (p. 104). A partir de tels motifs, l'image d'Esméralda dérive, depuis la vierge orientalisante évoquée par Merson dans l'Édition nationale jusqu'à celle de la prostituée aux seins provocateurs imaginée par Aloÿse, et jusqu'à donner son nom à un « lieu de plaisir » de Pigalle.

S.L.M.

* *Papier peint à l'effigie d'Esméralda* (cat. 783)
Paris, Bibliothèque Forney

*Héloïse Leloir
Esméralda (cat. 770)
Paris, M.V.H.

*N.-F. Chifflart
Esméralda et Phœbus (cat. 777)
Saint-Omer, Musée de l'hôtel Sandelin

*Aloïse
Esmralda (cat. 772)
Lausanne, collection de l'art brut

*Gustave Brion
Esméralda. Salon de 1877 (cat. 771)
Gravure sur bois dans *Notre-Dame de Paris,*
Paris, Hugues, 1876-1877
Paris, M.V.H.

*François Flameng
Assassinat de Phœbus. 1885 (cat. 779)
Paris, M.V.H.

*Théophile Schuler
Esméralda en prison. 1847 (cat. 776)
Strasbourg. Cabinet des Estampes et des Dessins

L'Esméralda Saloon à Pigalle
Photo Jacques Faujour

La procession du pape
des fous

L'aquarelle de Boulanger, gravée sur acier par W. Finden (éd. Renduel, 1836, p. 61), a servi d'archétype à l'illustration de la procession du pape des fous (II, 3), ce passage pittoresque et carnavalesque où Quasimodo, vainqueur du concours de grimaces, est porté en triomphe par la procession des égyptiens, des argotiers et de la basoche. Boulanger ne retient de l'épisode que l'ample vision du cortège défilant aux flambeaux dans la ville gothique, sans aucune tonalité burlesque. Édouard de Beaumont (éd. Perrotin, 1844, p. 63) suit ce modèle, à quelques variantes près dans les personnages et les reflets du clair de lune ; son dessin est gravé sur bois par Méaulle dans l'édition Hugues (p. 84). Les éditions populaires Hetzel et Hugues transforment l'évocation du chapitre, qui, de tableau global se rapportant à l'ensemble de l'épisode, devient

une histoire en images analysée plan par plan de manière précinématographique : gros plan sur Quasimodo de face (p. 24), recul sur l'arrivée de la procession grotesque (p. 33), puis vision de dos de Quasimodo auquel Claude Frollo arrache sa crosse, dans l'édition Hetzel illustrée par Brion (p. 40) ; l'édition Hugues présente la vue « panoramique » de la scène d'après Beaumont (p. 84), avant d'évoquer d'après Brion l'arrivée de la procession (p. 85) et le geste de Frollo qui interrompt brutalement l'épisode (p. 87). Toutes ces nouvelles gravures sur bois, en vision rapprochée, présentées en hauteur, dans le sens de la page, comme des fragments de la scène globale, procèdent dans leur scénographie de la composition initiale de Boulanger.

S.L.M.

... et lui arracher des mains avec un geste de colère. (Page 38.)

Innocents, et qui ressemble à un écheveau de fil brouillé par un chat. « Voilà des rues qui ont bien peu de logique ! » disait Gringoire, perdu dans ces mille circuits qui revenaient sans cesse sur eux-mêmes, mais où la jeune fille suivait un chemin qui lui paraissait bien connu, sans hésiter et d'un pas de plus en plus rapide. Quant à lui, il l'eût parfaitement ignoré où il était, s'il n'eût aperçu en passant, au détour d'une rue, la masse octogone du pilori des halles, dont le sommet à jour détachait vivement sa découpure noire sur une fenêtre encore éclairée dans la rue Verdelet.

Depuis quelques instants, il avait attiré l'attention de la jeune fille; elle avait à plusieurs reprises tourné la tête vers lui avec inquiétude; elle s'était même une fois arrêtée tout

court, avait profité d'un rayon de lumière qui s'échappait d'une boulangerie entr'ouverte pour le regarder fixement du haut en bas; puis, ce coup d'œil jeté, Gringoire lui avait vu faire cette petite moue qu'il avait déjà remarquée, et elle avait passé outre.

Cette petite moue donna à penser à Gringoire. Il y avait certainement du dédain et de la moquerie dans cette gracieuse grimace. Aussi commençait-il à baisser la tête, à compter les pavés, et à suivre la jeune fille d'un peu plus loin, lorsque, au tournant d'une rue qui venait de la lui faire perdre de vue, il l'entendit pousser un cri perçant.

Il hâta le pas.

La rue était pleine de ténèbres. Pourtant une étoupe imbibée d'huile, qui brûlait dans

La Cour des Miracles

Dans le chapitre *La cruche cassée* (II, 6), cet épisode est, peut-être plus encore que la procession du pape des fous, perçu comme un sujet de tableau romantique. Dans le livre illustré, il suit la même évolution, depuis la scène-tableau de l'édition romantique jusqu'aux motifs successifs et fragmentés, en vision rapprochée, de l'édition populaire, où l'évocation du roi des mendiants se dissocie de celle de la pendaison de Gringoire. La vision, par Vierge, de Clopin Trouillefou juché sur son tonneau rejoint le style de ses dessins pour *L'homme qui rit*. L'aquarelle de Nanteuil qui montre en 1835 la comparution de Gringoire devant le roi des mendiants est peut-être une étude d'atmosphère en rapport avec sa vue de scène de l'opéra *La Esméralda* (acte I), gravée en 1836 dans la revue de Nerval, *Le Monde Dramatique*. Alors que la sépia de Boulanger reprenait la vision frontale d'une place médiévale bordée de maisons à pignons,

celle de sa *Procession du pape des fous*, Nanteuil, en y introduisant une foule truculente et débraillée, brise ce décor sur deux plans animés par les reflets de la flamme, il diminue la part d'anecdote et renonce au motif du trône-tonneau : Clopin siège, plus solennel, auprès d'une Esméralda serpentine et lumineuse. Doré se rapproche de Boulanger dans un dessin gouaché qui a été comparé à son *Entrée de Gargantua à Paris* (exp. Doré, 1983, n° 223), mais il se distingue par la vue plongeante, qui oppose la foule lilliputienne des truands à la stature énorme de Clopin au pied du gibet. Ses deux autres versions, le bois de teinte de *L'Univers Illustré* (1859) et le lavis aquarellé de l'année de sa mort, se souviennent, à vingt ans d'écart, des silhouettes de diableries qui figurent au premier plan de la *Tentation de Saint-Antoine* de Callot, désigné dans le texte de Hugo.

S.L.M.

*Louis Boulanger
La Cour des Miracles (cat. 797)
Paris, M.V.H.

*Célestin Nanteuil
La Cour des Miracles (cat. 798)
Paris, M.V.H.

*Gustave Doré
La Cour des Miracles. 1859 (cat. 799)
Coll. privée

*Gustave Doré
Les truands (cat. 800)
Gravure sur bois dans *L'Univers Illustré*,
16 avril 1859
Paris, M.V.H.

Nicolas Jacques
La Cour des Miracles
Gravure sur acier dans *Notre-Dame de Paris*,
Paris, Perrotin, 1844
Paris, M.V.H.

*Gustave Doré
La Cour des Miracles. 1882 (cat. 801)
Coll. privée

Auguste Raffet
La cruche cassée
Gravure sur acier dans *Notre-Dame de Paris*,
Paris, Renduel, 1836
Paris, M.V.H.

Notre-Dame de Paris, Paris, Hetzel et Lacroix,
1865 (cat. 725)
Gravure sur bois d'après Gustave Brion
Paris, M.V.H.

Le pilori

Popularisée par la vignette de titre de Tony Johannot qui représente Esméralda donnant à boire à Quasimodo (éd. Gosselin, mars 1831, t. I et avril 1831, t. II), la scène du pilori (VI, IV) constitue l'un des hauts lieux de l'édition illustrée de *Notre-Dame de Paris* et de son iconographie picturale, qui culmine avec les interprétations peintes et gravées de Merson : le texte même l'introduit comme un épisode spectaculaire, rapproché de la scène du Trou-aux-Rats puis opposé à celle du pape des fous ; la « grimace » s'étend ici à tout le corps difforme de Quasimodo, exhibé nu, comme un phénomène de foire, sur le plateau de scène rotatif qu'est le pilori, aux yeux de la foule versatile qui l'acclamait naguère. La composante spectaculaire est manifestée tantôt par la foule (éd. Perrotin, p. 217, et peintures de Merson et de Roubaudi), tantôt par la mobilité des points de vue successifs qui tournent autour de Quasimodo

(éd. Hetzel, 1853 et 1867 ; éd. Hugues, 1877). L'archétype de Johannot se rapporte au dénouement du chapitre, qui donne le mot du titre-énigme, *Une larme pour une goutte d'eau* ; il est parfois remplacé par celui de la flagellation (éd. Perrotin, 1844, p. 217), qui peut aussi le compléter pour former sur une double page une antithèse entre sadisme et compassion (éd. Hetzel, 1853, p. 72-73 et 1867, p. 120-121) : dans l'Édition nationale, ce motif secondaire est celui du bandeau, dont la « remarque » du premier état introduit le motif principal du hors-texte, inversant la composition de Johannot. Dans les éditions les plus illustrées, lettrine, bandeau (éd. Perrotin, p. 214) et cul-de-lampe (éd. Hugues, 1877, I, p. 301) introduisent ou clôturent le chapitre par les accessoires du supplice, qui en sont l'évocation métonymique : roue, corde, fouet, sablier.

S.L.M.

Tony Johannot
Esméralda donnant à boire à Quasimodo
Gravure sur bois dans *Notre-Dame de Paris,*
Paris, Gosselin, 1831
Coll. privée

*Notre-Dame de Paris, Paris, Hetzel et Lacroix,
1865 (cat. 725)
Gravures sur bois d'après Gustave Brion
Paris, M.V.H.

Notre-Dame de Paris, Paris, Hetzel, 1853.
Gravures sur bois d'après Gérard Séguin
Paris, M.V.H.

*Tony Johannot
Quasimodo au pilori (cat. 803)
Paris, M.V.H.

*L.-O. Merson
Étude pour Esméralda donnant à boire à Qua-
simodo au pilori (cat. 805)
Paris, Louvre, Cabinet des Dessins

*Alcide Roubaudi
Le pilori. Salon de 1877 (cat. 804)
Nice, Musée des Beaux-Arts Jules Chéret

L.-O. Merson
*Esméralda donnant à boire à Quasimodo au
pilori.* 1903
Paris, M.V.H.

« Notre-Dame » et
« Paris à vol d'oiseau »

Titre, décor, argument esthétique et personnage principal du roman, Notre-Dame de Paris intervient sans cesse dans l'édition illustrée et devient un thème majeur pour les motifs complémentaires de la façade et de la vue de Paris du haut des tours, qu'articulent les deux chapitres du livre III, « Notre-Dame» et « Paris à vol d'oiseau». Dans ce dernier, le narrateur définit l'idéal panoptique d'un nouveau point de vue sur le paysage, fondé sur le tour d'horizon à partir d'un lieu central surélevé. Une telle saisie du paysage, celle des panoramas, échappe aux illustrateurs. Ceux-ci préfèrent adopter d'autres conventions : celles du cartographe — par le plan de ville (éd. Hugues, I, p. 179-180) —, de l'architecte des monuments historiques — par l'élévation de la façade (frontispice de l'éd. Hetzel, 1867 ; éd. Hugues, I, p. 136), la restitution du site urbain médiéval (éd. Hetzel, 1867, p. 73) —, du paysagiste enfin — par la vue cavalière (édition Perrotin, p. 112 ; éd. Hugues, I, p. 172) ou la vue pittoresque qui cultive le regard oblique du promeneur (frontispice de Rouargue, éd. Renduel, 1836 ; photogravure d'après Adeline dans le *Livre d'or* de 1883).

L'enjeu esthétique du roman est aussi son plaidoyer pour le patrimoine gothique, qui est ravalé dans la mode néo-gothique des objets « à la cathédrale », comme en témoignent, à la suite des frontispices de Nanteuil, la pendule offerte à Hugo par Renduel et le cartonnage de l'édition Perrotin. Mais l'illustration s'intéresse davantage au double sens du frontispice pour le livre et l'architecture religieuse (éd. Renduel, Furne, Houssiaux, éd. Hetzel, éd. Hugues) et au ressort dramatique du roman, qui transforme un « site » en « type » ou en « scène » : la façade du frontispice est traitée à la manière d'un portrait en pied, image soit du protagoniste désigné par le titre, soit de l'auteur et de son nom, dont elle apparaît comme l'initiale figurée. Dans la scène de l'assaut des truands, « inventée » par Chifflart, la cathédrale devient un colossal engin défensif actionné par Quasimodo ; et la grandiose vision de la phrase « deux jets de plomb fondu tombaient du haut de l'édifice au plus épais de la cohue » se répercute d'une édition à l'autre jusqu'à la couverture d'édition enfantine de la « Bibliothèque verte ».

S.L.M.

*Pendule représentant Notre-Dame de Paris, offerte à Victor Hugo par Eugène Renduel (cat. 810)
Villequier, Musée Victor Hugo

A. J. Pernot
Paris à vol d'oiseau (15e siècle)
Gravure sur acier dans *Notre-Dame de Paris*, Paris, Perrotin, 1844
Paris, M.V.H.

Notre-Dame de Paris, Paris, Hugues, 1876-1877 (cat. 726)
Gravure sur bois d'après Viollet-le-Duc
Paris, M.V.H.

Notre-Dame de Paris, Paris, Renduel, 1836 (cat. 723)
Gravure sur acier d'après D. Rouargue
Paris, M.V.H.

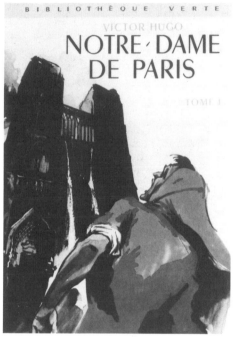

*N.-F. Chifflart
Attaque de Notre-Dame de Paris (cat. 809)
Paris, M.V.H.

Notre-Dame de Paris, Paris, Bibliothèque verte, 1966
Illustration de couverture d'après Jean Rechovsky
Paris, M.V.H.

La cellule de Claude Frollo

L'archidiacre de Notre-Dame, dont la passion fatale pour l'ensorcelante beauté d'Esméralda noue l'intrigue, est le personnage qui situe le roman, mis à l'index, dans la tradition du *Moine* de Lewis : ainsi, dans le triptyque de Couder, la peinture et la lithographie de Diaz, *L'assassinat de Phœbus* par Raffet (Renduel 1836) ou la *Chute de Frollo du haut des tours,* moment-clé des adaptations théâtrales, qui inspire à Doré un lavis. Le texte du chapitre *'ANÁΓKH* introduit Frollo dans le lignage, plus mythique encore, de Faust, associé au souvenir de Rembrandt. Les illustrations du chapitre se rapportent au passage de la description de la cellule marqué par la référence à Rembrandt, mais elles omettent de le « citer » et de reprendre son style d'aquafortiste. Sur le mode du personnage stéréotypé du savant alchimiste médiéval que donne Rudder (éd. Perrotin, 1844), elles renvoient davantage aux lithographies du *Faust* de Delacroix (1828). L'un des dessins du peintre romantique, qui refusait le parallèle avec Hugo et ne s'est guère inspiré de son œuvre, a été mis en rapport avec la fin du chapitre *'ANÁΓKH* par Hélène Toussaint. C'est le moment où Frollo jette à son frère, l'écolier Jehan, la bourse que lui réclame le jeune homme, en lui intimant l'ordre de se cacher aux yeux des visiteurs : un passage qui marque la transition d'un chapitre à l'autre et qu'ont ignoré les illustrateurs, en quête des moments principaux dans la structure narrative. Ceux-ci ont préféré montrer, en frontispice du livre VII ou en cours de chapitre, Frollo gravant l'inscription sur son mur-grimoire, puisque de cette scène, placée au cœur du livre VII, lui-même au milieu du roman, découle l'ensemble du texte, comme le suggère la préface de 1831. C'est ce passage de la préface, où Hugo prétend avoir déchiffré l'inscription sur le mur de l'escalier dans une tour de Notre-Dame, que Boulanger a même représenté. — S.L.M.

Aimé de Lemud
Réduit de Claude Frollo dans la tour
Gravure sur acier dans *Notre-Dame de Paris,* Paris, Perrotin, 1844

*Eugène Delacroix
Claude Frollo dans sa cellule (?)* (cat. 807)
Coll. privée

*C.-J. Becœur
Claude Frollo dans sa cellule* (cat. 736)
Lithographie parue dans *L'Artiste.* 1831

Notre-Dame de Paris, Paris, Hetzel et Lacroix, 1865 (cat. 725)
Gravure sur bois d'après Gustave Brion

Sara la baigneuse

Ce poème des *Orientales* (pièce XIX), à peu près oublié de nos jours, fut un des plus célèbres de l'auteur, à en juger par le nombre des peintres, sculpteurs et auteurs de mélodies qui s'en inspirèrent. Après *Notre-Dame de Paris,* c'est l'œuvre de Hugo le plus souvent représentée au Salon.

Les premières illustrations, par des romantiques de 1830 comme Boulanger et Colin, interviennent peu après la publication des *Orientales* (1829), mais la plupart des versions peintes et sculptées se situent nettement plus tard, entre 1840 et 1900 environ, avec deux temps forts, vers 1845-55 puis après 1875. Ce sont, dans l'histoire de l'art, des moments où le culte de la beauté pure, par réaction contre la poussée du réalisme, puis du naturalisme, s'affirme avec une intensité particulière. Dans le premier moment se situent, outre les œuvres de Gautier et de Delaroche, figures tutélaires du « néo-grec » alors triomphant, celles de Protat, de Signol, prix de Rome en 1830 et auteur de peintures religieuses d'une belle

rigueur classique, et, à proximité, de Corot ; dans le second — où se mêlent la tradition du nu académique, un orientalisme néo-romantique et certains aspects de l'imaginaire symboliste — les peintures de Fantin-Latour, Henner et Léon Perrault. Il convient de préciser que, pour la peinture de Delaroche et le dessin de Corot, le rapprochement avec le poème ne repose pas sur un titre historique (les deux œuvres n'en ont reçu qu'après la mort de leurs auteurs) mais sur leur concordance avec le texte et leur ressemblance avec d'autres illustrations. Delaroche est même seul à retenir un des détails descriptifs du poème, la « chemise plissée ».

La « poésie pour les yeux » des *Orientales* avait passé, lors de la publication du recueil, pour le mot d'ordre d'une littérature étrangère à toute considération idéologique. Certes, le livre faisait une place importante à l'actualité politique et à des sentiments humanitaires, mais un poème comme *Sara la baigneuse* y échappait totalement. Son pittoresque, sa sensualité païenne, prétexte à peindre un beau

*Louis Boulanger
Sara la baigneuse. 1830 (cat. 812)
B.N., Est

*Louis Boulanger
Sara la baigneuse (cat. 813)
Paris, M.V.H.

*Louis Boulanger
Sara la baigneuse. 1830 (cat. 811)
Paris, M.V.H.

Hugues Protat
Sara la baigneuse.
Gravure sur bois d'après le bas-relief du Salon de 1843
Le Journal des Artistes, n° 25, 1843
Paris, M.V.H.

*A.-M. Colin
Sara la baigneuse. 1837 (cat. 815)
Nîmes, Musée des Beaux-Arts

corps de femme dans un cadre d'eau et de verdure, convenaient à des artistes fort différents les uns des autres mais qui avaient en commun le goût de « l'art pour l'art » (même Tassaert, « réaliste » vers 1850, a donné des gages à cette doctrine). Cependant, Hugo avait beaucoup évolué depuis ce poème de jeunesse. S'y référer longtemps après sa publication, quand l'auteur, engagé dans l'action politique, s'était définitivement éloigné d'une littérature gratuite, c'était en quelque sorte invoquer le premier Hugo contre celui de la maturité et de la vieillesse. Une telle attitude rappelle celle d'écrivains comme le parnassien Théodore de Banville, qui, dans la *Ballade de ses regrets de l'an 1830* (1862), oppose la décadence de la poésie moderne, contaminée par des idées qui

lui sont étrangères, à l'âge d'or où elle se vouait à la seule exaltation de la beauté.

Sous la fraîche tonalité d'ensemble qu'ont retenue tous les illustrateurs, le poème offre une variété de notations qui en fait la séduction ambiguë et favorise des variantes sensibles dans son interprétation. Le décor hellénisant du bas-relief de Protat, la manière proche du style « néo-grec » du tableau de Delaroche, s'expliquent par le souvenir de thèmes mythologiques comme celui du bain de Diane et par l'« eau puisée de l'Ilyssus » de la première strophe ; le climat mélancolique du tableau de Henner, par l'évocation du « moindre bruit de malheur » à la strophe 7. Le mot « escarpolette » (strophe 2) — pris à la lettre par Boulanger et Fantin-Latour, bien qu'il s'agisse d'un

*Louis Boulanger
Baigneuse (Sara la baigneuse ?) (cat. 814)
Coll. privée

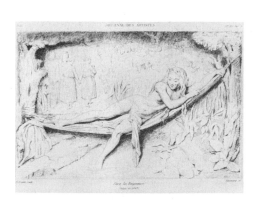

Théophile Gautier
Sara la baigneuse
D'après une photographie

*J.-B.-C. Corot
Femme dans un hamac (Sara la baigneuse ?) (cat. 816)
Coll. privée

Octave Tassaert
Sarah[sic] *la baigneuse.* Exposition Universelle
de 1855 (cf. cat. 819)
D'après une photographie

*Henri Fantin-Latour
Sara la baigneuse. 1884 ? (cat. 820)
Buenos Aires, Museo Nacional de Bellas Artes

Léon Perrault
Sara la baigneuse. Salon de 1875
D'après *Le livre d'or de Victor Hugo,* Paris,
Launette, 1883

*Paul Delaroche
Jeune fille à la balançoire (Sara la baigneuse ?)
(cat. 817)
Nantes, Musée des Beaux-Arts

*Émile Signol
Sara la baigneuse. Salon de 1850 (cat. 818)
Tours, Musée des Beaux-Arts

hamac — rappelle les variations sur ce thème de la peinture galante du XVIIIe siècle ; il a pu contribuer à l'expression aguichante de Sara dans plusieurs tableaux, notamment celui de Tassaert, grand pasticheur de « rococo ».

Surtout, alors que le texte offre un savant dosage entre ce qu'il dévoile, ce qu'il dérobe, ce qu'il fait entrevoir, ce qu'il laisse espérer, les images, pour la plupart, sont d'un érotisme bien plus explicite. La belle s'y présente sans voile, alors que le poème ne la décrit que vêtue, à vrai dire légèrement, et la dénude seulement par anticipation. « Le ruisseau du jardin » où

elle rêve de « folâtrer nue » remplace déjà (excepté chez Boulanger et chez Protat) le « bassin d'une fontaine » au-dessus duquel elle sa balance. Cet amalgame sans nuance entre une réalité immédiate, mais voilée, et un spectacle franchement voluptueux, mais tenu à distance par la rêverie, a pour effet d'abolir l'oscillation entre désir et frustration qui anime sourdement le poème. Et celui-ci se trouve ainsi réduit à une agréable vignette ou à un jeu de couleurs et d'arabesques, authentique exercice d'« art pour l'art ».

P. G.

*Jean-Jacques Henner
Sara la baigneuse. 1902 (?) (cat. 823)
Paris, M.V.H.

*Jean-Jacques Henner
Deux études pour Sara la baigneuse. 1902
(cat. 824 et 826)
Paris, Musée national Jean-Jacques Henner

Cosette

A Cosette est liée l'image de l'enfance ; pourtant, dans *Les misérables* — à l'opposé de Gavroche, qui reste « le gamin de Paris » — nous la voyons grandir.

Dans le livre illustré, les représentations de Cosette, liées au développement chronologique du roman, renvoient à son enfance malheureuse (*L'alouette* de Bayard) puis à son adolescence (*Jean Valjean et Cosette au Luxembourg* de Brion) et enfin à son mariage (*La nuit blanche* de Bayard). Cependant, parmi les trois illustrations citées, c'est la première qui a été la plus diffusée et demeure de loin la plus célèbre : avec son énorme balai, Cosette semble nous prendre à témoin de ses malheurs et ressemble fort à une version moderne de Cendrillon.

En insistant ainsi sur l'image de Cosette enfant, les livres illustrés ont beaucoup contribué à la fortune du thème ; à travers les différentes éditions, et sans interruption depuis la parution du roman jusqu'à nos jours, ce sont bien les représentations de l'enfant qui ont été les plus abondantes. Les adaptations du roman se terminent d'ailleurs souvent sur son départ de Montfermeil, omettant ainsi la suite de sa vie.

Quant aux œuvres peintes et sculptées, elles

*Gustave Brion
Jean Valjean et Cosette. 1802 (cat. 836)
Mulhouse, Musée des Beaux-Arts

*Émile Bayard
Cosette balayant (cat. 837)
Paris, M.V.H.

Nicolas (?) Lecorney
Cosette
Paris, M.V.H.

P. Aubé
Cosette, projet de fontaine
Photographie communiquée par le Musée
d'Orsay

Émile Bayard
La nuit blanche
Gravure sur bois dans *Les misérables*, Paris,
Hugues, 1879-82
Coll. privée

représentent toutes Cosette enfant et ont définitivement gommé — pour qui connaît mal le roman — la jeune fille, puis la femme, qu'est devenue Cosette. Les sculptures de Pompon et de Convers montrent, par une même torsion du corps, l'effort pathétique de l'enfant portant son seau. Le même motif se retrouve très adouci chez Lecorney : les formes sont moins tendues, et, malgré ses malheurs, Cosette conserve les rondeurs de l'enfant, ce qu'on peut également observer dans la gravure d'après le tableau de G. Guay (Salon de 1882).

La photographie de scène de la petite Angèle Henry (dans l'adaptation des *Misérables* par Charles Hugo et Paul Meurice représentée en 1899 à la Porte-Saint-Martin) témoigne que la mise en scène théâtrale s'est à son tour inspirée des représentations plastiques. On retrouvera les mêmes emprunts dans les adaptations cinématographiques du roman. Cosette malheureuse, certes, mais le thème de l'enfant confronté à la misère et au travail est bien édulcoré par rapport au texte du roman : « Cosette était laide ; heureuse elle eût peut-être été jolie... Cosette était maigre et blême... » (II, III, VIII).

Dans le projet de fontaine d'Aubé, Cosette est gracieusement perchée sur son seau, qui semble même devenu prétexte à jouer. Nous entrevoyons ici un autre aspect de l'enfance que certains artistes ont traduit à travers le thème de Cosette et sa poupée : le jeu, moyen de métamorphoser le réel.

Dans la gravure d'après Brion, Cosette rêve, malgré son seau, devant la vitrine de jouets. La sculpture de Mme de La Fizelière-Ritti la représente qui vient de s'emparer de la poupée des enfants Thénardier ; elle reste admirative, comme en témoignent l'expression du visage et le geste de recul. En revanche, c'est une fillette endormie et rassurée — malgré ses haillons et son lit de paille — par la présence de la poupée richement vêtue dont elle rêvait, que peint Léon Comerre. Les artistes ont donc le plus souvent retenu dans le personnage de Cosette son aspect d'héroïne de conte de fées, pour qui les rêves se transforment en réalité. Cet aspect demeure sensible dans la peinture de Geoffroy, avec le faisceau de lumière éclairant Jean Valjean et Cosette, qui s'oppose à l'obscurité de la forêt où l'enfant était épouvantée. Ainsi, à travers l'image, Cosette est restée une enfant plus attendrissante que pitoyable, permettant à celui qui la regarde de préserver une partie des rêves de l'enfance.

Dans l'imagination des lecteurs, Cosette est devenue une figure archétypale de l'enfance ; c'est ainsi qu'ils l'ont tous reconnue, symbolisant la jeune République guidée par Victor Hugo, dans les caricatures de Willette et de Geoffroy.
C. V. E.

Gustave Brion
Cosette
Gravure sur bois dans *Les misérables*, Paris,
Hetzel et Lacroix, 1865
Coll. privée

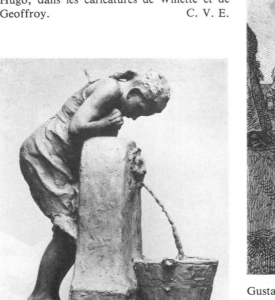

Louis Convers
Cosette
Paris, M.V.H.

François Pompon
Cosette. 1888 (cf. cat. 840)
Paris, M.V.H.

Gabriel Guay
Cosette
Gravure d'après la peinture du Salon de 1882
L'Univers Illustré, 3 juin 1893
Paris, M.V.H.

L. Vasseur
La petite Angèle Henry dans le rôle de Cosette.
1899
Paris, M.V.H.

Victor Hugo illustré

*Marthe de La Fizelière-Ritti
Cosette. Salon de 1902 (cat. 843)
Besançon, Musée des Beaux-Arts et d'Archéo-
logie

*Léon Comerre
Cosette et sa poupée. 1883 (cat. 842)
Ville de Trélon

*Émile Bayard
Enlèvement de Cosette (cat. 841)
Paris, M.V.H.

*Adolphe Willette
Victor Hugo et la jeune République (cat. 839)
La Plume, 15 juil. 1893
Paris, M.V.H.

*Jean Geoffroy
Jean Valjean et Cosette (cat. 838)
Paris, M.V.H.

Geoffroy
Les premiers pas
L'Assiette au Beurre, 15 juil. 1905
Paris, Musée d'Orsay

LES PREMIERS PAS

Les pauvres gens

Geoffroy (1853-1924), peintre de scènes enfantines, a retenu de l'œuvre de Victor Hugo deux images de l'enfance victime du mal social : Cosette et Petit Paul ; Steinlen (1859-1923), le peintre du petit peuple des rues et des faubourgs, qui, deux ans plus tôt, émaillait de « cris de la ville » l'*Almanach du bibliophile*, est sollicité par le même éditeur, Pelletan, pour illustrer « Les pauvres gens », le poème de *La légende des siècles*, et clôturer un livre d'amateur publié pour le centenaire de 1902, *Cinq poèmes*. Le dénouement du poème lui inspire un tableau dont la tonalité se rapproche de la première peinture de Carrière préparatoire à son illustration de « Booz endormi », qui ouvrait le même livre. En 1905, il collabore à un numéro spécial de *L'Assiette au Beurre* consacré à la *Misère du cheval*, où il illustre, sur la proposition de Nadar, un poème des *Contemplations*, « Melancholia ».

Le motif de la souffrance du cheval, soumis à la persécution brutale de son maître, illustre, dans le poème, des vers situés après un développement sur le travail de l'enfant. Ainsi, loin d'être une restriction du thème, il élargit à tou-

tes les créatures vivantes le problème de la misère et de l'asservissement par le travail et communique un surcroît de force à ce qui, dans « Les pauvres gens », tendait à se diluer dans le sentimentalisme. Les deux artistes n'ont guère illustré Hugo en-dehors de ces œuvres inspirées par des thèmes voisins de leur propre vision et représentatifs d'une veine humanitaire propre aux textes de l'exil.

Dans le *Victor Hugo de la jeunesse* (Marpon et Flammarion, 1889), deux des quatre morceaux choisis évoquent *La légende des siècles* : « Petit Paul » et « Les pauvres gens », dotés d'une abondante illustration. Ces drames de l'enfance sont en effet importants pour la mise en images de *La légende des siècles*. Pour « Petit Paul », le dénouement est la scène-type traitée dans l'illustration par Lançon (1889) et par Mouchot (éd. Hugues, 1885) et peinte en grisaille par Geoffroy : postures, points de vue et mise en scène diffèrent à partir du même support textuel ; Lançon introduit une dimension allégorique et religieuse dans la scène où l'enfant mort les bras en croix évoque les Nativités qui préfigurent la Crucifixion, tandis que Geoffroy traite

*J.-P. Alizard
Chose vue un jour de printemps. 1900
(cat. 854)
Langres, Musées

Édouard Dantan
Les pauvres gens. Salon de 1892
D'après *Le livre d'or de Victor Hugo*, Paris,
Launette, 1883

*T.-A. Steinlen
Les pauvres gens. 1903 (cat. 846)
Paris, M.V.H.

T.-A. Steinlen
Le chariot au cheval tombé. 1905
Paris, Louvre, Cabinet des Dessins

Victor Hugo de la jeunesse, Paris, Marpon et
Flammarion, 1889
Gravure sur bois d'après A. Lançon
B.N., Imp.

le sujet avec un réalisme pathétique. Pour « Les pauvres gens », la scène-type est celle de la découverte antithétique des enfants endormis à côté de leur mère morte par Jeannie (VI) : de manière significative, elle est préférée, en hors-texte de l'Édition nationale, à une gravure se rapportant au dénouement. Elle se retrouve dans l'édition Charpentier de 1892, dans l'édition Hugues (où n'apparaissent pas les enfants), dans l'édition Martel de 1954 (p. 284), et surtout dans *Le livre d'or* (1883), où la composition de Dantan, héliogravée, se rapproche du tableau d'Alizard (Salon de 1900) qui en est presque une réplique diurne et inversée. Malgré le titre, *Chose vue un jour de printemps*, qui renvoie à un poème des *Contemplations*, ce qu'aucun des cri-

tiques du temps n'avait noté, le journaliste de *L'Union Républicaine* ne s'y est pas trompé : il considère ce tableau comme une « illustration » des « Pauvres gens » ! La plus grande réussite de l'illustration du poème demeure l'interprétation de Steinlen pour *Cinq poèmes* : parmi ses moments principaux (Jeannie prostrée au pied de son lit, I et III ; les femmes de pêcheurs attendant à la fenêtre, VI ; l'étreinte, X), se détache l'évocation de la mère morte et des deux enfants (VI et VII), traitée par orbes lumineux dans un style qui évoque Carrière et Munch ; la dimension symbolique du poème, voilée chez d'autres illustrateurs par l'anecdote, y est pleinement mise en valeur.

S.L.M. et C.V.E.

*L.-H. Mouchot
Petit Paul (cat. 851)
Besançon, Musée des Beaux-Arts et d'Archéologie

*Jean Geoffroy
Petit Paul (cat. 853)
Paris, M.V.H.

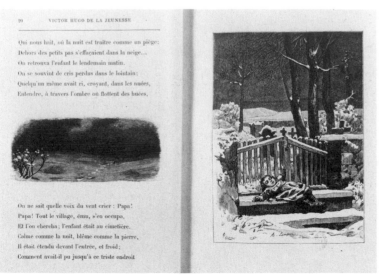

Les chevaliers errants

Le thème de la chevalerie d'aventure est introduit dans *La légende des siècles* de 1859 par deux parties, *Le cycle héroïque chrétien* et *Les chevaliers errants* ; il est repris dans la *Nouvelle série* de 1877 par le poème « L'aigle du casque ».

L'illustration des romans de chevalerie, transmise de l'édition lyonnaise du XVIe siècle jusqu'au XIXe siècle dans les fonds de grande diffusion de la « Bibliothèque bleue », offrait un répertoire figuré de scènes de combats et de défilés de chevaliers en armure ; celle de *Don Quichotte*, thème favori du livre illustré romantique, pouvait offrir un archétype pictural du chevalier d'aventure. Mais les connotations populaires ou parodiques de ces recours possibles ont empêché qu'ils soient retenus pour l'illustration de *La légende des siècles*... Le seul archétype représenté est, dans l'édition d'*Éviradnus* (Société Française d'Édition d'Art, 1900), celui du juif errant : il apparaît en regard de la page 8, pour évoquer le paysan « dispensé

d'audace et d'aventure » qui fuit le burg de Corbus.

Les illustrateurs ont ainsi respecté la spécificité mythique du cycle hugolien : les héros sont présentés, dans l'*Éviradnus* de Ruty, comme des forces en lutte émanant de la nature, dans le décor de la forêt fantastique et des burgs hantés ; les scènes figurées des bandeaux gravés sur bois et des burins en hors-texte sont encadrées de motifs symboliques, végétaux, macabres et grotesques, qui transposent les formes du moyen âge fantastique dans le langage ornemental des années 1900. Quelques vers du poème liminaire des *Chevaliers errants* semblaient évoquer la gravure de Dürer *Le chevalier, la Mort et le Diable* :

« Ô les noirs chevaucheurs, ô les marcheurs sans trêve ! [...]

Derrière eux cheminait la Mort, squelette fauve. »

C'est peut-être en se fondant sur cette allusion picturale que les eaux-fortes de Brunck de Freundeck pour l'édition de bibliophile de

L'aigle du casque (1928) sont inspirées par les gravures de la Renaissance allemande, celle de l'*Apocalypse* de Dürer, en particulier dans la seconde planche.

A côté de ces livres de bibliophile, qui font un livre d'un seul poème, d'autres illustrations, tirées de recueils, présentent surtout l'insatiable combativité des chevaliers errants : ainsi, Lehoux pour « Le petit roi de Galice » dans *le Livre d'or* de 1883 ; ou Chifflart, qui avait auparavant illustré *La chanson de Roland* (Mame, 1872), pour le même poème et pour « Le mariage de Roland », dans l'édition Hugues de 1885. Les dessins de Chifflart montrent d'un côté le face à face grandiose de Roland contre Olivier, de l'autre (comme le dessin de Lehoux) Roland désarmé poursuivant le dernier assaillant du roi de Galice à coups de pierres, d'après les derniers vers du poème. C'est aussi le dénouement de « L'aigle du casque » qu'évoque le fusain gouaché de Frémiet préparatoire au bois de l'édition Hugues : Tiphaine, les yeux crevés

Georges Rochegrosse
Les chevaliers errants
Eau-forte dans *La légende des siècles*, Paris, Testard, 1886
Paris, M.V.H.

Éviradnus, Paris, May, 1901 (cat. 880)
Gravures sur bois d'après P.-M. Ruty
B.N., Imprimés

*N.-F. Chifflart
Le combat de Roland et d'Olivier* (cat. 877)
Paris, M.V.H.

*Emmanuel Frémiet
L'aigle du casque* (cat. 882)
Paris, M.V.H.

*N.-F. Chifflart
Le petit roi de Galice* (cat. 881)
Paris, M.V.H.

par l'aigle du casque, s'affaisse, comme un insecte fantastique, déshumanisé par la carapace de son armure (ce thème de l'armure articulée, fantastique, se retrouve dans la sculpture de Frémiet intitulée *Chevalier errant*). Pour *Éviradnus* enfin, la scène-clé de l'édition illustrée est celle du coup de théâtre de la partie XVI, « Ce qu'ils font devient plus difficile à faire ». Elle se retrouve dans un tableau de Grasset, qui se rapporte au passage suivant, où Éviradnus combat le traître Sigismond au-dessus du corps endormi de Mahaut ; il brandit devant Sigismond le cadavre de son comparse Zéno, et

« Sigismond, sous ce mort qui plane, ivre d'horreur,

Recule, sans la voir, vers la lugubre trappe »...

Le paroxysme farouche de cet instant de suspens, où le cadavre tournoie comme une fronde, n'est pas sans rappeler la gravure sur acier d'après l'aquarelle de Tony Johannot qui illustre, dans l'édition Renduel de 1836, le chapitre

L'aigle du casque, Besançon, Les Bibliophiles comtois, 1928 (cat. 883)
Eau-forte de Richard Brunck de Freundeck
Paris, M.V.H.

« Un maladroit ami » de *Notre-Dame de Paris* : « On vit Quasimodo debout sur le parapet de la galerie, qui, d'une seule main, tenait l'écolier par les pieds, en le faisant tourner sur l'abîme comme une fronde ». Le rapprochement intertextuel est favorisé par la métaphore de la fronde humaine commune aux deux textes. La gravure de Bracquemond, dont l'implantation dans le poème est difficile à situer, tire sa puissance expressive de son inachèvement et du contraste entre les parties non gravées et le clair-obscur des tailles entrecroisées de la salle du festin. Celle-ci émerge comme une vision aux yeux

du chevalier du premier plan, vu de dos, auquel peut s'identifier le spectateur.

Le thème des chevaliers errants est devenu l'une des sources de l'imaginaire et de l'imagerie attachés à *La légende des siècles*. C'est ainsi que Rochegrosse compose, à partir des vers cités plus haut sur les « noirs chevaucheurs », le frontispice, gravé par Courtry, du second volume de *La légende des siècles* dans l'Édition nationale de 1886 : vision symboliste, très éloignée de Dürer, de la silhouette fantomatique du chevalier accompagné de la Mort, qui se détache sur un ciel d'orage. — S.L.M.

Booz endormi

La belle histoire de Ruth et Booz, dans la Bible, avait inspiré de nombreux artistes, notamment aux XVIᵉ et XVIIᵉ siècles (voir A. Pigler, *Barockthemen,* Budapest, 1974, t. I, pp. 133-134), mais ceux-ci avaient surtout retenu la scène où Booz, ému par la jeune Moabite, l'invite à demeurer dans sa maison et à glaner librement dans son champ. En 1853 encore, Millet, dans *Le repas des moissonneurs,* avait fait de cet épisode le sujet d'une scène de moisson, à propos de laquelle les critiques parlèrent à la fois de la Bible et d'Homère. Le fameux poème de *La légende des siècles,* écrit et publié en 1859, devait appeler l'attention des peintres sur une autre partie du récit biblique, celle où Ruth s'étend aux pieds de Booz endormi et y demeure couchée jusqu'au matin.

Deux peintures exposées aux Salons de 1886 et 1887, respectivement par Casimir Destrem et Louis-Auguste Girardot, renvoient par leur épigraphe au poème. D'autres œuvres s'en inspirent sans conteste. Dans *Ruth et Booz* de Cabanel (qui serait une esquisse pour un tableau destiné à l'impératrice Eugénie), l'expression songeuse de Ruth ne peut venir de la Bible, qui n'y fait pas allusion, et correspond bien au dernier quatrain : « Ruth songeait et Booz dormait... ». Le dessin sans titre de Jean-Paul Laurens, connu par la gravure, paraît bien être l'illustration d'un autre quatrain :

« Ainsi parlait Booz dans le rêve et l'extase,
Tournant vers Dieu ses yeux par le sommeil noyés ;
Le cèdre ne sent pas une rose à sa base,
Et lui ne sentait pas une femme à ses pieds. »

La peinture inachevée de Bazille (1870), traditionnellement rapprochée du poème, traduit fidèlement l'expression de Ruth et la solennité

*Frédéric Bazille
Ruth et Booz. 1870 (cat. 887)
Coll. privée

*Pierre Puvis de Chavannes
Esquisse pour *Le sommeil* (cat. 886)
Lille, Musée des Beaux-Arts

Casimir Destrem
Ruth et Booz. Salon de 1886
Rochefort, Musée des Beaux-Arts

*Lorenz Frölich
Ruth et Booz. Vers 1890 (cat. 885)
Coll. Kai Stage

L.-A. Girardot
Ruth et Booz. Salon de 1887 (cf. cat. 888)
Troyes, Musée des Beaux-Arts

de la scène, éclairée par un clair de lune bleu (Bazille a pris soin de représenter « le croissant fin et clair »). Enfin, le traitement du même sujet par Frölich, moins directement lié à la lettre du poème, s'en inspire très probablement car Frölich était un grand lecteur de la *Légende des siècles* et l'illustra à plusieurs reprises.

Mais comment définir le rayonnement indirect de *Booz endormi* sur la peinture à sujets rustiques de la fin du XIXe siècle ? On a pu l'invoquer avec vraisemblance à propos du *Sommeil* de Puvis de Chavannes, dont le vieillard à barbe blanche et les moissonneurs endormis — surtout dans l'esquisse de Lille, plus obscure que la composition finale — évoquent moins les vers de Virgile qui accompagnent le titre du tableau dans le livret du Salon de 1867, que les vers suivants de Hugo :

« Donc Booz dans la nuit dormait parmi les
siens ;
Près des meules qu'on eût prises pour des
décombres
Les moissonneurs couchés faisaient des
groupes sombres... »

On aimerait savoir quel enrichissement un peintre comme Cazin, proche de Puvis et spécialiste de scènes bibliques transposées dans le milieu rural de son temps, a pu recevoir de ce poème, qui dit le mystère et la fécondité de la nature, en harmonie avec une humanité patriarcale. La composition de Girardot est proche d'une telle vision, qui s'apparente à celle de Jules Breton et d'autres peintres de la nature magnifiée par un classicisme intemporel. En revanche, la peinture de Destrem s'apparente nettement au naturalisme de Bas-

J.-P. Laurens
Ruth et Booz
D'après une gravure de 1899
B.N., Est.

Jean Effel
La légende des siècles
L'Express, 30 juin 1960
Paris, M.V.H.

Cinq poèmes, Paris, E. Pelletan, 1902
Gravure d'après une peinture d'Eugène Carrière
B.N., Manuscrits

*Eugène Carrière
Booz endormi. 1900 (cat. 889)
Coll. privée

LA LÉGENDE DES SIÈCLES

« LES ASTRES ÉMAILLAIENT LE CIEL PROFOND ET SOMBRE ;
LE CROISSANT FIN ET CLAIR PARMI CES FLEURS DE L'OMBRE
BRILLAIT À L'OCCIDENT, ET RUTH SE DEMANDAIT ... »

BOOZ ENDORMI

Ruth songeait et Booz dormait ; l'herbe était noire ;
Les grelots des troupeaux palpitaient vaguement ;
Une immense bonté tombait du firmament ;
C'était l'heure tranquille où les lions vont boire.

Tout reposait dans Ur et dans Jérimadeth ;
Les astres émaillaient le ciel profond et sombre ;
Le croissant fin et clair parmi ces fleurs de l'ombre
Brillait à l'occident, et Ruth se demandait,

tien-Lepage — elle nous paraît démarquée du célèbre tableau de ce dernier, *Les foins* (1878) —, auquel le souvenir du poème apporte une note d'idéalisation.

Ce grand poème offrait pourtant tout autre chose qu'une représentation embellie de la vie des champs. Sa majesté sans emphase, la figure à la fois grandiose et familière de Booz, le sentiment de l'harmonie cosmique et de la présence divine, appelaient une transcription à sa mesure. Les libertés prises avec le détail du texte (Girardot, par exemple, situe la scène dans une grange et blottit déjà Ruth contre Booz) comptent moins que l'effet de merveilleux recherché par la plupart des peintres, même par le prosaïque Destrem. Bazille y réussit particulièrement, et surtout Eugène Carrière, qui composa en 1900 une suite de peintures en camaïeu destinées à être gravées sur bois pour accompagner le poème dans une édition de luxe. Pour évoquer le vieillard endormi près des moissonneurs ou Ruth méditant à ses pieds, sur « l'herbe noire », Carrière

se garde bien de détailler les minuties d'une scène de moisson. Son écriture fluide, sa palette blonde et brune, s'accordent au rythme et aux tonalités du poème. Toute la suite paraît baignée par « les souffles de la nuit ».

Le dernier avatar notable de l'illustration de *Booz endormi* est une caricature de Jean Effel publiée en 1960, en pleine guerre d'Algérie, lors des entretiens manqués de Melun entre les représentants du gouvernement français et ceux du « G.P.R.A. ». De Gaulle joue le rôle de Booz, Marianne celui de Ruth ; le croissant islamique et des képis étoilés figurent la « faucille d'or dans le champs des étoiles ». La sereine beauté des vers fait comiquement ressortir l'impatience et les tracas du principal protagoniste. Non seulement, pour Jean Effel, les lecteurs de *L'Express* devaient reconnaître le poème, ce qui en atteste la célébrité, mais, en le confrontant aux hasards et aux compromis de la politique, il en soulignait par contraste la qualité d'absolu.

P. G.

Hugo illustrateur de lui-même :
autour de « L'homme qui rit »

Nombreuses sont aujourd'hui les éditions de Hugo qui utilisent ses propres dessins en guise d'illustrations. Le procédé peut être suggestif, mais, à notre connaissance, un seul dessin a été directement conçu par Hugo en vue d'une édition illustrée : *La Tourgue,* pour l'édition Hugues de *Quatrevingt-treize* (1876). Quant aux nombreux dessins collés (vers 1865-66) dans le manuscrit des *Travailleurs de la mer,* puis reproduits en 1882 dans l'édition Hugues, ils n'étaient pas, à l'origine, destinés à être publiés. Ils n'en forment pas moins une illustration originale, qui éclaire indirectement les vues de l'auteur en la matière. Les images et le texte s'entrelacent et se répondent de façon globale, avec certaines correspondances de détail mais sans « quadrillage » systématique. Cette extrême souplesse s'oppose aux normes rigides de l'édition illustrée contemporaine.

Les travailleurs de la mer sont le seul livre pour lequel Hugo ait composé une illustration cohérente. Certes, la plupart de ses dessins présentent des analogies de thème ou de forme avec son œuvre littéraire, mais quelques-uns seulement se prêtent à des rapprochements précis, surtout quand ils s'appuient sur une légende ou sur une coïncidence de date. Même alors, il s'agit moins d'une « illustration » au sens traditionnel (qui suppose la primauté du texte et un certain recul de l'illustrateur) que d'une sorte de contrepoint, brodé en toute liberté.

C'est le cas de trois grandes feuilles de 1866, dont nous savons que l'une au moins a été achevée le 22 août de cette année, en pleine rédaction de la première partie de *L'homme qui rit,* « La mer et la nuit ». Elles représentent des tours battues des flots ; deux d'entre elles sont des phares, la troisième est plus difficile à désigner, son architecture étant à mi-chemin entre un échafaudage et une construction en « dur ». Les deux premiers dessins peuvent être rapprochés de passages du chapitre I, II, XI, ce qui invite à y reconnaître les phares d'Eddystone et des Casquets ; plusieurs détails du troisième figurent dans le texte relatif au phare d'Eddystone et ne se retrouvent pas dans le dessin correspondant :

« Au dix-septième siècle un phare était une sorte de panache de la terre au bord de la mer. L'architecture d'une tour de phare était magnifique et extravagante. On y prodiguait les balcons, les balustres, les tourelles, les logettes, les gloriettes, les girouettes. Ce n'étaient que mascarons, statues, rinceaux, volutes, rondes bosses, figures et figurines, cartouches avec inscriptions... »

Un quatrième dessin, une marine, que son style bien particulier situe dans la production du même été, peut être rapproché de *L'homme qui rit*. Au premier plan figure un voilier décoré à la mode du XVIIe siècle ; le fond est un site reconnaissable, celui de l'île des Casquets, que Hugo avait déjà dessiné quelques années auparavant. Ce paysage correspond à celui du livre II de *L'homme qui rit,* « L'ourque en mer », et, sans qu'on puisse affirmer que le bateau du dessin est « la Matutina » du roman, sa voilure et sa coque très ornée évoquent fortement le « jeu de voiles, compliqué d'étais et

*Victor Hugo
Dessin sans titre (dit « L'ourque en mer »).
Vers 1866 (cat. 874)
Coll. privée

Victor Hugo
Dessin sans titre (dit « Le phare des Casquets »),
1866
Paris, M.V.H.

*Victor Hugo
Dessin sans titre (dit « Le vieux phare »), 1866
(cat. 873)
Coll. privée

Victor Hugo
Dessin sans titre (dit « Le phare d'Eddystone »),
1866
Paris, M.V.H.

très particulier » de l'ourque « dorée » et « peinte », à propos de laquelle Hugo parle de « tatouage » (éd. Massin, XIV, p. 55).

Les correspondances sont incontestables, mais elles s'accompagnent pour le moins d'importantes différences d'accent. Outre que deux dessins peuvent être rapprochés de la même description, pourtant courte et précise, quelle disproportion, quel formidable changement de registre, entre les quelques lignes de *L'homme qui rit* sur le phare d'Eddystone et les puissantes pages peintes qui leur font écho ! De même, dans les dessins du manuscrit des *Travailleurs,* certains motifs apparemment insignifiants prennent une importance sans commune mesure avec leur place concrète dans le livre. Isolés et magnifiés par le dessin, ils révèlent leur portée symbolique, témoignent d'étapes effacées dans la genèse du roman, en font affleurer les sources profondes... L'auteur-dessinateur manifeste ainsi son inti-mité avec le texte, et l'arbitraire apparent avec lequel il procède — se limitant, par exemple, à ces quatre dessins en marge de *L'homme qui rit,* sans chercher à les « compléter » — est la marque même de sa liberté créatrice.

Il y a bien là les éléments d'un programme d'illustration, sans équivalent à sa date, et qui annonce, à certains égards, celui des grands illustrateurs du XXe siècle. Il ébauche une sorte d'alternative à l'illustration « industrielle », qui, simultanément, s'attachait à diffuser les livres de Hugo, avec l'efficacité que l'on sait. Hugo s'en accommodait tant bien que mal, il s'en est même parfois déclaré satisfait ; mais sa propre pratique — confidentielle, comme toute son activité de dessinateur — en était la critique implicite. Il prenait ainsi ses distances envers l'une des formes sous lesquelles son œuvre à été consommé par le public, et qui ont contribué à tracer les contours de sa « gloire ».

P. G.

Les travailleurs de la mer

Les travailleurs de la mer (1865) sont un défi à l'illustrateur. L'intrigue, formée d'épisodes propres à être traduits en images, est sans cesse débordée par d'autres développements (« en dehors du drame, mais non du sujet », pour reprendre les termes de Hugo), dont la matière est proprement irreprésentable : le milieu diffus et changeant des îles de la Manche, le mouvement de la pensée s'appliquant à l'infini... L'entrecroisement des niveaux appelle une lecture totale, dont les illustrateurs du temps n'étaient pas en mesure de donner l'équivalent. Il aurait fallu pour cela un élargissement du concept d'illustration et une libération des moyens formels presque inconcevables avant le XXᵉ siècle. Même alors, l'unique artiste d'envergure qui se soit risqué à aborder le roman, André Masson, s'est contenté d'en

détacher quelques pages — le chapitre sur la pieuvre (II, IV, II) —, qu'il a illustré de figures emblématiques.

Les illustrateurs contemporains se sont conformés à l'usage de l'époque, découpant le texte par séquences et y cadrant des « sujets » pittoresques. Un épisode s'est rapidement détaché : la lutte de Gilliatt contre la pieuvre, morceau de bravoure de toutes les éditions illustrées et sujet de plusieurs œuvres isolées, notamment d'un groupe de Carlier présenté par trois fois au Salon (le plâtre en 1879, le bronze en 1880 et le marbre en 1890). Le roman se trouvait ainsi réduit à une sorte de chapelet d'images renvoyant à des morceaux isolés, ce qui en contredisait à la fois l'unité et la complexité. Enfin, cet effet de fragmentation était aggravé par la forme même des éditions illus-

E.-J.-N. Carlier
Gilliatt et la pieuvre. Salon de 1880
(cf. cat. 871)
Cambrai

N.-F. Chifflart
Ressuscité par le soleil
Gravure sur bois dans *Les travailleurs de la mer*, Paris, Hetzel, 1869
Coll. privée

Gustave Doré
Gilliatt et la pieuvre, 1866
D'après une photographie
Paris, M.V.H.

N.-F. Chifflart
Examen des lieux
Gravure sur bois dans *Les travailleurs de la mer*, Paris, Hugues, 1882
Coll. privée

H. de Hem
Gilliatt et la pieuvre
Le Journal Illustré, 1er avril 1866
Coll. privée

Les travailleurs de la mer, Paris, Hugues, 1882
Gravures sur bois d'après N.-F. Chifflart
(cat. 867 et 862)
Coll. privée

trées dans la seconde moitié du XIXe siècle, du moins celle des éditions « populaires », où parurent les principales illustrations des *Travailleurs* : découpage régulier des gravures, mise en page cloisonnée par des filets, décalage entre les illustrations et les fragments de texte correspondants...

Seuls deux artistes (mis à part Gustave Doré, qui projeta une illustration complète mais n'en réalisa que deux planches) parvinrent, sinon à éviter ces contraintes, du moins à les faire un peu oublier : François-Nicolas Chifflart (éd. Hetzel, 1869) et Daniel Vierge (éd. Librairie Illustrée, 1876). Chifflart, peintre de formation classique (il avait reçu le prix de Rome en 1851) mais profondément attaché à l'héritage romantique, conçut une illustration grandiose, sombre, architecturée, presque toujours émouvante malgré des restes de « poncifs » académiques, et dont la puissante monotonie contrebalance l'intermittence des images. A cette vision dramatique et solennelle s'oppose le regard de « reporter » de Vierge, virtuose des mouvements de foule, des effets de lumière, des compositions insolites, qui fragmentent les plans et bousculent les perspectives. Son illustration produit une impression de vertige physique et met en lumière, dans le roman, une veine incisive et cocasse que Chifflart avait

méconnue. Chacune de ces interprétations s'impose par sa cohérence et manifeste une approche intelligente, mais partielle.

De son côté, sans songer à une publication, Hugo s'était plu à réunir dans son manuscrit une quarantaine de dessins, les uns en rapport direct avec le roman, les autres plus anciens et rapprochés après coup de celui-ci. Cette « illustration », composée non à partir d'un texte figé mais dans la chaleur de sa conception et dans la familiarité de son sens, forme avec le texte manuscrit une sorte de discours à deux voix. On y trouve à la fois la dominante sombre soulignée par Chifflart et les accents de réalisme et d'humour chers à Vierge, mais sans « scènes » narratives et avec une ambiguïté formelle, une fluidité d'écriture et une variété de ton, de tempo et de texture, qui répondent au mouvement profond du livre (voir à ce sujet : P. Georgel, *Les dessins de Victor Hugo pour « Les travailleurs de la mer »*, Paris, Herscher, 1985). L'ensemble est doublement exceptionnel par le talent du dessinateur et surtout par le fait qu'il s'agit de l'auteur du livre, ce qui donne une valeur privilégiée à son interprétation : mais si complète soit-elle par rapport aux autres, elle ne les exclut pas forcément et n'épuise pas les lectures possibles.

De là, peut-être — sans parler d'autres consi-

Victor Hugo illustré

Victor Hugo
Les Douvres
Dessin du manuscrit
B.N., Manuscrits

Les travailleurs de la mer, Paris, Hugues, 1882
Gravure sur bois d'après Daniel Vierge
Coll. privée

Victor Hugo
Mess Lethierry
Dessin du manuscrit
B.N., Manuscrits

Victor Hugo
Mess Lethierry
Gravure sur bois dans *Les travailleurs de la mer*, Paris, Hugues, 1882
Coll. privée

dérations, qui tiennent notamment à l'évolution du goût et à celle de l'édition à la fin du siècle — l'hypothèse sur laquelle repose la troisième édition illustrée, publiée en 1882 par Eugène Hugues : si Chifflart, Vierge et Hugo proposent, chacun de son côté, une approche pertinente, pourquoi ne pas refondre en un volume leurs illustrations respectives ? Le résultat n'est guère convaincant : au lieu de se compléter, et malgré certaines affinités entre Chifflart et Hugo, les trois illustrations se heurtent. L'amalgame produit un effet de disparate plutôt que de richesse et contrarie tout essai d'appréhension globale. De plus, par

souci d'uniformité, de nombreuses altérations sont intervenues par rapport aux dessins originaux, en particulier ceux de Hugo, que les légendes, les emplacements dans le texte et surtout la transcription gravée cherchent à ramener aux normes d'une illustration narrative.

Avec leurs défauts, leurs carences et —pour la dernière — leurs contradictions, ces trois éditions ont joué un rôle essentiel dans la diffusion du roman, ouvrant la voie à des lectures plus approfondies, même si elles les ont peut-être gauchies au départ. Paul Claudel, qui avait huit ans au moment de l'édition de la Librairie

Illustrée, quatorze au moment de l'édition Hugues, raconte comment il a « été frappé par les romans de Victor Hugo, qui paraissaient alors en livraisons, et fort bien illustrés par cette race d'illustrateurs qui a maintenant disparu » (*Mémoires improvisés,* Paris, 1954, p. 20) ; pourtant, son approche personnelle de Hugo n'est pas restée fixée à ces modèles. Il faudrait peut-être comparer les inconvénients d'un tel mode d'initiation, où l'image jouait le rôle d'appât et de guide, avec ceux de nos éditions de masse, pratiquement dépourvues d'illustration, où le lecteur est laissé seul à seul avec le texte. — P. G.

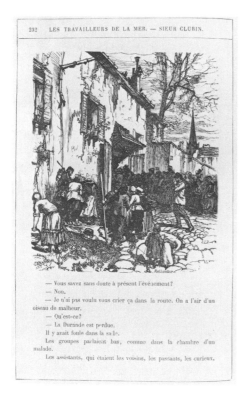

Les travailleurs de la mer, Paris, Hugues, 1882
Gravure sur bois d'après Daniel Vierge
Coll. privée

L'année terrible

Par son titre qui est une formule, *L'année terrible* a inspiré des compositions allégoriques comme le dessin de Gustave Doré daté de 1878 et gravé dans *Le Livre* en 1883. Le recueil a été mis aussi en rapport avec des œuvres conçues en dehors des poèmes de Hugo, mais sous la dictée des mêmes événements, comme les photogravures d'après le tableau de Puvis de Chavannes, *La Ville de Paris investie confie son appel à la France*, ou d'après *Les victimes* d'Eugène Baudoin et le *Barra* de Moreau-Vauthier, dans le *Livre d'or* de 1883. Sans doute le tableau de Puvis de Chavannes pouvait-il être associé à quelques vers du poème « Lettre à une femme (par ballon monté, 10 janvier) » :

« Paris est un héros, Paris est une femme,
Il sait être vaillant et charmant, ses yeux vont,
Souriants et pensifs, dans le grand ciel
profond
Du pigeon qui revient au ballon qui s'envole
[...]
Moi, je suis là, joyeux de ne rien voir plier [...]
Je ne sais plus mon nom, je m'appelle
Patrie ».

Mais, dans le *Livre d'or*, seul le dessin de Berne-Bellecour, *1ᵉʳ janvier 1871*, est une illustration littérale du poème « 1ᵉʳ Janvier » et de ses quatre derniers vers : il représente Victor Hugo en garde national chargé des jouets du Jour de l'an.

Les éditions illustrées du recueil, faites de dessins inspirés par les poèmes à travers les souvenirs des dessinateurs, commencent tout près de l'édition originale (1872). La lecture donnée dès 1873 par Léopold Flameng en quatorze gravures hors-texte (dont l'une, *Paris incendié*, est présentée au Salon la même année par le graveur Léveillé) est complétée en 1874 de douze compositions nouvelles de Daniel Vierge, et achevée, en 1879, dans l'édition Hugues, qui ajoute aux précédentes illustrations *La Ville assassinée*, une allégorie visionnaire d'Émile Bayard, *Résurrection* de Jean-Paul Laurens, enfin *Les pamphlétaires d'église* de Morin.

Deux gravures illustrent dans l'album Hébert de 1886, *L'année terrible*, d'après François Flameng, le frère du premier illustrateur de ce livre, tandis que l'Édition nationale consacre au recueil un volume illustré de bandeaux et de cinq hors-texte d'après A. Besnard, A. Bettanier,

Léopold Flameng
Frontispice pour *L'année terrible*, Paris, Lévy, 1873
Coll. privée

*Émile Bayard
La ville assassinée (cat. 897)
Gravure sur bois dans *L'année terrible*, Paris, Hugues, 1879
Paris, M.V.H.

*François Lix
La libération du territoire (cat. 900)
Paris, M.V.H.

A. Lalauze, G. Jeanniot et C. Couturier.

L'image-clé du recueil, qui échappe au *Livre d'or* mais que retiennent toutes ces éditions, est l'illustration du bref poème « Sur une barricade, au milieu des pavés ». L'antithèse entre l'enfance innocente et les violences de la guerre civile rapproche ce poème de *Quatrevingt-treize*, même si le sujet en est différent. Elle se retrouve, à l'échelle du recueil, dans le contrepoint entre la poésie familière, celle de la vie privée de Hugo, Georges et Jeanne, qui servira de trame à *L'art d'être grand-père*, et les prophéties ou les malédictions du poète national. Enfin, tel qu'il est vu par Léopold Flameng, dont l'inspiration rejoint la veine de Gustave Doré (éd. Lévy, 1873 et 1874 ; éd. Hugues, 1879), puis par François Flameng (éd. Hébert, 1886), et par Jeanniot (Éd. nationale, 1888), l'enfant, courageusement dressé à l'avant d'une barricade, au coin d'une rue de Paris, entre les soldats et les morts, est perçu comme le corrélat iconographique de la mort de Gavroche dans *Les misérables*, qu'illustrera aussi Jeanniot en 1890 dans l'Édition nationale (même si, dans le poème, le petit garçon qui s'offre à la mort n'est pas fusillé par l'officier, pris de pitié). Ce poème est ainsi utilisé par l'illustration comme un archétype, un réflecteur de motifs exprimés dans différentes œuvres de Hugo.

Le texte de Hugo, dont le flot oratoire abonde en métaphores, se prêtait peu à l'illustration littérale ; et les poèmes de l'écrivain ont été d'emblée rapprochés par les éditeurs de ses propres dessins gravés, bien que, jusqu'à l'édition Hugues, son nom ne figure pas en page de titre parmi ceux des illustrateurs (dans l'édition Lévy de 1873, p. 378, *Falkenfels* ; dans les éditions Lévy de 1874 et Hugues de 1879, *Ruine de Vianden*, *Petite Jeanne*, d'après un dessin de 1871, *John Brown* — personnage dont le spectre est invoqué dans un poème, mais aussi premier dessin gravé et publié de Hugo et souvenir de son engagement contre la peine de mort —, enfin *Tombeau en France*).

Flameng adopte plusieurs styles en rapport avec les tons différents du recueil, l'allégorie tantôt satirique, tantôt épique et la scène de bataille, qui se rattachent à la peinture d'histoire, ou bien la scène de rue et la « chose vue » d'une chronique du siège, plus proches de la scène de genre. Bien que quatre des allégories, rétablies dans l'édition Hugues, aient été interdites par la censure (pp. 40, 41, 200 et 309), la forme allégorique domine l'interprétation de Flameng, comme l'annonce le frontispice au portrait d'auteur, où Victor Hugo est un prophète courroucé qu'assiste une muse de l'Année terrible au visage de Gorgone.

Le frontispice de Vierge indique en revanche, en 1874, une autre orientation, par ses deux registres superposés qui montrent le champ de bataille et Paris incendié : il s'agit à présent d'un constat, moins explicite qu'une allégorie dans la critique, mais tout aussi virulent. Le dessi-nateur Vierge, qui illustre ici pour la première fois Hugo, avait donné au *Monde Illustré* plusieurs croquis de *L'année terrible*, que Hugo avait peut-être vus et dont il oblitère les anecdotes pour laisser place à une vision dramatique et sobre. En trois gravures successives, qui vont du site réaliste à l'évocation fantastique d'une levée en masse des soldats morts, il montre les champs de bataille labourés par les bombardements, où semblent subsister, inscrits dans les mottes de terre, les péripéties du combat. La planche intermédiaire, avec ses moignons d'arbres dressés vers un ciel plombé, a été transposée sous la neige par François Flameng dans une gravure en hauteur de l'édition Hébert. Cette veine visionnaire de Vierge, qu'annonce une vignette de titre d'Apocalypse, est parachevée par l'illustration radieuse du poème « Vision de l'avenir ».

Une fois passés les temps de censure, l'Édition nationale revient au genre noble de l'allégorie à travers les bandeaux de Georges Roux, d'un graphisme médiocre, qui reprennent des thèmes figurés issus de la caricature. Mais ces tentatives sont loin d'égaler la qualité et l'originalité des gravures d'éditions populaires, plus proches des événements de « l'année terrible », et de la rencontre entre Flameng et Vierge, symboliquement marquée par la double signature de la planche pour *A ceux qu'on foule aux pieds (juin XIV)*, illustrée en collaboration.

S.L.M.

François Flameng
Eau-forte dans *Illustration des œuvres complè-
tes de Victor Hugo : suite de 100 dessins de
François Flameng...*, Paris, Hébert, 1886
Paris, M.V.H.

François Flameng
Sur une barricade
Eau-forte dans *Illustration des œuvres complè-
tes de Victor Hugo : suite de 100 dessins de
François Flameng...*, Paris, Hébert, 1886.
Paris, M.V.H.

Léopold Flameng
Sur une barricade
Gravure sur bois dans *L'année terrible*, Paris,
Hugues, 1879
Paris, M.V.H.

Georges Jeanniot
Sur une barricade
Eau-forte dans *L'année terrible*, Édition natio-
nale, Paris, Testard, 1888
Paris, M.V.H.

Souvenir de la nuit du 4

Le massacre de civils sans armes dans l'après-midi du 4 décembre 1851 occupe une place centrale dans l'histoire du coup d'État, car c'est par lui que la forfaiture juridique s'est en quelque sorte scellée dans le sang. Occulté par l'historiographie officielle de l'Empire, mais imprimé dans la mémoire des républicains, l'épisode apparaissait tantôt comme le symbole d'un pouvoir fondé sur le crime, tantôt comme celui d'une guerre civile où l'on se gardait bien de définir les véritables responsabilités. Ce dernier point de vue allait se prolonger dans la phase conservatrice de la Troisième République, où 1851 pouvait passer pour préfigurer 1871 : la Commune et sa répression. Le tabou ne sera levé — provisoirement —

qu'avec l'affermissement du régime républicain à partir de 1879 et l'amnistie des communards en 1880. Et c'est précisément alors qu'on relève, au Salon de 1880, la présence de trois peintures de grand format inspirées par un poème des *Châtiments* écrit et publié près de trente ans auparavant, et qui n'avait guère été illustré jusqu'alors, *Souvenir de la nuit du 4*.

Hugo avait été témoin, dans la nuit qui suivit le massacre, d'une scène qui en résumait toute l'horreur et dont il allait faire un archétype. Rue Tiquetonne, dans un modeste intérieur, une grand-mère pleurait son petit-fils de sept ans, tué de deux balles dans la tête . Deux textes de 1852 ont fixé ce souvenir : le poème des *Châtiments* (II, III) et un chapitre en prose

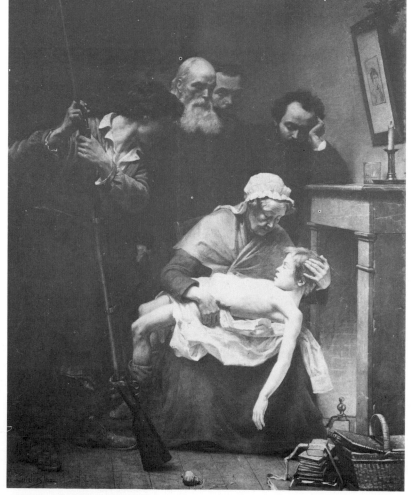

*Pierre Langlois
Souvenir de la nuit du 4. Salon de 1880 (cat. 909)
Thionville, Musée (en dépôt à la mairie)

*Henri Gervex
Souvenir de la nuit du 4. Salon de 1880 (cat. 908)
Saint-Étienne, Musée d'Art et d'Industrie

Paul Robert
L'enfant de la rue Tiquetonne.
Gravure sur bois d'après une peinture du Salon de 1880
Paris, M.V.H.

Théophile Schuler
Souvenir de la nuit du 4
Gravure sur bois dans *Les châtiments*, Paris,
Hetzel, 1872
Paris, M.V.H.

Adrien Marie
L'enfant avait reçu deux balles dans la tête
La République Illustrée, 26 fév. 1881
Paris, M.V.H.

d'*Histoire d'un crime* (IV, I). Le premier était paru en 1853 dans l'édition originale du recueil, bible clandestine de l'opposition républicaine, puis reparu dans l'édition « libre » de 1870, qui avait suivi la chute de l'Empire et le retour de Hugo. Le second ne devait être publié qu'en 1877, à la veille du retour définitif des républicains au pouvoir. La popularité de la scène, et sa signification dans le contexte politique des années 1880, sont attestées non seulement par les trois tableaux du Salon mais par plusieurs sculptures et par des estampes populaires, chromos ou gravures sur bois publiées dans des journaux.

Très différentes par leur matériau, leur destination et leur format, ces œuvres se rejoignent toutes dans leur volonté de réalisme. Elles s'appuient sur les détails concrets des textes, et surtout du poème qui, dans son prosaïsme délibéré et dans son émotion contenue, caractérise avec un relief singulier les sentiments et la réalité sociale. Aragon devait d'ailleurs, dans un beau texte critique de 1952, commenter *Souvenir de la nuit du 4* comme le modèle de la *poésie réaliste*. Rappelons aussi que c'est autour de 1880 que s'affirme, en France, la prédominance du naturalisme en peinture, comme le constate Zola dans son compte rendu du Salon de cette année, où il cite en exemple le tableau de Gervex. La coïncidence de ce phénomène avec la publication d'*Histoire d'un crime* et l'avènement de la « République républicaine » suffit à expliquer cette floraison insolite, double hommage aux idéaux démocratiques de 48, enfin réhabilités, et au poète qui incarnait la résistance à l'Empire et la renaissance de la République. Hugo figure d'ailleurs en personne dans la plupart des illustrations du poème, tantôt avec son visage de l'époque des *Châtiments* (d'après des photographies prises à Jersey en 1853-54), tantôt, par un anachronisme révélateur, avec sa barbe de patriarche républicain, qu'il ne devait pourtant laisser pousser qu'à partir de 1861.

La portée polémique, sinon militante, d'une telle référence, ne passa pas inaperçue. L'administration des Beaux-Arts, qui encourageait alors par ses achats les sujets « républicains »,

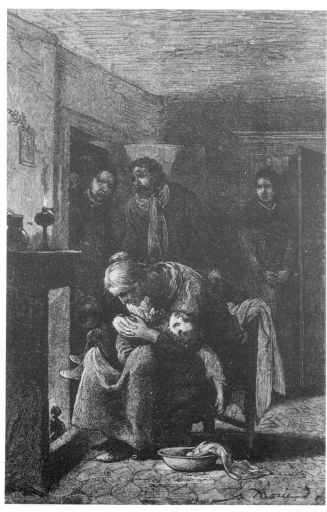

Jacques France
L'enfant avait reçu deux balles dans la tête
Gravure sur bois d'après une sculpture
Paris, M.V.H.

Athanase Fossé
L'enfant avait reçu deux balles dans la tête
Photographie d'après une sculpture du Salon
de 1886
Paris, M.V.H.

Anonyme
Souvenir de la nuit du 4
Chromolithographie
Paris, M.V.H.

surtout ceux inspirés par la grande Révolution, fit l'acquisition des trois tableaux au Salon. De son côté, la critique conservatrice marqua sa réprobation : « La nuit du 4 Décembre est déjà loin », observe un commentateur à propos du tableau de Gervex; « la journée du 4 Septembre, en revanche, est plus près de nous et depuis nous avons oublié bien des choses. L'ardente Némésis qui inspirait le poète est impuissante à réveiller notre haine ». (M. Du Seigneur, *L'art et les artistes au Salon de 1880).* De fait, et de plus en plus, les gouvernements républicains allaient éviter des souvenirs révolutionnaires trop brûlants, et retenir surtout, dans la figure et l'œuvre de Hugo, le pur poète et le défenseur de principes moraux

propres à recueillir un large consensus. En 1902, le sculpteur Barrias aura peine à imposer au comité du monument parisien la présence d'un bas-relief inspiré par *Souvenir de la nuit du 4* (voir ci-dessus : « Une somme : le monument de Barrias »).

Quant aux tableaux achetés au Salon de 1880, celui de Gervex fut envoyé au Musée de Saint-Étienne, où il est depuis longtemps en réserve ; celui de Langlois finit par aboutir en 1952 à la mairie de Thionville ; et le troisième, par Paul Robert, est si bien enfoui dans les magasins de l'État que les fonctionnaires chargés de les administrer ne parviennent point à l'y retrouver !

P. G.

Valnay
L'enfant avait reçu deux balles dans la tête
Le Grand Foyer, 6 mars 1881
Paris, M.V.H.

Quatrevingt-treize

Deux semaines après la sortie du livre, le 19 février 1874, *Quatrevingt-treize* commence à paraître dans l'hebdomadaire anglais illustré *The Graphic*, qui devait ensuite publier vingt-cinq planches pour l'*Histoire d'un crime*, d'octobre 1877 à mai 1878. Un mois plus tard, paraît la suite de Régamey en huit planches pour *Paris à l'Eau-forte* (22 mars 1874). Ces deux ensembles, si proches de la publication, fixent en images le découpage romanesque du livre et, pour *The Graphic*, indiquent les archétypes iconographiques des grandes scènes.

Les gravures du *Graphic* furent diffusées en France, comme en témoigne dès mars 1874 une annonce de *L'Univers Illustré*. Alors que la suite

Régamey tire de son petit format et de son style graphique une allure précieuse et fragile, les grands placards en bois de teinte pour *The Graphic* sont conçus comme un reportage épique, qui s'accorde mieux au ton du roman. Ils sont centrés sur les personnages et montrent les scènes de près, parfois en vue plongeante pour dramatiser l'effet : ainsi, les fugitifs du bois de la Saudraie, ou Halmalo et Lantenac en barque, qui inspireront dans l'édition Hugues la composition de Morin (p. 9) et le frontispice du livre III (p. 63). Très significatives sont aussi les gravures de la Flécharde en quête de ses enfants perdus, où miss Paterson rivalise, par un naturalisme plus sobre, avec le Doré des miséreux de

S. L. Fildes
Les fugitifs dans la forêt de la Saudraie
Gravure sur bois dans *The Graphic,*
28 fév. 1874
Paris, M.V.H.

Anonyme
La vie souterraine dans une forêt bretonne
Gravure sur bois dans *The Graphic,*
23 mai 1874
Paris, M.V.H.

Victor Hugo illustré

Anonyme
Radoub
Gravure sur bois dans *The Graphic*,
11 juil. 1874
Paris, M.V.H.

H. Paterson
L'ancêtre
Gravure sur bois dans *The Graphic*,
25 juil. 1874
Paris, M.V.H.

H. Paterson
Dolorosa
Gravure sur bois dans *The Graphic*,
13 juin 1874
Paris, M.V.H.

Londres, paru en Angleterre en 1872 ; ou celle de la lutte entre Radoub et Chante-en-Hiver à l'embrasure de la fenêtre de la Tourgue. L'une est reproduite à plus petite échelle dans l'édition Hugues (p. 269), l'autre y est recadrée par Lançon (p. 371).

Cette édition, parue en soixante livraisons à soixante centimes, est, en 1876, la première publication de *Quatrevingt-treize* comme livre illustré. Elle s'inspire, plus ou moins librement, de toutes les planches du *Graphic* sauf deux ; mises à part ces variations, qui ne sont pas exactement des réemplois, et quelques reprises de gravures révolutionnaires comme celles de Duplessis-Bertaux, l'illustration est à la fois iné-

dite et abondante. Ces caractères inhabituels à l'édition Hugues s'expliquent dans la mesure où *Quatrevingt-treize* en est le premier volume, qui sert au lancement de l'édition. Il précède de peu *Notre-Dame de Paris*, le best-seller de l'édition illustrée de Victor Hugo, où est adopté un système de réemplois et regravures systématiques, donnant comme une rétrospective de l'édition illustrée du roman.

L'une des originalités, et non des moindres, de l'édition Hugues de *Quatrevingt-treize* est d'avoir intégré à l'illustration trois dessins de Victor Hugo, dont *La Tourgue* (p. 271) « lézardée, sabordée, balafrée, démantelée », qui précède la description verbale du site : cette « lugubre vision » de l'écrivain, Pelletan l'avait aussitôt associée au souvenir des dessins de Hugo (*L'Égalité de Marseille*, 5 mars 1874). Les deux autres dessins sont des sous-bois en clair-obscur, *Crépuscule* (p. 203) et *Broussailles* (p. 221).

Si le voisinage de la Tourgue vue par Hugo nuit aux variations médiocres sur le même motif qu'apporte Riou (bandeau, p. 273 ; hors-texte p. 202 ; cul-de-lampe p. 417), en revanche toute l'interprétation graphique du roman semble infléchie par les recherches de teinte et de texture qui fondent le dessin de Hugo dans ses paysages. Sans doute les protagonistes, la Flécharde (p. 3), Radoub (p. 7), Lantenac (p. 89), enfin Gauvain (p. 223), sont-ils campés par Brion,

comme il l'a fait en 1862 pour *Les misérables* et en 1867 pour *Notre-Dame de Paris*. Sans doute aussi retrouve-t-on les scènes-clés du roman, dessinées par Maillart et Lançon, et gravées par Méaulle et Froment, mais cette lecture, fondée sur la narration romanesque qui avait été celle de *The Graphic*, est infléchie par l'importance accordée aux paysages, inhabituelle dans l'édition illustrée. Le registre aquatique, celui de la terre et du feu, qui se succèdent, apportent un élargissement mythique au roman, qui atténue les souvenirs de la Révolution et les relents tout proches de l'« année terrible ». C'est ainsi que le frontispice général est une sombre marine de Scott, substituée au dessin de Vierge

Victor Hugo
La Tourgue en 1835
Gravure sur bois dans *Quatrevingt-treize*,
Paris, Hugues, 1876
Paris, M.V.H.

Karl Bodmer
En Vendée
Gravure sur bois dans Quatrevingt-treize,
Paris, Hugues, 1876
Paris, M.V.H.

Georges Cain
Le cabaret de la rue du Paon
D'après *Le Livre d'or de Victor Hugo*, Paris,
Launette, 1883
Paris, M.V.H.

G. Bourgain
Le cabaret de la rue du Paon
Eau-forte dans *Quatrevingt-treize,*
Édition nationale Paris,
Testard, 1892
Paris, M.V.H.

*Diogène Maillart
Le cabaret de la rue du Paon (cat. 906)
Paris, M.V.H.

Anonyme
Le cabaret de la rue du Paon
Gravure sur bois dans *The Graphic*, 2 mai 1874
Paris, M.V.H.

que Victor Hugo note avoir vu le 20 octobre 1875. A sa suite, la végétation « hérissée et inextricable » de Bodmer (p. 199) et de Riou (p. 592), les sous-sols de la forêt habités par les Chouans, enfin le brasier de la Tourgue apportent au roman une atmosphère inquiétante et merveilleuse qui est propre à l'édition Hugues.

Les illustrations suivantes, celle du *Livre d'or* (1883), de l'album Flameng, édité par Hébert en 1886, et de l'Édition nationale, illustrée par Bourgain en 1892, reviennent à une lecture plus attendue, déterminée par les personnages et les scènes, parmi lesquelles se détachent comme des leitmotive celles du cabaret de la rue du Paon

(II, II, I) et du « massacre de Saint-Barthélémy » (III, III). La première se rapporte à l'entrevue entre Danton, Marat et Robespierre, « Minos, Eaque et Rhadamante », qui s'achève par la victoire de Robespierre : dans cet affrontement s'opposent différents points de vue sur la Révolution, qui expriment l'enjeu historique et politique du roman. La composition oblongue du *Graphic* est transposée en hauteur par Maillart dans l'édition Hugues (p. 133), dont la composition est reprise par les éditions suivantes avec des variations dans les gestes et l'éclairage. Dans la seconde, Hugo dépeint les trois enfants en train de déchirer les « images » d'un

précieux livre à figures du XVIIe siècle, Saint-Barthélémy. La scène est située par Bayard, pour l'édition Hugues (p. 317), dans un décor inspiré par la galerie de hêtre de Hauteville House, telle qu'elle sera évoquée, le sol jonché de livres, dans le *Victor Hugo et son temps* d'Alfred Barbou (1881, p. 293). Ces deux compositions à trois personnages semblent se faire pendant pour opposer les forces politiques qui édictent les maléfices de l'histoire, et les enfants qui en sont les victimes innocentes, et résumer l'antithèse principale du roman, tel que la critique de l'époque l'avait reçu.

S.L.M.

*Gustave Brion
Lantenac. 1875 (cat. 904)
Paris, M.V.H.

*Gustave Brion
Gauvain, 1875 (cat. 905)
Paris, M.V.H.

G. Bourgain
Le massacre de Saint Barthélémy
Eau-forte dans *Quatrevingt-treize,*
Édition nationale Paris,
Testard, 1892
Paris, M.V.H.

F. W. Lawson
Le massacre de Saint Barthélémy
Gravure sur bois dans *The Graphic,*
20 juin 1874
Paris, M.V.H.

Émile Bayard
Le massacre de Saint Barthélémy
Gravure sur bois dans *Quatrevingt-treize,*
Paris, Hugues, 1876
Paris, M.V.H.

* Diogène Maillart
*Le marquis de Lantenac sauvant les enfants de
Michelle Fléchard* (cat. 907)
Paris, M.V.H.

Le *Caïn* de Cormon

Lorsque Fernand Piestre, dit Cormon (1845-1924) — « un jeune peintre de grand avenir » comme le note Edmond About dans *Le XIXᵉ Siècle* des 18-19 mai 1880 — reçoit le 8 juin 1880 une lettre du sous-secrétariat d'État aux Beaux-Arts lui proposant l'achat au Salon de son *Caïn* (n° 877 du livret), pour la somme de 10 000 francs (acquisition entérinée par l'arrêté collectif du 23 juin 1880), il ne dut pas être surpris. On lui proposait un prix raisonnable, compte tenu du format important, et il dut être satisfait que la destination de l'œuvre soit le Musée du Luxembourg à Paris, le plus prestigieux de tous auprès des artistes vivants. A cette consécration tant convoitée, s'ajoutait, en 1880, une décoration au grade d'officier de la Légion d'honneur.

Depuis douze ans, Cormon avait peu à peu franchi les premières étapes d'une carrière brillante : dès le deuxième Salon auquel il participe, celui de 1870, il obtient une médaille ; avec deux sujets tirés du Ramayana, *Sita* en 1873, *La mort de Ravana* en 1875 (acquis par l'État pour le musée de Toulouse), il obtient successivement une médaille de 2ᵉ classe et le prix du Salon, tandis qu'à l'Exposition Universelle de 1878, lui est décernée une 3ᵉ médaille.

S'il n'avait rien exposé en 1879, c'est qu'il préparait déjà sa grande composition de *Caïn,* inspirée d'un autre poème épique, moderne cette fois, *La légende des siècles* de Victor Hugo : le sujet est tiré d'un des premiers poèmes, publié en 1859, « La Conscience », dont les trois premiers vers étaient reproduits dans le livret du Salon (avec le mot « couverts » au lieu de « vêtus » !) :

« Lorsqu'avec ses enfants couverts de peaux de bêtes,
Échevelé, livide au milieu des tempêtes.
Caïn se fut enfui de devant Jehovah... »

Un petit dessin d'ensemble (vente Paris, Hôtel Drouot, « L'art en marge des grands mouvements, 2 », 25 novembre 1974, n° 10) porte en effet l'inscription : « fait en 1878 au café de Larochefoucault par Cormon pour m'expliquer l'idée qu'il avait de son tableau de Caïn... ». Un autre dessin, plus précis (Boston, Museum of Fine Arts) montre une composition voisine, toutes deux légèrement différentes du tableau achevé : la horde semble marcher sur une plage ; à gauche, à l'horizon, la mer, à droite, une haute falaise coupée par le haut de la composition (la mer qu'évoque Hugo dans le 19ᵉ vers de son poème, ou la montagne du 5ᵉ vers ?). Caïn en outre est précédé, au second plan à droite, par un groupe de personnages. La composition se simplifie finalement avec les lignes horizontales du paysage désertique sous le ciel implacable, avec les ombres étirées des personnages et du charroi, avec la figure solitaire de Caïn ouvrant la marche ; tous ces éléments viennent souligner symboliquement le mouvement de fuite contre la lumière et, s'ils contribuent à donner une force rare à la composition, ils devaient dérouter plus d'un critique...

Cormon travailla figure par figure d'après le modèle comme l'attestent l'esquisse peinte de 1879 représentant Caïn seul (musée de Moulins) ou le dessin sur calque en rapport avec le personnage portant un chevreuil mort au premier plan à gauche (Louvre, Cabinet des Dessins, RF 22 894) : on y voit un homme nu dans la pose retenue inversée dans la composition finale ; le pieu qu'il porte est sommairement indiqué, dans la main du modèle et au-delà d'un « blanc » correspondant à l'abondante chevelure hirsute de l'homme des premiers temps.

Dans *Le Siècle* du 4 mai 1880, Henri Havard confirme que le tableau était attendu : « On a fait grand bruit de ce Caïn avant l'ouverture du Salon... Je redoute fort pour ce jeune et vaillant artiste, une cruelle déception. » Cormon manque de peu, le 2 juin 1880, la médaille d'honneur de peinture, devant Bastien-Lepage pour sa *Jeanne d'Arc* (New York, Metropolitan Museum of Art) mais derrière Aimé Morot qui l'obtient pour *Le bon Samaritain :* Morot a, au premier tour, 18 voix, au 2ᵉ 27, au 3ᵉ 28, tandis que Cormon piétine avec, respectivement 15, 16 et 14 voix (cf. *Le Salon,* 1ʳᵉ année, n° 5, juin 1880, p. 66).

Dans *L'Indépendance Belge* du 15 mai 1880, René Menard avait pourtant pu constater « l'énorme succès » obtenu par « le *Caïn* de M. Cormon, dont on parle déjà pour la grande médaille d'honneur ». Cet échec relatif est confirmé, en quelque sorte, par une presse qui est loin d'être unanime. Il ne faut pas s'étonner que Zola ignore le tableau, ni qu'Huysmans le juge « très médiocre » (*L'Art moderne,* éd. 1975, p. 149).

Nombreux cependant sont ceux qui en parlent longuement, d'autant qu'à ce dernier Salon officiel, Turquet avait tenté une nouvelle présentation, non plus par ordre alphabétique, mais par catégories d'artistes, récompensés ou non... : les « hors concours », dont Cormon, étaient installés au large et *Caïn* était en vis-à-

*Fernand Cormon
Caïn. Salon de 1880 (cat. 892)
Paris, Musée d'Orsay

vis du vaste et limpide carton pour le décor du Musée d'Amiens (17 m de long) : *Ludus pro Patria* (Bruxelles, Musées royaux d'art et d'histoire) de Puvis de Chavannes, avec lequel il contrastait.

Dans son chapitre sur les « peintres émus », Roger Ballu est enthousiaste : « Après l'idylle grandiose *(Ludunt pro Patria),* voici une épopée biblique... Le souffle qui a passé sur le front du poète a fait vibrer le peintre et celui-ci a conçu une œuvre devant laquelle on s'arrête et qui impressionne par sa puissance... A l'émotion que donne cette œuvre lorsqu'on la voit pour la première fois, on juge qu'elle est vraiment supérieure. Regardez Caïn, il est bien le maudit... » *(La peinture au Salon de 1880,* Paris 1880, p. 11 à 13). Quant à Théodore Véron, prêt à donner la médaille d'honneur à Cormon, il s'enflamme au cours d'une longue description : « Bravo Monsieur Cormon, voici de l'art grandissime ; et dans la corde terrible de Géricault. Cette forte composition a de la vie et un caractère sinistre... » *(6e annuaire.*

Dictionnaire Véron ou Organe de l'Institut universel des sciences, des lettres et des arts du XIXe siècle (section des Beaux-Arts), Paris, 1880, p. 27-28). Edmond About remarque : « L'œuvre est énorme, elle est puissante et traitée de main de maître. Ce tableau est à la fois très bon et très laid... Ce jeune peintre sait très bien que ses personnages sont antérieurs à l'âge de la pierre taillée, qu'ils précédaient d'une infinité de siècles le peigne et le savon, et qu'ils l'emportent de bien peu... sur les grands singes de l'Afrique équatoriale... ». S'il place le tableau au premier rang, il est cependant critique : « quoiqu'on fasse, Caïn portera sur son col de gorille, la physionomie ardente d'un orateur politique ou le masque pensif d'un conférencier... M. Cormon avait le droit de nous montrer Caïn sous les traits d'un patriarche jeune encore, beau comme le criminel de Prud'hon et marqué du sceau de la justice céleste » *(Le XIXe Siècle,* 18-19 mai 1880). Charles Clément dénote dans l'œuvre un « parti pris de singularité », critique « chez

un artiste qui se pique de naturalisme » la « tonalité du groupe »... « absolument fausse par rapport à celle du ciel » et les couleurs terreuses comme chez Jules Breton, trouve qu'il n'y a pas « trace de style » et conclut : « il a voulu soutenir à sa manière les idées des disciples les plus aventureux de Darwin » (*Journal des Débats,* 1er mai 1880). « C'est le faux style » écrit, pour sa part, Philippe Burty (*L'Art,* 30 mai 1880), extrêmement sévère : « Les vers du grand poète ne sauraient s'appliquer à cette fuite, qui marche au pas cadencé des figurants d'opéra et cherche les gros effets » ; il propose d'y voir une illustration de Leconte de Lisle :

« Suants, échevelés, soufflant leur rude haleine,
Avec leur bouche épaisse et rouge, et pleins de faim... »

Armand Silvestre est d'un avis voisin et parle d'une « scène de mélodrame » (*L'Estafette,* 5 mai 1880).

Plus nuancé, Ernest Chesneau propose de voir là plutôt une illustration des « vers magnifiques » de Théophile Gautier :

« Le Caravane humaine au Sahara du monde
En ce chemin des ans qui n'a pas de retour
S'en va traînant le pied, brûlée aux feux du jour,
Et buvant sur ses bras la sueur qui l'inonde .»

et se demande : « Ce Caïn, est-ce Caïn ? Je ne sais. C'est à coup sûr la vie primitive » (*Le Moniteur Universel,* 2 mai 1880).

C'était alors la première composition « préhistorique » de Cormon, première d'un genre dont il allait par la suite devenir spécialiste.

Remarqué, scruté par maints regards au moment du Salon, *Caïn* devait, avant d'entrer au Musée du Luxembourg au début de 1881, le 4 ou le 5 janvier, être envoyé à une exposition à l'étranger : dans le cadre de la XXXIe exposition triennale de Gand, il figure, au Casino de cette ville, à un autre « Salon de 1880 » et apparaît dans le supplément du catalogue (n° 1340).

Il ne devait plus bouger du Musée du Luxembourg jusqu'à la mort de son auteur. S'il apparaît dans le catalogue du groupe I, France-Classe I, de l'Exposition Universelle internationale de 1889 à Paris, (p. 15), c'est sans numéro, car il ne figure pas à l'exposition, tout en étant admis par le jury à participer aux récompenses, comme l'immense composition des *Vainqueurs de Salamine* (alors au Luxembourg, déposée au Musée de Rouen) qui avait valu à l'artiste, enfin, la médaille d'honneur en 1887. Cormon obtient, en 1889, le Grand Prix de l'Exposition Universelle et devient officier de la Légion d'honneur. Élu membre de l'Institut en 1898 au fauteuil laissé vacant par Gustave Moreau qu'il remplace comme professeur à l'École des Beaux-Arts, l'ancien maître de Toulouse-Lautrec, d'Émile Bernard et de Van Gogh, n'est pas oublié par Léonce Bénédite dans son *Rapport du Jury international de l'Exposition Universelle de 1900* où il cite et reproduit le *Caïn,* non exposé pourtant à la Centennale (t. I, 2e partie, Beaux-Arts, Paris 1904, p. 371).

Mais le temps passe et lorsque le Musée du Luxembourg est « rajeuni » en 1925, le tableau de *Caïn,* bien qu'attribué dès 1880 aux Musées Nationaux et inscrit alors sur l'inventaire du Louvre (R.F. 280), ne trouve pas sa place au Louvre et est envoyé, roulé, au commissariat des Expositions au Grand Palais ; il est alors inscrit sur le registre d'entrée le 5 février 1926 (n° 9079) sans que l'on pense à annoter le registre à son premier passage dans ce service en 1880 (n° 49) ; aucune fiche ne signalant ce retour, le tableau devait entrer dans un long sommeil. Le rouleau, soigneusement protégé par des feuilles du *Petit Journal* du 20 décembre 1925, devait être transféré après l'Exposition de 1937 au dépôt des œuvres d'art de l'État dans l'actuel palais de Tokyo, où il a été retrouvé intact le 10 mars 1980. Restauré et remis sur châssis, il est montré pour la première fois, dans cette exposition, après soixante années où il ne fut pas, cependant, totalement oublié. On le crut, pendant ce temps, déposé au Museum d'Histoire naturelle (P. Ladoué, « Musée du Luxembourg. Le « Nouveau Musée de 1886 », *Bulletin des Musées de France,* décembre 1936), ou bien détruit à Arras ou dans une ville du nord de la France. Reproduit dans les pages illustrées du dictionnaire Larousse et cité dans la plupart des histoires de l'art du XIXe siècle publiées depuis un demi-siècle, *Caïn* devient le type des sujets préhistoriques de Cormon et la référence à Victor Hugo disparaît ; ainsi dans *La peinture au XIXe siècle. Anthologie d'art français* de Charles Saunier, peu avant la mort de Cormon, dans *L'Encyclopédie des Arts* de Louis Hourticq (1925), dans *La peinture aux XIXe et XXe siècles. Du réalisme à nos jours* d'Henry Focillon (1928), ou dans *Le mouvement des arts du romantisme au symbolisme* de René Jullian (1979).

Dans *L'art et l'homme* de René Huyghe en 1961, il n'est plus question du tableau, mais seulement de « l'académisme le plus froid » qui écrase Cormon. Mention à mettre en parallèle avec l'amusante caricature de Caran d'Ache dans « Le Salon-Fantaisie » publié par *Le Figaro* du 15 mai 1886, avec la légende ; « Escouade de sapeurs préhistoriques ».

Un renouveau d'intérêt est à noter après la publication des *Maîtres de la Belle Époque* par J. P. Crespelle en 1966, où *Caïn* est reproduit en double page.

Bien que Louis Réau n'ait pas retenu notre tableau dans son *Iconographie de l'art chrétien,* t. II, *Iconographie de la Bible-Ancien Testament* (1956), comme illustration de la Genèse, 4-9, où il ne cite pour le XIXe siècle que *La justice et la vengeance divine poursuivant le crime* (personnifié en Caïn fuyant) de Prud'hon (Louvre), c'est dans un ouvrage en langue anglaise de Bruce Bernard, *The Bible and its painters* (1983) que *Caïn* est reproduit pour la première fois en couleurs, après sa « redécouverte ».

Réduit pendant si longtemps à la taille d'une simple vignette en noir et blanc, *Caïn* va pouvoir être de nouveau examiné et replacé dans la complexe évolution de l'art de la fin du XIXe siècle : doit-on y voir un de ces grands tableaux historiques traités selon la technique naturaliste officielle de la troisième République triomphante, en quelque sorte un souvenir de Daubigny pour le ciel ou de Courbet pour les couleurs terreuses et les chevreuils morts, (cf. G. Lacambre, dans G. Weisberg, *The European Realist Tradition,* Indiana University Press, 1982, p. 237-238, repr. n° 8-6) ou bien un banal exemple de l'art « pompier » ? Le contraste est certes total avec la technique académique et lisse, les tons pâles d'un Bouguereau du même Salon de 1880, *La naissance de Vénus* (Musée d'Orsay). Mais il ne faut pas négliger le lien avec le métier de Jean-Paul Laurens, que propose d'ailleurs, en 1926, l'*Histoire de l'art* d'André Michel (t. VIII, 2, p. 601).

Les quartiers rougeoyants de chair morte, dont ne parle pas Victor Hugo, devraient cependant surprendre plus d'un visiteur de 1985 devant cette tentative de reconstitution de la vie primitive.

G. L.

Les hommages d'Émile Gallé

« Les maîtres du verbe, les poètes, sont aussi les maîtres du décor. Ils ont le génie de l'image, ils créent le symbole. Entre toutes, l'œuvre de Hugo est fertile pour l'artiste. Presque à l'égal des Écritures, ses textes abondent en visions colorées, en verbes lapidaires, en applications qui prennent mesure aux statures les plus hautes » : ainsi s'exprimait Gallé dans la description qui accompagnait la coupe à lui commandée en 1892 et offerte à Pasteur par l'École normale supérieure à l'occasion du soixante-dixième anniversaire de la naissance du biologiste (Gallé, *Écrits pour l'Art*, 1908, pp. 148-154). Une telle déclaration n'est pas exceptionnelle dans l'œuvre de Gallé, dont les écrits et naturellement les créations artistiques n'ont cessé de proclamer une admiration sans restriction pour Victor Hugo. Ainsi, la profession de foi et le testament artistique que constitue *Le décor symbolique*, dis-

cours prononcé par Gallé en 1900, lors de sa réception à l'Académie de Stanislas, cite Hugo à plusieurs reprises, et, au Salon du Champ-de-Mars de 1898, sur dix-sept verreries présentées, cinq étaient gravées de vers du poète.

Il n'y a pas lieu ici de débattre sur la nature des « verreries parlantes » de Gallé, dont on a pu dire, tout en en reconnaissant la haute valeur artistique, qu'elles relevaient d'un esprit enfantin et d'un sens aigu de la publicité, mais seulement de citer quelques exemples permettant de mesurer la profondeur et la résonance des emprunts à Victor Hugo.

Ils sont d'autant plus nombreux que l'influence de ce « grand agitateur de symboles », pour reprendre une formule de Gallé (*Écrits pour l'Art*, 1908, p. 218), s'est exercée sur celui-ci, à la fois par la littérature et par la politique. Cette dernière l'emportait d'ailleurs, car la

*Émile Gallé
Commode* (cat. 927)
Coll. privée

*Émile Gallé
Vase « Les iris ».* 1896 (cat. 928)
Paris, Musée du Petit Palais

Émile Gallé
Vase « Africana »
Paris, Musée des Arts Décoratifs

famille de l'artiste était acquise de longue date aux idées politiques de Hugo. Il est très significatif que les vers de Hugo soient privilégiés sur les œuvres de Gallé destinées à des cadeaux officiels. C'est le cas du *Vase Pasteur* (Paris, Musée Pasteur), mais aussi du vase offert par la Ville de Nancy à Madame Sadi Carnot (coll. part.), lors de la visite du Président en 1892, du vase destiné à Victor Prouvé pour fêter son entrée dans l'ordre de la Légion d'honneur (1896) (Nancy, Musée de l'École de Nancy). Sur des vases liés à une actualité brûlante, Gallé fera graver des vers de Victor Hugo qui clameront l'innocence de Dreyfus ; sur une petite commode intitulée *Le sang d'Arménie* et présentée à l'Exposition Universelle de 1900 le sultan Abdul-Hamid, l'exterminateur des Arméniens, se verra publiquement menacé de la « sombre équité ». Mais l'œuvre de Gallé est avant tout un des plus beaux chants qui aient été entonnés à la gloire de la Nature, et les citations de Hugo, moins fréquemment cependant que celles de Baudelaire, Verlaine, Maeterlinck et même Sully Prudhomme ou Montesquieu, aident à déchiffrer le rébus des fleurs et à en comprendre l'éloquence, qu'elles soient modestes pervenches et bleuets ou somptueux iris, ou encore à restituer le climat et le mystère de l'étang, thème de l'urne *Eaux dormantes*, certainement l'une des verreries les plus inspirées de Gallé (coll. part.), conçue en 1889-1890 pour son ami Roger Marx.

Ph. Th.

*Émile Gallé
Vase « Les bleuets ».* Vers 1900 (cat. 930)
Philadelphia, Museum of Art

*Émile Gallé
Vase « Puisque voici la saison des pervenches ».*
1891 (cat. 929)
Paris, Musée d'Orsay

La musique, la scène, le cinéma

La musique, la scène, le cinéma

*Charles Delioux
Le géant (cat. 651)
Lithographie de Célestin Nanteuil
Paris, M.V.H.

Arnaud Laster # La musique

Les musiciens inspirés par Victor Hugo sont innombrables. La présente liste ne retient — injustement — que des noms qui figurent encore dans nos dictionnaires d'aujourd'hui. Elle est loin d'être fermée puisque l'on créera en ce centenaire de la mort de Hugo deux œuvres de grande envergure d'un musicien majeur de notre temps : Pierre Henry, et que les représentations de pièces de Hugo et les adaptations cinématographiques de ses œuvres suscitent sans cesse de nouvelles musiques de scène et de film. Si l'on ajoute que les chansons sur des textes du poète se multiplient, on commencera à avoir une idée de la fortune musicale de son œuvre.

On peut faire partir de 1829 le mouvement par lequel elle a envahi la musique sous toutes ses formes : mélodies, compositions instrumentales, opéras. Le premier grand musicien à en avoir été touché est Berlioz.

Berlioz

J'ai montré ailleurs[1] le rôle des *Orientales* et du *Dernier jour d'un condamné* dans la genèse du programme de la *Symphonie fantastique*.

Parallèlement, Berlioz met en musique « la Chanson des Pirates » (1829), qu'il réutilisera probablement pour « la Chanson des Brigands » du *Retour à la vie,* « mélologue » destiné à suivre l'exécution de la *Symphonie fantastique*. Et il reviendra aux *Orientales* pour composer « La captive » (1832) dont il dit lui-même qu'elle remporte à Rome un succès à la fois « populaire et aristocratique »; puis le chœur « Sarah la baigneuse » (1834). Les diverses versions de ces deux œuvres attesteront l'engouement qu'elles suscitent et l'attachement de Berlioz à leur égard.

Sans l'opposition d'Harel, directeur de la Porte-Saint-Martin, il aurait écrit la musique de scène de *Lucrèce Borgia* et de *Marie Tudor*. Sa version de la romance de cette dernière pièce fut exécutée au concert, en présence de Hugo.

Une œuvre de circonstance : l'*Hymne* d'Hérold

En 1831, on célèbre le premier anniversaire de la révolution qui a mis fin à l'absolutisme monarchique. Il est décidé que les dépouilles mortelles des citoyens morts pour la patrie, en défendant les lois et la liberté, seront, aussitôt que l'exhumation en pourra être faite, déposées au Panthéon et qu'en leur hommage « un hymne funèbre » composé pour la circonstance y sera exécuté. Les auteurs en seront Hérold pour la musique et Hugo pour les paroles.

Le poète considère que les « deux ou trois méchantes strophes » qu'il offre ne sont qu'un « embryon informe ». La musique d'Hérold leur confère une résonance révolutionnaire par la volonté de grandeur et le rythme de marche, et un enthousiasme presque italien qui efface tout caractère funèbre.

Hugo à l'Opéra : avec Louise Bertin, à Paris ; par Romani et Donizetti, à Milan

Sans doute Berlioz à Rome a-t-il rêvé à l'opéra qu'il aurait pu écrire d'après *Notre-Dame de Paris,* mais le roman à peine publié, Hugo s'est engagé à en tirer un livret pour Louise Bertin, et Berlioz a dû se contenter de donner quelques suggestions à la jeune femme et de diriger les répétitions de *La Esméralda*[2].

Les échos de la bataille d'*Hernani* et, en somme, du succès de l'œuvre n'ont pas tardé à franchir les frontières. Bellini, le premier, songe à en tirer un opéra dont la censure va nous priver, et c'est un autre italien, Gabussi — mais ô imprudence, à Paris ! — qui en présentera la première version lyrique. L'œuvre tombe si vite qu'elle ne paraît pas avoir eu le temps d'attirer l'attention de Hugo.

De l'autre côté des Alpes, on n'attend pas l'autorisation du poète pour s'emparer de ses drames. L'année même de sa création, *Lucrèce Borgia* passe sur la scène de l'Opéra : le musicien s'appelle Donizetti ; l'année suivante, il écrira ce que l'on tient généralement pour son chef-d'œuvre, *Lucie de Lammermoor,* auquel certains musicologues pourtant préfèrent l'opéra tiré de Hugo. Peut-être parce que le rôle de Lucrèce, destiné originellement à une cantatrice en fin de carrière, joue plus sur les nuances que sur la bravoure.

Le livret de Romani suit fidèlement l'intrigue sauf pour le dénouement. Lucrèce avoue à temps à Gennaro qu'elle est sa mère et il ne la tue donc pas mais meurt, et Lucrèce clame son amour maternel à Alfonso.

Jusqu'à ce que la *Lucrèce Borgia* de Donizetti arrive à Paris, Hugo ne semble guère s'en être soucié, occupé qu'il était à rédiger les textes demandés par Louise Bertin pour l'opéra qui allait s'intituler *La Esméralda*. Longue et ingrate tâche.

Loin de lui apporter la gloire ou au moins la respectabilité qui aurait pu s'attacher à une production écrite pour « la première scène française », l'opéra ne causera presque à Hugo que des déboires. Les critiques lui feront porter une part de responsabilité non négligeable dans ce qu'ils considèreront comme un échec. Il faut dire qu'il y avait de la provocation à porter à la scène le sujet de *Notre-Dame de Paris* et plus particulièrement le personnage du prêtre tourmenté et tourmenteur par amour. La censure le lui fit bien sentir ainsi que le public bien pensant auquel le livret vendu dans la salle rappelait, avec une insistance évidente et au cas où il l'aurait oublié, que Claude Frollo était un prêtre.

Comme la musique, de son côté, ne faisait nulle concession à la mode italienne, multipliant notamment les ensembles au détriment des airs, l'œuvre ne put être maintenue intégralement au-delà de la sixième représentation, et l'expérience dut laisser au librettiste un goût d'amertume.

Musiques de scène : Piccini et Mendelssohn

Les drames de Hugo requièrent tous des interventions musicales ; quels qu'aient pu être ses vœux en la matière, ce sont, selon l'usage, les chefs d'orchestre ou les musiciens attitrés des théâtres où les pièces furent jouées qui s'en chargèrent : pour *Lucrèce Borgia* (1833), à défaut de Berlioz refusé par Harel, Piccini, neveu du rival de Gluck, travailla sur les indications du poète.

C'est en Allemagne seulement et pour *Ruy Blas* qu'on fit appel à un compositeur resté aujourd'hui célèbre : Mendelssohn. Mais le musicien considéra la tâche comme un pensum et le poète, lorsqu'il lui advint d'entendre l'ouverture — en plein air, il est vrai, et joué Dieu sait comme ! — n'en témoigna aucune reconnaissance.

Liszt : les fruits de plus de cinquante ans d'amitié et d'admiration

Louise Bertin mise à part, qui occupa une place toute particulière dans les affections de Hugo et de ses enfants, Liszt est certainement celui de tous les musiciens qui, dans les années 1830, partagea le plus l'intimité du poète.

Il est aussi peut-être celui dont la musique servit le mieux ses œuvres. Pianiste d'abord, c'est au piano qu'en 1834 il illustre le « Mazeppa » des *Orientales*. Virtuose, il en fait une étude d'exécution transcendante. Plus tard, il la reprendra, l'enrichira, l'amplifiera jusqu'aux dimensions d'un poème symphonique de couleur héroïque qui, du coup de fouet initial au couronnement, en passant par la course à travers l'Ukraine, emporte l'auditeur dans un irrésistible mouvement.

Que ce soit dans le rondo sur le thème d'une chanson évoquée par le romancier de *Bug-Jargal*, ou dans la Fantasia quasi sonata « Après une lecture de Dante », dotée du même titre qu'un poème des *Voix intérieures*, comme si Liszt voulait, à l'exemple de Hugo, donner sa lecture de Dante, d'ailleurs si proche, ou encore dans la transposition pour piano et chant de *la Esméralda*, Liszt témoigne de son amitié pour Hugo et des rapports qu'entretiennent leurs créations respectives.

Après avoir quitté Paris, il reviendra à Hugo par l'intermédiaire de sept lieder composés en 1842-44 ; rarement le texte poétique sera aussi bien compris, respecté et mis en valeur par un musicien.

Que l'on écoute « Oh quand je dors » où la sensualité sonore du texte est communiquée, « Comment disaient-ils » pour lequel Liszt tisse un accompagnement subtil, fluide et nuancé qui n'alourdit pas le propos, comme le feront certains de ses successeurs, ou même « Gastibelza », beaucoup moins célèbre à l'époque que la romance d'Hippolyte Monpou et aujourd'hui que la chanson de Georges Brassens, mais qui, seul par son caractère de boléro échevelé, donne une idée de la folie qui hante le héros du poème.

Liszt est loin d'en avoir fini avec Hugo ; il entreprend en 1847 la composition de ce qui constituera le premier de ses « poèmes symphoniques », inaugurant un genre dont on lui attribuera la paternité. *Ce qu'on entend sur la montagne* emprunte son titre et son programme à un texte des *Feuilles d'automne*, riche en suggestions musicales.

« Les lignes suivantes devront être toujours, précisera l'édition, jointes au programme du concert dans lequel ce poème symphonique sera exécuté :

" Le poète écoute deux voix ; l'une immense, magnifique, ineffable, chantant la beauté et les harmonies de la création ; l'autre gonflée de soupirs, de gémissements, de sanglots, de cris de révolte et de blasphèmes :

L'une disait Nature, et l'autre Humanité !

. . . .

...ces deux voix étranges, inouïes,
Sans cesse renaissant, sans cesse évanouies,

se succèdent, de loin d'abord ; puis se rapprochent, se croisent, entremêlent leurs accords tantôt stridents, tantôt harmonieux, jusqu'à ce que la contemplation émue du poète touche silencieusement aux confins de la prière ''. »

L'orchestration, d'abord mise au point avec l'aide du musicien Raff, fait l'objet de remaniements successifs, par lesquels Liszt marque de plus en plus son empreinte personnelle, jusqu'à la version définitive qui manifeste sa maîtrise et son originalité.

Au début d'*Ainsi parlait Zarathoustra,* le compositeur de la *Symphonie alpestre,* Richard Strauss, se souviendra, sans doute, de la grandiose évocation de la nature, scandée par les timbales, que propose l'auteur de ce qu'en allemand on appelle souvent la *Berg-Symphonie.*

Tout se passe comme si l'imagination sonore de Hugo autorisait les innovations instrumentales de Liszt : les glissandi des harpes correspondent aux « harpes de l'éther », et un gong vient ponctuer d'effets alors inouïs l'épisode qui illustre la « clameur » humaine et qui se terminait sous la plume du poète par une question suggestive : « Qu'était-ce que ce bruit dont mille échos vibraient ? ». Liszt n'y recule pas devant les dissonances qu'appelle un texte qui compare la voix grinçante avec « un cri de coursier qui s'effare » ou avec « le gond rouillé d'une porte d'enfer » et un « archet d'airain » sur une « lyre de fer ».

Une dernière fois en 1884, Liszt, âgé de 73 ans, puisera son inspiration dans la poésie de Hugo en donnant trois versions du quatrain « Écrit au bas d'un crucifix » et publié près de trente ans plus tôt dans les *Contemplations.* Ces mélodies peu connues pour voix d'alto et piano ou harmonium sont d'une concision très caractéristique du style de la période romaine, aussi éloignée que possible de la religiosité lyrique conférée par le baryton Jean-Baptiste Faure à son propre duo, inspiré par le même poème, avec accompagnement d'orgue ad libitum, qui connaîtra un immense succès.

Les romances à la mode du vivant de Hugo

On chante beaucoup Hugo dans les salons mais c'est bien moins sur la musique de Liszt que sur celles de Pauline Duchambge, d'Hippolyte Monpou (déjà nommé), un peu plus tard de Léon Kreutzer, puis de Victor Massé, enfin de Benjamin Godard.

Il faudrait consacrer une étude entière à ce phénomène mais elle déborderait du cadre de ce catalogue.

Mercadante, le « Meyerbeer italien »

L'opéra italien emprunte volontiers à Hugo dans les années qui suivent *La Esméralda.* Mercadante fait représenter *Il Giuramento,* adapté d'*Angelo tyran de Padoue* par Gaetano Rossi.

L'action a été transposée au xive siècle, en Sicile, à Syracuse ; les noms des personnages ont été changés et les fonctions de certains : Bruno — substitué à Homodei — n'est plus un espion du conseil des Dix mais le secrétaire du comte de Syracuse, Manfredo — qui remplace l'Angelo de Hugo.

Le prétexte pour détourner les soupçons, lorsqu'il est sur le point de surprendre sa femme en compagnie de Viscardo (Rodolfo chez Hugo), n'est plus seulement une conjuration mais l'attaque de Syracuse par Agrigente, et les deux hommes s'élancent pour repousser l'agresseur, un peu comme Ruy Gomez et Hernani font provisoirement alliance contre Carlos. A cela près, le déroulement de l'intrigue reste inchangé.

Le succès de l'œuvre et la synthèse stylistique qu'elle manifeste valent au musicien d'être surnommé le « Meyerbeer italien ».

Un premier procès pour défendre le droit d'auteur

A Paris, le Théâtre-Italien donne *Lucrèce Borgia* de Donizetti, et Étienne Mon-

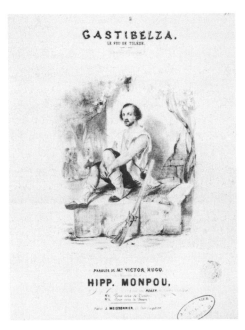

*Camille Schubert
La bohémienne de Paris (cat. 683)
Lithographie anonyme
Paris, M.V.H.

*Hippolyte Monpou
Sara la baigneuse (cat. 669)
Lithographie de Célestin Nanteuil
Paris, M.V.H.

*Hippolyte Monpou
Gastibelza, le fou de Tolède (cat. 671)
Lithographie anonyme
Paris, M.V.H.

*Paul Scudo
La baigneuse (cat. 685)
Lithographie d'Eugène Leroux
Paris, M.V.H.

*Pierre Gailhard
Le géant (cat. 656)
Lithographie anonyme
Paris, M.V.H.

*J. Eichhoff
Sara la baigneuse (cat. 654)
Lithographie anonyme
Paris, M.V.H.

nier, traducteur des *Puritains* et de *Norma,* publie sa transposition du livret pour la scène française comme « paroles imitées de l'italien », sans mention du nom de Hugo. Le poète intente un procès qu'il gagne ; Monnier obtient cependant que sa traduction ne soit pas retirée de la vente.

Quelques années plus tard, à l'occasion d'une reprise, Théophile Gautier intervient : « Permettez ici au plus humble de vos disciples de vous le dire : c'est un glorieux privilège que d'être ainsi à la source où vont puiser tous les arts. [...] dans toutes les plumes et dans tous les pinceaux d'aujourd'hui, il y a un peu de votre encre et de votre couleur ».

Ernani de Verdi

En mars 1844, à la Fenice de Venise, on donne la première d'un *Ernani* qui inaugure la collaboration entre le jeune Verdi, alors âgé de 31 ans, et le librettiste Piave.

Au lieu de s'ouvrir sur la scène — si osée par rapport au public du Théâtre Français — où Don Carlos, le futur Charles Quint, soudoie la duègne de Doña Sol pour qu'elle le cache durant l'entretien que la jeune fille accordera à son amant, le rideau se lève sur le camp de partisans d'Ernani dans la montagne d'Aragon, évoqué seulement, chez Hugo, dans les propos que tient Hernani à Doña Sol. Ernani fait à ses compagnons la confidence de son amour pour une jeune aragonnaise qui s'appelle ici Elvira et que convoite le vieux duc Silva.

La deuxième scène se situe dans l'appartement d'Elvira où celle-ci se lamente de son futur mariage avec Silva ; Carlo fait son apparition et se trouve aussitôt reconnu par Elvira comme le roi d'Espagne ; sa déclaration enflammée correspond assez exactement à celle que lui prête Hugo à l'acte II, de même que l'intervention d'Hernani, et puis Piave récupère l'effet de la première arrivée de Silva, à l'acte I, et ce qui s'ensuit.

Le deuxième acte de l'opéra est conforme au troisième du drame, à deux exceptions près : la scène des portraits est omise et, au moment d'emmener Elvira en otage, Carlo lui renouvelle sa déclaration d'amour, ce dont le Carlos de Hugo se dispensait.

Les deux derniers actes de Verdi et Piave suivent fidèlement les pas de Hugo, sauf au dénouement où seul Ernani se tue, et d'un coup de poignard, à la place du poison préféré par le personnage de Hugo. Silva, enfin, au lieu de se suicider sur le corps des amants, avec le sentiment d'être damné, voit avec satisfaction sa vengeance accomplie et exulte. Piave avait même accepté le principe de la cabalette brillante réclamée par la cantatrice Sophie Loewe pour succéder au trio final, mais Verdi s'y refusa énergiquement.

Le succès de l'œuvre fut très grand : en juin, Donizetti la dirigeait à Vienne, avec les compliments de Bülow, et ce fut le premier opéra de Verdi joué à Londres, moins d'un an après la création.

A Bologne, on remplaça le nom de Carlo par celui de Pio pour saluer l'élection du pape Pie IX, réputé libéral et susceptible de donner un nouvel élan aux espoirs patriotiques ; l'annnonce du pardon général, au 3e acte, déclencha dans tout le théâtre une brusque et immense acclamation de nature évidemment très politique. L'opéra parvint à Paris en 1846 où le Théâtre-Italien, pour échapper à l'accusation de plagiat, dut le donner sous le titre *Il Proscritto* (Le Proscrit).

L'action fut transposée d'Espagne en Italie, en sens inverse de ce qui avait été fait l'année précédente pour *Lucrèce Borgia* devenue *La Rinegata.* Les personnages changèrent de nom à l'exception d'Elvira déjà rebaptisée ; Ernani devint Oldrado, proscrit et corsaire vénitien, Carlo le sénateur Andrea Ritti, futur doge de Venise, et Silva Zeno. La paternité dramatique de l'œuvre ayant été reconnue à Hugo, ils ne tardèrent pas à reprendre leur identité, et l'on mesurera la curiosité que le poète portait à la carrière de l'opéra à telles notations de son récit du coup d'État du 2 décembre 1851 sur le billet de loge qu'il avait en poche pour *Ernani* au Théâtre-Italien avec un « nouveau ténor nommé Guasco »[3] : preuve qu'il allait jusqu'à s'intéresser aux changements de distribution — en l'occurrence, la reprise du rôle par son créateur.

Signalons que pour bien différencier musicalement les trois rivaux qui se disputent la main de Doña Sol, Verdi demande, pour la première fois, semble-t-il, dans l'histoire de l'opéra, non seulement un ténor (Ernani) et une basse (Silva) mais aussi un baryton (Carlo), voix que jusque-là les compositeurs ne distinguaient pas explicitement de celle de basse.

Dargomijski

Verdi va revenir à Hugo avec *Rigoletto* mais entre-temps a été créée, au Bolchoï de Moscou, une *Esméralda* du russe Dargomijski, qui ne franchit pas les frontières de son pays d'origine. Une reprise à Leningrad en 1958 obtiendra pourtant un vif succès, tant dramatique que musical, en raison de l'interprétation et des qualités de la partition, reconstituée par Pekelis.

Rigoletto : Verdi contre la censure, Verdi et Hugo contre Calzado

Pour faire admettre *Rigoletto,* Verdi et son librettiste Piave doivent surmonter l'obstacle de la censure. L'opéra tiré du drame de Hugo, *Le roi s'amuse,* qui avait été suspendu puis interdit après une seule représentation, est proposé sous le titre moins provocant de *La Maledizione* mais cela ne suffit pas à faire tomber les préventions des censeurs.

Le gouverneur militaire autrichien ordonne au directeur central de l'ordre public de faire savoir au conseil d'administration de la Fenice de Venise « qu'il déplore que le poète Piave et le célèbre maestro Verdi aient choisi, pour déployer leurs talents, un sujet d'une immoralité aussi rebutante et d'une trivialité aussi obscène ». Piave espère, confie le président de la Fenice à Verdi, « qu'en substituant au roi de France un prince contemporain et en ôtant quelques obscénités dont le texte regorge on puisse reproposer le livret tel quel. Mais le conseil [...] ne saurait espérer que cette solution aboutisse ».

La mise en scène d'un roi qui se comporte si mal étant impossible, Verdi accepte qu'il soit remplacé par un duc mais exige qu'il fasse figure de maître absolu dans son duché, qu'il demeure un libertin, et que Triboulet (Rigoletto) reste bossu et laid. « Je trouve justement que c'est fort beau, estime-t-il, de représenter ce personnage, qui est extérieurement difforme et ridicule et intérieurement passionné et plein d'amour. J'ai choisi exprès ce sujet, pour toutes ces caractéristiques et ces traits originaux, et si on les enlève, je ne peux plus le mettre en musique ».

Finalement, on accorde satisfaction au musicien, même en ce qui concerne le sac d'où Rigoletto extraira le corps de sa fille et que l'on voulait ôter du livret. « Il conviendra seulement de donner à l'enlèvement de la fille du bouffon un ton qui préserve la décence nécessaire du théâtre ».

De l'attachement de Verdi au drame de Hugo témoigne une lettre d'avril 1853 à son ami Somma : « Pour moi, le meilleur sujet, quant à l'effet, que j'aie jamais mis en musique [...] est *Rigoletto*. Il y a des situations très fortes, du brio, du pathétique, de la variété. Toutes les péripéties naissent d'un personnage léger, libertin : le duc, d'où les craintes de Rigoletto, la passion de Gilda, etc., qui donnent lieu à d'excellents moments dramatiques, et entre autres la scène du quatuor qui, pour l'effet, restera toujours une des meilleures de notre théâtre »[4].

L'assurance de Verdi est justifiée et la postérité ne le démentira pas. Sa fidélité au drame de Hugo, à quelques nuances près (et si l'on excepte un air, ajouté ultérieurement, où le duc semble sincèrement épris) garantit à l'œuvre une puissance durable.

Contrairement à ce que prétend la légende, ce n'est pas contre Verdi que sera dirigé le procès de Hugo, à l'occasion de la création parisienne de *Rigoletto*, mais contre le directeur du Théâtre-Italien, Calzado, qui ne reconnaît pas au poète la paternité d'invention du sujet et n'entend lui verser aucun droit. C'était Verdi qui, précédemment, s'était opposé à ce que ses œuvres fussent représentées au Théâtre impérial italien, soupçonnant Calzado de vouloir utiliser les partitions qu'une maison espagnole pirate reproduisait et louait, et le spolier ainsi que son éditeur. Il venait de perdre un procès contre le dit Calzado, et ses mandataires firent cause commune avec Hugo.

Hugo ne fut pas plus heureux dans sa réclamation que Verdi, car aux termes de la loi il y avait prescription au délit de contrefaçon, trois ans après la publication.

Saint-Saëns : les fruits de plus de soixante ans d'admiration...

Au moment où avait commencé l'exil du poète, un jeune musicien de 17 ans, Camille Saint-Saëns, composait ses premières mélodies sur des textes de Hugo.

Il a relaté lui-même sa découverte d'une poésie qui n'allait cesser de l'inspirer, plus de soixante années durant : « Tout, dans mon adolescence, paraissait calculé pour m'éloigner du romantisme ; on ne parlait autour de moi que de nos grands classiques (...). Jusque-là les vers m'avaient produit l'effet plutôt réfrigérant d'une chose respectable et lointaine (...). Avec les vers d'Hugo, je me trouvais d'emblée en communion intime, et, ma nature essentiellement musicale primant le tout, je me mis à les chanter.

On m'avait répété à satiété (on le dit encore) que les beaux vers étaient rebelles à la musique ou plutôt que la musique était rebelle aux beaux vers, qu'elle exigeait des vers médiocres (...), malléables, taillables à merci. Assurément, si l'on écrit premièrement la musique pour y adapter ensuite les « paroles » ; mais est-ce bien là l'idéal de l'union de ces deux arts faits l'un pour l'autre ? Le chant ne pourrait-il sortir de la poésie par une sorte d'éclosion ? les rythmes, les sonorités du vers n'appelleraient-ils pas naturellement le chant pour les faire ressortir, celui-ci n'étant qu'une façon supérieure de les déclamer ? Je fis des essais dont quelques-uns sont restés : « *Puisque ici bas toute âme* » — « le *Pas d'armes du roi Jean* » — « *La cloche* », alors dédaignée, et qui devait avoir par la suite quelque fortune. Plus tard j'ai continué avec « *Si tu veux, faisons un rêve* » que Mme Carvalho a beaucoup chanté, « *Soirée en mer* », et bien d'autres encore »[5].

A vrai dire, Hugo a accompagné Saint-Saëns tout au long de sa carrière de musicien, et Yves Gérard, le meilleur connaisseur actuel du compositeur, souligne l'intérêt des diverses illustrations qu'il a données de l'œuvre de son poète préféré, selon les époques de sa vie et les circonstances de composition : depuis *Le pas d'armes* de 1852, au style tour à tour martial et lyrique, héroïque et raffiné, notamment dans l'évocation de la mort au son d'un choral, et enfin humoristique pour s'accorder aux derniers vers du texte, jusqu'à l'orchestration en 1915 de l'*Attente*, composée en 1855 et apparentée au romantisme allemand et à Schumann. Cette partie de l'œuvre de Saint-Saëns réserverait plus d'une surprise à celui qui entreprendrait de l'explorer : on y découvrirait dans le compositeur de *La cloche* (1855), cette grande ballade lyrique, un précurseur de Duparc, dans le *Chant de ceux qui s'en vont sur [la] mer* (1860) l'expression d'une sorte de romantisme français, dans *Une flûte invisible* (1885) toute la transparence et la séduction de l'art pour l'art des musiciens parnassiens (ou symbolistes, selon l'appellation qui l'a emporté).

Saint-Saëns, qui puisera jusque dans un recueil posthume comme *Toute la lyre*, tirera aussi d'un des tout premiers, celui des *Odes et poésies diverses* de 1822, la matière d'une vaste cantate pour soli, chœur, orgue et orchestre : *La lyre et la harpe*. Le poème oppose, en chants alternés, la lyre, instrument des odes antiques, qui chante les dieux de l'Olympe et conseille de jouir de la vie si brève, à la harpe, instrument du paslmiste, qui chante le dieu unique et recommande la charité. Saint-Saëns use donc, pour les interventions de cette dernière, d'un style inspiré de ceux de Bach et de Haendel, considéré comme représentatif de l'austérité et de l'élévation chrétiennes, alors qu'il s'autorise, pour traduire la sensualité païenne, un style plus libre, gracieux et charmeur, et en définitive d'allure plus moderne. L'œuvre, commandée pour le festival de Birmingham, y sera dirigée par le compositeur en août 1879 et créée à Paris par Pasdeloup en janvier 1880.

L'année suivante, en prévision d'un hommage au Trocadéro, Saint-Saëns écrit un *Hymne à Victor Hugo*. Il y introduit un motif attribué à Beethoven, et aimé du poète qui y avait adapté les vers d'un texte publié dans l'édition de 1870 des *Châtiments :* « Patria ». L'œuvre ne sera créée qu'à l'occasion des concerts de Printemps organisés par le père du compositeur Alfred Bruneau.

« L'exécution en fut décidée, rapporte Saint-Saëns, et l'on invita Victor Hugo à venir l'entendre.

Elle fut splendide ! Un orchestre immense, l'orgue magnifique, huit harpes, huit trompettes sonnant des fanfares dans la tribune de l'orgue, un chœur nombreux pour la péroraison, dont l'éclat fut tel qu'on l'a comparée au bouquet d'un feu d'artifice. L'accueil que le grand poète, qui paraissait rarement en public, reçut de la foule, l'ovation qui lui fut faite, dépassent toute description. Cet encens mêlé d'orgues, de harpes et de trompettes, nouveau pour lui, plut à sa narine olympienne :

« Vous dînez avec moi, ce soir » me dit-il.

Et depuis ce jour, j'allai souvent dîner chez lui dans l'intimité [...]. Ces petites réunions, dont je sentais le prix, sont un des meilleurs souvenirs de ma vie »[6].

La partition de l'*Hymne à Victor Hugo* reste incroyablement méconnue : à la suite de Julien Tiersot, Frédéric Robert rapporte que la brève citation, par une trompette et sur un ton aigu, des premières mesures de *la Marseillaise* aurait à l'époque été mal accueillie. Mobilisons au secours de l'œuvre la tendresse que lui portait, selon le témoignage d'Yves Gérard, Vladimir Jankélévitch (en dépit de son peu de goût pour le compositeur). Je me permets d'y ajouter l'opinion — après audition — d'un musicien aussi fin et enthousiaste que Maurice Le Roux, qui a tant fait pour la redécouverte de Monteverdi ou du vrai *Boris* de Moussorgski et aussi pour la diffuson de l'œuvre de Xénakis : « *L'hymne à Victor Hugo* de Saint-Saëns m'a semblé brillant, avec du panache et de l'imagination, plus pompeux que pompier, en somme. » L'œuvre a été redonnée avec succès, le 22 mai 1985 à la Sorbonne dans le cadre de l'hommage à Victor Hugo organisé par le comité culturel de l'Université de Paris III. Elle mérite assurément d'être enregistrée sur disque.

Les mélodies sur des textes de Hugo, au temps de l'exil (1852-1870)

On s'étonne quelquefois du choix opéré dans l'œuvre de Hugo par les compositeurs de son temps ; on le juge bien restreint et, pour tout dire, timide ; c'est oublier l'ostracisme compréhensible dont fut l'objet durant les dix-huit années du Second Empire le poète des *Châtiments*.

Son théâtre étant banni du répertoire, il est d'autant plus remarquable que des musiciens aient illustré cependant telle ou telle chanson des drames, en dehors de toute perspective de représentation : ainsi, outre Saint-Saëns, Lalo, Gounod, Chabrier. La sérénade de Gounod pour *Marie Tudor,* avec son doux balancement de berceuse, remporta un immense succès qui l'a fait parvenir jusqu'à nous.

Il est peut-être symptomatique que les six mélodies de l'opus 17 de Lalo soient écrites sur des textes d'avant l'exil ; il faut attendre 1870 pour que le musicien emprunte aux *Contemplations* un beau « Souvenir ». Bizet l'a précédé dans cette voie, notamment avec le chœur d'hommes « Saint-Jean de Pathmos ». Mais les deux mélodies de lui qui ont le mieux survécu sont la *Chanson du fou,* extraite de *Cromwell,* et les *Adieux de l'hôtesse arabe,* tirés des *Orientales.*

Fauré et le tournant de 1870

Un compositeur, plus jeune encore, Gabriel Fauré, a consacré ses premiers essais mélodiques à mettre en musique des poèmes de Hugo. Si l'on peut préférer à sa version du *Papillon et la fleur* (opus 1 n° 1) celle d'Henri Reber qui fut chantée plus d'une fois à Hugo, l'opus 1 n° 2 *(Mai)* dégage déjà un certain charme et l'opus 2 n° 1 *(Dans les ruines d'une abbaye),* dont le rythme ressemble à celui de *l'Enlèvement* de Saint-Saëns, présente de l'aisance et une certaine fraîcheur.

Quant à l'opus 5, à côté d'un *Rêve d'amour* auquel on pourra comparer — peut-être avantageusement — celui, un peu antérieur, de Franck sur le même texte, il contient une réussite tout à fait impressionnante : *l'Absent,* composé en 1871, sur un poème des *Châtiments*. La désolation qui règne ici ne cède qu'un moment à une sorte de poussée pathétique, prolongée par le piano seul, comme si la douleur contenue débordait.

Et comment résister à la séduction des deux voix de soprano associées dans l'opus 10 n° 1 : *Puisqu'ici bas ?*

Signalons en outre que l'on a publié de lui en 1958 une très jolie mélodie intitulée *L'aurore* et que plusieurs autres restent encore inédites, dont une *Tristesse d'Olympio.*

Le chœur à 4 voix mixtes avec orchestre sur *Les djinns* vient en revanche d'être enregistré et permet d'admirer la richesse de la palette instrumentale et rythmique que Fauré est capable de déployer au service d'un poème qui l'exige, il est vrai.

Franck, musicien de Hugo, avant, pendant et après l'exil

César Franck donnera, lui, des *Djinns* une traduction concertante, pour piano et orchestre que créera Louis Diémer à qui seront dédiées six mois plus tard, les *Variations symphoniques*. « Le malaise de l'homme incarné par le piano solo, écrit Henri-Louis de la Grange, se transforme peu à peu en angoisse puis en supplication devant le tourbillon des génies qui approchent. Le passage expressif et lent du milieu illustre plutôt que ce moment de paix fabuleux où l'homme et les génies se sourient, dont parle un commentateur, le soulagement du salut ; il est suivi d'une réexposition presque littérale du début de l'ouvrage mais cette fois en decrescendo comme dans le poème. »

L'écriture pianistique excellente ne sacrifie pas à la virtuosité et les qualités mélodiques sont, comme l'écrit de la Grange, « captivantes ».

Ce n'était pas là, on l'a vu, la première inspiration hugolienne de Franck qui avait précédé Liszt lui-même dans la traduction symphonique de *Ce qu'on entend sur la montagne.* L'œuvre a été exécutée pour la première fois, tout récemment, en Grande-Bretagne par les soins de Hugh Macdonald.

Le musicologue Joël-Marie Fauquet a, de son côté, révélé une mélodie de 1847 sur un poème des *Rayons et les ombres,* intitulée : « A cette terre où l'on ploie sa tente ». Et l'on ne connaît guère la musique imaginée par Franck en 1871 pour se substituer à celle que Hugo croyait tout à fait authentiquement de Beethoven et sur laquelle il avait écrit le poème « Patria ».

Hugo par les musiciens de la Commune

L'Hymne, écrit par Hugo à la mémoire des morts de juillet 1830 pour Hérold, ne sera repris que le 14 juillet 1880 à l'occasion de la première fête nationale de la Troisième République mais auparavant, Raoul Pugno, directeur de l'Opéra et du Conservatoire pendant la Commune, le met à son tour en musique sous le titre : « Aux insurgés ». L'œuvre devait être créée le 22 mai 1871 mais ce jour-là commence la Semaine sanglante qui verra l'écrasement de la Commune.

Son ami norvégien, Johann Selmer, sous-titrera *L'année terrible* une *Scène funèbre* « composée au milieu des événements de 1870-71 et inspirée par des *(sic)* mêmes impressions que *L'année terrible* du grand poète ». Frédéric Robert a attiré notre attention sur la préface :

« Afin de mieux pénétrer l'esprit et l'imagination des auditeurs du véritable sentiment de la situation, l'auteur a cru bon de faire précéder le morceau d'un Prologue poétique formé de divers emprunts au livre de Victor Hugo. S'il a préféré le titre de Prologue à celui de Programme aujourd'hui si souvent usité en musique, c'est qu'il ne prétend pas retracer d'une manière exacte par la musique les situations et le texte du livre. Le chef d'orchestre qui voudrait bien faire exécuter cette composition est donc prié de faire imprimer les dits fragments sur le programme du concert avec le titre de Prologue ».

De nouvelles musiques de scène, après l'exil

Après l'exil, les grandes reprises de *Ruy Blas,* donnèrent lieu à des contributions de musiciens prestigieux : Massenet en 1872, Léo Delibes en 1879. Le premier composa en outre la musique de scène de *Notre-Dame de Paris,* pour l'adaptation de Paul Foucher, revue par Meurice (1879), et le second, dans un style agréablement archaïsant, celle du *Roi s'amuse,* représenté en 1882.

Tous ces musiciens enrichirent également le répertoire de la mélodie ; l'*Eglogue* de Delibes était déjà ancienne (1863) mais Massenet ne devait pas cesser de recourir à Hugo.

A l'entrée des nouvelles voies du théâtre lyrique ; les traces de Hugo chez Wagner et son rôle dans l'avènement du vérisme, par l'intermédiaire de Ponchielli

C'est en partie grâce aux livrets tirés des drames de Hugo : *Lucrèce Borgia, Ernani* et surtout *Rigoletto,* que l'opéra romantique s'était dégagé des contraintes du bel canto.

Wagner de son côté, dont on n'a souvent retenu du rapport à Hugo que la mauvaise farce intitulée *Une capitulation* — mais qui se rappellera au souvenir de Pauline Viardot comme compositeur de « L'attente » de Victor Hugo, une mélodie sur un poème des *Orientales,* d'un élan juvénile et passionné annonçant celui de l'Élisabeth de *Tannhäuser* — n'a pas échappé à l'influence de Hugo : elle est sensible dans *Lohengrin* et dans sa conception du drame musical. La « trilogie » des *Burgraves* préfigure, par plus d'un aspect, la tétralogie wagnérienne.

Mais une troisième voie va s'ouvrir et c'est celle du vérisme : Amilcare Ponchielli, maître de Puccini et de Mascagni, en est à l'origine avec sa *Gioconda,* dont le livret s'inspire d'*Angelo, tyran de Padoue* et a pour auteur un certain Tobia Gorrio, alias Arrigo Boïto (futur librettiste d'*Otello* et de *Falstaff* de Verdi).

Certes, on retrouve les grandes lignes de l'intrigue originale mais on constate aussi d'assez nombreux écarts.

L'action a été transposée de la Padoue du xvie siècle à la Venise du xviie, pour permettre une mise en scène encore plus somptueuse. Angelo est devenu Alvise, un des chefs de l'Inquisition d'État ; le personnage de l'espion ne s'appelle plus Homodei mais Barnaba ; la Tisbe, au lieu de comédienne, est chanteuse, sous le nom de la Gioconda, et surtout n'est plus la maîtresse d'Alvise. Laura, en revanche, hérite de la personnalité de Catarina, et Enzo de celle de Rodolfo, avec,

*Léo Delibes
Sérénade de Ruy Blas* (cat. 650)
Lithographie de Barbizet
Paris, M.V.H.

cependant, un adoucissement. Le principal changement réside dans le fait que l'espion devient le scélérat central au lieu du grand personnage, et survit jusqu'au bout.

Ponchielli aurait beaucoup peiné sur le livret qui lui paraissait trop difficile. « Ceci peut sembler inconcevable, avouait-il, mais j'écris plus facilement sur des lieux communs versifiés, sur des vers plus banals. Il y a des moments où je ne peux pas rassembler mes idées, où je ne trouve pas l'inspiration ; alors il est vrai que je préférerais un autre livret, un autre poète qui écrirait pour moi et non pour lui-même, ainsi j'irais beaucoup plus vite. Le rôle de la Gioconda est tout rage, suicide, jalousie, poison et enfer comme il est maintenant de mode, les pauvres chanteurs devront déclamer et croasser sans cesse. Le public veut une mélodie unie, claire et simple et nous nous voilons dans la confusion et les complexités. Boïto me pousse dans cette direction ; j'espère avoir assez de bon sens pour éviter l'abîme. » Mais peut-être devons-nous en partie au fait que Ponchielli dut forcer sa nature la qualité musicale de l'œuvre.

Notons que les six grands types de voix sont représentés dans l'opéra : soprano (la Gioconda), mezzo (Laura), contralto (la Cieca, sa mère), basse (Alvise), baryton (Barnaba), ténor (Enzo). Le rôle de la Gioconda avec ses sauts d'une octave et demie et même de deux, est un des plus difficiles du répertoire, et on l'a comparé à ceux de Norma et de Turandot.

Boïto a tiré en partie la matière du premier acte du récit où la Tisbe de Hugo évoquait sa mère sauvée de la potence par la fille d'un sénateur. Dans la scène que montre Boïto, ce n'est pas une rime offensante pour un seigneur qui la met en danger, mais un gondolier qui l'accuse de lui avoir jeté un sort. Enzo présent lui porte secours ; Laura qui est loin d'être une petite fille la défend et obtient de son mari qu'il la sauve. L'action se rapproche ensuite de celle de la première journée de Hugo, mais dans une atmosphère de carnaval qui contraste avec le recueillement d'un chant d'église.

Le deuxième acte nous transporte non dans la chambre de Catarina à laquelle va accéder Rodolfo mais sur le navire d'Enzo qui, avant d'être rejoint par Catarina, chante la beauté du ciel et de la mer dans un air qui est certainement le plus célèbre de la partition.

La première partie de la troisième journée, qui voit le meurtre d'Homodei par Rodolfo, avait été réservée par Hugo et ne sera publiée qu'après sa mort. Rien d'étonnant à ce que l'acte III de Boïto commence à hauteur de la deuxième partie. Le délai qu'accorde Alvise à Laura est celui d'une chanson de gondoliers, trouvaille ingénieuse pour donner à la musique une fonction dramatique.

Au deuxième tableau de l'acte, le trop fameux divertissement du ballet des heures, qui, bien sûr, n'appartient qu'à l'opéra, marque un arrêt dans la progression jusque-là ininterrompue de l'action. Mais elle rebondit ensuite à partir du moment où Enzo apprend d'Alvise que Laura est mourante, et se développe dans des directions non prévues par Hugo : Enzo désespéré révélant son identité de proscrit au péril de sa vie, Gioconda promettant à Barnaba de lui céder s'il sauve Enzo, Laura montrée par Alvise comme morte, Enzo voulant frapper Alvise et désarmé par les gardes, Barnaba emmenant dans la confusion la mère de Gioconda.

Nouvelle dérive enfin, au quatrième acte : après avoir suivi un long moment la donnée hugolienne, notamment dans la mise en scène de l'aspiration de Gioconda au suicide et dans l'arrivée d'Enzo, prêt à la tuer, Boïto fait cesser à temps l'effet du narcotique pour arrêter le bras d'Enzo. Mais si le librettiste évite à son héros de verser le sang, il ne renonce pas pour autant à un dénouement sanglant. Barnaba vient réclamer son dû. Gioconda gagne un peu de temps en prétendant se faire belle et, au moment où il se croit enfin sur le point de la posséder, elle se plonge un poignard en plein corps ; Barnaba lui crie qu'il vient de noyer sa mère mais elle ne l'entend plus.

Une telle scène préfigure, dans *Tosca* de Puccini, celle où Scarpia, après avoir feint de sauver l'amant de la cantatrice, croit enfin Tosca en son pouvoir. A cette différence près que c'est dans la poitrine du traître qu'elle plonge le poignard. Troisième solution à une situation dont la première occurrence est peut-être dans un autre drame de Hugo, *Marion de Lorme,* dont l'héroïne, elle, cède au chantage sans empêcher pour autant l'exécution de son amant, celui-ci ayant refusé de devoir la vie à un tel sacrifice.

Fait remarquable, Ponchielli composera en 1885 un second opéra d'après Hugo

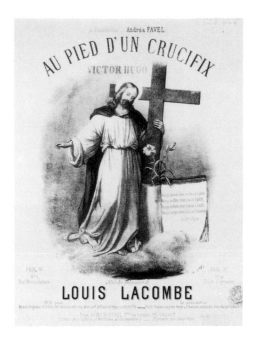

*Louis Lacombe
Au pied d'un crucifix (cat. 661)
Lithographie d'A. Sorel
Paris, M.V.H.

*Joseph Dessauer
La prière pour tous (cat. 652)
Lithographie d'Achille Devéria
Paris, M.V.H.

*Georges Piter
Espoir en Dieu (cat. 679)
Lithographie d'Eugène Damblans
Paris, M.V.H.

*Eugène Diaz de la Peña
Aubade (cat. 653)
Lithographie anonyme
Paris, M.V.H.

*François Berton fils
Magdeleine ou l'aveu du châtelain (cat. 647)
Lithographie de Charles-François Phelippes
Paris, M.V.H.

*Allyre Bureau
La fille d'O-Taiti (cat. 649)
Lithographie de Célestin Nanteuil
Paris, M.V.H.

et ce sera précisément *Marion de Lorme* dont certains musicologues vantent le raffinement et la puissance mais qui est resté jusqu'à présent tout à fait méconnu en France.

Hugo l'international à l'origine d'opéras de fondateurs d'écoles nationales

On aimerait, de même, connaître autrement que de réputation, ce qu'Henry Barraud considérait comme le meilleur ouvrage du russe César Cui, un *Angelo* créé en 1876 tout comme celui de Ponchielli et où, selon Barraud, « se mélangent la passion et la frivolité ». Que « l'extrême facilité de son invention mélodique conduise parfois le musicien à côtoyer, non point la vulgarité brutale qu'on voit à tels véristes italiens, mais un certain sentimentalisme plébéien qui n'est pas non plus du meilleur aloi », n'est pas un reproche de nature à nous en détourner, d'autant que nous avons pu, depuis, apprécier par l'audition la beauté des musiques dont cet homme de culture française a doté deux au moins des six poèmes de Hugo qu'il a choisi d'illustrer : « Hier le vent du soir... » et « La tombe et la rose ».

A la même époque que César Cui, l'initiateur d'une autre école nationale empruntait à Hugo le sujet de son plus important opéra : l'espagnol Felipe Pedrell, maître de Manuel de Falla, outre une douzaine d'illustrations des *Orientales,* présentait en 1875 à Barcelone un *Quasimodo*.

A la différence de celui de Hugo pour Louise Bertin, le livret fait une place à Gudule, mère d'Esméralda, et à Gringoire. Quant à Claude Frollo, il apparaît sous la désignation de bibliothécaire de la cathédrale et professeur de chimie à l'Université, et son goût de la magie est transféré à un personnage qui n'existe pas dans le roman et qui se trouve ici être son ami.

L'exotisme fin de siècle

L'orientalisme caractérise aussi toute une série de compositions orchestrales qui fleurissent en ces années 1870 et 1880 : de l'*Inde,* Ode-Symphonie de Weckerlin, à la *Symphonie orientale* de Benjamin Godard, en passant par *Le feu du ciel,* orientale symphonique d'Émile Guimet.

Ravel et Rachmaninov

Les musiciens de la dernière génération du dix-neuvième siècle se tournent volontiers vers des poètes moins reconnus et populaires, mais il est bien rare qu'ils ne touchent pas au moins une fois à l'œuvre de Hugo : ainsi Pierné ou Koechlin en France, et même — ce que l'on ne sait guère encore, car la trouvaille est récente et due à la curiosité toujours en éveil du musicologue anglais Hugh Macdonald — Ravel, qui soumet au concours du prix de Rome de 1901 un chœur sur un poème des *Rayons et les ombres :* « Spectacle rassurant » ; et, en Russie par exemple, Gretchaninov ou Rachmaninov dont la version, intitulée « La réponse », de « Comment disaient-ils ? »[8] parvient à égaler la réussite de Liszt sur le même texte.

L'hommage de Gustave Charpentier

Pour fêter le centenaire de la naissance de Hugo, Gustave Charpentier compose sur un poème de Saint-Georges de Bouhélier un *Chant d'apothéose* qui mobilise des masses chorales et instrumentales impressionnantes.

Unanimiste ou patriote ?

Albert Doyen se sert, directement, lui, de Hugo pour exalter un idéal « unanimiste ». Son *Chant triomphal* dont le texte est emprunté à « Fonction du poète »[9] s'achève sur un chœur qui fait appel au courage et proclame la foi dans le progrès, pourvu que chacun sente « vibrer en lui par quelque fibre / L'universelle humanité ». Et le même musicien tirera du poème de Hugo sur la plantation du chêne des États-Unis d'Europe[10] un « Hymne pour la fête des Nations assemblées » destiné à un « chœur à toutes voix et à l'unisson avec orchestre », publié en 1929

Quant aux paroles de l'*Hymne* des *Chants du crépuscule,* après avoir été mises en musique à la gloire des morts révolutionnaires, elles sont utilisées pour des commémorations patriotiques pendant et après la guerre de 1914, par Henri Busser et Henri Rabaud notamment.

Hugo chorégraphié et chanté, à Paris, à Vienne et ailleurs

Dans un registre moins grandiose, Reynaldo Hahn, dont la charmeuse mélodie sur « Si mes vers avaient des ailes », aura d'innombrables interprètes, enrichit le répertoire des ballets d'une *Fête chez Thérèse,* dont Catulle Mendès écrit le livret d'après le célèbre poème des *Contemplations.*

Du côté des opéras, le roman le plus adapté, *Notre-Dame de Paris,* connaît sa dernière grande version lyrique, par les soins du compositeur viennois Franz Schmidt. Si l'on en juge par le très malhérien Intermezzo, c'est là une partition qui mérite, tout autant que le reste de sa production, notre intérêt. Dans le livret, Frollo retrouve la qualité d'archidiacre que les censures lui avaient trop souvent ôtée ailleurs.

C'est à Vienne aussi que *L'homme qui rit* avait paru pour la première fois en opéra ; au cours de la seule année 1920, deux versions en sont présentées : à Copenhague, sous le titre *Komedianter,* par le musicien Enna ; à Rome, par Pedrollo sous son titre original traduit en italien.

Les drames, de leur côté, continuent à inspirer des opéras : en 1928, le compositeur « naturaliste » Alfred Bruneau signe un nouvel *Angelo, tyran de Padoue,* plus de cinquante ans après ceux de Cui et de Ponchielli. L'œuvre se présente sous l'appellation de « drame lyrique ». Le rôle de la Tisbe est écrit pour une soprano dramatique au lieu d'une mezzo dans les deux versions précédentes.

Les rencontres de l'Histoire

La diffusion de l'œuvre de Hugo passe désormais par de nouveaux média : le cinéma qui, devenu sonore, suscite des partitions comme celle d'Honegger pour *Les misérables* de Raymond Bernard, et la radio qui fait entendre un *Cromwell* dont les chansons ont été partagées entre quatre compositeurs, Henri Barraud, Marcel Delannoy, Claude Delvincourt et Pierre-Octave Ferroud ; seules, celles de Barraud, fort plaisantes, avec leur accompagnement au clavecin, ont fait l'objet d'enregistrements ultérieurs.

On peut se demander si, en dehors de la circonstance du cinquantenaire de la mort de Hugo, l'intérêt des musiciens de 1935 ne répond pas à de nouvelles motivations : ce n'est sans doute pas par hasard qu'il a fallu attendre cette date pour que *Quatrevingt-treize* fasse son apparition sur une scène d'opéra, sous la forme d'une « épopée lyrique » et grâce à Charles Silver qui, le premier aussi, puisera dans le *Théâtre en liberté,* mais en recourant à la plus légère des comédies, *La grand'mère.*

L'importance, dans l'histoire de l'opéra, du *Wozzeck* d'Alban Berg, d'après le drame de Büchner, amène à se demander si c'est vraiment *Marie Tudor* de Hugo ou le fait que Büchner en avait été le traducteur qui a incité le compositeur Wagner-Régeny à présenter une version lyrique de *Marie Tudor,* intitulé *Der Günstling.*

Le temps où la musique contemporaine va s'emparer de l'œuvre de Hugo n'est pas encore tout à fait arrivé.

La rédaction, en pleine guerre, d'un opéra tiré de *Torquemada* par le jeune Nino Rota, qui se fera surtout connaître en travaillant avec le cinéaste Federico Fellini, rejoint le caractère de protestation symbolique contre la persécution des Juifs, qu'avait voulu lui conférer Hugo en publiant son drame en 1882, après des pogroms en Russie. Mais l'œuvre devra attendre les années 1970 pour être mise en scène.

Hugo, parolier de chansons

Le retour à Hugo, très vif depuis les lendemains du cent-cinquantenaire, passe en partie par l'usage de ses textes pour des chansons.

Dès avant la guerre, Agnès Capri, une des toutes premières interprètes de Jacques Prévert, ouvre la voie en disant des poèmes fantaisistes (comme « Bon conseil aux amants ») et Maurice Jaubert compose pour elle deux chansons sur des paroles de Hugo, qui nous ont été signalées par Frédéric Robert.

Aragon, lui-même abondamment mis en musique, attire l'attention sur l'actualité du poète par son anthologie de 1952, intitulée : *Avez-vous lu Victor Hugo ?*

Cette année-là, la musique de scène d'*Hernani,* à la Comédie-Française, est signée Henri Dutilleux ; celles de *Ruy Blas* et de *Marie Tudor,* au T.N.P., en 1954 et 1955, seront de Maurice Jarre qui, dix ans plus tard, donnera à un ballet de Roland Petit d'après *Notre-Dame de Paris* une très efficace et superbe partition. La musique du film adapté du roman en 1956 par Prévert, Aurenche et Delannoy était de Georges Auric.

*Alexandre Marchand
Les chansons des rues et des bois (cat. 665)
Lithographie de Gustave Staal
Paris, M.V.H.

Georges Brassens intègre si bien les vers de Hugo à son répertoire (d'un ton souvent proche de celui des *Chansons des rues et des bois*) que nombre des auditeurs de *Gastibelza* ne se doutent pas du fait qu'il s'agit, à l'origine, d'un poème des *Rayons et les ombres,* intitulé « Guitare »… La manière souriante de Brassens s'accorde mieux encore avec l'humour de *La légende de la nonne.*

Une kyrielle de chanteurs le suivront dans la voie du recours à Hugo, avec des fortunes diverses mais souvent grandes : la douce nonchalance du *Prince fainéant* de Guy Béart ne le prédisposait pas à un grand succès — mais il le méritait ; *La chanson de Maglia* a paru écrite par Gainsbourg pour lui-même, et *Les Tuileries* interprétées par leur compositrice, Colette Magny, ou par Yves Montand, ont révélé l'étonnante modernité d'écriture de Hugo.

Colette Magny a aussi donné, sous le titre *Néant,* une très remarquable version d'un poème posthume de *Toute la lyre,* qu'il faudra redécouvrir.

Et, plus récemment encore, Jules Beaucarne a conféré un irrésistible charme nostalgique à un poème des *Contemplations :* « Je ne songeais pas à Rose… » en lui tissant avec délicatesse un accompagnement de flûte, violoncelle et guitare.

Hugo dans la musique contemporaine

L'anthologie de poèmes de Hugo, procurée par André du Bouchet, a joué pour la musicienne Betsy Jolas le rôle que celle d'Aragon eut sur d'autres lecteurs. Elle lui a emprunté son titre, *L'œil égaré dans les plis de l'obéissance au vent,* extrait d'une phrase du posthume *Post-scriptum de ma vie,* et ce sont les textes, choisis par lui, comme les plus annonciateurs de la modernité, tirés des *Contemplations,* des *Travailleurs de la mer,* d'*Océan* ou du reliquat de *Dieu,* ainsi que des procès-verbaux des « Tables parlantes » de Jersey, qui lui ont inspiré une sorte de cantate pour soli, chœur et orchestre. Betsy Jolas a su traduire l'attention de Hugo au rêve et à l'énigme par une musique qui lui ajoute sa propre et sa réelle puissance évocatrice.

Sous le titre *Victor Hugo : Un contre tous,* ce sont des textes directement politiques, réunis par Roger Pillaudin, qu'Ivo Malec présente à Avignon en 1971, sous la forme très originale d'une « affiche musicale » pour 2 acteurs, chœurs, orchestre et bande magnétique.

L'œuvre débute par un prologue qui évoque le retour d'exil de Hugo en 1870. Puis quatre grandes séquences retracent, à partir de discours prononcés ou esquissés, ses combats pour la justice politique, contre la misère, contre l'ignorance, pour la défense de la République. Entre le deuxième et le troisième mouvement se déchaîne, dans l'esprit et le climat sonore de mai 1968, une sorte de manifestation à base de slogans empruntés, eux aussi, à Hugo.

Avec cette tentative de Théâtre musical, délibérément conçue, à l'initiative de Jean Vilar, pour toucher un public populaire, Ivo Malec réalisa la performance d'écrire une partition qui met admirablement en relief les textes et qui existe par elle-même. Son secret résidait peut-être dans l'intégration à la démarche créatrice du rythme de la diction et des inflexions de voix des récitants. D'avoir été ainsi traitée, la relation poignante de la visite aux caves de Lille, dans une atmosphère d'oppression croissante, qui débouche sur la prophétie de la Révolution et la libération anarchique que mime la séquence des slogans, atteint à un maximum d'émotion et d'efficacité.

Après Avignon, Lille : six ans après cette création d'Ivo Malec, Pierre Henry proposait un autre parcours hugolien, à travers cette immense somme poétique laissée par Hugo sous le titre de *Dieu* et publiée après sa mort. De ce vaste chantier où coexistent certaines parties achevées, d'autres à l'état d'ébauche, et quantité de fragments plus ou moins développés, le compositeur a extrait, avec une liberté qui n'exclut pas une fidélité profonde, les matériaux textuels de son œuvre. L'aboutissement : une « Action de voix, de sons et de gestes » où, comme l'écrit Pierre Henry, l'on passe sans cesse « du son au mot, du mot à l'idée et inversement » et où « l'électro-acoustique est, par la rigueur de l'enregistrement la nouvelle pulsion de la dramaturgie ».

Le musicien fait dialoguer le poète hanté par les problèmes universels de la science, du mal et de la destinée, avec des voix innombrables, voix de l'Esprit humain, voix d'êtres énigmatiques, voix d'animaux symboliques proposant les réponses des religions successives.

Le recours à un unique récitant, acteur, chanteur, danseur, clown, acrobate, mime (Jean-Paul Farré à la création) suggère que ces voix sont des projections des questions que se pose le poète, et correspond au caractère protéiforme de la production hugolienne, à sa capacité indéfinie de diversification et de renouvellement.

L'expérience du dialogue avec les Tables parlantes de Jersey, dont certaines sections de *Dieu* portent les traces, devait inspirer, trois ans plus tard, un autre musicien, Manfred Kelkel qui intitula « Les voix de l'au-delà » sa composition pour récitante, soprano, contralto, basse, dispositif électroacoustique, synthétiseurs, piano, chœurs et orchestre, donnée en première audition au festival de Metz.

La division en sept parties (Praeludium, Requiem, Dies irae, Tuba mirum, Interludium, Sanctus, Lux aeterna) dont les titres, comme certains des textes ou des chants, sont empruntés à la tradition liturgique, sert de « cadre formel » à une insolite « messe des morts » dont le livret résulte d'un collage de fragments des procès-verbaux des séances de Marine-Terrace.

Des passages répétitifs s'opposent à d'autres plus dramatiques, et une variation rythmique perpétuelle est obtenue selon le procédé de la rythmique générative. L'œuvre comporte une partition électroacoustique qui utilise des voix transformées par synthétiseur, des sons isolés produits tout exprès, des percussions, des instruments extraeuropéens (trompes tibétaines) et des sources sonores concrètes (battements de cœur, chants d'oiseaux, bruits de vent, etc.).

Les créations de 1985

Pierre Henry a désiré marquer de façon éclatante l'année du centenaire de la mort de Hugo en donnant au Festival de Besançon une Fantaisie poétique intitulée *Mes légendes des siècles* et imaginée d'après les incipit de tous les poèmes de Hugo, et en réservant à quatre villes de France, Strasbourg, Lille, Bordeaux et Metz, la primeur, pour chacune, de l'un des quatre mouvements d'une *Hugosymphonie,* avant l'audition de l'intégrale en décembre à Paris. Pour cette dernière œuvre, Pierre Henry a opéré dans les poèmes de Hugo un découpage thématique selon les quatre éléments qui donnent leur titre à chacune des sections : « La Terre », « l'Air », « l'Eau », « le Feu ».

De la romance à la chanson, en passant par la mélodie, de l'opéra romantique au théâtre musical, en passant par les prémisses du vérisme, de la Symphonie Fantastique à la Hugosymphonie en passant par le poème symphonique, l'œuvre de Hugo ne cesse ainsi d'être associée à tous les genres de création musicale, contribuant même souvent à leur avènement, tant est riche son pouvoir de stimulation sur les artistes qui y puisent selon leur tempérament ou leurs orientations.

En somme, la musique a bien servi et continue à servir la gloire de Hugo. Dans ses formes les plus répandues elle a permis aux textes du poète de pénétrer jusque dans des milieux où l'on n'aurait guère eu l'idée de les lire. Une de ses pièces les plus maudites, *Le roi s'amuse,* a connu la plus éclatante des revanches à travers le livret d'un des opéras les plus populaires du répertoire : *Rigoletto.* Mais il convient, en chaque occasion, au nom de la pure et simple justice, et pour achever de démentir ses propres appréhensions d'écrivain menacé par l'impérialisme de la musique, de rendre à Hugo la part qui lui revient dans la réussite d'une telle œuvre, comme de toutes celles qu'il a inspirées.

A. L.

1. Voir mon article « Berlioz et Victor Hugo » dans le numéro 12 de la revue *Romantisme,* Champion, 1976.

2. Orthographe adoptée en conformité avec la norme établie pour l'ensemble du présent catalogue.

3. Voir *Histoire d'un crime,* 1re journée, XVII, et 2e journée, I.

4. Toutes ces citations à propos de *Rigoletto* sont extraites de Verdi, *Autobiographie à travers la correspondance.* Textes réunis et présentés par Aldo Oberdorfer. Nouvelle édition revue par Marcello Conati. Traduit de l'italien par Sibylle Zavriew. J. C. Lattès, pages 216 à 219 et 241-242.

5. Camille Saint-Saëns, *École buissonnière,* Notes et souvenirs p. 49-50.

6. Dans le même volume, p. 53-54.

7. *L'école russe,* dans *Histoire de la musique,* t. II, Encyclopédie de la Pléiade, NRF, 1977, p. 681.

8. « Autre guitare », *Les rayons et les ombres,* 23.

9. *Les rayons et les ombres,* 1.

10. *Les quatre vents de l'esprit,* entre le livre III et le livre IV.

Abréviations

Ang.	:	*Angelo, tyran de Padoue.*	*Jum.*	:	*Les jumeaux.*
A. et P.	:	*Actes et paroles.*	*L.S.*	:	*La légende des siècles.*
I		*Avant l'exil.*	I		première série, 1859.
II		*Pendant l'exil.*	II		deuxième série, 1877.
III		*Depuis l'exil.*	III		série complémentaire, 1883.
Art		*L'art d'être grand-père.*	*Lucr.*	:	*Lucrèce Borgia.*
A.T.	:	*L'année terrible.*	*M.D.L.*	:	*Marion de Lorme.*
B.	:	Ballades.	*Ms*	:	*Manuscrit.*
B.N.	:	Bibliothèque Nationale.	*Mis.*	:	*Les misérables.*
Bug.	:	*Bug-Jargal.*	*M.T.*	:	*Marie Tudor.*
Burg.	:	*Les Burgraves.*	*N.D.P.*	:	*Notre-Dame de Paris.*
C.C.	:	*Chants du crépuscule.*	*O. et B.*	:	*Odes et ballades.*
C.F.L.	:	*Édition du Club Français du Livre, 18 volumes.*	*Océ.*	:	*Océan.*
			Ori.	:	*Les orientales.*
Chât.	:	*Châtiments.*	*publ.*	:	publié.
comp.	:	composé.			Procès-verbal des tables parlantes.
Cont.	:	*Contemplations.*			*Quatrevingt-treize.*
C.R.B.	:	*Chansons des rues et des bois.*			*Les quatre vents de l'esprit.*
Crom.	:	*Cromwell.*	*Q.V.E.*	:	*Les quatre vents de l'esprit.*
cr.	:	créé à	*R.*	:	Reliquat (R. de O. et B. = Reliquat des *Odes et ballades.*)
dép.	:	déposé.			
Dieu	:	*Dieu.*	*Rhin*	:	*Le Rhin.*
D.J.C.	:	*Le dernier jour d'un condamné.*	*R.O.*	:	*Les rayons et les ombres.*
Esm.	:	*La Esméralda.*	*Roi*	:	*Le roi s'amuse.*
F.A.	:	*Les feuilles d'automne.*	*Ruy*	:	*Ruy Blas.*
Gall.	:	*Les deux trouvailles de Gallus.*	*Satan*	:	*La fin de Satan.*
G.M.	:	*La grand-mère.*	*Theat.*	:	*Théâtre en liberté.*
Han.	:	*Han d'Islande.*	*T.L.*	:	*Toute la lyre.*
Her.	:	*Hernani.*	*T. Mer*	:	*Les travailleurs de la mer.*
H.Q.R.	:	*L'homme qui rit.*	*Torq.*	:	*Torquemada.*
I.N.	:	Édition de l'Imprimerie nationale (Ollendorf-Albin Michel).	*Voix*	:	*Les voix intérieures.*

Les musiciens inspirés
par Victor Hugo
et leurs œuvres (liste alphabétique)

Adam, Adolphe
La nuit. Méditation. Dernière pensée d'Adolphe Adam, œuvre posth. publ. 1858 (inc. « Hier la nuit d'été »). *C.C.,* 21.

Alexandrov, Anatoli Nikolaiovic
Notre-Dame de Paris, musique pour une adaptation du roman.

Aperghis, Georges
Musique de scène pour *Hernani,* cr. 1985.

Aubin, Tony
Chevalier Pécopin, scherzo orchestral, comp. 1942. *Rhin,* XXI.

Auric, Georges
Notre-Dame de Paris, mus. du film de Delannoy, dial. Jacques Prévert, 1956.
Ruy Blas, mus. du film de Pierre Billon, dial. Jean Cocteau, 1948.

Balfe, Michael-William
The Armourer of Nantes, opéra, cr. 1863 (Londres). *M.T.*

Barbereau, Mathurin, Auguste, Balthasar
Les Burgraves, mus. de scène, 1843.
Hernani, mus. de scène, 1830.

Barraud, Henri
Chansons de Gramadoch, publ. 1945. *Crom.,* III, 1.
1. La sorcière et le pirate.
2. Quatrain (inc. « Par deux portes »).
3. Ballade (inc. « Pourquoi fais-tu tant de vacarme »).

Batta, Alexandre
Mélodie de *Lucrèce Borgia,* transcrite pour violoncelle avec accompagnement de piano, publ. 1841.

Battista, Vincenzo
Esméralda, drame lyrique en 4 actes, livret de Domenico Bolognese, cr. 1851 à Naples sous le titre de *Ermelinda.*
Marie Tudor, inédit.

Bazin, François Emmanuel Joseph
Chant patriotique (inc. « L'art, c'est la gloire et la joie »). *Chât.,* I, 9.
Gloire à la France, chœur pour 4 v. d'hommes ss accomp., publ. 1862. *C.C.,* 3.

Béart, Guy
Le prince fainéant, T.L., VII, 2. Enr. 1966.

Beaucarne, Jules
Je ne songeais pas à Rose, Cont., I, 19. Enr. 1970.
L'ogre, T.L., VII, 11. Enr. 1974.

Bellini, Vicenzo
Ernani, opéra esquissé, livret de Felice Romani, juillet 1830.

Beloff,
L'année 1793, opéra, cr. 1973 à Léningrad.

Benedict, Jules
Notre-Dame de Paris, rêverie musicale pour piano, publ. 1834, dédiée à Victor Hugo.

Bergmann, Robert
Monodie : Une nuit qu'on entendait la mer sans la voir, publ. 1937. *Voix,* 24.

Berlioz, Hector
La captive, orientale, op. 12, *Ori.,* 9.
1re version comp. février 1832.
2e version avec violoncelle, publ. 1834.
3e version avec orchestre, publ. 1849.
Chanson de pirates, comp. 1829, perdue mais musique probablement reprise pour la « Chanson de brigands » du Mélologue. *Ori.,* 8.
Dans l'alcôve sombre, esquisse en 1832. *F.A.,* 20.
Épisode de la vie d'un artiste, cr. 1832, épigraphe *F.A.,* 1, sur le programme distribué et sur le Ms. autogr. de la *Symphonie Fantastique.*
1. *Symphonie Fantastique* (programme et idée fixe, voir *D. J. C.,* 1 ; le Bal, voir *Ori.,* 33 ; Marche du supplice, voir *D. J. C.,* 18 ; Songe d'une nuit du sabbat, voir *O. et B.,* VI, 14.
2. *Lélio ou Le retour à la vie,* Mélologue. Chanson de brigands (voir Chanson de pirates).
Romance de Marie Tudor, comp. 1833, perdue.
Sara la baigneuse, Ori., 19.
1re version pour quatuor de voix d'hommes, comp. 1834.
2e version pour 3 chœurs et grand orchestre, publ. 1850.

Bertin, Louise
La Esméralda, opéra en 4 actes, livret de Victor Hugo, cr. 1836.

Besanzoni, Ferdinando
Espoir en Dieu, publ. 1852. (Inc. « Espère, enfant »). *C.C.,* 30.
Ruy Blas, opéra en 3 actes, livret de Mariani, cr. 1843, à Plaisance.

Bienvenu, Lily
Doña Rosa, C.R.B., 1°, VI, 12.
Doña Rosita Rosa, C.R.B., 1°, VI, 4.
L'éternel petit roman : « Doña Rosa », « Doña Rosita Rosa », « Sérénade à Rosita ».
Sérénade à Rosita, C.R.B., 1°, VI, 5.

Bizet, Georges
Adieux de l'hôtesse arabe, comp. 1866, publ. 1867. *Ori.,* 24.
Après l'hiver, comp. 1866, publ. 1866. (Inc. « Tout revit »). *Cont.,* II, 23. A Mme Fanny Bouchet.
La chanson du fou, comp. 1868, dép. 1868. *Crom.,* IV, 1. A mon ami Emmanuel Jadin.
La coccinelle, comp. 1868, dép. 1868. *Cont.,* I, 15. A Mme Fanny Bouchet.
La Esméralda, opéra projeté en 1859.
Guitare, comp. et publ. 1866. (Inc. « Comment disaient-ils »). *R.O.,* 23. A Mme Eugénie Garcia.
Oh ! quand je dors, sérénade, ms. aut. B.N. *R.O.,* 27.
Saint-Jean de Pathmos, pour chœur d'hommes, comp. 1866, *Cont.,* VI, 4.
Vœu, ms. aut. B.N. *Ori.,* 22.

Blaramberg, Paul Ivanovitch
Marie de Bourgogne, opéra en 4 actes, comp. 1878, cr. Moscou, 1888. *M.T.*

Bognar, Ignaz
Maria Tudor, opéra en 3 actes, livret de Cseki, cr. 1856, Pest.

Boieldieu, Adrien
Le rêve ou *La jeune mère,* publ. 1837. (Inc. « Un enfant dormait »). *F.A.,* 20.

Bonsignore, Camillo
Les misérables, opéra seria en 3 actes, cr. 1925, New York.

Bosch y Humet
Notre-Dame de Paris, opéra.

Bottesini, Giovanni
Marion de Lorme, opéra en 3 actes, livret d'Antonio Ghislanzoni, cr. 1862, Palerme.

Braga, Gaetano
A quoi bon entendre ? publ. 1862. *Ruy,* II, 1.
Ruy Blas, opéra, livret de Peruzzini (G.), comp. 1868.

Brassens, Georges
Gastibelza, publ. 1955. *R.O.,* 22.
Légende de la nonne, O. et B. VI, 13.

Bruneau, Alfred
Angelo, drame lyrique en 5 actes tiré du drame de V.H. par Charles Méré, cr. 1928.

Busser, Henri
Hymne, C.C., 3.

Campana, Fabio
La Esméralda, opéra, livret de G. T. Cimino, cr. St-Pétersbourg, 1869.

Camps y Soler, Oscar
Esméralda, opéra, cr. 1879, Montevideo.

Caplet, André
Viens, une flûte invisible soupire, avec piano et flûte. Publ. 1925. *Cont.,* II, 13.

Chabrier, Emmanuel
A quoi bon entendre, publ. 1863. *Ruy,* II, 1.
Sommation irrespectueuse. A Mme Louise Albouy. *C.R.B.,* 1°, VI, 8.

Chaminade, Cécile
Invocation, publ. 1893. Déd. à M. Pol-Plançon de l'Opéra (Inc. « O terre, ô merveilles »). *C.C.,* 20, III.

Charpentier, Gustave
Chant d'apothéose, poème de Saint Georges de Bouhélier, pour chœur et orch., cr. 1902.

Chausson, Ernest
Esméralda, acte IV, scène 1, comp. 1881. (Inc. « Quoi ! lui dans le sépulcre »).

Chiaromonte, Francesco
Maria di Nemburgo, cr. 1862, Bilbao. *Ruy.*

Clapisson, L.
La fleur et le papillon, C.C., 27.

Clostre, Adrienne
L'homme qui rit, adaptation radioph. du roman, 1967.

Cohen, Jules
Les bleuets, opéra-comique en 4 actes, cr. 1867 Paroles de E. Cormon et H. Trianon.

Colbert Chabannais, Marquis de.
Djihan-Ara, opéra en 4 actes, livret de M. Édouard Duprez, cr. 1868. *Esm.*

Cui, César
Angelo, opéra, cr. 1876, St-Pétersbourg, livret en 4 actes de Victor Petrovich Burenin (Comte Alexey Zhasminov).
Enfant si j'étais roi, publ. 1884. *F.A.,* 22. A Mme la comtesse de Mercy Argenteau.
Hier au soir, publ. 1884. (Inc. « Hier le vent du soir »). *Cont.,* II, 5.
La pauvre fleur disait, publ. 1884. *C.C.,* 27.
La tombe et la rose, publ. 1884. *Voix,* 31.
Vieille chanson, publ. 1884. (Inc. « Je ne songeais pas à Rose »). *Cont.,* I, 19.

Dargomijsky, Alexander
Dieu qui sourit. R.O., 41.
La Esméralda, cr. 1847, Moscou, livret en 4 actes du compositeur.
O ma charmante (Inc. « L'aube naît »). *C.C.,* 23.

Delannoy, Marcel
Cromwell, 2 airs, publ. 1935.

— Chanson de Rochester. (Inc. « Un soldat au dur visage »).
— Ballade d'Elespuru. (Inc. « Au soleil couchant »).

Delibes, Leo
Eglogue, dép. 1863. (Inc. « Viens, une flûte invisible »). *Cont.,* II, 13.
Le roi s'amuse. Musique de scène, 1882.
— Scène de bal. Airs de danse dans le style ancien composés pour le Théâtre Français.
— Vieille chanson chantée au troisième acte avec accompagnement de mandoline. (Inc. « Oui, Messieurs »).
Ruy Blas. Sérénade pour chant avec chœur à bouche fermée et orch., dép. 1879.

Donizetti, Gaetano
Le crépuscule, C.C., 23. (Inc. « L'aube naît »). Déd. au Comte de Béarn, publ. 1836.

Delvincourt, Claude
Aurore, chœur ou quatuor pour 4 voix de femmes avec accompagnement de piano, publ. 1931. (Inc. « L'aurore s'allume »). *C.C.,* 20.
Cromwell (pour une retransmission radiophonique de la pièce).

Dieren, Bernard van
Six chansons, op. 23.

Dobrzynski
Les Burgraves, musique de scène, 1860, Varsovie.
La fiancée du timbalier, comp. 1843. *O. et B.,* VI, 6.
Lucrezia Borgia, opéra en un prologue et 2 actes, livret de Felice Romani. Cr. 1833, Milan.
Ruy Blas, opéra projeté pour le th. San Carlo de Naples en 1843, livret de S. Cammarano.

Doyen, Albert
Chant triomphal, pour soprano, ténor, chœur et orch., publ. 1913. (Inc. « Pourquoi t'exiler, ô poète »). *R.O.,* 1.
En plantant le chêne des États-Unis d'Europe, hymne pour la fête des Nations assemblées pour chœur à toutes voix et à l'unisson avec orch., publ. 1929. (Inc. « O nature il s'agit de faire un arbre immense »). *Q.V.E.,* entre III et IV.

Drigo, Riccardo
Esmeralda, ballet, livret de V. Tikhomirov et Wladimir Bourmeister.

Duchambge, Pauline
Encore à toi. O. et B., V, 12.
La chanson du fou à un passant, tirée du drame de *Cromwell.* IV, 1. Publ. 1829.
Guitare (Inc. « Comment disaient-ils »), *R.O.,* 23.
La pauvre fleur, C.C., 27, comp. 1835.
Le comte Roger, ballade. *O. et B.,* VI, 9. Publ. 1829.

Duniecki
Les misérables, opéra, 1864.

Dutilleux, Henry
Musique de scène pour *Hernani,* 1952.

Duvernoy, Victor
Ouverture pour *Hernani.*

Enna, Auguste
Komedianter, opéra, cr. 1920, Copenhague. *H.Q.R.*

Erb, M. J.
Les djinns, chœur à 4 voix d'hommes, publ. 1927. *Ori.,* 28.

Fauré, Gabriel

L'absent, op. 5, n° 3, comp. 1871, dép. 1879, *Chât.,* III, 11. Déd. à M. Romain Bussiné.

L'aurore, publ. 1958. *C.C.,* 20.

L'aube naît, comp. 1864, *C.C.,* 23, perdu.

Dans les ruines d'une abbaye, op. 2, n° 1, comp. 1865, dép. 1869. *C.R.B.,* 1°, VI, 15. Orchestré. Déd. à Mme Henriette Escalier.

Les djinns, op. 12, chœur à 4 voix mixtes avec orch., comp. 1875, *Ori,* 28.

Mai, comp. 1864, publ. 1871, op. 1, n° 2. (Inc. « Puisque mai »). *C.C.,* 31. Déd. à Mme Henri Garnier.

Le papillon et la fleur, op. 1, n° 1, comp. 1860, dép. 1869. *C.C.,* 27. Déd. à Mme Miolan-Carvalho.

Puisqu'ici bas, duo pour sopranos, op. 10, n° 1, comp. 1874, dép. 1879. *Voix,* 11 (1re version comp. 1864).

Rêve d'amour, op. 5, n° 2, comp. 1865, dép. 1875. (Inc. « S'il est un charmant gazon »). *C.C.,* 22. Déd. à Mme C. de Gomiecourt.

Puisque j'ai mis ma lèvre, comp. 1864. Ms inédit in coll. privée. *C.C.,* 25.

Tristesse d'Olympio, R.O., 34. Ms. inédit in coll. privée.

Faure, J. B.

L'aubade. A Mme la baronne de Penedo. Publ. 1877, ou *O ma charmante* (Inc. « L'aube naît »). *C.C.,* 23.

Comment disaient-ils ? publ. 1892. *R.O.,* 22.

Crucifix, chant religieux pour ténor et baryton avec orgue ad libitum. *Cont.,* III, 4.

Pourquoi ? A Mme la princ. de Metternich. Publ. 1868. *Cont.,* II, 4.

Puisqu'ici bas, publ. 1873. *Voix,* 11.

Ferrari, Giovanni

Maria d'Inghilterra, livret de Jacopo Zennari, cr. 1840, Venise. *M.T.*

Ferroud, Pierre Octave

Trois chansons de fous pour baryton léger ou ténor et orch. publ. 1936.

— Gramadoch. (Inc. « La sorcière »). *Crom.,* III, 1.

— Trick. (Inc. « Siècle bizarre »). *Crom.,* III, 1.

— Elespuru. (Inc. « Au soleil couchant »). *Crom.,* IV, 1.

Franchetti

Ruy Blas, opéra, 1868.

Franck, César

A cette terre où l'on ploie sa tente, comp. 1847. *R.O.,* 30.

Ce qu'on entend sur la montagne, comp. 1846-48. *F.A.,* 5.

Les djinns pour piano et orch. *Ori.,* 28. Comp. 1884, cr. 1885. A Mme Montigny Remaury.

Passez, passez toujours, comp. 1872. (Inc. « Puisque j'ai mis ma lèvre »). *C.C.,* 25.

Patria, pour chant et orch. comp. 1871. *Chât.,* VII, 7.

Roses et papillons, comp. 1872. *C.C.,* 27. A M. Alexis de Castillon.

S'il est un charmant gazon, 1re version : comp. 1847 ; 2e version : comp. 1857. Publ. 1922. *C.C.,* 22.

Fry, William, Henry

Notre-Dame de Paris, opéra cr. 1864, Phila-

delphie. Livret de J. R. Fry, frère du compositeur.

Gabussi, Vincenzo

Ernani, livret de Gaetano Rossi, cr. 1834, Paris. Opéra en 3 actes.

Gainsbourg, Serge

Chanson de Maglia, C.F.L., t. VII, p. 541. (Inc. « Vous êtes bien belle et je suis bien laid »). Enr. 1973.

Gilson, P.

Zeevolk, opéra cr. 1904, Anvers. *L.S.,* I, XIII, 3.

Giro, Manuel

La Esméralda ou *Nuestra Señora de Paris,* opéra, cr. 1897, Barcelone.

Glover, William Howard

Ruy Blas, cr. 1861, Londres.

Godard, Benjamin

Aimons toujours, aimons encore, op. 8. *Cont.,* II, 22. Publ. 1868.

Amour ! amour !. Cont., II, 10.

Après l'hiver. Publ. 1873. *Cont.,* II, 23.

Autre chanson, op. 7, 1868. (Inc. « S'il est un charmant gazon »). *C.C.,* 22.

Bonheur rêvé. (Inc. « Il lui disait »). *Cont.,* II, 21.

La captive. Ori., 9.

Chanson, op. 7. Publ. 1868. (Inc. « L'aube naît »). *C.C.,* 23.

Contemplation, op. 4, n° 28. Publ. 1869. (Inc. « De quoi puis-je avoir envie »). *Cont.,* II, 25.

Le départ, op. 4, n° 29. Publ. 1869. (Inc. « Demain dès l'aube »). *Cont.,* IV, 14.

Dieu qui sourit et qui donne, op. 10. Publ. 1870. *R.O.,* 41.

L'enfance. Publ. 1885. *Cont.,* I, 23.

L'exilé, op. 4, n° 5. Publ. 1869. (Inc. « Les yeux en pleurs »). *Cont.,* V, 2.

La fleur et le papillon, op. 7, 1868. (Inc. « La pauvre fleur »). *C.C.,* 27.

Fragments poétiques pour petit orchestre, op. 13, n° 3 : « Elle est jeune et rieuse » (épigraphe), *Ori.,* 21.

Guitare, op. 10. Publ. 1870. (Inc. « Comment disaient-ils »). *R.O.,* 23.

J'ai dans l'âme une fleur que nul ne peut cueillir, op. 7, 1868. (Inc. « Puisque j'ai mis ma lèvre »). *C.C.,* 25.

Je ne veux pas d'autres choses, op. 11, n° 1. *R.O.,* 24.

Je respire où tu palpites. Publ. 1874.

Lise, op. 8, 1868. (Inc. « J'avais douze ans »). *Cont.,* I, 11.

Ruy Blas, opéra, comp. 1895.

Si mes vers avaient des ailes..., message. Publ. 1927. *Cont.,* II, 2.

Sous les arbres, op. 7, 1868. (Inc. « Ils marchaient »). *Cont.,* II, 17.

Symphonie orientale, op. 84, publ. 1884. 3e mouvt. : « Im Hamak » (Sara la baigneuse). *Ori.,* 19.

Veux-tu, op. 8. (Inc. « Elle était déchaussée »). *Cont.,* I, 21. Publ. 1868.

Vieille chanson du jeune temps, op. 8. (Inc. « Je ne songeais pas »). *Cont.,* I, 19. Publ. 1868.

Viens, op. 11, n° 3. Avec orgue ou harmon. ad lib. *Cont.,* II, 13.

Gomes, Antonio Carlos

Maria Tudor, livret d'Emilio Praga, cr. 1879, Milan.

Gopalakrishnan, V.

Chansons du film indien *Esai padum pada* de Ramnoth, scénario de Suddhana Bharatiyar et Elamkovan, 1950. *Mis.*

Goublier, Gustave

Hymne. Ceux qui pieusement sont morts, pour chant et piano avec violon et violoncelle ad lib. Publ. 1927. *C.C.,* 3.

Gounod, Charles

Aubade. Publ. 1855, déd. à Mme Vandenheuvel Duprez. (Inc. «L'aube naît »). *C.C.,* 23.

Le crucifix, chœur à 4 et 6 voix, comp. 1866, publ. 1869. *Cont.,* III, 4.

Sérénade, comp. 1855-57, publ. 1857. Déd. à Mme Lefébure-Wély. (Inc. « Quand tu chantes bercée »). *M.T., 1°, V.* Publ. avec orch. 1864.

Gretchaninov, Alexandre Tichonovitch

Rêverie.

Guimet, Émile

Le feu du ciel, Orientale symphonique, publ. 1873. *Ori.,* 1.

Le matin (n° 6 des *Chansons d'amour),* publ. 1878. (Inc. « Le voile du matin »). *O. et B.,* V, 8.

Viens, une flûte. Cont., II, 13.

Guiraud, E.

Chasse fantastique pour orch, publ. 1887. *Rhin,* XXI.

Hahn, Reynaldo

La fête chez Thérèse, ballet-pantomime en 2 actes, livret de Catulle Mendès, comp. 1907, publ. 1910. *Cont.,* I, 22.

L'obscurité : « *Quand la nuit n'est pas étoilée* »,pour chœur mixte, *C.C.,* 29.

Rêverie, publ. 1893. (Inc. « Puisqu'ici bas »). *Voix,* 11.

Si mes vers avaient des ailes, Cont., II, 2.

Henry, Pierre

Dieu, action de voix et de gestes, d'après V. H., cr. Lille, 1977.

Hugo-Symphonie, cr. prévue 1985.

Mes légendes des siècles, cr. prévue 1985.

Hérold, L. J. F. (Louis Joseph, Ferdinand)

Hymne. (Inc. « Ceux qui pieusement ») avec orch., comp. 1831, ou *Gloire à notre France éternelle,* C.C., 3.

Hirschmann, Henri

Hernani, drame lyrique en 5 actes, livret de Gustave Rivet, cr. 1907.

Holmes, Augusta

La chanson de Jean Prouvaire. A mon amie Olga Klosé, publ. 1872. *Mis.,* 4, XII, 6.

Honegger, Arthur

La Esméralda, 2 actes esquissés.

Les misérables, musique du film de Raymond Bernard, scénario d'André Lang, 1934. 2 suites d'orch. tirées de cette musique.

Hossein, André

Musique de scène pour *Hernani,* 1974.

Hugo, Adèle (fille)

Les Étangs. (Inc. « Comme dans les étangs... ») comp. Jersey, août 1855, ms. aut., *R.O.,* 10.

Voici juin, comp. Guernesey, ms. aut., *Cont.,* I, 14.

D'Indy, Vincent

L'art et le peuple, chœur à 4 voix d'hommes sans accompagnement, op. 39, publ. 1935, comp. 1894. *Chât.,* I, 9. A Sylvain Dupuis.

Attente, comp. 1872-76, op. 3. *Ori.,* 20.

Les Burgraves du Rhin, opéra inachevé, livret de Robert de Bonnières.

Chanson des aventuriers de la mer, pour baryton, chœur et piano, comp. 1870, publ. 1872. *L.S.,* I, XI. A Edmond de Pampelonne.

Clair de lune, ms. aut. 1872. Étude dramatique pour soprano et orch. A Marie Hellman.

Son nom, comp. 1869, *O. et B.,* V, 13.

Jarre, Maurice

Marie Tudor, mus. de scène, cr. 1955, Avignon.

Notre-Dame de Paris, ballet, cr. 1965, Paris.

Ruy Blas, mus. de scène, cr. 1954, Paris.

Jaubert, Maurice

Deux chansons inédites, dédiées à Agnès Capri.

Jolas, Betsy

L'œil égaré dans les plis de l'obéissance au vent, cr. 1961. *Satan, Dieu, R. de Dieu, P.V.,* etc. (Anthologie d'André du Bouchet).

Kalkbrenner, Arthur

Chanson du fou, Crom., IV, 1. A M. C. Bataille.

La fiancée du timbalier, O. et B., VI, 6. Publ. 1859.

La grand-mère, ballade, op. 11. *O. et B.,* VI, 3. A Mme Pauline Viardot.

La légende de la nonne, O. et B., VI, 13. A Mlle Palmyre Wertheimer.

Kaschperoff, Vladimir

Marie Tudor, drame en 4 actes, livret d'Antonio Ghislanzoni, cr. 1859, Milan.

Kelkel, Manfred

Les Voix de l'au-delà, cr. 1980, Metz, *P.V.*

Koechlin, Charles

S'il est un charmant gazon (Nouvelle chanson sur un vieil air), ms. aut. *C.C.,* 22.

Kreutzer, Léon

Aubade, publ. 1847. (Inc. « L'aube naît ») *C.C.,* 23.

L'aveu du châtelain, publ. 1846. (Inc. « Écoute-moi, Madeleine ») *O. et B.,* VI, 9. A Mme Sabatier.

Berceuse. (Inc. « Dans l'alcôve sombre »). *F.A.,* 20. A Mme Julie Lejeune.

Chanson du fou. (Inc. « Gastibelza ») *R.O.,* 22.

La chasse du Burgrave, pour ténor, chœur d'hommes et orch., ms. *O. et B.,* VI, 11.

Le Danube en colère, publ. 1846. *Ori.,* 35.

Dieu qui sourit, publ. 1847. *R.O.,* 41.

Guitare, publ. 1847. *R.O.,* 23. (Inc. « Comment disaient-ils »).

La mer. (Inc. « Quels sont ces bruits sourds »). *Voix,* 24.

Nouvelle chanson, C.C., 22.

Pas d'armes, publ. 1847. *O. et B.,* VI, 12.

La tombe et la rose, publ. 1847. *Voix,* 31.

Vieille chanson, publ. 1847. *Cont.,* I, 19.

Lalo, Édouard

Amis, vive l'orgie (ou *Chanson à boire),* op. 17, n° 6, comp. 1855, dép. 1856. *Lucr.,* III, 1, var.

L'aube naît et ta porte est close, op. 17, n° 3, comp. 1855, dép. 1856. *C.C.,* 23.

Dieu qui sourit et qui donne, op. 17, n° 4, comp. 1855, dép. 1856. *R.O.,* 41.

Guitare (ou *Comment disaient-ils),* op. 17,

n° 1, comp. 1855, dép. 1856. *R.O.*, 23.

Oh ! quand je dors, op. 17, n° 5, *R.O.*, 27, comp. 1855, dép. 1856.

Puisqu'ici bas toute âme, op. 17, n° 2. *Voix,* 11, comp. 1855, dép. 1856.

Souvenir, comp. 1870, publ. 1872, dép. 1887. (Inc. « Comme un ange qui se dévoile »). *Cont.,* II, 10. A Mme J. Lalo.

Lange, Daniel de

Hernani, mus. de scène, cr. 187..., Amsterdam.

Sentiers où l'herbe se balance, copie ms. Amsterdam. *Chât.,* III, 11.

La Tombelle, F. de

A la mère de l'enfant mort, publ. 1886. *Cont.,* III, 14.

Chant des aventuriers. L.S., I., XI.

Laudamo, Antonio

Ernani in Contumaccia, opéra, cr. 1849, Messine.

Laurent de Rillé

Aubade ou *L'aube naît,* pour ténor et 70 voix d'hommes, dép. 1855, *C.C.,* 23.

Lebeau, François

Esméralda, cr. 1856, Liège.

Lecoq, Charles

Guitare, publ. 1900. (Inc. « Comment disaient-ils »). *R.O.,* 23.

Idylle printanière. (Inc. « Je soupirais », publ. 1910, *T.L.,* VI, 20.

Suzette et Suzon, T.L., VII, 23, I.

Ta porte est close, aubade. Publ. 1876. A Mlle Coelina de Lapommeraye. *C.C.,* 23.

Les trois nids, publ. 1886. *Q.V.E.,* III, 13.

Lekeu, Guillaume

Les Burgraves, drame lyrique, fragments.

Nocturne in trois poèmes pour chant et piano, comp. 1892, publ. 1894, épigraphe de V. Hugo : « ... Le printemps... / A cette nuit, pour te plaire / Secoué sur la bruyère / Sa robe pleine de fleurs ».

Lenepveu, Charles E.

Hymne funèbre et triomphal, pour chœur d'hommes, voix de femmes ad. lib., orchestre, salves d'artillerie et de mousqueterie, cr. 14.7.1889, publ. 1895. *C.C.,* 3.

Nocturne, pour soprano. *Scène tirée du 5ᵉ acte d'Hernani,* publ. 1881, avec piano et 1895 avec orchestre. (Inc. « Tout à l'heure, un moment »).

Leroux, Félix

Arrangement de *Gloire à notre France éternelle* de Herold, cr. 14.7. 1880, publ. 1881. *C.C.,* 3.

Leroux, Xavier

A ceux qui glorieusement sont morts pour la patrie ou *Ceux qui pieusement,* pour chœur, piano ou orgue. *C.C.,* 3.

Letellier, Edgar

Ceux qui pieusement sont morts pour la patrie, chœur pour 4 voix, publ. 1946. *C.C.,* 3.

Moïse sur le Nil, récit, air et chœur pour voix de femmes avec sopr. solo. Publ. 1921. *O. et B.,* IV, 3.

Viens, une flûte invisible soupire dans les vergers, publ. 1923. *Cont.,* II, 13. Autre titre : *La chanson la plus charmante.*

Letorey, Omer

L'été, chœur pour voix mixtes avec soli. Publ. 1927. (Inc. « Quand l'été vient »). *Voix,* 5.

Hymne, pour soli et chœur. (Inc. « Ceux qui pieusement »). *C.C.,* 3.

Levey, William, Charles

La Esméralda, burlesque, cr. 1850, Londres.

Liszt, Franz

Après une lecture de Dante. Fantasia quasi sonata. Comp. 1837. *Voix,* 27.

L'aube naît. C.C., 23. Comp. 1842, perdu.

Ce qu'on entend sur la montagne, poème symphonique. Comp. 1848-1849, cr. 1850, rév. 1850 et 1854, publ. 1857. *F.A.,* 5.

Comment disaient-ils, comp. 1843, St. Pétersbourg. *R.O.,* 23. Publ. 1844.

Le crucifix pour voix d'alto et piano ou harmonium, compl. et publ. 1884. *Cont.,* III, 4.

Enfant, si j'étais roi, comp. env. 1844. *F.A.,* 22. Publ. 1844.

Gastibelza, boléro, comp. env. 1844. *R.O.,* 22. Publ. 1844.

Malédiction pour piano et orch. comp. 1830, rév. 1840, publ. 1915. *Ori.,* 25 (?).

Mazeppa, étude pour piano, comp. 1834, publ. 1835, 1839, 1840, 1852. Poème symphonique, comp. 1851, cr. 1854, publ. 1856. *Ori.,* 34.

Oh quand je dors, comp. 1842. *R.O.,* 27. Publ. 1844.

S'il est un charmant gazon, comp. env. 1844. *C.C.,* 22. Publ. 1844.

La tombe et la rose, comp. env. 1844. (Inc. « La tombe dit à la rose »). *Voix,* 31. Publ. 1844.

Transcription, pour piano, de *La Esméralda,* de L. Bertin, publ. 1837.

Fantaisie sur *Lucrezia Borgia* (de Donizetti), comp. 1840, publ. 1841.

Paraphrase d'*Ernani* (de Verdi), comp. 1849, publ. 1860.

Paraphrase de *Rigoletto* (de Verdi), comp. 1859, publ. 1860.

Yo que soy contrebandista, rondo fantastique pour piano, comp. 1836, en partie d'après *Bug.*

Loiseau

Musique de scène pour *Le roi s'amuse,* cr. 1832.

Mac Dowell, Edward (Alexander)

Les Orientales, op. 37 pour piano, publ. 1889

1. Clair de lune
2. Dans le hamac
3. Danse andalouse.

Magny, Colette

La blanche Aminte. T.L., VII, 1. Enr. 1967.

Chanson en canot, T.L., VII, 23, VII. Enr. 1964.

Néant : « Rien n'est comme il devrait être ». *T.L.,* VII, 23, X. Enr. 1965.

Les Tuileries, R. de C.R.B., C.F.L., t. VII, p. 459. Enr. 1964. (Inc. « Nous sommes deux drôles »).

Maillart

Gastibelza, opéra en 3 actes, livret de Dennery et Cormon, cr. 15.11.1847.

Malec, Ivo

Victor Hugo, un contre tous, oratorio de Roger Pillaudin d'après les discours politiques, cr. 1971, Avignon.

Mancinelli, Luigi

Isora di Provenza, livret d'Angelo Zanardini, cr. 1884, Bologne. *L.S.,* I, V, 2.

Marchetti, Philippo

Ruy Blas, livret de Carlo d'Ormeville, cr. 1869, Milan.

Massé, Victor

A une femme, cantilène, dép. 1869. (Inc. « Oh ! quand je dors »). *R.O., 27.*

La chanson des lavandières, duettino pour soprano et mezzo sopr. A M. le Dr L. Véron. Dép. 1861. *Ruy,* II, 1.

Dieu qui sourit et qui donne, comp. 1873, publ. 1874. *R.O., 41.*

Ramez, dormez, aimez, dép. 1860. *R.O., 23.* Autre titre : *Guitare.*

Sara la baigneuse, orientale, publ. 1864. *Ori., 19.* A Mme Mathilde Gouin.

Tristesse d'Olympio, méditation, dép. 1860. *R.O., 34.* A Mme Gustave d'Eichthal.

Massenet, Jules

C'est l'amour, comp. 1908, publ. 1908. (Inc. « Oh ! oui ») *C.C., 28.*

Esméralda, opéra, comp. 1865, perdu ou détruit.

Être aimé, comp., publ. 1893. (Inc. « (Être aimé tout est là, vois-tu ») *T.L.,* VI, 44.

Guitare, comp. et publ. 1886. (Inc. « Comment disaient-ils »). *R.O., 23.*

Notre-Dame de Paris, mus. de scène, cr. 1879, Paris.

Nouvelle chanson sur un vieil air, aut. ms. B.N. daté 1865, Venise, 1869, Paris. (Inc. « l'Aube ») *C.C., 23.*

La nuit, publ. 1914. (Inc. « Parfois lorsque tout dort ») *F.A., 21.*

Ruy Blas, mus. de scène pour la reprise de la pièce, 1872.

Soleil couchant, publ. 1912. (Inc. « Le soleil s'est couché ») *F.A., 35.*

Mazzucato, Alberto

La Esméralda, livret de De Boni, cr. 1838, Mantoue. Opéra en 3 actes.

Hernani, livret de Bancalari, cr. 1843, Gênes. Opéra en 3 actes.

Mendelssohn, Félix

Ruy Blas, ouverture, comp. 1839. Lied « Wozu der Voeglein » pour chœur à 6 ou 8 voix de femmes avec orch.

Menessier, Marie

Mélodies romantiques, poésies de V. H. *La captive, Ori.,* 9. *Lazzara, Ori.,* 21. *La ville prise, Ori.,* 23. Publ. 1831.

Mercadante, Saverio

Il Giuramento, livret de Gaetano Rossi, cr. 1837, Milan. *Ang.*

Mesquita, Carlos de

Esméralda, opéra, livret de Foligna, 1888.

Chanson de la Esméralda, paraphrase pour piano, op. 104, publ. 1897. (Inc. « Je suis l'orpheline »), *Esm.,* I, 1.

Messager, André

A une fiancée, publ. 1891, pour solo et chœur à 5 voix mixtes. (Inc. « Aime celui qui t'aime »). *Cont.,* IV, 2.

Michetti, Vincenzo

Vagabonda, livret d'Émidio Mucci, cr. 1933. *Mis.*

Mihalovich, Edmund von

La ronde du sabbat pour grand orch., publ. Mayence, 1879 (?)

Mihalovici, Marcel

Chanson, publ. 1932. (Inc. « Si vous n'avez rien à me dire »). *Cont.,* II, 4.

Mes vers fuiraient, publ. 1932. *Cont.,* II, 2.

Mon bras pressait ta taille frêle, publ. 1932.

Cont., II, 10.

Monpou, Hippolyte

A genoux, publ. 1838, *Voix,* 11.

La captive, Orientale, dép. 1841. *Ori.,* 9.

La chanson du fou de Cromwell, romance, publ. 1835. *Crom.*

Les deux archers, ballade, publ. 1834. *O. et B.,* VI, 8.

Gastibelza, le fou de Tolède, chanson d'Espagne, publ. 1840. *R.O.,* 22. A son ami Roger de l'Opéra-Comique.

La Juive, cantatille, comp. 1834, publ. 1834, dép. 1835. (Inc. « N'ai-je pas pour toi... ») *Ori.,* 12.

Sara la baigneuse, cantatille, comp. et publ. 1834. *Ori.,* 19.

Monticini, Antonio

Esméralda, ballet romantique en 6 parties, cr. 1838, Turin

Moussorgsky, Modeste

Han d'Islande, projet d'opéra, 1856.

Müller, Friedrich

Esméralda, 1867, opéra en 3 actes, livret du compositeur, cr. Laibach.

Niedermeyer, Louis

Gastibelza, R.O., 22.

La mer (Un soir qu'on entendait la mer sans la voir), ms. à Stockholm sous le titre *Le vent de la mer souffle dans sa trompe,* publ. 1860. (Inc. « Quels sont ces bruits sourds »). *Voix,* 24.

L'océan, dédiée à Mons. Victor Hugo, *R.O.,* 42. Publ. 1853. Autre titre : *Oceano Nox,* publ. 1860.

La ronde du sabbat, O. et B., VI, 14. Pour basse, chœur et orch.

Puisqu'ici bas toute âme, publ. 1860, *Voix,* 11.

Nielsen, Ludolf

Lola, opéra. 1917, *Burg.*

Nougaro, Claude

Chanson des pirates, Ori., 8.

Orsini, Alessandro

I Burgravi, livret de Carlo d'Ormeville, cr. 1881, Rome.

Pacini, Émilien

La captive, publ. 1833. *Ori.,* 9.

Pacini, Eucharis

Attente, publ. 1833. *Ori.,* 20.

Pacini, Giovanni

Maria regina d'Inghilterra, livret de Tarantino (Leopoldo), cr. 1843, Palerme. *M.T.*

Papadopoulos

La fiancée du timbalier, poème symphonique, 1936. *O. et B.,* VI, 6.

Parys, Georges van

La marquise Antoinette.

Les misérables, mus. du film de Jean-Paul le Chanois, scénario de René Barjavel, Michel Audiard et Jean-Paul le Chanois, 1958.

Pedrell, Felipe

Adieux de l'hôtesse arabe. Ori., 24.

Attente. Ori., 20.

Les bleuets. Ori., 32.

La captive. Ori., 9.

Chanson de pitates. Ori., 8.

Clair de lune. Ori., 10.

Extase. Ori., 37.

Grenade. Ori., 31.

Pantoum, chant malais.

Quasimodo, opéra, cr. 1875, Barcelone.

Sara la baigneuse. Ori., 19.

La sultane favorite. Ori., 12.

Vœu. Ori., 22.

Pedrollo, Arrigo

L'uomo che ride, mélodrame en 3 actes, livret d'Antonio Lega, cr. 1920, Rome.

Pedrotti, Carlo

Marion de Lorme, cr. 1865, Trieste. Livret de Marco Marcelliano Marcello.

Perelli, Edoardo

Marion de Lorme, opéra 188...

Piccini, Louis-Alexandre

Lucrèce Borgia, musique de scène, 1833.

Marie Tudor, musique de scène, 1833.

Pierné, Gabriel

Les trois chansons, publ. 1880. (Inc. « Viens une flûte invisible »). *Cont.,* II, 13.

Pietri, Giuseppe

Il signor Ruy Blas, opérette en 3 actes, livret d'Alberto Colantuoni, cr. 1916, Bologne.

Pilati, Auguste

Ruy Blas, Chant des lavandières, chanté dans le drame de Victor Hugo au théâtre de l'Odéon.

Pizzetti, Ildebrando

Épitaphe pour 1 voix et piano, publ. 1903.

Extase, poème symphonique, publ. 1897.

Podesta, Carlo

I Burgravi, drame lyrique en 4 actes, livret de Stefano Interdonato, cr. 1881, Bergame.

Ponchielli, Amilcare

La Gioconda, opéra en 4 actes. Livret de Tobia Gorrio (Arrigo Boito), cr. 1876.

Marion de Lorme, livret d'Enrico Golisciani, remanié par Ghislanzoni, cr. 1885, Milan.

Poniatowski, Joseph

La Esméralda, livret de F. Guidi, cr. 1847, Florence. Opéra en 4 actes.

Ruy Blas, cr. 1843, Lucques. Livret de C. Zaccagnini.

Prévost, Eugène

Notre-Dame de. Paris, opéra, cr. La Nouvelle Orléans.

Pugni, Cesare

La Esméralda, ballet, cr. 1844, Londres. Livret et chorégraphie de Perrot.

Pugno, Raoul

Hymne aux immortels ou *Aux insurgés,* cr. annoncée pour le 21 mai 1871. *C.C.,* 3.

Quaranta, Costantino

Hernani, livret de Giulio Pulle, 1840.

Rabaud, Henri

L'été, pour soli, chœur et orch. (Inc. « Quand l'été vient »), 1894. *Voix,* V, 1.

Hymne à la France éternelle, op. 12, publ. 1918. (Inc. « Ceux qui pieusement »), *C.C.,* 3.

Rachmaninov, Serge

La réponse, op. 21, n° 4. (Inc. « Comment disaient-ils »). *R.O.,* 23.

Ravel, Maurice

Tout est lumière, tout est joie, comp. 1901. *R.O.,* 17.

Reber, Henri

A Marie, dép. et publ. 1858. (Inc. « Dieu qui sourit et qui donne »). *R.O.,* 41.

A un passant, ballade ; dép. 1879, publ. 1881. *O. et B.,* VI, 10. (Inc. « Voyageur qui la nuit »). Déd. à M. Bonnehée.

La captive, chanté par Mr. Géraldy, dép. 1837. *Ori.,* 9. A Mme Menessier Nodier.

Chanson de grand-père, dép. 1878. *A.G.P.,* 16.

La fleur de l'âme. (Inc. « Puisque j'ai mis ma lèvre »). *C.C.,* 25.

Guitare, dép. 1845. (Inc. « Comment disaient-ils ? »). *R.O.,* 23.

Madeleine, ballade chantée par Françoise Wartel, dép. 1849. *O. et B.,* VI, 9. (Inc. « Écoute-moi »).

Nouvelle chanson, dép. 1845. (Inc. « S'il est un charmant gazon »). *C.C.,* 22. Autre titre : *Où ton cœur se pose.*

Le papillon et la fleur, dép. 1847. *C.C.,* 27.

Les proscrits, chant de ceux qui s'en vont sur mer, Chât., V, 9. (Inc. « Adieu patrie »).

Rose (Vieille chanson du jeune temps), dép. 1858. (Inc. « Je ne songeais pas à Rose »). Cont., I, 19.

Si mes vers avaient des ailes, Cont., II, 2.

Sérénade pour chœur. (Inc. « Viens une flûte invisible). *Cont.,* II, 13.

Si vous n'avez rien à me dire, publ. 1869. *Cont.,* II, 4.

Sous le balcon, dép. 1869. (Inc. « A quoi bon »). *Ruy,* II, 1.

Vœu (orientale), dép. 1850. *Ori.,* 22. (Inc. « Si j'étais la feuille »).

Chant de pirates, chœur pour 3 voix d'hommes, publ. 1842. *Ori.,* 8.

Reyer, Ernest

Vieille chanson du jeune temps, publ. 1860, *Cont.,* I, 19.

Riceit et Sandrine, Anne

Clair de lune, Ori., 10. Enr. 1965.

Rillé : voir Laurent de Rillé

Rodwell

Notre-Dame de Paris, opéra, 1836.

Ronzi, Pollione

Dea, mélodrame en 4 actes, livret de Golisciani, cr. 1894, Sienne. *H.Q.R.*

Rota, Giuseppe

Ruy Blas, « Dramma serio » en 3 actes, livret de Scipione Emanuel, cr. 1858, Milan.

Rota, Nino

Torquemada, opéra en 4 actes, comp. 1943, cr. 1973, Naples.

Sachs, Léo

Les Burgraves, cr. 1924, Paris.

Enfant si j'étais roi, publ. 1902. *F.A.,* 22.

Saint-Saens, Camille

A quoi bon entendre les oiseaux des bois. Dép. 1868. A Mme Miolan Carvalho. *Ruy,* II, 1..

L'attente, comp. 1855, dép. 1856. (Inc. « Monte écureuil »). *Ori.,* 20. Orchestré en 1915.

Les Burgraves, mus. de scène, 1902.

Chanson d'ancêtre, op. 53, n° 2, chœur, publ. 1878. *A.G.P.,* XVI, 2.

Chanson du grand-père, op. 53, n° 1, chœur, publ. 1878. *A.G.P.,* XVI, 1.

Le chant de ceux qui s'en vont sur (la) mer, dép. 1860, *Chât.,* V, 9. A Mme Pauline Viardot.

La cloche, comp. 1855, dép. 1856. A Mme Pauline Viardot. *C.C.,* 32.

La chasse du burgrave, scène pour mezzo soprano, publ. 1854. *O. et B.,* VI, 11.

La coccinelle, comp. 1868. *Cont.,* I, 15.

L'enlèvement, comp. 1865, publ. 1866. (Inc. « Si tu veux faisons un rêve »). A Mme Miolan Carvalho. *L.S.,* I, V, 2.

Extase, comp. env. 1860, publ. 1863. *C.C.,*

25. A Madame Marie Délessert.

La fiancée du timbalier, ballade pour voix et orch., op. 82, comp. 1882, publ. 1887. *O. et B.,* VI, 6.

Une flûte invisible, comp. 1885, publ. et dép. 1885. *Cont.,* II, 13.

Guitare, ms. aut. B.N. daté avril 15, 1851 ; publ. et dép. 1870. A Augusta Holmes. *R.O.,* 23.

Hymne à Victor Hugo pour orch. et chœur ad lib., comp. 1881, cr. 1884.

La lyre et la harpe, pour soli, chœur et orch. Cr. 1879. *O. et B.,* IV, 2.

Le matin, comp. 1864, publ. 1864. (Inc. « L'aurore s'allume »). *C.C.,* 20.

La mission du poète, perdu. *R.O.,* 2.

Le pas d'armes du roi Jean, ballade, comp. 1852, publ. 1855. *O. et B.,* VI, 12.

Rêverie, publ. 1852, déd. à Mme Gaveaux-Sabatier. (Inc. « Puisqu'ici bas »). *Voix,* 11.

Le rouet d'Omphale, poème symphonique, cr. 1871, *Cont.,* II, 3.

S'il est un charmant gazon, 2e version, publ. 1915. *C.C.,* 22.

Si vous n'avez rien à me dire, comp. 1870, dép. 1896, *Cont.,* II, 4.

Soirée en mer, comp. 1862, publ. 1862, déd. à Mme Fanny Bouchet. (Inc. « Près du pêcheur »). *Voix,* 17.

Suzette et Suzon, comp. 1888, publ. 1889, *T.L.,* VII, 23, 1.

Viens, duettino, comp. 1855, dép. 1856, *Cont.,* II, 13.

Salvi, Matteo

I Burgravi, Dramma lirico, livret de Giacomo Sacchero, cr. 1845 Milan. Opéra en 3 actes.

Sandrine, Anne : voir **Riceit.**

Schmidt, Franz

Notre-Dame de Paris, opéra. Livret du compositeur et de Léopold Wilk, cr. 1914, Vienne.

Schoberlechner, Francesco

Marie Tudor ou *Rossane,* livret de Gaetano Rossi, en 3 parties, cr. 1839, Milan.

Sciortino, Patrice

La fin de Satan, extraits du 2e livre, « Le gibet », accompagnement musical à l'orgue, enr. 1973.

Scudo, P.

L'aveu, déd. à M. Frédéric Léon. *R.O.,* 41.

La baigneuse, ou *Sara,* déd. à son élève L. A. Dutheil, *Ori.,* 19.

La captive, déd. à Mlle Josèphe Leclercq, publ. 1837. *Ori.,* 9.

Le chant vénitien, déd. à son ami J. Barbey. (Inc. « Quand tu chantes, bercée »). *M.T., I.,* 5.

Selmer, Johann, Peter

L'année terrible, scène funèbre pour orch. comp. 1871. (Op. 4)

La captive, pour contralto et orch., publ. 1872. *Ori.,* 19. (Op. 6)

Tyrkerne gaar mod Athen, pour chœur et orch. publ. 1876. (Op. 7)

Elle était déchaussée, op. 17, n° 5. *Cont.,* I, 21.

Servoz, H.

La chanson de l'ombre, publ. 1928. *Jum.,* II, 1.

La conscience, poème symphonique, publ. 1927. *L.S.,* I, I, 2.

Siefert

Ceux qui pieusement, cantate pour orch. orgue, soli et chœurs mixtes. *C.C.,* 3.

Silver, Charles

La grand-mère, comédie lyrique en 2 actes d'après V. H., adapt. de Paul Millet, publ. 1930.

Quatrevingt-treize, épopée lyrique en 4 actes et 5 tableaux, livret de Henri Cain.

Simon, Anton, Yulievich

La Esméralda, mimodrame, cr. 1902, Moscou.

Strunz, Jacques

Ruy Blas, mus. de scène, 1838.

Subbaiah

Musique du film *Esai Padum Pada,* de Ramnoth, scénario de Suddhana Bharatiyar et Elankovan, 1950. *Mis.*

Sviridov, Georgil Vasilevitch

Mus. de scène pour *Ruy Blas,* 1952.

Tachan, Henri

Demain dès l'aube. Cont., IV, 14.

Taïra

Musique de scène pour *Lucrèce Borgia,* cr. 1975 Avignon.

Tarantini, Léop.

Marion de Lorme, livret d'Antonio Menotti-Buja. Cr. 1910, Trani. Opera seria en 4 actes.

Thomas, Arthur Goring

La captive. Ori., 9.

Consolation. (Inc. « Oh ! madame, pourquoi ce chagrin »). *C.C.,* 33, VI.

La Esméralda, opéra en 4 actes, livret de T. Marzials et Alb. Randegger, cr. 1883, Londres.

Si j'étais roi, publ. 1883. *F.A.,* 22.

La sultane favorite, Ori., 12.

Thomé, Francis

Chant du crépuscule, adapt. mus. publ. 1910. (Inc. « Oh ! pour remplir »). *C.C.,* 24.

Comment disaient-ils. R.O., 23.

Incantation - Extase, publ. 1896, adapt. mus. (Inc. « Puisque j'ai mis »). *C.C.,* 25.

Si tu veux faisons un rêve. L.S., I, V., 2., ou *Chanson d'Eviradnus,* adapt. mus.

Si vous n'avez rien à me dire, exéc. 1902. *Cont.,* II, 4.

La fiancée du timbalier, adapt. mus. *O. et B.,* VI, 6.

Hier le vent du soir, adapt. mus. *Cont.,* II, 5.

Mes vers fuiraient, adapt. mus. *Cont.,* II, 2.

Que veux-tu que je devienne, adapt. mus. publ. 1910. *Cont.,* II, 25.

Qui donc êtes-vous, la belle ? Mélodie, publ. 1889. *T.L.,* VII, 23, VIII.

Le triomphe, adapt. symphonique, publ. 1910. (Inc. « Au-delà d'un vallon »). *Satan,* II, 2, III (C.F.L., t. X, p. 1687).

Vere novo (Printemps nouveau), adapt. mus. *Cont.,* I, 12.

Viens, une flûte invisible, adapt. mus. *Cont.,* II, 13.

Tiersot, Julien

Chanson d'exil. Q.V.E., III, 25. A Mme Pauline Viardot.

La tombe dit à la rose. Voix, 31. A Mademoiselle Jeanne Raunay.

Tosti, Paolo

Amour-amour, Cont., II, 10.

Urhan, Chrétien

Quintette, comp. 1832. Dédié à V. H.

Valéro, José

Esméralda, opéra en 3 actes, cr. 1843, Valencia.

Verdi, Giuseppe

Ernani, opéra en 4 actes, livret de Francesco Maria Piave. Cr. 1844, Venise.

Rigoletto, opéra en 3 actes, livret de Francesco Maria Piave. Cr. 1851, Venise.

Vierne, Louis

Psyché, op. 33, publ. 1927. (Inc. « Psyché dans ma chambre »). *C.R.B.,* I, 1, 3. A Mme Alphonse Vuillemin

Wagner, Richard

Attente, comp. 1840, publ. 1842. *Ori.,* 20.

Wagner-Régény, Rudolf

Der Günstling, livret de Neher sur la version de *Marie Tudor* par Georg Buchner. Cr. 1935, Dresde.

Weckerlin, Jean-Baptiste Théodore

Les adieux de l'hôtesse arabe, publ. 1882. *Ori.,* 24.

L'aube naît. Aubade, publ. 1879. *C.C.,* 23.

L'Inde, Ode-symphonie, poésies de A. Méry, V. Hugo, Lotin de Laval, Leconte de Lisle et Ch. Dovalle. Publ. 1872. N° 2 : *La captive,* pour soprano et orch. (Inc. « Si je n'étais captive »), *Ori.,* 9.

Marie Tudor, sérénade. (Inc. « Quand tu me dis »). *M.T.,* I, 5.

Sérénade tirée de *Ruy Blas.* (Inc. « A quoi bon entendre ») *Ruy.,* II.

Weldon, (Mme Georgina)

Hier au soir, publ. 1879. (Inc. « Hier le vent du soir »). *Cont.,* II, 5.

Wetterhahn, Wilh.

Esméralda, cr. 1866. Chemnitz (en Saxe). Opéra en 4 actes, livret Dr Elsner.

White, Maude-Valérie

Chantez, chantez, jeune inspirée. C.C., 26.

Espoir en Dieu, publ. 1878. (Inc. « Espère, enfant »). *C.C.,* 30.

Heureux qui peut aimer.

Widor, Charles-Marie

A cette terre où l'on ploie, op. 14, n° 3. *R.O.,* 30.

Aimons toujours, aimons encore, op. 37, n° 4. *Cont.,* II, 22.

Albaÿdé, op. 47, n° 5. (Inc. « Je veille »). *Ori.,* 26.

A toi, toujours à toi, op. 28. *O. et B.,* V, 12.

Aubade. (Inc. « L'aube naît »). *C.C.,* 23.

L'aurore. (Inc. « L'aurore s'allume »). *C.C.,* 20.

La captive, op. 47, n° 1. *Ori.,* 9.

Contemplation, op. 43, n° 2. (Inc. « Mon bras pressait »). *Cont.,* II, 10.

Guitare.

Invocation, op. 28. (Inc. « Tu me parles ») *Cont.,* VI, 15.

Je ne veux pas autre chose, op. 43, n° 1. *R.O.,* 24.

Je respire où tu palpites, op. 53, n° 3. *Cont.,* II, 25.

J'étais seul près des flots. Ori., 37.

S'il est un charmant gazon, op. 37, n° 2. *C.C.,* 22.

Sois heureuse, ô ma douce amie, O. et B., V, 1.

Le soleil s'est couché ce soir, op. 37, n° 1. *F.A.,* 35.

Vieille chanson du jeune temps, op. 43, n° 6. (Inc. « Je ne songeais pas à Rose »). *Cont.,* I, 19.

Wiener, Jean

L'homme qui rit, musique du film de Jean Kerchbron pour la Télévision, 1970.

Quatrevingt-treize, musique du film d'Alain Boudet pour la Télévision (adaptation Claude Santelli), 1962.

Wormser, André

Chanson. Cont., II, 2. A Mlle Chapuy.

Chanson de Fantine, chantée par Mlle Berthe Bady dans *Les misérables* mis à la scène par Charles Hugo et Paul Meurice.

Élégie sur la mort de Fantine, publ. 1910.

Zenger, Max

Ruy Blas, opéra en 4 actes, livret de Th. Heigel, comp. 1864, cr. 1868, Mannheim.

A. L.

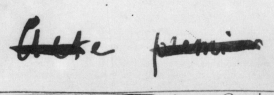

Les Burgraves. Comédie-Française, 1843
*Victor Hugo
Esquisse de décor : 1re partie (cat. 547)
B.N., Manuscrits

Anne Ubersfeld
Henri Loyrette

La scène

Avant l'exil : créations et premières reprises

Cromwell

L'existence de Hugo comme poète dramatique commence pour ses contemporains avec *Cromwell*. Ce n'est pas tant la préface qui les intéresse sur ce point, que l'œuvre elle-même.

Hugo écrit le drame du 6 août 1826 à la fin août 1827. Il est publié en décembre 1827[1], et frappe immédiatement les imaginations, bien autant que la préface, à tout le moins. La rumeur publique veut qu'il ait été écrit pour Talma, et si étrange que cela nous paraisse, les contemporains ont considéré immédiatement que le drame était jouable, au prix de quelques aménagements ; ils l'ont donc jugé en tant qu'œuvre de *théâtre*. Il semble (c'est ce qu'affirme *Le Témoin* et c'est probablement vrai)[2] que le drame a été lu pour parties à Talma qui l'approuva et voulut le jouer ; il eût fallu, certes, le réduire considérablement, mais c'était possible : « Il est évident, dit Hugo dans sa préface, que ce drame, dans ses proportions actuelles ne pourrait s'encadrer dans nos représentations scéniques. Il est trop long. On reconnaîtra cependant qu'il a été, dans toutes ses parties composé pour la scène. » Et c'est bien ainsi qu'il est lu. Dans *Le Globe* du 2 février 1828, Charles de Rémusat[3] pose ainsi la question centrale du drame *Cromwell* : « Comment faut-il écrire le drame historique ? » Dans *Le Figaro* du 13 décembre : « Nous pensons qu'en élaguant toutes les longueurs et les actions accessoires, on pourrait tailler dans le *Cromwell* de M. Victor Hugo un beau drame [...] » L'essentiel dans le fait que le drame ait été montré à Talma réside dans la perspective du théâtre : *Cromwell* serait pour le Théâtre-Français, et c'est ce que souhaite Hugo ; la fin du même article du *Figaro* insiste sur cette éventualité : « On nous fait espérer que *Cromwell* pourra être représenté sur le Théâtre-Français. [...] M. Taylor comprend trop bien les intérêts de la grande administration qu'il dirige pour ne pas appuyer de tout son pouvoir un ouvrage jugé d'avance et destiné à relever dans l'opinion le genre historique depuis trop longtemps sacrifié au marivaudage et aux quolibets. »

La bataille d'*Hernani* commence à *Cromwell*. Le camp classique en son entier frémit. Ce qui prouve bien, par parenthèse, que adversaires et amis furent également persuadés que *Cromwell* ou autre chose, Hugo ne tarderait pas à faire une entrée fracassante sur la scène française. Les dramaturges classiques de l'Académie, en particulier Alexandre Duval et Jay se donnèrent la peine d'écrire des pamphlets contre *Les nouvelles doctrines littéraires* (A. Duval montrait un oncle classique déshéritant un neveu romantique, jusqu'à conversion de ce dernier) ; Jay écrit aussi une *Conversion d'un romantique*. Il y a mieux : une campagne à la Chambre, la première, non pas la dernière : les députés Liadières et Fulchiron menacèrent le Théâtre-Français de mettre en péril sa subvention s'il était infidèle aux saines doctrines. On voit que le « parti classique » (qui compte politiquement aussi bien des conservateurs que des libéraux) n'y va pas par quatre chemins. Mais ce n'est pas l'heure de s'émouvoir. Hugo ne « réduira » jamais son *Cromwell* pour le rendre jouable, quoiqu'il y ait un curieux projet (daté d'après l'exil) intitulé :

« *Quand sera-t-il roi ?* Comédie en trois parties, extraite du drame *Cromwell* par Victor Hugo. »

Hugo avait parfaitement prévu et organisé une contre-offensive : dès le 12 mars 1827, il convoque ses amis pour une lecture de la pièce. Et ce n'est sûrement pas la première, mais c'est sans doute la première intégrale. Il s'agit de constituer véritablement une armée romantique pour le théâtre ; c'est à cette occasion qu'il se lie avec Sainte-Beuve et demande l'aide de sa plume : le journal *Le Globe* devient le *supporter* si l'on ose dire, de *Cromwell* et de son auteur. *Le Globe* est libéral modéré, et les « intellectuels » libéraux ne sont pas à cette date hostiles à Hugo comme ils le seront plus tard.

Amy Robsart

Hugo s'il veut faire jouer une pièce ne manque pas de textes. Il a déjà une œuvre achevée. En 1822, il a vingt ans à peine, un poète dramatique déjà connu, l'homme de *La Muse Française* Alexandre Soumet, le sollicite pour une collaboration. Il s'agit d'adapter à la scène le roman de Walter Scott, *Kenilworth*. On en tirera une

Amy Robsart. Odéon, 1829
*Eugène Delacroix
Maquette de costume : Elisabeth (cat. 371)
Paris, Louvre, Cabinet des Dessins

pièce qui pour ne blesser aucune susceptibilité restera anonyme. Hugo écrirait les trois premiers actes, Soumet, la besogne déjà bien engagée terminerait l'œuvre. Hugo écrit, Soumet lit les 3 actes, et mi-figue, mi-raisin, annule la collaboration. Pour faire bonne mesure il sabordera aussi *La Muse Française.* Hugo remise son texte et attend des jours meilleurs ; à un moment non précisé, au cours de la rédaction de *Cromwell,* il achève les deux actes manquants ; texte à la fois très fidèle au roman et typiquement hugolien, par le rôle du petit comédien Flibbertigibbett, première des incarnations hugoliennes du grotesque à la scène. Après la parution de *Cromwell,* Hugo saisit l'opportunité d'investir la scène française avec une pièce qui, sans être à proprement parler romantique, sans correspondre à l'esthétique de la préface, apportait quelque part une idée du grotesque. Hugo cependant n'est pas chaud pour la faire jouer sous son nom : il y a une disproportion entre les espérances, les perspectives de la préface et une tentative tout compte fait modeste et qui n'apporte pas vraiment une œuvre originale : c'est la réécriture théâtrale d'un roman : pourquoi alors remuer tant d'air dans la préface ? La pièce est jouée sous le nom du jeune frère d'Adèle Hugo, Paul Foucher. La distribution à l'Odéon[4] en était intéressante et Hugo y rencontre Mlle Anaïs qui sera bientôt au Théâtre-Français la Blanche du *Roi s'amuse.* Thomas Sauvage, le tout nouveau directeur de l'Odéon avait volontiers accepté la pièce. C'est Delacroix qui avait fait les maquettes des costumes.

Ce fut une catastrophe. Il semble y avoir eu une cabale et les sifflets commencèrent dès avant le lever du rideau. Devant l'orage, rires et quolibets, Hugo fit front et déclara que la pièce était de lui. Mais ne le savait-on pas déjà et la cabale ne cherchait-elle pas à atteindre l'auteur de *Cromwell* et de sa Préface ? Le 13 février 1828, Hugo écrit aux journaux et retire sa pièce.

Les scènes en 1829

Il est intéressant de savoir de quels instruments Hugo disposait. Sous la Restauration les scènes sont relativement spécialisées. Or Hugo en plaidant pour le drame *en vers* prend une option décisive, quasi nécessaire : il lui faut être joué au Théâtre-Français, théâtre de la tragédie.

Les subventionnés. — Le Théâtre-Français est une espèce de musée, une sorte de « Panthéon dramatique »[5] ; c'est la scène officielle, où va le beau monde ; on y joue les classiques, et il est de bon ton d'y avoir une loge à l'année et d'y accomplir tel ou tel devoir de socialité. Un article du *Globe* moque le public du Théâtre-Français, « ce groupe d'amateurs dont les traits compassés et l'attitude pleine de dignité annoncent la prétention de juger bien plus que le désir de s'amuser [...] Le théâtre est à leurs yeux une espèce d'académie où de pompeux déclamateurs viennent réciter avec méthode de longs discours »[6]. Mais la Comédie est la meilleure troupe de Paris ; sachant dire les vers, d'une résistance à toute épreuve aux difficultés, voire aux salles vides dont ils ont l'habitude. La Comédie, régie par le décret de Moscou, ne vit que de sa subvention, votée chaque année par les Chambres ; le Théâtre est donc loin d'être libre, hors d'état de s'opposer au pouvoir : « La subvention, c'est la sujétion. Tout chien à l'attache a le cou pelé par son collier »[7], dira Hugo plus tard, d'autant que l'antienne de la critique c'est : « Nous ne voulons pas payer de nos deniers de si abominables productions. »

Le Théâtre-Français a une doublure rive gauche, c'est l'Odéon, théâtre qui ne marche pas ; on y joue des pièces plus « modernes », mais les étudiants s'y ennuient, n'y viennent guère, l'« élite » du Faubourg Saint-Germain préfère l'Opéra ou le Théâtre-Français, et les places sont trop chères pour la petite bourgeoisie du quartier.

Bref, les subventionnés ne vont pas fort ; la Comédie ne fait ses frais que quand joue Mlle Mars : les Parisiens emmènent leurs cousins de province contempler l'inusable merveille. Quelques chiffres, de la fin de l'année 1830 : Étant entendu que les frais sont en moyenne de 1 400 F, sur 2 mois seules 3 représentations dépassent 2 000 ; la moitié est inférieure à 1 000 F, certaines descendent jusqu'à 200 F, 21 représentations de moins de 700 F en 2 mois. En 1831, la situation est encore plus grave.

Le boulevard. — Les autres théâtres sont bien plus prospères. Le premier en activité, est la Porte-Saint-Martin, le plus important des théâtres dits du Boulevard. Il est le théâtre du grand mélodrame, du drame populaire et le restera. Son public n'est pas seulement le public populaire (sans subvention, il ne ferait pas ses affaires) ; la petite et la moyenne bourgeoisie de la rive droite y viennent volontiers (et parfois les grands bourgeois, quand la pièce en vaut la peine). Les places sont exactement trois fois moins chères qu'à la Comédie, et les enfants du « paradis » occupent un amphithéâtre qui ne leur coûte que soixante centimes. On y joue volontiers des pièces libérales, et le public fait en mai 1829 un triomphe au *Marino Faliero* de Casimir Delavigne, pièce à allusions politiques. Le répertoire de la Porte-Saint-Martin n'est pas la tragédie et la comédie classiques et néo-classiques comme à la Comédie, c'est le mélodrame et le drame sous toutes leurs formes ; ainsi la célèbre *Auberge des Adrets,* triomphe parodique de Frédérick Lemaître. Les acteurs sont ceux qui défendront le drame romantique, Bocage, Frédérick, Lockroy, Marie Dorval.

La Gaîté et les Variétés ont un répertoire analogue et sont les répliques un peu plus pâles de la Porte-Saint-Martin avec souvent les mêmes interprètes. A côté, il y a le théâtre de la comédie moderne, le Gymnase, faisant un succès qui ne se dément jamais à Eugène Scribe, vaudevilliste et auteur comique, dont les pièces en prose sont bourgeoises et contemporaines — modèles de ce que Hugo détestera toujours.

Ces scènes de boulevard, si elles sont hors subvention, n'en sont pas moins soumises à la censure ; draconienne sous la Restauration, elle est censément abolie après la Révolution de Juillet, mais bientôt rétablie, d'abord sournoisement, puis officiellement, par une loi, après l'attentat de Fieschi (1835).

Mises en scène. — Ce qu'il y a de curieux, c'est que du point de vue de l'esthétique de la scène, les divers types de théâtres se rejoignent. Taylor, commissaire royal tient à donner au Théâtre-Français le lustre qui lui convient ; il engage en 1824 le fameux peintre décorateur Ciceri. Mais Ciceri, Séchan, autre décorateur célèbre, travaillent également pour la Comédie et pour la Porte-Saint-Martin. L'essentiel pour l'un et l'autre théâtres, c'est la somptuosité des décors et des costumes, l'éclat de la reconstitution historique ; banquets royaux, places publiques architecturées, costumes de cour. « Avec Ciceri, le décor devient tableau [...] Ce sera le triomphe de la toile peinte et du châssis[8]. » Hugo en profitera pour *Hernani,* pour *Le roi s'amuse*.

De même, s'il y a des différences de style entre les acteurs du boulevard et ceux du Théâtre-Français, cela n'empêche pas les interprètes de passer d'une scène à l'autre, Marie Dorval, Bocage de se faire engager à la Comédie. Hugo lui-même a donc moins de peine qu'on ne croit à faire voyager ses pièces d'une scène à l'autre (*Marion de Lorme* par exemple).

Marion de Lorme et la censure

Après l'échec d'*Amy Robsart,* Hugo, pris par les *Orientales,* puis par *Le dernier jour d'un condamné,* laisse dormir l'écriture théâtrale. Il ne la reprendra qu'en juin 1829. *Marion de Lorme* est écrite *du 1er au 26 juin*.

Pas de pièce qui baigne davantage dans l'air du temps. Vigny venait d'écrire son *Cinq-Mars ou une conjuration sous Louis XIII,* roman où apparaît un roi faible, dominé par un Richelieu brutal et cauteleux. Même histoire semble-t-il, mais profondément différente : Vigny montre l'écrasement de l'aristocratie, Hugo la décadence *de la royauté*.

Les censeurs ne s'y trompèrent pas ; ils l'interdirent, prenant pour motif l'image négative que le poète donnait d'un roi de France. On risquait des applications directes à Charles X (et à son conseiller Polignac).

Le 10 juillet, Hugo, chez lui, lit *Marion* à un public important en quantité et en qualité : Balzac, Auguste Barbier, les fils Bertin, Louis Boulanger, Eugène Delacroix, Émile et Antoni Deschamps, les frères Devéria, Alexandre Dumas, Charles Magnin (du *Globe*), Mérimée, Musset, Sainte-Beuve, Soulié, Soumet, Vigny, Villemain (liste incomplète).

Les théâtres se précipitent. Le 11, *Marion* est demandée pour la Porte-Saint-Martin ; le 14, elle est reçue par le comité du Théâtre-Français. Harel l'avait demandée pour l'Odéon. La pièce fut immédiatement mise en répétition. S'il faut en croire Dumas, Mlle Mars aurait joué Marion, Firmin Didier et Joanny Nangis : la distribution même qui sera celle d'*Hernani* (Dumas, *Mémoires*).

Le 1er ou le 2 août, Hugo reçoit notification de l'arrêt de la censure, sur interven-

Hernani. Comédie-Française, 1830
*Charles-Antoine Cambon
Maquette de décor : Acte IV (cat. 375)
(Il se peut que cette maquette soit destinée à la
reprise de 1867 et non à la création)
Paris, Comédie-Française

tion personnelle de Martignac, ministre de l'Intérieur. Ce Martignac est loin d'être un ultra excité : c'est un grand bourgeois, un monarchiste modéré, de goût classique. Hugo se défend, il s'étonne, il écrit à Martignac, demande une entrevue au ministre. Selon le *Victor Hugo raconté,* l'entrevue a bien eu lieu et le ministre, dont la position politique était plus que chancelante, explique : « Nous sommes dans un moment sérieux (...). Ce n'est pas l'heure d'exposer aux rires et aux insultes du public la personne royale. »

Hugo réclame une audience royale ; Charles X reçoit courtoisement le poète qui vient plaider pour sa pièce ; il n'est pas mal disposé envers Hugo, ni même envers le romantisme[9] mais il ne cède pas.

Entre-temps, le 8 août, le ministre Martignac est tombé ; Jules de Polignac, fils de la favorite de Marie-Antoinette, ancien émigré, prend le pouvoir ; d'abord aux Affaires étrangères, il ne tarde pas à être premier ministre ; le *Journal des Débats,* le 14 août, définit cette équipe : « Coblenz, Waterloo, 1815 ». Polignac est l'âme des ultras ; au reste il affirme prendre ses consignes politiques directement de la Sainte-Vierge. Son ministre de l'Intérieur, La Bourdonnais, qui réclamait pendant la Terreur Blanche « des entraves, des fers, des bourreaux », n'a garde d'autoriser *Marion*. Mais on offre à Hugo (qui a eu une entrevue avec La Bourdonnais, le 13 août) une série de compensations et d'abord le triplement de sa pension (14 août). Le jour même, Hugo écrit sa réponse. C'est un refus, d'une insolence courtoise et parfaite ; il rappelle à ces émigrés, à La Bourdonnais, l'homme de Coblence et de la Vendée, qu'il est l'enfant des combattants de la Révolution et de l'Empire : « Ma famille, écrit-il [...] est une vieille servante de l'État. Mon père et mes deux oncles l'ont servie quarante ans de leur épée. »

Hugo ajoute : « J'avais demandé que ma pièce fût jouée, je ne demande rien autre chose. » Il a raison, le préjudice est grand : la vraie bataille littéraire ne peut s'engager ; et *Marion,* placée sous la caution de Corneille[10], pouvait soulever moins d'orages qu'*Hernani*.

La censure. — La principale leçon donnée à Hugo par l'interdiction de *Marion,* c'est la gravité de la censure. Il prit la résolution de ne jamais s'y soumettre autant que cela dépendait de lui. *Hernani* fut encore soumis à la censure ; mais la Révolution de 1830 et la nouvelle charte ayant aboli toute restriction à la liberté d'expression, il refusa désormais de soumettre ses productions théâtrales au moindre contrôle. Ce fut pour lui un argument en faveur du choix de la Porte-Saint-Martin qui, totalement privée et sans subvention, pouvait mieux résister aux pressions gouvernementales. Il exige cette mention dans son traité avec le théâtre ; revenu à la Comédie-Française, il refuse de faire lire *Le roi s'amuse* aux autorités officielles. Même après 1835, quand la censure est rétablie légalement, il refuse de s'y soumettre : il n'y a aux Archives Nationales aucun procès-verbal de censure, ni pour *Ruy Blas,* ni pour *Les Burgraves*. En avance ou en rupture avec ses contemporains, Hugo affirmera toujours l'illégalité de toute censure : c'est ce qu'il plaidera en décembre 1832, à la différence de son avocat libéral, Odilon Barrot. Dès 1831, quand les auteurs dramatiques cherchent un compromis rétablissant, pour éviter les interdictions après coup, plus dommageables, une sorte de censure volontaire, Hugo refusera toujours de joindre sa voix à ses confrères, même libéraux, un Casimir Delavigne, un Alexandre Dumas. Sur le terrain de la censure, Hugo est irréconciliable. Attitude raide, inflexible, qui ne lui vaut pas que des amis auprès des écrivains et des gens de théâtre, plus souples. Hugo fait cavalier seul.

Hernani

L'histoire d'*Hernani* est celle d'une bataille, et si l'on ose dire d'un roman à épisodes.

Premier chapitre : Hugo écrit Hernani. — D'une certaine façon l'écriture d'*Hernani* avant d'être une action est une réaction ; le poète voit parfaitement, devant l'attitude du ministère Polignac, l'inutilité d'une bataille pour *Marion de Lorme*. Combattre pour le théâtre nouveau, cela ne saurait être cette escarmouche d'arrière-garde. Une seule solution, écrire une autre pièce. Quelques précautions : transporter la scène de France en Espagne, ne plus viser censément un roi, mais un empereur. Hugo ne met guère de temps à trouver un sujet que peut-être il avait déjà, mais qu'il n'avait pas même esquissé ; une preuve : il emprunte à la Bibliothèque Royale, le 27 août, deux semaines après l'interdiction, les quatre ouvrages dont il a besoin pour sa documentation. Deux jours plus tard, il commence la rédaction de la pièce, qu'il termine le 24 septembre.

Le 30 septembre, comme pour *Marion*, et avec à peu près la même assistance, il lit *Hernani* chez lui. Cette fois, pas de proposition des autres théâtres, puisqu'il est déjà entendu que devant l'interdiction de *Marion* et le désappointement des sociétaires de la Comédie (Mlle Mars en tête, qui tenait au rôle de *Marion*) la première pièce serait pour eux. Hugo, le 5 septembre, lit sa pièce au Théâtre-Français, qui la reçoit « par acclamation ». Autrement dit, il n'y a pas eu de vote.

A ce moment de l'histoire du drame romantique, la Comédie est bien disposée pour lui. Le commissaire royal Taylor est pour le drame nouveau qui donnera de l'air à une maison un peu confinée. Les comédiens français en ont assez de jouer devant des banquettes vides des tragédies anciennes et nouvelles dans des décorations éculées et avec des recettes de 200 ou 300 francs. Le drame historique, ce sont des décors luxueux et neufs (Ciceri), et c'est un succès de public ; témoin le triomphe du *Henri III* de Dumas (11 février 1829).

La presse annonce la pièce sous le titre *La jeunesse de Charles-Quint,* premier volet d'une trilogie.

La distribution semble n'avoir guère posé de problèmes, et Hugo eut la meilleure équipe possible, le plus solide de la troupe, Mlle Mars pour Dôna Sol, Firmin pour Hernani, Michelot (Don Carlos), Joanny, le vétéran (Don Ruy Gomez) ; les plus brillants (Geoffroy, Samson, Mlle Despréaux) avait tenu à honneur d'y figurer dans de petits rôles. Hugo ne pouvait pas se plaindre et ne se plaignait pas.

Chapitre deux : la censure. — Ce n'était pas gagné ; il restait la censure. Hugo ne pouvait y échapper. Mais la censure de *Marion* avait fait un petit scandale, Hugo s'était démené comme un beau diable. Le censeur Brifaut, auteur dramatique sans éclat, préféra s'entourer de garanties : c'est une équipe qui jugea *Hernani*, MM. Brifaut, Chéron, Laya et Sauva[11]. Trois sur quatre sont des auteurs sans gloire ; le rapport, daté du 23 octobre, et qui qualifie le drame de « tissu d'extravagances », conclut cependant : « Toutefois, malgré tant de vices capitaux, nous sommes d'avis que non seulement il n'y a aucun inconvénient à autoriser la représentation de cette pièce, mais qu'il est d'une sage politique de n'en pas retrancher un seul mot. Il est bon que le public voie jusqu'à quel point d'égarement peut aller l'esprit humain affranchi de toute règle et de toute bienséance. »

On voit sans doute possible que la censure comptait sur la bataille : elle n'interdisait pas, elle voulait que le public se révolte et condamne la pièce.

Les censeurs, Brifaut en tête, s'emploient activement à préparer l'opinion. En attendant, il faut obtenir immédiatement un certain nombre de corrections ; le baron Trouvé[12] rédige une note à l'intention de Hugo : « Malgré l'avis de la Commission qui veut qu'on livre au public cette pièce telle qu'elle est, on pense qu'il convient d'exiger :
1° le retranchement du nom de *Jésus* partout où il se trouve ;
2° à la page 27 et 28 de substituer aux expressions insolentes et inconvenantes : Vous êtes un lâche, un insensé..., adressées au roi des mots moins durs et moins pénétrants ;
3° à la page 28, dans le même sens, ce vers doit être changé : Crois-tu donc que les rois, à moi, me sont sacrés ? [...] »

Suit une série d'autres demandes. Cette note ouvre une série de tractations dont nous ne savons pas tout, mais dont la première édition porte les traces convaincantes. Hugo discute, pied à pied. Une dernière lettre du baron Trouvé à Hugo lui permet, comiquement de « laisser subsister sur le manuscrit visé les expressions suivantes adressées à Don Carlos : *lâche, insensé, mauvais roi.*

Tout ceci n'est que la partie visible de l'iceberg de la censure ; Brifaut se permet, — ce qui lui est strictement interdit de par la déontologie du censeur, de communiquer aux salons et aux journaux des vers, des tirades entières dont ils s'empressent de faire des gorges chaudes. Un bouche à oreille agressif s'installe. Hugo proteste dans une lettre au comte de Montbel, ministre de l'Intérieur : « [...] La censure, qui est une vexation odieuse pour toutes les écoles, est pour nous, hommes de la liberté dans l'art, quelque chose de pire encore, un piège, une embûche, un guet-apens [...] Or depuis qu'*Hernani* a été communiqué à la censure voici ce qu'il advient. Des vers de ce drame, les uns à demi travestis, les autres ridiculisés tout entiers, quelques-uns cités exactement, mais artistement mêlés à des vers de fabrique, des fragments de scène enfin, plus ou moins habilement défigurés et tout barbouillés de parodie, ont été livrés à la circulation [...] Cette pièce qu'ils ont prostituée à leur journaux, les voilà qui la prostituent à leurs salons » (5 janvier 1830). Brifaut passe aux aveux dans deux lettres que nous possédons ; mais il tient ce type de divulgation et de moquerie pour péché véniel, et tout compte fait, permis.

Bref, Hugo sait qu'une cabale est en cours, il le dit à ses amis ; Nodier le confirme dans une lettre à Lamartine du 11 janvier 1830. Aux ultras scandalisés par la façon dont la royauté est traitée, s'allient les libéraux, résolument classiques.

Chapitre trois : Hugo déclare la guerre. — Devant l'offensive larvée qui touche une pièce que tout le monde en fait ignore puisqu'elle n'a pas été jouée, Hugo contre-attaque : et il le fait à sa manière rude et raide. Il écrit pour les *Poésies,* de Charles Dovalle, un poète tué en duel à 22 ans une *Lettre-préface* qui paraît — est-ce un hasard ? — trois jours avant la première d'*Hernani* (22 février). Hugo y annonce avec éclat sa conversion au libéralisme, mais il le fait en des termes tels qu'il ne peut que braquer tous ceux des libéraux dont les choix esthétiques sont faits :

« Ce mouvement [le mouvement romantique], affirme-t-il, [...] n'est qu'un corollaire immédiat de notre grand mouvement social de 1789. C'est le principe de liberté qui [...] vient renouveler l'art comme il a renouvelé la société. » Il ose une exaltation de la Révolution : « [...] La liberté d'un grand peuple qui éclôt géante et écrase une Bastille à son premier pas, la marche de cette haute république qui va les pieds dans le sang et la tête dans la gloire, sans doute ce spectacle, quand la raison nous montre qu'après tout et enfin, c'est un progrès et un bien, ne doit pas inspirer moins de joie que de tristesse. » C'est mettre le feu aux poudres d'autant que Hugo ajoute fermement : « La liberté dans l'art, la liberté dans la société, voilà le double but auquel doivent tendre d'un même pas tous les esprits conséquents et logiques. » Qui douterait des liens d'un tel texte avec *Hernani* peut se souvenir que la dernière page de cette préface (dans laquelle figure la dernière phrase) est reproduite telle quelle dans la préface d'*Hernani* (9 mars 1830).

La bataille devrait être claire, et la cause d'*Hernani* celle du libéralisme politique et littéraire. Il n'en est rien et les camps sont singulièrement emmêlés.

Dans le camp romantique, il y a des monarchistes et il y a des libéraux ; et d'autres qui jugent insatisfaisantes les positions politiques des uns et des autres.

Que les ultras soient furieux devant la trahison du jeune monarchiste Victor Hugo, même s'ils ont tout fait pour amener cette défection, rien de plus naturel. Mais les libéraux ? Ils sont en grande majorité classiques pour des raisons complexes ; d'abord leur tradition littéraire au théâtre c'est la tragédie voltairienne ou post-voltairienne, et Casimir Delavigne correspond à leur idéal infiniment mieux qu'un Hugo ; la tragédie est le genre théâtral qui supporte le mieux les *allusions* politiques (« la misérable allusion » dit Hugo) ; ensuite, les libéraux, expression de la grande bourgeoisie d'affaires, que la monarchie absolue gêne, et qui va régner sous Louis-Philippe (et plus encore sous Napoléon III), se sentent les héritiers du grand siècle classique ; ainsi raisonne un Désiré Nisard ; enfin, ils considèrent que la conquête des libertés est achevée (de la plus importante pour eux d'abord, la liberté du commerce et de l'industrie) et que la liberté de l'art est inutile, sinon nuisible, anarchique. Ce que dit Armand Carrel leader du parti libéral, on ne peut plus clairement dans ses trois articles de mars 1830, à propos d'*Hernani (Le National)* : « Ce peuple est vraiment bien étonnant. Que tout le monde se soit ému il y a quarante ans pour obtenir des libertés qui devaient être à l'usage de tout le monde, à la bonne heure ; et il n'est personne du moins, aujourd'hui qui, pour sa part n'ait gagné à ce qu'il n'y ait plus de dîme, de corvées, de droits féodaux, de Châtelet, de Bastille, de lettres de cachet, de lit de justice. Chacun va, vient à peu près comme bon lui semble ; écrit, lit, pense, croit ou ne croit pas, selon qu'il lui plaît, et rien de tout cela ne se pouvait sous l'ancien régime. Mais qu'est-ce que la liberté dans l'art, la révolution dans les formes littéraires ajouteront à la liberté et au bien-être de chacun. » Texte essentiel pour comprendre la nature des refus que l'on oppose à Hugo ; outre le fait que la liberté telle que la voit Carrel est purement formelle (pour lire ce qu'on veut, dira Hugo, encore faut-il savoir lire). Mais surtout on entend ici ce qui fait le plus horreur à Hugo, le philistisme de la bourgeoisie, pour qui l'*art ne sert à rien* à la liberté ou au bien-être de chacun. Thèses qu'il attaque sans relâche par sa théorie et surtout par sa pratique, en particulier théâtrale.

On comprend la fureur des libéraux contre Hugo, ce gêneur, cet empêcheur de danser en rond, qui a le front de se dire libéral, et qui ce faisant réclame ces choses impensables que sont l'abolition de la peine de mort et la liberté *totale* des arts et des idées. Et c'est justement ce dernier point qui stimule la jeunesse et tout particulièrement les artistes. C'est eux qui veulent faire leur art, leur littérature, ceux d'aujourd'hui, non ceux d'hier ; c'est cette jeunesse qui va s'engager fougueusement dans la bataille : ce combat est son combat.

De là le curieux paradoxe politique : les libéraux sont classiques et marquent fortement le divorce entre l'art et la politique ; mais quoiqu'il en soit, une bataille littéraire et artistique de cette importance ne peut que déstabiliser un gouvernement déjà fortement impopulaire, déjà ennemi des libertés. Et peut-être n'est-il pas sans intérêt de rappeler que si *Hernani* ne joua dans la chute de Charles X qu'un rôle modeste ou nul, cette chute n'en eut pas moins pour origine une ordonnance sur *la liberté de la presse*.

Tout le public entendit la pièce comme un plaidoyer pour la liberté, pour les libertés, non seulement publiques, mais aussi privées, et d'abord, avant tout peut-être, la liberté d'aimer. Si de loin la lutte paraît confuse, si elle est politiquement

Hernani. Comédie-Française, 1830
*Joanny
« Journal théâtral particulier » :* 1830 (cat. 372)
B.N., Arts du spectacle

confuse, les combattants eux, savaient bien ce qu'ils faisaient et ce qu'ils voulaient. Dès cet instant, Hugo est un drapeau, et il attire tous les coups, comme à plaisir.

Chapitre quatre : Les comédiens. — Les comédiens entrent en lice. Alexandre Dumas (qui avait des comptes personnels à régler) et Adèle Hugo qui le suit ont sans doute exagéré la mauvaise volonté des acteurs. Mais cette mauvaise volonté est réelle et explicable. D'abord les acteurs et surtout ceux du Théâtre-Français, qui jouent beaucoup de pièces diverses, ont un code de jeu et s'y tiennent, ils souffrent à changer leur style, ce qui leur est nécessairement demandé par un drame romantique. D'autant qu'ils savent bien qu'ils vont retourner le lendemain à des œuvres plus convenues. Enfin et surtout les comédiens sont gens sensibles, vulnérables, extraordinairement fragiles devant les assauts de l'opinion. Or l'opinion, qu'est-ce pour eux ? Les autres comédiens, ceux qui ne jouent pas dans *Hernani* et qui ne sont pas contents d'être exclus de la production nouvelle, ceux des autres théâtres qui voudraient bien garder pour eux le genre nouveau ; les critiques, tous hostiles, enfin le cercle des auteurs dramatiques, pour des raisons évidentes. Sur ce dernier point, c'est tout l'appareil du théâtre qui subit sans résistance l'assaut : les sociétaires, le commissaire royal, les « claqueurs », tout ce monde-là aura affaire le lendemain à Jouy, Jay, Casimir Delavigne, Scribe. Bref, c'est tout le théâtre, comédiens en tête, qui est faible devant l'assaut de ce petit monde bien parisien, qui est le leur.

Dans cette bataille, la plus résistante est Mlle Mars ; d'abord elle est la moins exposée, elle est l'« astre de la Comédie », la seule à « faire recette » ; elle ne risque rien. Mais aussi c'est elle qui, du haut de ses cinquante ans, a le plus d'expérience : elle sait ce qui va être « emboîté », c'est-à-dire sifflé (on siffle au XIXᵉ siècle). Et sa position même fait qu'elle peut avertir les auteurs, ou même leur tenir tête. Ce qu'elle fait avec Hugo : elle réclame contre « mon lion superbe et généreux » ; de son point de vue elle n'a pas tort ; elle réclame contre la longueur des tirades, et du point de vue des habitudes du public elle a raison. Elle est sans doute acide, quelque peu « rèche », mais elle est aussi « le plus honnête homme du monde », comme le dit Alexandre Dumas, quand il s'agit de défendre l'œuvre dans laquelle elle est engagée, imperméable aux sifflets et travaillant jusqu'au dernier jour.

Et puis Mlle Mars est infiniment utile au drame romantique : la pureté de sa diction, sa réserve, l'intensité intérieure de son jeu servaient admirablement la puissance affective des héroïnes de Hugo (autant qu'on en peut juger, cette actrice exceptionnelle ressemblait à Madeleine Renaud). Parmi les autres, Hugo peut

Hernani. Comédie-Française, 1830
Maleuvre
Mlle Mars (Dona Sol)
Paris, M.V.H.

Alexandre Lacauchie
M. Michelot (Don Carlos)
Paris, M.V.H.

compter sur l'appui indéfectible de Joanny (Ruy Gomez), « romantique » ; les autres sont plus incertains, mais non pas vraiment hostiles à une pièce qui leur vaut aussi du succès et de l'argent[13].

Quant à la mise en scène, Hugo ne peut pas se plaindre : Taylor, très favorable à ce sang nouveau dans la Comédie, ne lésine pas sur les décors et sur les costumes ; lors de la discussion sur la subvention, on le lui reprochera amèrement. Mais dès avant la représentation, les journaux *(Le Corsaire, Le Courrier des Théâtres)* se déchaînent contre les dépenses exorbitantes. En particulier, les costumes sont somptueux, changent plusieurs fois au cours de la pièce, et Ciceri construit pour le tombeau de Charlemagne un énorme décor architecturé. On ne sait ce qu'il faut penser de tant de luxe, s'il n'écrase pas la force des sentiments, faisant paraître le drame emphatique ; ce qu'il y a de sûr c'est qu'il donne des arguments à tous les adversaires dont le principal argument est le suivant : le théâtre romantique est un théâtre pour l'œil seul, non pour la pensée.

Reste une épineuse question, celle de la « claque ». Si bizarre que cela paraisse aux spectateurs du XXᵉ siècle, la « claque » est nécessaire au XIXᵉ siècle ; une pièce, sans elle, peut être prise à partie par un tout petit groupe de gens malintentionnés, et absolument détruite par les sifflets. Il faut donc une troupe de manœuvre et de défense. Or, Hugo ne peut compter sur la claque : elle est « classique », habituée à

Hernani. Comédie-Française, 1830
Achille Devéria
Mort d'Hernani : Acte V, sc. 6
Paris, M.V.H.

Louis Boulanger
Acte II, scène 2
Gravure de l'éd. Renduel, 1836
Paris, M.V.H.

* Léger et P. L. Ch. Cicéri
Décor de l'acte IV (cat. 374)
Paris, M.V.H.

servir ses auteurs classiques, et peu disposée à essuyer l'ire de ses clients habituels.

La solution pour Hugo, c'est la présence de la jeunesse ; seuls ses jeunes amis, artistes, littérateurs, et comme il le dira « la généreuse jeunesse des écoles peut aider au triomphe d'*Hernani* ». Taylor le comprend ; il n'y aura pas de claque, mais des invitations, beaucoup d'invitations, les invités étant répartis et organisés avec autant de discipline qu'une armée ou... que la claque payée.

Chapitre cinq : La bataille sur le terrain. — Si les adversaires fourbissent leurs armes, Hugo ne reste pas inactif. Il regroupe ses partisans. Adèle Hugo raconte[14] : « Toute la jeunesse, littérateurs, peintres, musiciens, sculpteurs, tout ce qui pense, vit dans l'art, affluait chez Victor Hugo pour obtenir d'assister à la première représentation de la pièce. Parmi cette jeunesse, plusieurs jeunes gens étaient liés avec l'auteur d'*Hernani*. C'étaient Gautier, Boulanger, Gérard de Nerval, Nanteuil, les

*Les classiques à la représentation d'*Hernani
Paris, M.V.H.

J. J. Grandville
*Les Romains échevelés à la première représentation d'*Hernani
In Louis Reybaud, *Jérôme Paturot,* Paris 1846
Paris, M.V.H.

Les Classiques
à la représentation d'Hernani.

trois Borel, Eugène et Achille Devéria, Édouard Thierry, Châtillon, son ami Bonhomé, Emmanuel Arago, Gustave Planche[15], le jeune Ernest de Saxe-Cobourg (...), un jeune peintre d'avenir, nommé Achille Roche (...). Beaucoup d'autres, inconnus, mais dévoués aux idées. Victor leur dit : '' Je remets ma pièce entre vos mains, entre vos mains seules. La bataille qui va s'engager à *Hernani* est celle des idées, celle du progrès. C'est une lutte en commun. Nous allons combattre cette

Marion de Lorme. Porte-Saint-Martin, 1831
*Louis Boulanger
La litière du cardinal : Acte V, sc. 7 (cat. 379)
Paris, M.V.H.

vieille littérature crénelée, verrouillée. Saisissons-nous de ce drapeau usé, hissé sur ces murs vermoulus, et jetons bas cet oripeau. Ce siège est la lutte de l'ancien monde et du nouveau monde, nous sommes tous du monde nouveau. '' »

Hugo restera ferme sur ce point ; il tiendra toujours que c'est l'union de la jeunesse qui a rendu possible la (relative) victoire d'*Hernani*. En 1832, avant la représentation du *Roi s'amuse,* Taylor déclare au poète : « Vos amis vous ont fait grand tort : *Hernani* n'a été attaqué qu'à cause de vos amis. Ils ont indisposé le public. » Hugo répond : « Sans mes amis la pièce serait tombée. C'est à eux, à leur courage, à leur persistance que je dois le succès d'*Hernani*. C'est eux qui m'ont ouvert ma carrière dramatique.[16] »

On sait que la première représentation (25 février 1830) donna lieu à des incidents drôlatiques : les jeunes gens, que l'on avait contraints d'entrer quatre heures d'avance, mangèrent, burent, chantèrent... et pissèrent, les « lieux » étant encore clos. Après quoi, si les « hordes » chevelues, à gilets rouges (celui de Théophile Gautier est resté légendaire), négligèrent par ignorance de saluer de bravos Mlle Mars à son entrée, ils se rattrapèrent pour la suite, et emportèrent une victoire sans conteste. La première d'*Hernani* fut un triomphe sans conteste. Succès personnel de Mlle Mars radieuse de jeunesse et de fraîcheur malgré ses cinquante ans, de Joanny, de Firmin malgré son jeu saccadé, de Michelot qui réussit à faire applaudir son monologue.

Les adversaires préparaient leur contre-attaque.

Chapitre six : L'assaut de la critique. — Sauf *Le Globe,* toujours Hugolien depuis *Cromwell* et le *Journal des Débats* (vu l'amitié de Hugo avec la famille des directeurs), tout le reste de la presse est défavorable, ce qui est pour le moins étonnant. Au reste presque tous ceux dont l'avis est négatif n'en reconnaissent pas moins à l'œuvre nouvelle des « beautés ». *Le Globe* (Charles Magnin) ne consacre pas moins de 5 articles à *Hernani* (26 et 28 février, 1er, 12 et 29 mars) ; le premier est dithyrambique : « *Hernani* a obtenu un succès complet, un succès mérité. Grandeur et profondeur de pensée, poésie lyrique admirablement mêlée au drame, intérêt un peu romanesque, mais vif et pressant, vers souvent de facture cornélienne, le public a tout senti, tout écouté, tout applaudi. » Le critique se dit « ébloui de tant de beautés » et annonce « le triomphe de M. Victor Hugo ». Le surlendemain, le ton a baissé, preuve de la pression exercée par les adversaires ; il signale les « réclamations de l'opposition » : « Il faut le dire, ces réclamations ont rarement été injustes. » Et Ch. Magnin ajoute : « L'œuvre d'un homme comme M. Hugo doit exciter une controverse sérieuse. Il le faut pour l'art et l'avenir du poète. Excès de force et de grandeur, proportions colossales, confusion du roman vulgaire et du fantastique le plus colossal ; du coloris quelquefois le plus riche et le plus harmonieux, et quelquefois mêlé et heurté... Mais partout il faut reconnaître l'originalité et la puissance. » C'est ce qu'on ne dispute point à Hugo, malgré la virulence des critiques.

Ainsi la *Revue française* de mars 1830 admire « la franche audace de l'entreprise », même si elle considère que « ce bras si puissant, si athlétique frappe ordinairement à faux ». *Le Correspondant* du 16 avril félicite Hugo d'innover par la profondeur de la réflexion historique, « même s'il n'est pas encore parvenu à la '' raison adulte ''... » Le même *Correspondant* remarque que le drame de Hugo est d'*imagination :* « Le drame d'*Hernani* est une innovation dans notre système dramatique en ce qu'il tente de nous intéresser par l'imagination. » Ce que dit aussi *Le Globe,* qui remarque « la raison s'est mise en révolte (...) contre cette œuvre à la vérité peu raisonnable. (...) Le style (...) est tout aussi peu vraisemblable que la fable ». Mais Ch. Magnin ajoute : « L'imagination y domine. »

Ce qui n'empêche pas les critiques de regretter l'esprit de système de Hugo — reproche que l'on n'a pas fini d'entendre. Les *Débats* (27 février) remarquent le « système aventureux dans lequel *[Hernani]* a été composé ». *Le Correspondant* affirme « M. Hugo a un système » et pour Philarète Chasles (*Revue de Paris,* mars 1830) : « Quelque chose de systématique, d'exagéré, de tendu, de contraint, se mêle à tous ces efforts. »

Les reproches les plus pervers sont ceux qui accusent Hugo de manquer l'idéal romantique ; pour *Le Temps* (7 mars) Hugo ne réussit pas à trouver le *naturel* et pour Philarète Chasles (art. cité), Hugo n'est pas sorti de la tragédie : « Il ne l'a point changée, il l'a multipliée par elle-même. »

Quant aux pures et simples injures, elles sont innombrables ; les organes ultras sont déchaînés : pour *Le Drapeau Blanc* du 26 février : « *Hernani*, le chef-d'œuvre de l'absurde, *Hernani* le rêve d'un cerveau délirant, a obtenu un succès de... frénésie. » Hugo fou, c'est une antienne que l'on chantera encore. Pour la *Gazette de France* du 27 février, Hernani offre « une fable grossière, digne des siècles les plus barbares » ; après son résumé l'article poursuit : « Je n'ai pas donné la centième partie de ce que ce drame renferme de barbare, de trivial, et de révoltant par l'étrangeté de l'expression. » L'expression, le style sont l'objet de toutes les attaques. Il n'est pas jusqu'à Balzac qui, dans le *Feuilleton des Journaux Politiques* du 7 avril, ne fasse chorus.

Beaucoup de journaux reprochent aux jeunes romantiques la violence de leur approbation. Ainsi dans *Le National* du 8 mars, Armand Carrel affirme que « M. Hugo et ses amis ne se sont guère trouvés qu'en présence d'eux-mêmes ». C'est ce que dit, peu ou prou, toute la presse à propos de la première représentation.

Les journaux sont unanimes à louer la beauté de la mise en scène ; ainsi *Le Moniteur* du 27 février constate « le succès *étourdissant* d'un ouvrage monté avec un soin admirable, avec une grande richesse de décors et de costumes ». Et les acteurs sont généralement admirés : Mlle Mars fait l'unanimité, Philarète Chasles la voit « sublime et naïve » ; « toutes les ressources d'une grande tragédienne » disent les *Débats* du 27 février. On reproche à Firmin un jeu excessivement nerveux et saccadé.

S'il fallait montrer par une formule l'attitude générale de la presse ce serait une phrase de Philarète Chasles qui donnerait le ton : encore un certain respect pour le courage et l'originalité de Hugo, au milieu même des attaques : « Cette œuvre peut être incomplète en • elle-même, fausse sous quelques rapports, dangereuse d'exemple ; mais au milieu de ces produits niais, dont toutes les vieilles littératures sont encombrées, au milieu de ces copies de copies, c'est plaisir de voir une intelligence confiante en sa force se déployer nue à ses risques et périls. »

Chapitre sept : La fin. — La vraie bataille commence à la seconde représentation. Les adversaires se sont repris, concertés, Taylor a compris, il donne à Hugo des billets pour ses amis, presque jusqu'aux dernières représentations. Certains assistèrent à toutes.

Ce fut un déchaînement inimaginable ; et les acteurs furent héroïques. Rires, sifflets, coups de poings ; certains étalent leur journal, d'autres sortent en hurlant. Mlle Mars reste impavide dans la bataille. Le journal de Joanny est le témoignage direct de comportements incroyables.

Et cela malgré de grands adoucissements dont la première édition d'*Hernani* (paru le 8 mars, chez Mame) porte la trace : une véritable castration ; Mlle Mars gagne et dit : « Vous êtes mon seigneur vaillant et généreux » ; le monologue de Don Carlos est terriblement raccourci, épluché de ses traits les plus vifs. Il n'empêche : Émile Deschamps écrit à Hugo le 2 mars une lettre très intéressante[17] où il lui indique une série de suppressions et de corrections ; de l'intérieur même du camp romantique on appelle aux concessions : supprimer des portraits, biffer *de ta suite j'en suis,* sacrifier *quelle heure est-il ?* laisser tomber *vieillard stupide ;* il y a trop de *bourreau,* trop de *mon prisonnier !* Au reste ces adoucissements que réclame Deschamps, les comédiens, sans rien demander à personne, les font d'eux-mêmes. Peine perdue ! l'adversaire ne désarme pas.

Extraits du journal de Joanny : « 1er mars. — La lutte continue. Ce qu'il y a de mieux, c'est que cela attire beaucoup de monde. 3 mars. — Une cabale acharnée. Les Dames de haut parage s'en mêlent. » Le 5, le 6 et le 8 mars, Joanny s'étonnent de l'affluence... et des sifflets ; du 8 cette note : « Ils viennent siffler *Hernani,* mais ils viennent ; si l'on jouait Cinna, il n'y aurait personne. » « 10 mars. — Encore un peu plus fort... coups de poing... interruption... police... cris... arrestations... bravos... sifflets... tumulte... foule. » Du 20 mars : « Le scandale continue plus fort que jamais » et du 2 avril : « Toujours la même chose. » Seule une présentation pour les élèves des lycées (12 avril) se passe sans accroc.

Heureusement, il y a la recette. L'argent protège *Hernani.* Les recettes sont exceptionnelles, surtout pour la Comédie-Française : la première, malgré les invitations, avait fait 5 134,20 F de recette, *Phèdre* la veille 496,30 F et Pourceaugnac le lendemain, glorieusement 465,30 F.

Voici les chiffres d'Hernani, tels que les donne le registre de la Comédie :

25	février	5,134 20	12	—	3,477 50
27	—	4,143 70	13	—	3,265 50
1er	mars	2,963 85	15	—	2,274 40
3	—	4,433 00	17	—	2,294 15
5	—	4,712 90	20	—	2,424 30
6	—	2,783 30	22	—	2,427 60
8	—	4,086 30	24	—	2,624 90
10	—	4,025 80	24	mai	3,307 50
12	—	4,376 70	26	—	2,985 30
15	—	4,907 80	28	—	2,873 50
17	—	4,043 20	1er	juin	1,344 85
18	—	3,228 30	3	—	1,271 40
20	—	3,537 80	5	—	1,505 00
22	—	2,973 90	11	—	3,282 30
24	—	3,241 40	18	—	2,425 70
26	—	3,828 20	22	—	1,045 50
29	—	2,882 65	11	août	1,007 70
31	—	2,350 80	16	novembre	1,129 80
2	avril	2,871 40	21	—	1,474 45
4	—	2,993 80			

L'argent arrive à flot. Personne ne peut dire qu'*Hernani* coule la Comédie. Pourtant le théâtre met une infinie mauvaise volonté à reprendre *Hernani* après les journées de Juillet quoique la lutte ait beaucoup baissé d'intensité.

La bataille d'*Hernani* fut à la fois gagnée et perdue. Gagnée : la pièce à peu près bien jouée attirera toujours les foules. Bataille perdue : d'elle date une certaine forme de mépris pour Hugo homme de théâtre ; les doctes le refusent ; et dès cet instant la presse essaie ses arguments, fourbit ses armes ; on se divise la besogne : aux ultras les arguments moraux : le théâtre de Hugo est immoral, ses personnages sont des bandits et des prostituées. Les libéraux se réservent le volet esthétique : Hugo, c'est la décadence, la barbarie, par rapport à la beauté classique. Les uns et les autres ricanent ; un ricanement qui ne s'arrêtera plus, tandis que les gens viennent en foule, parce qu'ils aiment. Mais ceux qui aiment n'ont pas d'arguments : ils aiment et voilà tout ; même les critiques favorables n'ont pas de références, ne savent à quoi rapporter ce qu'ils voient et entendent.

Un témoignage de la popularité d'*Hernani :* les parodies. Elles se multiplient : le 12 mars à la Porte-Saint-Martin, *N, I, NI ou le danger des Castilles,* amphigouri romantique en cinq tableaux et en vers, par Dupeuty, Carmouche et de Courcy. Le 16, c'est, au théâtre de la Gaîté : *Oh ! qu'nenni ou le mirliton fatal,* par Brazier et Carmouche. Le 23 mars, au Vaudeville, *Harnali ou la contrainte par cor,* d'Auguste de Lauzanne. Aux Variétés, *Hernani* « imitation burlesque ».

Réactions des contemporains. — On a vu Balzac écrire le pire article contre *Hernani.* Stendhal, le romantique libéral, malade, écrit le 1er mars : « Le vin de Champagne et *Hernani* ne m'ont pas réussi. » Le 9 mars, Lamennais, lui, fait l'éloge d'*Hernani.* Et Sainte-Beuve ? Il envoie à son ami Saint-Valry des bulletins de victoire (8 et 11 mars), mais sollicité par le directeur Véron, il refuse de faire un article dans la *Revue de Paris* : « Je suis, écrit-il à Hugo, blasé sur Hernani. » Et il en donne la raison, qui n'est pas littéraire : « votre vie à jamais en proie à tous [...] Bonaparte consul m'était bien plus sympathique que Napoléon empereur ». Première fêlure.

A la bataille d'*Hernani,* quelque chose s'est passé et Gautier dans ses *Souvenirs romantiques* rappelle étrangement : « Nos poésies, nos articles, nos livres seront oubliés ; mais on se souviendra de notre gilet rouge. Cette étincelle se verra encore lorsque tout ce qui nous concerne sera depuis longtemps éteint dans la nuit » (écrit le 23 octobre 1872, quelques jours avant sa mort).

Il reste un mystère : pourquoi la haine contre Hugo, pourquoi l'acharnement contre une œuvre où ne se lit aucun fanatisme politique et dont les outrances littéraires sont douces :

« On entendit un roi dire : *Quelle heure est-il ?* »

Les reprises d'*Hernani*

Devant la mauvaise volonté du Théâtre-Français, Hugo, dont la *Marion* a été reçue en août 1829, va porter sa pièce à la Porte-Saint-Martin. Évidemment, le théâtre ne joue plus *Hernani,* pas plus qu'après l'unique représentation du *Roi s'amuse,* Hugo étant alors en procès avec la Comédie. Mais ces brouilles ne durent pas : en 1834, il signe un traité avec les Comédiens français, pour *Angelo* et stipule que le théâtre doit reprendre *Hernani* (et *Marion*). Ce que ne fait pas la Comédie, pour des raisons complexes ; Jouslin, bien disposé pour Hugo et pour le romantisme, est très attaqué. Tout le camp des auteurs est contre lui. Et il y a plus : le triomphe du *Don Juan d'Autriche* de Casimir Delavigne (19 octobre 1835), pâle décalque d'*Hernani* : on ne peut pas jouer les deux pièces côte à côte. Mais ce n'est pas la seule raison *(v. infra, Le procès).* Il faut la défaite de la Comédie dans son procès (avec une astreinte très sévère) pour qu'*Hernani* soit repris en 1838.

Hernani est repris le 20 janvier 1838, avec Marie Dorval dans le rôle de Dôna Sol, Firmin et Joanny gardent leurs rôles de la création et Ligier remplace Michelot dans le rôle de Don Carlos qu'il gardera longtemps. Il y a 12 représentations[18] et le succès est fort honorable, même brillant pour une reprise (de 1 600 à 3 200 F donc toujours bénéficiaire).

Quand Buloz succède à Védel comme commissaire royal (octobre 1838), Buloz qui n'aime pas ce que fait Hugo, mais qui a du bons sens, reprend volontiers *Hernani,* en 1841 (8 fois) avec Beauvallet, cette fois, dans le rôle-titre, Beauvallet acteur qu'aimait Hugo et qui avait été un bel Angelo. La pièce est reprise régulièrement, une fois en 1842, 2 fois en 1843, en 1844 avec Mme Mélingue, en 1845, en 1847, 4 représentations en 1849. Puis après le coup d'État, c'est le silence jusqu'en 1867.

Gautier remarque, dès 1841, que la bataille est finie : « Hernani n'est interrompu aujourd'hui que par les applaudissements » (*La Presse,* juin 1841).

Marion de Lorme jouée

Dès la seconde quinzaine de juin 1830, les comédiens français essaient de se débarrasser de la pièce maudite, *Hernani.* Hugo proteste par deux fois. Il continuera à protester pendant tout l'automne 1830, réclamant du théâtre qu'il continue à jouer *Hernani.* Peine perdue : on ne reprend la pièce que 3 fois après juillet. Or la situation de la Comédie est déplorable à cette date, et même catastrophique : sur deux mois — les mois de la reprise théâtrale, septembre et octobre — seules 25 représentations au-dessus de 1 000 F de recette (les frais font 1 400 F). Or ce sont les représentations où joue Mlle Mars ; 21 font moins de 700 F. Ch. Maurice dans *Le Courrier des Théâtres* du 5 septembre avoue que sans la subvention le théâtre serait déjà mort ; « Tout autre théâtre qui n'aurait pas les ressources pécuniaires que celui-là trouve dans ses antécédents aurait déjà succombé. » On abaissera en avril 1831 le prix des places. Ce n'est qu'un palliatif. Même Ch. Maurice si hostile au drame romantique est obligé de constater que le répertoire est largement responsable : on joue à la Comédie « toutes les vieilleries, toutes les pièces les moins attrayantes » (15 janvier). Bien, mais si l'on joue le drame moderne, c'est la subvention qui est en péril ; que faire ? Hugo et Dumas proposent de prendre à leur compte la Comédie avec une subvention très réduite : le gouvernement leur assurerait pour 54 représentations de classiques à 2 000 F par soirée ; pour le reste, ils se débrouilleraient (février 1831). Cette combinaison pouvait marcher et eût représenté une réelle économie pour les pouvoirs publics. Mais c'était du même coup assurer la part du lion au « drame moderne ». Tollé des ultras et des libéraux, pour une fois réunis.

Cette idée aurait plu à Hugo (lettre à Victor Pavie du 25 février 1831) : « Je n'ai jamais songé à *diriger* un théâtre mais à en *avoir* un à moi. Je ne veux pas être directeur d'une troupe, mais propriétaire d'une exploitation, maître d'un atelier où l'art se cisèlerait en grand, ayant tout sous moi et loin de moi, directeur et acteurs. Je veux pouvoir pétrir et repétrir l'argile à mon gré, fondre et refondre la cire, mais pour cela il faut que la cire et l'argile soient à moi. » Deux illusions dans ces lignes : d'abord l'illusion balzacienne que l'intelligence de l'artiste va lui permettre de suppléer au manque de capitaux : mais l'artiste ne saurait être le maître, seul l'argent est le maître (il le verra bien dans l'aventure du Théâtre de la Renaissance) ; ensuite l'illusion tout aussi perverse que l'on peut diriger une exploitation théâtrale *de loin.* Cela, il ne tardera pas à s'en apercevoir *(v. infra Le roi s'amuse).* Rêves dont Hugo se défera vite. En l'occurrence, le projet Comédie Française ne marche pas[19].

Hugo (et Dumas) ont une solution de rechange : la Porte-Saint-Martin (qui ne

Marion de Lorme. Porte-Saint-Martin, 1831
Alfred Johannot
Marion et Didier : Acte I, sc. 2
Paris, M.V.H.

*Achille Devéria
Marie Dorval dans le rôle de Marion* (cat. 378)
Paris, M.V.H.

demande que cela : sortir du vieux mélo à l'aide de productions vraiment littéraires). Et déjà peut-être vendre le théâtre à Hugo (et à Dumas, associés). Mais le poète ne dispose pas des capitaux. On peut en tout cas accueillir ses pièces. Le contrat intervient le 15 avril ; Hugo est tenu de donner la priorité à la Porte-Saint-Martin pour tout ouvrage dramatique qu'il désirerait voir représenter[20] et il s'engage à fournir deux manuscrits par an. C'est donner pratiquement à la Porte-Saint-Martin l'exclusivité de sa production — en échange d'un avantage que Hugo juge nécessaire, la résistance à la censure. Hugo sacrifie une part (importante) de ses intérêts matériels à un avantage *moral :* il obtient que si la censure est rétablie directement ou indirectement, le directeur annoncera que l'ouvrage de Hugo qu'il va jouer « *n'a pas été soumis à la censure* ».

Cette clause s'inscrit dans la politique générale de Hugo : ne laisser aucune autorité toucher un cheveu de son texte.

Marion à la Porte-Saint-Martin. — Le 2 mai 1831, Hugo fait à ses amis une nouvelle lecture de sa pièce (on sait que Saint-Beuve, cette fois n'en est pas). La lecture au théâtre a lieu, selon toute vraisemblance le 13 mai. N'oublions pas que la pièce a déjà été reçue en août 1829.

La distribution pose quelques problèmes. On sait[21] que Hugo aurait voulu Frédérick Lemaître pour Didier ; il réclame Chéri pour Saverny, rôle typiquement hugolien de grand seigneur bohème. Si l'on ajoute à cela le fait que Hugo fait donner le rôle du Gracieux à Serres, le « compère » de Robert Macaire dans l'*Auberge des Adrets* et dans *Robert Macaire,* on a une idée assez précise de l'esthétique voulue par Hugo pour sa pièce : c'est l'esthétique du grotesque, et c'est un acteur *grotesque,* Frédérick, l'interprète de Robert Macaire, qui aurait dû jouer le plus pur des jeunes premiers romantiques de Hugo, Didier.

En fait c'est Bocage qui jouera Didier, Bocage qui venait d'être Antony, le rôle-titre de la pièce de Dumas[22], Bocage, vrai jeune premier dramatique, sans trace de grotesque ; mais c'est tout de même le fantaisiste, élégant et bohème Chéri qui joue Saverny, et Serres le Gracieux. Solution mixte, insuffisamment cohérente.

En revanche c'est Marie Dorval qui jouera Marion, Dorval la plus grande actrice de son temps avec Mars. Hugo exige Gobert pour jouer Louis XIII ; Gobert avait déplu à Crosnier, mais Adèle Hugo raconte comment Hugo exige et obtient l'acteur qu'il veut : le droit à la distribution est pour lui essentiel. Et il était piquant de faire jouer le roi faible par l'acteur qui venait d'être Napoléon[23].

Hugo modifie son texte pour la Porte-Saint-Martin, ses interprètes et son public différents. Il ajoute, dans l'acte IV un développement pour servir le pathétique de Dorval ; dans l'acte V, il fait passer en première position la séquence « populaire » des ouvriers, et surtout il adoucit (pour ne pas dire il édulcore) son dénouement. Déjà en 1829, Mérimée lui avait conseillé de laisser Didier pardonner à Marion ; cette fois c'est Dorval sensible aux réactions prévisibles du public qui lui fait la même demande. Hugo cède : le dénouement reste aussi tragique, mais devient sentimentalement moins dur. Sainte-Beuve en avait dit autant au poète.

D'après une lettre de Crosnier (le directeur), Hugo aurait fait le projet des costumes et donné pour les décors des indications précises. Il n'y a pas de bataille ; le public est plutôt favorable sans être très chaleureux. La pièce ne comporte pas les audaces d'*Hernani,* le climat politique n'est plus le même, et surtout, les uns et les autres considèrent que le drame de Hugo est à sa vraie place, au boulevard. Le scandale, c'est le drame romantique au Théâtre-Français, mais s'il est joué sur une scène sans subvention, c'est aux risques et périls des uns et des autres.

La première a lieu le 11 août. Il semble que l'interprétation n'ait pas été à la hauteur ; même Dorval qui n'était pas à l'aise dans les alexandrins, parut quelque peu contractée, sauf au dernier acte ; Bocage était excellent, mais on l'avait déjà vu dans Antony, et il ne variait pas ses effets ; Chéri plut dans le rôle brillant de Saverny. Interprétation moyenne semble-t-il, les rôles secondaires très insuffisants. En revanche la mise en scène proprement dite fit l'unanimité : « Pièce montée avec un soin extrême, richesse des costumes, luxe des décors, beauté des perspectives », dit, le 15 août, *L'Avenir,* favorable. Les plus hostiles ne disent pas autre chose. Mais le rythme d'ensemble était lent, trop lent : spectacle plus qu'action.

Troublée par des contretemps (maladies des interprètes, émeutes du 7 et du 20 septembre), *Marion* fut cependant un succès. Mme Hugo et *Le Courrier des Théâtres* sont d'accord sur ce point : *Marion de Lorme* « fait de l'argent ». Il n'y eut cependant, semble-t-il, que 24 représentations à la Porte-Saint-Martin ; Harel qui avait racheté le théâtre à Crosnier le jour même de la première de *Marion,* mais gardé quelque temps la direction de l'Odéon, donna en décembre 1831 quelques représentations à ce dernier théâtre, avec Lockroy dans le rôle de Didier. Marion paraît le 27 août 1831, éditée (fort mal) par Renduel. Quelques parodies : *Une nuit de Marion de Lorme* de Brazier, Alboize et Dulac, aux Nouveautés, *avant* la première le 17 juillet ; plus drôle, une *Gothon du passage Delorme,* de Dumersan, Brunsweck et Céran, aux Variétés, le 19 août ; et le 29 août au Vaudeville, *Marion-nette,* par Dupeuty et Duvert.

L'accueil. — Tous les thèmes de la critique devant le théâtre de Hugo achèvent de se mettre en place. Articles élogieux et hostiles se répartissent dans tous les secteurs de l'opinion. Confusion que constate *Le Globe* du 6 septembre : « Un journal aujourd'hui est une anarchie vivante ; nul lien n'existe entre ses opinions politiques et ses théories scientifiques ou littéraires ; ainsi *Le Courrier Français* et *Le National* sont des libéraux, des *novateurs,* des *désorganisateurs,* en politique, et en littérature, des hommes du vieux régime, des classiques. *L'Avenir* et *Le Correspondant* sont [...] des défenseurs de la vieille foi et en littérature des romantiques. » Même cela n'est pas vrai à la lettre ; si *L'Avenir* sous la plume de Montalembert fait l'article le plus élogieux, la vieille garde ultra, *La Quotidienne* et *La Mode,* sont très hostiles, à cause de la figure de Louis XIII et de l'« immoralité » de la pièce. *L'Avenir* comme *L'Artiste* (7 octobre) ou *L'Entracte* (13 août) admirent la peinture de l'amour et ses vertus moralisatrices. Mais peindre l'amour, ce n'est pas faire de la psychologie, et on lit *passim* le reproche devenu de rigueur : les personnages hugoliens manquent de « psychologie » ; ce que dit Janin dans le *Journal des Débats* du 4 octobre.

Autre « tarte à la crème » : pas de vérité historique : « Je prendrai Marion de Lorme, je la volerai à l'histoire » dit *Le Figaro* du 13 août. Sur le point de l'exactitude historique, la presse est partagée, les uns voient l'excellence de « la couleur historique générale » (*Courrier des Théâtres* du 16 septembre). D'autres reprochent à Hugo la noirceur des figures de Louis XIII et de Richelieu ; c'est ce que disent également *Le Courrier Français, Le National,* libéraux et *La Quotidienne,* monarchiste. Hugo ne respecte pas nos gloires nationales. Mais *L'Avenir* affirme : « Mannequin royal [...], Louis XIII fait mal de réalité ». Avec le xviie siècle, Hugo se heurte à une sorte de tabou.

Pratiquement tous les articles regrettent non tant le mélange du comique et du tragique que le rire qui ne fait pas rire, le bouffon lugubre et les plaisanteries funèbres de l'Angély et de Saverny. Le grotesque irrite les critiques, ils ne le comprennent pas et la présence suffocante de la mort les déconcerte et leur fait peur : « le plus singulier cliquetis de têtes, de squelettes, de sépulcres et de cadavres qu'on ait jamais entendu » (*Le Corsaire,* 13 août), et Rolle (qui deviendra l'un des grands adversaires de Hugo) écrit avec perspicacité dans *Le National :* « La tirade de Nangis offre un luxe d'hémistiches sur les têtes coupées qui passe toute imagination. »

Le grand reproche fait au drame de Hugo, reproche sans doute lié au grotesque, c'est de manquer d'unité. De la *Gazette de France,* ultra : « En haine de l'unité froide et monotone du drame ancien, M. Hugo est tombé dans la variété désordonnée, anarchique » et dans *Le National,* « un désordre barbare, un inextricable chaos ». Quant au style, on lui reproche d'être heurté, de refuser l'unité, le *legato.*

Une exception, les articles de Nodier dans *Le Temps* du 31 octobre et du 2 novembre : il insiste sur la nouveauté de Hugo, sur le fait qu'il a heurté de front la « phrase » classique, « cet orgueil de la phrase, cette étiquette de la parole, cette aristocratie du verbiage [...] qui nous a rendus si dociles en politique au détestable joug des avocats [...] qui nous a privés du drame naturel et vrai ». Bref Nodier félicite Hugo d'avoir « démocratisé » le théâtre et il ajoute : « Nul classique n'a daigné conduire (le peuple) jusqu'au *proscenium.* » Mais peut-on dire que Hugo mérite vraiment cet éloge ? Nul ne sait mieux que lui qu'on ne peut pas faire parler le peuple. Et en même temps Nodier lui recommande la « sobriété », le refus des « licences », des « métaphores ». Même Nodier qui l'admire ne le comprend pas.

1832 : le double projet

Le contrat que Hugo a signé avec la Porte-Saint-Martin lui impose de donner à ce

Le roi s'amuse. Comédie-Française, 1832
*Victor Hugo
Esquisse de décor : Acte II (cat. 542)
B.N., Manuscrits

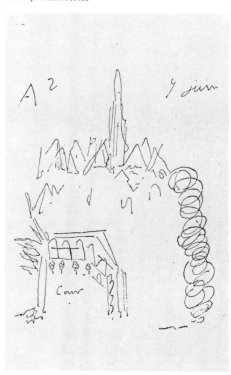

théâtre deux grands ouvrages dramatiques par an, non anonymes ; il est donc hors de question qu'il se débarrasse de son contrat avec une production alimentaire non signée, comme faisait volontiers Dumas. De toute manière, cela ne lui conviendrait guère. Deux pièces par an, c'est ce qu'il souhaite faire. Une liste impressionnante de projets date de l'automne 1830, couvrant un vaste champ historique[24]. Il annonce à Fonteney vingt drames en dix ans.

Mais au lendemain de *Marion,* les choses ne sont pas simples ; la troupe de la Porte-Saint-Martin l'a déçu ; les acteurs modernes ne savent pas dire les vers ; défaut plus grave, ils ne sont pas tenaces, ne se battent pas. Adèle Hugo explique que Dorval géniale aux premières représentations se décourage vite. Et il a été clair pour lui que s'il a ses aises au boulevard qu'on ne lui dispute pas, il y a un public qu'il n'atteint pas, celui de l'« élite », pas seulement de l'argent ou de la naissance, mais de l'intelligence. Faut-il donc qu'il choisisse son public, le « populaire » au boulevard, l'« élite » au Français ? C'est précisément ce qu'il ne veut pas faire. Sa perspective : restaurer l'unité du public, prendre au mot l'idéologie libérale qui nie les classes sociales, faire un siècle avant Vilar un vrai « théâtre national populaire », pour tous. Actuellement, c'est impossible. Janin le disait déjà (*Débats,* 4 octobre 1831) : « Hugo, hardi novateur a tout à faire : son théâtre, ses acteurs, son public, et jusqu'à la critique appelée à le juger. » Faire *son public,* c'est la premières des tâches. Hugo a d'abord essayé sans succès d'écrire un drame, historique certes, mais proche de l'actualité, intitulé *Le repaire de la guérilla,* sur l'occupation française en Espagne. Vraisemblablement son non-manichéisme, la façon audacieuse qu'il a de tenir les deux bouts de la chaîne, de montrer le blanc et le noir, l'ordre et la liberté, lui ont paru un pari difficile à tenir : entre les *lumières* venues des Français, le sens national des Espagnols.

Hugo conçoit donc un projet original : il va se livrer à une sorte de tactique croisée, il écrira pour la Comédie-Française un drame grotesque, dont le héros sera un bouffon, qui ne respectera pas les unités, mais de style élevé et écrit en vers. Pour la Porte-Saint-Martin, au contraire, il écrira une sorte de tragédie des Atrides, à la trajectoire simple comme une épure, mais il l'écrira *en prose ;* le grotesque y sera réduit, mais la violence des situations et des images permettra à la vigueur des acteurs du drame moderne de se faire jour sans contrainte.

Il est persuadé que s'il réussit à imposer à chaque scène la dramaturgie qui conviendrait à l'autre, par une espèce de viol, il aura cause gagnée et pourra dire ce qu'il veut, à tous les publics. Pari perdu, nous le verrons.

Il s'y met : il écrit *le Roi s'amuse* en vingt jours, du 3 au 23 juin 1832, troublé cependant par l'émeute du cloître Saint-Merry, après les funérailles du général Lamarque, insurrection dont il fera la barricade des *Misérables.* Le 3 juillet, il emprunte deux ouvrages *Mémoires pour servir à l'histoire de César Borgia*[25], et commence immédiatement à rédiger *Lucrèce Borgia,* du 9 au 20 juillet. Record de rapidité.

Le roi s'amuse joué : une bataille perdue

Hugo lit *Le roi s'amuse* à ses amis le 30 juin ; Fontaney qui y assiste « n'ose croire au succès de cette pièce » *(Journal).* Elle est lue à la Comédie-Française le 15 ou le 16 août, et reçue. On ne sait quelles ont été les tractations avec Taylor ni comment Hugo a pu obtenir de la Porte-Saint-Martin le droit de porter son texte à un autre théâtre. Le contrat est du 12 août, assez avantageux pour Hugo, qui, outre ses droits d'auteur obtient la faculté de décider de la distribution… et 10 représentations d'*Hernani.* Hugo exige en outre l'engagement de Marie Dorval, qui se fera en fait un peu plus tard. Hugo aurait voulu Bocage, il le fait engager, mais très vite Bocage fait la grimace devant le rôle de François Ier ; il le rend ou Hugo le lui reprend. Hugo aurait voulu Frédérick, mais son engagement à la Comédie est difficile (lettre de Louis Boulanger du 20 octobre). Mlle Mars déçue par le refus de Hugo pour *Marion* refuse de jouer Blanche. Hugo exige pour François 1er, Perrier, acteur élégant mais peu sûr[26]. C'est Anaïs, gracieuse miniature, qui joue Blanche.

Hugo contrairement à ses habitudes assiste très peu aux répétitions : il est en vacances chez les Bertin, aux Roches, et revient rarement à Paris. Entre temps dit Adèle, « les comédiens avaient pris de mauvais plis, leur rôle s'était racorni dans leur tête »[27]. Seul Ligier (Triboulet) paraît avoir travaillé consciencieusement.

Hugo, sollicité par le comte d'Argout, ministre de l'Intérieur, refuse de montrer sa pièce (la censure étant abolie), mais jure qu'il n'y a nulle allusion contemporaine, et le ministre paraît se contenter de cette affirmation.

Le roi s'amuse. Comédie-Française, 1832

Auguste de Châtillon
Maquettes de costumes :

François Ier en costume de capitaine.

*Saltabadil (cat. 384)
Paris, M.V.H.

*Triboulet en costume de ville (cat. 381)
Paris, Comédie-Française

*Triboulet (cat. 380)

*François Ier en costume du matin
Paris, M.V.H.

*François Ier (cat. 382)
Paris, Comédie-Française

Taylor donne à Hugo 150 places pour les amis et sympathisants romantiques. A la représentation du 22 novembre assiste tout ce que la France compte d'illustrations, les écrivains, Nerval, Musset, Sainte-Beuve, Balzac, Stendhal, Gautier ; les amis, naturellement, toute la brochette des peintres romantiques, mais aussi Delacroix, Ingres, Decamps, Ciceri, Gavarni, Liszt ; tous les auteurs dramatiques ennemis, tous les critiques figurent sur les listes que nous possédons. Et le monde du théâtre : 67 places retenues au nom d'Harel et de l'équipe de la Porte-Saint-Martin ; ceux-là escomptent peut-être une chute qui renverrait Hugo chez eux. Et Marie Dorval, avec Vigny, et tous les comédiens du Français qui ne jouent pas dans la pièce. Ajoutons les banquiers, les salons, la duchesse d'Abrantès et son fils, le duc et la duchesse de Dino-Talleyrand, et d'Argout, et le préfet de police.

L'atmosphère ? Les amis de Hugo n'ont pas oublié *Hernani* « Quolibets de halle et de carrefour, où s'entonnent tour à tour, au milieu des bouffées de vin et de tabac, la Carmagnole et la Marseillaise... » (*La France Nouvelle,* 27 novembre). Faisons la part de la malveillance, mais tous les témoignages concordent. On pouvait s'attendre à une bataille ; ce fut une déroute. Les acteurs semblent ne pas avoir été brillants : Perrier, dit Paul Foucher, joua François Ier « avec la légèreté d'un papillon en bottes fortes » ; Samson « oublia » deux vers décisifs rendant la scène inintelligible. Mlle Anaïs fut enlevée pattes en l'air... Le cinquième acte fut un désastre. Ligier hurlait pour se faire entendre par dessus les vociférations du public : « La marée montante des rires, des huées et des sifflets couvrait les sanglots paternels ; l'orage de la scène n'était qu'un doux murmure près de l'orage de la salle », nous dit poétiquement Adèle[28].

Hugo persuadé à juste titre que le grotesque était pour beaucoup dans cette chute retentissante, fit le soir même des corrections qui toutes vont à l'élimination du grotesque, au respect des convenances ; les vieux mots populaires, les grossièretés furent gommées : ainsi « le cul-de-sac Bussy » devint « la croix de Bussy » ; on avait de ces pudeurs...

Le lendemain la pièce est suspendue ; elle sera interdite quelques jours plus tard. Il faut dire qu'elle tombait mal : le jour même de la première un coup de pistolet avait été tiré sur Louis-Philippe ; la nouvelle déjà agitait le public[29] ; la thèse officielle est que *Le roi s'amuse* « glorifiait le régicide ».

Un tollé. — La presse est exécrable ; et la suspension de la pièce lui laisse libre cours. Condamnation en bloc. Pour *La France Nouvelle,* c'est « un drame informe, incroyable mélange de grotesque et d'horrible, d'inconvenances et d'absurdités, un drame sans intérêt ni caractères, ni mœurs ». Pour *Le Constitutionnel,* c'est une « pièce monstrueuse [...] où se mêle comme en un chaos l'horrible, l'ignoble et l'immoral ». Hugo est attaqué sous le triple aspect des convenances morales, des convenances esthétiques (le grotesque), du scandale politique (la figure de la royauté). Merle dans *La Quotidienne* s'étonne de « cette verve de haine contre la royauté et la noblesse ». Béquet dans *Les Débats* (24 novembre) se plaint : « Sont-ce de telles mœurs que l'Art doit exposer aux yeux du public ? [...] Dans notre théâtre maintenant, la royauté ivre vient dormir dans un mauvais lieu, entre les bras d'une fille publique. » On ne peut mieux montrer la confusion entre politique, morale et littérature : Hugo porte atteinte au code culturel dans son entier.

Le grotesque est l'objet de toutes les attaques : le *Journal du Commerce* condamne « ce bouffon qui ne fait jamais rire, dont la marotte est un poignard » (25 novembre). Les mêmes critiques qui admirent Saint-Vallier, n'ont pas de mots assez forts pour stigmatiser la figure de Triboulet. Le meilleur réquisitoire est celui de Rolle dans *Le National ;* on y lit les accusations qui se répéteront avec monotonie tout au long de la vie de Hugo : Hugo est le poète du laid, du mal, de Caliban-peuple, de la matière : « Ainsi, vous avez à la fois dans le même taudis le meurtre, la prostitution et le vin au litre, c'est-à-dire ce qu'il y a de plus horrible et de plus répugnant au monde [...] Avec M. Victor Hugo, tout est terre et matière. [...] L'infirmité physique et la crapule, LA MATIÈRE TOUTE PURE ; la matière contrefaite ou honteuse. » Poète de la matière, purement descriptif et sans âme, « Hugo a un goût décidé pour les choses physiques et dans les choses physiques, — pour le laid et le grotesque. » Hugo répugne au goût français et Rolle lui oppose Molière. Enfin, avec une certaine clairvoyance, ce critique lui reproche de « parler tout seul », « une usurpation plus flagrante et plus entêtée de la parole sur l'action ». Pour les *Débats,* c'est la mort du drame romantique : « Cette chute est celle d'un genre tout entier. »

Le procès. — Hugo n'accepte pas d'en rester là : il ne peut faire un procès au gouvernement ; mais il peut attaquer le théâtre qui s'est soumis à un acte *illégal* du pouvoir, illégal puisque la censure n'existe plus. Il porte donc plainte contre la Comédie, devant le tribunal de commerce : la Comédie n'a pas respecté son contrat. En fait Hugo n'attaque pas le Théâtre, il le servirait plutôt en lui permettant de jouer une pièce qui lui a coûté... s'il gagnait. Mais il ne pouvait pas gagner et ne l'ignorait pas : c'est un baroud d'honneur.

Hugo voudrait qu'Odilon Barrot, le grand avocat libéral, plaidât pour lui. Il faut une entremise, mais si Barrot consent à défendre cette cause[30], il n'y met qu'un enthousiasme modéré, d'abord parce que les libéraux n'aiment pas Hugo, mais surtout parce que sa thèse n'est pas la leur. Barrot affirme certes : « la résistance à la censure, à des actes arbitraires, ce sont là des droits ». Il montre que la censure *a posteriori* est la plus inacceptable, surtout lorsque l'ordre public n'a pas été troublé. Mais, dit-il, « je ne professe point la liberté absolue du théâtre ». Autrement dit, il reconnaît la légitimité d'une certaine censure, d'un contrôle de l'État sur le théâtre. L'avocat de la Comédie Me Chaix d'Est-Ange ne manque pas de le lui faire remarquer. La modération de Barrot n'est pas acceptable pour Hugo, lequel prend la parole dans une plaidoirie d'une extrême énergie, dont les accents sont prophétiques — de l'évolution politique du siècle —, et de sa propre vie : « Aujourd'hui, on me fait prendre ma liberté de poète par un censeur, demain on me fera prendre ma liberté de citoyen par un gendarme ; aujourd'hui, on m'a bannit du théâtre, demain on me déportera ; aujourd'hui, l'état de siège est dans la littérature, demain, il sera dans la cité. De liberté, de garanties, de Charte, de droit public, plus un mot. Néant. »

Quant à la censure, dit Hugo « je ne m'y soumettrai jamais que comme à un pouvoir de fait, en protestant ». Attitude qui ne se démentira jamais, même quand la censure est rétablie. Et le pouvoir hésite à le pousser à bout. Le 2 décembre, le Tribunal se déclare incompétent, donnant par le fait raison au Théâtre Français.

Une victoire inattendue : *Lucrèce Borgia*

On aurait pu penser qu'après l'interdiction du *Roi s'amuse* et le procès (perdu) qui s'ensuivit, il n'y aurait plus le moindre directeur de théâtre pour oser miser sur Hugo. Or c'est le contraire qui est vrai. A la fin du mois de décembre, Harel vient demander *Lucrèce Borgia* à Hugo, en lui promettant[31] d'engager qui il voudrait. Le titre de la pièce est à ce moment : *Un souper à Ferrare,* titre que Harel, pour

Lucrèce Borgia. Porte-Saint-Martin, 1833
Maleuvre
Frédérick Lemaître (Gennaro)
Juliette Drouet (la princesse Negroni)
Paris, M.V.H.

Lucrèce Borgia. Porte-Saint-Martin. 1833
*Gavarni
Maquette de costume : Lucrèce (cat. 394)
Paris, M.V.H.

Louis Boulanger
Maquette de costume : esclave noir
Paris, M.V.H.

Louis Boulanger
Maquette de costume : Maffio Orsini
Paris, M.V.H.

Lucrèce Borgia. Porte-Saint-Martin, 1833
*Louis Boulanger
Maquettes de costumes
De haut en bas et de gauche à droite :
Don Alphonse d'Este (cat. 386) ; *Gennaro*
(cat. 388) ; *un porte-flambeau* (cat. 391) ;
Jeppo Liveretto (cat. 387) ; *Dona Lucrezia
Borgia* (cat. 385) ; *Astolfo* (cat. 390) ; *un garde*
(cat. 392) ; (ou Achille Devéria ?) *la princesse
Negroni* (cat. 393) ; *Oloferno Vitellozzo* (cat.
389)
B.N., Manuscrits

complaire à Mlle George, n'a nul mal à faire modifier en *Lucrèce Borgia*.

La première lecture est pour Mlle George qui se juge satisfaite, la seconde a lieu le 2 janvier à l'intention des comédiens. Entre temps avait eu lieu la signature du contrat (29 décembre), contrat normal, plutôt favorable financièrement à Hugo. Le traité stipule la présence de Frédérick.

Pour la distribution Hugo laisse le choix à Frédérick ; il choisit Gennaro plutôt que le duc Alphonse d'Este ; on voit assez bien pourquoi ; Frédérick, acteur « grotesque » a envie de jouer les jeunes premiers complexes du drame romantique, qui le décrassent de la parodie. Le joli petit rôle de la princesse Negroni est dévolu à Mlle Juliette, protégée de Harel et entretenue par le prince Demidoff (qui était aussi le mécène de la Comédie-Française). On sait que Juliette devint la maîtresse de Hugo le 17 février 1833 ; leur première nuit d'amour eut lieu deux jours plus tard, le 19, nuit du Mardi Gras. Ils s'en souvinrent toute leur vie ; et c'est la date que donne Hugo à la nuit de noces de Cosette et Marius. *Lucrèce Borgia* est une date majeure pour Hugo : commencement de cinquante ans d'amour, et seul triomphe au théâtre.

Hugo fit pour une bonne part la mise en scène de *Lucrèce,* aidé par Frédérick, qui, dit Adèle, savait tous les rôles et indiquait ce qu'il fallait à tout le monde. Hugo surveille les décors, fait changer celui du dernier acte, un peu vulgairement réaliste à son gré, repeint la fameuse porte dérobée, joue un rôle paradoxal et décisif dans la musique, bref adopte pour la première fois le rôle complexe qui est celui d'un metteur en scène moderne. Hugo réclame (et obtient) pour le dernier décor « une salle éblouissante et sinistre », un « tombeau doré » dit Adèle.

La représentation. — Incontestablement, la représentation fut un triomphe. Un incident mineur fut souverainement rattrapé par Frédérick. Le mot qui aurait dû déclencher rire et sifflets : « Ah ! vous êtes ma tante ! », fut si bien dit que personne ne pipa. L'*effet* de l'arrivée des moines dans le banquet était fulgurant. Ce qui frappa les contemporains, il faut le dire, c'est l'art consommé du suspens. Et le public n'était plus gêné par la diction pesante et guindée des alexandrins. La prose nerveuse de *Lucrèce* conquit même les jeunes romantiques qui rechignaient à « donner » pour une pièce en prose, la prose étant, comme chacun sait, philistine et bourgeoise.

Hugo est ramené en triomphe chez lui par une foule en délire. C'est le succès, dont il faut qu'un auteur dramatique goûte le miel, au moins une fois dans sa vie.

Il y eut 63 représentations de *Lucrèce* qui rapportèrent à Hugo 10 888 francs. Il peut se croire riche... et accepter de payer les dettes de Juliette. Après une courte interruption au mois d'avril, les recettes baissent brusquement.

L'accueil. — La presse était embarrassée : il est difficile de se déjuger si vite après l'éreintage du *Roi s'amuse* et l'affirmation cent fois répétée que Hugo n'entend rien au théâtre.

L'Annuaire de Lesur remarque deux progrès : le respect de l'unité d'action et « une haute pensée morale ». *Le Vert-Vert* (Anténor Joly ?) fait un éloge sans réserve. Pour *L'Artiste* (Théophile Gautier ?) Lucrèce est « la pièce la plus remarquable de la scène moderne… une entente parfaite de la scène ». Les journaux libéraux sont moins acharnés que de coutume (c'est un drame populaire, sur une scène « populaire », ce n'est pas gênant). Les journaux ultras s'indignent de la façon dont Hugo représente la papauté, même quand elle se présente sous les traits d'un Borgia ; *La Mode* remarque : « En avilissant les rois, les papes et les cardinaux, on commet non seulement une faute de goût, mais on blesse la morale publique. » Et le journal de poursuivre avec une sorte de clairvoyance : « Son système dramatique [celui de Hugo] repose sur cette idée : […] les sentiments nobles et élevés chez les êtres vils et abjects, et les passions basses, honteuses et criminelles chez les personnages les plus respectés et les plus éminents de l'ordre social. » Ce qu'il y a d'intéressant dans ce jugement est qu'il est véritablement *a priori,* sans aucun rapport avec *Lucrèce Borgia.*

Lucrèce Borgia. Porte-Saint-Martin, 1833
Célestin Nanteuil
Scène du festin : Acte III, sc. 2 (cat. 395)
Paris, M.V.H.

Marie-Tudor. Porte-Saint-Martin, 1833
Maleuvre
Mlle George (la reine Marie)
Paris, M.V.H.

Il y a plus : certains journaux, comme *Le Courrier de l'Europe* et *Le Siècle,* appellent ouvertement à la censure : « Il serait temps de limiter la licence de la scène » et stigmatisent « un système dramatique aussi évidemment faux et contraire aux bonnes mœurs » *(Courrier de l'Europe).* Le plus clair et le plus pertinent des adversaires, est comme toujours Gustave Planche ; il voit très bien le caractère de tragédie domestique, de tragédie des Atrides, du nouveau drame, mais il aurait voulu que l'art de Hugo « imprimât au châtiment providentiel le sceau de la nécessité ». Autrement dit, cela manque de providence ; Hugo — nous commençons à connaître l'antienne — est un poète matériel[32] : « Le caractère saillant de la pensée de M. Hugo, c'est une prédilection assidue pour les images visibles, pour la partie pittoresque des choses. » Résultat de ce matérialisme : « Les passions les plus grossières reprennent le dessus […] le peuple se laisse aller, n'est plus guidé. » Bref, Hugo est un mauvais soutien moral pour le peuple : « Le monde que cette poésie déroule devant nos yeux est un monde sans providence, et sans liberté, sans nom, sans autels et sans loi […] qui ne croit qu'au bonheur de la force […] Si le réalisme qui s'impose dans la poésie obtenait gain de cause […], il faudrait ne plus croire à Dieu et à l'âme. » *(Revue des Deux Mondes).* *Lucrèce Borgia* contre le spiritualisme : l'intelligentsia libérale a fourbi ses armes.

La scène

L'aventure de *Marie Tudor*

Le contrat de Hugo avec la Porte-Saint-Martin (1831) que le départ de Crosnier avait rendu caduc, est renouvelé par Harel. Hugo doit donc deux drames par an à ce théâtre.

Mais les choses se gâtent très vite. Hugo n'est pas souple et Harel ne tarde pas à s'apercevoir que la critique n'a pas désarmé contre Hugo, malgré l'énormité du succès. Dumas serait peut-être plus maniable et aussi rentable ? Et l'amour de Hugo pour Juliette ne facilite pas les rapports avec le reste du Théâtre : il est entré dans la foire aux illusions.

Bref, Harel arrête *Lucrèce* dès que les recettes commencent à baisser (vers le 15 avril). Hugo se fâche et menace Harel de ne pas lui donner sa prochaine pièce. On parle de duel : mais il est clair que de toute manière si Harel tue Hugo, il n'aura pas sa prochaine pièce ; c'est ce qu'il dit à Hugo, selon Adèle ; et il capitule, reprend *Lucrèce*.

Cependant, Hugo, après s'être très sérieusement documenté sur l'histoire d'Angleterre — pour que nul ne lui en fasse reproche — écrit *Marie Tudor,* du 8 août au 1er septembre. Rédaction rapide comme celle de toutes les pièces en prose malgré deux repentirs importants : il réécrit le 1er acte, séance tenante, et il change le dénouement, passant de la mort de Gilbert, à celle de Fabiani, psychologiquement plus acceptable pour le public. D'une certaine façon *Marie Tudor* est la réécriture d'*Amy Robsart :* même histoire de favori en danger, pris entre deux femmes et menacé par la jalousie de la reine.

Marie Tudor est l'une des très rares pièces de Hugo écrite pour un interprète, ici Mlle George : l'extrême dignité de la comédienne rendait possible la superbe et sauvage vulgarité du ton de la reine.

Intrigues. — Harel se fait tirer l'oreille pour monter *Marie Tudor* avec éclat : il se repose sur le triomphe de *Lucrèce*. Et les comédiens sont difficiles : Bocage se montre tellement insupportable que Hugo lui retire son rôle pour le donner au médiocre Lockroy. Frédérick, mauvais coucheur, s'est disputé avec Harel, hélas, il n'est plus là. Tout le monde en chœur tombe sur Juliette, qui résiste mal et se laisse démoraliser. Bocage, furieux d'être évincé, intrigue. Dumas voudrait bien revenir en force à la Porte-Saint-Martin, et placer son amie Ida. Dumas et Bocage sont fermement soutenus par le clan libéral. Une sorte de cabale se met en place, et Harel (et Mlle George) sont prêts à remplacer le tandem Hugo-Juliette par le tandem Dumas-Ida, plus souple et mieux appuyé ; Dumas écrit en collaboration et tout à trac la médiocre *Vénitienne,* beau rôle pour Mlle George, et *Angèle* (drame fort intéressant au demeurant).

La représentation. — Pavé de l'ours : un incident met le feu aux poudres. Un protégé de Hugo, Granier de Cassagnac, fait passer dans *Les Débats,* quelques jours avant la première de *Marie Tudor,* un article très violent contre Dumas, où celui-ci était accusé entre autres de plagiat. Hugo mis au courant s'oppose à la publication de l'article, peut-être pas par vertu, en tout cas par prudence. Mais l'article paraît quand même ; on accuse Hugo de l'avoir inspiré ; le camp romantique est divisé. La représentation se présente mal (6 novembre 1833). Ce n'est pas un échec, ce n'est pas non plus un succès : la scène de la confrontation de la reine et du bourreau (scène que Georges et Harel avaient supplié l'auteur de gommer) est furieusement sifflée, et Juliette, sans aucun doute médiocre, se fait vigoureusement emboîter. Au point que le jour même elle renonce au rôle immédiatement repris par Ida.

Une mêlée confuse : « Le bruit, la fumée, les éclats de rire, les provocations, les manifestes, les emportements, tout ce qui accompagne les pièces de M. Victor Hugo » dit Jules Janin dans *Les Débats* (18 novembre).

La pièce est publiée le 17 novembre par Renduel avec une préface décisive sur le sens historique du texte et le demi-aveu que Marie Tudor est en un sens le miroir de la Révolution de 1830 : « Ce serait le passé ressuscité au profit du présent ; ce serait l'histoire que nos pères ont faite, confrontée avec l'histoire que nous faisons. »

La presse déchaînée

Passons sur les reproches devenus habituels de « matérialisme », de procédés de mélodrame (« C'est le vieux mélodrame trempé dans la lie de Shakespeare [...] et

Costume de Mlle GEORGES, rôle de MARIE TUDOR, dans la Pièce de ce nom. Drame
Actes 1er IIe et IIIe. Chez Hautecœur-Martinet, Editeur, rue du Coq. N.º 15 et 5, à Paris.

frappé d'un souffle de poésie satanique » — *Le Courrier Français* du 17 novembre). Passons sur les accusations de trivialité et d'immoralité, déjà présentes à propos des pièces précédentes. Plus intéressant et plus neuf : les personnages de Hugo ne sont pas assez « nobles » pour être intéressants : « De son aveu Gilbert n'est ni beau, ni jeune ; nous savons qu'il n'est ni brave, ni loyal, ni adroit, comment voulez-vous qu'il intéresse ? » (même article). Après le texte de Granier accusant Dumas de plagiat il est naturel que l'on renvoie le grief à Hugo ; *Le Constitutionnel* énumère les emprunts ; « réminiscences plus ou moins nuancées de Christine, de Monaldeschi, de Paula [trois personnages de la *Christine* de Dumas], de Périnet Leclerc, du juif Raphaël Bazas, d'Antony ». Hugo pilleur de Dumas...

Les ultras accusent Hugo d'être révolutionnaire : « Il y a de la pique et du bonnet rouge au fond des drames de Victor Hugo. C'est une terreur littéraire, c'est un 93 théâtral succédant au 93 politique » (*L'Écho de la Jeune France,* décembre 1833). Mais *La Tribune* d'Armand Marrast (15 novembre) dit exactement le contraire : « Non, il n'y a rien, absolument rien dans M. Hugo qui ressemble précisément au poète de la jeunesse, au poète révolutionnaire. » Griefs contradictoires que nous retrouverons.

Deux points essentiels : d'abord le *bourreau* (dans son tête-à-tête avec la reine) fait scandale, comme Harel l'avait prévu, et cela dans les journaux de toute opinion : il y a des choses dont on ne parle pas, ce n'est pas de bon ton.

Ensuite naît une idée appelée à un grand avenir ; Hugo devrait bien faire ce qu'il refuse obstinément : un drame moderne, contemporain. *L'Entracte* réclame de Hugo « un drame bourgeois » et *Le Rénovateur* (ultra) déclare : « Nous voulons des peintures d'actualité » (2 décembre). Bref, on reproche à Hugo à la fois de n'être pas *à la mode* et d'être provocateur et « athée » *(L'Artiste).*

Charles Raboud, dans *Le Journal de Paris,* avec beaucoup de pertinence, remarque que Hugo est en opposition avec le « public », qu'il tente de se livrer à un véritable viol : « Ayant constamment vécu en état de guerre avec le public et la critique, il a fini par donner à son génie une allure cassante et cavalière [..] » (10 novembre).

Ce n'est pas qu'il n'y ait cette fois une résistance, une contre-attaque de la presse favorable : mais ce sont de petits journaux de littérature et de théâtre comme *Le Vert-Vert,* mais surtout *L'Europe Littéraire* (directeur Capo de Feuillide) qui consacre à *Marie Tudor* un grand article positif, signé J.-P. Beaude : il souligne les contradictions libérales, pour le peuple en politique, contre lui en littérature, admire la lutte de Hugo contre l'opinion et moque les attaques anti-hugoliennes du spiritualisme officiel, tout en justifiant Hugo de l'accusation de matérialisme.

Retour à la Comédie-Française : *Angelo*

La rupture avec Harel et la Porte-Saint-Martin est consommée. Hugo a le soupçon (fondé) que Harel fait tout ce qu'il peut pour se débarrasser d'un auteur encombrant. Adèle raconte que Hugo dit au directeur : « Vous avez fait tomber ma pièce, je ferai tomber votre théâtre. » De fait Hugo ne se réconciliera jamais avec Harel. Reste le Théâtre-Français. L'actuel commissaire royal, Jouslin de la Salle, est favorable au drame romantique ; il faut en profiter.

D'autant que l'année 1834 voit la critique se déchaîner avec un rare acharnement contre Hugo. Un tir concentrique des journaux du groupe Buloz (la *Revue de Paris,* la *Revue des Deux Mondes*) tient Hugo sous son feu. Buloz aurait voulu annexer Hugo comme il a fait pour George Sand et Musset. Mais installer Hugo dans une écurie ? Ce n'est pas possible. Alors on va l'attaquer. Buloz lâche Gustave Planche contre Hugo (articles des 1er février et 1er mars 1834, ce dernier, intitulé *Lettre à M. Victor Hugo* (sous-titre : *Les royautés littéraires*) où Planche somme Hugo de faire du drame contemporain). Dans le n° du 1er février, un article de Sainte-Beuve à propos du *Mirabeau* de Hugo rappelle « les succès fatigués de ses derniers drames [...] qui s'interprétaient en chutes ou du moins en échecs ».

A la *Revue de Paris,* c'est Nisard qui se charge de la besogne : en novembre 1833, c'est un article *contre* la tragédie de Sénèque (lisez contre le drame de Hugo). En décembre, il récidive avec un grand article intitulé : *D'un commencement de réaction contre la littérature facile,* article d'une extraordinaire bassesse dont voici un échantillon : « La troisième branche de la littérature facile, c'est le drame qu'on dirait écrit au sortir d'un dîner, entre le directeur de théâtre et l'actrice en renom [...] que sais-je ? peut-être sur les épaules nues de l'actrice, lesquelles auraient servi

Angelo tyran de Padoue. Comédie-Française,
1835
*Auguste de Châtillon
Maquettes de costumes :
L'homme masqué (cat. 401) ; *Gaboardo ; deux
gardes ; Dafne ; Angelo :* Acte I (cat. 400) ;
l'archiprêtre (cat. 402)
Paris, M.V.H.

de pupitre. » Les épaules nues... Juliette... Nisard se donne même le mal d'écrire les deux tomes des *Études sur les poètes latins de la décadence* pour prouver que Hugo, c'est la décadence (15 avril 1834).

Une réponse importante, celle de Gautier, publiant l'été 1834, dans *La France Littéraire,* toute une série d'articles sur *Les grotesques,* montrant l'envers baroque du grand siècle, précurseur du romantisme : Saint-Amant, Théophile.

Démarche essentielle, à laquelle Hugo tâche de se joindre en écrivant une pièce intitulée *Madame Louis XIV* et où auraient figuré sans doute Scarron, lui aussi figure marginale du xviie siècle. La pensée de Hugo, en accord avec Gautier c'est de montrer l'autre face du classicisme — sa doublure politique et littéraire. L'œuvre est annoncée, mais Hugo pour des raisons difficiles à démêler ne l'écrit jamais. Peur d'attaquer de front une opinion qui n'est que trop braquée ? Il serait

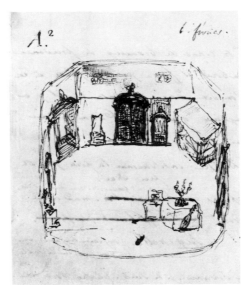

Angelo tyran de Padoue. Comédie-Française, 1835

*Victor Hugo
Esquisses de décors :
IIe journée (cat. 544)
IIIe journée (cat. 545)
B.N., Manuscrits

Célestin Nanteuil
Marie Dorval (Catarina) (cat. 403)
Paris, M.V.H.

intéressant de démanteler quelque peu les valeurs classiques, mais c'est un jeu dangereux.

La Renaissance italienne, c'est moins explosif. Surtout si elle est colorée d'une ombre de Shakespeare. Hugo découragé n'a rien écrit depuis près de deux ans : on est loin des deux drames par an annoncés en 1831 à Fonteney. Mais il est toujours aussi rapide dans sa documentation et dans son écriture : dix-sept jours, du 2 au 19 février 1835. On ne sait quand ont commencé les tractations avec la Comédie, ce qu'il y a de sûr c'est qu'elles étaient déjà avancées lors de l'écriture de la pièce (le traité est signé le 24 février). Et cela n'est pas indifférent : *Angelo* avec sa clarté d'épure, ses unités *presque* préservées, son petit nombre de personnages pouvait ne pas faire scandale à la Comédie : c'est une pièce de compromis. L'aspect politique n'a d'écho contemporain que discret, dans le souvenir immédiat des révoltes italiennes de 1830 et dans l'oppression que l'Autriche fait peser sur les États d'Italie. Quant au grotesque il se cantonne dans un acte de Cour des Miracles qui ne tient qu'à peine à l'action et que sur la sollicitation de Jouslin, Hugo remise dans un tiroir[33]. Concessions, pour préserver le succès.

Le contrat prévoit dans un délai de six mois la reprise d'*Hernani* et la création de *Marion de Lorme,* déjà reçue en 1829.

Ce qui était prévu aussi c'était la présence de Mars et Dorval jouant ensemble. Ce ne fut pas particulièrement aisé à obtenir. Le manuscrit d'Adèle[34] comprend un récit haut en couleurs de la visite de Hugo à Mlle Mars. Il lui lit sa pièce ; elle trouve qu'il lit mieux qu'autrefois ; il lui laisse le choix entre les deux rôles féminins, mais il sait bien ce qu'elle va choisir, le rôle passionné, sensuel et plein de coquetterie de la Tisbé comédienne-courtisane ; Adèle prétend que Mlle Mars tient surtout à ne pas laisser Dorval jouer ce personnage éclatant, et suppute que Dorval « sera ridicule en patricienne ». C'est mal connaître Dorval, habituée aux rôles de pure victime et qui venait d'être la Kitty Bell de Chatterton. Quoi qu'il en soit, cette distribution à contre-tempérament était la meilleure possible : quand Mlle Mars renonce et que Dorval reprend le rôle de Tisbé, la pièce perd beaucoup et Hugo remarque

que Dorval « manque d'imprévu »[35].

La pièce jouée. — Répétitions orageuses : Mlle Mars essaie de perturber le jeu de Dorval. Hugo se fâche et menace la sublime Mars de lui retirer son rôle ; il dénonce en termes raides la tyrannie qu'elle fait peser sur la Comédie. Beauvallet, petit, la voix puissante, est expressément réclamé par Hugo : un petit tyran inquiétant. Avec de beaux décors et costumes de Louis Boulanger, la pièce réussit, le 28 avril, pratiquement sans bataille. Elle « fait de l'argent », ce que Charles Maurice, fort ennemi du drame romantique, surtout quand il s'est niché au Théâtre-Français, reconnaît avec amertume à plusieurs reprises dans *Le Courrier des Théâtres ;* il stigmatise l'« *Hugolâtrie* dont la Comédie-Française retire... des avantages pécuniaires. Nous n'en supposons point d'autres. » Il y a 36 représentations jusqu'au

Angelo tyran de Padoue. Comédie-Française, 1835
*Maquette de décor : chambre de Catarina (cat. 398)
Paris, Comédie-Française

20 juillet (maladie de Mlle Mars, peut-être diplomatique), pratiquement toutes largement bénéficiaires.

Les concessions dramaturgiques laissent presque intact le drame hugolien : succession de *nuits,* fête nocturne, états d'âme du roi ou du tyran, chant lyrique de l'amour en danger.

La critique se modère. — Les reproches, toujours présents sont proférés plus mollement, comme si la presse était sensible aux efforts de compromis faits par Hugo. Charles Maurice (1er mai) attaque le côté mélodramatique de la pièce (mais il a reconnu son succès) : « C'est pour le fond, le mélodrame des anciens jours, avec Venise, souterrains, Conseil des Dix, fiole de poison, portes dérobées [...], tour de passe-passe et dénouement absurdissime. » C'est le même son de cloche presque partout. On regrette le manque d'originalité : Hugo imite et s'imite soi-même : « Ce sont toujours les mêmes ressorts » (*Chronique de Paris,* 3 mai). Avec monotonie Planche reprend son antienne : Hugo c'est le drame « extérieur » : « La décoration, le costume, sont le seul code qu'il respecte » (*Revue des Deux Mondes,* mai). Beaucoup font des réserves sur l'absence de dialogue entre les personnages. Dans *Le National* du 2 mai, Rolle attaque le style : « un composé de pathos et de puérilité, de déclamation sonore et d'énumérations redondantes ».

En face, l'article de Granier de Cassagnac dans la *Revue de Paris,* si thuriféraire qu'il a l'air de commande ; mais une intéressante justification du personnage grotesque, Gubetta ou Homodei : « C'est tour à tour la malice, l'esprit, la ruse, l'esprit, l'intelligence, c'est encore et par dessus tout la Fatalité, la Providence. C'est l'Homme de Dieu, Homodei. »

Un article remarquable d'intelligence : celui de Théophile Gautier dans *Le Monde Dramatique* du 5 juillet. Ce qu'il montre c'est l'importance du *public* dans l'édulcoration du drame romantique : « La cause de la réussite complète d'*Angelo* est l'absence de lyrisme. Cela est honteux à dire de notre public, mais cela est ainsi. Une autre cause de succès, aussi triste, celle-là, c'est qu'*Angelo* est en prose ». Il montre très bien qu'un drame « de situations » est le seul à pouvoir réussir. Il sait que Hugo a diminué la part du grotesque et renoncé à un acte entier et il le regrette : « Je ne suis pas de ceux qui croient qu'une pensée peut être ôtée impunément d'une œuvre quelconque. » En revanche, il rend hommage à Hugo, avec une rare perspicacité, sur un point essentiel, l'onirisme du drame : « [...] Une ténébreuse terreur [...] architecturale, si l'on peut s'exprimer de la sorte. Le palais d'*Angelo* est une construction aussi effroyablement mystérieuse que le château d'Udolphe. Il a un autre palais inconnu à qui il sert de boîte extérieure et dont il n'est que l'enveloppe. Et l'habit pailleté de la Rosemonde n'est autre chose que le suaire oublié par un fantôme [...]. »

Un détail amusant : malgré leurs efforts les tout-puissants Bertin ne réussissent pas à empêcher dans leur propre journal Jules Janin d'écrire un article fort méchant.

A la recherche d'une scène

On touche du doigt, avec *Angelo,* à un phénomène mystérieux : le refus que l'on fait du théâtre de Hugo, faute de pouvoir refuser Hugo en son entier. Et ce refus s'est perpétué jusqu'à nos jours. Dire que la cause en est la médiocrité du théâtre de Hugo, c'est une dérision : dans l'année 1834, la Comédie-Française a créé *10 pièces,* pas une de moins, et pas une seule ne mérite le moindre coup d'œil ; une production nulle, mort-née, et visiblement sans public (sans ça, on n'aurait pas créé 10 pièces, sans compter les 7 reprises). *Angelo* est un aigle au milieu de ces volatiles de basse-cour. Mais les attaques sont pour *Angelo*. Quand la Comédie arrête la pièce le 20 juillet, elle fait 1 648 francs, ce qui est encore positif à la 36e représentation. Le lendemain, le théâtre donne *Jacques II,* qui fait royalement 381 F ; le 22, c'est *Le joueur,* 187 F, et le 24, *Jacques II* obtient la mirifique recette de 162 F.

Non, Hugo ne ruine pas la Comédie ; c'est le contraire qui est vrai. Il est vrai que le théâtre dépend pour sa subvention du vote du parlement et que les auteurs libéraux sont politiquement puissants : Jouy, Jay, Casimir Delavigne... Cela n'explique pas tout, ni le comportement de Harel, qui est identique, lui qui n'est pas tenu par la subvention. Alors ? Alors ce que Hugo appelle « censure littéraire » paraît bien exister. Nous l'appellerions peut-être censure idéologique : Hugo est subversif *quelque part* et ce qu'on accepte d'un recueil de poèmes ou d'un roman, parce que le destinataire est en tête-à-tête avec lui-même, on le refuse au théâtre, où il y a la présence de la foule et, comme dirait Hugo, du peuple.

Procès avec le Théâtre-Français. — En 1836, il y a donc, comme prévu par le contrat, 10 représentations d'*Angelo,* mais contrairement aux stipulations aucune reprise d'*Hernani* ; *Marion* n'est pas jouée non plus. Tant que Jouslin est en place, Hugo n'insiste pas. Mais le 29 janvier, à la suite d'une intrigue compliquée, à laquelle la faveur (relative) dont jouissait le drame moderne n'est pas étrangère, Jouslin est remercié, remplacé par le caissier Védel, nommé directeur-gérant le 1er mars.

C'est toute la presse qui fait campagne contre le drame romantique et d'abord celui de Hugo. Dès le 4 avril 1835, un Charles Maurice dans *Le Courrier des Théâtres* espère « que les romantiques n'ont été admis à la Comédie-Française qu'en qualité de serviteurs trop heureux d'être reçus dans la famille. » Le scandale c'est le drame moderne dans l'antre du bon goût : campagne monotone. En 1837, 6 reprises d'*Angelo* ; de *Marion* et d'*Hernani,* nulle nouvelle, malgré le traité.

En octobre, Hugo se fâche ; il fait à la Comédie de nouvelles propositions, promettant en tout cas une nouvelle pièce, si les autres sont reprises. Védel répond en alléguant « les engagements pris soit par la Comédie, soit par moi[36] » (lettre à Hugo du 28 octobre) et refuse communication des registres de la Comédie.

Le procès s'ouvre le 6 novembre. L'avocat de Hugo, Paillard de Villeneuve, n'a pas de peine à montrer que les textes et traités, tout à fait clairs, n'ont pas été res-

Angelo tyran de Padoue. Comédie-Française, 1850
Beauvalet (Angelo), Rachel (la Tisbe)
B.N., Est.

pectés par le théâtre, que les pièces de Hugo ont fait plus de 2 900 F de recettes moyennes, ce qui est remarquable, enfin que la mauvaise volonté de la Comédie « est liée à un système général de monopole et d'expulsion contre une doctrine littéraire qui blesse certaines répugnances et porte ombrage à certaines célébrités ». La Comédie est condamnée le 2 novembre, par un jugement du tribunal de commerce très dur ; Hugo obtient des dommages-intérêts et la reprise de ses pièces. Le jugement est confirmé en appel le 12 décembre. Et Hugo s'écrie : « Dans toute cette affaire, le théâtre n'est pas mon adversaire réel [...] Mon adversaire dans cette cause, c'est une petite coterie embusquée dans les bureaux du ministère de l'Intérieur, qui, sous prétexte que la subvention passe par le ministère pour aller au Théâtre-Français prétend régir et gouverner à sa guise ce malheureux théâtre [...] En 1832, j'ai flétri la censure politique ; en 1837, je démasque la censure littéraire. »

Hugo a à la fois tort et raison. Raison, certes, mais tort aussi ; le refus ne vient pas d'une seule coterie, il est plus profond et plus large. Cependant Hugo obtient la reprise d'*Hernani* (12 représentations en 1838), et la création de *Marion* avec Marie Dorval (6 représentations en mars). Les représentations sont honorables à tout point de vue, et Hugo fait à la Comédie remise de tous dommages-intérêts (24 février, 6 mars et 20 août). L'avenir est préservé.

Une scène nouvelle : le Théâtre de la Renaissance. — Peut-être y a-t-il une solution de rechange. Certaines sphères du pouvoir, le prince héritier duc d'Orléans et son épouse en particulier, se disent qu'il n'y a peut-être pas intérêt à laisser la monarchie liée à ce qu'il y a de plus conservateur dans la littérature. Il faudrait un second Théâtre-Français, moins soumis à la tradition néo-classique.

Pour cela il faudrait une unité dans le camp romantique et d'abord la réconciliation entre Hugo et Dumas. Hugo s'y emploie activement, et Dumas, incapable de rancune, même après l'épisode Granier, ne demande pas mieux ; d'autant que lui non plus ne peut pas s'entendre avec Harel, un peu trop bêtement commercial. C'est Dumas, ami de toujours des Orléans, qui semble avoir lancé la chose vers la fin de 1835 ou le début de 1836. Ni Hugo, ni Dumas ne veulent prendre en titre la direction d'un théâtre : ils s'adressent au directeur du *Vert-Vert,* petit journal qui avait toujours soutenu le « drame moderne ».

Le pouvoir accorde donc un théâtre à la « littérature nouvelle », sous la forme d'un *privilège*. Mais ce qu'il donne d'une main, il le reprend de l'autre : aucun théâtre sérieux (pas plus au XIXᵉ siècle qu'au XXᵉ) ne peut subsister sans subvention. Or, le privilège n'est pas assorti de subvention : même le duc d'Orléans ne peut accorder à ce nouveau théâtre des subsides qui seraient immanquablement refusés par le parlement. Delavigne qui signe avec Hugo et Dumas la demande officielle de *Second Théâtre Français* intrigue pour en avoir la direction. La Comédie intrigue auprès de la Commission des théâtres pour que le privilège ne soit pas signé. Il l'est cependant le 5 novembre 1836, pour 5 ans, au nom d'Anténor Joly. Mais Védel obtient la réouverture de l'Odéon, il y a donc un second Théâtre Français. Il faut alors un nouveau privilège, avec un autre intitulé. D'autre part, Joly sait bien que ce théâtre, sans subvention, est condamné à terme s'il n'obtient pas le droit à la musique (opéra-comique et surtout vaudeville). Il intrigue donc en ce sens. Le nouveau privilège avec musique[37] est signé le 27 septembre 1837. Joly prend à bail la salle Ventadour, qui n'est pas sans inconvénients et doit être réaménagée. Autre inconvénient : les restrictions à l'engagement d'artistes de théâtres nationaux.

De là quelques difficultés pour la constitution de la troupe permanente. Bocage et Marie Dorval, engagés au Gymnase, auraient à payer un trop fort dédit ; quant à Mlle George, Harel la tient à la Porte-Saint-Martin. En revanche, Hugo veut Frédérick et l'obtient.

Voici la composition de la troupe, au départ :

Premiers rôles : Frédérick-Lemaître, Guyon, Alexandre Mauzin.
Jeunes premiers : Langeval, Montdidier, Crécy.
Comédie : Féréol, Chambéry, Fresne, Delacroix.
Raisonneur : Felgine.
Utilités : Gustave, Beaulieu.
Premier rôle : Mme Albert.
Jeunes premières : Juliette Drouet, Ida Ferrier, Louise Beaudoin (Atala Beauchêne), Crécy.
Mère noble : Level.

le salon de Danaë dans le palais du roi, à Madrid.
ameublement magnifique dans le goût demi-flamand
du temps de Philippe IV. à droite et à gauche
de grandes fenêtres à châssis dorés et à petits carreaux.
~~de deux côtés~~ ~~une petite porte~~, donnant dans quelque
appartement intérieur. ~~au fond le~~
au fond une grande croisée vitrée à châssis doré
s'ouvrant par une large porte également vitrée sur une
longue galerie. cette galerie qui traverse tout le
théâtre est masquée par d'immenses rideaux que
tombent de haut en bas de la croisée vitrée.

Scène première

Don Salluste. de Bazan Ruy Blas.

Don Salluste, vêtu de noir, costume de cour du
temps de Charles II. la toison d'or au cou.
par dessus l'habillement noir, un riche manteau
de velours ~~vert~~ clair, brodé en passementerie d'or,
doublé de satin noir. épée à grande coquille.
chapeau à plumes.

Ruy Blas, en livrée. haut de chausses blanc.
juste au corps rouge. surtout galonné aux couleurs
de la maison de Bazan. tête nue, sans épée.

Don Salluste.

(il entre par la petite porte de gauche, suivi de Ruy Blas)
Ruy-Blas, fermez la porte. — ouvrez cette fenêtre.

On voit que Hugo et Dumas avaient l'un et l'autre fait engager leurs amies, tandis que Frédérick exigeait la présence de la sienne, Atala Beauchêne.

Plus tard viendront, par la volonté de Hugo, Saint-Firmin qui sera Don César de Bazan et Chilly qui fut le Juif de *Marie Tudor*. Marie Dorval rejoindra en juillet 1839 ; dès 1837, Hugo l'avait sollicitée, mais elle ne put se dégager à temps pour être la reine de *Ruy Blas*.

Un couronnement : *Ruy Blas*

A partir du moment où Hugo est assuré d'une scène où il sera relativement libre, il peut écrire une œuvre qui représentera, aussi complètement que possible, son idéal dramatique : il pourra l'écrire en vers, et se mettra donc à distance du prosaïsme ; il pourra donner au grotesque sa vraie part : part double, d'abord par un personnage qui soit un vrai grotesque, l'homme du refus, l'« homme de liberté »[38], César de Bazan, aristocrate en guenilles, porteur des contradictions grotesques, puis par le héros lui-même, vrai valet de comédie, portant grotesquement, tel Mascarille, la défroque de son maître : et pour cela, Hugo a besoin de son véritable interprète, Frédérick.

D'un autre côté, il pourra donner à l'histoire, comprise ici avec une extraordinaire précision minutieuse[39], son visage non d'allusion contemporaine, mais de *miroir* d'une royauté sur son déclin ; curieusement, si *Hernani* était l'annonce de la fin d'un règne, si *Marie Tudor* était le miroir de la Révolution de Juillet, et comprise comme telle, *Ruy Blas* est comme l'annonce prophétique de la fin de la royauté en France en 1848, dix ans après.

Hugo écrit *Ruy Blas* relativement tard, si l'on songe que le second privilège date de septembre 1837. Une longue incubation ou une dernière hésitation par rapport à la scène choisie ? Il commence la rédaction le 8 juillet et termine le 11 août, rédaction relativement lente pour Hugo si expéditif.

Dès août, il s'occupe avec Anténor Joly de la distribution, renonce à donner à Juliette le rôle de la reine (sans doute à la suite de l'intervention d'Adèle auprès de Joly, lettre d'Adèle du 19 août), et se met en personne à la mise en scène. La lecture aux comédiens date du 30 août, c'est Atala Beauchêne qui obtient le rôle de la reine, et Frédérick contre son attente, reçoit le rôle-titre, investissant le jeune premier de sa rémanence grotesque : Ruy Blas — Robert Macaire.

Hugo dessine les décors[40], confie les costumes à son décorateur préféré, Louis Boulanger[41], place lui-même les acteurs (témoignage d'Adèle, confirmé par une lettre de Juliette). Il refuse la suppression de la rampe[42], et ne veut pas que pour satisfaire un public riche on stalle le parterre : « Il entendait qu'on laissât au public populaire ses places, c'est-à-dire le parterre et les galeries, que c'était pour lui le vrai public, vivant, impressionnable, sans préjugés littéraires, tel qu'il le fallait à l'art libre ; que ce n'était peut-être pas le public de l'Opéra, mais que c'était le public du drame ; que ce public-là n'avait pas l'habitude d'être parqué et isolé dans sa stalle, qu'il n'était jamais plus intelligent et plus content que lorsqu'il était entassé, mêlé, confondu, et que quant à lui, si l'on lui retirait son parterre, il retirerait sa pièce. Les banquettes ne furent pas stallées »[43]. Un texte comme celui-là nous permet de comprendre ce que peut être réellement l'audience d'un drame de Hugo, la critique n'en donne qu'une idée fausse : si les doctes ne sont pas contents, et ils ne le sont pas plus pour *Ruy Blas* que pour toutes les autres pièces de Hugo, le théâtre de Hugo a un public enthousiaste, qui paie sa place, se réjouit et garde des représentations un souvenir ému.

En attendant, pour la mise en scène Hugo a un fidèle second, Frédérick, qui fait répéter les acteurs, et sait les rôles de tout le monde, place les acteurs, leur serine leurs intonations, même si de temps en temps son mauvais caractère lui fait affronter Hugo[44].

Le refus des doctes. — L'incontestable succès populaire de *Ruy Blas* ne décourage pas la critique. C'est un refus généralisé. En l'occurrence ce n'est plus le drame romantique que l'on attaque, malgré le fait qu'une réaction « classique » s'est dessinée, encouragée par le triomphe à la Comédie de la jeune merveille, Rachel, dans Racine et Corneille. On donne des éloges à la mise en scène et à l'interprétation. C'est l'œuvre et l'homme qu'on vilipende.

On recrache sans avoir vu : Balzac écrit à Mme Hanska, le 15 décembre : « *Ruy Blas* est une énorme bêtise, une infamie en vers » (mais il ne l'a pas vu). Sainte-

Beuve écrit à Guttinguer le 22 novembre : « Il y a dérision publique non seulement sur la pièce, mais sur l'homme », ajoutant : « Je n'ai pas vu *Ruy Blas* ni ne le verrai, ni ne le lirai »[45] ; le lendemain, à Victor Pavie « ... un désastre, d'après tout ce qu'on m'en a dit »[46]. Et dans son carnet : « *Ruy Blas* vide de fond en comble la question sur Hugo, si tant est qu'elle restât encore quelque peu indécise. C'est un certificat d'incurable magnifiquement armorié, historié, avec de grosses majuscules rouges galonnées d'or, comme les laquais de sa pièce. »[47] Faisons la part de la haine, mais Viennet dans son *Journal* (lui a vu la pièce) : « la plus grande preuve de la liberté dont on jouissait à Paris, c'était qu'un fou pareil courût les rues impunément »[48]. Le propre directeur du théâtre, Anténor Joly, fait solliciter Balzac en disant : « Le Hugo et le Dumas sont usés jusqu'à la corde. »

Un fait curieux : quand un chroniqueur écrit un bon article, la direction du journal fait une rectification furibonde, ainsi les articles favorables de R. de Beauvoir dans *L'Europe* et de Lesguillon dans *La France Littéraire* sont démentis le lendemain : « œuvre sans nom, monstrueuse en tout point, de conception d'exécution et de style » (*La France Littéraire,* novembre).

Les articles élogieux sont particulièrement creux, et sentent la commande, en revanche, les attaques font preuve d'une joyeuse virulence. Passons sur les griefs habituels, Hugo se répète[49], Hugo plagiaire de Shakespeare, Molière, le *Diderot* de Mme de la Pommeraye, *Angelica Kaufmann* de Léon de Wailly, *Le ramoneur prince* de M. de Pompigny, et même Rousseau ; j'en passe... Toute la presse ultra s'indigne des attaques vraies ou prétendues contre la royauté. Hugo ne respecte pas l'histoire qu'il prétend servir.

Mais il y a plus, la presse dans son ensemble, toutes nuances confondues, frissonne, non contre la virulence politique, mais contre l'inconvenance sociale ; si *La Gazette,* légitimiste, s'indigne devant « la misérable fable d'un laquais amoureux d'une reine », les très libéraux *National* et surtout *Courrier Français* ne sont pas moins révoltés par le mélange des catégories, la destruction de la hiérarchie, la sympathie pour les couches inférieures de la société : « Après le bandit, la prostituée et le bossu, voici venir le laquais. M. Victor Hugo ne tiendrait-il pas en réserve pour sa prochaine canonisation quelque héros scrofuleux, ou bien un de ces industriels nocturnes qui vont, la lanterne à la main, fouillant les impuretés des villes à l'angle des maisons ? » (Rolle dans *Le National* du 12 novembre). Planche dans la *Revue des Deux Mondes* (céd.) : « M. Hugo a trouvé qu'un laquais a l'étoffe d'un amant pour la reine d'Espagne » et Monnay, le très démocrate, étouffe d'indignation : « Un laquais successeur des ducs de Lerme et d'Olivarès ! un lâche coquin qui plutôt que de mourir accepterait l'infamie, qui ne savait pas gagner son pain, devenir tout à coup un grand homme, un ministre sauveur du peuple et de la monarchie »[50] (*Le Courrier Français,* 10 novembre). On notera le mélange de dégoût politique et de réprobation morale ; pour le même Monnay « la reine est une pauvre femmelette » et pour Ruy Blas « un faquin de sa trempe n'a jamais eu une idée dans la tête, ni une passion dans le cœur ». Elitisme moralisant qui condamne tout le théâtre de Hugo.

D'autant que le *grotesque* est prédilection pour le *bas* et goût de l'antithèse, bref, scandale idéologique. Les critiques ne trouvent pas de nom pour qualifier le IVe acte, ce festival du grotesque. Citons au hasard : « Un imbroglio sans nom comme sans intelligence »... « une froide et triste farce »... « une farce de tréteaux »... « Des bouffonneries détestables »... « une parade de tréteaux ». Janin : « Il y a là tant de vices, tant de brutales plaisanteries [...] qu'on ne saurait apporter trop vite l'eau chaude et les éponges pour en effacer les grossières couleurs. » (*Débats,* 12 novembre). Planche : « Le quatrième acte est le plus hardi défi que M. Hugo ait jamais adressé au bon sens et au goût de son auditoire. »

Pour tous, ce qui manque à ce drame c'est l'« idéal ». Encore Planche : « Comment a-t-il oublié une à une toutes les facultés dont se compose la conscience humaine ? Comment est-il descendu jusqu'à confondre l'homme et la chose, la vie et la pierre, le cœur et l'étoffe ? » (*RDM,* décembre). La cause de cette aberration ? C'est, dit Planche « le culte de lui-même » [...] cette solitude superbe »[51]. Ce refus du bon goût, du bon sens de tout un chacun, c'est la *folie :* « De cet orgueil démesuré à la folie, il n'y a qu'un pas, et ce pas, M. Hugo vient de le franchir avec *Ruy Blas.* Désormais M. Hugo ne relève plus de la critique littéraire [...] Son intelligence n'est plus qu'un chaos ténébreux où s'agitent pêle-mêle des mots dont il a oublié la valeur [...] ou bien *Ruy Blas* est une gageure contre le bon

Ruy Blas. Théâtre de la Renaissance, 1838
*Louis Boulanger
Maquettes de costumes :
La reine (cat. 407) ; *Don César de Bazan* (cat.
408) ; *Don Salluste de Bazan ; Ruy Blas, Acte
V* (cat. 406) ; *Ruy Blas, Acte III* ; *Ruy Blas,
Acte I.*
Paris, M.V.H.

sens ou c'est un acte de folie. » Nous nous en voudrions d'ajouter quelque chose.

Hugo n'en signe pas moins avec l'éditeur Delloye (25 octobre) un contrat pour l'exploitation de ses œuvres complètes pendant onze ans pour la somme globale de 250 000 francs, ce qui est beaucoup, dont 100 000 lui sont versés comptant (le reste lui sera payé peu et mal) ; *Ruy Blas* est la première œuvre imprimée ; elle sort avec sa préface le 27 novembre 1838.

Les Burgraves

Une pièce avortée : Les jumeaux. — Dans l'été 1839 l'avenir de Hugo au théâtre est incertain. Le Théâtre de la Renaissance ne marche pas très bien : les « vaudevilles » musicaux ne font pas autant d'argent qu'en espère Villeneuve. Joly malgré ses sollicitations n'obtient pas pour la Renaissance le titre de Théâtre Royal qui lui aurait permis de solliciter une subvention et d'embaucher qui il voulait. Hugo voit bien que la Renaissance est condamnée à terme ; et Frédérick s'en est allé.

Frédérick, l'indispensable. Hugo écrit un nouveau drame *Les jumeaux* dont les premiers linéaments datent de juin 1830, immédiatement après *Hernani*. Drame

L'ILLUSTRATION, JOURNAL UNIVERSEL.

(Théâtre-Français. — Première représentation des Burgraves, trilogie par M. Victor Hugo. — Scène du deuxième acte : Barberousse se fait reconnaître)

Les Burgraves. Comédie-Française, 1843
Charles Lemercier
La première représentation
L'Illustration, 11 mars 1843
Dijon, Bibliothèque Municipale

Les jumeaux
Victor Hugo
Esquisse de décor, 1839
B.N., Manuscrits

dont le personnage central, personnage double, héros viril, paternel *et* figure grotesque, ne peut être joué que par un seul acteur, Frédérick.

Le 26 juillet 1839, Hugo commence à écrire une œuvre sans titre et dont, dans les brouillons et les annonces, le titre sera tantôt *Les jumeaux,* tantôt *Le comte Jean.* Naissance difficile : le 23 août, au début de la seconde moitié de l'acte III, il marque : « interrompu le 23 août, par maladie ». Il est possible, probable même, que la rédaction ait été plus loin et que Hugo ait lu à ses proches la totalité du IIIe acte, qu'il aurait ensuite partiellement détruit. Bref *Les jumeaux* restent inachevés. Pas faute de théâtre. Une lettre d'Adèle à Hugo en voyage (début octobre) lui annonce que la future pièce est demandée par Joly qui a engagé Dorval ; elle ajoute : « Le ministère désire que tu la donnes au Théâtre-Français » (la nouvelle pièce). Et Mlle George sollicite pour la Porte-Saint-Martin. Mais ce que voudrait Hugo, c'est Frédérick, seul à pouvoir jouer le comte Jean.

La pièce est et restera inachevée. Nous avons pu montrer cependant que la totalité du canevas existe, que Hugo savait fort bien où il allait[52]. Pourquoi l'inachèvement ? Dégoût devant le torrent de haine qui a accompagné *Ruy Blas* ? Impossibilité d'obtenir l'interprète qu'il veut et qu'il essaie de faire entrer à la Comédie ? Craint-il que le nouveau drame particulièrement provocant rende plus difficile son élection à l'Académie ? Ou y a-t-il quelque raison plus secrète qui tient au sujet même et au drame du fratricide involontaire ? Quoi qu'il en soit les difficultés dues à l'accueil et aux théâtres sont sûrement pour beaucoup non seulement dans l'inachèvement des *Jumeaux* (auxquels il pensait encore en 1870), mais dans le silence qui suit.

Hugo écrit Les Burgraves. — Il s'écoulera à présent plus de trois ans avant que Hugo, pourtant perpétuellement sollicité par les théâtres se décide à retourner au théâtre (par exemple lettre de Buloz, nouveau commissaire royal à la Comédie, le 22 août 1841).

En 1842, Hugo intrigue toujours pour faire entrer Frédérick au Théâtre Français[53]. Il se décide à commencer *Les Burgraves* vers la fin de l'été 1842 : on en sait l'origine, le voyage de 1840 sur les bords du Rhin et l'ouvrage qu'il écrit en 1841, en approfondissant ses notes de voyage, et qu'il publie sous le titre *Le Rhin* (janvier 1842).

L'écriture des *Burgraves* s'échelonne entre les tout premiers jours de septembre 1842 (un faux départ), le 10 septembre, vrai début, et le 19 octobre (fin).

La pièce est lue par Hugo le 23 novembre au comité de la Comédie et reçue par

Les Burgraves. Comédie-Française, 1843

*Victor Hugo
Esquisse de décor : IIIe partie (cat. 548)
B.N., Manuscrits

*Louis Boulanger
Maquettes de costumes :
Job (cat. 549)
Guanhumara (cat. 550)
Paris, Comédie-Française

13 voix contre une. Rachel, présente à la lecture, admire mais ne demande pas le rôle de Guanhumara ; Hugo ne le lui offre pas. C'est Mlle Maxime qui a le rôle.

Le 20 novembre, Hugo a signé avec la Comédie un traité pour *Les Burgraves ;* il reçoit une prime de 5 000 francs et les trois actes de la Trilogie comptent, vu leur étendue, pour cinq. Hugo aurait voulu pour le rôle de Guanhumara une de ses grandes interprètes romantiques, Mlle George ou Marie Dorval, mais de la première, le Théâtre ne voulait pas, la jugeant trop vieille, et la seconde voulait être sociétaire, ce qu'on lui refusa. Mlle Maxime posa immédiatement à Hugo des problèmes d'interprétation tels qu'il lui retira son rôle. Elle fit un procès alléguant que le poète n'avait pas le droit de se priver de ses services ; elle fut déboutée le 3 mars. Hugo donne le rôle à Mme Mélingue, qui semble s'en être bien tirée. Distribution convenable, Beauvallet pour Job, acteur tragique à la voix puissante qui avait été Angelo, et pour Barberousse Ligier qui avait été Triboulet ; le public moqua ces Burgraves, géants de petite taille ; seul Guyon était un Magnus... portant bien son nom. Il eût fallu quelque part une personnalité puissante[54].

La première représentation du 7 mars 1843 fut froide mais courtoise ; « succès mitigé » écrit le registre du théâtre, le public se déchaîna dès la seconde. Demi échec ou échec complet, c'est difficile à dire. Il y eut tout de même trente-trois représentations et les dix premières firent des recettes convenables. Puis la comète fit concurrence à Hugo ; elle apparaissait juste à la tombée de la nuit.

Les Burgraves. Comédie-Française, 1843
Honoré Daumier
Lucrèce et les Burgraves
La Caricature, 7 mai 1843
Paris, M.V.H.

Honoré Daumier
Victor Hugo devant l'affiche des Burgraves
Le Charivari, 31 mars 1843
Paris, M.V.H.

Hugo lorgnant les voûtes bleues
Soupire et demande tout bas
Pourquoi les astres ont des queues
Quand les Burgraves n'en ont pas.

Ainsi sous-titrait spirituellement Daumier une caricature parue dans *Le Charivari* (31 mars). « Dieu lui-même me fait concurrence » aurait dit Hugo à Viennet. Le 26 mars, Juliette écrit : « La représentation d'hier m'a rendue malade de colère. » La pièce est attaquée sans grande violence, mais elle n'est pas du tout soutenue. Vigny, le 10 mars écrit à Hugo pour l'encourager : « Laissez passer la cabale, mon cher Victor, les Burgraves ne peuvent tomber, c'est une œuvre immortelle. » Hugo avait bien besoin de ces encouragements.

Malgré la légende, la *Lucrèce* de Ponsard, tragédie néo-classique d'un jeune provincial tout ébaubi de son succès, n'eut rien à voir avec l'échec des *Burgraves,* la première de *Lucrèce* ayant lieu précisément le même jour que la dernière des *Burgraves ;* ce serait plutôt l'inverse, l'échec du dernier grand drame « romantique » ayant cristallé par contrecoup l'opinion en faveur de la tiède tragédie. Et curieusement *Lucrèce* était jouée à l'Odéon par les lions du romantisme, Dorval et Bocage. Théophile Gautier : « On est toujours bien aise de saper un homme de génie par un homme de talent. » Et Balzac, le 11 mai à Mme Hanska (Balzac, qui n'est jamais tendre pour Hugo) : « J'ai vu Lucrèce ! Quelle mystification faite aux Parisiens ! Dans cinq ans on ne saura pas ce que c'est que Ponsard. Hugo a bien mérité par ses sottises que Dieu lui envoyât un Ponsard pour rival. » L'article de Briffaut dans le *Constitutionnel* du 9 mars est un assez bon résumé des éloges et des reproches faits au nouveau (et dernier) drame de Hugo : « Au point de vue poétique, nous avons des éloges sincères à faire à M. Victor Hugo. Les *Burgraves,* dans le premier acte surtout, ont des morceaux d'un grand éclat et des peintures brillantes. » On lui accorde même d'être devenu « moral » : « L'aspect de la nature, les tendres sentiments de l'amour, les joies et les douleurs paternelles, les vertus filiales, l'héroïsme et les magnanimes souvenances ont été pour lui fécondes en belles inspirations. » Mais ajoute Briffaut, il y a tout de même « quelques puérilités sentimentales » et surtout : « à la vue de ces mérites, nos regrets deviennent plus amers lorsque nos regards retombent sur cette *révolte ouverte et constante d'un esprit supérieur, en guerre flagrante avec le sens, le goût, la raison, le beau et le vrai* » (souligné par nous). Paroles remarquables : Hugo est en rupture flagrante avec le code de son temps (code littéraire, théâtral, moral, idéologique). Hugo fait la guerre, non pas tant avec son public (du public, il en aura toujours), mais avec cette fraction du public qui fait l'opinion. Dans cette guerre il est battu à la longue.

Toujours les mêmes reproches : Briffaut les reprend tous : « Une inexpérience flagrante de la scène [...] les moyens et les ressorts dramatiques dont se sert M. Hugo sont toujours les mêmes : le mélodrame les a usés avant qu'il songeât à les employer. Dans *Les Burgraves* nous retrouvons le pacte mortel d'*Hernani,* les fioles de tous les drames, le poison de *Hernani,* de *Lucrèce Borgia,* les cercueils si connus et les pompes funèbres du drame moderne [...] mesquine sorcellerie [...] chétives incantations. » Et Briffaut annonce (sans se tromper) la fin du drame de Hugo : « Désormais ces tumultueuses extravagances et ces illustres scandales sont sans péril ; car en vérité tout cela n'est que monstrueusement petit. » C'est le mot de la fin de Briffaut. La palme revient au *National ;* le feuilleton en général fait par Rolle paraît être cette fois de Nisard. Le feuilleton (du 13 mars 1843) ne se contente pas de railler, assez lourdement la publicité faite autour du drame, « le tumulte anticipé de fanfares et de prospectus qui n'est guère d'usage que dans les entreprises de poudres merveilleuses et de phénomènes vivants. M. Victor Hugo ne serait-il pas seulement un grand poète ? » Autrement dit, un commerçant. L'article moque « le rôle colossal » de Guanhumara pour lequel il faut « une voix de tigresse, un regard de hyène, un bras de fer... et des pieds de marbre », le nom de trilogie, les proportions gigantesques. « Conte bleu, histoire d'ogre et de petit poucet [...] comment sauver sa gravité devant de pareilles erreurs ? [...] Monstrueux assemblage d'impossibilités, banalités fantasmagoriques. » Banalités, oui, dans l'article ; mais il y a mieux : d'abord la constatation qu'il n'y a plus d'armée romantique : « Quelques barbes étranges erraient encore çà et là aux portes du théâtre comme des ombres dépaysées. » Ensuite, l'article, reprenant la vieille antienne des *Poètes latins de la décadence,* de Nisard, met en question la poétique et même la poésie de

Les Burgraves, Comédie-Française, 1843
*Victor Dollet
Mort de Guanhumara : IIIe partie, sc. 4 (cat. 552)
B.N., Arts du spectacle

Jean-Pierre Moynet
Les bulos-graves
La Caricature, 1843
Paris, M.V.H.

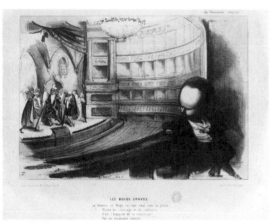

Hugo : « *Il y a de beaux vers !* Tel est le mot qu'on entend répéter partout » mais « le drame décrit, il ne parle pas [...] M. Hugo est purement et simplement un poète descriptif comme M. Delille [...] Non, vous n'êtes ni Homère, ni Eschyle comme on vous l'a dit je crois, ni Shakespeare, ni Corneille, ni Molière. Voulez-vous, ô poète, que je vous dise ce que vous êtes ? Un poète de décadence. Vous en avez le faux sublime et la fausse naïveté [...] Vous êtes Sénèque : regardez le portrait de votre modèle et mirez-vous dans son miroir [...] Rien peut-être ne caractérise autant la tragédie de Sénèque que la recherche, la poursuite passionnée de l'inouï et de l'horrible, la peinture complaisante d'objets repoussants et une certaine préférence dépravée pour les images du laid moral ». Étrange assassinat à travers un immense auteur tragique : les critiques de Hugo répètent un code du goût. Curieuse formule finale : « Son génie est un cyclope qui n'y voit que d'un œil, de l'œil qu'il a au milieu du front. » *Polyphème,* ainsi le nomme Sainte-Beuve dans ses carnets intimes.

Cette fois Hugo est réellement ulcéré. Non pas tant par la critique, dont il a l'habitude (« je suis un mithridate de la critique »), mais surtout par la froideur du public ; véritablement, les gens n'ont pas compris ce drame épique, eschyléen, cette pièce de vieillards, image des profondeurs de l'histoire. Hugo écrira bien plus tard : « Rossini s'est tu après *Guillaume Tell,* je me suis tu après *Les Burgraves, Guillaume Tell* chuté, *Les Burgraves* sifflés, c'est une raison pour que l'auteur sourie et se taise. Il y a de la dignité dans ces silences-là » (lettre à Lacroix du 12 juin 1864). Il est vain de nier que l'attitude du public ait incité Hugo à renoncer au théâtre joué : c'est l'évidence.

La pièce est publiée chez Duriez, le 28 mars, avec une importante préface, qui met la pièce sous le double patronage d'Eschyle et de l'Europe.   A. U.

Troisième année. — N° 108   Un numéro : **IO** centimes   13 Février 1870.

DIRECTEUR
F. POLO

ABONNEMENTS
DÉPARTEMENTS
Un an .... 6 fr. »
Six mois........ 3 50
Trois mois ...... 2 »

Rue du Croissant, 16

RÉDACTEUR EN CHEF
F. POLO

ABONNEMENTS
PARIS
Un an .... 5 fr. »
Six mois........ 3 »
Trois mois 1 50

Rue du Croissant, 16.

LUCRÈCE BORGIA, PAR GILL.

MARIE-LAURENT.

Les reprises 1867-1914

Le demi-siècle qui s'étend des dernières années de l'Empire — que l'on dit « libéral » et qui, parcimonieusement, permet que soient jouées les œuvres du proscrit — à la grande guerre n'a été, pour le théâtre de Hugo, que très partiellement étudié ; il révèle cependant à l'analyse, un certain nombre de surprises : fréquence des représentations certes, mais d'un nombre limité de pièces, faiblesse de la plupart des productions, désintérêt manifeste de ceux qui (Appia, Gordon Craig, Antoine ou Lugné-Poë) renouvellent mises en scène et décors, surprenante vivacité toutefois d'un répertoire qui ne semble survivre que grâce aux acteurs et au public. Malgré des productions trop souvent médiocres, le théâtre de Hugo « marche » bien.

C'est durant la période 1867-1914 que s'établit progressivement le catalogue très restreint des pièces présentées et l'incontestable suprematie d'*Hernani* et de *Ruy Blas*. A la Comédie-Française, *Hernani* est joué 71 fois en 1867, repris plus timidement les années suivantes jusqu'à la chute de l'Empire (8 fois en 1868, 4 en 1869, 4 en 1870) ; en 1877 une nouvelle production, autour de Mounet-Sully et de Sarah Bernhardt, est donnée 21 fois, 90 fois en 1878 puis régulièrement chaque année (à l'exception de 1883) une quinzaine de fois en moyenne (491 représentations entre 1867 et 1914). Succès équivalent de *Ruy Blas* repris tous les ans à partir de 1879 (à l'exception de 1881 ; 436 représentations entre 1867 et 1914). Les autres pièces de Hugo ne parviennent pas à entrer au répertoire ; *Les Burgraves* exhumés à l'occa-

Hernani. Comédie-Française, 1867
*André Gill
Mise en scène de M. Auguste Vacquerie
(cat. 409)
La Lune, 30 juin 1867
Paris, M.V.H.

Marie-Tudor. Porte-Saint-Martin, 1873
Daniel Vierge
IIIᵉ journée, IIᵉ partie
L'Univers Illustré, 18 oct. 1873
Paris, M.V.H.

Lucrèce Borgia. Porte-Saint-Martin, 1870
Jules Férat
Acte III, scène 2
Le Monde Illustré, 12 fév. 1870
Paris, M.V.H.

Valnay
Acte I, scène 5
L'Univers Illustré, 12 fév. 1870
Paris, M.V.H.

Lucrèce Borgia. Porte-Saint-Martin, 1870
*André Gill
Marie Laurent (Lucrèce) (cat. 411)
L'Eclipse, 13 fév. 1870
Paris, M.V.H.

sion du centenaire de la naissance du poète en 1902 sont joués 43 fois cette année-là mais beaucoup plus rarement par la suite (un total de 67 représentations jusqu'à la guerre) ; même demi succès pour *Marion de Lorme* qui bénéficie cependant, à trente ans de distance (1873 et 1907), de deux nouvelles productions (59 représentations en 1873 mais une seule l'année suivante puis 2 dix ans plus tard en 1885 ; 40 représentations en 1907 mais 9 en 1908, 3 en 1909, 6 enfin en 1914). *Le roi s'amuse* repris lui aussi à l'occasion d'un anniversaire — en 1882, pour le cinquantenaire de la naissance — ne parvient pas à s'imposer (19 représentations en 1882 et 29 en 1883 puis 4 jusqu'en 1895, 17 enfin autour d'une nouvelle distribution en 1911). Bien sûr la Comédie-Française n'est pas le seul théâtre en France à jouer du Hugo ; mais sur les autres scènes, on perçoit les mêmes réticences, la même prudence. Que l'évidente focalisation sur *Hernani* et *Ruy Blas* n'empêche pas la représentation des autres pièces de Hugo, il y a à cela plusieurs raisons. La première, nous y reviendrons, est que le théâtre de Hugo devient peu à peu un théâtre d'acteurs et que, en dehors des raisons d'« anniversaire » déjà évoquées, une pièce est souvent remontée autour d'un nom que ce soit à la Comédie-Française (Sarah Bernhardt, Mounet-Sully, Segond-Weber) ou sur d'autres scènes (la reprise en 1905 d'*Angelo* par Sarah Bernhardt qui voulait jouer la Tisbe). La seconde est que l'exclusivité dont bénéficie la « maison de Molière », oblige les autres salles à se rabattre sur les titres disponibles : ainsi en 1902 le Théâtre National de l'Odéon, ne pouvant toucher « les grandes œuvres presque toutes prises ou retenues par le théâtre de la rue de Richelieu », doit-il se résoudre à monter *L'épée*[55]. La Comédie-Française ne se contente pas pour autant d'*Hernani* et de *Ruy Blas* mais fait preuve d'une louable curiosité en choisissant *Les Burgraves* pour fêter le centenaire de la naissance du poète. Très au fait, Félix Duquesnel résume ainsi les raisons de cette reprise :

« On ne pouvait prendre une pièce en prose puisqu'il s'agissait surtout d'exalter le poète qui est chez Victor Hugo, d'incarnation supérieure. D'ailleurs la liste des pièces en prose est rapidement parcourue, elle donne trois titres : *Marie Tudor,* œuvre pesante et médiocre ; *Angelo,* un très beau drame sans doute mais un peu vieillot d'allure, d'une réussite toujours contestée et *Lucrèce Borgia,* le plus beau des drames dans le répertoire de Victor Hugo, mais qui n'avait aucune raison d'être en la circonstance. En se portant du côté des pièces en vers, ce qui était plus logique, il fallait éliminer *Hernani* et *Ruy Blas,* qui sont au répertoire courant ; volontiers, dirai-je, *Marion de Lorme,* souvent reprise, œuvre longue, indigeste, lourde et incomplète, malgré d'indéniables beautés. Restaient *Les Burgraves,* un chef-d'œuvre de forme, car jamais le poète ne s'est élevé plus haut que dans les deux premiers actes de ce poème sombre, où il fait résonner les cordes de sa lyre avec une richesse de rythme, une générosité d'accent, une souplesse de main, qu'il atteignit ailleurs peut-être mais qu'il n'a jamais dépassées[56]. »

Les critiques de Duquesnel à l'égard des pièces de Hugo et notamment des pièces en prose sont, au tournant du siècle, largement partagées ; les adjectifs « suranné », « vieillot » sont ceux qui, chez ses confrères, reviennent le plus souvent. L'heure est au drame réaliste, au vaudeville voire à la médiocre tragédie en vers à la Catulle Mendès ou à la Henry de Bornier ; elle n'est plus au théâtre de Hugo. Seuls les droits d'exclusivité, les anniversaires (1882, 1902), la volonté des acteurs et leur succès public expliquent que soient épisodiquement repris *Lucrèce Borgia, Angelo, Marion de Lorme* ou *Le roi s'amuse.* Si la critique condescendante comprend que *Marion de Lorme,* pièce « romanesque » malgré ses faiblesses[57] puisse plaire, elle éreinte, comme nous l'avons vu, *Marie Tudor* qui fit encore scandale lors de sa reprise en 1873 — « on devrait le mener en cour d'assises l'auteur d'une pièce comme ça » rapporte Victor Hugo, citant les propos d'un jeune « gommeux » — ou *Le roi s'amuse*[58]. Celle-ci souffrit tout à la fois d'une distribution inadéquate — Got en 1882, Silvain en 1911 ne surent s'imposer dans le rôle difficile de Triboulet — et de l'opinion communément partagée désormais que seul *Rigoletto* rendait justice au drame imaginé par Victor Hugo ; et toute la presse d'ironiser, qui répétant à l'envie le mot fameux d'Aurélien Scholl à Alphonse Daudet au sortir d'une représentation — « il n'y a que le roi qui se soit amusé »[52] — qui raillant le « vulgaire mélodrame médiocrement bâti et dont les combinaisons enfantines font sourire »[60].

Déjà en 1882 « les applaudissements témoignaient, aux dires d'un observateur, d'un profond respect pour le poète octogénaire plutôt que d'une enthousiaste admiration pour la pièce »[61] ; quelques années plus tard, c'est toute une forme théâtrale qui est condamnée : « N'est-ce pas tout un système dramatique qui nous apparaît vieilli, démodé [...] ? » ou encore à propos d'une reprise de *Lucrèce Borgia* : « Quant à la forme elle est surannée parce qu'elle date de la période la plus romantique et qu'elle a son propre parfum d'origine »[62]. Et ce n'est pas une vaine tentative comme la représentation à la Comédie-Française d'*Aymerillot* en 1909, « illustration très artistique » du poème de Hugo qui changera quoi que ce soit au dédain de plus en plus répandu pour son théâtre[63].

Certes la cause véritable de cette grandissante négligence est l'incompréhension du théâtre de Hugo et on peut voir avec Anne Ubersfeld, dans les échecs successifs du *Roi s'amuse,* un refus, même inexprimé, du grotesque hugolien, mais cette désaffection n'est en rien enrayée par le spectacle lui-même. Sur près de cinquante ans, par une tentative originale pour monter Hugo différemment, pas la moindre réflexion — pensons à celles qu'au même moment suscitait le théâtre de Shakespeare — sur les conditions même de sa représentation mais des mises en scène qui ne sont que des mises en place dans des décors indifférents — et le plus souvent indifférenciés. Pour un théâtre si vivant, mouvementé, contrasté et qui nous apparaît encore aujourd'hui si « jeune », cette sclérose est surprenante. Elle a toutefois plusieurs raisons bien discernables ; la première est la présence (l'omniprésence) de Hugo jusqu'en 1885 puis, après sa mort, celle non moins active de ses « héritiers » et en premier lieu de Paul Meurice. Les relations mouvementées de Hugo avec ses interprètes — principalement Mounet-Sully et Sarah Bernhardt qui en ont témoigné — montrent bien que le maître n'a en rien renoncé à ses volontés d'antan, à pouvoir, ainsi qu'il l'écrivait à Pavie près d'un demi siècle plutôt « pétrir et repétrir l'argile à (son) gré, fondre et refondre la cire »[64]. La cire, nous le verrons, ne s'est pas toujours montrée malléable. Victor Hugo choisit les interprètes,

Marie Tudor. Porte-Saint-Martin, 1873
Cham
Un rude homme, Victor Hugo ! ...
Paris, coll. privée

Le roi s'amuse. Comédie-Française, 1882
*Jules Garnier
Frédéric Febvre (Saltabadil) (cat. 439)
Paris, Comédie-Française

Marie Tudor. Porte-Saint-Martin, 1873
Etienne Carjat
Photographies des interprètes :
Régnier (Fabiano Fabiani) ; Frédérick Lemaître
(un juif) ; Marie Laurent (Marie) ; Dumaine
(Gilbert) ; Taillade (Simon Renard)
Paris, M.V.H.

THEATRES. — La Comédie-Française. — Reprise de *Marion De Lorme*, de Victor Hugo. — (Dessin et composition de M. Edmond Morin.)

Hernani. Comédie-Française, 1877
*Henri Demare
L'œil du maître (cat. 433)
Le Carillon, 8 déc. 1877
Paris, M.V.H.

Marion de Lorme. Comédie-Française, 1873
Edmond Morin
Reportage sur la représentation
Le Monde Illustré, 22 fév. 1873
Paris, M.V.H.

Marion de Lorme. Comédie-Française, 1873
*Alfred Albert et Maxime de Thomas
Maquette de costume : Marion (cat. 419)
Paris, Comédie-Française

*Auguste-Alfred Rubé et Philippe-Marie Chaperon
Maquette de décor : Acte II (cat. 418)
Paris, Comédie-Française

— après une visite chez Victor Hugo, alors rue de la Rochefoucauld, Mounet-Sully qui venait de triompher dans *Andromaque* se vit « donner » le rôle de Didier[65] —, suit attentivement les répétitions, précise la mise en scène, tranche souverainement les possibles problèmes d'interprétation. Mounet-Sully, grand interprète de Hugo et fervent admirateur d'un théâtre qu'il défendra jusqu'à sa mort, raconte à ce propos un incident comique. Lors de la reprise d'*Hernani* à la Comédie-Française en 1877, « il y eut une grave discussion au foyer des artistes : — Hernani a vingt ans. Porte-t-il de la barbe, oui ou non ? » L'avis de Hugo qui passait par là fut requis : « Hernani a vingt ans, répondit Victor Hugo, c'est vrai ; mais un Espagnol peut très bien avoir de la barbe à vingt ans. » La discussion n'en resta pas là ; quelqu'un ayant fait remarquer « Un vers dit :
Et reçoit, tous les soirs, malgré les envieux
Le jeune amant sans barbe à la barbe du vieux. »
  Hugo trancha : « Il n'a donc pas de barbe.
— Oui, mais Don Carlos, qui dit ce vers, n'a pas encore vu Hernani...
— C'est exact.
— Alors Maître ?
— Alors... il faut qu'il ait de la barbe... conclut le maître. »
  Et Mounet-Sully joua le rôle-titre avec sa barbe[66]. Rien que de très normal dans cette attention portée par Hugo aux reprises de ses propres pièces ; après sa mort ses héritiers ne renonceront pas à veiller au grain et la présence agissante d'un Paul Meurice se fera rudement sentir. Très vite vont se préciser des mises en scène, se fixer une doctrine qu'il sera difficile de transgresser. Les « mises en scène » manuscrites rédigées par E. Valnay pour *Hernani* et *Ruy Blas*[67] ne sont en fait que des mises en place dans des décors passe-partout, simple codification d'une gestuelle. Les illustrations qui accompagnent ces manuscrits et permettent de suivre la pièce en bande dessinée soulignent tout ce que ces jeux de scène pouvaient avoir d'attendu. L'abondance et la précision des didascalies hugoliennes permettront d'accréditer cette idée que chez Hugo tout est dit, qu'il n'y a qu'à suivre scrupuleusement les indications de l'auteur pour monter ses drames de façon satisfaisante. De temps en temps, un acteur essaye d'échapper à ces pesantes contraintes, de trouver autre chose, d'éviter la morne et lassante répétition d'un état de fait. Mounet-Sully, génial et fantasque, toujours en quête d'expressions nouvelles, d'intonations inusitées ne se pliait pas de bon gré aux volontés d'Hugo ou de Paul Meurice. Répétant avec ce dernier *Marion de Lorme* en 1873, il souhaitait dire le « Marie...on Marion ? » — Didier a appris que la « chaste Marie n'est que Marion de Lorme » —, « sans presque hausser le ton et faire porter toute la colère sur : Madame, on n'entre pas ici facilement !... ». Opposition farouche de Paul Meurice qui voulait un « Marion » « très articulé, terrible », longues discussions jusqu'à ce que cela finisse « par une cote mal taillée entre (sa) compréhension et le vœu de Paul Meurice »[68].
  En 1879, dans *Ruy Blas,* Victor Hugo lui fit reprendre, malgré ses discrètes réti-

Hernani. Comédie-Française, 1877
Maquette de décor : Acte II (cat. 422)
B.N., Arts du spectacle

*E. et J. Valnay
*Mise en scène de la reprise à Londres en 1879 :
Acte II* (cat. 434)
B.N., Arts du spectacle

Frédéric Lix
Acte IV, scène 4
Paris, M.V.H.

Edmond Morin
Acte V, scène 6
Le Monde Illustré, 1er déc. 1877
Paris, M.V.H.

H. Scott
Acte V, scène 3
Le Monde Illustré, 1er déc. 1877
Paris, M.V.H.

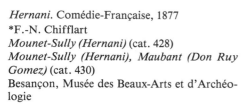

Hernani. Comédie-Française, 1877
*F.-N. Chifflart
Mounet-Sully (Hernani) (cat. 428)
Mounet-Sully (Hernani), Maubant (Don Ruy Gomez) (cat. 430)
Besançon, Musée des Beaux-Arts et d'Archéologie

Nadar
Mounet-Sully (Hernani)
Worms (Don Carlos)
Paris, M.V.H.

Daniel Vierge
Acte I, scène 3
Le Monde Illustré.
Paris, M.V.H.

Hernani. Gaiety-Theater de Londres, 1879
Acte II, scène 3
L'Univers Illustré, 1879
Paris, M.V.H.

Le roi s'amuse. Comédie-Française, 1882
Henri Toussaint
Acte II, scène 5
L'Illustration, 25 nov. 1882
Paris, M.V.H.

Emile Bayard
Acte III, scène 3
L'Illustration, 25 nov. 1882
Paris, M.V.H.

*Bridel
Got (Triboulet) (cat. 440)
La Nouvelle Lune, 26 nov. 1882
Paris, M.V.H.

Adrien Marie
Acte V, scène 4
La Vie Moderne, 25 nov. 1882
Paris, M.V.H.

Henri Toussaint
Acte V, scène 4
Acte I, scène 5
L'Illustration, 25 nov. 1882
Paris, M.V.H.

cences et son peu d'aptitude à imiter son prédécesseur, ce que des années auparavant avait fait Frédérick Lemaître[69]. En 1902 dans *Les Burgraves,* il joua pour s'amuser, avant la première, le rôle de Job qui lui était échu « en vieillard de café-concert », trouvant « dans le genre, des choses très bien... des grognements, des gonflements de joues, des outrances de toutes sortes ». Il apprit, à sa grande surprise, que Paul Meurice trouvait cela très bien et dut renoncer à faire autrement, à chercher « à dégager le côté épique du personnage » et campa donc « puisque Paul Meurice le trouvait bien ainsi », un Job gâteux « dans le caractère qui (lui) avait semblé bien sincèrement être une caricature »[70].

Enfin libéré de la présence du redoutable Meurice, Mounet-Sully met en scène à la Comédie-Française *Marion de Lorme* en 1907. Didier est devenu Louis XIII et désireux d'échapper à la pesante routine, s'évertua sans cesse « à trouver quelque chose de nouveau, un détail original de costume, un jeu de scène pittoresque ». Aussi a-t-on grand peine à le dissuader lorsqu'il « exprime un jour le désir qu'à son entrée en scène, on lui serve une tasse de bouillon, sous prétexte de donner à l'arrivée du roi une couleur historique ». Mais la fin de l'ouvrage, après la dernière phrase de Marion qui doit alors, suivant les indications de Hugo, tomber sur le pavé, il exigea de la malheureuse Marion-Bartet qu'elle roule deux fois sur elle-même ce que « la divine » trouva nettement exagéré[71]. On pourrait ainsi multiplier les exemples de fantaisies d'acteurs cherchant à échapper à ce qui est uniformément prescrit. Segond-Weber, définissant l'héroïne romantique, prendra bien soin de réclamer pour elle un rien de « fantaisie » et d'inattendu[72].

Décors et costumes ne font qu'aggraver cette impression de déjà vu, qu'accentuer cette rigidité, que rendre plus apparent encore ce manque total d'invention. Les descriptions de Hugo sont précises et obéies à la lettre. « Le personnage principal de ses drames, c'est la couleur locale » déclarera Émile Faguet en 1902[73] et de ce côté-là on en rajoute : palais espagnols inspirés de ceux de Grenade ou de Séville, ou vénitiens avec Saint-Marc en arrière-plan, soigneuse reconstitution des intérieurs médiévaux ou renaissants, personnages tout droit descendus de tableaux de Clouet, de Véronèse, de Vélasquez. Les décors de reprises reproduisent, lorsque c'est possible, ceux des premières ; car le drame romantique doit être « dans son jus », garder au moins, alors que beaucoup le disent vieillot, dépassé, son parfum d'origine. Mais tant de scrupuleuse attention finit par lasser : pour « l'impalpable Donâ Sol », raille *La Vie Parisienne*[74] « que de cheveux sur le nez, que de fraises jusqu'aux yeux, que de gigots jusqu'aux oreilles, que de ruches, de ceintures et d'écharpes autour d'elle ». Même quand elle n'est pas requise, la citation hugolienne est de rigueur : pas de quatrième acte du *Roi s'amuse* sans que ne se profilent les inévitables tours de Notre-Dame. Dressant son panorama du *Décor de théâtre de 1870 à 1914,* Denis Bablet n'en cite pas un notable pour une pièce de Hugo ; non qu'ils soient tous mauvais, ils peuvent être brillants ou seulement « bien faits » ; mais sur un demi-siècle pas une disposition nouvelle, pas la moindre tentative de faire autre chose[75]. Le « théâtre en liberté », épisodiquement donné à partir de la fin des années 90, et qui aurait pu renouveler la mise en scène hugolienne, sera monté dans les mêmes conditions.

En cette fin de siècle, le théâtre de Hugo deviendra un théâtre d'acteurs. Un théâtre d'acteurs comme il y a des opéras de chanteurs. Ce sont les interprètes qui vont, en effet, le maintenir, le promouvoir ; Sarah Bernhardt montera dans son propre théâtre *Angelo* et *Lucrèce Borgia ;* c'est autour de Mounet-Sully, de Bartet, de Segond-Weber que seront reprises plusieurs pièces. De Maria Favart à Colonna Romano, à Cécile Sorel, *Marion de Lorme* sera une pièce pour « prima donna ». Ce sont les interprètes qui apporteront la fantaisie, le je ne sais quoi et souvent le génie que décors et costumes ne pouvaient donner, qui briseront les carcans trop rigides, insuffleront la vie à ces pieuses reconstitutions.

A la fin du Second Empire qui fut dédaigneux et de la tragédie en vers, le théâtre de Hugo manque singulièrement d'interprètes. Un Delaunay, excellent acteur au demeurant, n'a, lorsqu'il se risque dans *Hernani* « ni la voix, ni la prestance qu'exigent les drames héroïques ou les drames de passions »[76]. Maubant, « l'honnête Maubant », « austère représentant de la tradition classique » « ensemble excellent de qualités moyennes », ne brillera jamais dans les rôles hugoliens qu'il interprètera[77]. Francisque Sarcey a bien montré comment lassé des drames bourgeois et des comédies faciles, le public, dès la fin des années soixante, réclama à nouveau du théâtre en vers ; une nouvelle génération d'acteurs, une nouvelle génération d'écri-

Ruy Blas. Comédie-Française, 1895
Acte V, scène 3 (Paul Mounet, Mounet-Sully,
Marthe Brandès)
Paris, Comédie-Française

Ruy Blas. Odéon, 1871-72
*Alfred Albert
Maquette de costume : une dame de la reine
(cat. 416)
B.N., Arts du spectacle.

Ruy Blas. Comédie-Française, 1879
*Maxime de Thomas
Maquettes de costumes :
La reine (cat. 436) ; *Ruy Blas* (cat. 437)
Paris, Comédie-Française

Alfred Le Petit
Portraits et costumes des acteurs
Les Pièces en Vogue, n° 4, 1879
Paris, M.V.H.

Hernani. Comédie-Française, 1887
Acte IV
Paris, Comédie-Française

*Léon Comerre
Raphaël Duflos (Don Carlos)* (cat. 445)
Paris, Comédie-Française

Acte I (Mme Segond-Weber, Maubant) ; *Acte II* ; *Acte V* (Maubant, Mounet-Sully, Mme Segond-Weber) ; Acte III
Paris, Comédie-Française

Les Burgraves. Comédie-Française, 1902
Georges Scott
Acte II, scène 6 (Paul Mounet, Silvain)
Photogravure
Paris, M.V.H.

Jambon
Maquette de décor : Acte I
Photogravure
Paris, M.V.H.

*Répétition de l'acte II. Sur le plateau : Jules
Claretie, Paul Meurice, Désiré Chaîneux,
Albert Lambert (cat. 563)
Paris, Comédie-Française

LA REPRÉSENTATION DES « BURGRAVES » AU THÉATRE-FRANÇAIS. — Deuxième acte : apostrophe de Magnus à Frédéric Barberousse.

vains répondirent à cette attente. Le renouveau temporaire du théâtre de Hugo
n'est pas uniquement dû à la fin de la censure et au retour d'exil du proscrit ; il
satisfait, dans les premières années de la Troisième République, un engouement
profond du public dont bénéficieront aussi des auteurs médiocres comme François
Coppée, Jean Richepin, Catulle Mendès, ou Henry de Bornier. Mounet-Sully,
Sarah Bernhardt, Segond-Weber, Bartet (pour citer les quatre principaux acteurs
hugoliens) auront une évidente prédilection pour le théâtre en vers, en « costume »
— « j'aime mieux traîner l'épée d'Hernani » avouera Mounet-Sully après s'être
essayé dans *Un caprice*[78] — et laisseront à d'autres le drame réaliste, la comédie
bourgeoise et le vaudeville.

Le théâtre romantique convenait parfaitement à ces acteurs parfois inégaux
— on le dira beaucoup de Mounet-Sully — et qui étaient, avant tout, des
« natures », des « tempéraments ». Quand ils ne sont plus contrôlés, ils se laissent
aller à tous les débordements. Segond-Weber justifiera cette conception du héros
romantique qui, ne collaborant en rien avec la destinée, est conduit par les
« hasards extérieurs » : « point de recherches rigoureuses d'une parfaite psychologie, point de cette retenue extérieure dans le choc des sentiments qui est un des
caractères de la tragédie classique, point de coordination, point de ligne qu'il ne
faut pas briser, mais au contraire des heurts et des sursauts, des violences et des
douleurs extrêmes. Une spontanéité tumultueuse, des pas précipités, du désordre et
des cris, des cheveux qu'on agite, qui se dénouent d'eux-mêmes, des langueurs, de
la frénésie, de la flamme, un don total de soi, l'ivresse dionysiaque et la joie de
parler en beaux vers : voilà tout ce qu'il faut d'abord pour jouer une héroïne
romantique »[79]. Désormais tout est possible. Au tournant du siècle, le théâtre de
Hugo dans des décors pourtant si sages, des costumes si fidèles, va devenir le lieu de
toutes les hystéries, de tous les histrionismes. La représentation des *Burgraves* en
1902 dans les décors pieusement reconstitués d'après les indications du poète est
sans doute le meilleur exemple de ce qu'il ne faut pas faire avec Hugo : au Job

Les Burgraves. Comédie-Française, 1902
**Mme Segond-Weber (Guanhumara)* (cat. 565)
Paris, Comédie-Française.

gâteux de Mounet-Sully s'ajoutait la Guanhumara de Segond-Weber descendue, à ses dires, tout droit de la *Légende des siècles* : « Labourer mon visage de rides profondes ; sur ma pâleur poser une lividité ; mettre des cheveux blancs aux rudes mèches en désordre ; creuser les orbites, noircir mes yeux qui se figeront dans cette sorte de regard fixe de Gorgone, puis, me dresser comme si je pouvais étirer mon squelette ; devenir plus grand et, pourtant, baisser mes épaules comme sous le fardeau des servitudes [...] Avoir près de cent ans. Porter au cou le carcan de fer qui relie la lourde et longue chaîne, traînant en un cliquetis sinistre ; revêtir un sac de vieille toile, troué au cou pour y passer la tête, troué deux autres fois pour que les bras soient libres ; dessiner sur ces bras, sur les mains, des réseaux de veines qui décharnent et sur le tout poser un voile en lambeaux, sans couleur, un haillon mais un haillon neuf, — car il faut, pour avoir un vieux voile déteint, acheter un très beau voile neuf, bien noir, et lui faire prendre un bain prolongé d'eau oxygénée, le faire sécher, le relaver trois ou quatre fois dans de l'eau qui sent la lessive et le déchirer par endroits. A ce compte on a un beau vieux voile. Pour l'attacher, entourer un de ses coins d'une ficelle tout effilochée, et pour fermer la robe, les lambeaux moisis précieusement par les crayons dont un grand peintre venait de

Les Burgraves. Comédie-Française, 1902
Paul Mounet (Magnus), Mounet-Sully (Job) (cat. 564)

Mme Segond-Weber (Guanhumara), Albert Lambert (Otbert) (cat. 567)

Albert Lambert (Otbert), Mlle Bartet (Régina) (cat. 566)
Paris, Comédie-Française

Désireux Chaîneux
Maquettes de costumes :
Guanhumara (cat. 554) ; *Job* (cat. 555)
Paris, Comédie-Française

faire de lumineux portraits ; pour fermer le sac-robe, mettre en guise de broche une vertèbre humaine.[80] ».

Une telle conception du théâtre hugolien ne pouvait que le rendre théâtral au mauvais sens du terme, faire de chaque pièce une succession de numéros d'acteurs, revenait, pour reprendre les critiques de Gustave Planche, à « refuser le style un, la continuité cursive du ton, le *legato* »[81]. C'est ainsi, en tout cas, qu'il sera perçu par beaucoup et c'est une telle pratique qui lui vaudra la déplorable fortune critique dont il a joui jusqu'à nos jours. Les acteurs du théâtre de Hugo furent, alors, à la fois sa chance et sa perte ; sa chance car c'est pour eux, souvent sous leur impulsion qu'il fut donné ; sa perte, car ils le faussèrent à plaisir, en firent ce qu'ils voulaient, c'est-à-dire en firent trop, en donnèrent, en fin de compte, une fâcheuse et souvent ridicule image.

H. L.

Depuis 1914

Entre les deux guerres

Les dernières années de la guerre et les premières années de l'après-guerre voient surtout des reprises de drames de Hugo à la Comédie-Française, pour servir tel ou tel interprète prestigieux.

Ainsi l'entrée au répertoire de *Lucrèce Borgia* était là pour servir Mme Segond-Weber qui avait été Guanhumara en 1902 ; Albert Lambert jouait comme à l'opéra (Gennaro) et Raphaël Duflos fut un Alphonse d'Este de grande allure. Malgré les décors luxueux (le banquet final était de Jean-Gabriel Domergue, très fidèle à l'esthétique prévue par Hugo, rouge, noir et or) la pièce fit encore scandale. Pour *La Vie de Paris :* « Il y a dans ce spectacle quelque chose de primitif ou plus exactement de répugnant et de barbare. » Le clivage gauche-droite apparaît nettement dans la presse dès cette date ; ainsi *La Libre Parole,* nationaliste et antisémite d'Édouard Drumond ne mâche pas ses mots : « Hugo aurait aimé Mata-Hari, et n'eût pas tenu compte des 500 000 Français sans tares qui sont morts simplement pour leur patrie. » Corneille voyait plus justement que le père Hugo, heureusement ! « Il avait des origines moins mêlées et portait un grand nom qui n'était pas le petit nom de beaucoup d'Allemands aux conceptions colossales[1]. » Et *La Voix Nationale* de conclure : « Hugo a déjà perdu tout crédit auprès des gens cultivés ; le public est toujours un peu en retard, mais il se mettra à l'alignement. » Ce qu'il y a de curieux, c'est que c'était le même son de cloche en 1838, mais le public a mis une mauvaise volonté infinie à se « mettre à l'alignement ».

Lucrèce Borgia eut 12 représentations en 1918. Elle fut reprise en 1935 avec Marie Marquet dans le rôle-titre. Le ton de la critique ne varie guère ; et on est

Lucrèce Borgia. Comédie-Française, 1918
*Acte I, Ire partie, scène 5 ; Acte III, scène 1 ;
Acte I, IIe partie, scène 3*
Paris, Comédie-Française

frappé par l'extrême monotonie des discours. Le leitmotiv c'est un « bon mélodrame, solidement charpenté, mieux écrit que *Les deux orphelines,* mais moins humain », écrit Bellessort qui tient la pièce pour « somptueusement montée » mais se plaint des coupures : « M. Donneaud n'a jamais osé dire '' vous êtes ma tante '' à Mme Marquet. Et il a supprimé le passage. Et ils ont tripatouillé le reste. » Gérard d'Houville écrit : « Si *Lucrèce Borgia* n'était pas signée du nom prestigieux de Hugo, saurions-nous y découvrir sa griffe de lion en signature ? » La critique s'étonne de voir que « le public est extrêmement satisfait »; elle en cherche la raison et remarque, non sans finesse, « cette beauté qui ne vient ni du sens, ni des situations, ni des personnages, ni du style, mais du rythme » (*Petit Parisien,* 16/6/35). Louis Schneider dans *L'Ordre :* « un bon drame pour l'Ambigu » ; Maurice du Bos dans *Le Figaro,* aimable : « le chef-d'œuvre du mélodrame ».

Lucrèce Borgia est reprise assez régulièrement pour quelques représentations. Une reprise de 1948 apportera peu de changements, avec Louise Conte, Maurice Escande, André Falcon, Jean Piat ; représentation unanimement jugée médiocre et qui eut pourtant 18 représentations.

On peut dire de ces représentations à la Comédie-Française, jusqu'à une date récente, toujours à peu près la même chose, à de rares exceptions près : elles sont soignées, souvent les décors sont bien faits et agréables à l'œil, mais Gabriel Boissy remarque très justement à propos d'une reprise de *Ruy Blas* en 1927 que « les décors restent toujours aussi lourdement historiques » et que des peintres « devraient bien nous donner enfin des images toutes nouvelles et véritablement inspirées de cette liberté et de cette folie qui caractérisent le genre » (*Comoedia,* 2 juillet 1927). On ne saurait mieux dire : le drame du théâtre de Hugo est d'être « shakespearien », d'appeler un espace dépouillé, une mise en espace plus proche du tréteau que de la surcharge historique, et de ne rencontrer depuis sa création jusqu'à Vilar que des fabricants de grandes machines (exception faite, peut-être du décor de Jean Hugo pour *Ruy Blas,* 1938).

L'interprétation est souvent honnête, rarement inspirée, mais le plus souvent elle sacrifie à une fâcheuse tendance à l'emphase avec ses corollaires, le ralentissement du rythme et l'insistance sur les situations excessives. Rien d'étonnant à ce que les critiques qui jugent le théâtre de Hugo mélodramatique et désuet (pratiquement tous) se sentent confortés dans leur dégoût. D'autant que ni les metteurs en scène, ni les comédiens ne sont portés à prendre au sérieux une œuvre qu'on leur dépeint comme grossière et enfantine. Pourquoi alors ne joueraient-ils pas « grossièrement » ?

D'autant que quoiqu'ils fassent le public vient ; les représentations de Racine et même de Molière, si elles sont poussiéreuses, se font devant les banquettes. Hugo jamais.

D'une façon très générale, on peut dire que le clivage politique qui accompagne la figure de Hugo dès 1850 continue jusqu'à nos jours : la critique « de gauche » et « démocrate », accepte l'œuvre théâtrale de Hugo (ou l'admire), et se garde de l'attaquer, même quand elle n'est pas tendre en face de telle ou telle réalisation un peu poussiéreuse. En revanche, les maurrassiens, après la guerre de 14, ont donné le signal d'une condamnation générale du romantisme, mais avant tout de Hugo. Témoin ces lignes d'Eugène Marsan dans *Paris-Journal* du 30 juin 1923, à propos de la création à la Comédie-Française des *Deux trouvailles de Gallus :* « J'appartiens en effet à cette école critique, fondée par Charles Maurras, qui n'a pas cessé depuis vingt ans, de s'attaquer au romantisme en général, aux immenses défauts de Victor Hugo en particulier. L'on sait bien que nous n'avons pas parlé en vain. Il y a peu, l'épithète de romantique était prise couramment dans un sens élogieux, comme synonyme de poétique, de lyrique, voire de généreux et de magnanime. Aujourd'hui, tout est changé, la même épithète a pris un sens péjoratif si marqué et si net, que traité de romantique, nul n'est plus flatté. Voilà pourtant notre œuvre. Nos analyses, nos définitions l'ont emporté. Qui donc n'est pas aujourd'hui convaincu de l'inanité *psychologique* du romantisme ? » E. Marsan se vante sans doute et la réaction contre le romantisme est plus profonde et plus générale. Elle touche particulièrement Hugo et son théâtre, et l'« inanité *psychologique* » est toujours la tarte à la crème des critiques.

Cette attitude de refus retentit sur l'enseignement scolaire et universitaire ; le résultat en est qu'après la guerre de 40, des esprits dont l'attitude politique n'est pas suspecte de pactiser avec les maurrassiens ou même avec la droite modérée, comme le brechtien Bernard Dort, continuent à emboucher, nous le verrons, le même clairon. Pendant presque un demi-siècle, il a été courageux de dire qu'on aimait le théâtre de Hugo (au demeurant, souvent mal servi par une esthétique démodée).

Marion de Lorme. — Il faut tout le prestige de Cécile Sorel pour faire reprendre *Marion de Lorme* au Français en 1922. Marcel Achard remarque dans *Bonsoir* du 22 septembre 1922 que c'est l'actrice qui fut à l'origine de cette reprise : « Cécile Sorel, en demandant à interpréter *Marion de Lorme,* crée à côté du drame sans

Ruy Blas. Comédie-Française, 1927
*Alexandre Benois
Maquette de décor : Acte III (cat. 446)
Paris, Comédie-Française

Marion de Lorme. Comédie-Française, 1928
*Charles Betout
*Deux maquettes de costumes : Marion, Actes
II et III* (cat. 447-448)
Paris, Comédie-Française

vérité humaine du grand romantique, un autre drame, celui de l'obstination malheureuse. » Cependant, Marion fut, semble-t-il, le plus grand rôle de la carrière de Cécile Sorel, celui qui plus encore que Célimène, resta légendairement attaché à son nom. Elle y étrenna le chapeau à plumes, inséparable de sa silhouette.

Interprètes : Albert Lambert pour Didier, Raphaël Duflos (Louis XIII), Denis d'Inès (L'Angely), Silvain (Nangis). Les décors étaient de Devred père et fils, les costumes de Betout. Seule l'interprétation de Cécile Sorel parut digne de mémoire. *Marion,* pièce très difficile avec son « théâtre dans le théâtre » et ses figures étranges, n'eut guère de suffrages à la Comédie. On ne reprit pas non plus *Angelo,* considéré comme un texte secondaire, malgré son succès au XIXe siècle, ni *Le roi s'amuse,* ouvrage maudit.

Les Burgraves. — Pièce « difficile », elle aussi, elle eut une reprise en 1927 avec comme interprètes, Mme Segond-Weber, qui n'avait pas oublié son triomphe de 1902, Albert Lambert (Job), Jeanne Sully (Regina). La représentation, un peu pompeuse ne convainquit pas, malgré l'interprétation de Segond-Weber. Il y eut cependant 15 représentations et 7 à la reprise de 1935.

Mais le public, lui, ne se lasse pas ; il est sans exemple, et les critiques le reconnaissent, qu'une pièce de Hugo ne rencontre pas l'adhésion de son public. Ce que dit, vigoureusement, René Wisner dans *Le Siècle* du 14 mars 1918 : « J'ai pris, à voir jouer *Lucrèce Borgia,* un très vif plaisir qui m'a paru partagé par le public [...] Ce qui me confond, c'est que cet art prestigieux et légèrement factice si l'on veut, ne déroute pas la foule, qui pourrait en être un peu troublée, et que les objections viennent toutes de prétendus habiles alors que tout y est fait pour ravir les lettrés. » Phrase que l'on pourrait appliquer à la lettre à toutes les représentations de pièces de Hugo, jusqu'aux derniers jours, jusqu'au *Hernani* monté par Vitez. Même les représentations médiocres émeuvent et touchent quelque part le public non prévenu.

Hernani. — C'est *Hernani* et surtout *Ruy Blas* qui ont tous les suffrages à la Comédie : les Comédiens Français se sentent capables de dire les vers de Hugo et considèrent ces deux ouvrages comme des « classiques ».

En 1920, la pièce est reprise avec une distribution éclatante où brille Segond-Weber qui joue Doña Sol, sans complexe (après tout Mlle Mars avait cinquante-deux ans à la création du rôle), Albert Lambert (Hernani), Raphaël Duflos (Don Carlos), Silvain (Ruy Gomez).

La pièce, reprise avec régularité, aura 142 représentations entre 1920 et 1938, ce qui suffit à attester de sa vitalité.

Ruy Blas. — C'est la pièce vedette, celle qui quoiqu'il arrive plaît toujours et rencontre un minimum de résistances. Elle se joue pratiquement chaque année.

La reprise de 1927 n'est pas sans intérêt ; on renouvelle les décors (ceux-là sont dus à Alexandre Benois) ; les costumes sont de Betout. Albert Lambert est Ruy Blas, André Brunot Don César de Bazan, et Colonna Romano est la reine. Elle avait déjà joué le rôle en 1923, s'attirant de *L'Action Française* une remarque pleine de fiel antisémite : elle était née Dreyfus, la pauvre ! (article du 26 février 1923). On ne sait qui assure la mise en scène. Le rôle de Casilda est tenu par une jeune recrue de la Comédie, Madeleine Renaud. C'est la même mise en scène avec les mêmes interprètes jusqu'en 1936 où c'est Jeanne Sully qui joue la reine et Jean Hervé Ruy Blas.

L'année du Centenaire est marquée par une véritable recréation, la seule des représentations de la Comédie-Française qui avant la guerre soit vraiment digne de

Ruy Blas. Comédie-Française, 1938
Acte III, scène 2 (Jean Yonnel)
Acte II, scène 3 (Lafont, Jean Yonnel, Nadine Marziano, Marie Bell, Lise Delamare)
*Acte I, scène 5 (Marie Bell, Lise Delamare, Jean Debucourt, Jean Yonnel) (cat. 457)
Photos Lipnitzki

mémoire, non pas tant par la qualité (au demeurant fort honorable) des interprètes que par le renouvellement visuel : c'était Jean Hugo qui avait fait les décors, apportant une esthétique nouvelle géométrique et stylisée, qui débarrassait (du moins pouvait-on l'espérer) de la raideur et de la pompe historiques. Très grand succès, mais la critique est toujours aussi hostile. On entend un nouveau son de cloche : Hugo est un auteur qui décourage la réflexion, aussi faut-il laisser la cervelle à la maison et se laisser embarquer par l'effusion romantique ; c'est ce que dit R. Kemp : « l'attention est la plus funeste disposition d'esprit pour écouter *Ruy Blas*. Il faut se laisser emporter, sans réfléchir un instant, par la chevauchée des rythmes et des images » (*Le Temps,* mai 1938). Le succès est très grand et la presse toujours aussi restrictive ; 31 représentations en 1938. C'est la mise en scène reprise jusqu'en 1960, très régulièrement.

Distribution en 1938 : Jean Yonnel (Ruy Blas) ; Marie Bell (la reine) ; Pierre Dux qui fit aussi la mise en scène, jouait Don César et Debucourt, Don Salluste.

A la Comédie-Française après la guerre de 40

L'après-guerre ne marque pas un véritable renouvellement de la vision de Hugo à la Comédie. Il faut attendre 1952 pour voir une nouvelle version d'*Hernani,* 1960 pour *Ruy Blas.* Encore ces deux mises en scène représentent-elles un recul esthétique par rapport au *Ruy Blas* de 1938 et aux décors de Jean Hugo.

Les décors de Lila de Nobili pour *Ruy Blas* (nov. 1960, mise en scène de Raymond Rouleau) revenaient au lourd décorativisme du XIXe siècle. Représentation très chargée, sauvée par l'humour de Jean Piat (Don César) et de Denise Gence (la duègne) ; Jacques Destoop (Ruy Blas), Claude Winter (la reine), Gérard Oury (Salluste). Le succès fut vif ; de Gaulle s'y rendit, sans être vraiment persuadé ; il y eut

Ruy Blas. Comédie-Française, 1960
**Lila de Nobili et Renzo Mongiardino
Maquettes de décors :
Acte IV (cat. 480) ; *Acte II* (cat. 478)
Paris, Comédie-Française

Ruy Blas. Comédie-Française, 1938
*Jean Hugo
Maquettes de décors :
Acte I (cat. 453) ; *Acte III* (cat. 452) ; *Acte II*
(cat. 452)
Paris, Comédie-Française

*Jean Hugo
Maquettes de costumes :
Don César de Bazan (cat. 455)
La duègne (cat. 456)
La reine (cat. 454)
Paris, Comédie-Française

76 représentations en 2 ans avec des reprises en 63, 68, 69 et des changements mineurs de distribution ; distribution nouvelle sans changement de mise en scène en 1971. En 1979, Jacques Destoop refit une mise en scène, avec Geneviève Casile et François Beaulieu.

Quant à *Hernani,* il est remonté en 1952 par Henri Rollan, avec des décors de Mariano Andreu d'une grande lourdeur historique de style « romantique » ; André Falcon y était Hernani et Louise Conte une Donâ Sol un peu sèche. Le tout semble avoir fait beaucoup rire. La mise en scène d'*Hernani* par Robert Hossein en 1974 n'apportait qu'un renouvellement de surface : certes les décors de Jean Mandareux étaient beaucoup plus aérés, et les costumes de Sylvie Poulet très beaux, mais le style de l'interprétation n'était guère renouvelé, et les difficultés réelles de la pièce étaient quelque peu dissimulées. La presse est bonne dans l'ensemble et presque polie à l'égard de l'œuvre qui, dit Dumur « garde aujourd'hui toute sa beauté un peu raccrocheuse » (*Nouvel Observateur,* 21 octobre 1974). *Hernani* « joué au pas de charge, clairons déployés » (Jean Le Marchand, *Quotidien du Médecin*). « C'est ici que Robert Hossein triomphe. Il faut jouer extérieur. On le lui reprochera. On aura tort. Si vous grattez un peu la pièce, c'est le vide qui apparaît [...] C'est l'empereur du mélodrame et Hossein lui fait un tapis [...] [il] a monté la pièce comme un roman de cape et d'épée » (Marcabru, *France Soir,* 13 oct.).

Bref, la presse, dans son ensemble et sauf exception, envisage avec une indulgence amusée, une représentation qui ne met en lumière dans l'œuvre que l'aspect de roman d'aventures.

Hernani. Comédie-Française, 1952
*Mariano Andreu
Maquette du rideau de scène (cat. 459)
Paris, Comédie-Française

Une nouveauté : Marie Tudor à la Comédie-Française. — La représentation de 1982 est au Théâtre-Français une création ; la pièce n'y avait jamais eu droit de cité. Les représentations antérieures de tous les drames du poète se caractérisaient par l'esprit de sérieux et parfois la pesanteur. Même au *Hernani* de Hossein, auquel on reconnaissait le mouvement, on refusait la couleur et surtout cette virulence nécessaire qui s'appelle la dérision.

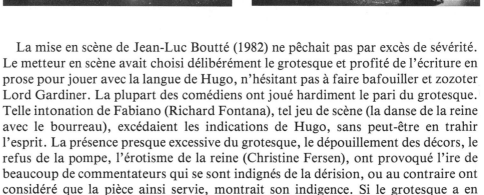

Marie Tudor. Comédie-Française, 1982
Richard Fontana (Fabiano Fabiani), Christine Fersen (la reine Marie) (cat. 504)
IIe journée, scène 9 : danse avec le bourreau
IIIe journée, IIe partie, scène 2 (Nicolas Silberg, Claude Mathieu, Michel Duchaussoy, Christine Fersen) (cat. 505)
Photos Marc Enguerand

La mise en scène de Jean-Luc Boutté (1982) ne pêchait pas par excès de sévérité. Le metteur en scène avait choisi délibérément le grotesque et profité de l'écriture en prose pour jouer avec la langue de Hugo, n'hésitant pas à faire bafouiller et zozoter Lord Gardiner. La plupart des comédiens ont joué hardiment le pari du grotesque. Telle intonation de Fabiano (Richard Fontana), tel jeu de scène (la danse de la reine avec le bourreau), excédaient les indications de Hugo, sans peut-être en trahir l'esprit. La présence presque excessive du grotesque, le dépouillement des décors, le refus de la pompe, l'érotisme de la reine (Christine Fersen), ont provoqué l'ire de beaucoup de commentateurs qui se sont indignés de la dérision, ou au contraire ont considéré que la pièce ainsi servie, montrait son indigence. Si le grotesque a en général amusé le public il n'est pas plus près d'être accepté par nos doctes actuels, que par ceux du passé. D'autant que souvent le « comique » de la mise en scène hésitait entre le grotesque vrai et ce qui en est l'envers, c'est-à-dire la parodie.

Renaissance de Hugo : le TNP

Ruy Blas. - On eut le 23 février 1954 une révélation : Hugo n'avait jamais été *relu ;* peut-être *Ruy Blas* n'avait-il été jamais *lu.* Vilar sait lire ; il lit le texte de Hugo et il le lit très précisément pour les spectateurs de son temps.

Le résultat est immédiat : il n'y a pratiquement plus d'injures déshonorantes adressées à Hugo dramaturge. « Pour la première fois je me déclare hugolâtre »,

Marie Tudor. Avignon, T.N.P., 1955
IIIᵉ journée, IIᵉ partie, scène 2 (Monique
Chaumette, Maria Casarès) (cat. 473)
Photo Agnès Varda

s'écrie dans *Paris-Presse* Max Favalelli, qui remarque : « Le résultat ? c'est que pour la première fois, je vois une salle suivre avec passion *Ruy Blas* sans esquisser le moindre sourire. » Les critiques font une comparaison douloureuse avec les mises en scène de la Comédie-Française. C'est que Vilar a cassé le code traditionnel, emphase et « tonitruantes fanfares » *(id.)*. Que Gérard Philipe soit en Ruy Blas « monocorde » et pédestre étonne et choque parfois ; qu'il lance avec une sorte de prosaïsme quotidien, d'amertume tranquille son « Bon appétit, Messieurs ! »

Ruy Blas. T.N.P., 1954
Acte II, scène 4 (Georges Wilson, Daniel Sorano) (cat. 462)
Acte II, scène 1 (Christiane Minazzoli, Mona Dol, Gaby Sylvia, Zanie Campan, Georges Wilson) (cat. 461)
Acte III, scène 2 (Gérard Philipe) (cat. 464)
Photos Agnès Varda

apparaît surprenant. Que Ruy Blas ne soit justement pas un héros à panache, mais un pauvre garçon sincère et passionné, un « rêveur » (c'est dans le texte !), battu d'avance dans son conflit humain et politique, que la reine (Gaby Sylvia), soit une petite fille perdue, exilée, que l'on empêche de goûter (c'est aussi dans le texte), telle est la lecture de Vilar. Il faut dire qu'elle s'impose à toute réflexion et rend du même coup son efficacité à la pièce.

De là, une petite querelle entre les traditionnalistes qui reprochent à Vilar (et à Philipe) de manquer de lyrisme, et ceux qui tout à coup ont la révélation de la pièce.

D'un côté Luc Estang dans *La Croix* du 12 mars regrette la « tradition » : « L'outrance allait malgré tout dans le sens de la vérité, quant au panache des attitudes et quant à la diction des vers. » Jean-Jacques Gautier (*Le Figaro,* 27 février) déplore que Gérard Philipe se soit laissé aller à « shakespeariser son héros », entendez qu'il n'a pas donné de « coups de gueule », et Robert Kemp, qui au demeurant dit s'« être beaucoup amusé à Ruy Blas » déclare : « On a tordu le cou à l'éloquence, à l'emphase. Du même coup on a parfois tué la poésie, le délire, la fureur… Je vous assure que de la grande apostrophe aux ministres, il ne reste à peu près rien » (*Le Monde,* 27 février). Curieusement Kemp remarque les choses, mais ne les comprend pas : il s'étonne de voir Philipe maladroit au dernier acte, « escrimeur étonnant d'inexpérience […] il était pitoyable ». Certes, et il *doit l'être,* ce que n'a pas l'air de saisir Robert Kemp. D'autres critiques félicitent Vilar d'avoir « déromantisé » (c'est le mot de Max Favalelli) son *Ruy Blas.* Le même se souvient : pour « ceux qui ont la nostalgie de Mounet-Sully et de Mme Segond-Weber […] la noblesse consiste à lancer vers le firmament d'une voix de cuivre d'immenses clameurs, à labourer le sol d'un talon piaffant et à se malaxer le bréchet. Or, on sait ce que donne cette mobilisation de ténors et de basses nobles. Nous l'avons vu récemment à la Comédie-Française pour *Hernani :* l'exhibition sombre dans le ridicule et frise l'emboîtage ». Même son de cloche dans la bouche de Guy Verdot (*Le Franc-Tireur,* 27 février) : « Pas un rire déplacé. Le mélodrame romantique paraissait dépouillé miraculeusement de son comique involontaire. Il n'est pas jusqu'au poison final qui n'ait été parfaitement digéré par la salle où se retrouvaient pourtant bon nombre de ceux qui s'amusèrent si fort à la reprise d'*Hernani* au Théâtre-Français. » « D'où vient ? » se demande Verdot.

Deux réponses : d'abord la beauté de la mise en scène et la force de l'interprétation, ensuite la qualité du public.

Un préalable : de cette « dialectique » entre l'expressivité grandiose du romantisme et la vérité actuelle du drame, il ne faudrait pas croire que Vilar ne soit pas conscient ; il donne à ses comédiens des consignes précises : « Jeudi soir. (février). Dans l'ensemble tout va bien. Mais cela manque de violence d'expressivité, de chaleur. *Ruy Blas* est une pièce bien faite et intense. Je demande aux ministres d'être *âpres, durs, rapaces.* Aux amoureux d'aimer comme des fous. Aux drôles d'être tonitruants ou vifs. Aux rôles d'autorité d'être autoritaires, vifs, nets, forts. Nous

Ruy Blas. T.N.P., 1954
*Acte IV, scène 4 (Georges Riquier, Daniel Sorano) (cat. 467)
*Acte IV, scène 3 (Daniel Sorano, Philippe Noiret) (cat. 466)
*Acte III, scène 3 (Gaby Sylvia, Gérard Philipe) (cat. 465)
Photos Agnès Varda

manquons encore de flamme. Il faut jouer, si ce mot a un sens, *romantique*. Pas de pudeur. Oui, *pas de pudeur.* » (Note aux comédiens).

Tout le monde ou presque s'entend à trouver la mise en scène admirable, et tout particulièrement l'utilisation de l'espace ; Morvan Lebesque, pourtant peu hugolien titre son papier : « l'intelligence paie » et dit : « J'admire [...] comment [Vilar] placé devant la nécessité de se servir de la scène du XIXᵉ siècle l'a transposée ; comment il a transformé rideaux et décors en éléments scéniques essentiels participant à l'action. Ici rideaux et décors servent enfin à quelque chose. Ils sont purs, dépouillés de tout ornement inutile. » (*Carrefour,* 3 mars). Jean Pichon dans *Combat* (1ᵉʳ mars) cite « la très pure beauté » des décors de Camille Demangeat et Claude Roy dans *L'Humanité-Dimanche* (28 février) « les costumes admirables que dessine Gischia ». Opinion unanime. « Un opéra verbal » dit encore Claude Roy. Guy Verdot montre à propos des décors que Vilar ne trahit nullement son esthétique dépouillée : « Ce ne sont encore que des adaptations du fond noir primitif. Ici veiné d'or et criblé de mouvantes taches de couleur par le pinceau de Gischia, auteur de costumes à faire rêver. » Quant aux interprètes si l'on discute souvent Gaby Sylvia et parfois Gérard Philipe, l'admiration unanime va à Jean Deschamps (Salluste) et surtout à Daniel Sorano, Don César d'une inventivité impressionnante. Conclusion de Claude Roy : « Tout est beau sur le plateau qu'il [Vilar] anime [...] Pourtant on ne sort jamais de Chaillot avec le sentiment d'en avoir eu '' plein la vue '' — mais seulement le cœur comblé [...] *Ruy Blas* est un des grands moments de la *bonne humeur* poétique. »

Mais tout cela n'existe pas sans un public neuf. Public jeune, tout le monde le remarque. Public enthousiaste qui ponctue de rires et d'applaudissements en cours de représentations. De ces rires et applaudissements, Vilar fait le compte attentif. Un critique peu suspect d'excès d'enthousiasme, celui de *L'Aurore* (26 février), signale non seulement les « ovations » et les « vibrations d'une salle archicomble », mais montre, mi-figue, le caractère populaire ou semi-populaire du public : « ce qui compte à mon avis, ce sont les clameurs enthousiastes et ravies des Éclaireurs de France, des ouvriers de chez Renault, des employés du BHV et des PTT et des gens de Tourisme et Travail, qui composaient le public. Avoir rendu tous ces braves gens hugolâtres, ce n'est déjà pas si mal ». On voit la condescendance. Et les critiques sont là, aussi, souvent désarmés. En tout cas le *Ruy Blas* du TNP a 84 représentations, salles combles et enthousiastes.

Marie Tudor. — Dix-huit mois plus tard, Vilar se lançait dans une entreprise d'une autre difficulté. Les doctes avaient tout de même pour Ruy Blas une certaine indulgence, confortée par le nombre de mille représentations en un siècle. Il est plus dur de faire avaler *Marie Tudor,* dont, dès la création, la réputation de lamentable mélo est dûment établie et que d'ailleurs personne, même pas la Comédie-Française, pourtant aguerrie, n'ose reprendre.

Et la presse de se déchaîner à nouveau contre Hugo. Le ton reste modéré pour les représentations d'Avignon ; mais pour Chaillot ! Entre-temps les critiques se sont remis de leur choc. Parce qu'à Avignon, il y a eu un choc.

Contre Hugo : il est à peine besoin de citer (ils sont trop) les articles qui voient dans *Marie Tudor* un mélo ; même les critiques des journaux communistes, en général épris de Hugo (Elsa Triolet pour *Les Lettres Françaises* et Guy Leclerc pour *L'Humanité*) emploient le terme, comme s'il n'en existait pas d'autre. « Marie

Marie Tudor. Avignon, T.N.P., 1955
**IIIe journée, IIe partie, scène 2* (Jean Deschamps, Monique Chaumette, Philippe Noiret, Maria Casarès) (cat. 475)
**IIe journée, scène 2* (Marc et André, Maria Casarès, Roger Mollien) (cat. 470)
**IIe journée, scène 7* (Maria Casarès, Roger Mollien) (cat. 471)
Photos Agnès Varda

Tudor méritait-elle tant de soin et de talent ? Il est à peine besoin de poser la question » dit Lerminier dans *Le Parisien Libéré* du 7 novembre 1955. J.-J. Gauthier dans *Le Figaro* du même jour écrit : « Victor Hugo était le roi, l'empereur et le pape des humoristes de génie. » Morvan Lebesque dans *Carrefour* du 16 novembre donne la main à Bernard Dort dans *France-Observateur* du 17 novembre, l'un et l'autre accusant Vilar d'avoir monté « une pièce de théâtre bâclée pour faire un peu d'argent et donner un rôle à *ma Juju.* C'est une pièce très exactement malhonnête, un ouvrage de confection fabriqué d'un bout à l'autre par quelqu'un qui ne s'est pas relu [...] *Mélo,* dit-on. Même pas : drame de boulevard ». Et d'accuser : « De *Nuclea* à *Marie Tudor,* Vilar n'a fait que changer d'intellectuels [...] Mais cela se passe toujours au royaume abstrait des intellectuels et le vrai théâtre est ailleurs, comme le vrai Hugo, comme le vrai public » (Morvan Lebesque). Bernard Dort est plus intelligemment hargneux : « *Marie Tudor* n'est pas, quoiqu'on en dise, un simple mélodrame. Victor Hugo a visé plus haut et il a atteint plus bas [...] J'y ai cherché en vain la moindre grandeur [...] Une pièce timide, une pièce truquée, où ni l'Histoire, ni l'homme, ni l'amour ne se donnent libre cours [...] Son théâtre [celui de Hugo] est *radical socialiste :* à la fin les extrêmes s'y reconnaissent et s'y bénissent. » Avoir monté *Marie Tudor* jette pour Dort la suspicion sur tout le travail de Vilar : « On regarde avec intérêt fonctionner à vide la machine de théâtre-Jean Vilar [...] Tout ce que nous avons aimé et loué jusqu'ici, tout ce que Vilar nous a appris, tout cela ne serait qu'une rhétorique, une '' grille '' que Vilar pourrait appliquer indifféremment sur toute l'œuvre, une façon, non de la dévoiler, mais de l'habiller, de la parer, de la faire miroiter devant un public ébloui. Et le doute maintenant reflue et s'attaque au TNP tout entier. » Parce que l'éblouissement est là et il n'est personne qui puisse le nier.

Vilar répond, il répond en disant simplement, chaque fois qu'on le lui demande : Vive Victor Hugo ! « Le théâtre est le seul endroit où l'on puisse témoigner *publiquement* de son amour de Hugo : Vive le théâtre de Hugo » (interview publié dans *L'Humanité* du 21 nov. 1955). Et dans *Libération* du 7 nov. on peut lire sous la plume de Vilar : « Je voudrais écrire sur le fronton de mon théâtre populaire, non pas '' Vive Molière ou Shakespeare '', mais '' Vive Victor Hugo. '' Notre théâtre ne peut vivre sans cet homme exceptionnel. » Quelques voix un peu timides s'élèvent : dans *Libération* (23 juillet) : « Avec Hugo, la grandeur a raison de tout. » Et Jacques Madaule dans *Le Monde* du 22 juillet : « Il y a dans *Marie Tudor* un drame humain et un drame politique. »

Comme le spectacle est admirable, on se résout à admirer... autre chose que Victor Hugo. Marcelle Capron (*Combat,* 20 juillet) : « Oui, il faut toute l'éblouissante maîtrise d'un Jean Vilar, metteur en scène [...], il faut toute la souplesse et la flamme d'une troupe bien entraînée pour sauver ce drame en trois journées, où ne se retrouve aucune des beautés de *Ruy Blas* ou d'*Hernani*. » Et chacun de louer à

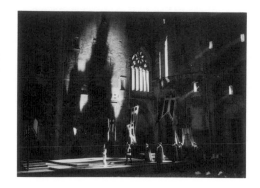

Marie Tudor. Avignon, T.N.P., 1955
*La cour du palais des papes (cat. 468)
IIe journée, scène 6 (Lucien Arnaud, Maria
Casarès, Georges Riquier)
IIIe journée, scène 1 (Maria Casarès, Roger
Mollien)
Photos Agnès Varda

l'envi comme pour *Ruy Blas,* non seulement les sublimes costumes de Gischia, mais la science des éclairages, et surtout la musique de scène totalement intégrée non seulement au spectacle, mais au texte : Maurice Jarre a cette fois la vedette dans *Marie Tudor* et tout le monde remarque l'efficacité de l'univers sonore. Guy Leclerc (*L'Humanité,* 19 juillet) admire « les costumes de Léon Gischia — symphonie en noir et blanc où le rouge flamboie comme un rappel du drame —, la force de percussion de la musique de Maurice Jarre ». Robert Kemp souligne l'esthétique-Vilar : « les personnages éclairés plein feu, avec des ors, des colliers, du noir et blanc, des vermillons, venus des ténèbres, se renfoncent dans les ténèbres ». Georges Versini (*Le Progrès de Lyon,* 3 déc.) : « La procession funèbre qui conduit le condamné à l'échafaud, avec ses roulements de tambour, ses bannières, ses hommes en rouge et la victime voilée de noir, restera comme une des plus remarquables réussites de Jean Vilar. »

Et puis il y a Casarès. La critique s'essouffle, en perd ses adjectifs. Elle atteint, dit *Le Progrès* du 18 juillet « à pas mesurés, le plus pur sommet de la tragédie ». Pour Lerminier (*Le Parisien Libéré,* 18 juillet) « Hugo, grâce à elle, n'est pas loin de donner tout à fait le change. » Robert Kemp touche au dithyrambe : « Et puis, Casarès ! Merveilleuse. Elle est petite. Et quand elle lève les deux bras, écarquille ses deux petites mains au-dessus de sa tête, crispe la bouche et lance sa grande voix, elle devient immense. Elle prend toute la scène. Elle envahit l'oreille. » Tous ceux qui l'ont vue ne peuvent que donner raison à ses laudateurs : un souvenir impérissable.

Elle fait quelque peu pâlir ses camarades. A tort, et la presse quasi unanime rend hommage à Monique Chaumette (Jane), à la beauté et au talent de Roger Mollien, Fabiano séducteur, à Jean Deschamps, puis à Wilson (Gilbert), à Philippe Noiret, étonnant Simon Renard, au merveilleux Sorano, animant d'une flamme étrange le geôlier Joshua. La mise en scène de Vilar est fréquemment l'objet d'une remarque intéressante, éloge peut-être mitigé, et qui est parfois, bizarrement, renvoyé à Hugo lui-même : il y a quelque chose du cinéma dans l'esthétique d'images, de mouvements, d'accompagnement musical qui est celle de Vilar. Marc Beigbeder, dans *Les Lettres Françaises* du 21 juillet, considère que *Marie Tudor* « correspondrait à un moderne scénario de cinéma, comme Mayerling par exemple ». Hugo, pour Guy Verdot « apparaît du moins comme un scénariste en avance sur le cinéma ». Curieuse façon de le sauver. Edgar Morin dans *Bref* (15 nov.) renvoie davantage à Vilar : « Voilà la mise en scène la plus cinématographique de Jean Vilar. En plus des effets habituels du TNP (fondus-enchaînés), un prégénérique en cinémascope (la procession funèbre), la musique de scène est devenue une musique de film, enveloppe comme d'un halo les paroles et l'action. Il n'y a pas que Jean Vilar, metteur en scène de cinéma, mais aussi Victor Hugo, scénariste et dialoguiste d'une super-production en technicolor [...] Tous les spectateurs de la générale l'ont senti, presque tous en ont été troublés : ils ont reçu ce spectacle, ni tout à fait comme une pièce de théâtre, ni tout à fait comme un film. » Gêne de l'élite ou esthétique nouvelle ?

C'est que Vilar, tout le monde le remarque à propos des deux spectacles Hugo, pour l'en louer ou l'en blâmer, a pris les deux pièces dont il s'est saisi, avec un absolu sérieux ; il a monté Hugo comme il montait Claudel ou Molière et le même Edgar Morin souligne lui aussi : « Aucune charge parodique dans le jeu des acteurs, aucun clin d'œil complice au " si intelligent spectateur ". » Mais si Vilar n'est pas un instant tenté par la parodie, les metteurs en scène qui ont suivi n'ont pas toujours eu les recettes du TNP : la cohésion d'une troupe portée par un fort sentiment de l'art populaire et la force d'analyse d'un Jean Vilar. A côté d'admirations franches et pleines comme celle d'un Guy Leclerc (*L'Humanité,* 19 juillet) : « Quelle grande pièce cependant dans sa " simplicité linéaire " et dans la puissance de sa langue ! », ou celle d'André-Paul Antoine (qui n'avait pas aimé *Ruy Blas*) (*L'Information,* 5 nov. 1955) : « La bonne, la brave pièce ! Solide comme un chêne malgré les ans, fraîche comme une pomme sous ses cheveux blancs, franche du collier, loyalement ficelée… » Passons sur les cheveux blancs… qui a jamais compté les cheveux gris ou blancs de Sophocle ou de Molière, voire de Rotrou ou de Sedaine ? Passons sur le « ficelage ». Voici plus réticent : « Voilà du bon, du solide mélo, du mélo sans homélie, où ça bouge, où ça remue […] » (*Canard Enchaîné,* 9 nov.). Et voici une admiration plus perfide, assez répandue, bien dite par Jacques Lemarchand (*Figaro Littéraire,* 13 août 1955) qui avoue au départ : « Je m'empresse de le dire. Je n'aime pas du tout *Marie Tudor.* » Mais… l'histoire « de *Marie Tudor* est amusante et folle, titubante et bien conduite ; elle retient l'attention par dix trucs et ficelles que l'auteur manie avec une aisance, une exacte habileté, une science du public, qui sont simplement merveilleuses […] Le dosage de l'amour et de la politique est fait de main de maître ». Ce Hugo, un renard : « Non, il n'y a rien de naïf dans *Marie Tudor,* et tout y révèle la maîtrise exceptionnelle du ciseleur non outragé[82] qu'est Victor Hugo […] Victor Hugo est exactement le contraire d'un imbécile. » Il nous plaît à l'entendre. Quant à Robert Kemp, c'est le style et le rythme qu'il aime (quoique « *Marie Tudor* [soit] d'un bout à l'autre absurde ») : « C'est un langage de métal. Il tire le feu des pavés… Pas de bavures, pas de repos. Là encore l'amateur blasé se réjouit. Quel style de théâtre, seigneur ! Que ne l'emploie-t-il au service du bon sens, à l'analyse d'âmes vraiment humaines ! » (*Le Monde,* 7 nov.) Mélange inextricable d'admiration et de condescendance boudeuse.

Marie Tudor eut en tout (Avignon et Chaillot) 104 représentations.

Les grands drames de Hugo après Vilar

Le travail de Vilar justifie les metteurs en scène qui voient dans le théâtre de Hugo un matériau à la fois efficace et populaire ; l'exemple du TNP leur permet de résister au terrorisme anti-hugolien. Paris et la province se mettent à jouer du Hugo. Jacque Sarthou, qui s'était déjà intéressé à *Marie Tudor,* joue la pièce en 1955 à Malakoff ; de même, elle est montée par Cyrille Robichez au Théâtre populaire des Flandres de 1960 à 1962.

Marie Tudor est mise en scène au Théâtre de l'Est Parisien par George Werler ; seuls les costumes d'Ezio Frigerio étaient dignes de mémoire. On peut signaler aussi le travail de Guy Vassal, à Aigues-Mortes, beau spectacle exalté par le site. Une jeune comédienne (et auteur dramatique), alors élève du Conservatoire, Denise Chalem, monte en 1977, avec ses camarades une *Marie Tudor,* fort intéressante où elle jouait elle-même (assez bien, ma foi !) le rôle-titre ; l'intérêt de cette représentation était dans la présence partielle d'un opuscule du temps, nullement hostile, *Marie Tudor racontée par Madame Pochet à ses voisines,* qui montrait la réaction d'une spectatrice populaire devant le drame de Hugo en 1833 ; Denise Chalem aurait peut-être pu se servir de ce texte avec plus de discrétion, mais l'idée était plaisante.

L'année 1982 voit deux *Marie Tudor,* celle de la Comédie-Française[83], avec sa pompe et une représentation tout à fait sobre et dépouillée, en costumes modernes, dont l'adaptation et la mise en scène étaient dues à Gilles Bouillon, avec Clémentine Amouroux (Marie) et Béatrice Bruno (Jane). La présence simultanée de deux *Marie Tudor,* l'une, celle de la Comédie très « hugolienne », historique et grotesque, et l'autre, celle de l'Athénée, nue et tragique, hors temps, avec la scénographie

Marie Tudor. Athénée, 1982
Béatrice Bruno (Jane), Gérard Touratier (Gilbert), Clémentine Amouroux (la reine Marie)
*Béatrice Bruno (Jane), Gérard Touratier (Gilbert) (cat. 501)
Photos Marc Enguerand

dépouillée d'Alain Chambon, apportait la preuve de la richesse de l'œuvre, de ses virtualités, de ses possibilités de lectures opposées ; la mise en scène de Bouillon ne prêtait ni au rire, ni même au sourire, mais souffrait d'une terrible réduction du texte... c'était presque un « *digest* ». *Lucrèce Borgia* profite aussi du retour d'affection pour les grands drames en prose, qui bien plus que le théâtre en vers plus « littéraire », peut plaire à des hommes de théâtre nourris d'Artaud (on sait le goût de ce dernier pour les grands « mélodrames » romantiques). Nous ne citerons que pour mémoire la *Lucrèce Borgia* de Jean Serge en 1966 (festival de Coussac-Bonneval), et celle de Fabio Pacchioni (Avignon, 1975) avec Silvia Monfort dans le rôle-titre, représentation qui fit beaucoup rire, non sans raison : le banquet final, avec les convives dont seule la tête dépassait par les trous d'une nappe géante, était irrésistible.

L'une des dates marquantes du retour à Hugo, ce fut en 1964 la mise en scène de *Lucrèce* par Bernard Jenny pour le festival du Marais, dans la cour de l'hôtel de Soubise. Tous ceux qui attribuèrent la beauté de la performance au charme du lieu furent étonnés de la retrouver, plus étonnante encore au Vieux Colombier, dans l'hiver qui suivit : beauté visuelle du dispositif et des costumes de Léonor Fini, tendresse sans grandiloquence de l'interprétation de Jacqueline Danno, une étrangeté angoissante qui gommait toute tentation de parodie. La preuve était faite que *Lucrèce Borgia,* pouvait être un superbe spectacle, bouleversant.

Cromwell. Cour Carrée du Louvre, 1956
Vue d'ensemble
Photo Bernand

Lucrèce Borgia. Hôtel de Soubise, 1964
*Acte III, scène 2 (cat. 487)
Photo Bernand

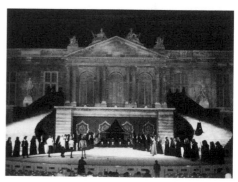

La presse eut encore des réticences. Dans *Combat,* du 6 novembre, on admire les « vertus de bande dessinée exemplaire » et Jacques Lemarchand, qui aime le spectacle, le définit pourtant « quelque chose comme *les trains de la mort* de la foire du Trône » ; Gabriel Marcel dans *Les Nouvelles Littéraires,* visiblement incapable de renouveler sa vision parle des « pantins imaginés par Hugo » et fait allusion à Verdi.

Le spectacle fut l'occasion d'un intéressant débat le 23 novembre 1964, qui regroupait Vilar, Gaëtan Picon, Max-Pol Fouchet, Maurice Clavel, P. Macabru, Poirot-Delpech et Hébertot. Vilar continue sa campagne pour Hugo, lui qui avait dit en 1955 : « Dans quelques années, vous le public et nous les metteurs en scène retournerons immanquablement au père Hugo. » Ici il attend « un public vraiment populaire » pour Hugo et affirme avec vigueur : « Hugo ne veut pas être Shakespeare, rayons cette sottise de notre esprit », montrant « l'humanisme de Hugo, sa

Angelo tyran de Padoue. Athénée, 1969
**IIIe partie, scène 3* (Michelle Marquais, Bruno Sermonne) (cat. 491)
Photo Bernand

Angelo tyran de Padoue. Théâtre du Rond-Point, 1984
**Geneviève Page (la Tisbe) : Acte I* (cat. 507)
Photo Interpress

vérité, son modernisme social [...] Hugo, c'est la liberté dans le théâtre, c'est du vrai ». Il conclut : « Le premier il a essayé de faire le drame moderne », soutenu par J. Madaule : « Parmi les sommets du drame moderne, il y a Hugo. » Tandis que Clavel, appuyé sur le poncif romantique du poète malade affirme : « Je ne connais pas de poètes avec une bonne santé. Hugo, lui, va très bien. Quand il se pose des problèmes, ils sont complètement faux. » Le vieil Hébertot, fait, non sans humour sa profession de foi : « Hé bien, moi, je n'aime pas Hugo, je suis trop jeune pour cela. » Et Lerminier remarque avec amusement : « Vous constatez que jouer Hugo, parler Hugo, cela a toujours l'air de livrer une petite bataille. » Cette bataille (en 1985) n'est toujours pas finie.

La parodie n'est pas morte : Arlette Reinerg monte ainsi *Angelo,* en juin 1969, avec une distribution éclatante (Michèle Marquais, Maurice Bénichou, Roland Bertin, Bruno Sermonne — qui mettra en scène en 1975 son propre *Angelo,* tout différent). La parodie ne réussit pas à éteindre la pièce ; mais les critiques en

Ruy Blas. Dijon, N.T.B., 1984
**Christian Plezent (Ruy Blas) : Acte III, sc. 2* (cat. 509)
**Brigitte Pillot (la reine) : Acte II* (cat. 508)
**Acte IV, scène 3* (Lionnel Astier, Robert Pagès) (cat. 510)
Photos Nicolas Treatt

profitent : « une irrésistible comédie » (Mathieu Galey) ; André Alter : « parmi les plus lamentables mélos du XIXe siècle », Christian Mégret dans *Carrefour* (25/6) : « A l'exception d'*Hernani* et de *Ruy Blas,* le théâtre de Hugo est mort. » Mais Maurice Delarue (*L'Humanité* du 5/6) prédit la « réhabilitation du théâtre de Hugo » et Jean Dutourd proteste : « Hugo était un grand cœur et un grand génie. Longtemps il a été la victime d'un complot ; il était de bon ton de se moquer de lui et de dire qu'il était bête. Le fond de l'affaire est qu'on ne lui pardonnait pas d'aimer les humbles et d'avoir des idées de gauche. » Simpliste, mais exact.

Angelo est parfois joué (Argenteuil, mars 1972) avant que Jean-Louis Barrault le reprenne, sans trace de parodie, mais avec une distribution un peu terne (à part Geneviève Page) et dans un dispositif sans éclat. Sans être un triomphe, la représentation n'a pas déplu ; les spectateurs riaient parfois avec — ou contre — Hugo.

A partir de 1960, on joue Hugo partout à Paris et en province. Nous ne citerons pas les très nombreuses mises en scène d'*Hernani* et surtout de *Ruy Blas,* souvent tout à fait honorables et qui ont toujours du public. Citons le dernier en date, celui d'Alain Mergnat, Grenier de Bourgogne, été 1984, caractérisé par une lecture intelligente de la pièce, et une mise en scène en demi-teinte, assez efficace.

Marcelle Tassencourt monte *Marion de Lorme* en 1967-1968. Poirot-Delpech, qui aime la mise en scène : « Cette modestie et ce courage permettent de mieux voir la pièce telle qu'elle est vraiment, injouable » (*Le Monde,* 21 janvier 1968). Mais

Jean-Jacques Gautier, toujours hugolien, défend le poète : « Qu'on rie, j'y consens ; je le fais aussi. Mais qu'on ne s'entête pas à jeter ce qui doit être considéré. Qu'on ne méprise pas la démesure hugolienne, qui n'est pas plus bête que la démesure d'aujourd'hui. » Un peu timide tout de même.

Autre pièce mal-aimée, *Le roi s'amuse* est montée au château de Coussac-Bonneval, par Christian Melsen (Triboulet : Jean Marchat) ; et J.-J. Gautier admire « ce grand, cet immense, cet inimitable, ce superbe, ce sublime mélodrame [que] certains ont bien tort de croire injouable parce qu'on ne le joue jamais ». C'est l'impression qu'ont retirée les spectateurs du même *Roi s'amuse* à Chalon-sur-Saône, en février 1985 (mise en scène J.-P. Laruy) avec Bernard Rousselet dans le rôle de Triboulet, mise en scène honorable et inventive d'une pièce proprement sublime.

Reste le problème de *Cromwell*. Hugo avait pensé de temps en temps à la réduire (il avait songé à une comédie en trois actes qui eût porté le titre : *Quand sera-t-il roi ?*). En 1927, la Comédie-Française projette de créer la pièce et obtient une subvention (énorme) de 150 000 francs ; Gustave Simon, dernier exécuteur testamentaire de Hugo encore vivant fait la réduction (durée équivalente à celle de *Ruy Blas*). On fait la distribution, Jean Hervé devant jouer Cromwell et la jeune Marie Bell, Lady Francis. Mais la Comédie, effrayée, finit par capituler.

La vraie difficulté n'est pas tant dans la longueur de la pièce en elle-même que dans l'impossibilité de couper des scènes (et en particulier les scènes comiques de Rochester) sans déséquilibrer absolument la pièce qui est un modèle d'ajustage minutieux dans le gigantesque. Il y eut finalement un texte réduit dû à Alain Trutat et, le 28 juin 1956, dans la cour carrée du Louvre, la première de *Cromwell* : mise en scène, Jean Serge, dispositif scénique (de Claude Pignot), lourd et noirâtre, unanimement jugé hideux, avec Maurice Escande (Cromwell), Anne Vernon (Lady Francis), Pierre Vaneck, (Richard Cromwell) et Robert Murzeau (Rochester). Cocteau en avait écrit la préface. Robert Kemp fait la fine bouche : « le modèle shakespearien dépasse de très loin ce pâle et remuant décalque » (*Le Monde,* 30 juin), et Marcabru, toujours lui, moque « les grandes carcasses à petites têtes, les drames de Hugo, ces diplodocus du théâtre [avec] une cervelle de la grosseur d'une noix ». Nous n'avons pas mesuré la grosseur de la cervelle de M. Marcabru. Mais J.-J. Gautier signale « des moments grandioses de bouffonnerie, voulus par Hugo qui s'y étale superbement. C'est un beau drame à pleurer de rire ». Lerminier qui n'aime pas tant Hugo avoue : « Nous en aurions écouté un peu plus... »

Le Théâtre en liberté

Les metteurs en scène modernes se sont tournés, souvent avec prédilection vers une autre part du théâtre de Hugo, le *Théâtre en liberté,* qu'il a d'abord pensé à appeler le *Théâtre dans l'esprit,* avant de comprendre que ce théâtre-là était tout aussi « matériel » et scénique que l'autre, et que seul l'exil et la proscription à Paris de ses œuvres dramatiques l'empêchaient d'être représenté. Quand on joue *Ruy Blas* à Jersey le 16 janvier, Hugo avoue aux siens : « Cette représentation m'a été douloureuse. L'envie de faire du théâtre m'a repris, et j'ai souffert en pensant à la complète impossibilité où je suis d'en faire. Bonaparte rendrait toute représentation impossible. » Est-ce la raison pour laquelle Hugo écrit en mai 1854, une petite scène idyllique et satirique où parlent les objets et les êtres de la nature et intitulée *La forêt mouillée ?*

Il faut attendre plus de dix ans pour que Hugo repense à une série d'œuvres théâtrales qu'il écrit entre 1865 et 1869 : *La margrave* devenue *La grand-mère,* du 18 au 24 juin 1865. En janvier 1866, il a déjà prévu *Cinq cents francs de récompense* et *Torquemada. Mille francs...* (nouveau titre) est écrit du 5 février au 29 mars 1866, et *L'intervention* (de la même veine « populiste »), du 7 au 14 mai. En janvier et février 1867, Hugo écrit *Mangeront-ils ?* d'abord intitulé *La mort de la sorcière.*

Le succès d'*Hernani* à Paris peut le stimuler pour écrire du théâtre, mais l'écriture du roman *L'homme qui rit* interrompt la veine dramatique. Le 31 septembre 1868, il écrit *Zut dit Mémorency* qui prendra plus tard le nom de *Peut-être un frère de Gavroche,* pièce disparue (et peut-être détruite) sous le prétexte qu'« elle n'ajoutait rien à la gloire de l'auteur ».

Le 23 septembre Hugo annonce : « Le *Théâtre en liberté* sera publié par séries [...] La première série (un volume) sera intitulé *La puissance des faibles* et contiendra quatre comédies. »

Mangeront-ils ? Comédie-Française, 1919
*Acte II, scène 4 (Maxime Desjardins, Maurice
Escande, Hughette Duflos)
Paris, Comédie-Française

Du 21 janvier au 24 février 1869 Hugo écrit *L'épée* (premier titre *Slagistri*), du 4 mars au 3 avril il compose la seconde des *Deux trouvailles de Gallus* (après avoir achevé la première) ; du 1er mai au 4 juillet, c'est *Torquemada*, le dernier grand drame de Hugo ; et du 14 au 22 juillet, il écrit *Welf Castellan d'Osbor*, texte d'abord prévu pour le *Théâtre en liberté*. *Torquemada* sera publié en 1881, le reste du *Théâtre en liberté* paraîtra en 1886, un an après la mort du poète.

Presque tout (sauf *Welf*) est mis en scène à des dates diverses. Dès 1867, Hugo avait prévu que certains de ces textes pouvaient être joués : « Des courtes pièces, toutes en un acte qu'on va lire, trois peut-être, *Margarita, La grand-mère, L'intervention,* et à la rigueur *La mort de la sorcière [Mangeront-ils ?]* pourraient être représentés par nos scènes telles qu'elles existent. Les deux autres [?] sont jouables seulement à ce théâtre idéal que tout homme a dans l'esprit. »

En fait et surtout après la révolution scénique qui suivit les années trente, tout évidemment pouvait être joué, dans ce théâtre si neuf où Jean Massin voyait « une dialectique du révolutionnaire et de l'humain à travers la fantaisie et le tragique ».

Le Théâtre en liberté à la scène. — La première pièce à être montée est la petite saynète *Sur la lisière d'un bois* (le Théâtre d'Application, le 28 janvier 1891). Puis c'est l'Odéon, qui, sous l'impulsion de Paul Ginisty, inaugure toute une série de créations et « teste » si l'on peut dire, ces œuvres non-conformes : le 6 mai 1898, c'est *La grand-mère* avec Marie Laurent (la margrave) et la fort jeune Mme Segond-Weber qui s'essayait au rôle d'Emma. Il y eut une reprise en 1902, le 25 février, en même temps que la création de *L'épée. La grand-mère,* qui a du succès est reprise en 1907.

Bruxelles (théâtre du Parc, mars 1907) et Lyon (Célestins, octobre 1909) créent *Mangeront-ils ?* Il faudra attendre des années avant que Paris ne voie cette pièce

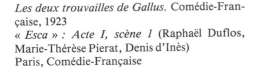

Les deux trouvailles de Gallus. Comédie-Française, 1923
« *Esca* » : *Acte I, scène 1* (Raphaël Duflos, Marie-Thérèse Pierat, Denis d'Inès)
Paris, Comédie-Française

ravissante, à « effets ».

Après la guerre la Comédie-Française s'y met : et c'est *Mangeront-ils ?* (février 1919), avec un superbe décor très pictural de Daragnès. « Un rire de géant » dit *Le Figaro. L'Éclair* regrette les coupures qui « ont été pratiquées dans certaines professions de foi... ou de scepticisme du lyrique bolchevik *(sic)* qui dit si éloquemment leur fait aux tyrans ! ». Il semble que l'on ait gommé le grotesque autant que faire se peut et joué « avec gravité ». Mme Segond-Weber, habituée aux rôles de centenaires, était superbement la sorcière Zineb.

Après bien des aléas, *Les deux trouvailles de Gallus* voient le jour en 1923, mises en scène par Denis d'Inès qui jouait le rôle de Gunich. Très beaux décors de Jusseaume, dans le goût décorativiste, mais pittoresquement machinés. Raphaël Duflos (Gallus), Huguette Duflos (Nella), Marie-Thérèse Piérat (Zabeth) semblent avoir été justes, sinon brillants. Grand succès de public, mais malgré Courteline, qui criait au chef-d'œuvre, la presse fut mitigée. G. Marcel se plaint : « Le succès éclatant qu'a obtenu cette *moralité* romantique suffirait à lui seul à dénoncer l'incroyable anarchie qui règne actuellement dans le monde des lettres » ; il juge la pièce « insupportable » dans la mesure même où il aime Musset. Après quoi, la Comédie ne reprend plus — malgré le succès — que la première des *Deux trouvailles, Margarita* qui fait un lever de rideau commode (1924, 1927, 1929, 1937).

Le 22 février 1930, pour l'anniversaire du poète, Charles Granval crée à la Comédie *La forêt mouillée* ; on a bien joué le *Chantecler* de Rostand, on peut bien montrer un moineau ou un paon de la façon de Hugo. La pièce amuse et a 9 représentations.

L'année suivante l'anniversaire du poète est marqué par la création de *La grand-*

Mangeront-ils ? Alliance Française, 1968
*Acte II, scène 6 (Pierre Hatet, Lucienne Lemarchand) (cat. 490)
Photo Lipnitzki

Mangeront-ils ? Gaîté-Montparnasse, 1951
*Acte II, scène 3 (Claude Castaing, Jacques Mauclair, Pradelle) (cat. 458)
Photo Bernand

Mangeront-ils ? Grange de l'auberge de l'Aigle d'or, 1972
*Acte I, scène 2 (Jacques Rosny, Olivier Hussenot) (cat. 492)
Photo Jean-Claude Brabant

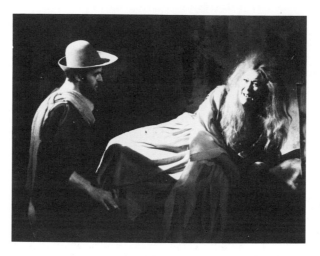

mère, et en février 1933 Fernand Ledoux qui joue Mouffetard, monte la saynète sans doute inachevée intitulée *Les gueux* (le marquis Gédéon : Lehmann).

Grandes mises en scène du Théâtre en liberté. — Il faut attendre l'après-guerre et les années cinquante pour voir des compagnies privées remonter ces pièces étonnantes : en 1952, Christine Tsingos (qui joue Lady Janet) monte *Mangeront-ils ?* avec Jacques Mauclair (le roi de Man), Claude Castaing (Aïrolo), Benoîte Lab (Zineb) et le tout jeune Michel Piccoli (Lord Slada). Le spectacle (à la Gaîté Montparnasse) eut un vif succès[84].

La mise en scène de *Mangeront-ils ?* (Serge Ligier, mai 1968, Alliance Française) marqua une date, très brillante, elle mettait en valeur le couple des « affreux », le roi de Man (Olivier Hussenot) et Mess Tityrus (Claude Evrard), tandis que Pierre Hatet était un voleur (Aïrolo) d'une grande légèreté. Cette fois, la presse applaudit, croyant voir, comme le remarque Arnaud Laster, un Hugo pur fantaisiste, enfin aseptique et sans danger : « Hugo en liberté, s'amuse » *(L'Aurore).*

La pièce est reprise en 1972, lors du Festival du Marais (Grange de l'auberge de l'Aigle d'or, lieu au nom prometteur et très hugolien). Mario Franceschi, qui avait fait les décors et les costumes en 68 signe cette fois aussi la mise en scène qui était un pur délice avec Hussenot (roi de Man) et cette fois Benoît Allemane dans le rôle d'Aïrolo (un Aïrolo plus puissant, plus truculent et plus dur) et Nell Raymond, poétique et belle en Zineb sorcière centenaire et séduisante. Reprise en 76, même mise en scène, mais distribution différente, à part Hussenot, de fondation (Théâtre La Bruyère).

Pour *Mangeront-ils ?* la presse dans son ensemble ne voulut pas voir la portée satirique de l'œuvre, se contentant de se réjouir devant la truculence poétique, et la fantaisie que tout naturellement l'on nommait shakespearienne. La violence anarchiste, la haine de tous les pouvoirs, qui à la lettre *empêchent de manger,* tout cela ne fut guère aperçu. Ou bien ne voulait-on pas voir. Ce n'était pourtant pas le fait de la mise en scène, parfaitement claire.

Entre temps il y avait eu en 1961 un autre événement hugolien majeur, sans doute le plus significatif après Vilar. Et cette fois l'on ne pouvait plus faire semblant et ranger Hugo sous la rubrique de la pure fantaisie. Hubert Gignoux monte *Mille*

Mille francs de récompense. Strasbourg.
Théâtre National, 1960-61
André Pomarat (Glapieu) : Acte II, sc. 1
(cat. 483)
Photo Michel Veilhan

francs de récompense, avec la Comédie de l'Est, à Metz, le 14 mars 1961 ; décors et costumes d'Abd El Kader Farrah : Gignoux jouait le major Gédouard et André Pomarat le voleur-clochard Glapieu. Ce fut pour Gignoux metteur en scène et comédien, le plus grand succès de sa carrière. Il se sentait justifié : il aimait passionnément la pièce et voulait en montrer l'impact socio-politique et la nouveauté. Il le dit lui-même dans une préface datée de Floréal An VII de l'ère brechtienne (calendrier français) ; ce qui est d'autant plus curieux que Gignoux mettait en pleine lumière la prodigieuse richesse affective de la pièce et que rien n'était plus éloigné du brechtisme de stricte obédience que sa mise en scène : Il y a, dit-il « dans *Mille francs de récompense* une dérision de la justice bourgeoise, une opposition dialectique de l'ancien soldat de l'an I au profit de la Restauration, une critique de la bonne conscience chez les banquiers, une mise en évidence des vertus et de l'impuissance du peuple, bref tous les éléments d'une dénonciation fortement démystificatrice ». Les spectateurs, eux, découvraient avec stupeur une pièce qui portait avec allégresse son presque-centenaire, qui n'avait pas une ride. D'où l'enthousiasme, en province d'abord (et il n'est pas indifférent que la pièce ait commencé sa carrière à l'abri de la presse bien parisienne) — à Paris ensuite à partir de mai (Théâtre de l'Ambigu). La presse est cette fois désarmée. Le ton est donné par Lerminier *(Le Parisien Libéré)* — bon thermomètre, dans un bel article très significatif : « Oui un mélo. Mais un mélo sans naïveté, où passe le souffle d'un écrivain de théâtre lâché dans le magasin aux accessoires. Pixérécourt et Shakes-

Mille francs de récompense. Ambigu, 1961
**Acte I, scène 1* (Claudine Bertier, André Pomarat) (cat. 484)
Photo Lipnitzki

Mille francs de récompense. Cité Internationale Universitaire, 1985
**Acte II (Robert Sireygeol, Pierre Meyrand)* (cat. 512)
Photo Nicolas Treatt

peare, Labiche et Brecht y font bon ménage. C'est une *tragédie de quat'sous.* »

Rien d'étonnant que la pièce soit montée dans les pays francophones, à Bruxelles en mai 62 (metteur en scène André Debaar), et à Genève, en avril 66. Maréchal (Glapieu) la joue à Lyon au théâtre du Cothurne avec Bernard Ballet et Catherine Arditi[85].

Arlette Téphany montait à son tour *Mille francs...,* à Chelles d'abord en 1979, puis en tournée et finalement au festival du Marais en juin 1980 (Hôtel d'Aumont). Mise en scène forte et claire, avec l'étonnant Pierre Meyrand, Glapieu plus « vrai » que nature, Jean-Claude Jay, élégante crapule cynique et Claude Lévèque, banquier ambigu. Arlette Téphany reprend la pièce en 1985 au théâtre de la Cité Universitaire avec une distribution où J. C. Jay est remplacé par Claude Lochy, Rousseline terrifiant. Mise en scène toujours efficace d'une pièce que chacun, de gré ou de force, est bien obligé de tenir pour un chef-d'œuvre — et un chef-d'œuvre accessible.

L'audace de Vitez

Vitez lui, a vis-à-vis de Hugo tous les courages. Il s'adresse aux textes de toute évidence les plus difficiles, les plus apparemment éloignés de nous, ceux dont la clef nous est cachée, je veux dire *Les Burgraves* et *Hernani.*

Les Burgraves, tentative extrême. — Vitez dont l'admiration pour Hugo, la fami-

Les Burgraves. Gennevilliers, 1977
Vue de scène (Claire Wauthion, Bertrand Bon-
voisin, François Clavier, Pierre Vial (cat. 495)
Photo Cl. Bricage

Les Burgraves. Gennevilliers, 1977
Vue de scène (Pierre Vial) François Clavier,
Rudy Laurent) (cat. 497)
Photo Cl. Bricage

liarité avec son œuvre sont grandes, qui, professeur au Conservatoire, ne se lassait pas des exercices sur Hugo, se lance à l'assaut de l'œuvre la plus discutée, celle dont l'échec arrête tout de même la carrière de Hugo. Il est dans l'impossibilité de la monter dans son cadre historique, avec mise en évidence de la fable historico-politique ; les ressources financières du Théâtre des quartiers d'Ivry n'y suffisant pas, il prend le parti d'en montrer la métaphore : tous les éléments du texte trouvent leur équivalent métaphorique : la vieillesse est jouée par des sortes de clochards exhibant l'infirmité de leur corps, la misère matérielle et morale est figurée par les loques, mais aussi par le petit nombre des personnages, cinq en tout, pour en figurer dix-sept (au moins) ; la ruine du château est cet escalier géant et le gigantisme des grands Burgraves, c'est une main praticable dans laquelle les comédiens jouent à cache-cache ; quant au grand disparu, l'empereur Barberousse, invisible, texte parlé par les autres, il est une immense barbe d'étoupe dans laquelle les acteurs s'entortillent. Figurations indirectes, très belles, qui déconcertèrent parfois les spectateurs (surtout dans la première partie), mais dont l'impact poétique était grand. Vitez disposait d'admirables interprètes, au premier rang Pierre Vial qui jouait en travesti la sorcière centenaire de Guanhumara, et François Clavier, Job athlétique, les autres se partageant avec virtuosité les autres rôles.

Ce fut une sorte de bataille des *Burgraves*. Il y eut des défenseurs (dont la signataire de ces lignes), les autres attaquant soit Victor Hugo dont l'œuvre est décidément injouable, soit l'impiété de Vitez vis-à-vis du géant des Lettres.

Vitez ne se défend pas d'avoir « déshistoricisé » la pièce : « Depuis toujours, dit-il, je balance entre le thème et la fable d'une pièce. Dans *Les Burgraves* je vois aussi et surtout un cauchemar sur la vieillesse » (interview au *Matin de Paris,* 22 nov. 77). Ailleurs (*Le Quotidien de Paris,* 17 nov.) : « Le théâtre des Burgraves est un théâtre du rêve, doublement onirique par le thème et l'écriture. » Dans *Le Quotidien Rhône-Alpes,* du 28 nov. : « J'ai demandé au graveur Éric Desmazières de réaliser un décor qui tienne du rêve. Il est très profondément marqué par l'œuvre de Piranèse [...] Cet univers à moitié nocturne où l'on se dispute des morceaux d'empire comme des morceaux de pain. J'ai voulu ce monde de puissants misérables. »

Alors, *Les Burgraves,* encore jouables ? Philippe Sénart (*Revue des Deux Mondes,* février 1978) le nie : « Il est trop tard pour sauver *Les Burgraves* [...] Les Burgraves, sortis de leur tombeau par M. Vitez, tombent en poussière. Il n'en reste rien. » Ce que dit aussi Guy Dumur : « Que Vitez ait choisi cette œuvre oubliée pour prouver qu'elle devait rester dans l'oubli fait partie des mystères insondables du théâtre » (*Nouvel Observateur,* 5 déc. 1977). M. Cournot dit plus légèrement : « Ces *Burgraves* sont une énigme » (*Le Monde* du 24 nov.).

D'autres se déchaînent non contre l'œuvre, mais contre la mise en scène de Vitez ; P. Marcabru (qui a oublié avoir écrit que les drames de Hugo étaient des « diplodocus à petite tête ») exalte chez Hugo « comme un délire, une démence, un élan prodigieux [...] cimes du père Hugo, abîmes et pics imaginaires » et attaque les comédiens de Vitez : « On dirait une bande de singes, disgracieux, maladroits et qui braillent. » Il titre : « le terrorisme du n'importe quoi ». Paul Chambrillon dans *Valeurs Actuelles* (12 déc.) : « Ce qui rend ce spectacle irrécupérable, c'est une sorte de mépris appliqué dans toutes les directions et qui fait de cette farce une fadaise. » Dominique Jamet dans *L'Aurore* (24 nov.) : « Les plai-sirs de la pa-ro-die sont li-mi-tés. » G. Château dans la *NRF* de févr. 1978 : « Je ne suis pas contre les essais de laboratoire [mais] quand ils sont exposés, tout crus et tout nus, sur des tréteaux populaires, j'explose de fureur. » Il y a plus grave : ces *Burgraves* sont dangereux pour la santé de Max Favalelli (*Midi Libre,* 27 nov.) qui n'a pas vu la pièce : « Un de mes confrères qui n'était pas prévenu, en est sorti dans un tel état qu'il a dû s'aliter pendant quarante-huit heures. » On voit que la critique du XIXe siècle a de dignes héritiers.

Mais Matthieu Galey n'est pas contre : « On passe du scepticisme au sourire et du sourire à l'intérêt » (*Le Quotidien de Paris,* 24 nov.). Léonardini, dans *L'Humanité* du 26 nov. : « Nous [= le je signataire] sommes résolument pour. » Jacques Poulet (*France Nouvelle,* 19 déc.) admire le spectacle : « Vêtus de haillons, gens de la cloche et de la balle, ils grelottent sous une couverture, se disputent un morceau de pain sec : oiseaux des ruines, ils peuplent de leurs cris ces pans de murs désolés, voletant après l'ombre des titans qui les parcoururent jadis [...] Le décor d'Éric Desmazières est une promenade abrupte, superbe [...] Écoutez bien la

La scène

musique et laissez votre imagination mâcher les mots et les images. » Un brillant article de J. Seebacher montre la provocation : « C'est du Claudel enfin réussi, parce que Dieu est absent. Pièce datée, pièce d'athées, *Les Burgraves* transfigurés vaudront à Vitez l'hommage de toutes les haines. » *La Nouvelle Critique* (févr. 78) : « Cinq figures oubliées d'une prison perdue, chiffonniers d'un asile abandonnés, cinq créatures ensorcelées, condamnées à jouer entre rires et larmes un drame dont ils n'ont pas la clef, mais dont dépend mystérieusement leur sort. Ils figurent matériellement avec leur corps la ruine d'un monde qu'il leur faudrait ressusciter mais dont ils ne donnent que l'image mourante [...] Grotesque et sublime : les haillons chantent l'alexandrin épique » (A. Ubersfeld). Dans *Rouge* (29 nov. 1977), J. Semperey montre l'actualité du spectacle : « Qu'ils sont affreux ! Hé, spectateur, t'es-tu regardé ? Regarde ces sombres gradins ; ce sont les mêmes que les leurs face à face. Le présent s'efforce en vain d'émerger de cette barbarie que l'on croyait s'étendre au-delà de la ville. »

Hernani. — En 1985, Vitez fête l'année Hugo avec *Hernani,* représentation dont l'intelligence et la beauté visuelle devraient désarmer autant les critiques visant Hugo que celles qui s'adressent à Vitez.

Ce n'est pas tout à fait le cas. Il faut dire que ce drame, objet de la fameuse bataille est une œuvre difficile qui tient balance égale entre l'ordre et la liberté, entre la dimension politique et la tragédie d'amour.

Pour *Les Burgraves*, dit Vitez, il pensait « qu'il fallait s'abandonner à ces *vagues de rêves* dont parlent les surréalistes [...] Cette fois j'ai voulu que l'intrigue soit parfaitement comprise [...] C'est un texte foisonnant. Je voudrais montrer, cette fois encore le caractère totalement onirique de toute l'œuvre de Hugo, mais ne pas couvrir le sens par le rêve » (Interview au *Nouvel Observateur*).

Pour quelques-uns (toujours les mêmes), le théâtre de Hugo est décidément fini : Catherine David, dans le *Nouvel Observateur* du 15 février parle de « la formidable inactualité de la pièce de Hugo. Ce n'est pas seulement le langage qui est démodé, c'est l'amour et la politique [...] un opéra sans la musique ». Pour *Valeurs Actuelles* (11 fév.), « Cette représentation devrait confirmer qu'à part *Ruy Blas* et certaines comédies du *Théâtre en liberté,* jouer le théâtre de Hugo relève de la témérité ou de l'acte gratuit. » Même *L'Humanité-Dimanche* (Michel Boué) définit Hernani « abracadabrante tragédie de l'amour contrarié par l'honneur ».

Mais les choses ont changé, ceux qui n'aiment pas préfèrent à présent, tel Marcabru (fidèle à lui-même), en faire porter la responsabilité à Vitez, plutôt qu'à Hugo (à Vitez traité de « vieux gamin ») ; tel Fr. Chalais dans *France-Soir* qui tient cet Hernani pour « lourd, lent et laid ».

Il est bien tout seul à parler de laideur. Tout le monde (même ceux qui ne sont pas convaincus) dit la beauté du spectacle.

Mais d'abord, le choix de Hugo : « Ce théâtre, dit Fabienne Pascaud, est magistral par tout ce qu'il ne dit pas. Bouleversant par tout ce qu'il suggère en nous de possible : dans l'invraisemblable, l'hystérique, le glorieux, le morbide [...] Il travaille le spectateur dans ses secrets les plus cachés, ses profondeurs les plus secrètes. Il joue avec lui de l'ombre et de la lumière. Antoine Vitez qui a composé un *Hernani* tout de clair-obscur dans la grande tradition de Rembrandt, et du cinéma d'Eisenstein aussi. »

Il n'est qu'une voix pour admirer la géniale scénographie de Yannis Kokkos, légère et massive à la fois, synthétique et aérée, abstraite et historique à la fois ! *Le Matin :* « C'est encore plus noir que les lavis de Hugo [...] Une ironie hallucinée [...] Kokkos est un maître et le metteur en scène, royalement, son valet ». Armelle Héliot parle très bien en particulier de l'espace du 5e acte : « La voûte étoilée fond littéralement sur la scène ; le divin plancher dont parla Mallarmé est alors constellé, par un effet très sophistiqué de fibre courant sous le plateau [...] Le sang, le poison écarlate répandus dans cet espace inassignable, seul lieu possible sans doute pour inscrire le dénouement tragique du drame » (*Le Quotidien,* 4 février). Catherine David (*Nouvel Observateur,* 15 fév.) : « Les décors de Yannis Kokkos sont magiques. On retient son souffle à chaque lever du rideau [...] Ce sont des châteaux de rêve, ils ouvrent au texte hugolien un espace à sa mesure : démesuré. » Brigitte Salina est lyrique *(L'Événement du Jeudi) :* « Une nuit bleue, trouée parfois d'étoiles qui inondent la scène d'une raie blanche qui illumine le geste, d'un trait rouge — le foulard que Hernani passe à Doña Sol. Cette nuit n'est pas seulement

735

Hernani. Théâtre National de Chaillot, 1985
*Antoine Vitez (Don Ruy Gomez) (cat. 521)
Photo Enguerand

*Acte III scène 7 : Pierre Debauche (Don Ruy Gomez), Aurélien Recoing (Hernani) (cat. 523)
Photo Enguerand

*Acte I, scène 2 (Aurélien Recoing, Jany Gastaldi) (cat. 522)
Photo Enguerand

Hernani. Théâtre National de Chaillot, 1985
* *Acte V, scène 6* (Jany Gastaldi, Antoine Vitez) (cat. 524).
Photo Enguerand.

décor. Elle a une chair, elle modèle le sentiment, éclaire la solitude, elle est l'outre-tombe et la promesse de l'aube. » Monique Le Roux remarque la théâtralité de l'espace et des éclairages : « La théâtralité s'affirme plus encore avec le motif récurrent du grand escalier qui se rattache, par delà Svoboda à la tradition d'Appia et de Craig [...] Les éclairages de Patrice Trottier tracent l'ombre et la lumière de la nuit romantique [...] .»

Il s'en faut que les éloges soient réservés au visuel du décor : Jean Lebrun dans *La Croix* (13 fév.) écrit : « Retour au théâtre d'acteurs : Vitez attend tout d'eux. Et il laisse à chacun d'eux sa façon d'être. » Et dans *Libération* (9 février) : « Antoine Vitez plonge bouche ouverte dans la Langue Hugo, cet océan [...] Un régal [...] A tout prendre le théâtre selon Vitez commence là où gît une langue et s'achève dans sa proféation. » Quant aux acteurs Vitez est roi — doublement, par sa direction et par son propre jeu : Monique Le Roux titre : « La pièce de Don Ruy Gomez » et ajoute : « Vieilli à dessein, portant fraise et barbe grise, Antoine Vitez fait admirablement entendre l'angoisse de qui aime hors de saison. » Tout le monde ou presque admire sa performance d'acteur (sans oublier Pierre Debauche) créateur de « grands moments de théâtre » par sa seule présence. Redjep Mitrovitsa (Don Carlos) fait lui aussi l'unanimité, « un androgyne mince et couronné » (Patrick de Rosbo, *Quotidien du Médecin*), « habité d'une si formidable présence, gracieux comme un félin, intelligent comme un diable et qui sait déjà tout faire ». (Michel Boué, *L'Humanité-Dimanche*). Les avis sont partagés sur Aurélien Recoing et Jany Gastaldi ; et curieusement en général ceux qui aiment l'un n'aiment pas l'autre ; le *Hernani* d'Aurélien Recoing est « le seul hugolien » pour François Chalais, d'une « générosité frisant le vertige » (de Rosbo) « athlète affectif » (Armelle Héliot), « athlétique, poétique, attachant dans tous ses rôles » (M. Cournot). Mais pour Michel Boué « un de ces acteurs qui horripilent par l'excès braillard du jeu » et A. Ubersfeld remarque dans l'image qu'il donne « une sorte de vide qu'il compense par l'emphase et les cris ». Inversement pour les uns, de Rosbo, Jany Gastaldi est un « désastre de maussaderie », Jean Lebrun : « elle n'a pas en elle assez de lumière ». Pour d'autres (Michel Boué) elle est « toujours divine », « habitée d'une charge poétique et affective incroyable » (Michel Cournot) (avis que partage pour sa part, la signataire de ces lignes).

Bref, la majorité des critiques accorde tout de même que « Vitez gagne son pari [...] C'est l'avis du grand public, lycéens et grand-mères ensemble qui font un triomphe à *Hernani* » (M. Boué).

Conclusion ? Didier Mereuze la donne dans *Témoignage Chrétien :* « Vitez [...] cet hugolien de la première heure [...] remet les pendules à l'heure, à travers une mise en scène inspirée, véritable leçon de théâtre selon Hugo et de l'art de la fêter [...] Ponctué d'une petite musique pour orgue et clavecin, signée Aperghis, ce spectacle prend des allures de poème symphonique aux limites du lyrisme et du fantastique. Il dure quatre heures, on ne s'en aperçoit même pas. C'est que chacun sur le plateau ou dans la salle est à la fête. Fête des sens, du cœur, de l'intelligence pure. Fête de la célébration d'un tout jeune homme à lire, à voir, à découvrir » (11 fév.).

Interprétation de l'œuvre si complète et si riche qu'elle désarme presque les hugophobes ; au-delà de toutes ses beautés formelles elle donne du drame une lecture claire et convaincante, qui peut-être si l'on peut faire une réserve ne maintient pas suffisamment la tension hugolienne double entre un ordre de la légitimité et la passion de la liberté. Don Carlos ici l'emporte sur Hernani.

A. U.

1. 5 déc., annoncé dans la Bibliographie de la France du 27.

2. *Victor Hugo raconté,* chap. 48.

3. Pourtant lié à Mérimée et aux autres auteurs de « scènes historiques » en prose.

4. Second Théâtre français, où se produisaient les acteurs de la Maison-Mère.

5. Voir M. Descotes, *Le public de théâtre,* p. 248.

6. *Le Globe,* 1er janvier 1825, cité par M. Descotes, *ibid.*

7. *Carnet* de 1872, 31 mai.

8. M. A. Allery, *La mise en scène en France,* Droz, 1938, p. 54.

9. Selon le *Victor Hugo raconté* le roi aurait dit : « Il n'y a pour moi que deux poètes, vous et Désaugiers » (un vaudevilliste).

10. Toute la pièce est cornélienne, non seulement, on y lit des vers du *Cid* et elle prend la suite d'un *Corneille* (texte inachevé de 1825), mais toute la pièce est faite sur le modèle d'une comédie de Corneille, toujours en coquetterie avec la tragédie. Et Corneille est l'image mythique du génie selon la préface de *Cromwell* : ligoté par des règles absurdes.

11. Ce rapport a figuré dans le catalogue de la vente d'autographes de la collection de Lucas de Montigny. *Hernani,* éd. Imprimerie Nationale.

12. Chef de la Division des Belles-Lettres au Ministère de l'Intérieur.

13. La distribution :   25 février 1830.

PERSONNAGES.   M. le baron TAYLOR.

—   —

HERNANI . . . . MM. Firmin.
DON CARLOS. . . . . Michelot.
DON RUY GOMEZ DE SILVA . . . . Joanny.
DOÑA SOL DE SILVA . . . . Mlle Mars.

LE DUC DE BAVIÈRE . . . . MM. Saint-Aulaine
LE DUC DE GOTHA . . . . Geoffroy.
LE DUC DE LUTZELBOURG . . . . Faure.
DON SANCHO . . . . Menjaud.
DON MATIAS . . . . Bouchet.
DON RICARDO . . . . Samson.
DON GARCI SUAREZ . . . . Geffroy.
DON FRANCISCO . . . . Mirecour.
DON JUAN DE HARO . . . . Casaneuve.
DON GIL TELLEZ GIRON . . . . Montigny.
PREMIER CONJURÉ . . . . Menjaud.
UN MONTAGNARD . . . . Montigny.

IAQUEZ . . . . Mlle Despréaux.
DOÑA JOSEFA DUARTE . . . . Mme Tousez.
UNE DAME . . . . Mlle Thenard.

14. *Victor Hugo raconté par Adèle Hugo,* Plon, 1985, pp. 458-459.

15. Qui deviendra sous peu le pire adversaire.

16. *Ibid.,* p.

17. Éd. Massin, t. III, p. 1443 sqq.

18. Les 20, 23, 25, 27, 29, 31 janvier, les 6, 9, 12 18, 21, 23 février 1838.

19. Pour les détails de la négociation v. A. Ubersfeld, *Le roi et le bouffon,* Corti 1974, p. 53-55.

20. Le contrat figure à la B.N. nafr, 13 385, f° 15.

21. V. lettre de Dumas à Hugo, 14 juillet 1831.

22. *Antony* est joué à la Porte-Saint-Martin le 3 mai 1831. C'est un triomphe et Antony, quoique écrit après *Marion* a dans l'opinion le bénéfice de l'antériorité.

23. Distribution. Marion : Marie Dorval ; Didier : Bocage ; Louis XIII : Gobert ; l'Angély : Provost ; le Gracieux : Serres ; Saverny : Chéri ; Nangis : Auguste.

24. A. U. *op. cit.,* p. 26.

25. *Ibid.,* p. 164-166.

26. V. *Victor Hugo raconté par Adèle Hugo,* pp. 503-504.

27. *Ibid.,* p. 504.

28. *Ibid.,* p. 508.

29. « [...] Agents de change, banquiers, députés, tous individus plus ou moins liés d'intérêt au gouvernement de Louis-Philippe ; tandis qu'anxieux et pris de peur, ils conversaient, en dessus et au-dessous d'eux deux chœurs d'individus chantaient en duo : *Ça ira, ça ira* » *ibid.*

30. Voir A. Ubersfeld, *op. cit.,* p. 145-154.

31. Stipulation du contrat signé le 29 décembre 1832.

32. Un corollaire : Hugo s'intéresse à la partie matérielle de la scène, à sa pratique : « Impossible de réduire la mission du poète tragique à l'arrangement du spectacle sans déclarer du même coup que le poète, le machiniste et le costumier ne font qu'un. »

33. Jouslin aurait dit : « *Le roi s'amuse* avait dû en partie sa chute au bouge de Saltabadil ; le bouge d'Homodei ferait tomber *Angelo* » (VHR).

34. *V. Hugo raconté par Adèle Hugo,* Plon, 1985.

35. *Ibid.*

36. Engagements vis-à-vis d'autres auteurs, s'entend.

37. Le vrai bailleur de fonds est un « vaudevilliste enrichi dans les pompes funèbres » (écrit Adèle) et qui veut de la musique légère.

38. Les premières scènes écrites concernent César de Bazan.

39. Hugo confond volontairement les deux épouses de Charles II mais donne de cette fin de règne une image scrupuleusement exacte. Voir A. Ubersfeld, *Ruy Blas,* éd. critique, Les Belles Lettres.

40. Voir dessins du ms.

41. Voir maquettes des costumes.

42. *Victor Hugo raconté par Adèle.*

43. *Ibid.*

44. *Ibid.* « Il s'occupait des rôles de tout le monde, il savait la pièce par cœur, rien ne lui échappait. Il était tout yeux et tout oreilles. Il lui arrivait d'avertir un acteur à une entrée ou une sortie, il lui disait : « Ce n'est pas comme ça, mon ami ; tiens, regarde-moi, fais ce geste, je me mets là, je dis de cette façon. »

45. Sainte-Beuve, *Corr.,* II, p. 481.

46. *Ibid.,* p. 493.

47. Carnet, Fonds Lovenjouln, 1er carnet, p. 66.

48. Viennet, *Journal,* Arsenal, fonds Rondel, p. 230-231.

49. Une belle formule de Barbey d'Aurevilly (*Le Nouvelliste,* 3 déc.) : « Rien ne bouge en Hugo. Il a l'immobilité d'un dieu, si il en a pas la puissance. »

50. Mais c'est qu'il *ne le devient pas,* justement.

51. L'idéal... Toujours Gustave Planche : « En écrivant *Ruy Blas* Hugo a traité l'idéal avec le même dédain que la langue. » *Ibid*

52. A. Ubersfeld, *Le roi et le bouffon,* p. 375-378.

53. *Ibid.,* p. 379, note 158.

54. Frédérick assiste désolé à la première et dit à P. Meurice : « Ah, non, non ! J'aurais joué autrement la scène avec Otbert, moi ; je l'aurais vécue, j'y aurais mis une âme ! » Sans aucun doute.

55. *Le Théâtre,* n° 79, avril 1902 (1), p. 6-12.

56. Félix Duquesnel, *Le Théâtre,* n° spécial consacré aux *Burgraves,* mars II 1902, p. 2.

57. *Le Théâtre,* juillet I, 1907, n° 205, p. 4-12.

58. Victor Hugo, *Choses vues,* 1870-1885, Paris, 1985, p. 316.

59. Cité par Albert Dubeux, *Julia Bartet,* Paris, 1938, p. 91.

60. Félix Duquesnel, *Le Théâtre,* juillet I, 1911.

61. Jean Renouard, *Le Théâtre,* juillet II, 1911, n° 302, p. 48.

62. Félix Duquesnel, *Le Théâtre,* décembre I, 1911, n° 311, p. 2.

63. Voir le compte-rendu du *Théâtre,* novembre II, 1909, p. 3-5.

64. Lettre de Victor Hugo à Pavie, 25 février 1831, citée par Anne Ubersfeld, *Le roi et le bouffon,* Paris, 1974, p. 55.

65. Mounet-Sully, *Souvenir d'un tragédien,* Paris, 1917, p. 93.

66. Mounet-Sully, *Souvenirs...,* *op. cit.,* p. 121.

67. E. Valnay, *Hernani,* mise en scène conforme à la représentation en 1879, manuscrit de 63 p. illustré par Jacques Valnay fils ; E. Valnay, *Ruy Blas,* mise en scène conforme à la représentation en 1880, manuscrit de 74 p. illustré par Jacques Valnay fils, Paris, Bibliothèque de la Comédie Française.

68. Mounet-Sully, *Souvenirs...,* *op. cit.,* p. 94-95.

69. Mounet-Sully, *Souvenirs...,* *op. cit.,* p. 122-123.

70. Mounet-Sully, *Souvenirs...,* *op. cit.,* p. 186-187.

71. Albert Dubeux, *Julia Bartet,* Paris, 1938.

72. Segond-Weber, « Les Héroïnes romantiques », conférence faite le 30 mars 1920 aux Annales, publiées dans *Conferencia,* 1er septembre 1920.

73. *Le Gaulois du Dimanche,* 25-26 janvier 1902, p. 2.

74. *La Vie Parisienne,* 5 janvier 1878.

75. Denis Bablet, *Le décor de théâtre en France de 1870 à 1914,* Paris, 1975.

76. Francisque Sarcey, « Delaunay », *Comédiens et comédiennes, Comédie Française,* Paris, 1876, p. 27.

77. Francisque Sarcey, « Maubant », *Comédiens et Comédiennes, op. cit.,* p. 12-17.

78. Mounet-Sully, *Souvenirs...,* *op. cit.,* p. 149.

79. Segond-Weber, conférence citée.

80. Segond-Weber, conférence citée.

81. Cité par Anne Ubersfeld, *op. cit.,* p. 71.

82. Par opposition à Gilbert le « Ciseleur outragé ».

83. Voir *supra* p. 69-70.

84. Il y eut une autre mise en scène de la pièce en 1957 par Nicolas Mylin, au Théâtre du Tertre.

85. Arnaud Laster, *Pleins Feux sur Victor Hugo,* p. 308, donne la liste des mises en scène de *Mille Francs...*

Frédérick Lemaître interprète de Victor Hugo

Frédérick Lemaître est né en 1800 ; fils d'un architecte du Havre, il fait ses débuts d'acteur en 1815. Refusé à l'Odéon en 1819 à l'unanimité moins une voix, il est accepté en 1820. Mais, indépendant et sauvage, il préfère se tourner vers le boulevard, où il joue des mélodrames particulièrement stupides. Cependant, sa prodigieuse invention d'acteur vivifie, en 1824, un absurde mélo, *L'auberge des Adrets*, auquel il infuse par la parodie un violent pouvoir satirique. Il devient ainsi l'inventeur d'un personnage de bandit truculent, Robert Macaire, qui démonétise allègrement les valeurs de la bonne société : avant *L'opéra de quat'sous* de Brecht, il expérimente le caractère corrosif du banditisme théâtral. Il y aura une suite : *Robert Macaire*. Il joue à la Porte-Saint-Martin en 1827-1829, puis en 1832-1833 ; Hugo le réclame pour jouer le rôle de Gennaro dans *Lucrèce Borgia*, comme il l'exigera pour jouer Ruy Blas à la Renaissance en 1838. Il plaît à Hugo que l'acteur auquel est attaché le souvenir grotesque de Robert Macaire joue ses jeunes premiers. Très

probablement, l'inachèvement des *Jumeaux* est lié au fait que seul Frédérick pouvait jouer le comte Jean et que Hugo ne peut le faire engager au Théâtre-Français.

Son exécrable caractère le fait voyager de théâtre en théâtre : à l'Ambigu et à l'Odéon en 1831, il joue, en 1835, *Robert Macaire* aux Folies Dramatiques ; en 1836, il joue, sublimement, le *Kean* de Dumas aux Variétés — un rôle fait pour lui. Engagé à la Renaissance en 1838, il y joue *Ruy Blas*, puis *L'alchimiste* de Dumas. En 1841, il est à nouveau à la Porte-Saint-Martin pour la reprise de *Ruy Blas*. Plus tard, il aura un triomphe dans le grand mélodrame moral *Trente ans ou La vie d'un joueur*. Il meurt le 29 juin 1876.

Nous savons par Adèle Hugo, qui lui consacre un savoureux chapitre , que Hugo, dès *Lucrèce Borgia*, l'utilisait comme assistant à la mise en scène et répétiteur des acteurs. Elle nous aide à comprendre l'intelligence scénique de Frédérick et la puissante originalité de sa gestuelle. — A. U.

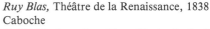

Ruy Blas, Théâtre de la Renaissance, 1838
Caboche
Frédérick Lemaître (Ruy Blas), Atala Beauchêne (la reine), Alexandre Mauzin (Dom Salluste) : Acte V, sc. 3
B.N., Arts du spectacle

Don César de Bazan, de Dumanoir et Dennery, Porte-Saint-Martin, 1844
Théo
*Frédérick Lemaître (Don César de Bazan)
Le Théâtre Illustré,* 1844
M.V.H.

Sarah Bernhardt,
interprète de Victor Hugo

Elle n'avait pas pour lui l'attachement profond de Segond-Weber, fille d'un secrétaire d'Édouard Lockroy disparu en mai 1871 qui, enfant, avait couru vers le poète pour implorer l'amnistie des déportés de la commune, qui regretta toujours de n'avoir pu — parce que « trop pauvrement vêtue, trop bizarrement chaussée » — défiler, au jour de son anniversaire, avec ses camarades d'école, devant les fenêtres de l'avenue d'Eylau[1] ; fervente admiratrice de Napoléon III, elle n'avait politiquement rien à voir avec le détracteur de Badinguet ; qui plus est, elle le trouvait commun, « l'être le plus ordinaire qui fût »[2]. Lui l'admirait mais se méfiait d'elle[3].

Sarah Bernhardt rencontra pour la première fois Victor Hugo à la fin de 1871 ; elle avait alors le « cerveau encore fermé aux grandes idées » et, ayant entendu, depuis son enfance, parler de Victor Hugo « comme d'un révolté, d'un renégat », elle le jugeait « avec une très grande sévérité ». Le poète la convoqua chez lui ; elle refusa, offusquée, prétextant un rhume subit mais le lendemain fit, au théâtre, sa connaissance : « Il était charmant, le monstre. Et si spirituel, et si fin, et si galant. D'une galanterie qui est un hommage, non une injure. Et bon pour les humbles. Et toujours gai. Il n'était pas, certes, l'idéal de l'élégance ; mais il avait dans ses gestes une modération,

dans son parler une douceur, qui sentaient l'ancien pair de France. »[4] Par la suite, elle le vit souvent, mais pas tant qu'elle aurait pu, regrettant sur le tard d'avoir alors préféré la « compagnie des gens du Jockey »[5].

C'est avec *Ruy Blas* que Sarah Bernhardt obtint à l'Odéon un de ses premiers triomphes (19 février 1872) ; par la suite elle interpréta Doña Sol (21 novembre 1877), Maria de Neubourg (4 avril 1879) à la Comédie-Française, Marion de Lorme à la Porte-Saint-Martin (30 décembre 1885) ; dans le théâtre qu'elle dirigea de 1899 à 1923 — le théâtre Sarah Bernhardt, place du Châtelet — elle reprit en 1905 *Angelo* et en 1911, *Lucrèce Borgia*. A la diffé-

Ruy Blas. Odéon, 1872 (ou Comédie-Française, 1879)
Étienne Carjat
Sarah Bernhardt (la reine)
B.N., Arts du spectacle

Melandri
Sarah Bernhardt (la reine)
B.N., Arts du spectacle

Hernani. Comédie-Française, 1877
*F.-N. Chifflart
Sarah Bernhardt (Dona Sol) (cat. 426)
Besançon, Musée des Beaux-Arts et d'Archéo-
logie

Ruy Blas. Comédie-Française, 1879
*Georges Clairin
Sarah Bernhardt (la reine) (cat. 575)
Paris, Comédie-Française

Hernani. Comédie-Française, 1877
Nadar
Sarah Bernhardt (Dona Sol)
B.N. Est

rence d'un Mounet-Sully, elle était aussi à l'aise dans le théâtre en vers que dans celui en prose car elle disait la prose, comme les vers, « sentant d'instinct que la belle prose obéit aussi à un rythme, à une cadence »[6]. Elle aima Victor Hugo comme elle aima Sardou, Rostand, Catulle Mendès, Richepin ou Jean Aicard, parce qu'il lui convenait ; parce que son œuvre mettait en valeur ses qualités les plus évidentes, passion, étrangeté, sens du phrasé, noblesse innée. Avec Mounet-Sully, elle fut sans doute le premier grand acteur hugolien ; car l'acteur hugolien n'est pas né avec Hugo comme le chanteur wagnérien n'a pas surgi avec Wagner (on disait aussi de Wagner qu'il brisait les voix, rompait à plaisir la ligne mélodique, était impossible à chanter). Les enregistrements de Sarah Bernhardt mettent toujours en évidence, outre la netteté de la diction, une surprenante continuité de la ligne mélodique, des accents certes mais pas de trous, un souffle toujours maîtrisé, une irrésistible pulsion dynamique. Pour accentuer un effet dramatique, elle n'avait aucun scrupule à altérer le texte du poète ; ainsi dans *Lucrèce Borgia* pratiqua-t-elle coupures et interpolations : la scène où Lucrèce fait fuir Gennaro (acte II, 1re partie, scène 6) se terminait sur les paroles « quitte Ferrare comme si c'était Sodome, et ne regarde pas derrière toi ! » « Et elle ajoutait avec un accent frénétique, avant que la toile tombe « Pars ! pars ! pars ! » qui n'est pas dans la pièce et qui était, assure son biographe, une trouvaille dramatique du plus grand effet. »[7] Dans *Ruy Blas,* elle aurait volontiers, si cela n'avait tenu qu'à elle, supprimé tout le quatrième acte, « navrant, lourd et inutile »[8].

Directrice de théâtre, elle aima les pièces historiques, « en costumes » — *Angelo* et *Lucrèce Borgia* qu'elle reprit, entraient dans cette catégorie — grisée de la luxuriance des décors — « Il me montre des écrans » commenta-t-elle sèchement devant ceux de Gordon Craig pour *Hamlet*[9] — de la profusion des beaux meubles et des bibelots précieux.

Angelo tyran de Padoue. Théâtre Sarah Bernhardt, 1905
*Henri Manuel
Sarah Bernhardt (la Tisbe), Desjardins (Angelo) : 1re journée, sc. 1 (cat. 579)
Paris, M.V.H.

*Henri Manuel
Sarah Bernhardt (la Tisbe), Blanche Dufrène (Catarina) : IIe journée, sc. 5 (cat. 584)
Paris, M.V.H.

Hernani. Comédie-Française, 1877
*J.-F. Humbert
Panneau de tapisserie : Acte V, sc. 6 (cat. 574)
Paris, Mobilier National

Interprète, elle fut dans *Ruy Blas,* une reine inégalée : « Tous ses mouvements sont à la fois nobles et harmonieux ; qu'elle se lève ou s'assoie, qu'elle marche ou se tourne à demi, les longs plis de sa robe lamée d'argent s'arrangent autour d'elle avec une grâce poétique. La voix est languissante et tendre, la diction d'un rythme si juste et d'une netteté si parfaite qu'on ne perd jamais une syllabe, alors même que les mots ne s'exhalent plus de ses lèvres que comme une caresse. Et comme elle suit les ondulations de la période qui se déroule, sans la briser jamais, lui gardant l'harmonie de ses lignes flexibles ! Et de quelles intonations fines et pénétrantes elle marque certains mots, à qui elle donne ainsi une valeur extraordinaire ! Comme elle a dit ce simple hémistiche : « Ta voix qui m'intéresse à tout ! »[10]. Victor Hugo,

dit-on, se serait cependant refusé à rendre en 1880 à Sarah le rôle de la reine que Bartet venait d'incarner ; « Mlle Bartet a joué *Ruy Blas* de façon qu'on ne le lui reprenne jamais » aurait-il tranché[11]. Mais la postérité a unanimement retenu Sarah Bernhardt, si mince et fragile dans sa lourde robe blanche, pâle et légère, éternelle exilée ; « jusqu'à la fin des âges, affirmait dévotement Maurice Baring, toujours l'image de Sarah Bernhardt sera évoquée, lorsque Ruy Blas dira :

« Elle avait un petit diadème en dentelle d'argent. »[12] —H. L.

1. Liane Lehman, *Madame Segond-Weber et la tragédie,* Paris, 1980, pp. 9-11.

2. Sarah Bernhardt, *Ma double vie,* Paris, éd. 1980, t. 2, p. 39.
3. Victor Hugo, *Choses vues, 1870-1885,* Paris, éd. 1985, p. 401.
4. Sarah Bernhardt, *op. cit.,* pp. 20-22.
5. Cité par Ernest Pronier, *Une vie au théâtre, Sarah Bernhardt,* Genève, s.d., p. 157.
6. Ernest Pronier, *op. cit.,* p. 181.
7. Ernest Pronier, *op. cit.,* p. 198.
8. Sarah Bernhardt, *op. cit.,* t. 2, p. 27.
9. Maurice Baring, cité par Ernest Pronier, *op. cit.,* p. 291.
10. Francisque Sarcey, « Sarah Bernhardt », *Comédiens et comédiennes, la Comédie-Française,* Paris, 1876, pp. 14-15.
11. Albert Dubeux, *Julia Bartet,* Paris, 1938, p. 69.
12. Cité par Ernest Pronier, *op. cit.,* p. 229.

Victor Hugo librettiste. *La Esméralda* de Louise Bertin

L'unique tentative de Victor Hugo librettiste s'est soldée par un retentissant échec ; les causes en furent multiples, personnalités discutées du poète et du compositeur, cabale éventuelle, faiblesse souvent évoquée de la partition, inconvenance — à tous les sens du mot — du livret. Les éloges non exempts de critiques de Berlioz et de Janin — il est vrai tous deux inféodés aux Bertins — ceux, tout aussi autorisés et beaucoup plus tardifs de Fromental Halévy — « une grande abondance d'idées, un coloris heureusement dessiné trouvent une rare puissance d'expression »[1] — permettent de suspecter les raisons avancées de cette chute spectaculaire.

Un chapitre du *Victor Hugo raconté,* la correspondance du poète, une presse prolixe durant tout le dernier trimestre 1836 composent avec une iconographie relativement abondante mais fragmentaire l'essentiel des pièces à notre disposition. De la publication de *Notre-Dame de Paris* en 1831 à la première de l'opéra le 14 novembre 1836, « l'historique » de l'ouvrage nous est relativement bien connu (grâce en particulier aux récentes mises au point d'Arnaud Laster) : dès la sortie de son roman, Victor Hugo refuse plusieurs demandes de musiciens « entre autres d'un musicien illustre, M. Meyerbeer, qui auraient voulu qu'il leur fit de son roman un opéra »[2] ; il finit toutefois par céder à la fin de 1831 aux instances de Bertin père, fondateur de l'influent *Journal des Débats,* qui lui demande un livret pour sa fille « et il fit par amitié ce qu'il n'avait pas fait par intérêt »[3].

Partiellement paralysée depuis sa naissance, ne quittant jamais son fauteuil, Louise Bertin n'était pas exactement, contrairement à ce qu'affirme la plupart des dictionnaires, une « musicienne autodidacte » ; elle avait, en effet, reçu des leçons de Fétis qui, en 1825, dirigea une représentation privée de son premier opéra, *Guy Mannering.* Suivirent en 1827, *Le loup-garou* donné à l'Opéra Comique et en 1831 *Fausto.* Pour elle, pendant cinq années, Victor Hugo va se livrer à un travail aussi ingrat qu'astreignant, tirer un court livret de son long roman, c'est-à-dire, comme il s'en plaindra dans sa *Correspondance,* multiplier pour respecter le « patron donné », de « bien mauvais vers », des « bouts rimés », combiner ainsi que le notera un demi-siècle plus tard l'archiviste de l'Opéra, Charles Nuitter « duos, quattuors, *ensembles,* variant des phrases,

*Célestin Nanteuil
La Cour des Miracles : Acte I (Cat. 540)
Le Monde Dramatique, 1836
Dijon, Musée des Beaux-Arts (page précédente)

La Esméralda. Opéra, 1836
*Louis Boulanger
Maquettes de costumes :
Claude Frollo (cat. 534)
Esméralda (cat. 532)
Les Truands (cat. 539)
Un seigneur (cat. 536)
B.N., Musique (Opéra)

Louis Boulanger
Le prêtre !
B.N., Arts du spectacle

changeant des mots, quelquefois des syllabes, pour les accomoder à des notes »[4].

Dans la préface qu'il rédigera pour l'édition de son livret, Hugo affirme n'offrir qu'une trame, qu'un « libretto pur et simple [...] qui ne demande pas mieux que de se dérober sous cette riche et éblouissante broderie qu'on appelle la musique », précautions qu'on serait tenté de qualifier d'« oratoires » si l'on songe à l'abondance des critiques qui, au même moment, visent plus le librettiste que le compositeur. Soucieux de ne pas « laisser oublier le poète dans le parolier »[5], Hugo donne cependant à son amie un livret qui tranche incontestablement sur ceux des opéras du jour ; si on le compare à l'un des meilleurs d'entre eux, celui, contemporain, de Scribe et Deschamps pour *Les huguenots,* la supériorité de *La Esméralda* est évidente ; mais un bon livret ne fait pas nécessairement un bon opéra. L'œuvre terminée il y eut une audition préparatoire à laquelle assistèrent de nombreux amis des Bertin, outre les auteurs, Delacroix, Rossini et Berlioz. Rossini qui avait une « voix charmante », se déroba, prétendant un enrouement, lorsqu'on le pria de chanter quelque morceau de l'œuvre nouvelle ; mais sortant presque aussitôt et « à peine dans l'antichambre [il] se mit à entonner un air de ses opéras d'une voix claire et retentissante »[6].

A cette évidente marque de désapprobation de quelqu'un qui n'était pas mal intentionné — sans doute déplorait-il l'évident changement d'orientation de Louise Bertin qui, quelques années auparavant avec *Le loup-garou,* avait donné une œuvre « rossinienne » — s'ajoutèrent bien vite les inévitables médisances que la position sociale des Bertin, la personnalité de Hugo ne manquèrent de susciter ; en effet « le succès d'*Esméralda* intéresse, comme le note le *Courrier des Théâtres* deux jours avant la première, à la fois le monde politique, l'univers musical et nombre de planètes littéraires »[7]. Tandis que Berlioz qui était devenu l'année précédente, à la demande de Bertin père, rédacteur du « feuilleton musical » du *Journal des Débats,* dirige les études de la partition, les propos malveillants s'amplifient pour retomber quelque peu, comme le notera le *Courrier des Théâtres* juste avant la première. L'anonyme « habilleuse » résume méchamment dans l'inédit *Cancans de l'Opéra en 1836* les critiques partout répandues à l'égard de l'« opéra en 4 actes de deux personnes qui portent un nom célèbre » : « Il y a là dedans du Phébus, des rébus pour omnibus qui rapporteront du quibus parce qu'il y a des us du vieux Paris fort intéressants [...] Le compositeur qui assiste en béquille aux répétitions, exige que Falcon apprenne à danser et à

La scène

La Esméralda. Opéra, 1836
*Louis Boulanger
Maquettes de costumes :
Fleur de lys (cat. 535)
L'empereur de Galilée (cat. 538)
Quasimodo (cat. 533)
Une dame noble (cat. 537)
B.N., Musique (Opéra)

jouer du tambour de basque comme une Cendrillon, la Falcon y répugne, mais elle travaille à contenter les auteurs qui sont soutenus par des journalistes de toute espèce, bien méchants quand on ne fait pas à leur idée »[8].

Le soir de la première, le lundi 14 novembre 1836, l'œuvre connaît un succès incertain. Nombre de morceaux sont applaudis — notamment l'« air des cloches » de Quasimodo qui eut un moment de célébrité — mais il y a aussi, et plus que de coutume, huées et sifflets. *Le Figaro* ne s'étonne guère de ce « succès » — « L'ouvrage a trouvé bon accueil aux yeux d'un public qui n'est peut-être pas tout à fait le public »[9] — accusant implicitement les Bertin d'avoir « fait » la salle ; ils n'ont loué, à vrai dire que quatre loges de premier et de second rangs, huit loges de troisième et quatrième, soixante-cinq stalles d'amphithéâtre, d'orchestre et de galerie. La mort toute récente de Charles X exilé, a vidé les loges légitimistes ; la recette est médiocre ; après l'« air des cloches », Alexandre Dumas hurle qu'il est de Berlioz : on ne peut guère parler de triomphe. L'œuvre se maintiendra péniblement jusqu'à la sixième représentation : « *La Esméralda* fut réduite à trois actes et donnée comme lever de rideau avant *La fille du Danube* dansée par Mlle Taglioni. Mais il advint que le public, venu seulement pour le

ballet, s'impatienta de l'opéra et fit baisser la toile sans vouloir entendre le troisième acte. Ce fut la fin. *La Esméralda,* limitée au premier acte et chantée par des doublures, ne fut plus jouée qu'en lever de rideau avant les ballets et fut donnée ainsi de loin en loin 19 fois jusqu'en 1839. »[10] La recette qui était de 6 381 francs à la seconde représentation n'était plus que de 5 635 francs à la cinquième ; *Les huguenots,* créés quelques mois plus tôt, faisaient alors en moyenne 9 000 francs par soirée.

Seul Berlioz est revenu ultérieurement sur les causes de cet insuccès dont il voit l'origine exclusive dans les « haines impitoyables toujours éveillées autour des hommes de la presse politique ou littéraire »[11] ; car Louise Bertin « l'une des têtes de femmes les plus fortes de notre temps »[12] avait donné un ouvrage contenant « des parties fort belles et d'un grand intérêt »[13].

Certes Victor Hugo et Louise Bertin n'avaient pu obtenir tout ce qu'ils voulaient de la direction de l'Opéra, mais la production se prévalait des beaux décors de Philastre et Cambon et de « l'heureuse étrangeté » des costumes de Louis Boulanger[14]. Dans presque tous les tableaux apparaissait Notre-Dame « sous tous ses aspects, de loin et de près », le monument devenant « pour ainsi dire, commentera Berlioz, un personnage du drame qui se

La scène

La Esméralda. Opéra, 1836
*Ch. A. Cambon
Maquette de décor : maisons autour de Notre-Dame (cat. 531)
B.N., Musique (Opéra)

déroule autour de lui, et la majesté sombre de cet aspect ajoute au grandiose ou au pittoresque des scènes auxquelles il préside. Le tableau qui ouvre le troisième acte, et dans lequel la silhouette noire de Notre-Dame se dessine à l'horizon sur un rouge coucher de soleil, est surtout d'un admirable effet » [15].

La distribution réunit — à l'exception de l'épisodique Serda (M. de Chevreuse) « le plus courageux représentant de la note fausse » [16] — les meilleurs chanteurs d'alors : Massol qui sera un grandiose Quasimodo, Levasseur en Claude Frollo et surtout les deux étoiles du moment, Adolphe Nourrit (Phœbus) et Cornélie Falcon (Esméralda). Si Nourrit, ténor principal à l'Opéra jusqu'à l'engagement de

Duprez l'année suivante, créateur des rôles de Robert (Robert le diable), Eleazar (La Juive), Raoul (Les huguenots), Arnold (Guillaume Tell), fut unanimement apprécié, il n'en fut pas de même de Cornélie Falcon. Créatrice elle aussi de plusieurs rôles du « grand opéra français » (Amélie dans Gustave III ou le bal masqué d'Auber, Rachel dans La Juive et Valentine dans Les huguenots) sa prestation en Esméralda déçut et inquiéta la plupart ; sans doute entendit-on, dès cette première représentation, dans cette voix autrefois si robuste et étendue, les failles qui, quelques mois plus tard, obligèrent la soprano à définitivement abandonner la scène après une brévissime carrière de cinq années.

En tout cas, la critique n'est pas tendre : « La voix de Mlle Falcon, commente cruellement le Courrier des Théâtres après la quatrième le 21 novembre, ne reprend pas ses forces. Aux anciens éclats qui avaient du moins l'avantage d'imposer aux spectateurs pour qui le bruit est beaucoup, succèdent maintenant des cris dont l'unique résultat est d'affliger l'auditeur. Or, règle générale au théâtre, quand on crie, c'est qu'on a pas de moyens. Pénétrée de son insuffisance, Mlle Falcon cherche à secourir l'exécution chantée par des gestes qui sont les plus disgracieux du monde. Les lignes anguleuses qu'elle décrit ajoutent, par les yeux, au chagrin de ce qu'on entend, sans y trouver même la compensation des paroles car cette

748

La Esméralda. Opéra, 1836
*Ch. A. Cambon
*Maquettes de décors : l'île de la Cité avec
Notre-Dame* (cat. 529-530)
B.N., Musique (Opéra)

demoiselle ne les prononce pas du tout. »
« Délicate attention, ajoute l'impitoyable critique, pour M. Victor Hugo »[17].

La mauvaise santé vocale de Falcon, ses
gestes déplacés à l'égard du public qui, s'ils
témoignaient de sa « mauvaise humeur » n'en
étaient pas moins un manquement grave aux
spectateurs[18], ont eu leur part dans la chute de
l'œuvre ; toutefois l'essentiel de la responsabilité en incombe, pour la presse de l'époque,
plus à Victor Hugo qu'à Louise Bertin.
Contrairement à ce qu'on a dit plus tard, le
compositeur n'est pas éreinté. Cela ne va pas
sans de prudents avertissements car le compositeur est femme et parlant de sa musique, il faut
le faire « dans les termes avec lesquels il

convient de parler d'un ouvrage de femme »[19].
Aussi aux critiques anticipées, succèdent
l'étonnement et l'admiration devant une œuvre
qui, souvent maladroite — ni les idées, ni l'inspiration ne manquent, mais le métier[20] — n'en
montre pas moins une vigueur inattendue :
« Quand on songe, en effet, aux exigences de la
nouvelle école musicale, on s'étonne qu'un cerveau féminin ait pu jusque-là y satisfaire. La
seule *orchestration* qu'on demande
aujourd'hui eut été, jadis, pour une dame, la
besogne la plus difficile et la plus rebutante.
Elle est ici en parfaite harmonie avec les situations de la pièce[21] ». Berlioz négligeant ces
arguties est plus explicite dans son
commentaire : « Son orchestre est en général

trop chargé, trop rude pour les voix ; mais il se
fait distinguer par un bon sentiment dramatique et par des oppositions entre des masses
instrumentales souvent pleines de bonheur. Je
voudrais y entendre moins de trompettes, de
trombones et surtout moins d'ophicléides : la
grosse caisse est employée avec assez de modération. Pour les chœurs, je crois que, vu
l'usage fréquent qu'on y remarque du *débit syllabique,* ils ne sont pas toujours écrits de
manière à ce que les voix puissent s'y produire
avec tous leurs avantages, le son n'a pas le
temps de se développer, et les paroles sont pro-
noncées parfois avec tant de précipitation qu'il
devient à peu près impossible aux chanteurs
de les articuler nettement[22] ». Retenons

« l'orchestre trop chargé, trop rude pour les voix », les « oppositions entre les masses instrumentales », l'importance du « débit syllabique » pour nous tourner quelque temps, vers les critiques portées contre le livret. Car Victor Hugo n'est pas ménagé ; si Berlioz se contente de souligner la difficulté qu'il y a à faire d'un roman, un livret — « Le poète s'est borné à une esquisse rapide, dans laquelle il n'a fait entrer que celles des parties de son grand tableau qui pouvaient servir les intérêts de la musique en se renfermant dans le cadre toujours plus ou moins restreint de l'opéra »[23] ce qui revient, malgré tout, à rabaisser considérablement le travail du poète — le critique anonyme qui, à plusieurs reprises, s'appesantit sur la contribution d'Hugo dénonce, de *Notre-Dame de Paris* à *Esméralda,* un appauvrissement des personnages qui perdent toute consistance et ne sont plus que silhouettes, un déchiquetage du roman qui n'est plus que canevas, succession de péripéties connues et qui, ainsi agencées, perdent toute nécessité[24].

« L'intrigue ainsi étranglée, ajoute-t-il, s'y débat avec plus de violence », pertinente remarque et que feront nombre de commentateurs : *La Esméralda* contient trop de scènes mouvementées, généralement tristes « d'où un trop grand nombre de musique lugubre »[25]. Dans une œuvre aussi resserrée, le style de son auteur n'en est que plus exposé : « le plus caillouté de tout ce qui est sorti de la même plume » poursuit le feuilletonniste du *Courrier des Théâtres* qui feint d'admirer la science avec laquelle Louise Bertin a pu mettre de la musique sur des vers aussi « anti-lyriques »[26]. Quelques jours plus tard, il revint à la charge et épinglant « les rocailles anti-poétiques qui [...] tiennent lieu de vers » estime que le jeune compositeur « secondée par un auteur capable [...] donnerait incontestablement un bel ouvrage »[27].

Livret « rocailleux », « caillouté », musique « sans charlatanisme »[28] aux formes mélodiques « un peu enfantines »[29], *La Esméralda* avait à vrai dire, tout pour dérouter. La comparaison avec le grand succès du jour, *Les huguenots,* chef-d'œuvre (quoiqu'on en dise aujourd'hui) parfaitement maîtrisé sur un livret efficace mais dont le style n'a évidemment pas les « aspérités » de celui de Hugo, est éloquente. L'ambition de Victor Hugo et de Louise Bertin était pourtant bien de faire un « grand opéra français » comme *Robert le diable,* comme *La Juive* — Berlioz notera une

indiscutable parenté entre la scène de l'amende honorable devant Notre-Dame et le dénouement de l'œuvre d'Halévy[30] —, comme *Les huguenots :* importance des masses orchestrales et chorales, « extravagance des moyens musicaux et dramatiques »[31], constantes oppositions, d'un tableau à l'autre, d'ombres et de lumières, tous les « ingrédients » y sont. Mais il manquait en 1836 à l'œuvre un fini, un poli (du livret comme de la partition) qu'ont celles de Meyerbeer ou d'Halévy.

Sans aller jusqu'à dire qu'elle a échoué parce qu'elle dérangeait ou que « l'innocence » musicale de Louise Bertin vaut celle de Moussorgski, on peut penser que c'est précisément cette rugosité, cette « virginité un peu embarrassée »[32] qui aujourd'hui plairaient. L'air de Frollo au premier acte, le cri pathétique d'Esméralda au second — « Oh défendsmoi toi-même Phœbus » — la réponse ardente de Phœbus, la prière d'Esméralda au début du quatrième avec son émouvante introduction de cors, l'« air des cloches » de Quasimodo, méritent mieux que leur sort passé. C'est en définitive la malheureuse Louise Bertin qui fit les frais d'une « affaire » plus politique et littéraire que strictement musicale ; le poète n'en sera que peu affecté ; le compositeur, blessé, cessera de se faire jouer en public. « Ce qui plaît le plus aux esprits distingués, un triomphe de femme »[33] n'a été en définitive qu'une pénible histoire. — H.L.

1. F. Halévy, *Derniers souvenirs et portraits,* Paris, 1863, p. 169.
2. *Victor Hugo raconté par un témoin de sa vie,* chap. LXI.
3. *Victor Hugo raconté ...*
4. Notice sur *La Esméralda, œuvres complètes de Victor Hugo* édition de l'Imprimerie Nationale, Tome III Théâtre, Paris 1905, p. 320
5. Ch. Nuitter, notice citée.
6. *Victor Hugo raconté...* id.
7. *Courrier des Théâtres,* n° 6535, samedi 12 novembre 1836.
8. *Les cancans de l'Opéra en 1836. Extraits du journal tenu par une habilleuse concernant les choses qui sont venues à sa connaissance durant l'année 1836,* Tome 1er, Manuscrit Bibliothèque de l'Opéra, rés. 658 (1).
9. Cité par Charles Bouvet, *Cornélie Falcon,* Paris, 1927, p. 111.
10. Ch. Nuitter, notice cit.
11. H. Berlioz, *Mémoires,* Paris, 1969, vol. II, p. 23.
12. H. Berlioz, *Mémoires,* Paris, 1969, vol. II, p. 23.
13. id.
14. H. Berlioz, *Revue et Gazette musicale,* n° 47, p. 410
15. H. Berlioz, art. cit.
16. *Courrier des Théâtres,* 26 novembre 1836.
17. *Courrier des Théâtres,* 25 novembre 1836.
18. *Courrier des Théâtres,* 18 décembre 1836.
19. *Courrier des Théâtres,* 18 novembre 1836.
20. *Courrier des Théâtres,* 16 novembre 1836.
21. *Courrier des Théâtres,* 19 novembre 1836.
22. H. Berlioz, *Revue et Gazette musicale de Paris,* art. cit.
23. H. Berlioz, art. cit.
24. *Courrier des Théâtres,* 15 novembre 1836.
25. H. Berlioz, *Revue et Gazette musicale,* art. cit.
26. *Courrier des Théâtres,* 15 et 17 novembre 1836.
27. id., 19 novembre 1836.
28. id., 16 novembre 1836.
29. H. Berlioz, *Mémoires, op. cit.* p. 23
30. *Revue et Gazette musicale de Paris,* art. cit.
31. René Leibowitz, *Les fantômes de l'Opéra,* Paris, 1972, p. 186
32. *Courrier des Théâtres,* 16 novembre 1836.
33. *Courrier des Théâtres,* 12 novembre 1836.

Rigoletto à Paris

Nul mieux qu'Albert de Lasalle dans un bref article du *Monde Illustré* n'a souligné combien le théâtre de Hugo était intimement lié à la musique et semblait, en quelque sorte, la réclamer ; si « les drames de Victor Hugo supportent la musique », c'est qu'« ils la comportent [...] qu'à la fois passionnés et pittoresques, ils la respirent et l'appellent, du premier vers au dernier »[1]. Déjà, lors de la création de *Lucrèce Borgia* en 1833, Théophile Gautier l'avait noté : « Le sujet amenait si invinciblement la musique, que le dénouement de la pièce doit des principaux effets de terreur au contraste des chants de fête et des litanies funèbres des moines. Le souper chez la princesse Négroni est une des plus belles situations lyriques qui se puissent voir, et revenait de droit à l'Opéra[2] ». Et de fait, le théâtre de Hugo a suscité l'opéra ; la liste est longue de toutes les œuvres qui s'en inspirent plus ou moins fidèlement. Arnaud Laster les a attentivement dénombrées : dix-huit opéras intitulés *Notre-Dame de Paris, La Esméralda* ou *Quasimodo*, quatre d'après *Angelo* dont *Il Giuramento* (1837) de Mercadante et la célèbre *Gioconda* de Ponchielli qui en est une approximative adaptation sans

oublier la *Marion de Lorme* du même ou le *Ruy Blas* de Marchetti ; en 1833, à peine le drame de Hugo paru, Donizetti composa sa *Lucrezia Borgia* ; Verdi enfin avec *Ernani* (1844) puis *Rigoletto* (1851) donna deux ouvrages majeurs. *La Gioconda* s'est toujours maintenue au répertoire ; *Il Giuramento* a été récemment redécouvert ; *Lucrezia Borgia* est épisodiquement repris quand un soprano s'empare du rôle - titre — Montserrat Caballé (qui y fut révélée) et, récemment, Joan Sutherland ; *Ernani* est, depuis quelques années, donné ci et là avec plus ou moins de bonheur ; aucun de ces ouvrages n'a jamais joui cependant de l'« écrasante célébrité » de *Rigoletto,* partout connu, représenté, fredonné — qui ne sait « Caro Rome » ou « la donna è mobile » ? — mais aussi massacré ou ridiculisé.

Un si grand nombre d'adaptations ne doit pas surprendre ; le XIXe siècle avait « l'œil lyrique » comme nous avons maintenant « l'œil cinématographique ». Le compositeur et le librettiste regardaient alors dans la production du jour — romans mais surtout théâtre — comme aujourd'hui le réalisateur et

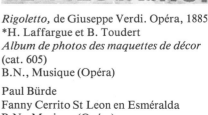

Rigoletto, de Giuseppe Verdi. Opéra, 1885
*H. Laffargue et B. Toudert
Album de photos des maquettes de décor
(cat. 605)
B.N., Musique (Opéra)

Paul Bürde
Fanny Cerrito St Leon en Esméralda
B.N., Musique (Opéra)

Esméralda. Porte-Saint-Martin, 1844 (?)
*Affiche (cat. 541)
B.N., Musique (Opéra)

le scénariste. Le théâtre de Hugo dont Gautier et Lasalle ont si bien souligné les qualités musicales et qui en outre, malgré les péripéties de ses représentations, « marchait » bien, était gibier de choix.

Il est de bon ton de dire, que *Le roi s'amuse* ne survit que parce que Verdi en a tiré *Rigoletto* ; « *Le roi s'amuse,* commente Giuseppe Pintorno, est un de ces ouvrages qui serait seulement mentionné dans la liste exhaustive des œuvres d'un auteur, si un musicien n'avait décidé d'en tirer un livret »[3] ;

Michel Butor, plus subtilement, estime qu'« il est certain que *Le roi s'amuse* a trouvé sa véritable forme dans *Rigoletto* »[4]. L'histoire des représentations parisiennes de l'opéra de Verdi montre que cette opinion aujourd'hui si répandue ne s'est imposée que lentement ; elle prouve également que *Rigoletto* a connu le sort de toutes les pièces de Hugo : succès public reposant sur la qualité des interprètes, faiblesse de la mise en scène, méfiance soutenue de ceux que Huysmans appelait les « raffinés ».

Rigoletto est donné pour la première fois à

Paris — malgré l'opposition de Victor Hugo qui réclamait ses droits d'auteur — six ans après sa création vénitienne, le 19 janvier 1857 au Théâtre des Italiens ; distribution prestigieuse puisque Erminia Frezzolini, qui créa deux opéras de Verdi *(I Lombardi* et *Giovanna d'Arco)* est Gilda, Marietta Alboni, Maddelena et Giovanni Mario, le duc. Malgré cela, les représentations ne laissent pas grand souvenir ; saluant l'initiative de Carvalho qui venait de donner une version française, le critique de *L'Art Musical* rappellera quelques années plus

Rigoletto. Opéra, 1885
*Le Pic
Maquettes de costumes
Rigoletto (cat. 613) ; *Gilda* (cat. 611) ; *Rigoletto* (cat. 610)
B.N., Musique (Opéra)

tard que Rigoletto fut alors « exécuté tant bien que mal et plutôt mal que bien »[5]. En 1863, l'œuvre est reprise au Théâtre lyrique dans la version d'Edouard Duprez, précédemment donnée à Bruxelles en 1858. La ridicule traduction par Duprez du livret de Piave unanimement critiquée, n'en sera pas moins couramment utilisée par la suite ; en 1885, pour la création à l'Opéra après avoir songé un moment à une nouvelle version, on se rabat encore sur celle-ci que Victor Wilder éreinta dans le *Gil Blas :* « si l'on n'a pas lu le livret ou

feuilleté la partition de *Rigoletto,* il est impossible, à la simple audition, de se faire une idée du galimatias grotesque jeté à pleine poignée sur la musique de Verdi comme les paysans lancent de la poudrette sur leurs sillons et leurs emblaves. A côté des vers de Duprez, ceux de Scribe semblent du Musset ou du Victor Hugo »[6]. Le principe de la « mise en musique » du drame de Hugo est loin d'être unanimement admis. Si la représentation de l'œuvre de Verdi permet sous l'Empire de déplorer « le silence injuste qui s'est fait autour du répertoire de

M. Victor Hugo »[7], on n'en regrette pas moins « les remaniements qu'a subis ce drame étrange »[8], la triste besogne du « dépeceur littéraire » qui, dans l'œuvre originale, a taillé « à coups de ciseaux des fragments qu'il ressoude à coups de plume ».[9]

Lorsque *Rigoletto* entre enfin quelques mois avant la mort du poète, le 27 février 1885, au répertoire de l'Opéra, le nom de Piave est omis et l'affiche annonce simplement « Rigoletto, opéra en 4 actes, d'après le drame de Victor Hugo, paroles françaises d'Edouard Duprez,

Rigoletto. Opéra, 1857
*Quatuor du dernier acte (cat. 603)
L'Illustration, fév. 1857
B.N., Musique (Opéra)

musique de M. G. Verdi », ce qui permettra à Auguste Vitu d'ironiser : « on pourrait croire que M. Victor Hugo est l'auteur d'un drame italien intitulé Rigoletto »[10]. Mise en scène de Pedro Gailhard, costumes du comte Lepic, interprétation exceptionnelle (Gabrielle Krauss, la « Rachel chantante » — mais Gilda n'était pas son meilleur rôle —, Lassalle en Rigoletto, Dereims en duc de Mantoue) ; la direction d'Ernest Altès est malheureusement trop lente et mollassonne mais « ce qui pouvait manquer […] à la perfection idéale d'une pareille exécution se trouvait compensé par une intensité dramatique et par une mise en scène que ne connut jamais, en ses meilleurs temps, l'ancien théâtre italien »[11]. Si le décor du premier acte est original — une salle de palais dont les ors et les colonnes évoquent plus l'architecture contemporaine d'un Garnier ou d'un Ballu que le XVIe siècle mantouan — celui de l'acte II est repris au premier acte d'*Henri VIII* de Saint-Saëns ; celui si vanté de l'acte IV provient des *Huguenots,* le Louvre, la tour de Nesles, la Seine dans le lointain et le rajoutis incongru, sur la droite, de la masure de Maddalena. Succès mitigé au soir de la première car nombreux sont ceux qui pensent que l'œuvre est déplacée à l'Opéra — « La partition de

Rigoletto appartient à un art spécial, comme la plupart de celles qui nous viennent d'au-delà des Alpes […] mais qu'on doit laisser dans son milieu natal, sous peine d'en voir s'évaporer le charme et s'estomper l'effet »[12] — ou que Verdi — du moins ce Verdi-là — est passé de mode : « Rigoletto est un ouvrage d'une conception et d'une inspiration médiocres, d'une orchestration à peu près nulle, comme a tant produits le grand improvisateur d'avant Aïda ». Le public désormais, poursuit le critique, demande autre chose, « des sonorités plus nourries et plus savantes » et « chacun attend de l'orchestre le commentaire des situations, l'idée générale des passions du drame »[13]. Dorénavant on ne pardonnera plus à Verdi qu'*Otello* et *Falstaff* et le reste de sa production sera négligemment laissé au public. Aucun effort n'est fait pour monter de façon satisfaisante *Rigoletto.* A l'Opéra de Paris, mise en scène, décors et costumes de la production de 1885 seront utilisés sans discontinuer, périodiquement rafraîchis, jusqu'à la fin des années soixante. *Rigoletto* devient un opéra de chanteurs, une « revanche agréable contre la musique scientifique, symphonique et soporifique »[14].

Depuis un quart de siècle, le vent a tourné ;

Rigoletto. Opéra, 1885
Le Pic
Maquettes de costumes :
Le duc de Mantoue (cat. 614)
Maddalena (cat. 612)
B.N., Musique (Opéra)

Rigoletto. Opéra, 1885
*Stop
Rigoletto Re-Verdi (cat. 618)
B.N., Musique (Opéra)

Rigoletto. Théâtre Lyrique, 1863
*A. Lecocq
*Le quatuor du dernier acte, par les créateurs
des rôles en français* (cat. 604)
B.N., Musique (Opéra)

on a progressivement « redécouvert » *Rigoletto* comme les œuvres antérieures du compositeur. Il y a paradoxalement plus de chemin à faire dans la redécouverte du théâtre de Hugo que dans celle de Verdi. Mais *Le roi s'amuse* ne peut plus être uniquement considéré comme la source de l'œuvre italienne. « On a l'impression de lire un résumé », commentait Léon Guichard, comparant le livret de Piave à la pièce de Hugo ; « mais précisément, ajoutait-il, en faisant subir au drame cette cure d'amaigrissement, en dépouillant Hugo de sa rhétorique, Piave a peut-être trahi le poète, puisque ces tirades, ces monologues, ces méditations, ces rêves, ces couplets lyriques et ces antithèses constituent justement le propre de Hugo, mais il a bien servi le drame — et par là le musicien — en rendant l'action plus rapide et plus vivante »[15].

« Trahison », « dépeçage » de l'œuvre originale ; disons plus simplement que, sur une trame identique, les deux ouvrages sont profondément différents mais, indubitablement, deux chefs-d'œuvre. La lecture verdienne du drame de Hugo aussi sensible qu'intelligente, tire un surprenant parti de la douleur de Rigoletto-Triboulet cherchant parmi les courtisans sa fille enlevée ou surpris par la chanson du duc-François I alors qu'il va jeter à l'eau le corps de son enfant. Certes le drame « appelle » alors la musique ; mais il faudrait aussi souligner comment Verdi, que l'on a dit si négligent de la couleur locale comme de la vérité historique, se montre soucieux de donner un air d'archaïsme au bal à la cour ducale en citant Mozart et la musique du XVIIIe siècle, subtile transposition des chansons « renaissantes » inventées par Hugo. Il est injuste de dire que du *Roi s'amuse* à Rigoletto, « le dialogue s'est changé en duo pathétique », qu'on reconnaît un monologue « à travers les fioritures d'une cavatine » que si « telle scène a été conservée intacte, telle autre s'est trouvée désarticulée, hachée menu, distribuée par morceaux dans toutes les parties de la pièce »[16], mais, d'un drame à l'autre le même souffle, la même tension, l'évidente parenté de la ligne mélodique. — H.L.

1. Albert de Lasalle, « Victor Hugo et la musique », *Le Monde Illustré,* 30 mai 1885, p. 378.

2. Cité par Albert Lasalle, art. cit.

3. Giuseppe Pintorno, « Le roi s'amuse et Rigoletto », catalogue de l'exposition, *Giuseppe Verdi nella casa di Rigoletto,* Mantova, septembre-novembre 1977.

4. Michel Butor, « Le théâtre de Victor Hugo », *Nouvelle Revue Française,* 1er novembre 1964, p. 786.

5. Ralph, *L'Art Musical, Journal de musique,* 4e année, n° 531 décembre 1863.

6. Victor Wilder, in *Gil Blas,* 1er mars 1885.

7. Albert de Lasalle et Er. Thoinan, *La musique à Paris,* 1863, p. 61.

8. Id.

9. Id.

10. Auguste Vitu, *Le Figaro,* 28 février 1885.

11. Auguste Vitu, art. cit.

12. Victor Wilder, art. cit.

13. Henri Bauer, *Écho de Paris,* 1er mars 1885,

14. *Rigoletto Re-Verdi,* caricature de Stop, 1885, Bibliothèque de l'Opéra.

15. Léon Guichard, « Victor Hugo et le Roi s'amuse », *Bolletino dell'Instituto di studi verdiani,* Parma, vol. III, n° 7, 1969, pp. 55-56.

16. Albert de Lasalle et Er. Thoinan, *La musique à Paris, op. cit.* p. 58.

Études de Josette Acher,
Danielle Leclère, Myriam Stern
et Laurence Olivieri,
réunies par Arnaud Laster

Adaptations théâtrales des romans de Victor Hugo

Les pages qui suivent doivent beaucoup à l'abondante documentation fournie par *Pleins feux sur Victor Hugo*, d'Arnaud Laster (édition Comédie-Française, 1981), et par les mémoires de maîtrise préparés sous sa direction à Paris III : *Nerval lecteur de Hugo* (Michel Bernard), *Étude des adaptations de Notre-Dame de Paris* (Michèle Petit), *Les adaptations des Misérables* (Cécile Cussac), *L'adaptation théâtrale de Bug-Jargal* (Marie-Alice Dessiotou), *Quatrevingt-treize, adaptation théâtrale de Paul Meurice* (Maria Schmidt). Les travaux — écrits, séminaires, communications — des chercheurs hugoliens ont nourri l'interprétation des œuvres. Que tous en soient ici remerciés. — J. A.

Han d'Islande

Si *Han d'Islande* peut offrir à la scène des tableaux variés autour de thèmes du mélodrame : « lieu de torture [...] catastrophes naturelles [...] perversité des hommes » (Anne Ubersfeld), ce roman frénétique transcende ces exigences. Le monstre de cruauté fabuleux annonce le grotesque subversif du drame hugolien. Il inaugure aussi une conception de la littérature comme « forme aiguë du mal » (Georges Bataille).

La première adaptation de *Han d'Islande* pour le théâtre est signée Gérard de Nerval et date de 1829. Autre fils d'officier de la Grande Armée, le futur poète des *Chimères* a rencontré vers 1828 l'astre du Cénacle, son aîné de six ans, après avoir traduit avec bonheur le *Faust* de Goethe. Peut-être voulait-il s'entretenir de *Han d'Islande* ce « coup de poing lancé à la figure des gens de goût » (Danièle Gasiglia) qu'il juge néanmoins — ou d'autant plus ? — propice à la transposition scénique. Suivant d'assez près le texte du roman, Nerval a opéré un choix pour regrouper lieux et temps en un découpage scénique de neuf tableaux dans une pièce qu'il qualifie de *mélodrame*. Afin de concentrer la matière autour de l'unité d'action, ce texte théâtral très habile reprend certains dialogues du roman, élague, bouscule parfois l'ordre de la narration, mais ne laisse apparaître aucune couture. Nerval garde les personnages importants, civilise quelque peu les noms nordiques, qu'il estime peut-être difficilement prononçables sur une scène française : Ordener devient Gustave, Schumacker, Tonsberg. La pièce condense le temps du roman en quarante-huit heures, les lieux sont réduits au minimum. L'idylle d'Ethel et de Gustave — nouée dans un renversement de la situation du *Cid,* et rappel de *Roméo et Juliette* — ne donne à voir ou à entendre ni rêveries, ni aveux, mais les éléments essentiels au drame : Tonsberg ignore jusqu'au dénouement l'identité de Gustave, Ethel veut l'épouser dans sa prison pour le sauver, il échappe au bourreau. Si la fraternité dans l'abject du machiavélique Musdoemon et d'Orugix le bourreau est bien exposée, la mort de Musdoemon étranglé par la corde du bourreau, attestant le lien nécessaire crime-châtiment — selon le schéma hugolien qui ne cessera de se préciser —, n'apparaît pas chez Nerval. Mais la révolte des « mineurs » — préfiguration de la sape de la société par le « troisième dessous » dans *Les misérables* — est justifiée ici, de même que dans le roman, par la solidarité avec les opprimés, et la provocation dévoilée : dans ce dessein, les noirs instigateurs se voient obligés de substituer au vrai Han — le « petit homme » assassin, habitant « une grotte » où « les pierres [...] chantent, les os [...] dansent » —, un faux, géant.

L'originalité de Nerval est d'avoir compris le personnage de Han comme seul un véritable écrivain pouvait le faire. Si ce « roman sur le H » n'utilise le fantastique et l'historique que pour mieux « trancher dans la mêlée » entre « l'appel au meurtre sauvage et la sommation du devoir » (Jean Maurel, Colloque de Cerisy 1984), Han est aussi comme Ordener ce jeune homme « ardent et froid », ce bourreau armé de « griffes » qui signe ses crimes, l'écrivain, doublé d'un homme libre qui n'a pour loi que le devoir. La répétition de l'onomatopée « Han », ce « coup de H » (Jean Maurel), tout au long du texte théâtral, et à la fin de la ballade très nervalienne du second tableau, prouverait, s'il était nécessaire, l'intelligence profonde entre « ce diamant aux feux obscurs » et le génie à l'ombre duquel « il brille[rait] de tout son éclat » (François Mauriac).

La pièce de Nerval, jugée sans doute trop « romantique » par les directeurs de théâtre de 1829, ne fut jamais représentée. Mais après *Hernani* qui avait su imposer la puissance du drame hugolien, des auteurs aux noms aujourd'hui oubliés se risquèrent à transposer à nouveau *Han d'Islande* : Palmir, Octo et Rameau ; ce dernier, acteur connu sous le nom de Francisque Gay joua Han. Cette fois, Schumacker s'appelait Harald, et Ethel, Esilda.

Malgré la musique qui accompagnait ce « mélodrame » et le succès de la représentation — la première eut lieu à l'Ambigu le 25 janvier 1832 —, ce spectacle qui se voulait terrifiant — apparaissait sur scène l'ours blanc Friend, ami de Han — et où l'on entendait de féroces rugissements, restait assez naïf et ne put « tenir » plus que jusqu'en 1834. Il n'a jamais été repris depuis.

J. A.

Notre-Dame de Paris

Par sa progression dramatique, ses personnages émouvants se profilant sur la toile de fond de l'imposante cathédrale, le pittoresque médiéval de la Cour des Miracles et de la Fête des Fous, l'attaque spectaculaire des truands, peut-être est-ce celui de tous les romans du

La scène

Notre-Dame de Paris, de Paul Foucher.
Théâtre des Nations, 1879
Henri Meyer
Notre-Dame de Paris
Le Journal Illustré, 15 juin 1879
Paris, M.V.H.

grand écrivain qui a le plus tenté les auteurs de théâtre. Hugo lui-même ne s'est-il pas prêté à une transposition de *Notre-Dame de Paris* en signant le livret d'opéra de *La Esméralda ?* (1836, voir *Les musiciens inspirés par Hugo*).

ΑΝΑΓΚΗ : comme trois coups avant un drame pour casser le temps, le roman commence par frapper ces trois syllabes, ouvrir « l'Histoire », vrai sujet du roman selon Jacques Seebacher. A la vieille cathédrale immobile, va se substituer symboliquement l'animation qui entraîne la jeune Esméralda, fragile comme l'aurore des temps nouveaux.

« Tres para una », voilà le schéma d'un drame hugolien tel *Hernani*. Autour de l'héroïne du roman, « mouche-araignée », s'étoilent comme des pantins de la fatalité, un prêtre, un soldat, un monstre. Le poète, lui, s'échappe en devenant « équilibriste ». Pour une adaptation perspicace au théâtre, la situation des personnages dans deux sortes d'espaces, l'un clos — celui du pouvoir —, l'autre ouvert — celui des exclus — (selon l'analyse d'Anne Ubersfeld), offre dans Notre-Dame de Paris de façon sensible une vision

« géométrique » de l'opposition : verticale — palais de justice, cathédrale, Bastille — / horizontale — rue, Cour des Miracles.

La première adaptation, réalisée par Dubois, acteur comique de Versailles, est jouée au Théâtre du Temple le 1er juin 1832, un an à peine après la publication du roman, dans un Paris déjà déçu de la Monarchie de Juillet, agité par des revendications sociales et l'écho des révoltes de canuts à Lyon, décimé depuis quelques mois par le choléra. Tout en suivant les grandes lignes de l'intrigue du roman, Dubois modifie les caractères des personnages et infléchit les deux « fins tragiques » de Phœbus dans le mariage et de Gringoire dans la tragédie.

Le premier, qui a reçu le nom révélateur de « d'Esting », est promis à la mort dès l'acte premier par une prédiction de l'héroïne-devineresse Esméralda. Le poète philosophe Gringoire, saltimbanque rien moins que téméraire, devient Renald, ex-professeur à l'Université, défenseur des misérables, en révolte ouverte contre les pouvoirs de l'Église et la justice du roi ; il périra bravement dans l'attaque de la

cathédrale pour délivrer la bohémienne, « sœur » des truands. Renald avait auparavant amené ces hôtes de la Cour des Miracles à comprendre le sens d'une solidarité avec les autres opprimés, leurs « frères ». Le peuple du moyen âge accède ici en quelque sorte à l'intelligence de sa condition et l'auteur met en cause les pouvoirs établis du trône et de l'autel.

Quasimodo, cet être « ni homme, ni animal » dans le roman de Hugo, s'il garde sa bosse, sa surdité et sa laideur acquiert avec la parole une conscience éclairée et loin de se comporter en « maladroit ami », tente d'aider la généreuse jeune fille qui a adouci d'« une goutte d'eau » son supplice au pilori, à échapper au mauvais prêtre Frollo. Le grossissement de la scène théâtrale réduit ce dernier à son seul aspect noir d'amoureux jaloux et criminel, efface les nuances de sa soif de savoir et de pouvoir. Malgré l'absence de grands moyens — deux décors suffisent à la représentation —, Dubois, prenant en compte l'opposition voulue par le romancier entre le peuple et les pouvoirs dominants traduit peut-être *Notre-Dame de Paris* au théâtre avec plus

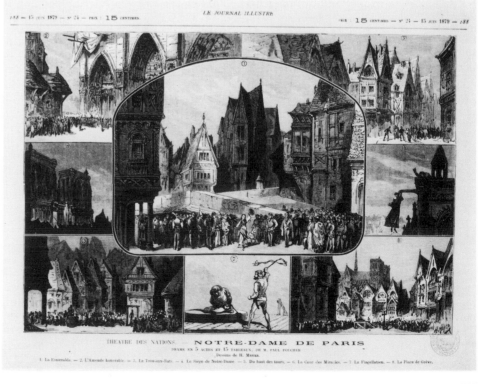

THÉATRE DES NATIONS. **NOTRE-DAME DE PARIS**

Notre-Dame de Paris, de Paul Foucher.
Ambigu-Comique, 1850

Paul Foucher
Notre-Dame de Paris, Paris, Calmann-Lévy,
s.d.
Paris, M.V.H.

de pertinence que bien d'autres futurs adaptateurs aux prétentions plus littéraires. Quoique donnant à voir de façon assez anachronique des protagonistes du moyen âge déjà animés d'aspirations modernes à la liberté et à l'égalité, ce drame était fait pour plaire, en ces temps troublés, au public populaire d'un ancien « Théâtre-Patriotique ».

Si le très médiocre vaudeville parodique de Théaulon, Lesguillon et Chazet, joué le 31 décembre 1836 au Théâtre Saint-Antoine, ne s'attache qu'au pittoresque dans *La Cour des Miracles,* et prête au royaume d'Argot une morale petite-bourgeoise qui aplatit son rôle — positif dans le roman — d'envers de la société et de révulsion, le *Quasimodo* du poète provençal Alfred Goy, monologue en vers donné au Théâtre du Gymnase à Marseille le 2 avril 1841, métamorphose le grotesque/sublime bossu muet en émule du Cid, capable d'exprimer en alexandrins le dilemme de son amour et de sa reconnaissance envers son père adoptif, son martyre, et sa décision finale :
« Rends la force à mon bras, le courage à mon âme, [...] à mort l'infâme ! »

Enfin Foucher vint. Paul Foucher, beau-frère de Victor Hugo, adapte le roman avec la collaboration d'un homme du métier, Goubaud, resté dans l'ombre, et fait jouer le 16 mars 1850 à l'Amigu-Comique *Notre-Dame de Paris,* « drame en 5 actes et 15 tableaux, musique d'Artus ». Cette fois, presque tous les personnages se retrouvent sur la scène, à l'exception toutefois de Louis XI et de sa justice, mais avec Djali, la chèvre d'Esméralda. Une gracieuse et élégante actrice rend crédible le charme de la bohémienne, Phœbus est joué par un célèbre jeune premier aux grands yeux noirs, Quasimodo a vraiment l'air « d'un cauchemar à cheval sur une cloche », Claude Frollo d'un archidiacre infernal. Les décors sont évocateurs, la mise en scène luxueuse et éblouissante ; on entend « des grincements qui donnent le frisson » *(Le Constitutionnel).* Selon Théophile Gautier, « tout le côté pittoresque du livre a été transporté au théâtre avec un art merveilleux ». Les tableaux suivent les chapitres du roman, la ligne générale de l'intrigue semble respectée, mais le dénouement est très sensiblement modifié. Dans cette version, ce n'est pas Quasimodo qui a été substitué à Agnès-Esméralda, mais Phœbus à l'enfant monstrueux devenu sonneur de Notre-Dame. Phœbus se révèle fils du roi des truands et son « héritier ». La Cour des Miracles,

malgré son apparence colorée et truculente, participe donc ainsi une fois de plus de l'idéologie dominante du public bourgeois de 1850, par la perte de son caractère marginal. De « carnavalisation » de la société, *Notre-Dame de Paris* se dégrade en mélodrame. Ignorant le sens allégorique de la danse de « l'Égyptienne », fleur du pavé « doublant » la Dame de pierre, les auteurs renoncent au gibet final et marient Esméralda au beau capitaine devenu millionnaire. Le dénouement dévoile néanmoins un des axes signifiants de ce « roman de l'Histoire » (Jacques Seebacher), l'effacement de la cathédrale par la ville : Notre-Dame, tombeau de Quasimodo, le sonneur informe image du peuple non encore avenu, s'enfonce dans le décor, « Paris à vol d'oiseau » apparaît. Coppenole ne prédit pas ici comme à la fin de l'œuvre de Hugo la prise de la Bastille. Mais comme dans le chapitre *Ceci tuera cela* — dissémination de la « bible de pierre » en pensée « volatile » semée « aux quatre vents » par le livre imprimé — la cathédrale, « bastille de la Foi, du Savoir, du Pouvoir » (Jean Maurel), qui a généré le roman, croule selon la nécessité de l'ΑΝΑΓΚΗ, figurant le passage, d'une fausse science accessible aux seuls *initiés,* à une pensée libérée de la prison de « l'origine », vers un commencement nouveau pour *tous* les hommes : l'avènement d'une ville symbole de liberté et de *démocratie,* dans ce drame situé à l'aurore de la Renaissance, joué en cette époque de « République », espoir de *tous* les peuples.

En 1879, Paul Meurice remanie l'adaptation de 1850, la débarrasse « d'absurdes complications », revient au dénouement de Hugo et fait représenter sa pièce en 5 actes et 12 tableaux, le 7 juin, au Théâtre des Nations. Un clown remplace l'acteur qui joue Frollo au moment où, jeté du haut d'une tour, il s'accroche désespérément aux pierres de la cathédrale. Le décor de la Cour des Miracles s'inspire d'une aquarelle de Victor Hugo. Autour du romancier, un souper termine la centième représentation. Sur la scène, on a un poème composé en son honneur par Théodore de Banville, qui avait lui-même écrit une pièce, *Gringoire,* jouée en 1866, où l'on retrouvait un protagoniste du roman. Le dramaturge prêtait au réaliste Gringoire, face à un Louis XI cruel, des traits de pureté et de fraîcheur aussi éloignés de son existence dans l'histoire que du « philosophe » de Hugo. Grin-

Notre-Dame de Paris, de Paul Foucher. Théâtre des Nations, 1879

Adrien Marie
Esméralda donnant à boire à Quasimodo
Le Monde Illustré, 21 juin 1879
Paris, M.V.H.

Alfred Le Petit
Portraits et costumes des acteurs
Les Pièces en Vogue, N° 5, 1879
B.N., Arts du spectacle

Adrien Marie
Claude Frollo tombant des tours de Notre-Dame
La Vie Moderne, 26 juin 1879
Paris, M.V.H.

goire, chez Banville, annonce dès le Moyen Age la « fonction du poète ». Le drame de Meurice sera repris avec un égal succès en 1885 et de nombreuses fois au XXᵉ siècle. En 1978, Robert Hossein met en scène *Notre-Dame de Paris* dans une adaptation d'Alain Decaux et Georges Soria, au Palais des Sports, et en donne un spectacle gigantesque avec un grand soin de l'exactitude historique des décors — conçus par Jean Mandaroux. Sur une scène de 700 m², la cathédrale est reconstituée à l'échelle de 21/52, sur plateau tournant, avec des sculptures exécutées par des équipes d'artistes. 300 costumes, dessinés par Sylvie Poulet, habillent les acteurs, et la ravissante danseuse Anne Fontaine prête ses traits et son talent à Esméralda. Le succès considérable de cette représentation, malgré la réduction du texte du roman, atteste la réception extraordinaire de Hugo dans les masses populaires.

J. A.

Le Ciel et l'Enfer, adaptation d'un conte tiré du *Rhin* :

C'est le 17 mars 1898 que les lecteurs du *Temps* apprirent par un article de J. Claretie, que V. Hugo avait collaboré avec H. Lucas et E. Barré, à une féérie intitulée *Le Ciel et l'Enfer* donnée le 23 mai 1853 à l'Ambigu-Comique. En juin 1842, après la parution du *Rhin,* H. Lucas et V. Hugo avaient conçu le projet d'une œuvre lyrique, tirée de la *Légende du beau Pécopin et de la belle Bauldour* (Lettre XXI). Hugo devait dicter le scénario à Lucas.

Mais c'est en 1852 seulement, que l'Ambigu accepte la pièce. Hugo est alors en exil à Jersey, et Lucas lui écrit, qu'il a « mis sur pied », avec un de ses amis, « une féérie », qu'ils ont « mêlé beaucoup de niaiseries », car « il a fallu se mettre au niveau du public des boulevards »[1].

La féérie « mêlée de chants et de danses, en cinq actes et vingt tableaux » utilise toutes les ressources de la machinerie et de la pyrotechnique. Le nom de Hugo n'apparaît nulle part, sans doute par crainte de la censure. C'est aussi cette raison qui pousse Lucas à modifier le nom des personnages, et, de correction en transformation, il ne reste pas grand chose du *Beau Pécopin.*

L'espace

La forêt de la féérie ressemble plus à un jardin à la française qu'à la forêt vosgienne, et pas du tout à « cette effroyable forêt qui faisait le tour de la terre » (*L.* XI).

L'Orient fantastique se réduit à « l'auberge des environs d'Antioche », sans autre couleur locale que des allusions verbales à Mahomet. On peut voir dans « la vallée aride et sauvage » du début de l'acte v, un rappel de la vallée où Pécopin est emporté par le vent (*L.* VII), et quelque souvenir du grand lapidaire éthiopien (*L.* VII), dans les pierres précieuses qui ornent le Palais de la Fortune (IV,3).

Quant au Falkenburg, il est devenu le Falkenstein.

Les personnages

Pécopin est devenu le chevalier Gérard. On lui a gardé son penchant pour la chasse. Mais c'est par la guerre, le jeu, et la volupté que le diable le tente. On lui adjoint un écuyer : *Canari,* qui n'a rien à voir avec l'inquiétant *Erilangus,* renvoyé dès le second chapitre. Canari appartient à la tradition du valet comique, de même que la suivante primesautière, Guillerette, qui sert l'héroïne.

Bauldour (L.) est devenue Bertha. Elles ont en commun de rester fidèles : « jamais je ne serai la femme d'un autre » (II,6) dit Bertha, et Bauldour attend son Pécopin pendant cent cinq ans (*L.* LXVIII). Le diable, lui, s'est multiplié. Belphégor (I,1) ressemble au pauvre diable qui se plaignait de la pesanteur des âmes sur la grève solitaire « entre Coma et Clisma » (*L.* VI).

Mais au théâtre, il a un maître, Satan, lequel a sous ses ordres des démons et des diablesses pour l'aider : Mélusine, Gorgone, Dragonne et autres, et qui, cependant, craint sa femme : Proserpine. Ce beau désordre mythologique est sans doute l'équivalent des rencontres anachroniques que Pécopin fait au cours de sa nuit fantastique (*L.* XII, XIII).

Le départ du héros

Pécopin n'a ni volonté, ni ambition. Ce sont les circonstances qui l'entraînent d'Heimburg à Vaugtsberg, puis à Rheinstein, Stahleck, Dijon, Paris, Grenade et Bagdad, d'où le calife jaloux l'envoie « au diable ».

Dans *Le Ciel et l'Enfer,* H. Lucas lui donne une vraie raison de partir : l'ambition du père de Bertha qui exige que son gendre soit comte du Rhin. C'est pour gagner ce titre et épouser sa belle qu'il quitte le Falkenstein. Ils y reviendront ensemble, et il ne sera pas trop tard pour y être heureux.

Le fantastique linguistique

Lorsque le calife de Bagdad pousse Pécopin du haut de la tour en lui criant : « je t'envoie au diable », ses propos sont appliqués à la lettre. Pécopin est livré au diable.

Ce jeu linguistique est repris dans *Le Ciel et l'Enfer :* « Si jamais je te suis infidèle, ô Bertha, que le démon prenne mon âme », dit Gérard, et le diable répond : « c'est entendu ».

Le procédé est repris à l'acte III, le diable paraît chaque fois que Pierre l'aubergiste menace de donner sa femme au diable.

Les propos misogynes

Hugo les place dans la bouche d'Erilangus (*L.* II) « Les chiens ont sept espèces de rage, les femmes en ont mille », et dans celle du diable : « Et ce sera probablement avant peu un triste et malheureux couple de plus » (*L.* XIV).

Dans *Le Ciel et l'Enfer,* ils constituent un des ressorts comiques, à la manière des farces médiévales. Le diable se plaint du caractère acariâtre de sa femme, et l'aubergiste de la « vertu querelleuse de la sienne ». Il est bien évident que l'union monogamique ne convient pas à l'homme. « Pourquoi vous mariez-vous ? » demande Erilangus (*L.* II), « Le roi Salomon, le mari aux 300 femmes ! Voilà comment je comprends la royauté » dit Canari.

Le talisman

Une mystérieuse princesse donne à Pécopin un talisman qui le protège de la mort et de la vieillesse. Le dieu Amour en donne un de fidélité à Gérard. « Si tu n'avais eu ton talisman, je t'aurais gardé », dit le diable à Pécopin (*L.* XVI) Satan aussi veut retenir Gérard, mais ce qui sauve les amants, c'est l'infortune du diable, pas le talisman. Et l'éternelle jeunesse était une tentation de Mélusine (III,5).

Les oiseaux

La fable des oiseaux, dont le langage est obscur à Pécopin jeune homme et clair au vieillard (*L.* III, XIX), se réduit à une réflexion grotesque de Canari : « j'ai entendu un coq qui m'a donné la chair de poule » (I,2). Il reste encore une allusion à l'oiseau Phénix de la tapisserie de Bauldour dans le couplet de Mélusine (III,3).

Le cheval du diable

Pour chasser avec le diable, il fallait « de terribles chevaux » (*L.* X). « On amène un cheval » pour Gérard, et comme Canari en réclame un aussi, « un cheval de bois sort de dessous terre et l'emporte ».

L'enchantement

« Quand on a mis le pied dans le temple de la Fortune, on n'en sort plus » (IV,7) ainsi que du « Bois des pas perdus » (*L.* IX). Il reste encore que « la guerre du bien contre le mal, [...] la guerre du Ciel contre l'Enfer » (I,8) est un thème hugolien, même si ce n'est pas celui de la *Légende.*

Le Ciel et l'Enfer connut un grand succès, il fut joué du 23 mai au 11 septembre. On parle de magnifiques décors et de costumes charmants. On admire les « danses bien réglées et les évolutions des cartes marchantes qui jouent à la bataille »[2]. A. Artus, chef d'orchestre et compositeur est acclamé tous les soirs comme le gros Laurent « enfant chéri du public », qui joue Canari, et Ch. Lemaître, « jeune premier élégant »[3] charme les cœurs. Hugo fut ravi du succès : « [...] Le succès charme ma bourse, hélas un peu aplatie en ce moment [...] Je vous remercie de m'enrichir. »[4] Le public de 1853 semble avide de distractions, de plaisanteries et de chansonnettes. On lui donne ce qu'il aime, ce qu'il connaît, il est satisfait. L'ordre règne, quand Hugo n'est pas là.

D. L.

Les misérables

La transposition à la scène propose d'autant plus de difficultés qu'il s'agit d'une œuvre puissante et foisonnante de sens.

De courtes pièces tirées de diverses parties du roman furent très tôt représentées, notamment en Italie, mais la première adaptation théâtrale complète des *Misérables* fut écrite par Charles Hugo et Paul Meurice moins d'un an après la publication du roman. Victor Hugo lui-même était favorable à ce projet et donna à son fils et à son ami quelques conseils dès août 1862.

Interdit par la censure du Second Empire en France, le drame des *Misérables* fut représenté à Bruxelles au Théâtre des Galeries Saint-Hubert le 3 janvier 1863, puis repris et remanié en 1878 et 1889, et encore souvent joué dans cette adaptation au XXe siècle.

Il semble que Charles Hugo — mort en 1871 — ait été le seul auteur de la seconde partie, à laquelle Paul Meurice renonce en 1878, peut-être en raison des souvenirs de la Commune que l'épopée de la rue Saint-Denis était susceptible d'évoquer ; mais Victor Hugo,

La scène

Les misérables, de Charles Hugo. Porte-Saint-Martin, 1878
Gerlier
Les misérables
La Presse Illustrée, 31 mars 1878
Paris, M.V.H.

lui, s'était prononcé dès 1862 pour « un drame complet ». Meurice efface dans le début même de la pièce les allusions aux « ouvrières » de la fabrique, et introduit un « père Simon » bon enfant pour venir parler à la place des « paveurs ».

La version de 1863, la plus proche du roman, comprend un prologue : *La chute,* deux parties : *Fantine et Jean Valjean,* et un épilogue : *Nuit derrière laquelle il y a le jour.* Cette adaptation suit de près l'ordre de la narration romanesque et préfère, comme le suggérait la préface de *Cromwell,* donner à voir les événements plutôt que les raconter comme le faisait la tragédie classique. Le drame privilégie quelques moments clés : l'accueil du bagnard au « passeport jaune » par un hôte fraternel, Fantine victime de la noirceur des Thénardier et de la société représentée par Javert, « une tempête sous un crâne », l'effroi de Cosette dans la forêt et l'arrivée de « l'homme sauveur », les discussions des « amis de l'ABC » et la barricade sublime animée par Enjolras, où meurt Gavroche, « le gamin fée ». Il met en scène la rencontre de Jean Valjean et de Petit-Gervais, si essentielle pour la structure et la compréhension du roman, et que gommeront bien des adaptations ultérieures. La transformation de l'évêque en laïque, « Monsieur Myriel », ne semble pas avoir soulevé d'objection de la part de Hugo. On peut regretter l'absence de l'éléphant de la Bastille et de nombreux personnages qui contribuent au sens de l'œuvre : principalement le conventionnel G..., le colonel Pontmercy, le père Mabeuf, M. Gillenormand. Quant à la complexité des caractères, peut-elle apparaître si la scène « veut des personnages et non des fragments de jeux de patience » selon l'expression d'un critique de 1900 ? Mais n'est-ce pas justement un des traits distinctifs du théâtre même de Hugo que « la division intérieure », « la volatilisation du moi » (Anne Ubersfeld) ?

De surcroît, par l'importance de l'action et des dialogues, le roman se prête dans une certaine mesure à un traitement dramatique, et le texte de Hugo est souvent repris sans changement notable. Paul Meurice a raconté avoir eu dès la première lecture « comme la vision de la pièce puissante, pittoresque et émouvante » que la scène pourrait en offrir. Mais des épisodes ont été sacrifiés aux impératifs de la condensation — le rêve de Jean Valjean, les noces de Cosette et de Marius — ou même modifiés : M. Fauchelevent est délivré au

LES MISÉRABLES

Drame de CHARLES HUGO, d'après le roman de VICTOR HUGO, représenté le 22 mars sur le théâtre de la Porte-Saint-Martin

Dessin de M. Gerlier. — Voir la CHRONIQUE à l'intérieur de la PRESSE ILLUSTRÉE.

bouge Jondrette par les insurgés, Javert ne se suicide pas en se noyant dans la Seine, mais est tué par l'écroulement de « Corinthe », le cabaret de l'insurrection.

Il a fallu surtout renoncer à transposer interventions d'auteur ou digressions, si importantes pour l'économie du roman, et intéressantes pour la réflexion du lecteur. Avec le livre sur Waterloo, le mot de Cambronne, « misérable des mots », qui en est le centre signifiant, a été supprimé.

La représentation de Bruxelles devant « une foule énorme » (*L'Indépendance Belge*) n'en a pas moins obtenu, selon Paul Meurice, « un grand succès ». Gavroche soulève l'enthousiasme, et le public réagit particulièrement

quand il s'écrie : « J'en ai assez du despotisme. » Les journaux de Paris — ce qui s'explique si l'on songe au combat de Hugo contre le régime impérial — ne font état que d'un « maigre succès ». En 1878, la République rétablie, Hugo assiste à la première, le 22 mars, au Théâtre de la Porte-Saint-Martin et se félicite du triomphe de la pièce auquel se trouve associé le nom de son fils disparu ; « bien joué », note-t-il. L'acteur Dumaine en effet, excellent dans le rôle de Jean Valjean, est rappelé trois fois à la fin d'« une tempête sous un crâne », et le théâtre parisien n'a pas lésiné sur les décors : il utilise notamment une scène tournante pour figurer le passage de la rue où Javert poursuit le héros, au jardin du couvent

où celui-ci va se réfugier. Cette entrée dans une sorte de non-lieu, « de l'autre côté du miroir » (Jacques Seebacher), reçoit ainsi une réalité physique, mais la convention théâtrale, en la rejetant vers « un monde déjà métaphorisé » (Anne Ubersfeld), sauvegarde sa distance. Le drame se termine, dans cette version, à ce « port de refuge ».

Pour plaire à Coquelin aîné, qui souhaite le rôle de Jean Valjean, la pièce de 1863 est reprise en entier — légèrement remaniée cette fois, en 5 actes et 17 tableaux — le 26 décembre 1899 au Théâtre de la Porte-Saint-Martin où elle rencontre un accueil des plus favorables. Dès cette adaptation néanmoins, apparaît une certaine atténuation des réso-

AU THÉÂTRE. — *LES MISÉRABLES*, drame de Charles Hugo, tiré du roman de Victor Hugo (Porte-Saint-Martin).
Jean Valjean chez l'évêque Myriel. (Dessin de M. Férat.)

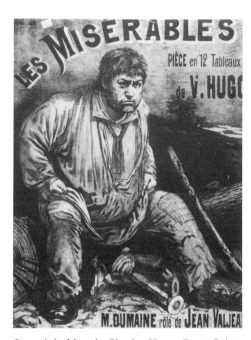

Les misérables, de Charles Hugo. Porte-Saint-Martin, 1878
Affiche
Paris, M.V.H.

nances révolutionnaires de l'œuvre. S'écartant des premières versions du drame, le héros invoque ici le souvenir de Myriel au lieu de ne s'adresser qu'à sa propre conscience lors d'« une tempête sous un crâne », et pendant son agonie. De même, il est fait référence au titre de « monseigneur » Myriel. Le drapeau rouge et l'exclamation de Gavroche : « Vivent les droits de l'homme », sont escamotés. On chante bien La Marseillaise mais à cette époque revancharde, l'hymne s'est déjà inséré dans une symbolique essentiellement patriotique, sinon même nationaliste. Cette évolution est encore plus sensible dans les pièces de Marcel Dubois — en Suisse en 1951 — qui insiste sur l'évêque sans le contrepoids du conventionnel, consacre deux lignes à ce qu'il nomme « les émeutes » de juin, et renvoie le héros au bagne, et de Paul Achard pour la Comédie-Française en 1957 : ce dernier donne le pas au caractère pittoresque des Thénardier et à l'idylle, oublie le mouvement du faubourg Saint-Antoine, estompe la personnalité de Marius, dispense à Enjolras une leçon d'équité, occulte le sens de l'insurrection, et travestit le prodigieux roman de Hugo en intrigue policière — « un match » entre Javert et Jean Valjean, selon l'expression de l'adaptateur — et en apologie des bons sentiments.

La dimension éthique et politique des *Misérables* fait ainsi place, au fur et à mesure des adaptations, à une idéologie moralisatrice, à travers l'interprétation privilégiée de l'ascension de Jean Valjean jusqu'au terme d'une mort « édifiante », alors que le roman, épopée de la conscience humaine et de la liberté, laisse ouvert l'avenir pour une philosophie de la vie et de l'action et non de « l'apprendre à mourir ». Peut-être une autre orientation s'amorce-t-elle depuis quelques années : on peut citer en ce sens le spectacle donné en 1978 à Airvault par cent vingt acteurs non professionnels présentant « un livre vivant ».

En dépit de la réduction substantielle qu'implique la représentation en quelques heures d'un roman de trois cent soixante cinq chapitres, et pour peu qu'on prenne le soin de ne pas s'en tenir à une vision simpliste et partielle, léguée par la tradition des morceaux choisis, il est indéniable que le théâtre, remplissant la fonction didactique souhaitée par Hugo, peut jouer dans la diffusion de l'œuvre un rôle positif : en évoquer la force, la vérité humaine et la grandeur, et engager à « lire » *Les misérables.* J. A.

Une adaptation du *Dernier jour d'un condamné*

Guerre à l'échafaud

« Monologue en vers par LOZES-PRÉVAL d'après l'œuvre de V. HUGO. »

« C'est une pièce en vers [...] écrite pour le théâtre [...] lors du dernier règne »[5] et qui n'a pu être représentée à cause de la censure administrative. Comme la Suisse vient d'abolir la peine de mort, l'auteur saisit l'occasion « d'offrir son ouvrage au public », et commence par l'envoyer à V. Hugo qui répond : « Vos vers sont un noble effort en faveur d'une noble cause, qui est la cause même de l'humanité » et l'autorise à représenter son œuvre « à cette seule condition que le théâtre donnera aux pauvres [sa] part d'auteur. »

Le texte est en alexandrins, et quelquefois la tirade se termine sur 1 octosyllabe ou un hexasyllabe.

L'auteur est très fidèle au déroulement de la pensée du condamné qui regrette la vie et les siens et s'inquiète du destin de sa fille Marie. Il reprend même la chanson du *D.J.C.* : « Veuillez donner à l'indigence. » Le condamné examine les noms sur les murs et lit des vers en argot tirés du *D.J.C.* Mais l'auteur ajoute une autre chanson :

« N'est-ce pas, Elina, je ne suis pas
[méchant,
Malgré mon crime
Chez moi la jalousie est cet affreux penchant
Qui me comprime. »

Les mobiles du crime sont donc expliqués.

Puis le condamné reçoit la visite de son enfant, conduite par le geôlier. L'un et l'autre communiquent par mimiques. Et le monologue s'achève sur la résignation à son sort :

« (...) ô toi dont la démence,
A d'un poignard armé ton impuissante
[main,
N'implore pas en vain la céleste clémence,
On ne doit épargner un cœur trop
[inhumain ! »

Après le monologue, l'auteur publie des « *Considérations en faveur de l'abolition de la peine de mort* », plaidant pour une réforme du système pénal et s'appuyant sur l'exemple suivant :

« Ce sont les événements antérieurs, les privations et les souffrances causées par un long siège qui ont exalté et armé *les communards* parisiens de 1871 » et il conclut : « (…) la peine de mort est inutile. Or, si elle est *inutile,* elle ne saurait être nécessaire ».

Un troisième texte suit : une saynète « *Question résolue dans un salon* », au cours de laquelle « un bon bourgeois », « un député », « un médecin » et « une bonne dame », confrontent leur opinion à propos d'un verdict de mort « unanime », prononcé à l'encontre d'un « misérable » à la « culpabilité évidente », qui a osé « demander grâce ». Le médecin amène progressivement les interlocuteurs, partisans de la peine de mort, à réviser leur jugement : « La loi a besoin de modifications », car la société « doit désarmer l'assassin et lui ôter les moyens de retomber dans ses sinistres desseins ». Ces trois textes étaient publiés au profit d'une famille alsacienne soumise par le traité de paix « au malheur et à la pauvreté ».

D. L.

Bug-Jargal

La seule adaptation, à notre connaissance, qui ait été faite de *Bug-Jargal,* l'a été du vivant de Victor Hugo en 1880 par son secrétaire Richard Lesclide et le neveu de celui-ci, Pierre Elzéar, en sept tableaux.

Bien des libertés ont été prises par rapport au roman. Un personnage féminin : Zizi, a été créé pour l'occasion. Quant à celui de Zora, sœur de Bug-Jargal, il s'est en quelque sorte substitué à celui du chien Rask : innovation justifiée selon des critiques de l'époque par l'importance du rôle de confident, dévolu à ce compagnon fidèle !

Bug-Jargal est appelé Pierre au lieu de Pierrot et focalise l'intérêt dès la scène du cachot, M. de Marsan est l'oncle au lieu du père de Marie.

Le rôle d'Habibrah est considérablement amplifié dans la pièce. Sa double personnalité nous est révélée, entre autres, par le fait qu'il parle nègre avec les blancs ou devant eux, et français à ses frères de couleur. N'obtenant pas l'adhésion de Bug-Jargal à ses visées politiques, il devient obi de Biassou ; ses amulettes confirment son pouvoir religieux.

Biassou et l'obi découvrent que la sentinelle a pu entendre leur conversation au sujet de Bug-Jargal, alors Biassou lui dit : « Recommande ton âme à Saint-Sabas et va te faire fusiller. » La sentinelle obtempère. C'est l'image de la soumission la plus absolue. De

même, le planteur Saint-Elme (sang-mêlé), le négrophile Melvil et Jacques Belin, le charpentier ancien maître de Biassou (blancs tous deux), s'avilissant devant leur bourreau, laissent pantois.

L'obi et Biassou, utilisant comme objet du culte catholique un poignard, tournent la religion en dérision. La scène choqua certains critiques mais est calquée sur le récit, à quelques détails près.

Transformé en émissaire, le sergent Thadée prend le rôle assumé initialement par Bug-Jargal et a une tout autre envergure que dans le roman : il affronte physiquement l'obi, soustrait Léopold à ce dernier, et le sauve. Il est présent dans presque tous les tableaux. Mais ce sont Habibrah (obi) et Léopold qui apparaissent comme les personnages les plus importants. Bug-Jargal, pacifique, amoureux de Marie, compose avec les blancs et les noirs, et ne retrouve pas le rôle prépondérant qu'il a dans le roman (meneur, médiateur). Le chef de guerre qu'est Biassou, comme dans le roman, se montre cruel et féroce avec tous ceux (noirs et blancs) qui se mettent en travers de son despotisme.

Les interventions de Marie, en faveur des noirs et ensuite lors du combat Léopold-Habibrah afin de sauver du gouffre ce dernier, ne sont pas dans le roman. La seconde surprend d'autant plus qu'il a tué son oncle et qu'elle n'assistait pas à la lutte dans le roman.

L'atmosphère de l'île Saint-Domingue, paraît bien retracée, la figuration est abondante : esclaves, noirs, créoles, griots, griottes, etc.

Dans *Le Figaro* du 11 novembre 1880, lendemain de la première, la pièce est traitée avec une désinvolture qui dissimule mal une certaine hargne :

« J'ai vu un cachot confortable où bon petit noir disait des choses désagréables à méchant petit blanc.

J'ai vu trois vrais nègres qui se tordaient de joie toutes les fois qu'un blanc levait le fouet sur les moricauds en scène. »

Le mépris le dispute à la mauvaise foi, mais leurs motifs politiques apparaissent :

« J'ai vu bons petits communards d'en haut applaudir plaisanteries mauvais goût sur les prêtres et bons petits communards à l'ordre. »

Mais dès lors qu'est acceptée l'identification du nain Habibrah, sorcier des noirs, avec le prêtre catholique, l'humour se retourne contre le

journaliste bien-pensant. Quant à l'approbation des communards avait-elle de quoi déplaire à Hugo en 1880 ?

M. S.

Quatrevingt-treize

Quatrevingt-treize, « roman de Victor Hugo » fut « mis à la scène » par P. Meurice au Théâtre de la Gaîté et joué pour la première fois le 24 décembre 1881 devant V. Hugo.

Meurice avait découpé le roman en 4 actes et 12 tableaux d'inégale longueur. « Dans l'ensemble, tous les tableaux de la pièce correspondent à l'un des chapitres du roman. »[6] La fidélité caractérise cette adaptation. La moitié du texte environ est tirée des dialogues de Hugo[7], ou des textes narratifs. Le déroulement de l'intrigue est identique.

Le temps

Le roman commence dans « les derniers jours du mois de mai 1793 » (I,1) et s'achève en juillet de la même année. Le texte théâtral comporte un seul repère temporel précis, « le 2 juin 1793 », lu par Lantenac sur l'affiche qui met sa tête à prix (3e tableau, 1). Le déroulement du temps n'est constaté que par des indications comme « depuis trois jours », « depuis trois semaines », ou ponctué par des changements de lumière.

L'espace

L'espace narratif est infini, l'espace théâtral est limité. Meurice choisit des espaces caractéristiques qui correspondent à des scènes clés du roman.

— Les espaces empruntés directement au roman

Tableau I : le bois de la Sauldraie. L'action commence dans le roman, dans ce lieu « tragique » et « épouvantable » : Chéret a peint des arbres gigantesques bouchant tout horizon, on ne peut « voir un homme à dix pas[8] ».

Tableaux II et III : Le Carnichot. Il s'agit de l'entrée du Carnichot, dissimulée par des racines monstrueuses. Le même décor est utilisé au crépuscule, quand Lantenac débarque, et le lendemain matin[9].

Tableau VI : Le cabaret de la rue du Paon, utilise les mêmes indications spatiales que dans le roman.

Tableau VIII : L'assaut montre la partie

Quatrevingt-treize, de Paul Meurice. Théâtre de la Gaîté, 1881-82
Affiche
Paris, M.V.H.

inférieure de la Tourgue, et la brèche, il visualise, ainsi que les tableaux X et XII, les extérieurs de la vieille Bastille des Gauvain. Chaperon et Rubé (VIII, X) exhibent tous les éléments propres à émouvoir le spectateur, Carpezat (XII) les dissimule. L'incendie (X) est habilement machiné : « par toutes les fenêtres de la Tourgue sort du feu »[10] ; l'échafaud est caché « par un accident du terrain ».

— Les espaces de synthèse
Le narrateur suit les déplacements de ses personnages, le metteur en scène les concentre dans un seul lieu.
Tableau VII : il représente la ville de Dol, dans un espace de transition, « la place à l'entrée de la ville ». La bataille a lieu ailleurs, les Blancs reculent, les Bleus avancent, les civils passent d'un camp à l'autre, la Flécharde suit les Blancs pour pouvoir retrouver ses enfants[11].
Tableau IX : une salle ronde à l'intérieur de la Tourgue réunit les éléments de plusieurs scènes et salles : la porte de fer bloquant les enfants dans la bibliothèque, la porte secrète de l'escalier dérobé permettant l'évasion, la meurtrière par laquelle Radoub tente le sauvetage, le coffre aux armes.
Tableau XI : la cour martiale. Par une astuce scénique, le cachot, situé au bas de la Tourgue, et la salle du rez-de-chaussée, communiquent. C'est dans cette salle, préparée par les soldats pour la cour martiale, que Gauvain monologue, puis amène Lantenac qu'il fait ensuite évader[12].

— Une trouvaille scénique
Les ravages de la guerre civile visualisés par le passage du quatrième au cinquième tableau[13]. « Un rideau d'avant-scène » [...] représente « le hameau d'Herbe en Pail », en pleine prospérité paisible. « Troupeaux sortant des étables, grands chariots chargés de foin, basses-cours bien vivantes et bien fournies. Un grand bois verdoyant et touffu ferme l'horizon. L'orchestre fait entendre une mélodie claire et joyeuse, mais tout à coup s'assombrit. » Et soudain, on entend « le tocsin, des cris, des roulements de tambour, la Marseillaise chantée par quatre-vingts voix, un feu de peloton », puis « quinze voix seulement continuent », « second feu de peloton », « quatre voix » reprennent, « troisième feu de peloton ». Tout se tait. L'orchestre reprend seul, plaintif et lugubre. « Le rideau se lève alors sur les ruines et les cadavres. Le hameau

achève de brûler », c'est ce que voyait le Caïmand (I,4, VIII) en revenant de Crollon : c'est le cinquième tableau.

— Les espaces supprimés
Meurice a sacrifié entièrement l'espace du livre II « la corvette Claymore », les *rues de Paris* (II,1, II), et la *Convention* (II,3) d'abord pour des raisons techniques, également pour concentrer l'action dramatique autour du sauvetage des enfants, et réduire les luttes politiques.

Les personnages
Cimourdain garde, comme dans le roman, son rôle de protagoniste. Il reste « l'effrayant homme juste »[14], inflexible, dont la seule faiblesse est son amour pour Gauvain. La pièce différencie plus fortement « le marquis et le prêtre »[15].
Lantenac devient plus « un homme d'action que de discours »[16]. Dans le roman, il est le maître du verbe (voir l'épisode de la Corvette). Ses rapports avec Halmalo se trouvent totalement modifiés par suite de la suppression de cet épisode. Le marquis, déguisé en paysan n'avouait pas son identité, mais son discours prêchait la soumission absolue au seigneur et montrait l'aliénation du pauvre. La transfiguration de Lantenac reste la même. D'abord « diable »[17] il devient « le bon dieu » quand il sauve les enfants[18].
Gauvain : rien n'est modifié de son personnage. Il reste le héros vierge, jeune, vaillant, clément, « un ange »[19].
Radoub est devenu le personnage le plus important. Il est présent dans 12 scènes[20]. C'est le personnage populaire sympathique, humain, proche du spectateur et de Léopold Hugo. Ainsi apparaît plus nettement la source de V. Hugo qui l'avouait ainsi : « Cette guerre, mon père l'a faite, et j'en puis parler.[21] »
L'Imânus est considérablement noirci. Son personnage « s'enrichit du rôle de Danse-à-l'Ombre et de Chante-en-hiver »[22]. Il est le double mauvais de Radoub puisqu'il conçoit le projet d'enfermer les enfants pour se venger. Ainsi, il incarne plus les forces du mal que la fidélité à la cause royaliste.
Le Caïmand : comme dans le roman il est l'instrument du destin. Il ne choisit pas son camp, il obéit à la charité.
La Flécharde : personnage pivot de la pièce, elle incarne l'amour maternel, et l'humanité déchirée. Son rôle fut rendu bouleversant par

CHARLES JACOTIN

CHARLES JACOTIN   37. Boul! de Strasbourg.

Quatrevingt-treize, de Paul Meurice. Théâtre de la Gaîté, 1881-82
Charles Jacotin
« *Les trois principaux sujets* »
B.N., Arts du spectacle

la personnalité de la comédienne Marie Laurent, une des meilleures actrices du moment.

Les enfants : leur rôle est plus restreint que dans le roman. Meurice supprime la scène du « Massacre de Saint Barthélemy ».

Halmalo n'est plus qu'un adjuvant de Lantenac.

Les personnages inventés

Jean Mathieu : c'est un paysan qui dialogue avec le Caïmand, et qu'on voit apparaître anonyme dans le roman (I,4, VII). Dans la pièce, on le retrouve à Dol avec Lantenac, puis Gauvain, et La Flécharde. Face à des combattants convaincus, c'est un brave homme, non un homme brave, il se rallie au plus fort pour survivre.

Bapaume et *Dorothée :* couple populaire sympathique, il donne des informations relatives à l'enfance de Gauvain, et aux personnages de Lantenac et de Cimourdain. Ses propos servent de références socio-historiques.

La Manèche et *Parisien :* autres personnages populaires, grenadiers du bataillon du Bonnet Rouge, ils incarnent les soldats républicains et servent à introduire des transitions scéniques.

Les personnages supprimés

Meurice limite le nombre des intervenants scéniques à une vingtaine. Les personnages dont les noms sont attestés par des documents, et qui appartiennent au contexte historique disparaissent du drame, d'autant que Meurice a choisi le camp républicain.

Hugo fut satisfait de la pièce : « Je suis très content », écrit-il dans son Journal. Il dut l'être plus encore du concert de louanges qui s'éleva dans les journaux et le public. Le 27 mars 1882 on fêta la centième et il remercia « les artistes éminents » et « la presse ». La jeune troisième République était satisfaite d'avoir trouvé un chantre, et si pour certains royalistes, les révolutionnaires de 93 étaient encore des scélérats, si la lutte fratricide réanimait les souvenirs trop proches de la Commune, il était plus facile de se réconcilier devant un bon spectacle que d'accepter l'amnistie des Communards. Meurice mettait « l'accent sur le drame humain » ; les dissensions politiques, et les querelles dramatiques de l'époque s'estompèrent.

La pièce fut jouée jusqu'en avril 1882.

93 a inspiré :

— Le 14.2.1904 : un prélude symphonique de F. Casadessus.

— En 1914 : une tournée d'Antoine interdite par la censure.

— En 1921 : un film Pathé de A. Capellani.

— En 1935 : un opéra de H. Cain sur une musique de C. Silver.

— En 1959 : une représentation populaire à Clins dans l'Indre sur un découpage en 20 séquences de M. Philippe.

— En 1962 : une adaptation télévisée de C. Santelli et A. Boudet.

— En 1979 : un spectacle au château de Fougères, dirigé par M. Philippe.

Et depuis dix ans, Christian-Jaque tente d'en faire un film et ne trouvant en France aucun financement, envisage de le tourner en Union Soviétique.

D. L.

Claude Gueux

La seule adaptation connue de *Claude Gueux* date de 1884, cinquante ans après la publication de ce plaidoyer d'inspiration déjà très démocratique contre l'injustice sociale. Écrite par Gadot-Rollo, la pièce fut jouée au Théâtre Beaumarchais le 29 février 1884 et reprise avec un égal succès au Théâtre de la République le 25 avril 1895.

Rompant avec la structure du roman, où le récit du passé de Claude Gueux avant la prison n'occupe que le premier paragraphe, ce drame en cinq actes en consacre trois à la vie de l'ouvrier. Il le montre dans la vérité de ses rapports humains avec sa famille et ses amis qui sont tous des compagnons d'atelier, ouvriers et employés, « aussi besogneux les uns que les autres ». Le travail, jusque dans ses détails précis, occupe une très large place dans les dialogues — manifestement écrits pour un public qui sait ce qu'est une bielle, une lime ou un marteau. Mêlés de chansons à la gloire des ouvriers et des « petits », s'ils introduisent des notions de solidarité, ils ne laissent pas de faire allusion aux grands-pères de l'ingénieur et du contre-maître qui ont été « commandants de la République » et dont l'un est « mort à Valmy ».

Claude est ici victime de l'hostilité du chef d'atelier Rougeard, mauvais homme, responsable d'un grave accident du travail — inventé par Gadot-Rollo, auteur méridional imaginatif. Comme dans le roman, Claude a « toujours faim » et « ne sait pas lire ». Il ne comprend donc pas des indications « écrites en rouge », ce qui cause une erreur dans la fabri-

Claude Gueux, de Gadot-Rollot. Théâtre
Beaumarchais, 1884
Affiche
Paris, M.V.H.

cation d'un outil. Renvoyé de l'atelier, il est conduit à voler — pour nourrir sa famille et soigner son enfant malade. En prison, devenu presque fou, il croit voir dans le gardien Delaselle le fantôme de Rougeard — dont on apprend la mort par faute professionnelle. Il est victime comme chez Hugo, de brimades du directeur de la prison — de surcroît ici, ancien chef du personnel de la Compagnie. Cet homme a séparé Claude d'un codétenu qui « lui donnait du pain quand il en avait trop ». Dans le drame, c'est le gardien que tue Claude, et non le directeur, ce qui réduit sensiblement les motifs invoqués longuement dans le roman et les travestit en effet de sa folie. Enfin le dernier tableau laisse apercevoir « vaguement »

sur scène « un des montants de l'échafaud » vers lequel se dirige le cortège qui accompagne le condamné. Pour l'acte v, l'auteur s'est visiblement inspiré du *Dernier jour d'un condamné.* Claude, guéri de sa folie, va être guillotiné et évoque « la charrette, la foule, les gendarmes, toutes ces têtes aux fenêtres, tous ces yeux qui regardent [...] jamais on ne se sera tant occupé de toi ». Il exprime sa peur et attend désespérément sa grâce qui est finalement refusée. Écrit et représenté à l'époque où la Troisième République commençait à s'instaurer réellement, ce drame témoigne de l'attachement des classes laborieuses à son principe et de leur désir de transformation des rapports sociaux et humains.   J. A.

Zubiri

Le 24 janvier 1909, Georges de Porto-Riche dédie à son ami Léon Blum un « divertissement dont, avoue-t-il, le texte est presque tout entier de Victor Hugo » : *Zubiri.* Cette fantaisie en un acte[23] se présente en effet comme une adaptation théâtrale du récit de *Choses vues,* intitulé « D'après nature — Nuit du 3 au 4 février ». Elle témoigne des amours tumultueuses du peintre Théodore Chassériau (dont le patronyme se trouve ici réduit, par aphérèse, à Sério) et d'une comédienne, Alice Ozy (alias Zubiri) dont la beauté et la légèreté séduisirent alternativement Victor Hugo et... son fils Charles.

Dans le récit, c'est Hugo lui-même qui

La scène

L'Homme qui rit, de Yves Gasc. Halles de Baltard, 1971
« *Chaos vaincu* » *(Evelyne Bouix, Raymond Acquaviva)*
Photo Bernand

La cave pénale
Photo Bernand

assiste à la scène que joue la coquette à la faveur d'un souper à trois. Dans la pièce, le rôle est tenu par un certain Rodolphe, tandis qu'un maître d'hôtel, Templier, vient de temps en temps donner la réplique et verser à boire du chambertin, vin que l'héroïne de Porto-Riche préfère au champagne et au vin du Rhin qui agrémentaient le souper de Hugo.

C'est, avant la lettre, le thème de la femme et du pantin : la perverse s'amuse à aguicher l'invité d'un soir — amant de demain — en mettant au supplice le malheureux amant attitré.

Porto-Riche reprend textuellement les parties dialoguées du récit, en se contentant de transformer en indications scéniques les passages descriptifs et narratifs. Il enrichit toutefois le drame de deux éléments nouveaux :

Chez Hugo, Zubiri, après avoir raconté comment Sério a, malgré sa laideur, réussi à la séduire, dévoile sa gorge, puis sa jambe. Porto-Riche lui, intercale un épisode supplémentaire où la coquette demande au maître d'hôtel de repêcher un de ses petits peignes qui a glissé dans son dos.

Le second élément est plus important : dans le récit, la souffrance de Sério se traduit par des signes de nervosité et un évanouissement. Porto-Riche reprend ces données, mais transforme le drame en tragédie : le cœur trop faible de Sério ne peut supporter l'épreuve que lui a imposée sa maîtresse.

La musique et la poésie viennent, en outre, étoffer la pièce. Rodolphe, en attendant l'arrivée de la comédienne, joue au piano un air séditieux : *la Marseillaise* (on est en 1845) ; puis le badinage s'accompagne de chansons sur des vers de Hugo :

« Elle était déchaussée, elle était décoiffée… »[24]

« J'ai cueilli cette fleur pour toi, ma bien-aimée… »[25]

« Si tu veux, faisons un rêve … »[26]

Hommages supplémentaires au poète qui a si bien su traduire les émois du cœur et du corps, et qui, à ce titre, ne pouvait laisser insensible l'auteur du *Théâtre d'amour*[27] spécialiste de la peinture de la passion et des rapports sentimentaux du couple.

Signalons enfin quelques traits d'esprit plus personnels décochés à certains confrères (« Qu'est-ce que tu préfères, un fauteuil à l'Académie ou la chaise longue de ta maîtresse ? »), voire aux honorables sociétaires des troupes rivales : « Ce n'est pas ces dames de la Comédie-Française qui vous ont de ces seins-là ! »

L. O.

L'Homme qui rit

L'adaptation théâtrale inédite en neuf tableaux de *L'Homme qui rit* par Yves Gasc[28] créée en 1971 aux Halles de Baltard, reproduit bien la diversité de l'original. L'absence de certaines scènes du roman (par exemple, la découverte de Dea par Gwynplaine) n'entrave en rien la compréhension.

La portée politique est un peu amoindrie du fait que les comprachicos ne sont ici que des bohémiens — traditionnellement tenus pour voleurs d'enfants — alors que les comprachicos, manipulateurs de chair humaine, ont acheté et défiguré l'enfant par ordre de Jacques II, d'où le titre « Par ordre du roi » que Hugo a pensé donner à l'ensemble du roman.

Mais la personnalité des passagers de *La Matutina* est conservée. Leur crainte du jugement de Dieu est tout à fait montrée.

Dans son monologue, Barkilphedro se dépeint bien comme un personnage central : « J'ai sous la main ce magnifique clavier : la duchesse Josiane, lord David, la reine. » Mais, il n'apparaît pas réellement comme l'éminence grise de la reine, hypocrite (« termite »), être rampant (« ver de terre », « âme reptile »). Dans le dialogue Josiane-Barkilphedro (identique au roman par ailleurs), l'insertion d'un propos de lord David : « pour se désennuyer, il n'y a qu'un remède, Gwynplaine », ne laisse pas voir au spectateur la fourberie de Barkilphedro. Ce qui change en partie sa personnalité.

L'accueil d'Ursus, bourru mais homme de cœur, prélude avec bonheur à l'ambiance chaleureuse de la Green-Box. L'affection de ses quatre locataires unis contre l'adversité extérieure, a pour centre Ursus, le ventriloque, père

protecteur. Le fait que Tom-Jim-Jack parle aux protagonistes de la Green-Box contrairement au roman, relève peut-être d'une volonté de faire ressortir la fraternité ambiguë de Tom-Jim-Jack (lord David) et de Gwynplaine.

De l'amour pur de Gwynplaine pour Dea jusqu'à la mort volontaire, par immersion, le pièce restitue fidèlement la trajectoire sentimentale du héros.

L'intrigue politique passe un peu au second plan. Gwynplaine est promulgué lord dans les termes mêmes du roman : « Réel. Prouvé. Constaté. Homologué. Enregistré ! » et l'atmosphère houleuse de la Chambre des lords est correctement évoquée par les rires, les ricanements, les huées, les interjections et les réflexions pertinentes. Mais le discours de Gwynplaine ne pouvait guère, vu sa longueur, être transcrit intégralement. Ainsi est omis le passage suivant : « Je suis un monstre, ditesvous. Non, je suis le peuple. Je suis une exception ? Non, je suis tout le monde. L'exception, c'est vous. Vous êtes la chimère, et je suis la réalité. Je suis l'Homme. Je suis l'effrayant Homme qui Rit. Qui rit de quoi ? De vous. De lui. De tout. Qu'est-ce que son rire ? Votre crime, et son supplice. Ce crime, il vous le jette à la face ; ce supplice, il vous le crache au visage. Je ris, cela veut dire : je pleure. » La symbolique du rire infligé à Gwynplaine est donc en partie occultée. Sa double appartenance sociale s'estompe.

« J'ai voulu, a écrit Victor Hugo, forcer le lecteur à penser à chaque ligne » ; la tâche de l'adaptateur théâtral en était d'autant plus ardue. La pièce d'Yves Gasc est restée assez proche du roman pour en suggérer la richesse et les spectateurs de la première lui en demeurent reconnaissants. Ce fut, somme toute, une tentative réussie[29]. — M. S.

Le dernier jour d'un condamné

Il semble que *Le dernier jour d'un condamné,* cette « agonie de trois cents pages » (Jules Janin) ait fait reculer d'horreur les contemporains et peu encouragé les velléités de représentation. Des rares adaptations de l'œuvre au XIXe siècle et au début du XXe, il ne reste guère de traces.

En 1979, le Théâtre de l'Écharde crée à Rouen *Le dernier jour d'un condamné,* monologue : forme tout à fait adéquate à la transposition. Comme le remarque Jean Massin, des héros de Hugo, « le condamné est seul à être seul » et contraste sur ce point avec Claude Gueux dans une situation assez voisine. François-Xavier Vassard a signé l'adaptation qui reprend en grande partie le texte même de l'œuvre, avec un découpage différent : il commence à la décision d'écrire (chap. VI de Hugo). Il joue le condamné avec beaucoup de conviction, de nombreuses modulations de ton — tantôt plaintif, tantôt saccadé ou enragé. Il s'emporte contre les médecins, s'adoucit envers le prêtre puis manifeste contre lui sa colère devant la réelle incommunicabilité par des paroles, il s'attendrit en évoquant sa petite fille ; il exprime surtout l'angoisse et la terreur de la guillotine finale. Daniel Charlot a mis en scène. Une cage de bois, unique décor, figure la prison, puis la charrette qui emporte le condamné.

A la reprise de la pièce, à la Cité Universitaire de Paris, en mars 1985, un jeune public a salué avec enthousiasme le texte de Hugo et son adaptation.

J. A.

1. Lettre manuscrite classée n° 2266 — sans date — Musée Victor Hugo, Paris.
2. *Revue et Gazette des théâtres,* 26 mai 1853.
3. Lyonnet, *Dictionnaire des comédiens.*
4. Lettre du 24 juin 1853 in *Les Annales romantiques,* 1967, t. 6, p. 195. Hugo perçoit environ 1 000 F par mois.
5. L'auteur la publie en 1872 et ne précise pas de quel règne il s'agit, Louis-Philippe ou Napoléon III.
6. Maria Schmidt, Mémoire de maîtrise, Paris III, 1982, p. 12.
7. Maria Schmidt recense 927 lignes sur 1910.
8. *Quatrevingt-treize,* éd. G. F., I,1, p. 25.
9. Le décor est signé Cheret.
10. *Le Moniteur Universel,* 25.12.1881.
11. Le décor est signé Robecchi.
12. Décor de Carpenzat.
13. Décor de Robecchi.
14. *Quatrevingt-treize,* éd. G. F., p. 121.
15. *Ibid.,* p. 248.
16. M. Schmidt, *op.cit.,* p. 39.
17. *Quatrevingt-treize,* p. 201.
18. *Ibid.,* p. 331.
19. *Ib.,* p. 201.
20. Gauvain : 11 scènes, Lantenac : 10, Cimourdain : 9.
21. *Quatrevingt-treize,* p. 187. C'est le seul moment où l'auteur intervient pour dire « je ».
22. M. Schmidt, *op. cit.,* p. 40.
23. La pièce a été créée à Paris, le 1er février 1912, par la Comédie Royale et reproduite dans le supplément du *Monde Illustré,* n° 23, 25 mai 1912.
24. *Les contemplations,* I, XXI.
25. *Les contemplations,* V, XXIV.
26. *La légende des siècles,* « Eviradnus ».
27. C'est le titre sous lequel a été réunie l'œuvre dramatique de Porto-Riche (4 vol., 1928).
28. Nous le remercions bien vivement d'avoir accepté de nous en communiquer un exemplaire dactylographié.
29. Autres adaptations :
1980-1981, François Bourgeat (Villeurbanne).
1983, Didier Adolphe (Théâtre du Cratère au Théâtre de Plaisance).

Les misérables
Raymond Bernard, 1933
Le drapeau rouge sur la barricade de la rue de
la Chanvrerie
Photo Cinémathèque Française

Jean Mitry   **Le cinéma**

A partir du moment où, conscient de ses premières capacités, le cinéma voulut se faire valoir comme art, ne fût-ce qu'à un niveau tout à fait secondaire, les producteurs n'eurent de cesse de s'inspirer de la littérature. A la fois pour attirer le public bourgeois en jouant sur la renommée et la respectabilité des œuvres adaptées en un temps où le cinéma était encore considéré comme un spectacle forain et pour profiter d'une intrigue toute faite — bien construite de surcroît — qu'il suffisait, croyait-on, de « mettre en images ». Des chefs-d'œuvre universels aux mélodrames populaires, tout fut prétexte, les gloires nationales favorisant les films hors série.

Alors qu'en Italie les courses de chars et les combats de gladiateurs l'emportaient

Esméralda
Victorin Jasset, 1906
1. Quasimodo (Henri Vorins), la Esméralda (Denise Becker) et le capitaine Phœbus
2. Claude Frollo (Albert Fouché) et Quasimodo assistant à la pendaison de la Esméralda
Photo Cinémathèque Française

sur Verga, Manzoni et d'Annunzio, aux États-Unis et en Angleterre ce furent Shakespeare, Walter Scott, Dickens, en Russie Pouchkine, Gogol, Tolstoï, en France Victor Hugo et Alexandre Dumas. Mais, contrairement à ce qu'on pourrait croire, tandis que les films tirés de Shakespeare se chiffrent par centaines, on compte tout juste — dans le monde et depuis 1906 — trente-neuf films adaptés de Victor Hugo. Du moins qui aient laissé trace dans l'histoire à titre suffisant pour être recensés. A savoir :

Douze adaptations des *Misérables*. Neuf de *Notre-Dame de Paris*. Quatre de *Rigoletto*. Trois de *Hernani*. Deux de *Marion de Lorme*. Deux de *Marie Tudor*. Deux de *Ruy Blas*. Et une de, respectivement : *Cromwell, Lucrèce Borgia, Les travailleurs de la mer, Quatrevingt-treize* et *L'homme qui rit*.

Si l'on devait envisager l'influence de Victor Hugo et, par extension, du romantisme sur le cinéma, c'est-à-dire sur le caractère des personnages et la nature de leurs motivations aussi bien que sur les formes narratives et leurs implications, une étude de plusieurs centaines de pages n'y suffirait pas.

C'est un beau sujet pour une thèse de doctorat et l'on pense bien qu'il ne saurait en être question dans le présent article qui n'a d'autre intention que de jeter un regard sur les films adaptés de Hugo sans prétendre aucunement les analyser. D'autant qu'on chercherait vainement, dans la plupart d'entre eux, la moindre tentative d'équivalence entre la dynamique des images et la signification rythmique des phrases hugoliennes...

Rien, bien sûr, qui puisse seulement le faire supposer dans les films antérieurs à 1912, à une époque où le cinéma cherchait encore à définir ses moyens.

Tourné en 1906 dans des décors de toile peinte en utilisant toutefois certaines charpentes du studio pour les premiers plans, *Esméralda,* produit par Alice Guy pour Gaumont et mis en scène par Victorin Jasset, ne dépasse point le quart d'heure réglementaire fixant, avant 1908, la durée maximale des films de fiction. Réduite à quelques scènes entre Quasimodo et Claude Frollo, l'histoire insiste sur les danses d'Esméralda en place de Grève vue — dans certaines scènes — en plongée depuis les premières galeries (supposées...) de la cathédrale, chose qui sans être une innovation était encore toute nouvelle à l'époque.

Trois ans plus tard, la « Société cinématographique des Auteurs et Gens de lettres » créée, avec l'aide de Charles Pathé, pour rivaliser avec la « Société du Film d'art » et mettre en images les œuvres littéraires dont elle avait les droits, trouva en Victor Hugo l'indispensable chef de file.

Notre-Dame de Paris
Albert Capellani, 1911
La Esméralda (Stacia Napierkowska) et le capitaine Phœbus au cabaret
Photo Cinémathèque Française

Les misérables
Albert Capellani, 1913
1. Jean Valjean (Henry Krauss) chez Mgr. Myriel (Léon Bellières)
2. Fauchelevent fait évader Jean Valjean du couvent
3. Le cabaret Corinthe
Photos Cinémathèque Française

Venu du théâtre où, dix années durant, il avait été le principal régisseur de Firmin Gémier, Albert Capellani, promu directeur artistique de la firme, s'efforça d'échapper au « théâtre filmé » par le biais de la peinture en composant autant que possible de belles images dans un cadre scénique. On lui doit la plupart des adaptations antérieures à 1914, la première mouture de *Notre-Dame de Paris* tournée en 1911 témoignant déjà d'une relative ambition malgré le schématisme des décors et de la mise en scène.

Avec l'apparition des grandes salles de spectacle consacrées à l'art muet et surtout la généralisation des films de long métrage (le « grand film » passant de trente à soixante minutes, parfois soixante-quinze et même quatre-vingt-dix), l'année 1912 marque un tournant considérable dans l'évolution du cinéma. Le prodigieux succès de *Quo Vadis,* tourné en Italie avec des milliers de figurants et d'immenses décors, incita les producteurs du monde entier à consacrer des sommes jusqu'alors impensables pour la réalisation des films. Un bond artistique s'ensuivit aussitôt dont bénéficia la première version des *Misérables,* première grande production du cinéma français. On s'y efforçait de suivre le développement romanesque au lieu de se contenter d'en illustrer quelques chapitres comme on l'avait fait — par force — jusque-là.

Le meilleur opérateur du moment, Louis Forestier, l'un des meilleurs décorateurs, Henri Ménessier, les acteurs les plus connus furent engagés pour ce film où, cherchant un certain « naturalisme » dans les détails d'une mise en scène encore bien théâtrale, Albert Capellani tenta d'appliquer les méthodes d'Antoine. Malgré la plantation scénique des décors, la disposition quasi frontale des comédiens, le jeu parfois outré de certains, le film était vivant, animé où l'on passait résolument des tableaux discontinus à une narration relativement homogène et continue. Distribué en deux parties de 1 200 m (une heure chacune) ou en quatre parties de 600 m, son succès marqua peu de temps avant la guerre le point ultime du cinéma français, l'impact du *Germinal* tourné quelques mois plus tard par le même Capellani ayant été sans surprise.

Quatrevingt-treize
Albert Capellani, 1914
Cimourdain et les soldats de la République
Photo B.N., Arts du spectacle

Il fut suivi par la seule adaptation qui ait été faite de *Quatrevingt-treize,* produite avec les mêmes moyens et dans les mêmes conditions. L'action permit de tourner la plupart des séquences en extérieurs et en décors réels, ce qui leur donna un semblant d'authenticité « réaliste ». Mais Capellani, en désaccord avec Pathé, abandonna avant la fin pour rejoindre Maurice Tourneur et Émile Chautard engagés à la « World Film » de New York par le producteur William Brady. Le film fut achevé par André Antoine qui, intéressé par le cinéma, avait suivi la réalisation de bout en bout. Pourtant, encore au montage lors de la déclaration de guerre, il ne sortit en public qu'en 1922.

Peu d'arguments, sauf l'ampleur des décors et de la figuration, permettent de sauver le *Notre-Dame de Paris* dirigé par James Gordon Edwards. Semblablement à la version de Jasset tournée dix ans plus tôt, l'intérêt est axé autour d'Esméralda où Theda Bara, qui passe pour avoir été la première « vamp » du cinéma, y confond la danse avec les « contorsions vipérines » qui firent son succès à l'époque...

Les travailleurs de la mer est intéressant dans la mesure où Antoine y mettait en œuvre ses conceptions du cinéma, objet de plusieurs conférences faites au cours des années qui suivirent et qui le montraient beaucoup moins paralysé par les conventions scéniques que la plupart des metteurs en scène français du moment :

Les travailleurs de la mer
André Antoine, 1917
1. Gilliatt venant délivrer la Durande échouée dans les Douvres
2. Déruchette (Andrée Brabant) et le révérend Ebénézer à bord du Cashmere
Photos Cinémathèque Française

« On est simplement parti à faux, disait-il, en adoptant les directives et les méthodes théâtrales pour un art qui ne ressemble à rien de ce qui nous fut proposé jusqu'ici et qui réclame des moyens d'expression encore inemployés. [...] Il convient de marquer la différence essentielle du cinéma qui est *création* vivante, aérée, avec le théâtre dont le principe est au contraire l'*imitation de la nature...* »

« Aller chercher la réalité là où elle est » réclamait-il avec insistance plutôt que de fabriquer une réalité de carton pâte et de toile peinte, faire en sorte que les comédiens se comportent simplement, comme dans la vie réelle et pas du tout comme sur un plateau de théâtre. De fait, à l'image du cinéma suédois dont on venait de voir les premières grandes œuvres, la nature y est, y devient le personnage principal. L'océan « travaille » les situations davantage que les héros de l'histoire. Malgré ou en raison de ses maladresses, la leçon du film fut mal comprise. Il faudra attendre l'arrivée d'une nouvelle génération formée à l'image du cinéma américain pour voir le renouveau du cinéma français et l'abandon des conventions scéniques encore en vigueur dans le *Marion de Lorme* mis en scène par Henry Krauss, disciple pourtant d'André Antoine.

La version des *Misérables* mise en scène par Frank Lloyd en 1918 et intitulée en France *Le pardon du forçat* n'est faite que de larges extraits portant essentiellement sur Jean Valjean et le policier Javert. Comme dans beaucoup de films américains de l'époque, l'interprétation — ici de William Farnum — l'emporte sur le reste. Metteur en scène notoire de la fin du muet et des débuts du parlant ce n'est certainement pas à ce film que Frank Lloyd doit sa réputation.

Interprétée par Lon Chaney célèbre par ses maquillages et ses « compositions physiques » l'adaptation de *Notre-Dame de Paris* réalisée par Wallace Worsley fut la première après la guerre à attirer l'attention sur un roman célèbre « mis en images ». Le titre américain « *Le bossu de Notre-Dame* » laisse entendre, comme pour le film précédent, des altérations, suppressions et modifications apportées à l'œuvre originale, l'intérêt portant sur le personnage de Quasimodo, la Cour des Miracles peuplée d'êtres boiteux, bossus, bancals et sur la grandeur des décors, les

The Hunchback of Notre-Dame
Wallace Worsley, 1923
1. Quasimodo (Lon Chaney) au pilori
2. La danse de la Esméralda (Patsy Ruth Miller) en place de Grève
Photos Cinémathèque Française

parties basses de la nef ayant été reconstruites en staff à cet effet. Mais ce film, qui surprit par ses dimensions spectaculaires et par l'interprétation de Lon Chaney, fut bien vite distancé par la version des *Misérables* mise en scène par Henri Fescourt en 1925 et dont on peut dire qu'elle domine toutes les adaptations d'œuvres littéraires faites en France au temps du muet. Comme le font remarquer Claude Beylie et Francis Lacassin : « Il n'est pas superflu de souligner que cette version est la seule ayant respecté la structure fondamentalement épique du texte écrit. Au lieu de condenser, synthétiser, couper à tort et à travers comme l'ont fait ses prédécesseurs, Fescourt s'attache à suivre pas à pas la construction hugolienne, ne reculant devant aucune digression, sautant avec virtuosité du particulier au général, épousant d'aussi près que possible son rythme. Pour Fescourt, le cinéma demeure essentiellement l'art du récit, toutes enjolivures techniques ne devant être que des supports jamais privilégiés de la narration. Mais c'est l'image qui raconte et non le mot : les intertitres y sont donc réduits au plus strict. »

Il reste que le film devant se soumettre aux impératifs commerciaux de l'époque insiste sur le côté mélodramatique de l'histoire : Fantine, la jeune fille « pure et abandonnée se prostituant pour nourrir son enfant », les Thénardier canailles irrécupérables, etc., tout en déployant un incontestable lyrisme dans les scènes de l'insurrection avec la mort de Gavroche sur les barricades.

Faite aux États-Unis par un metteur en scène allemand rendu célèbre par ses films expressionnistes, l'unique adaptation de *L'homme qui rit* est un film essentiellement pictural, décoratif, fantasmagorique, la répartition des zones d'ombres et de lumières donnant à chaque scène sa qualité majeure, sa signification particulière. La magie des éclairages, les brefs effets de caméra subjective, le tour elliptique de la narration, le symbolisme des objets concourent à en faire un film d'atmosphère dont l'étrangeté est sans cesse accusée par l'interprétation de Conrad Veidt, l'homme à la bouche fendue jusqu'aux oreilles par les saltimbanques auxquels il fut vendu, enfant, par ses nobles ascendants : « Le metteur en scène dose habilement l'émotion et l'attrait spectaculaire, note Freddy Buache. L'harmonie plastique est obtenue par une subtile orchestration des rapports décors - éclairage - cadrage - jeu et la vivacité du récit résulte d'un découpage intelligent et d'un montage qui ne l'est pas moins. »

Tourné en 1928 le film de Paul Leni fut le dernier du cinéma muet qui ait été consacré à l'œuvre de Victor Hugo.

Le premier film parlant illustrant celle-ci fut une réussite portant sur *Les misérables* dans laquelle Harry Baur fit l'une des créations les plus remarquables de sa carrière.

Mis en scène par Raymond Bernard, qui venait de réaliser avec *Les croix de bois* l'un des tout premiers chefs-d'œuvre du cinéma français parlant, cette nouvelle adaptation, divisée en trois films distincts, suit fidèlement l'œuvre originale. La première partie qui reprend le titre de Hugo *Tempête sous un crâne* dépeint la personnalité, le caractère de Jean Valjean, raconte le vol des chandeliers, l'action de Monseigneur Myriel. La seconde partie, *Les Thénardier*, n'évite pas les détours mélodramatiques avec l'agonie de Fantine, les douloureuses épreuves de Cosette, les enquêtes de Javert. Mais la troisième, *Liberté, liberté chérie,* retrace avec une réelle ampleur les événements de 1832. C'est de très loin la plus remarquable. Grâce aux décors de Jean Perrier élevés aux environs d'Antibes et qui reconstituent avec un maximum d'authenticité la rue des Ursulines, la barrière d'Italie et la rue Saint-Antoine, les journées des barricades haussent le film au niveau des grandes œuvres épiques. Le Paris en émeute offre en effet des faits bruts que le cinéaste peut brasser à son aise, un souffle qu'il peut grandir par le rythme. Le peuple en arme, les combats de rue trouvent, grâce au film, leur image véritable. Dignes de certains films soviétiques de la grande époque ces épisodes font oublier par la vivacité du montage, leur dynamisme, leur rythme haletant, le schématisme avec lequel certains épisodes ont dû être traités pour pouvoir entrer dans les limites assignées au film malgré un développement encore inhabituel à l'époque (3 parties de deux heures chacune, à peu près).

Quoique intitulée *Jean Valjean*, une nouvelle version réalisée aux États-Unis par Richard Boleslawsky ne put être distribuée en France, les droits du film de Raymond Bernard ayant alors priorité exclusive. Charles Laughton y fut, paraît-il, remarquable dans le rôle de Javert. Il devait l'être plus encore sans doute dans la version de *Notre-Dame de Paris* dirigée par Wilhelm Dieterle et intitulée en France *Quasimodo*. Laquelle version domina de très haut toutes les adaptations de ce roman mais présenta en outre l'une des reconstitutions les plus authentiques du Paris médiéval, traduisant en des décors torturés et des clairs-obscurs oppressants l'atmosphère angoissée, fanatique, brutale que le roman suggère à l'esprit du lecteur. Que ce soit lors de la marche des truands sur Notre-Dame ou dans la Cour des Miracles, la laideur des foules égrillardes et hébétées rivalise d'étrangeté avec les chimères et les gargouilles qui peuplent la cathédrale.

« On reconnaît dans cette évocation tourmentée, à mi-chemin entre l'expression-

The man who laughs
Paul Leni, 1928
1. La vision de Gwynplaine (Conrad Veidt)
2. Gwynplaine faisant la lecture à Dea (Mary Philbin)
Photos Cinémathèque Française

Les misérables
Henri Fescourt, 1925
1. Jean Valjean (Gabriel Gabrio) en forçat
2. L'arrestation de Fantine (Sandra Milowa-koff) par Javert (Jean Toulout)
3. Jean Valjean et Cosette endormie avec sa poupée neuve
4. Marius (François Rozet) et Cosette (Andrée Rolane)
5. Vue de scène
6. Les bas-fonds
7. Javert
8. Jean Valjean portant Marius dans les égoûts
Photos Cinémathèque Française

Les misérables
Raymond Bernard, 1933
1. Jean Valjean (Harry Baur) contemplant le chandelier de Mgr. Myriel
2. L'arrestation de Fantine (Odette Florelle) par Javert (Charles Vanel)
3. Cosette (Gaby Triquet) chez les Thénardier
4. Cosette, la mère Thénardier (Marguerite Moreno), Éponine et Azelma à Montfermeil
5. La mort de Fantine assistée de sœur Simplice
6. Jean Valjean dans l'auberge des Thénardier
7. La mort de Gavroche (Émile Genevois) sur la barricade
8. La mort d'Éponine (Orane Demazis) aux côtés de Marius (Jean Servais) sur la barricade
Photos Cinémathèque Française

The Hunchback of Notre-Dame
Wilhelm Dieterle, 1939
1. Quasimodo (Charles Laughton) au pilori
2. Quasimodo enlève la Esméralda (Maureen O'Hara) à ses juges

3. Louis XI à la Bastille
4. La pendaison de la Esméralda
5. La Esméralda dansant en place de Grève
Photos Cinémathèque Française

nisme et un romantisme typiquement germanique, l'influence déterminante de Reinhardt, note Hervé Dumont qui poursuit : La fête des fous avec ses coupe-jarrets, ses jongleurs et sa danse macabre [...] la marche des éclopés et des truands sur Notre-Dame ou la terrifiante cour des miracles possèdent même des résonances bruegeliennes [...]. Défiguré, pratiquement méconnaissable sous un maquillage surpassant même dans le hideux celui de Lon Chaney, le génial Laughton parvient à suggérer les tourments mais aussi la supériorité morale de ce " borgne, bossu, cagneux, monstre difforme au cœur sensible " qui fait corps avec la cathédrale... »

Comme pour le Paris 1830 des *Misérables,* tout un quartier, la façade de Notre-Dame, la Cour des Miracles, les rues avoisinantes furent reconstituées. Là où, dans le film de Raymond Bernard, tout est dans la dynamique du montage et de la mise en scène, dans *Quasimodo* tout est dans la composition des images, dans le jeu mouvant des lignes et des formes, dans les significations plastiques et picturales. Prisonniers des lumières et des ombres, les gueux qui grouillent comme vermine semblent se débattre dans un clair-obscur halluciné, des formes déhanchées dont le décorateur Van Nest Polglase et l'opérateur Joseph August sont responsables autant que le metteur en scène.

Des versions des *Misérables* faites au cours des années quarante par Gamal Sélim en Égypte, Ricardo Freda en Italie et Daïsuke Ito au Japon, il y a peu à dire. Il faut attendre 1952 pour avoir avec *La vie de Jean Valjean* de Lewis Milestone une nouvelle interprétation du chef-d'œuvre de Victor Hugo qui, sans être négligeable, n'ajoute rien à la gloire du poète non plus qu'à celle du metteur en scène. Mais un réel effort a été fait en France pour que le *Notre-Dame de Paris* de Jean Delannoy ne manque pas d'une certaine grandeur spectaculaire et soit digne, dans son académisme un peu froid, des meilleures adaptations de ce roman. On en dirait autant des *Misérables* de Jean-Paul Le Chanois où Jean Gabin et Bourvil s'ingénièrent à faire oublier les faiblesses de la mise en scène. Quant aux derniers avatars des *Misérables* conduits sous la houlette de Robert Hossein à une représentation moitié cirque moitié théâtre on ne les retiendra que pour mémoire.

Hormis l'intérêt spectaculaire des reconstitutions et des mouvements de foule, tous les cinéastes ont insisté sur le mélange du sublime et du grotesque revendiqué dans la préface de *Cromwell.* Également sur les drames de la misère, sur les victimes de l'injustice sociale, sur des individus méprisés ou haïs tels Quasimodo, Jean Valjean ou Gilliatt, capables cependant de sentiments plus sublimes que ne le sont bien des gens apparemment plus estimables.

Toutefois, si l'assaut lancé par les truands contre la cathédrale et le soulèvement populaire de 1832 ont donné lieu à des scènes puissantes, grandioses parfois, on peut regretter que le style épique de Hugo, sa richesse verbale, le luxe étonnant de son vocabulaire, n'aient pas eu d'équivalent au cinéma. On aurait pu croire pourtant que les ressources du montage permettaient — eussent permis — d'appliquer le rythme ternaire si caractéristique de l'expression hugolienne en donnant aux images cette respiration, ce souffle, qui manquent encore aux meilleurs d'entre ces films pour atteindre au chef-d'œuvre.

J. M.

Les misérables
Jean-Paul Le Chanois, 1957
Jean Valjean (Jean Gabin), le jour du mariage
de Cosette (Béatrice Altariba)
Photo Cinémathèque Française

Filmographie

ESMÉRALDA — *Victorin Jasset / Alice Guy.* Gaumont, 1906.
Denise Becker, Henri Vorins, Albert Fouché, (300 m).
LE ROI S'AMUSE — *Albert Capellani.* S.C.A.G.L.-Pathé, 1909.
Paul Capellani, Marcelle Géniat, Silvain, Numès.
HERNANI — *Albert Capellani.* S.C.A.G.L.-Pathé, 1909.
Henry Krauss, Jeanne Delvair, Paul Capellani (600 m).
MARIE TUDOR — *Giuseppe de Liguoro.*

Milano-Film, 1909.
Eugenia Tettoni, Arturo Padovani, Ubaldo del Colle.
RIGOLETTO — *André Calmettes.* Film d'art, 1909.
Paul Mounet, Rolla Norman, Mme Bartet.
HERNANI — *Gerolamo Lo Slavio.* Film d'Arte Italiana, 1910.
Francesca Bertini, Ermette Zacconi.
LUCREZIA BORGIA — *Gerolamo Lo Slavio.* Film d'Arte Italiana, 1910.
Francesca Bertini, Ermette Zacconi, Maria Jacobini.

RIGOLETTO — *Gerolamo Lo Slavio*. Film d'Arte Italiana, 1910.
Ferruccio Garavaglia, Vittoria Lepanto.
NOTRE-DAME DE PARIS — *Albert Capellani*. S.C.A.G.L.-Pathé, 1911.
Henry Krauss, Stacia Napierkowska, Claude Garry, Alexandre, Paul Capellani, Jean Dax, Georges Tréville, Mevisto (900 m).
MARIE TUDOR — *Albert Capellani*. S.C.A.G.L.-Pathé, 1912.
Jeanne Delvair, Romuald Joubé, Léon Bernard, Andrée Pascal, Paul Capellani, Léa Piron (600 m).
MARION DE LORME — *Albert Capellani*. S.C.A.G.L.-Pathé, 1912.
Nelly Cormon, Henry Krauss, Andrée Pascal, Paul Capellani (600 m).
RUY BLAS — *Henri Desfontaines*. Film d'art, 1912.
Albert Lambert, Philippe Garnier, Berthe Bovy.
OLIVIER CROMWELL — *Henri Desfontaines*. Eclipse Film, 1912.
Constant Rémy, Germaine Dermoz, Jules Berry, Georges Saillard (600 m).
LES MISÉRABLES — *Albert Capellani*, S.C.A.G.L.-Pathé, 1912/13.
Henry Krauss (Jean Valjean), Léon Bernard (Javert), Marie Ventura (Fantine), Léon Bellières (Mgr Myriel), Jean Angelo (Enjolras), Mistinguett (Éponine), Gabriel de Gravonne (Marius), Henri Étiévant et Eugénie Nau (les Thénardier), Marie Fromet (Cosette), et : Mévisto, Milo, Legrand, Grandet (2 parties de 1 200 m).
QUATREVINGT-TREIZE — *Albert Capellani*. S.C.A.G.L.-Pathé, 1914.
Henry Krauss, Philippe Garnier, Paul Capellani, Gina Barbier Krauss, Bernard Dorival, Maurice Schutz, Max Charlier (1 800 m).
HERNANI — *Roberto Roberti*. Caesar Film, 1914.
Francesca Bertini, Gustavo Serena.
THE DARLING OF PARIS (Esméralda) — d'après *Notre-Dame de Paris* — *James Gordon Edwards*. Fox Film, 1916.
Theda Bara, Glen White, Walter Law, Alice Gale, Carey Lee, Herbert Heyes, John Webb Dillon, Louis Dean.
LES TRAVAILLEURS DE LA MER — *André Antoine*. S.C.A.G.L.-Pathé, 1917.
Romuald Joubé, Marc Gérard, Andrée Brabant, Armand Tallier, Henri Mosnier, Jean Liezer, Max Florr, Joe Hand, Philippe Garnier.
LES MISÉRABLES (Le pardon du forçat) — *Frank Lloyd*. Fox Film, 1918.
William Farnum, Jewel Carmen, Charles Clary, Hershall Mayall, Dorothy Bernard, George Moss, Jane Lee, Francis Carpenter.
MARION DE LORME — *Henry Krauss*. S.C.A.G.L.-Pathé, 1918.
Nelly Cormon, Armand Tallier, Pierre Renoir, Philippe Garnier, Alcover, Jean Worms, Henri Mondos, Berthe Jalabert, Delaunay.
THE HUNCHBACK OF NOTRE-DAME (N.-D. de Paris) — *Walace Worsley*. Universal, 1923.
Lon Chaney, Patsy Ruth Miller, Norman Kerry, Kate Lester, Nigel Bruce, Ernest Torrence, Brandon Hurst, Tully Marshall, Winifred Bryson, Nigel de Brulier, Nick de Ruiz, Gladys Brockwell, Raymond Hatton, Eulalie Jansen, Harry Van Meter, Roy Laidlaw.
LES MISÉRABLES — *Henri Fescourt*. Ciné-romans-Pathé Natan, 1925.
Gabriel Gabrio (Jean Valjean), Jean Toulout (Javert), Sandra Milowanoff (Fantine), Paul Jorge (Mgr Myriel), François Rozet (Marius), Renée Carl (la Thénardier), Georges Saillard (Thénardier), Andrée Rolane (Cosette), Charles Badiole (Gavroche), Paul Guidé (Enjolras), Nivette Saillard (Éponine), Jeanne-Marie Laurent (Mme Magloire) et : Clara Darcey Roche, Henri Maillard, Victor Duyen, Marcelle Barry, Dartagnan, Mme de Castillo, Émilien Richaud (4 parties de 2 000 m).
THE MAN WHO LAUGHS (*L'homme qui rit*) — *Paul Léni*. Universal, 1928.
Conrad Veidt (Gwymplaine), Mary Philbin (Dea), Olga Baclanova (duchesse Josiane), Stuart Holmes (Lord Dirry Moir), Sam de Grasse (James II), Cesare Gravina (Ursus), Brandon Hurst (Barkilphedro), Josephine Crowell (la reine Anne), George Siegmann (Dr Harrquannone), Julius Molnar (Gwymplaine, enfant).
THE BISHOP'S CANDLESTICKS (Les chandeliers de l'évêque) d'après *Les misérables* — Paramount, 1929.
LES MISÉRABLES — *Raymond Bernard*. Pathé-Natan, 1933.
Harry Baur (Jean Valjean), Charles Vanel (Javert), Henry Krauss (Mgr Myriel), Odette Florelle (Fantine), Orane Demazis (Éponine), Josselyne Gael (Cosette), Gaby Triquet (Cosette, enfant), Jean Servais (Marius), Robert Vidalin (Enjolras), Charles Dullin et Marguerite Moreno (les Thénardier), Max Dearly (Gillenormand), Émile Genevois (Gavroche), Paul Azaïs (Grantaire) et : Georges Mauloy, Marié de l'Isle, Pierre Piérade, Marthe Mellot, Lucien Nat, Pierre Larquey, Anthony Gildès, Pauline Carton, Jean d'Yd, Gabrielle Fontan, Maurice Schutz, Roland Armontel, Yvonne Yma, etc.
LES MISÉRABLES (Jean Valjean) — *Richard Boleslawsky*. United Artists, 1935.
Charles Laughton, Frederic March, Rochelle Hudson, Sir Cedric Hardwicke, Francis Drake, Florence Eldridge, John Beal, Jessie Ralph, John Carradine, Mary Forbes, Jane Kerr, Jan Mc Laren, Ferdinand Gottschalk, Marilyn Knowlden.
THE HUNCHBACK OF NOTRE-DAME (Quasimodo) — *Wilhelm Dieterle*. R.K.O., 1939.
Charles Laughton, Sir Cedric Hardwicke, Thomas Mitchell, Maureen O'Hara, Edmund O'Brien, Katherine Alexander, Alan Marshall, Harry Davenport, George Zucco, Rod La Rocque, Walter Hampden, Fritz Leiber, Etienne Girardot, Helen Whitney, Minna Gombell, Arthur Hohl, George Tobias, Spencer Charters.
RIGOLETTO — *Carlo Koch*. 1942.
Michel Simon, Maria Mercader, Rossano Brazzi.
LES MISÉRABLES — *Gamal Selim*. Misr, 1945.
RUY BLAS — *Pierre Billon / Jean Cocteau*. Discina, 1947.
Jean Marais, Danielle Darrieux, Marcel Herrand, Gabrielle Dorziat.
L'ÉVADÉ DU BAGNE (*Les misérables*) — *Ricardo Freda*. 1948.
Gino Cervi, Valentina Cortese, Giovanni Heinrich.
LES MISÉRABLES — *Ito Daïsuke*. Nikkatsu, 1949.
Sessue Hayakawa.
LES MISÉRABLES (La vie de Jean Valjean) — *Lewis Milestone*. Fox, 1952.
Michael Rennie, Robert Newton, Sylvia Sidney, Debra Paget, Edmund Gwenn, Cameron Mitchell, Elsa Lanchester, James Robertson Justice, Florence Bates, Rhys Williams, John Rogers, Merry Anders.
NOTRE-DAME DE PARIS — *Jean Delannoy*. Hakim, 1956.
Anthony Quinn (Quasimodo), Gina Lollobrigida (Esméralda), Jean Danet (Phœbus), Alain Cuny (Claude Frollo) et Jean Tissier, Philippe Clay, Valentine Tessier, Robert Hirsch, Jacques Hilling, Piéral.
LES MISÉRABLES — *Jean-Paul Le Chanois*. Pathé Séréna, 1957.
Jean Gabin, Bourvil, Sylvia Montfort, Bernard Blier, Danièle Delorme, Fernand Ledoux, Jean Murat, Giani Esposito, Jimmy Urbain, Béatrice Altariba, Lucien Barroux, Elfride Florin, Jean d'Yd, Serge Reggiani.

On citera pour mémoire la transposition de *L'homme qui rit* devenu roman de cape et d'épée sous la direction de Sergio Corbucci avec, entre autres, Edmund Purdom, Lisa Gastoni, Jean Sorel (1966).
LES MISÉRABLES — *Robert Hossein*. FF1 Films Productions. SFPC. 1982.
Lino Ventura (Jean Valjean), Michel Bouquet (Javert), Jean Carmet et Françoise Seigner (les Thénardier), Évelyne Bouix (Fantine), Christiane Jean (Cosette), Candice Patou (Éponine), Louis Seigner (Mgr. Myriel), Fernand Ledoux (Gillenormand), Emmanuel Curtil (Gavroche), Hervé Furic (Enjolras), Frank David (Marius), Paul Préboist, Jean-Marie Proslier, Jean-Roger Caussimon, Armand Mestral, Dominique Davray, Robin Renucci, etc.

Bien qu'il soit sans rapport direct avec l'œuvre de Victor Hugo, on peut ajouter à cette liste le film d'Abel Gance tourné en 1935 :
Lucrèce Borgia — d'après Léopold Marchand et Henri Vendresse. Edwige Feuillère (Lucrèce Borgia), Roger Karl (Alexandre VI), Gabriel Gabrio (César Borgia), Josette Day (Sancia), Maurice Escande (Duc de Gandie), Jacques Dumesnil (Sforza), Aimé Clariond (Machiavel). Et : Philippe Hériat, Daniel Mendaille, Gaston Modot, Antonin Artaud, Max Michel, René Bergeron, Mona Doll, Nita Raya. Etc.

Ainsi qu'on l'a dit nous n'avons retenu dans cette filmographie restreinte que les versions qui ont laissé une trace décelable dans les annales du cinéma. Bien d'autres ont été faites de par le monde. Pour en parler, faute de les avoir vues, il eut été nécessaire de consulter, donc de retrouver, certains articles ou comptes rendus les concernant. Ce qui, dans l'état actuel des choses, eut demandé plusieurs mois de recherches, un travail incompatible avec le calendrier du centenaire mais qui devrait pouvoir être fait au cours des mois à venir.

J. M.

LA LECTURE

3

LA SCENE

2

LA "FIGURE" DE
VICTOR HUGO

1

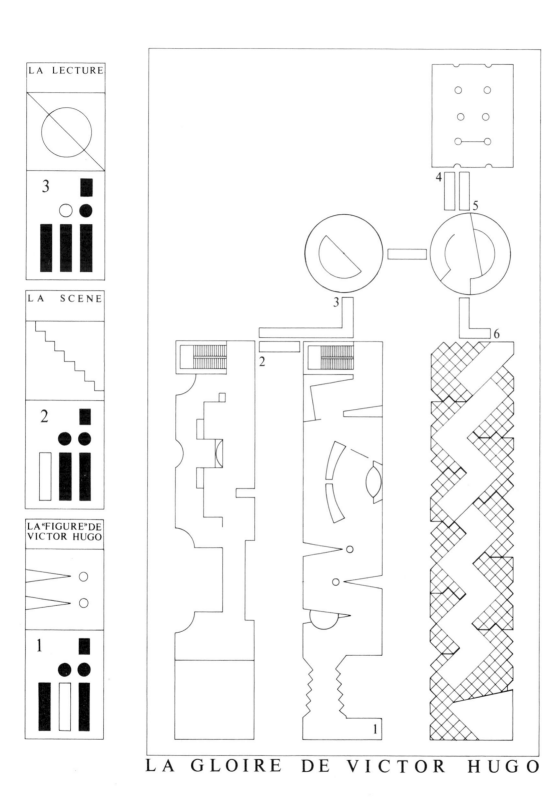

LA MUSIQUE
LE CINEMA

4

VICTOR HUGO
ILLUSTRÉ

5

VICTOR HUGO
ILLUSTRÉ

6

LA GLOIRE DE VICTOR HUGO

Liste sommaire établie par
Claudie Barral, Jonas Storsve
et Georges Vigne,
avec le concours de
Martine Mantelet et Corinne Van Eecke.

Pièces originales exposées

La liste des œuvres originales précise le nom ou le pseudonyme de l'auteur (quand son identité est connue), le titre de l'œuvre, sa date connue ou approximative, sa technique, ses dimensions *en mètres* et son lieu de conservation.

Les dates de naissance et de mort des artistes figurent dans l'index.

Les titres d'œuvres ayant figuré au Salon sont généralement repris du livret.

La date est indiquée telle quelle quand elle figure à même l'œuvre ou qu'elle est connue par ailleurs. A défaut, les références à des expositions ou à des reproductions sont données quand elles fournissent une indication de date. On appelle « Salon » les différentes expositions de groupe couramment désignées sous ce terme.

Pour les œuvres dont on ignore la date précise et qui ont fait l'objet de reproductions peu après leur création, on indique l'édition dans laquelle elles ont été reproduites pour la première fois.

Pour les œuvres inspirées de textes de Hugo, on indique le plus précisément possible la référence correspondante, entre crochets.

Pour les estampes, le nom de l'inventeur et celui du graveur sont précisés dans la mesure du possible.

Pour les esquisses, on donne la référence à l'œuvre définitive, même quand celle-ci ne figure pas dans l'exposition. Pour les estampes de reproduction d'après une œuvre originale, on donne la référence de cette dernière.

Pour des raisons pratiques, les livres et les estampes sont parfois reproduits d'après un autre exemplaire que celui qui est exposé. Ceci explique les différences de localisation entre les légendes de certaines illustrations et les notices correspondantes de la présente liste. Il s'agit toujours de pièces identiques.

Abréviations utilisées pour les lieux de conservation :

Paris, M.V.H. :	Paris, Maison de Victor Hugo
Paris, B.N., Est. :	Paris, Bibliothèque Nationale, Département des Estampes
Paris, B.N., Imprimés :	Paris, Bibliothèque Nationale, Département des Imprimés
Paris, B.N., Manuscrits :	Paris, Bibliothèque Nationale, Département des Manuscrits
Paris, B.N., Musique :	Paris, Bibliothèque Nationale, Département de la Musique, Bibliothèque de l'Opéra
Paris, B.N., Médailles :	Paris, Bibliothèque Nationale, Cabinet des Médailles
Paris, B.N., Arts du Spectacle :	Paris, Bibliothèque Nationale, Département des Arts du Spectacle

Abréviations utilisées pour les œuvres de Victor-Hugo :

N.D.P. :	*Notre-Dame de Paris*
D.J.C. :	*Le dernier jour d'un condamné*
O.B. :	*Odes et ballades*
Or. :	*Les orientales*
Mis. :	*Les misérables*
L.S. :	*La légende des siècles*
H.Q.R. :	*L'homme qui rit*
Tr. M. :	*Les travailleurs de la mer*
A.T. :	*L'année terrible*
Q.T. :	*Quatrevingt-treize*
Ch. :	*Les châtiments*
F.S. :	*La fin de Satan*

I

La figure de Victor Hugo

1. Alexandre FALGUIÈRE

Buste colossal de Victor Hugo. 1885
0,99 × 0,80
Repr. p. 272

Paris, Comédie-Française

2. Daniel DRUET

Victor Hugo. 1985
Cire. 1,75

Paris, Musée Grévin

3. Pierre-Jean DAVID D'ANGERS

Les funérailles du Général Foy. 1827
Moulage en plâtre d'après la maquette
d'un des bas-reliefs du tombeau du
Général Foy au Père-Lachaise (Angers,
Musée des Beaux-Arts, Galerie David
d'Angers). 1,23 × 2,85
Cf. repr. p. 191

Paris, Réunion des Musées Nationaux

4. Zacharie ASTRUC

Le marchand de masques. Vers 1883
Réduction en bronze de la statue de 1883
(Paris, Jardin du Luxembourg). 0,94 ×
0,40 × 0,40
Cf. repr. pp. 4, 272

Saint-Sauveur-le-Vicomte, Musée Barbey
d'Aurevilly

5. Auguste RODIN

Buste héroïque de Victor Hugo. 1897
Bronze. 0,706 × 0,615 × 0,568
Repr. p. 65

Paris, Musée Rodin

6. Cyprien-François VENOT

Buste de Victor Hugo. 1830
Plâtre patiné façon terre-cuite. 0,565 ×
0,277 × 0,187
Repr. p. 5

Paris, M.V.H.

7. Pierre-Jean DAVID D'ANGERS

Buste de Victor Hugo. 1837
Terre cuite. 0,665 × 0,34 × 0,30
Repr. p. 78

Angers, Musée des Beaux-Arts, Galerie
David d'Angers

8. Pierre-Jean DAVID D'ANGERS

Buste de Victor Hugo lauré. 1842
Terre cuite. 0,68 × 0,295 × 0,335
Repr. p. 78

Angers, Musée des Beaux-Arts, Galerie
David d'Angers

9. Pierre-Jean DAVID D'ANGERS

Buste de Victor Hugo lauré. 1844
Marbre. 0,67 × 0,33 × 0,33

Paris, Académie française

10. Gustave DELOYE

Buste de Victor Hugo lauré. 1881
Terre cuite couverte d'une patine brune.
0,68 × 0,44 × 0,32
Repr. p. 5

Paris, M.V.H.

11. Marius-Jean-Antonin MERCIÉ

Buste de Victor Hugo. 1889
Marbre. 0,83 × 0,60 × 0,40
Repr. p. 5

Paris, Sénat, Palais du Luxembourg

12. Jules DALOU

Buste de Victor Hugo. 1901
Marbre. 0,85 × 0,67
Repr. p. 5

Paris, Comédie-Française

13. Laurent MARQUESTE

Buste de Victor Hugo. Vers 1901
Plâtre. 0,955 × 0,85 × 0,54
Repr. p. 5

Paris, M.V.H.

14. Jean-Antoine INJALBERT

Buste de Victor Hugo. Vers 1902
Plâtre. 0,473 × 0,304 × 0,225
Repr. p. 5

Béziers, Musée des Beaux-Arts

15. Henri BOUCHARD

Buste de Victor Hugo. 1936
Plâtre original. 0,52 × 0,27 × 0,30
Repr. p. 5

Paris, Atelier-Musée Henri Bouchard

16. *Le catafalque de Victor Hugo sous l'Arc
de Triomphe*
Modèle réduit réalisé par Jean-Marie
PIGEON, à l'occasion de l'exposition.
1985
Maquette de l'Arc de triomphe : Dijon,
Musée Rude

De « l'enfant sublime » au pair de France

17. Louis BOULANGER

La danse des muses
Panneau pour la décoration de la salle-à-
manger Mahler. 1846-1851
Huile sur toile. 2,25 × 3,27
Repr. p. 104

Paris, Musée Carnavalet

18. *Dictionnaire historique de la Jeunesse, ou
Notices sur les jeunes gens des deux sexes
qui, avant l'âge de vingt ans, ont acquis
quelque célébrité, soit par des actions
d'éclat, soit par leur esprit, leurs talents,
leurs vertus, leurs malheurs, etc., etc.,
depuis les temps les plus reculés jusqu'à
nos jours,* par A. Antoine. Paris, A la
Librairie Historique, 1822
Livre présenté à la p. 175 : notice sur
« HUGOT (Victor-Marie) »
Coll. J. Seebacher

19. *Épées d'académicien et de pair de France
de Victor Hugo*

0,88 × 0,15 et 0,965 × 0,16
Repr. p. 197

Paris, M.V.H.

20. Jean-Pierre DANTAN

Buste de Victor Hugo. Vers 1832 ?
Plâtre teinté. 0,21 × 0,115 × 0,10
Repr. p. 4

Paris, Musée Carnavalet

21. Jean-Pierre DANTAN

Buste charge de Victor Hugo. 1832
Plâtre teinté. 0,165 × 0,10 × 0,09
Repr. p. 110

Paris, Musée Carnavalet

22. Pierre-Jean DAVID D'ANGERS

Médaillon de Victor Hugo. 1842 (?)
Bronze. Diamètre : 0,192
Repr. p. 76

Dijon, Musée des Beaux-Arts

23. Antoine MAURIN

Portrait de Victor Hugo. 1827
Lithographie. 0,265 × 0,246
Repr. p. 67

Paris, M.V.H.

24. Achille DEVÉRIA

Portrait de Victor Hugo. 1829
Lithographie. 0,34 × 0,29
Repr. p. 66

Villequier, Musée Victor Hugo

25. Léon NOËL

Portrait de Victor Hugo. 1832
Lithographie. 0,172 × 0,145
Repr. p. 67

Paris, B.N., Est.

26. Bernard JULIEN

Portrait de Victor Hugo. 1834
Lithographie. 0,135 × 0,126
Repr. p. 76

Villequier, Musée Victor Hugo

27. Auguste de CHATILLON

Victor Hugo et son fils Victor
Lithographie de Benjamin Roubaud
d'après la peinture de 1836 (Paris,
M.V.H.)
Repr. p. 121

Villequier, Musée Victor Hugo

28. Menut ALOPHE

Portrait de Victor Hugo. 1838
Lithographie. 0,264 × 0,197
Repr. p. 67

Paris, B.N., Est.

29. Louis BOULANGER

Portrait de Victor Hugo. 1843
Crayon noir, sanguine et craie. 0,444 ×
0,537
Repr. p. 194

Villequier, Musée Victor Hugo

30. Attribué à François-Joseph HEIM

Portrait de Victor Hugo. Vers 1845
Huile sur toile. 0,36 × 0,27
Repr. p. 71

Compiègne, Musée national du château

31. Victor MOTTEZ

Portrait de Victor Hugo (étude pour la
décoration du salon d'Armand Bertin).
Vers 1846
Mine de plomb sur papier brun, traces de
sanguine. 0,318 × 0,231
Repr. p. 104

Paris, Louvre, Cabinet des Dessins

32. M.D.

Hugoth
(*La Charge*, n° 4, 1833)
Lithographie. 0,217 × 0,118
Repr. p. 88

Paris, M.V.H.

33. BENJAMIN

Les romantiques chassés du temple
(*La Caricature Provisoire*, 23 déc. 1838)
Lithographie. 0,193 × 0,244
Repr. p. 128

Paris, M.V.H..

34. GRANDVILLE

Grande course au clocher académique
(*La Caricature Provisoire*, n° 60, 1839)
Lithographie aquarellée, 0,277 × 0,52
Repr. pp. 38, 92

Paris, B.N., Estampes

35. BENJAMIN

Grand chemin de la postérité. 1842-1843
Lithographie sur deux registres. Dimensions totales : 0,55 × 0,72
Repr. p.392

Villequier, Musée Victor Hugo

36. Honoré DAUMIER

Impressions de voyage d'un grand poète
(*La Caricature*, 13 mars 1842)
Lithographie. 0,271 × 0,289
Repr. p. 196

Paris, B.N., Est.

37. BENJAMIN

Victor Hugo
(*Panthéon Charivarique*, 1844)
Lithographie. 0,247 × 0,27
Repr. p. 88

Villequier, Musée Victor Hugo

Tribun et proscrit

38. *Écharpe de représentant du peuple de Victor Hugo*
1,84 × 0,10

Paris, M.V.H.

39. Jean-Baptiste LAFOSSE

Portrait de Victor Hugo. Vers 1848
Lithographie. 0,33 × 0,242
Repr. p. 113

Paris, B.N., Est.

40. Honoré DAUMIER

Victor Hugo
(*Le Charivari*, 10 juil. 1849)
Lithographie. 0,313 × 0,255
Repr. p. 114

Paris, B.N., Est.

41. Honoré DAUMIER

MM. Victor Hugo et Émile Girardin cherchent à élever le prince Louis sur un pavois, ça n'est pas très solide !
(*Le Charivari*, 11 déc. 1848)
Lithographie. 0,262 × 0,205
Repr. p. 203

Villequier, Musée Victor Hugo

42. BERTALL

Croisade contre le socialisme
(*Le Journal pour Rire*, 2 juin 1849)

Gravure sur bois de Dumont.
0,45 × 0,397
Repr. p. 248

Paris, M.V.H.

43. QUILLENBOIS

Les bulles de savon
(*Le Caricaturiste*, 2 sept. 1849)
Gravure sur bois de Théo-Edo. 0,22 × 0,16
Repr. p. 205

Villequier, Musée Victor Hugo

44. Honoré DAUMIER

Souvenirs du Congrès de la Paix. Victor Hugo, dans un discours en trois points...
(*Le Charivari*, sept. 1849)
Lithographie. 0,274 × 0,359
Repr. p. 126

Paris, B.N., Est.

45. Honoré DAUMIER

Souvenirs du Congrès de la Paix. Troisième et dernière séance du Congrès de la Paix...
(*Le Charivari*, 6 à 10 sept. 1849)
Lithographie. 0,247 × 0,343
Repr. p. 249

Paris, B.N., Est.

46. QUILLENBOIS

Assis par terre.
(*Le Caricaturiste*, 4 nov. 1849)
Gravure sur bois. 0,157 × 0,345

Villequier, Musée Victor Hugo

47. QUILLENBOIS

Rien ne sert de courir ; il faut partir à point...
(*Le Caricaturiste*, 18 nov. 1849)
Gravure sur bois de Théo-Edo.
0,235 × 0,155
Repr. p. 203

Villequier, Musée Victor Hugo

48. QUILLENBOIS

Poètes politiques plus forts sur la rime que sur la raison
(*Le Caricaturiste*, 9 déc. 1849)
Gravure sur bois de Théo-Edo.
0,164 × 0,223

Villequier, Musée Victor Hugo

49. NADAR

Encore une loi d'amour et de conciliation !
(*Le Journal pour Rire*, 26 jan. 1850)
Gravure sur bois de Dumont.
0,217 × 0,165

Villequier, Musée Victor Hugo

50. QUILLENBOIS

Les charlatans
(*Le Caricaturiste*, 3 mars 1850)
Gravure sur bois de Théo-Edo.
0,155 × 0,235
Repr. p. 205

Villequier, Musée Victor Hugo

51. QUILLENBOIS

Les petits cadeaux entretiennent l'amitié
(*Le Caricaturiste*, 31 avril 1850)
Gravure sur bois de Théo-Edo.
0,16 × 0,175
Repr. p. 126

Villequier, Musée Victor Hugo

52. QUILLENBOIS

Un grand homme coulé
(*Le Caricaturiste*, 9 juin 1850)
Gravure sur bois de Théo-Edo.
0,147 × 0,219
Repr. p. 129

Villequier, Musée Victor Hugo

53. QUILLENBOIS

Vaut mieux tard que jamais
(*Le Caricaturiste*, 30 juin 1850)
Gravure sur bois de Théo-Edo.
0,135 × 0,187
Repr. p. 249

Villequier, Musée Victor Hugo

54. NADAR

Panthéon Nadar. 1854
Lithographie.
0,85 × 1,07
Repr. p. 93

Villequier, Musée Victor Hugo

55. Charles HUGO

Victor Hugo (sur le « Rocher des Proscrits » à Jersey). 1853
Photographie
Repr. p. 207

Fac-similé

56. Charles HUGO

Victor Hugo (devant les ruines de Grosnez Castle à Jersey). 1853-1854
Photographie

Fac-similé

57. Charles HUGO

Victor Hugo (accoudé dans des rochers à Jersey). 1853-54
Photographie
Repr. p. 107

Fac-similé

58. Charles HUGO

Victor Hugo (les bras croisés). 1853-54
Photographie. 0,078 × 0,064
Repr. p. 114

Paris, M.V.H.

59. Charles HUGO

Victor Hugo (le bras droit replié derrière le tête)
Photographie
Repr. p. 80

Paris, M.V.H.

60. Charles HUGO

Victor Hugo (de profil : « Victus, sed Victor »). 1854
Photographie
Repr. p. 206

Paris, M.V.H.

61. Charles HUGO

Victor Hugo (les bras croisés, à l'angle de la serre de Marine-Terrace, à Jersey). 1853 ?
Photographie
Repr. p. 75

Paris, M.V.H.

62. Charles HUGO

Victor Hugo (les bras croisés). 1853-54
Photographie
Repr. p. 75

Fac-similé

63. Charles HUGO

Victor Hugo (le menton appuyé sur la main droite). 1853-54
Photographie. 0,10 × 0,078

Paris, M.V.H.

64. Charles HUGO

Victor Hugo (la tête appuyée sur la main gauche). 1853-54
Photographie. 0,11 × 0,083

Paris, M.V.H.

65. Auguste VACQUERIE

Victor Hugo (les yeux fermés : « Victor Hugo écoutant Dieu »). 1853-54
Photographie. 0,091 × 0,068
Repr. p. 106

Paris, M.V.H.

66. Charles HUGO

Victor Hugo (à sa table de travail, la tête appuyée sur la main droite). 1853-54
Photographie. 0,106 × 0,081
Repr. p. 72

Paris, M.V.H.

67. Charles HUGO

Victor Hugo (la main droite dans sa veste). 1853-54
Photographie. 0,089 × 0,077

Paris, M.V.H.

68. Auguste VACQUERIE

Victor Hugo (avec un chapeau). 1853
Photographie. 0,104 × 0,083
Repr. p. 68

Paris, M.V.H.

69. Anonyme

Victor Hugo à sa table de travail, dans le premier look-out, à Guernesey
Photographie. 0,076 × 0,062
Repr. p. 108

Paris, M.V.H.

70. Joseph LEBOEUF

Buste de Victor Hugo. 1864
Bronze. 0,732 × 0,42 × 0,355
Repr. p. 65

Paris, M.V.H.

71. Pierre PETIT

Victor Hugo. 1861
Photographie. 0,32 × 0,255
Repr. p.94

Paris, M.V.H.

72. MAES et MICHAUX

Victor Hugo. 1862
Photographie. 0,258 × 0,19
Repr. p. 74

Paris, M.V.H.

73. Edmond BACOT

Victor Hugo. 1862
Photographie. 0,252 × 0,187
Paris, M.V.H.

74. NADAR

Victor Hugo. 1862
Photographie. 0,302 × 0,242

Paris, M.V.H.

75. HUTTON

Victor Hugo. Vers 1864
Photographie. 0,092 × 0,057

Paris, M.V.H.

76. BERTALL

Victor Hugo. 1867
Photographie. 0,238 × 0,191
Repr. p. 78

Villequier, Musée Victor Hugo

77. Arsène GARNIER

Victor Hugo dans le jardin d'Hauteville House à Guernesey. 1868
Photographie
Repr. p. 74

Villequier, Musée Victor Hugo

78. Arsène GARNIER

Victor Hugo dans le salon rouge d'Hauteville House à Guernesey. 1868
Photographie. 0,16 × 0,12

Paris, M.V.H.

79. André GILL

Victor Hugo
(*La Lune*, 19 mai 1867)
Gravure sur bois coloriée au pochoir. 0,238 × 0,265
Repr. p. 209

Villequier, Musée Victor Hugo

80. G. DELOYOTI

Victor Hugo
(*Le Hanneton*, 6 juin 1867)
« Gillotage » colorié au pochoir. 0,315 × 0,253
Repr. p. 209

Villequier, Musée Victor Hugo

81. Georges PILOTELL

Victor Hugo
(*Le Bouffon*, 9 juin 1867)
Gravure sur bois coloriée au pochoir. 0,274 × 0,24
Repr. pp. 39, 413

Villequier, Musée Victor Hugo

82. MONTBARD

Victor Hugo
(*Le Masque*, 20 juin 1867)
Lithographie de Gillot coloriée au pochoir. 0,37 × 0,263
Repr. p. 108

Villequier, Musée Victor Hugo

83. MONTBARD

Romantisme
(*Gulliver*, 19 mars 1868)
Lithographie de Gillot coloriée au pochoir. 0,366 × 0,276
Repr. p. 93

Villequier, Musée Victor Hugo

84. Henri-Charles OULEVAY

Victor Hugo
(*Le Monde pour Rire*, 16 mai 1868)
Lithographie coloriée au pochoir. 0,286 × 0,273

Villequier, Musée Victor Hugo

85. BERTALL

Une salade dans un crâne
(*La Semaine des Familles*, 29 nov. 1862)

Gravure sur bois de Gusmand coloriée au pochoir. 0,265 × 0,212
Repr. p. 111

Paris, M.V.H.

Patriarche

86. Honoré DAUMIER

Page d'Histoire
(*Le Charivari*, 16 nov. 1870)
Lithographie. 0,30 × 0,32
Repr. p. 127

Paris, B.N., Est.

87. Arsène GARNIER

Victor Hugo et ses petits-enfants. 1872-73
Photographie. 0,104 × 0,063

Paris, M.V.H.

88. Étienne CARJAT

Victor Hugo. 1873
Photographie. 0,235 × 0,193
Repr. p. 68

Paris, M.V.H.

89. Eugène APPERT

Victor Hugo. 1877
Photographie. 0,163 × 0,102

Paris, M.V.H.

90. NADAR

Victor Hugo. 1878
Photographie. 0,102 × 0,063

Paris, M.V.H.

91. NADAR

Victor Hugo. 1878
Photographie. 0,146 × 0,105
Repr. p. 69

Paris, M.V.H.

92. VALERY

Victor Hugo. 1879
Photographie. 0,232 × 0,19

Villequier, Musée Victor Hugo

93. A. CAPELLE et R. AUTIN

Victor Hugo et son petit-fils. 1885
Photographie. 0,148 × 0,104

Villequier, Musée Victor Hugo

94. Charles GALLOT

Victor Hugo. 1885
Photographie. 0,30 × 0,209
Repr. p. 68

Villequier, Musée Victor Hugo

95. NADAR

Victor Hugo sur son lit de mort. 1885
Photographie. 0,198 × 0,25
Repr. p. 68

Villequier, Musée Victor Hugo

96. Léon BONNAT

Portrait de Victor Hugo. 1879
Huile sur toile. 1,38 × 1,10
Repr. pp. 8, 37

Versailles, Musée national du château

97. Xavier-Alphonse MONCHABLON

Victor Hugo. 1880
Huile sur toile. 2,55 × 1,75
Repr. pp. 97, 114

Épinal, Musée Départemental des Vosges

98. Adrien MARIE

Victor Hugo aux Tuileries
Plume et encre de Chine sur papier.
0,23 × 0,35
Repr. p. 124

Pontoise, Musée Tavet

99. Ludovic MOUCHOT

Soldats français saluant Victor Hugo
Mine de plomb et encre de Chine, lavis
gris et rehauts de gouache blanche sur
papier gris. 0,218 × 0,155
Repr. p. 210

Besançon, Musée des Beaux-Arts et
d'Archéologie

100. FAUSTIN

Victor Hugo. 1870
Lithographie coloriée au pochoir.
0,31 × 0,25
Repr. p. 117

Paris, M.V.H.

101. André GILL

A propos de Ruy-Blas
(*L'Éclipse*, 3 mars 1872)
Gravure sur bois de Lefman coloriée au
pochoir. 0,362 × 0,285

Villequier, Musée Victor Hugo

102. André GILL

L'homme qui pense
(*L'Éclipse*, 4 oct. 1874)
Gravure sur bois de Lefman, coloriée au
pochoir. 0,355 × 0,255
Repr. p. 406

Paris, M.V.H.

103. André GILL

Victor Hugo
(*L'Éclipse*, 29 août 1875)
Gravure sur bois de Lefman, coloriée au
pochoir. 0,34 × 0,28
Repr. p. 109

Villequier, Musée Victor Hugo

104. André GILL

Victor Hugo
(*La Lune Rousse*, 8 mars 1877)
Gravure sur bois d'Yves et Barret, colo-
riée au pochoir. 0,575 × 0,41
Repr. p. 190

Villequier, Musée Victor Hugo

105. Alfred LE PETIT

Le justicier
(*Le Pétard*, 24 mars 1878)
Gravure sur bois de Lefman, coloriée au
pochoir. 0,277 × 0,245
Repr. p. 208

Villequier, Musée Victor Hugo

106. Charles GILBERT-MARTIN

Le nez dedans !
(*Le Don Quichotte*, 29 mars 1878)
Gravure sur bois de Gagnebin, coloriée
au pochoir. 0,342 × 0,28
Repr. p. 208

Villequier, Musée Victor Hugo

107. A. BOURGEVIN

Salut au génie !
(*Le Carillon*, 8 juin 1878)
Gravure sur bois de Loire-Michelet colo-
riée au pochoir. 0,329 × 0,266
Repr. p. 134

Villequier, Musée Victor Hugo

108. Alfred LE PETIT

Victor Hugo
(*Les Contemporains*, n° 16, 1878)
Gravure sur bois coloriée au pochoir.
0,185 × 0,152
Repr. p. 103

Villequier, Musée Victor Hugo

109. André GILL

Loisirs naturalistes
(*La Petite Lune*, n° 44, 1878)
Gravure sur bois en couleurs.
0,171 × 0,136
Repr. p. 129

Paris, M.V.H.

110. André GILL

Amnistie !
(*La Petite Lune*, n° 34, janv. 1879)
Gravure sur bois coloriée au pochoir.
0,177 × 0,132
Repr. p. 212

Villequier, Musée Victor Hugo

111. A. GRIPPU

*M'ame Victor, cartomancienne brevetée
de tous les gouvernements...*
(*Le Triboulet*, 14 mars 1880)
Gravure sur bois coloriée au pochoir.
0,227 × 0,178

Paris, M.V.H..

112. Charles GILBERT-MARTIN

Le vieux Orphée
(*Don Quichotte*, 23 juin 1882)
Gravure sur bois coloriée au pochoir.
0,359 × 0,277
Repr. p. 117

Paris, M.V.H.

113. André GILL

Victor Hugo
Huile sur toile. 0,55 × 0,378
Repr. p. 113

Paris, M.V.H.

114. Gustave STAAL

*La fin des Bonaparte : « Déchéance de
l'Empire prononcée par l'Assemblée
Nationale à Bordeaux »*
(*La Chronique Illustrée*, 12 à 18 mars
1871)
Lithographie. 0,551 × 0,356
Repr. p. 113

Villequier, Musée Victor Hugo

115. F. REY

L'éclipse du 7 janvier
(*L'Éclipse*, 14 janv. 1872)
Gravure sur bois de Lefman, coloriée au
pochoir. 0,32 × 0,27
Repr. p. 128

Villequier, Musée Victor Hugo

116. Alfred LE PETIT

L'homme qui rit
(*Le Grelot*, 21 jan. 1872)

Gravure sur bois coloriée au pochoir.
0,332 × 0,276
Repr. p. 251

Villequier, Musée Victor Hugo

117. Charles GILBERT-MARTIN

L'Olympe
(*Le Don Quichotte*, 22 juil. 1876)
Gravure sur bois de Gagnebin, coloriée
au pochoir. 0,41 × 0,61
Repr. p. 215

Villequier, Musée Victor Hugo

118. G. L. V.

Grandes eaux de Versailles
(*Dimanche-Programme*, 27 août 1876)
Gravure sur bois de Marluneau (?), colo-
riée au pochoir. 0,275 × 0,245

Villequier, Musée Victor Hugo

119. André GILL

*Le Jugement Dernier (14 octobre-14
décembre 1877). Grande fantaisie triomphale.* 1877
Gravure sur bois d'Yves et Barret, coloriée au pochoir. 0,555 × 0,435
Repr. p. 252

Villequier, Musée Victor Hugo

120. H. DEMARE

*La fête de Victor Hugo. L'ordre et la
marche de la fête. Engueulade par
E. Zola.* 1881
Lithographie à la plume (?) de Naudin.
0,485 × 0,33

Villequier, Musée Victor Hugo

121. J. BLASS

La République s'amuse
(*Le Triboulet*, 26 nov. 1882)
Gravure sur bois de Lefman.
0,222 × 0,388

Paris, M.V.H.

122. LEPRIS (ou ZEPRIS ?)

Mort de Victor Hugo
(*Le Grelot*, 31 mai 1885)
Gravure sur bois en couleurs.
0,295 × 0,285
Repr. p. 219

Paris, M.V.H.

Les hommages de la République

123. L. ISORE

La désinfec-tation
(*Le Salon pour Rire*, 1885)
Gravure sur bois. 0,467 × 0,288
Repr. p. 219

Villequier, Musée Victor Hugo

124. Charles GARNIER

*Cinq dessins pour la décoration de l'Arc
de Triomphe à l'occasion de l'exposition
du catafalque de Victor Hugo*
Repr. p. 309

Paris, B.N., Musique (Opéra)

125. Philippe-Marie CHAPERON

Projet de décor pour les funérailles
Aquarelle. 0,649 × 0,28
Repr. p. 308

Paris, Musée Carnavalet

126. Édouard MICHEL-LANÇON

Les funérailles de Victor Hugo : le cata-falque sous l'Arc de Triomphe. 1885
Huile sur toile. 1,20 × 1,40
Repr. p. 308

Besançon, Musée des Beaux-Arts et d'Archéologie

127. Jean BERAUD

Les funérailles de Victor Hugo : la foule à l'Arc de Triomphe. 1885
Huile sur bois. 0,315 × 0,35
Repr. p. 221

Paris, Musée Carnavalet

128. Adolphe GUMERY

Les funérailles de Victor Hugo : specta-teurs sur le passage du cortège, place de la Concorde. 1885
Dessin à la mine de plomb, avec rehauts de blanc, contenu dans un album.
0,129 × 0,203
Repr. p. 221

Paris, Musée du Louvre, Cabinet des Dessins

129. Paul SINIBALDI

Les funérailles de Victor Hugo : le Pan-théon. 1885
Huile sur toile. 0,545 × 0,655
Repr. p. 287

Paris, M.V.H.

130. Paul HUREY

Le catafalque de Victor Hugo au Pan-théon. 1895
Huile sur toile. 0,57 × 0,33
Repr. p. 288

Besançon, Musée des Beaux-Arts et d'Archéologie

131. Théobald CHARTRAN

Le Centenaire de Victor Hugo : la céré-monie au Panthéon du 26 février 1902. 1904
Huile sur toile. 2,56 × 1,82
Repr. p. 290

Versailles, Musée national du château

132. Charles CRESPIN

Le Centenaire de Victor Hugo : le Génie de la Renommée descendant sur la maison du Poëte, place des Vosges (*Le Petit Parisien*, 9 mars 1902)
Gravure sur bois d'Andrieux imprimée en photogravure et coloriée. 0,365 × 0,262
Repr. p. 290

Paris, M.V.H.

133. Théophile-Alexandre STEINLEN

La vision de Hugo
(*L'Assiette au Beurre*, 26 février 1902)
Lithographie en couleurs. 0,297 × 0,243
Repr. pp. 62, 118.

Paris, M.V.H.

Le culte officiel : emblèmes et souvenirs

134. *Souvenir de l'Exposition Universelle de 1878*
Gravure sur bois. 0,213 × 0,148
Repr. p. 140

Villequier, Musée Victor Hugo

La fête des 80 ans (1881)

135. *Macaron de membre du comité d'organi-sation.*
Diam. : 0,06

Paris, M.V.H.

136. *Médaille-souvenir*
Médaille. Diam. 0,028
Repr. p. 141

Paris, M.V.H.

137. *Médaille-souvenir*
Médaille. Diam. 0,03
Repr. p. 141

Paris, M.V.H.

138. *Médaille-souvenir*
Diam. 0,03
Repr. p. 141

Paris, M.V.H.

139. *Insigne-souvenir*
0,04 × 0,036

Paris, M.V.H.

140. Alfred BORREL

Médaille de Victor Hugo. 1884
Argent frappé. Diam. 0,068

Paris, Musée des Arts Décoratifs

141. Oscar ROTY

Médaille de Victor Hugo. 1885
Bronze

Paris, B.N., Médailles

Les funérailles (1885)

142. *Carte de commissaire*
0,082 × 0,118

Paris, M.V.H.

143. *Ruban des funérailles*
0,105 × 0,055

Paris, M.V.H.

144. *Médaille-souvenir*
Diam. 0,018

Paris, B.N., Médailles

145. *Médaille-souvenir*
Diam. 0,018

Paris, B.N., Médailles

146. *La France en deuil*
Médaillon. Carton et tissu. Diam. 0,06

Paris, M.V.H.

147. Edward LOEVY
Victor Hugo et le Panthéon
Gravure sur bois. 0,32 × 0,245

Paris, M.V.H.

148. *Placard publicitaire pour la vente d'emblêmes-souvenir*
0,314 × 0,416
Repr. p. 141

Paris, M.V.H.

149. *Insigne-souvenir (épingle de cravate)*
Médaillon. 0,022 × 0,018 ; L. de l'épingle : 0,083
Repr. p. 141

Paris, M.V.H.

150. *Insigne-souvenir*
0,067
Repr. p. 141

Paris, M.V.H.

151. *Insigne-souvenir (avec le buste de Victor Hugo sur une lyre)*
0.04 × 0,034

Paris, M.V.H.

152. *Insigne (avec le buste de Victor Hugo et des emblèmes républicains)*
0,045 × 0,037
Repr. p. 141

Paris, M.V.H.

153. *Médaille montée en insigne*
Diam. 0,032

Paris, M.V.H.

154. Alfred LE PETIT

Placard de deuil vendu lors des funé-railles
Gravure sur bois. 0,335 × 0,275
Repr. p. 154

Villequier, Musée Victor Hugo

155. J. M.

Victor Hugo sur son lit de mort, pleuré par la Patrie
Lithographie. 0,21 × 0,305

Villequier, Musée Victor Hugo

156. *A Victor Hugo, la France en deuil.* 1885
Lithographie coloriée au pochoir.
0,242 × 0,183

Villequier, Musée Victor Hugo

157. *Image-souvenir de deuil.* 1885
0,096 × 0,061

Paris, M.V.H.

Le Centenaire de 1902

158. YVES

Programme des fêtes nationales
Gravure sur bois, sur papier crépon, utili-sant une estampe japonaise. 0,15 × 0,128

Villequier, Musée Victor Hugo

159. *Carte postale-souvenir (Victor Hugo cou-ronné par le Labeur)*
0,093 × 0,094

Villequier, Musée Victor Hugo

160. Anonyme

Carte postale-souvenir (Victor Hugo et le Panthéon).
0,14 × 0,83

Villequier, Musée Victor Hugo

161. Jules Clément CHAPLAIN

Médaille du Centenaire
Bronze frappé. Diam. 0,034

Paris, Musée des Arts Décoratifs

162. René ROZET

Plaquette du Centenaire
Argent frappé. 0,08 × 0,057

Paris, Musée des Arts Décoratifs

163. *Médaille-souvenir montée en insigne avec emblème patriotique et lyre*
Diam. 0,016

Paris, M.V.H.

164. Henri BOUCHARD

Médaille du Centenaire du romantisme (Lamartine et Victor Hugo). 1930
Diam. : 0,102

Coll. privée

Cultes privés :
reliques, lieux saints et grands prêtres

165. GIROLAMI

Moulage de la main de Victor Hugo. 1877
Plâtre. 0,245
Repr. p. 97

Paris, Musée Carnavalet

166. Jules DALOU

Masque mortuaire de Victor Hugo
Plâtre. 0,19 × 0,365 × 0,18
Repr. p. 97

Paris, M.V.H.

167. Jules DALOU

Tête de Victor Hugo sur son lit de mort. 1885
Plâtre patiné. 0,26 × 0,342 × 0,384
Repr. p. 97

Paris, Musée d'Orsay

168. *Boite de cheveux de Victor Hugo ayant appartenu à Juliette Drouet.*
0,174 × 0,255
Repr. p. 97

Paris, M.V.H.

169. *Fleurs cueillies par Victor Hugo à Waterloo, en 1861, séchées et conservées par Juliette Drouet*
0,191 × 0,153

Paris, M.V.H.

170. *Galet dédicacé par Victor Hugo à Alexandre et Ursule Lacour*
0,05 × 0,115 × 0,05

Coll. Mme Wattinne

171. *Gargousse ayant servi à la mise en batterie du canon « Châtiment » pendant le siège de Paris*
0,25 × diam. 0,10
Repr. p. 97

Coll. privée

172. Jules LAURENS

La chambre de Victor Hugo à Jersey. 1855
Crayon et gouache sur papier.
0,24 × 0,30
Repr. p. 98

Coll. privée

173. *Chez Victor Hugo par un passant, avec 12 eaux-fortes par M. Maxime LALANNE.*
Paris, Cadart et Luquet, 1864
Livre présenté à la planche : *Chambre de Victor Hugo*
Eau-forte. 0,365 × 0,267
Repr. p. 98

Coll. privée

174. Théobald CHARTRAN

Le bureau de Victor Hugo, avenue d'Eylau à Paris
Dessin à la mine de plomb. 0,293 × 0,214
Repr. p. 98

Besançon, Musée des Beaux-Arts et d'Archéologie

175. *« Pélerinage national et universel à la Maison et au Musée de Victor Hugo, avenue Victor Hugo 124 ».* 1889
Affiche en couleur. 0,80 × 0,60
Repr. p. 99

Besançon, Musée des Beaux-Arts et d'Archéologie

176. *Besançon. La maison natale*
Deux cartes postales. Chacune : 0,09 × 0,14
Repr. p. 99

Paris, M.V.H.

177. *Jouy-en-Josas. La maison des Metz*
Carte postale. 0,09 × 0,14

Paris, M.V.H.

178. *Montfort-l'Amaury. Les ruines célébrées par Victor Hugo*
Deux cartes postales. Chacune : 0,138 × 0,09

Paris, M.V.H.

179. *Paris. Maison de Victor Hugo, place des Vosges*
Carte postale. 0,09 × 0,139

Paris, M.V.H.

180. *Paris. Maison où est mort Victor Hugo*
Carte postale. 0,135 × 0,096

Paris, M.V.H.

181. *Pasajes. Maison où séjourna Victor Hugo*
Carte postale. 0,14 × 0,09
Repr. p. 99

Paris, M.V.H.

182. *Villequier. Tombes de la famille Hugo*
Carte postale. 0,105 × 0,152
Repr. p. 99

Villequier, Musée Victor Hugo

183. *Veules-les-Roses. Maison de Paul Meurice, où Victor Hugo séjourna à plusieurs reprises*
Carte postale avec des vers autographes de Clovis Hugues. 0.09 × 0,141
Repr. p. 99

Paris, M.V.H.

184. *Vianden. Maison où a séjourné Victor Hugo*
Carte postale. 0,103 × 0,148
Repr. p. 99

Villequier, Musée Victor Hugo

185. André GILL

Auguste Vacquerie
(*L'Éclipse,* 3 nov. 1872)
Gravure sur bois en couleurs de Yves et Barret. 0,322 × 0,27
Repr. p. 89

Paris, M.V.H.

186. Alfred LE PETIT

Auguste Vacquerie
(*Les Contemporains,* n° 10, 1878)

Gravure sur bois coloriée au pochoir.
0,186 × 0,15
Repr. p. 96

Villequier, Musée Victor Hugo

187. Henri DEMARE

Paul Meurice
(*Les Hommes d'Aujourd'hui,* n° 178, 1883)
Gravure sur bois coloriée au pochoir.
0,186 × 0,155
Repr. p. 96

Villequier, Musée Victor Hugo

Rodin et Hugo

188-214. Auguste RODIN

188. *Victor Hugo de trois-quarts.* 1885
Pointe sèche (2e état). 0,226 × 0,177
Repr. p. 85

Paris, Musée Rodin

189. *Victor Hugo de face.* 1885
Pointe sèche (9e état). 0,222 × 0,159
Repr. p. 85

Paris, Musée Rodin

190. *Buste de Victor Hugo.* 1883
Bronze. 0,389 × 0,183 × 0,185
Repr. pp. 4, 84

Paris, Musée d'Orsay

191. *Tête de Victor Hugo.* 1910
Marbre. 0,657 × 0,84 × 0,427
Repr. p. 85

Paris, Musée Rodin

Projets de monuments

192. *Premier projet pour le* Victor Hugo assis. 1889-90
Plâtre. 0,10 × 0,64 × 0,86
Repr. p. 319

Meudon, Musée Rodin

193. *Deuxième projet pour le* Victor Hugo assis. 1890
Plâtre. 0,845 × 0,57 × 0,63
Repr. p. 319

Meudon, Musée Rodin

194. *Réduction du deuxième projet pour le* Victor Hugo assis. 1890
Bronze. 0,384 × 0,28 × 0,35
Repr. p. 320

Paris, Musée Rodin

195. *Projet définitif pour le* Victor Hugo assis.
Plâtre ciré et enduit. 1,85 × 2,85 × 1,62
Repr. p. 319

Meudon, Musée Rodin

196. *Premier projet d'un* Victor Hugo debout
Bronze. 1,153 × 0,523 × 0,58
Repr. p. 321

Paris, Musée Rodin

197. *Victor Hugo nu, debout*
Plâtre. 2,23 × 0,964 × 1,405
Repr. p. 84

Meudon, Musée Rodin

Dessins préparatoires

198. Plume et lavis d'encre brune sur papier vert. 0,19 × 0,132

Repr. p. 322

Paris, Musée Rodin

199. Plume et encre de Chine sur papier crème. 0,082 × 0,055
Repr. p. 322

Rouen, Musée des Beaux-Arts

200. Plume et encre brune sur papier crème. 0,09 × 0,132
Repr. p. 323

Paris, Musée Rodin

201. Mine de plomb, plume, lavis brun. 0,167 × 0,147
Repr. p. 322

Paris, Musée Rodin

202. Plume et encre brune, lavis brun, rehauts de gouache sur papier crème. 0,104 × 0,142
Repr. p. 323

Paris, Musée Rodin

203. Mine de plomb, plume, encres brune et violette sur papier crème. 0,195 × 0,115
Repr. p. 322

Paris, Musée Rodin

204. Encres brune et violette, lavis gris et brun sur papier crème. 0,165 × 0,112
Repr. p. 323

Paris, Musée Rodin

205. Mine de plomb sur papier à lettre (lettre datée du 3 nov. 1906). 0,216 × 0,275
Repr. p. 323

Paris, Musée Rodin

206. Plume et encre brune sur papier crème. 0,155 × 0,13

Paris, Musée Rodin

207. Plume et encre brune sur papier crème. 0,158 × 0,203

Paris, Musée Rodin

208. Plume. 0,207 × 0,152

Paris, Musée Rodin

209. Plume et encre noire, frottis à la mine de plomb. 0,158 × 0,144

Paris, Musée Rodin

210. Crayon, rehauts de lavis gris. 0,252 × 0,211

Paris, Musée Rodin

211. Plume et encre brune, frottis à la mine de plomb. 0,175 × 0,136
Repr. p. 84-85

Paris, Musée Rodin

212. Mine de plomb sur papier crème. 0,177 × 0,225

Paris, Musée Rodin

213. Mine de plomb sur papier crème. 0,07 × 0,105
Repr. p. 323

Paris, Musée Rodin

214. *Croquis et nom de Victor Hugo sur une carte de visite de Rodin*
Mine de plomb. 0,048 × 0,087

Paris, Musée Rodin

215. Edward STEICHEN

Rodin devant Le penseur *et le projet définitif pour le* Victor Hugo assis. 1902
Photographie. 0,26 × 0,322
Repr. p. 405

Paris, Musée Rodin

216. Adolphe-Léon WILLETTE

Rodin sculptant le monument de Victor Hugo : « Ah ! Mon cher Rodin, pour être un dieu, il m'a manqué la croix des incompris ! »
(*Le Courrier Français,* 2 mars 1902)
Lithographie. 0,225 × 0,207
Repr. p. 95

Paris, M.V.H.

Autre projets monumentaux

217. Attribué à L. T. J. VISCONTI

Projet de monument en l'honneur des poètes français, « dédié à l'Impératrice Eugénie [...], protectrice des arts »
Mine de plomb. 0,405 × 0,565
Repr. p. 271

Coll. privée

218. M. J. CASSIEN-BERNARD

Projet de « Monument à élever à Victor Hugo dans l'ancien jardin réservé des Tuileries ». 1887
Photographie. 0,30 × 0,50
Repr. p. 275

Coll. privée

219. Félix VIONNOIS

Projet de « Monument à la République fraternelle des Peuples », à Dijon, place de la République. 1891
Aquarelle. 0,96 × 0,63
Repr. p. 274

Dijon, Musée des Beaux-Arts

220. Gustave DELOYE

Projet pour « Le poète exilé ». 1867
Plâtre.
0,54 × 0,17 × 0,17
Repr. p. 271

Paris, M.V.H.

221. Alexandre FALGUIÈRE

Projet pour « Pégase emportant le poète vers les régions du rêve ». 1896
Plâtre.
0,67 × 0,43 × 0,47
Repr. p. 305

Paris, Musée d'Orsay

222. Jules DALOU

Projet pour le buste de Victor Hugo de la Comédie-Française. (n° 12). Vers 1901
Terre cuite.
0,19 × 0,135 × 0,07

Paris, Musée du Petit Palais

223. Laurent MARQUESTE

Projet pour le monument de Victor Hugo dans la cour de la Sorbonne. Vers 1901
Terre cuite.
0,29 × 0,17 × 24
Repr. p. 105

Paris, M.V.H.

224. Just BECQUET

Buste de Victor Hugo
Étude pour le monument de Victor Hugo à Besançon. Vers 1902
Terre cuite. 0,295 × 0,23 × 0,14
Repr. p. 316

Coll. privée

225. Just BECQUET

Projet pour le monument de Victor Hugo à Besançon. Vers 1902
Plâtre. 0,895 × 0,425 × 0,635
Repr. p. 316

Besançon, Musée des Beaux-Arts et d'Archéologie

226. Just BECQUET

Projet pour le monument de Victor Hugo à Besançon. Vers 1902
Plâtre. 0,96 × 0,475 × 0,70
Repr. p. 317

Paris, M.V.H.

227. Jean BOUCHER

Projet pour le monument de Victor Hugo à Guernesey. Vers 1908
Bronze. 0,69 × 0,60 × 0,42
Repr. p. 108

Ivry-sur-Seine, Dépôt des œuvres d'art de la Ville de Paris

228. Antoine INJALBERT

Victor Hugo aux Feuillantines. Vers 1912
Bronze. 0,153 × 0,335 × 0,198
Repr. p. 72

Béziers, Musée des Beaux-Arts

229. Henri BOUCHARD

Projet pour le monument de Lamartine et Victor Hugo à Strasbourg. 1928
Plâtre original. 0,55 × 0,70 × 0,28
Repr. p. 324

Paris, Atelier-Musée Henri Bouchard

Hommages et apothéoses

230. André-Benoît PERRACHON

Hommage aux poètes du siècle. 1888
Huile sur toile. 1,84 × 1,35
Repr. p. 413
Lyon, Musée des Beaux-Arts

231. Félix BUHOT

Les esprits des villes mortes. 1885
Monotype. 0,217 × 0,349
Repr. p. 91

Paris, B.N., Est.

232. Albert MAIGNAN

Apothéose du nom de Victor Hugo
Dessin. 0,24 × 0,16
Repr. p. 91

Coll. privée

233. Henri FANTIN-LATOUR

A Victor Hugo. 1889
Lithographie. 0,445 ; L. 0,302

Paris, B.N., Est.

234. Guillaume DUBUFE

Esquisse pour « Trinité Poétique » : les funérailles de Victor Hugo. Vers 1888
Huile sur toile. 0,97 × 1,68
Repr. p. 100

Paris, Coll. privée

235. Jean-Paul LAURENS

Esquisse pour la coupole du théâtre de l'Odéon à Paris. 1888
« Une pluie de fleurs s'abat sur les bustes et statues de Corneille, Molière, Racine, Beaumarchais, Musset et Victor Hugo ».
Huile sur papier calque collé sur bois.
0,75 × 0,60
Repr. p. 312

Toulouse, Musée des Augustins

236. Léon BONNAT

Triomphe de l'Art. 1890
Esquisse pour le plafond du Salon des Lettres à l'Hôtel de Ville de Paris
« J'ai pensé qu'il fallait représenter l'Art sous la forme d'un jeune homme sur la croupe du grand cheval de gloire de Victor Hugo. » (Bonnat)
Huile sur toile. 0,96 × 0,705
Repr. p. 312

Ivry-sur-Seine, Dépôt des œuvres d'art de la Ville de Paris

237. Pierre PUVIS DE CHAVANNES

Victor Hugo offrant sa lyre à la Ville de Paris. 1894
Esquisse pour le plafond de l'Escalier du Préfet à l'Hôtel de Ville de Paris
Huile sur toile. 0,665 × 0,835
Repr. p. 313

Paris, Musée du Petit Palais

238. Pierre PUVIS DE CHAVANNES

Étude pour la figure de Victor Hugo au plafond de l'Escalier du Préfet
Fusain, rehauts de blanc, sur papier gris.
0,30 × 0,23
Repr. p. 77

Dijon, Musée des Beaux-Arts

239. Albert BESNARD

Esquisse pour la coupole de la Comédie-Française. 1902
« En plein ciel, les figures de Molière, Corneille, Racine et Hugo. »
Huile sur toile. 0,90 × 0,72
Repr. p. 313

Coll. Mme A. Chauvac-Claretie

Objets populaires

240. Jacques MAILLET

Statuette de Victor Hugo. Avant 1882
Plâtre patiné. 0,60 × 0,20 × 0,20
Repr. p. 105

Châteauroux, Musée Bertrand

241. Albert ERDMANN

Buste de Victor Hugo
Bronze, patine marron.
0,35 × 0,165 × 0,137
Repr. p. 144

Paris, M.V.H.

242. BULIO (?)

Buste de Victor Hugo
Plâtre teinté façon terre-cuite.
0,158 × 0,103 × 0,072
Repr. p. 144

Paris, M.V.H.

243. René ROZET

Médaillon de Victor Hugo sur une stèle en forme de rocher

Plâtre patiné façon terre-cuite.
0,435 × 0,34 × 0,235
Paris, M.V.H.

244. *Buste-charge de Victor Hugo, avec Notre-Dame en mitre*
Plâtre. 0,92 × 0,47 × 0,41
Repr. p. 3

Paris, M.V.H.

245. *Médaillon de Victor Hugo*
Bronze. 0,14 × 0,119

Coll. privée

246. Anonyme

Victor Hugo
Lithographie coloriée au pochoir.
0,289 × 0,222

Villequier, Musée Victor Hugo

247. P. BORIE

Victor Hugo
Lithographie. 0,315 × 0,24
Repr. p. 154

Villequier, Musée Victor Hugo

248. *Victor Hugo écrivant, entouré de scènes de ses œuvres*
Lithographie. 0,162 × 0,122

Villequier, Musée Victor Hugo

249. *Fête nationale, inaugurée le 14 juillet 1880*
Lithographie coloriée au pochoir. 0,212 × 0,30
Repr. p. 155

Paris M.V.H.

250. *Les défenseurs du droit de l'homme*
Chromolithographie. 0,415 × 0,32
Repr. p. 135

Villequier, Musée Victor Hugo

251. *Le triangle prophétique*
Gravure sur bois d'Yves et Barret.
0,244 × 0,309
Repr. p. 135

Paris, M.V.H.

252. H. GROBET

Portraits de Napoléon, Pasteur, Victor Hugo. (*Le livre du siècle*, 1897)
Photogravure d'une gravure sur bois.
0,213 × 0,153
Repr. p. 133

Villequier, Musée Victor Hugo

253. CARRÉ

Aux grands hommes la Patrie reconnaissante
(*Le Petit Parisien*, 13 janv. 1907)
Chromolithographie. 0,304 × 0,26
Repr. p. 134

Villequier, Musée Victor Hugo

254. Anonyme

Célébrités française des Arts et des Sciences
Chromolithographie. 0,424 × 0,327

Villequier, Musée Vicor Hugo

255. SAUVAGE

Panthéon universel des principaux hommes célèbres
Chromolithographie. 0,325 × 0,423

Repr. p. 133

Villequier, Musée Victor Hugo

256. N. VLADICA

Portrait-calligramme de Victor Hugo, dont le vêtement est constitué par la calligraphie d'un extrait des Misérables. 1886
Gravure sur bois.
0,538 × 0,399

Paris, M.V.H.

257. M. GAILLARD

Portrait-calligramme de Victor Hugo
Gravure sur bois.
0,37 × 0,31
Repr. p. 144

Paris, M.V.H.

258. *Le général Hugo. Victor Hugo*
Silhouettes à découper
Gravure sur bois.
0,423 × 0,317
Repr. p. 147

Paris, M.V.H.

259. EDMUS (?)

Ombres projetées : Tête de Victor Hugo
Silhouette à découper (*Le Petit Français Illustré*, 1er juin 1895)
Gravure sur bois.
0,242 × 0,163

Paris, M.V.H.

260. Anonyme

Les trois ne font qu'un (portraits mêlés de Victor Hugo, Jules Grévy et Léon Gambetta)
Gravure sur bois. 0,14 × 0,297

Repr. p. 147

Paris, M.V.H.

261. BRIGANDAT

Carte à jouer : Victor Hugo en roi de cœur
Repr. p. 77

Paris, B.N.,Est.

262. *Les hommes d'aujourd'hui : Victor Hugo*
Assiette en faïence fine de Creil-Montereau, reproduisant un dessin d'André Gill (*Les Hommes d'Aujourd'hui*, 1er sept. 1878)
Repr. p. 3

Paris, M.V.H.

263. *Les contemporains dans leur assiette : Victor Hugo.* 1876-78
Assiette en faïence fine de Choisy-le-Roi, dessinée par Louis Hadol, d'après Alfred Le Petit. Diam. 0,23

Paris, M.V.H.

264. *Dernier vers de Victor Hugo.* 1885
Assiette en faïence fine de Sarreguemines. Diam. 0,225
Repr. p. 149

Paris, M.V.H.

265. *Victor Hugo, d'après Nadar, et trois scènes de sa vie*
Assiette en faïence fine de Sarreguemines. Diam. 0,215
Repr. p. 149

Villequier, Musée Victor Hugo

266. *Victor Hugo, d'après Nadar*
Assiette en faïence fine de Sarregue-
mines. Diam. 0,215

Besançon, Musée des Beaux-Arts et
d'Archéologie

267. *Victor Hugo*
Assiette à dessert en porcelaine. Diam.
0,164

Besançon, Musée des Beaux-Arts et
d'Archéologie

268-277. *Série « Vie de Victor Hugo »*
Dix assiettes en faïence fine de Bordeaux
(fabrique Jules Vieillard et Cie).
Diam. 0,20.
1. *Naissance de Victor Hugo*

Coll. privée

2. *Maison natale de Victor Hugo à*
Besançon
Repr. p. 145

Coll. privée

3. *Réception de Victor Hugo à l'Aca-*
démie Française

La Rochelle, Musée d'Orbigny-Bernon

4. *Victor Hugo pair de France*
Repr. p. 149

Villequier, Musée Victor Hugo

5. *Victor Hugo expulsé de l'île de Jersey*
ainsi que les autres réfugiés

La Rochelle, Musée d'Orbigny-Bernon

6. *Victor Hugo acclamé par les parisiens*
à sa rentrée à Paris

La Rochelle, Musée d'Orbigny-Bernon

7. *Victor Hugo soignant sa petite-fille*
Jeanne malade pendant le siège
Repr. p. 3

La Rochelle, Musée d'Orbigny-Bernon

8. *Victor Hugo et ses petits-enfants*
Jeanne et Georges
Repr. p. 123

Coll. privée

9. *Fête du 83ᵉ anniversaire de Victor*
Hugo

La Rochelle, Musée d'Orbigny-Bernon

10. *Derniers moments de Victor Hugo*

La Rochelle, Musée d'Orbigny-Bernon

278. *Dessous de plat à l'effigie de Victor Hugo*
(d'après Léon Bonnat)
Bois et faïence. 0,225 × 0,225

Paris, M.V.H.

279. *Scène des Misérables : Marius et Cosette*
dans le jardin de la rue Plumet
Cuvette en faïence de Grigny. Diam.
0,278

Villequier, Musée Victor Hugo

280. *Bouteille à l'effigie de Victor Hugo*
(Saint-Denis, verrerie Legras)
Verre soufflé et moulé.
0,29 × 0,14 × 0,103

La Rochelle, Musée d'Orbigny-Bernon

281. *Bouteille figurant un flacon posé sur des*
livres à l'effigie de Victor Hugo

Verre blanc partiellement doré.
0,25 × 0,12 × 0,08

Besançon, Musée des Beaux-Arts et
d'Archéologie

282. *Bouteille à l'effigie de Victor Hugo*
Verre soufflé et moulé, recouvert d'une
couche de plâtre bronzé.
0,325 × diam. 0,078
Repr. p. 148

Paris, M.V.H.

283. *Châle d'indienne à l'effigie de Victor*
Hugo
0,83 × 0,70
Repr. p. 144

Paris, M.V.H.

284. *Dessus de pantoufle à l'effigie de Victor*
Hugo
Tapisserie au petit point sur canevas (ina-
chevée). Motif : 0,16 × 0,17
Repr. p. 146

Paris, M.V.H.

285. *Canevas au nom de Victor Hugo*
Broderie au point de croix. 0,27 × 0,038

Paris, M.V.H.

286. *Tête de pipe à l'effigie de Victor Hugo*
(au képi)
Terre blanche émaillée. 0,04
Repr. p. 150

Paris, M.V.H.

287-289. *Trois têtes de pipes « Gambier »*
Terre blanche
1. Victor Hugo jeune. 0,165
2. Victor Hugo vers cinquante ans.
0,07
3. Victor Hugo vers soixante ans. 0,05
Repr. pp. 3, 151

Paris, Musée Carnavalet

290. *Tête de pipe « Fiolet » à l'effigie de*
Victor Hugo
Terre blanche partiellement émaillée.
0,043

Besançon, Musée des Beaux-Arts et
d'Archéologie

291. *Blague à tabac à l'effigie de Victor Hugo,*
Raspail, Grévy et Gambetta
Cuir estampé. 0,135 × diam. 0,07
Repr. p. 150

Bergerac, Musée d'Intérêt National du
Tabac

292. *Tabatière à l'effigie de Victor Hugo*
(d'après Léon Bonnat)
Plâtre peint. 0,234 × 0,135 × 0,138
Repr. p. 151

Paris, M.V.H.

293. *Boîte de cigares Amarillo (Pays-Bas), à*
l'effigie de Victor Hugo
Fer blanc peint doublé de bois blanc.
0,165 × 0,125 × 0,02

Paris, M.V.H.

294. *Boîte de cigares J. Baars et Zoon (Pays-*
Bas), à l'effigie de Victor Hugo
Fer blanc peint. 0,09 × 0,13 × 0,03
Repr. p. 83

Coll. privée

295. *Boîtier de montre à l'effigie de Victor*
Hugo
Métal argenté ciselé. 0,067 × diam. 0,05
Repr. pp. 3, 152

Besançon, Musée des Beaux-Arts et
d'Archéologie

296. *Boîtier de montre à l'effigie de Victor*
Hugo
Métal argenté. Diam. 0,047

Besançon, Musée des Beaux-Arts et
d'Archéologie

297. *Paire de chenêts à l'effigie de Victor*
Hugo
Fonte. 0,23 × 0,092 × 0,32
Repr. pp. 3, 142

Paris, M.V.H.

298. *Pommeau de canne à l'effigie de Victor*
Hugo
Étain. 0,17 × 0,05

Besançon, Musée des Beaux-Arts et
d'Archéologie

299. *Pommeau de canne à l'effigie de Victor*
Hugo
Étain. 0,20 × 0,043

Besançon, Musée des Beaux-Arts et
d'Arché

300. *Bouton de manchette à l'effigie de Victor*
Hugo
Zinc. Diam. 0,024

Paris, M.V.H.

301. *Coupe à l'effigie de Victor Hugo*
Métal. 0,09 × diam. 0,175
Repr. p. 3

Paris, M.V.H.

302. *Carnet sur lequel est collé un portrait de*
Victor Hugo
Chromolithographie. 0,15 × 0,097
Repr. p. 146

Paris, M.V.H.

303. E. FLAUNET

Exposition du corps de Victor Hugo à
l'Arc de Triomphe dans la nuit du 31 mai
au 1ᵉʳ juin 1885
Tableau en cheveux, par E. Flaunet, coiffeur à Saint-Rémy (Seine-Maritime).
0,63 × 0,85
Repr. p. 146

Villequier, Musée Victor Hugo

Objet publicitaires

304. *Plumes Victor Hugo. 1869*
Boîte de plumes d'acier.
0,312 × 0,25 × 0,02
Repr. p. 153

Paris, M.V.H.

305. *Cinq bouteilles d'encre « Victor Hugo ».*
1882
Repr. pp. 3, 143

Paris, M.V.H.

306. *Bouteille d'encre « Victor Hugo »*
Grès. 0,208 × diam. 0,072

Besançon, Musée des Beaux-Arts et
d'Archéologie

307. *Prospectus publicitaire pour l'« Imprimerie Victor Hugo » à Paris*
Gravure sur bois. 0,135 × 0,223

Paris, M.V.H.

308. *Buvard publicitaire pour l'« Horlogerie A. Loiseau & Cie » à Besançon, avec calendrier pour l'année 1896*
Lithographie 0,135 × 0,215
Repr. p. 152

Paris, M.V.H.

309. *Placard publicitaire du « Tapioca de l'Abeille »*
Chromolithographie. 0,319 × 0,449
Repr. p. 148

Paris, M.V.H.

310. André DEVAMBEZ
Carte publicitaire pour la « Phosphatine Falières »
Photogravure. 0,09 × 0,143
Repr. p. 41, 110

Paris, M.V.H.

311. *Boîte de chocolats à l'effigie de Victor Hugo* (Confiserie Vaufrey, Besançon)
0,201 × 0,152 × 0,029

Coll. privée

312. *Menu de l'Hôtel de la Gare à Angers (publicité pour la « Bénédictine »), avec un portrait de Victor Hugo (adapté de Léon Bonnat)*

Villequier, Musée Victor Hugo

313. *Carte publicitaire pour les grands magasins « À Victor Hugo » à Paris.* 1885
Chromolithographie. 0,226 × 0,122
Repr. p. 153

Paris, M.V.H.

314. *Carte publicitaire pour la maison « Crémieux » à Bruxelles.* 1878-1883
0,101 × 0,065

Paris, M.V.H.

315. *Neuf cartes publicitaires de la maison « À la ville de Châtellerault » représentant des scènes d'*Hernani
Chromolithographies. Chacune : 0,108 × 0,078
Repr. p. 155

Paris, M.V.H.

316. *Carnet publicitaire de la « Société des Grands Parfums » à Paris (avec l'Apothéose de Victor Hugo par Eugène Mesplès)*
Lithographie. 0,09 × 0,055

Paris, M.V.H.

317. Jules ADELINE
Calendrier publicitaire pour les éditions Quantin. Année 1882
Eau-forte. 0,268 × 0,358

Villequier, Musée Victor Hugo

318. *Cinq « Calendrier Victor Hugo »*
Années 1895, 1897, 1902, 1905, 1906
Repr. p. 152

Paris, M.V.H.

319. *« Calendrier Victor Hugo »*
Sans date. 0,14 × 0,11
Repr. p. 152

Paris, M.V.H.

320. *Feuille de calendrier avec portrait et biographie de Victor Hugo*
Samedi 19 janvier [ ]. 0,115 × 0,076
Repr. p. 152

Paris, M.V.H.

Partitions de chansons populaires

321. FARIA
Les Silhouettes Contemporaines. Scène d'imitation créée par Derame aux Folies-Bergère
Paroles et musique de Pierre Deram
Lithographie. 0,269 × 0,197
Repr. p. 318

Villequier, Musée Victor Hugo

322. GERLIER
Chanson de grand-père
Poésie de Victor Hugo : « Dansez les petites filles » ; musique d'Anatole Lancel
Lithographie. 0,34 × 0,272

Villequier, Musée Victor Hugo

323. ALGIS
Instruisons nos enfants
Paroles de Jouard Aupto ; musique de Victor Leclerc
Lithographie à la plume (?).
0,265 × 0,169

Villequier, Musée Victor Hugo

324. DONJEAN
Hymne à Victor Hugo. 1885
Paroles de Ch. Blondelet et Cᵗ Sacle ; musique d'Albert Petit
Lithographie. 0,269 × 0,175
Repr. p. 81 et 306

Villequier, Musée Victor Hugo

325. Edward ANCOURT
Les Ouvriers de la pensée
Paroles de Théolier ; musique de R. Planquette
Lithographie. 0,276 × 0,175
Repr. p. 200

Villequier, Musée Victor Hugo

326. Anonyme
Patria ! Chant patriotique
Poésie de Victor Hugo sur une mélodie de Beethoven harmonisée et arrangée par E. Willent Bordogni
Lithographie. 0,35 × 0,27

Villequier, Musée Victor Hugo

Billets de banque et timbres-poste

327. *Billet de 500 francs avec contre-valeur de 5 nouveaux francs, à l'effigie de Victor Hugo.* 1959
0,075 × 0,141

Villequier, Musée Victor Hugo

328. *Billet de 5 francs à l'effigie de Victor Hugo.* 1963
0,08 × 0,146
Repr. p. 81

Paris, M.V.H.

329. *Timbre « Victor Hugo » à 1 franc 25.* 1933

Dessiné par Jules PIEL
0,024 × 0,02

Paris, Musée de la Poste

330. *Timbre « Victor Hugo. Pour les chômeurs intellectuels » à 50 c + 10.* 1935
Dessiné par Achille OUVRÉ
0,026 × 0,04

Paris, Musée de la Poste

331. *Timbre « Victor Hugo. Pour les chômeurs intellectuels » à 65 c + 10.* 1935
Dessiné par Achille OUVRÉ
0,026 × 0,04

Paris, Musée de la Poste

332. *Timbre « Cinquantenaire de la mort de Victor Hugo » à 1 franc 25.* 1935
Dessiné par Achille OUVRÉ
0,026 × 0,023
Paris, Musée de la Poste

333. *Timbre « Hernani » à 18 francs.* 1953
Dessiné par Robert CAMI
0,04 × 0,026

Paris, Musée de la Poste

334. *Timbre « Centenaire de la mort de Victor Hugo », à 2 francs 10 + 0,50.* 1985
Dessiné par Jacques JUBERT
0,024 × 0,037

Paris, Musée de la Poste

Hugo à l'école

335. *Loto historique. L'Histoire de France à travers les siècles.*
Paris, Éd. Saussine, 1907
Chromolithographies.
0,35 × 0,39 × 0,04
Repr. p. 147

Mont-Saint-Aignan, I.N.R.P., Musée National de l'Éducation

336. *Ville de Creil (Oise). École communale et cours complémentaire dirigés par M. Hanniet. La morale enseignée par l'image.* 1885
Album manuscrit illustré de gravures découpées dans des journaux et accompagnées de commentaires destinés aux élèves. 0,50 × 0,34 × 0,05
Présenté à la page où est collé un portrait de Victor Hugo d'après Léon Bonnat.

Mont-Saint-Aignan, I.N.R.P., Musée National de l'Éducation

337. *Six plaques de lanterne magique. Série « Hommes célèbres ».* Vers 1900
Série éditée par le Musée Pédagogique
Sont présentées les plaques n° 7 (Rousseau), 8 (Diderot), 9 (Montesquieu), 12 (Hugo), 13 (Michelet), 14 (Ferry et Gambetta)
Chacune : 0,085 × 0,10

Mont-Saint-Aignan, I.N.R.P., Musée National de l'Éducation

338. *Vingt-neuf plaques de lanterne magique.* Série « Victor Hugo ». 1911
Notice de R. G. Lecerf. Série éditée par le Musée Pédagogique
Chacune : 0,085 × 0,10

Mont-Saint-Aignan, I.N.R.P., Musée National de l'Éducation

339. *Cahier manuscrit de Louise Lombart*, élève au Pensionnat de la communauté d'Ernemont à Rouen, contenant des dictées de textes de Victor Hugo. 1886
0,22 × 0,17

Mont-Saint-Aignan, I.N.R.P., Musée National de l'Éducation

Quelques livres de classe contenant des textes de Hugo

340. *La gerbe de l'écolier, cours élémentaire*, par A. Dubois. Paris, Gedalge, vers 1890

Mont-Saint-Aignan, I.N.R.P., Musée National de l'Éducation

341. *Le livre et l'école, cours moyen*, par Ch. Lebaigne. Paris, Librairie Classique Eugène Belin, 1890

Mont-Saint-Aignan, I.N.R.P., Musée National de l'Éducation

342. *La lecture et la récitation de 6 à 9 ans appliquées à l'Éducation*, par Julien Boitel. Paris, A. Colin, 1902

Mont-Saint-Aignan, I.N.R.P., Musée National de l'Éducation

343. *Mon second livre. Lectures et récitations...* par E. D'Ollendon et P. Vedel. Paris, Librairie H. Le Soudier, 1897

Mont-Saint-Aignan, I.N.R.P., Musée National de l'Éducation

344. *Lectures expliquées pour nos fils à l'usage de l'enseignement primaire*, par Ch. Lebaigne. Paris, Librairie Classique Eugène Belin, 1897

Mont-Saint-Aignan, I.N.R.P., Musée National de l'Éducation

345. *Lectures choisies. Prose et poésie en rapport avec le programme de morale*, par D. Bonnehon et P. E. Turgan. Paris, J. Bricou, 1900

Mont-Saint-Aignan, I.N.R.P., Musée National de l'Éducation

346. *Lectures primaires, cours moyen*, par E. Toutey. Paris, Hachette, 1905

Mont-Saint-Aignan, I.N.R.P., Musée National de l'Éducation

347. *Lectures pour l'école et pour la vie expliquées et commentées*, par R. Liquier et M. Fournier. Paris, Gedalge, 1909

Mont-Saint-Aignan, I.N.R.P., Musée National de l'Éducation

348. *Livre de lecture et de morale*, par E. Devinat. Paris, Larousse, vers 1915

Mont-Saint-Aignan, I.N.R.P., Musée National de l'Éducation

349. *Les lectures littéraires de l'école*, par Paul Philippon. Paris, Larousse, 1938

Mont-Saint-Aignan, I.N.R.P., Musée National de l'Éducation

Affiches

Librairie

350. *Affiche pour* Le retour de l'Empereur *(éd. Furne, 1840)*
Gravure sur bois. 0,36 × 0,28
Repr. p. 356

Paris, Musée de la Publicité

351. *Affiche pour* Notre-Dame de Paris *(éd. Hugues, 1876-77)*
Typographie et gravure sur bois.
0,61 × 0,81

Paris, Musée de la Publicité

352. *Affiche pour* L'année terrible *(éd. Hugues, 1879)*
Typographie et gravure sur bois.
0,572 × 0,80
Repr. p. 366

Paris, M.V.H.

353. *Affiche pour* Histoire d'un crime *(éd. Hugues, 1879)*
Lithographie en couleurs. 0,265 × 0,90

Paris, M.V.H.

354. Jules CHERET

Affiche pour Les misérables *(éd. Hugues, 1879-82)*
Lithographie en couleurs. 1,25 × 0,904
Repr. p. 339

Paris, M.V.H.

355. *Affiche pour* Illustration à l'eau-forte des œuvres de Victor Hugo comprenant cent planches hors-texte composées par François FLAMENG *(éd. Hébert, 1885)*
Typographie et eaux-fortes. 0,44 × 0,56

Paris, Musée de la Publicité

356. *Affiche pour* Han d'Islande *(éd. Hugues, 1885)*
Illustrations de Georges ROCHEGROSSE
Typographie et gravure sur bois.
0,50 × 0,325

Paris, Musée de la Publicité

357. Jules CHÉRET

Affiche Les misérables *(éd. Rouff, 1888-89)*
Lithographie en couleurs. 0,60 × 0,83
Repr. p. 340

Paris, Musée de la Publicité

358. Louis-Charles BOMBLED

Affiche pour Les misérables *dans* Le Radical (1897)
Lithographie en couleurs. 1,24 × 0,88
Repr. p. 339

Paris, Musée de la Publicité

359. Louis TAUZIN

Affiche-plaque pour les Œuvres complètes *(éd. Rouff, 1899-1902)*
Tôle émaillée. 0,238 × 0,34
Repr. p. 328

Villequier, Musée Victor Hugo

360. Géo DUPUIS

Affiche pour Les misérables *(éd. Ollendorf, 1908-09)*
Lithographie en couleurs. 1,26 × 1,945
Repr. p. 341

Paris, M.V.H.

361. Ludovic MOUCHOT

Affiche pour Choses vues *par Victor Hugo*, Le trésor des Gomelés *par A. Matthey*, Le mauvais génie *par Wilkie Collins, dans* Le Rappel
Gravure sur bois 0,83 × 1,215
Repr. p. 349

Paris, Musée de la Publicité

Théâtre

362. *Affiche pour* Les misérables *au Théâtre de la Porte Saint-Martin*. 1878
Lithographie. 1,15 × 0,855

Paris, M.V.H.

363. HOPE
Affiche pour Claude Gueux *au Théâtre Beaumarchais*. 1884
Lithographie en couleurs. 1,04 × 0,735

Paris, M.V.H.

Music-hall

364. A. CLOT
Affiche pour Les hommes du jour *par Vilmain*
Lithographie. 1,183 × 0,816
Repr. p. 139

Paris, M.V.H.

365. *Affiche pour* Paris-Tramway, Le réveil historique, Fantoches vivants
Lithographie en couleurs. 0,85 × 0,62
Repr. p. 139

Paris, M.V.H.

366. Charles LÉVY

Affiche pour Les Bamboches de l'Année *aux Folies-Bellevillle*. 1886
Lithographie en couleurs. 0,381 × 0,281

Paris, M.V.H.

367. *Affiche pour* Histoire de quinze ans (1870-1885), *par Edmond Beboit-Lévy* (éd. Olivier)
Lithographie en couleurs. 1,295 × 0,94

Paris, M.V.H.

368. *Affiche pour la vente d'un lotissement, rue Victor Hugo, à Asnières*. Vers 1900
0,632 × 0,503
Repr. p. 265

Paris, M.V.H.

Politique

369. *Affiche de propagande anti-anglaise, avec portrait et citation de Victor Hugo*. 1943
Lithographie. 1,19 × 0,79
Repr. p. 235

Coll. Alain Gesgon

370. *Affiche du Parti Communiste Français pour le référendum du 21 octobre 1945, avec les portraits de Victor Hugo et d'autress figures historiques*
Lithographie. 1,20 × 0,80
Repr. p. 236

Coll. Alain Gesgon

II
La Scène

1829-1843
Amy Robsart, **Odéon, 1828**

371. Eugène DELACROIX

Maquette de costume : Elisabeth
Aquarelle. 0,244 × 0,192
Repr. p. 43, 660

Paris, Musée du Louvre, Cabinet des Dessins

Hernani, Comédie-Française, 1830

372. JOANNY

Journal théâtral particulier de mes représentations à dater du 1er avril 1803 jusqu'au 15 avril 1846
Manuscrit autographe.
0,432 x 0,292 x 0,12
Repr. p. 666

Paris, B.N., Arts du spectacle

373. Paul-Albert BESNARD

Esquisse de « La bataille d'Hernani ».
1909. Huile sur toile (?). 1,10 x 1,05

Paris, Comédie-Française

374. LÉGER-LARBOUILLAT

Décor de l'acte IV, d'après Pierre-Luc-Charles Ciceri
Eau-forte. 0,158 × 0,206
Repr. p. 668

Paris, B.N., Arts du spectacle

375. Charles-Antoine CAMBON

Maquette de décor : Acte IV (Il se peut que cette maquette soit destinée à la reprise de 1867 et non à la création).
Plume et encre noire, lavis d'encre noire, rehauts de blanc. 0,305 x 0,382
Repr. p. 662

Paris, Comédie-Française

376. Louis BOULANGER

Maquette de costume : le page Iaquez
Aquarelle. 0,306 x 0,205
Repr. p. 6

Paris, M.V.H.

377. LECLER

J.F. Firmin dans le rôle d'Hernani
Lithographie. 0,257 x 0,227

Paris, M.V.H.

Marion Delorme, Porte-Saint-Martin, 1831

378. Achille DEVÉRIA

Marie Dorval dans le rôle de Marion
Lithographie en couleurs. 0,421 x 0,277
Repr. p. 674

Paris, B.N., Est.

379. Louis BOULANGER

La litière du cardinal (Acte V, sc. 7)
Aquarelle. 0,484 x 0,748
Repr. p. 669

Paris, M.V.H.

Le roi s'amuse, Comédie-Française, 1832

380-384. Auguste de CHATILLON

Maquettes de costumes :
1. *Triboulet (costume de cour)*
Aquarelle. 0,238 x 0,15
Repr. p. 677

Paris, M.V.H.

2. *Triboulet (costume de ville)*
Aquarelle. 0,25 x 0,155
Repr. p. 677

Paris, Comédie-Française

3. *François Ier*
Aquarelle. 0,270 x 0,175
Repr. p. 677

Paris, Comédie-Française

4. *Un garde et deux seigneurs*
Aquarelle. 0,275 x 0,41

Paris, Comédie-Française

5. *Saltabadil*
Aquarelle sur dessin préparatoire à la plume et encre noire. 0,239 x 0,149
Repr. p. 677

Paris, M.V.H.

Lucrèce Borgia, Porte-Saint-Martin, 1833

385-392. Louis BOULANGER

Maquettes de costumes :
1. *Dona Lucrezia Borgia*
Aquarelle. 0,29 x 0,216
Repr. p. 681

2. *Don Alphonse d'Este*
Aquarelle. 0,254 x 0,15
Repr. p. 681

3. *Jeppo Liveretto*
Aquarelle. 0,252 x 0,166
Repr. p. 681

4. *Gennaro*
Aquarelle. 0,275 x 0,17
Repr. p. 681

5. *Oloferno Vitellozzo*
Aquarelle. 0,25 x 0,205
Repr. p. 681

6. *Astolfo*
Aquarelle. 0,258 x 0,173
Repr. p. 681

7. *Un porte-flambeau*
Aquarelle. 0,196 x 0,127
Repr. p. 681

8. *Un garde*
Aquarelle. 0,247 x 0,185
Repr. p. 681

Paris, B.N., Manuscrits

393. Louis BOULANGER
(ou Achille DEVÉRIA ?)

Maquette de costume : La princesse Negroni
Aquarelle. 0,27 x 0,20
Repr. p. 681

Paris, B.N., Manuscrits

394. Paul GAVARNI
Maquette de costume : Lucrèce, interprétée par Mlle George. Acte II, 1re partie)
Crayon, plume et encore brune, rehauts de lavis et d'aquarelle. 0,197 x 0,143
Repr. p. 680

Paris, M.V.H.

395. Célestin NANTEUIL

Scène du festin : Acte III, sc. 2
Plume et lavis d'encre brune.
0,23 x 0,312
Repr. p. 682

Paris, M.V.H.

396. Célestin NANTEUIL

Lucrèce verse le poison à Gennaro : (Acte II, 1re partie, sc. 5) (frontispice de l'édition Renduel, 1833)
Eau-Forte. 0,186 x 0,125
Repr. p. 528

Dijon, Musée des Beaux-Arts

Marie Tudor, Porte-Saint-Martin, 1833

397. Célestin NANTEUIL

La reine Marie fait prêter serment à Gilbert : (IIe journée, sc. 8) (frontispice de l'édition Renduel, 1833)
Eau-forte. 0,19 x 0,12
Repr. p. 540

Dijon, Musée des Beaux-Arts

Angelo tyran de Padoue Comédie-Française, 1835

398-399. Anonyme

Maquettes de décors : la chambre de Catarina ; Actes II et III
1. Aquarelle. 0,439 x 0,565
Repr. p. 687

2. Mine de plomb, plume et encre brune. 0,364 x 0,44

Paris, Comédie-Française

400-402. Auguste de CHATILLON

1. *Angelo Malipieri* (Acte I)
Aquarelle et crayon. 0,295 x 0,233
Repr. p. 685

2. *l'homme masqué*
Aquarelle et crayon sur papier brun.
0,312 x 0,239
Repr. p. 685

3. *l'archiprêtre*
Aquarelle et crayon. 0,302 x 0,244
Repr. p. 685

Paris, M.V.H.

403. Célestin NANTEUIL
Marie Dorval dans le rôle de Catarina
Lithographie. 0,283 x 0,183
Repr. p. 686

Paris, B.N., Est.

Marion Delorme, Comédie-Française, 1838

404-405. Charles-Antoine CAMBON

Maquettes de décors :
1. *Acte III*
Fusain et rehauts de blanc sur papier vert.
0,448 X 0,575

2. *Acte III (?)*
Fusain et rehauts de blanc sur papier brun. 0,442 x 0,625

Paris, Comédie-Française

Ruy Blas, Théâtre de la Renaissance, 1838

406-408. Louis BOULANGER

Maquettes de costumes :
1. *Ruy Blas* (Acte V)
Crayon et aquarelle. 0,302 x 0,215
Repr. p. 693

2. *La reine* (Acte I)
Crayon et aquarelle. 0,30 x 0,216
Repr. p. 693

3. *Don César de Bazan*
Crayon et aquarelle. 0,299 x 021
Repr. p. 693

Paris, M. V. H.

[Pour *Les burgraves* de 1843, voir les n° 547-553.]

1867-1902

***Hernani,* Comédie-Française, 1867**

409. André GILL

Hernani, *mise en scène de M. Auguste Vacquerie*
(*La Lune,* 30 juin 1867)
Gravure sur bois coloriée au pochoir.
0,253 x 0,295
Repr. p. 699

Paris, B.N., Est.

410. *Bressant dans le rôle d'Hernani*
(*Le Masque,* 27 août 1867)
« Gillotage ». 0,358 x 0,25
Repr. p. 110

Paris, M.V.H.

***Lucrèce Borgia,*
Porte-Saint-Martin, 1870**

411. André GILL

Marie Laurent dans le rôle de Lucrèce
(*L'Éclipse,* 13 fév. 1870)
Gravure sur bois coloriée au pochoir.
0,33 x 0,26
Repr. p. 699

Paris, B.N., Est.

412. Carlo GRIPP

Le soir de la première représentation
(*Paris-Comique,* 12 fév. 1870)
Gravure sur bois de marc coloriée au pochoir. 0,28 x 0,243

Paris, M.V.H.

413. A. LEMOT

Parodie
(*Le Monde pour Rire,* 13 fév. 1870)
Gravure sur bois coloriée au pochoir.
0,492 x 0,32
Repr. p. 452

Villequier, Musée Victor Hugo

***Ruy Blas,* Odéon, 1872**

414-416. Alfred ALBERT

Maquettes de costumes :
1. *La reine* (Acte II)
Crayon, plume et encre de Chine, aquarelle et peinture argentée. 0,30 x 0,23

2. *Don Guritan*
Crayon, plume et encore de Chine, aquarelle et peinture argentée. 0,30 x 0,23

3. *Une dame de la reine*
Crayon, plume et encore de Chine, aquarelle et peinture argentée. 0,30 x 23
Repr. p. 708

Paris, B.N., Arts du spectacle

417. Georges MARQUET

Les interprètes
(*Le Sifflet,* 25 fév. 1872)
Gravure sur bois de Lefman coloriée au pochoir. 0,303 x 0,268
Repr. p. 111

Paris, M.V.H.

***Marion de Lorme,*
Comédie-Française, 1873**

418. Auguste-Alfred RUBÉ
et Philippe-Marie CHAPERON

Maquette de décor : Acte II

Fusain et crayon, rehauts de blanc et de pastel. 0,326 x 0,472
Repr. p. 703

Paris, Comédie-Française

419-420. Alfred ALBERT
et Maxime de THOMAS

Maquettes de costumes, 1872 :
1. *Marion de Lorme*
Aquarelle. 0,30 x 0,225
Repr. p. 703

2. *Le comte de Villac*
Aquarelle. 0,319 x 0,245

Paris, Comédie-Française

***Hernani,* Comédie-Française, 1877**

421-425. Anonyme

Maquettes de décors :
1. *Acte I*
Crayon et aquarelle. 0,15 x 0,23

2. *Acte II*
Crayon et aquarelle. 0,15 x 0,24
Repr. p. 704

3. *Acte III*
Crayon et aquarelle. 0,15 x 0,24

4. *Acte IV*
Crayon et aquarelle. 0,15 x 0,24

5. *Acte V*
Crayon et aquarelle. 0,15 x 0,24

Paris, B.N., Arts du spectacle

426-431. Nicolas-François CHIFFLART

Croquis de scène représentant les interprètes
1. *Sarah Bernhardt dans le rôle de Dona Sol*
Mine de plomb. 0,295 x 0,228
Repr. p. 741

2. *Sarah Bernhardt dans le rôle de Dona Sol*
Mine de plomb. 0,295 x 0,228

3. *Mounet-Sully dans le rôle d'Hernani*
Mine de plomb. 0,295 x 0,228
Rep. p. 705

4. *Mounet-Sully dans le rôle d'Hernani*
Mine de plomb. 0,295 x 0,228

5. *Mounet-Sully dans le rôle d'Hernani, Maubant dans le rôle de Don Ruy Gomez de Silva*
Mine de plomb. 0,295 x 0,228
Repr. p. 705

6. *Maubant dans le rôle de Don Ruy Gomez de Silva* (recto-verso)
Mine de plomb. 0,295 x 0,228

Besançon, Musée des Beaux-Arts et d'Archéologie

432. Alfred ALBERT

Planche de 24 costumes
(*La Scène,* 1878)
Lithographie en couleurs. 0,282 x 0,189

Paris, M.V.H.

433. Henri DEMARE

L'œil du maître
(*Le Carillon,* 8 déc. 1877)
Gravure sur bois de Loire-Michelet coloriée au pochoir. 0,49 x 0,405

Repr. p. 703

Paris, B.N., Est.

434. VALNAY et Jacques VALNAY (fils)

Mise en scène de la reprise à Londres en 1879 du spectacle de 1877
Texte manuscrit illustré de gouaches et de dessins à la plume. H. 0,31
Repr. p. 704

Paris, Comédie-Française

***Ruy-Blas,* Comédie-Française, 1879**

435. Alfred DEVRED

Élément de maquette montée pour un décor : Acte II (?)
Aquarelle. 0,322 x 0,451

Paris, Comédie-Française

436-437. Maxime de THOMAS

Maquettes de costumes :
1. *La reine, interprétée par Sarah Bernhardt*
Aquarelle. 0,24 x 0,164
Repr. pp. 44, 708

2. *Ruy Blas, interprété par Mounet-Sully*
Aquarelle. 0,195 x 0,128
Repr. p. 708

Paris, Comédie-Française

438. Anonyme

Mise en scène
Manuscrit illustré de dessins à la plume

Paris, Comédie-Française

***Le roi s'amuse,* Comédie-Française, 1882**

439. Jules GARNIER

Frédéric Febvre dans le rôle de Saltabadil. Salon de 1887
Huile sur panneau. 0,333 x 0,21
Repr. p. 700

Paris, Comédie-Française

440. BRIDEL

Got dans le rôle de Triboulet
(*La Nouvelle Lune,* 26 nov. 1882)
Gravure sur bois coloriée au pochoir.
0,348 x 0,284
Repr. p. 707

Villequier, Musée Victor Hugo

***Angelo tyran de Padoue*
Projet de reprise, 1887**

441-444. Louis VALLET

Maquettes de costumes :
1. *la Tisbe* (Acte I)
Crayon, aquarelle, rehauts de gouache.
0,31 x 0,24

2. *Angelo Malipieri*
Crayon, aquarelle, rehauts de gouache.
0,31 x 0,24

3. *Rodolfo*
Crayon, aquarelle, rehauts de gouache.
0,31 x 0,24

4. *Catarina Bragadini* (Acte II)
Crayon, aquarelle, rehauts de gouache.
0,31 x 0,24

Paris, B.N., Arts du spectacle

Hernani, **Comédie-Française, 1887**

445. Léon COMERRE

Raphaël Duflos dans le rôle de Don Carlos. Salon de 1887
Huile sur toile. 1,575 x 0,945
Repr. p. 709

Paris, Comédie-Française

[Pour *Les Burgraves* de 1902, voir les n° 554-572]

Ruy Blas, **Comédie-Française, 1927**

446. Alexandre BENOIS

Maquette de décor : Acte III
Aquarelle. 0,48 x 0,64
Repr. p. 714

Paris, Comédie-Française

Marion de Lorme,
Comédie-Française, 1928

447-448. Charles BETOUT

Maquettes de costumes :
1. *Marion, interprétée par Cécile Sorel*
(Acte II)
Gouache. 0,325 x 0,212
Repr. p. 715

2. *Marion, interprétée par Cécile Sorel*
(Acte III)
Gouache. 0,346 x 0,257
Repr. p. 715

Paris, Comédie-Française

Ruy Blas, **Comédie-Française, 1938**

449-451. Jean HUGO

Maquettes montées de décors :
1. *Acte I*
Bois et papier peint à la gouache.
0,415 x 0,315 x 0,355

2. *Acte III*
Bois et papier peint à la gouache.
0,405 x 0,315 x 0,36

3. *Actes IV et V*
Bois et papier peint à la gouache.
0,42 x 0,315 x 0,355

Paris, Comédie-Française

452. Jean HUGO

Deux maquettes de décors : Acte I, et Actes IV et V
Gouache et aquarelle. 0,319 x 0,226
Repr. p. 717

Paris, Comédie-Française

453. Jean HUGO

Deux maquettes de décors : Acte II, et Acte III
Gouache et aquarelle. 0,319 x 0,226
Repr. pp. 45, 717

Paris, Comédie-Française

454-456. Jean HUGO

Maquettes de costumes :
1. *La reine, interprétée par Marie Bell*
Aquarelle. 0,44 x 0,275
Repr. p. 717

2. *Don César de Bazan, interprété par Pierre Dux*
Gouache et aquarelle. 0,381 x 0,305
Repr. p. 717

3. *La duègne, interprétée par Catherine Fonteney*
Aquarelle. 0,44 x 0,273
Repr. p. 717

Paris, Comédie-Française

457. LIPNITZKI

Marie Bell dans le rôle de la reine, Lise Delamare dans le rôle de Casilda, Jean Debucourt dans le rôle de Don Salluste, Jean Yonnel dans le rôle de Ruy Blas
(Acte I, sc. 5)
Photographie
Repr. p. 716

Mangeront-ils ?
Gaîté-Montparnasse, 1951

458. Agence BERNAND

Claude Castaing dans le rôle d'Aïrolo, Jacques Mauclair dans le rôle du Roi de Man, Pradelle dans le rôle de Mess Tityrus (Acte II, sc. 3)
Photographie
Repr. p. 730

Hernani, **Comédie-Française, 1952**

459. Mariano ANDREU

Maquette du rideau de scène
Gouache. 0,51 x 0,63
Repr. p. 718

Paris, Comédie-Française

460. Agence BERNAND

Décor : Acte V
Photographie

Ruy Blas, **T.N.P., 1954**

461-467. Agnès VARDA

Photographies de scène
1. *Gaby Sylvia dans le rôle de la reine, Georges Wilson dans le rôle de Don Guritan* (Acte II, sc. 1)
Repr. p. 720

2. *Daniel Sorano dans le rôle de Don César de Bazan, Georges Wilson dans le rôle de Don Guritan* (Acte II, sc. 4)
Repr. p. 720

3. *Gérard Philipe dans le rôle de Ruy Blas* (Acte III, sc. 2)

4. *Gérard Philipe dans le rôle de Ruy Blas* (Acte III , sc. 2)
Repr. p. 720

5. *Gaby Sylvia dans le rôle de la reine, Gérard Philipe dans le rôle de Ruy Blas* (Acte III , sc. 3)
Repr. p. 721

6. *Daniel Sorano dans le rôle de Don César de Bazan, Philippe Noiret dans le rôle d'un laquais* (Acte IV, sc. 3)
Repr. p. 721

7. *Georges Riquier dans le rôle de la duègne, Daniel Sorano dans le rôle de Don César de Bazan* (Acte IV, sc. 4)
Repr. p. 721

Marie Tudor, **T.N.P., 1955**

468-476. Agnès VARDA

Photographies de scène
1. *Décor naturel : la cour du palais des Papes à Avignon*
Repr. p. 723

2. *Jean Deschamps dans le rôle de Gilbert, Monique Chaumette dans le rôle de Jane, Daniel Sorano dans le rôle de Joshua Farnaby* (1re journée, sc. 2)

3. *Les chanteurs Marc et André, Maria Casarès dans le rôle de la reine Marie, Roger Mollien dans le rôle de Fabiano Fabiani* (IIe journée, sc. 1)
Repr. p. 722

4. *Maria Casarès dans le rôle de la reine Marie, Roger Mollien dans le rôle de Fabiano Fabiani* (IIe journée, sc. 7)
Repr. p. 722

5. *Maria Casarès dans le rôle de la reine Marie*

6. *Monique Chaumette dans le rôle de Jane, Maria Casarès dans le rôle de la reine Marie* (IIIe journée, IIe partie, sc. 2)
Repr. p. 719

7. *Monique Chaumette dans le rôle de Jane, Jean Deschamps dans le rôle de Gilbert, Maria Casarès dans le rôle de la reine Marie* (IIIe journée, IIe partie, sc. 2)

8. *Jean Deschamps dans le rôle de Gilbert, Monique Chaumette dans le rôle de Jane, Philippe Noiret dans le rôle de Simon Renard, Maria Casarès dans le rôle de la reine Marie* (IIIe journée, IIe partie, sc. 2)
Repr. p. 722

9. *Philippe Noiret dans le rôle de Simon Renard, Maria Casarès dans le rôle de la reine Marie* (IIIe journée, IIe partie, sc. 2)

Ruy Blas **(Comédie-Française, 1960)**

477-480. Lila de NOBILI et
Renzo MONGIARDINO

Maquettes de décors :

1. *Acte I*
Gouache et aquarelle. 0,52 x 0,385

2. *Acte II*
Gouache et aquarelle. 0,527 x 0,361
Repr. p. 716

3. *Acte III*
Gouache et aquarelle. 0,52 x 0,379

4. *Acte IV*
Gouache et aquarelle. 0,52 x 0,363
Repr. p. 716

Paris, Comédie-Française

481. Agence BERNAND

Jacques Destoop dans le rôle de Ruy Blas
(Acte III , sc. 2)
Photographie

Mille francs de récompense
Strasbourg, Théâtre National, 1960-61

482-483. Michel VEILHAN

Photographies de scène :
1. *Hubert Gignoux dans le rôle du Major Gédouard* (Acte I, sc. 6)
Photographie

2. *André Pomarat dans le rôle de Glapieu* (Acte II, sc. 1)
Photographie
Repr. p. 731

Mille francs de récompense,
Ambigu, 1961

484. LIPNITZKI

Claudine Bertier dans le rôle de Cyprienne, André Pomarat dans le rôle de Glapieu (Acte I, sc. 1).
Photographie
Repr. p. 732

485. Agence BERNAND

Jeanne Girard dans le rôle d'Étiennette, Claudine Bertier dans le rôle de Cyprienne, Paul Bru dans le rôle de Rousseline (Acte IV, sc. 4)
Photographie

486. LIPNITZKI

Jacques Born dans le rôle de M. de Pontresme, Jean Schmitt dans le rôle de Barutin (Acte IV, sc. 6)
Photographie

Lucrèce Borgia, **Hôtel de Soubise, 1964**

487. Agence BERNAND

Acte III, sc. 2
Photographie
Repr. p. 725

Mangeront-ils ? **Alliance Française, 1968**

488. Agence BERNAND

Claude Evrard dans le rôle de Mess Tityrus, Lucienne Lemarchand dans le rôle de Zineb, Olivier Hussenot dans le rôle du Roi de Man (Acte II, sc. 2)
Photographie

489. LIPNITZKI

Pierre Hatet dans le rôle d'Aïrolo, Olivier Hussenot dans le rôle du Roi de Man (Acte II, sc. 3)
Photographie

490. LIPNITZKI

Pierre Hatet dans le rôle d'Aïrolo, Lucienne Lemarchand dans le rôle de Zineb (Acte II, sc. 6)
Photographie
Repr. p. 730

Angelo tyran de Padoue, **Athénée, 1969**

491. Agence BERNAND

Michelle Marquais dans le rôle de la Tisbe, Bruno Sermonne dans le rôle de Rodolfo (IIIe journée, IIIe partie, sc. 3)
Photographie
Repr. p. 726

Mangeront-ils ?
Grange de l'Auberge de l'Aigle d'Or, 1972

492. Jean-Claude BRABANT

Jacques Rosny dans le rôle de Mess Tityrus, Olivier Hussenot dans le rôle du Roi de Man (Acte 1, sc. 2)
Photographie
Repr. p. 730

Hernani, **Comédie-Française, 1974**

493. Agence BERNAND

François Beaulieu dans le rôle d'Hernani, Geneviève Casile dans le rôle de Dona Sol (Acte V, sc. 6)
Photographie

Lucrèce Borgia, **Nouveau Carré, 1975**

494. Agence BERNAND

Silvia Monfort dans le rôle de Lucrèce (IIe partie)
Photographie

Les Burgraves, **Gennevilliers, 1977**

495. Cl. BRICAGE

Vue de scène (Claire Wauthion, Bertrand Bouvoisin, François Clavier, Pierre Vial)
Photographie

496. Cl. BRICAGE

Vue de scène (François Clavier, Bertrand Bouvoisin)
Photographie

497. Cl. BRICAGE

Vue de scène (Pierre Vial, François Clavier, Rudy Laurent)
Photographie

L'Intervention
Cité Internationale Universitaire, 1978

498. Marc ENGUERAND

René Hernandez dans le rôle d'Edmond Gombert, Marie-France Gantzer dans le rôle d'Eurydice (sc. 2)
Photographie

Lucrèce Borgia,
Pau, cour du Château, 1979

499. Agence BERNAND

Michel Auclair dans le rôle de Don Alphonse d'Este, Magali Noël dans le rôle de Dona Lucrezia Borgia (Acte II, sc. 2)
Photographie

Ruy Blas, **Comédie-Française, 1979**

500. P. MARÉE-BREYER

Michel Etcheverry dans le rôle de Don Salluste, François Beaulieu dans le rôle de Ruy Blas (Acte I, sc. 4)
Photographie

Marie Tudor, **Athénée, 1982**

501. Marc ENGUERAND

Gérard Touratier dans le rôle de Gilbert, Béatrice Bruno dans le rôle de Jane
Photographie
Repr. p. 725

502. Marc ENGUERAND

Clémentine Amouroux dans le rôle de la reine Marie, Béatrice Bruno dans le rôle de Jane
Photographie

Marie Tudor, **Comédie-Française, 1982**

503. Philippe KERBRAT

Maquette montée de décor
Cartonnage peint à la gouache

Paris, Comédie-Française

504-505. Marc ENGUERAND

Photographies de scène

1. *Richard Fontana dans le rôle de Fabiano Fabiani, Christine Fersen dans le rôle de la reine Marie (IIe journée, sc. 1)*
Repr. p. 718

2. *Nicolas Silberg dans le rôle de Gilbert, Claude Mathieu dans le rôle de Jane, Michel Duchaussoy dans le rôle de Simon Renard, Christine Fersen dans le rôle de la reine Marie (IIIe journée, IIe partie, sc. 2)*
Repr. p. 718

Ruy Blas,
Vaisons-la-Romaine, festival 1983

506. Agence INTERPRESS

Sam Karman dans le rôle de Don César de Bazan, Jean-Pierre Bouvier dans le rôle de Ruy Blas (Acte I, sc. 3)
Photographie

Angelo tyran de Padoue
Théâtre du Rond-Point, 1984

507. Agence INTERPRESS

Geneviève Page dans le rôle de la Tisbe (Acte I)
Photographie
Repr. p. 726

Ruy Blas, **Dijon, N.T.B., 1984**

508-510. Nicolas TREATT

Photographies de scène
1. *Brigitte Pillot dans le rôle de la reine (Acte II, sc. 2)*

2. *Christian Plezent dans le rôle de Ruy Blas (Acte III, sc. 2)*

3. *Lionnel Astier dans le rôle de Don César de Bazan, Robert Pagès dans le rôle d'un laquais (Acte IV, sc. 3)*

Mille francs de récompense
Paris, Cité Internationale Universitaire, 1985

511-513. Nicolas TREATT

Photographies de scène
1. *Pierre Meyrand dans le rôle de Glapieu (Acte I)*

2. *Robert Sireygeol dans le rôle de M. de Pontresme, Pierre Meyrand dans le rôle de Glapieu (Acte II, sc. 6)*
Repr. p. 732

3. *Patrick Larzille dans le rôle de Scabeau, Claude Lochy dans le rôle de Rousseline (Acte IV, sc. 3)*

514. Brigitte ENGUERAND

Pierre Decazes dans le rôle du major Gédouard (Acte I)
Photographie

Hernani,
Théâtre National de Chaillot, 1985

515. Yannis KOKKOS

Maquette de décor
0,30 x 0,60 x 0,46

Paris, Théâtre National de Chaillot

516-520. Yannis KOKKOS

Cinq dessins pour la scénographie

Paris, Théâtre National de Chaillot

521-524. ENGUERAND

Photographies de scène
1. *Antoine Vitez dans le rôle de Don Ruy Gomez de Silva*
Repr. p. 736

2. *Aurélien Recoing dans le rôle d'Hernani, Jany Gastaldi dans le rôle de Dona Sol de Silva* (Acte I, sc. 2)
Repr. p. 736

3. *Pierre Debauche dans le rôle de Don Ruy Gomez de Silva, Aurélien Recoing dans le rôle d'Hernani* (Acte III, sc. 7)
Repr. p. 736

4. *Jany Gastaldi dans le rôle de Dona Sol de Silva, Antoine Vitez dans le rôle de Don Ruy Gomez de Silva* (Acte V, sc. 6)
Repr. p. 737

525. Cl. BRICAGE

Redjep Mitrovitsa dans le rôle de Don Carlos (Acte IV, sc. 2)
Photographie

***Mille francs de récompense*
Théâtre National de Chaillot, 1985**

526. Cl. BRICAGE

Chantal Mutel dans le rôle d'Étiennette, Alexis Nitzer dans le rôle du major Gédouard, Sylviane Simonet dans le rôle de Cyprienne (Acte I, sc. 6)
Photographie

***Le roi s'amuse*
Chalon-sur-Saône, Espace des Arts, 1985**

527. Agence CAMEP

Bernard Rousselet dans le rôle de Triboulet
Photographie

***Lucrèce Borgia*
Théâtre National de Chaillot, 1985**

528. Yannis KOKKOS

Maquette de décor
0,30 x 0,60 x 0,46

Paris, Théâtre National de Chaillot

Séquences spéciales

Notre-Dame de Paris à la scène

La Esméralda

529-531. Charles-Antoine CAMBON

Maquettes de décors :
1. *L'île de la Cité avec Notre-Dame*
Crayon. Mise au carreau. 0,33 x 0,54
Repr. p. 749

2. *L'île de la Cité avec Notre-Dame*
Crayon, plume et encore de Chine, lavis, rehauts de blanc. Mise au carreau. 0,36 x 0,528
Repr. p. 749

3. *Maisons autour de Notre-Dame*
Crayon sur papier brun. 0,496 x 0,46
Repr. p. 748

Paris, B.N., Musique (Opéra)

532-539. Louis BOULANGER

Maquettes de costumes :

1. *Esméralda, interprétée par Mlle Falcon*
Aquarelle. 0,276 x 0,20
Repr. p. 746

2. *Quasimodo interprété par M. Massol*
Aquarelle. 0,277 x 0,20
Repr. p. 747

3. *Claude Frollo, interprété par M. Levasseur*
Gouache et aquarelle sur dessin préparatoire au crayon. 0,272 x 0,198
Repr. p. 746

4. *Fleur de Lys, interprétée par Mlle Jawureck*
Aquarelle. 0,275 x 0,199
Repr. p. 747

5. *Un seigneur*
Aquarelle. 0,278 x 0,20
Repr. p. 747

6. *Une dame noble*
Aquarelle. 0,275 x 0,20
Repr. p. 747

7. *L'empereur de Galilée*
Aquarelle. 0,274 x 0,198
Repr. p. 747

8. *Les truands*
Aquarelle. 0,203 x 0,274
Repr. pp. 42, 746

Paris, B.N., Musique (Opéra)

540. Célestin NANTEUIL

Vue de scène : Acte I (La Cour des Miracles)
(Le Monde Dramatique, 1836)
Eau-forte. 0,13 x 0,191
Repr. p. 745

Dijon, Musée des Beaux-Arts

Ballets du XIXe siècle

541. *Affiche pour « Esméralda, grand ballet dramatique », au théâtre de la Porte Saint Martin.* 1844 ?
Gravure sur bois en couleurs. 1,20 x 0,85
Repr. p. 751

Paris, B.N., Musique (Opéra)

Hugo metteur en scène

542-546. Victor HUGO

Esquisses de décors :
1. *Le roi s'amuse* (Acte II)
Plume. 0,28 x 0,23
Repr. p. 676

2. *Marie Tudor* (IIIe journée, 2e partie)
Plume. 0,275 x 0,245

3. *Angelo tyran de Padoue* (IIe journée). 1835
Plume. 0,27 x 0,22
Repr. p. 686

4. *Angelo tyran de Padoue* (IIIe journée). 1835
Plume. 0,27 x 0,22
Repr. p. 686

5. *Ruy Blas* (Acte I). 1838
Plume. 0,275 x 0,23
Repr. p. 690

Paris, B.N., Manuscrits

Trois mises en scène des Burgraves

Comédie-Française, 1843

547-548. Victor HUGO

Esquisses de décors :
1. *Ire partie*
Plume. 0,285 x 0,25
Repr. p. 658

2. *IIIe partie*
Plume. 0,285 x 0,25
Repr. p. 695

Paris, B.N., Manuscrits

549-550. Louis BOULANGER

Maquettes de costumes :
1. *Job* (pl. I d'un album de vingt-deux maquettes)
Lavis, aquarelle et rehauts de blanc sur papier bleuté. 0,455 x 0,307
Repr. p. 695

2. *Guanhumara* (planche détachée du même album)
Lavis d'encre brune, rehauts de blanc sur papier bleuté. 0,413 × 0,283
Repr. p. 695

Paris, Comédie-Française

551. Anonyme

Planche de 4 costumes : Job, Guanhumara, Otbert, Regina
(L'Illustration, 11 mars 1843)
Gravure sur bois coloriée au pochoir. 0,30 x 0,22

Paris, B.N., Arts du spectacle

552. Victor DOLLET

Mort de Guanhumara (IIIe partie, sc. 4)
Lithographie. 0,30 x 0,22
Repr. p. 697

Paris, B.N., Arts du spectacle

553. Jean-Pierre MOYNET

Les Bulos-graves
(La Caricature, 1843)
Lithographie coloriée au pochoir. 0,17 x 0,238

Paris, M.V.H.

Comédie-Française, 1902

554-562. Désiré CHAINEUX

Maquettes de costumes :
1. *Guanhumara*
Aquarelle. 0,24 x 0,115
Repr. p. 712

2. *Job*
Aquarelle. 0,24 x 0,155
Repr. p. 712

3. *Hatto*
Aquarelle. 0,24 x 0,155

4. *Platon*
Aquarelle. 0,24 x 0,115

5. *Darius*
Aquarelle. 0,24 x 0,115

6. *Haquin*
Aquarelle. 0,24 x 0,115

7. *Perez*
Aquarelle. 0,24 x 0,115

8. *Une invitée*
Aquarelle. 0,24 x 0,115

9. *Une invitée*
Aquarelle. 0,24 x 0,115

Paris, Comédie-Française

563. *Répétition de l'acte II. Sur le plateau : Jules Claretie, Paul Meurice, Désiré Chaineux, Albert Lambert*
Photographie. 0,355 x 0,265
Repr. p. 710

Paris, Comédie-Française

564. *Paul Mounet dans le rôle de Magnus et Mounet-Sully dans le rôle de Job*
Photographie. 0,355 x 0,265
Repr. p. 712

Paris, Comédie-Française

565. *Madame Segond-Weber dans le rôle de Guanhumara*
Photographie. 0,355 x 0,265
Repr. p. 711

Paris, Comédie-Française

566. *Albert Lambert dans le rôle d'Otbert, Mlle Bartet dans le rôle de Régina*
Photographie. 0,33 x 0,265

Paris, Comédie-Française

567. *Madame Segond-Weber dans le rôle de Guanhumara, Albert Lambert dans le rôle d'Otbert*
Photographies. 0,355 x 0,265
Repr. p. 712

Paris, Comédie-Française

568. Atelier de confection des costumes de la Comédie-Française
Chaînes portées par Mme Segond-Weber

Paris, Comédie-Française

569. Atelier de confection des costumes de la Comédie-Française
Costume de Job porté par Paul Mounet-Sully

Paris, Comédie-Française

570. Atelier de confection des costumes de la Comédie-Française
Costume de Hatto porté par Jacques Fenoux

Paris, Comédie-Française

571. André ROUVEYRE
Paul Mounet dans le rôle de Magnus
Lithographie en couleurs (?).
0,555 x 0,388

Paris, M.V.H.

572. Andre ROUVEYRE
Madame Segond-Weber dans le rôle de Guanhumara
Lithographie en couleurs (?).
0,551 x 0,378

Paris, M.V.H.

Gennevilliers, 1977

573. Erik DESMAZIÈRES
Maquette montée : décor unique
Bois et papier peint à la gouache
0,30 x 0,50 x 0,40

Paris, Théâtre National de Chaillot
[Voir aussi les n° 495-497]

Sarah Bernhardt, interprète de Victor Hugo

Hernani, **Comédie-Française, 1877**

574. Jacques-Ferdinand HUMBERT
Tapisserie de la tenture de la Comédie-Française (Acte V, sc. 6). 1892
Tissée à la Manufacture des Gobelins.
Laine. 0,95 x 1,25
Repr. p. 744

Paris, Mobilier National

Ruy Blas, **Comédie-Française, 1879**

575. Georges CLAIRIN
Sarah Bernhardt dans le rôle de la reine. 1879
Huile sur toile. 0,555 x 032
Repr. p. 741

Paris, Comédie-Française

576. Atelier de confection des costumes de la Comédie-Française
Costume porté par Sarah Bernhardt dans le rôle de la reine
Soie et satin broché avec broderies de perles

Paris, Comédie-Française

577. *Couronne portée par Sarah Bernhardt dans le rôle de la reine*
Métal doré, strass, verre teinté et fausses perles piriformes

Paris, Comédie-Française

Angelo tyran de Padoue, **Théâtre Sarah Bernhardt, 1905**

578-586. Henri MANUEL
Photographies de scène
1. *Sarah Bernhardt dans le rôle de la Tisbe, Desjardins dans le rôle d'Angelo, de Max dans le rôle d'Homodei (Ire journée, sc. 1)*
0,20 x 0,28

2. *Sarah Bernhardt dans le rôle de la Tisbe, Desjardins dans le rôle d'Angelo (Ire journée, sc. 1)*
0,20 x 0,28
Repr. p. 543

3. *Sarah Bernhardt dans le rôle de la Tisbe, Deneubourg dans le rôle de Rodolfo, de Max dans le rôle d'Homodei (Ire journée, sc. 2)*
0,20 x 0,28

4. *Sarah Bernhardt dans le rôle de la Tisbe, Deneubourg dans le rôle de Rodolfo, de Max dans le rôle d'Homodei (Ire journée, sc. 2)*
0,20 x 0,28

5. *Sarah Bernhardt dans le rôle de la Tisbe, de Max dans le rôle d'Homodei (Ire journée, sc. 6)*
0,20 x 0,28

6. *Sarah Bernhardt dans le rôle de la Tisbe, Blanche Dufrène dans le rôle de Catarina (IIe journée, sc. 5)*
0,20 x 0,28

7. *Sarah Bernhardt dans le rôle de la Tisbe, Blanche Dufrène dans le rôle de Catarina (IIe journée, sc. 5)*
0,20 x 0,28
Repr. p. 743

8. *Sarah Bernhardt dans le rôle de la Tisbe, Blanche Dufrène dans le rôle de Catarina, Desjardins dans le rôle d'Angelo (IIe journée, sc. 6)*
0,20 x 0,28

9. *Sarah Bernhardt dans le rôle de la Tisbe, Blanche Dufrène dans le rôle de Catarina (IIIe journée, IIe partie sc. 11)*

Paris, M.V.H.

Costumes divers

Comédie-Française

587. Atelier de confection des costumes de la Comédie-Française
Costume du roi porté par Fenoux dans « Le roi s'amuse ». 1911

Paris, B.N., Arts du spectacle

588. Atelier de confection des costumes de la Comédie-Française
Costume d'un seigneur dans « Marion de Lorme ». 1922

Paris, Comédie-Française

589. Atelier de confection des costumes de la Comédie-Française
Costume de la reine porté par Marie-Thérèse Pierat dans le rôle de Dona Sol (Hernani, 1922), et par Vera Korène dans le rôle de la princesse Negroni (Lucrèce Borgia, 1935)

Paris, Comédie-Française

590. Atelier de confection des costumes de la Comédie-Française
Costume de Marion porté par Cécile Sorel dans « Marion de Lorme ». 1928

Paris, Comédie-Française

591. Atelier de confection des costumes de la Comédie-Française
Costume de Don Alphonse d'Este porté par Alexandre dans « Lucrèce Borgia ». 1935

Paris, Comédie-Française

592. Atelier de confection des costumes de la Comédie-Française
Costume de laquais dans « Ruy Blas ». 1938

Paris, B.N., Arts du spectacle

T.N.P.

593-595. Atelier de confection des costumes du Théâtre National Populaire, d'après les dessins de Léon GISCHIA
Costumes de Ruy Blas. 1953-54
1. *Costume de Ruy Blas porté par Gérard Philipe*

2. *Costume de Don César porté par Daniel Sorano*

3. *Costume de la reine porté par Gaby Sylvia*

Avignon, Association pour une Fondation Jean Vilar

596-598. Atelier de confection des costumes du Théâtre National Populaire, d'après les dessins de Léon GISCHIA

Costumes de Marie Tudor. 1955-56
1. *Costume de la reine Marie porté par Maria Casarès* (Acte I)

2. *Costume de la reine Marie porté par Maria Casarès* (Acte II)

3. *Costume de Gilbert porté par Georges Wilson*

Avignon, Association pour une Fondation Jean Vilar

Autour de Rigoletto : quelques mises en scène d'adaptations lyriques

Rigoletto, de Giuseppe Verdi
Opéra de Paris, 1851

599. Anonyme

Album de 21 maquettes de costumes
Plume, crayon, aquarelle et peinture dorée. 0,21 x 0,15

Paris, B.N., Arts du spectacle

600-602. Anonyme

Trois maquettes de costumes pour le duc de Mantoue : Acte I, Acte II, Acte III
Crayon, aquarelle et peinture dorée.
0,17 x 0,12
Repr. p. 752

Paris, B.N., Arts du spectacle

Rigoletto, de Giuseppe Verdi
Théâtre des Italiens, 1857

603. Anonyme

Quatuor du dernier acte
(*L'Illustration,* fév. 1857)
Gravure sur bois. 0,178 x 0,232
Repr. p. 754

Paris, B.N., Musique (Opéra)

Rigoletto, de Giuseppe Verdi
Théâtre lyrique, 1863

604. A. LECOCQ

Le quatuor du dernier acte, par les créateurs des rôles en français :
M. Ismaël dans le rôle de Rigoletto, Mlle Léontine de Maesen dans le rôle de Gilda, M. Montzauze dans le rôle du duc de Mantoue, Mlle Marie Dubois dans le rôle de Maddalena.
Lithographie. 0,228 x 0,296
Repr. p. 755

Paris, B.N., Musique (Opéra)

Rigoletto, de Giuseppe Verdi
Opéra de Paris, 1885

605-606. H. LAFFARGUE et B. TOUDERT

Album de photographies des maquettes et des plans de décors
Photographies de Laffargue, encadrements dessinés de Toudert. 0,345 x 0,46
Repr. p. 751

Paris, B.N., Musique (Opéra)

607-609. Atelier des décors de l'Opéra de Paris

Maquettes montées de décor :
Carton découpé, gouache et aquarelle

1. 0,66 x 0,83 x 0,66

2. 0,66 x 0,83 x 0,66

3. 0,55 x 0,70 x 0,55

Paris, B.N., Musique (Opéra)

610-616. LE PIC

Maquettes de costumes :
1. *Rigoletto*
Aquarelle. 0,261 x 0,18
Repr. p. 753

2. *Gilda*
Aquarelle. 0,273 x 0,189
Repr. p. 753

3. *Maddalena*
Aquarelle. 0,273 x0,19
Repr. p. 754

4. *Rigoletto*
Aquarelle. 0,272 x 0,189
Repr. p. 753

5. *Le duc de Mantoue*
Aquarelle. 0,272 x 0,188
Repr. p. 754

6. *Gilda*
Aquarelle. 0,271 x 0,188

7. *Gilda*
Aquarelle. 0,273 x 0,211

Paris, B.N., Musique (Opéra)

617. Adolphe YVON

Étienne Dereims dans le rôle de Rigoletto en 1885
Huile sur toile. 0,75 x 0,60

Paris, B.N., Musique (Opéra)

618. STOP

Rigoletti Re-Verdi
Lilthographie à la plume (?).
0,365 x 0,25
Repr. p. 755

Paris, B.N., Musique (Opéra)

Lucrezia Borgia,
de Gaetano DONIZETTI, Milan, 1833

619-638. Anonyme

Maquettes de costumes :
1. *Don Alphonse d'Este*
Plume. 0,20 x 0,15
Repr. p. 752

2. *Don Alphonse d'Este*
Plume. 0,20 x 0,15

3. *Dona Lucrezia Borgia*
Plume. 0,20 x 0,15
Repr. p. 752

4. *Dona Lucrezia Borgia*
Plume. 0,20 x 0,15

5. *Gennaro*
Plume. 0,20 x 0,15

6. *Don Apostolo Gazella*
Plume. 0,20 x 0,15

7. *Maffio Orsini*
Plume. 0,20 x 0,15

8. *Jeppo Livereto*
PLume. 0,20 x 0,15

9. *Ascanio Petrucci*
Plume. 0,20 x 0,15

10. *Oloferno Vitellozzo*
Plume. 0,20 x 0,15

11. *Gubetta*
Plume. 0,20 x 0,15

12. *Rustighello*
Plume. 0,20 x 0,15

13. *La princesse Negroni*
Plume. 0,20 x 0,15

14. *Cavalieri Covisti*
Plume. 0,20 x 0,15

15. *Ecuyer*
Plume. 0,20 x 0,15

16. *Demoiselle*
Plume. 0,20 x 0,15

17. *Puggi*
Plume. 0,20 x 0,15

18. *Strevani (?)*
Plume. 0,20 x 0,15

19. *Masque*
Plume. 0,20 x 0,15
Repr. p. 752

20. *Soldat*
Plume. 0,20 x 0,15

Paris, B.N., Arts du spectacle

Don César de Bazan, de Jules Massenet
Opéra-Comique, 1872

639. Célestin NANTEUIL

Affiche pour « Don César de Bazan, opéra-comique de MM. Dumanoir, Dennery et Chantepré sur une musique de Massenet ». 1872
Fusain, rehauts de craie blanche sur papier bleu. 0,575 × 0,425

Dijon, Musée des Beaux-Arts

Les misérables à la scène

Les misérables, de Charles Hugo et Paul
Meurice. Porte-Saint-Martin, 1878

640-644. Anonyme

Cinq maquettes montées de décor
Crayon, aquarelle et gouache.
0,26 x 0,35

Paris, B.N., Arts du spectacle

III
La lecture

[Cette section comprend uniquement des panneaux documentaires et un montage audiovisuel, à l'exception des deux pièces suivantes, illustrant une sous-section sur la fortune des dessins de Victor Hugo] :

645. Victor HUGO

Pendu. 1854
Gravé à l'aquatinte par Paul Chenay en 1860 sous le titre *John Brown*

Lavis brun, rehauts de blanc. 0,524 ×
0,338
Repr. p. 482

Paris, Musée du Louvre, Cabinet des
Dessins

646. Louis-Fortuné MÉAULLE

Le Burg à la croix. 1876 ?
Bloc original d'un bois gravé d'après un
dessin de Victor Hugo de 1850 (Paris,
M.V.H.). 0,715 × 1,27
Repr. p. 486

Coll. privée

IV
La musique

[Outre un programme de musique enregistrée
et des panneaux documentaires, cette section
comprend le choix suivant de partitions
musicales illustrées :]

647. François BERTON fils

Magdeleine ou l'aveu du châtelain
[*O.B.*, ballade IX]
Lithographie de Charles-François PHE-
LIPPES
0,335 × 0,256
Repr. p. 643

Paris, M.V.H.

648. Georges BIZET

La coccinelle
[*Les contemplations*, I, XV]
0,352 × 0,27

Paris, M.V.H.

649. Allyre BUREAU

La fille d'O-Taïti
[*O.B.*, ode VII]
Lithographie de Célestin NANTEUIL.
1833
0,33 × 0,26
Repr. p. 643

Paris, M.V.H.

650. Léo DELIBES

*Sérénade de Ruy Blas (Chant des lavan-
dières)*
[*Ruy Blas*]
Lithographie de BARBIZET
0,35 × 0,27
Repr. p. 641

Paris, M.V.H.

651. Charles DELIOUX

Le géant
[*O.B.*, ballade V]
Lithographie de Célestin NANTEUIL
0,35 × 0,27
Repr. p. 632

Paris, M.V.H.

652. Joseph DESSAUER

La prière pour tous
[*Les feuilles d'automne*, XXXVII, II]
Lithographie d'Achille DEVÉRIA
0,353 × 0,259
Repr. p. 643

Paris, M.V.H.

653. Eugène DIAZ DE LA PENA
Aubade
[*Les chants du crépuscule*, XXIII]
Lithographie
0,353 × 0,272
Repr. p. 643

Paris, M.V.H.

654. J. EICHHOFF

Sara la baigneuse
[*Or.*, XIX]
Lithographie
0,35 × 0,27
Repr. p. 636

Paris, M.V.H.

655. César FRANCK

Passez, passez toujours !
[*Les chants du crépuscule*, XXV]
Lithographie
0,353 × 0,271

Paris, M.V.H.

656. Pierre GAILHARD
Le géant
[*O.B.*, ballade V]
Lithographie
Repr. p. 636
0,352 × 0,272

Paris, M.V.H.

657. Edouard GARNIER

Vieille chanson du jeune temps
[*Les contemplations*, I, XIX]
Lithographie de Célestin NANTEUIL
0,33 × 0,273

Paris, M.V.H.

658. J. GERALDY

Sous ta fenêtre
[*Les chants du crépuscule*, XXIII]
Lithographie de J. SORRIEU
0,354 × 0,274

Paris, M.V.H.

659. Jules de GLIMES

A une femme
[*Les feuilles d'automne*, XXII]
Lithographie de Célestin NANTEUIL
0,349 × 0,266

Paris, M.V.H.

660. Charles GOUNOD

Aubade
[*Les chants du crépuscule*, XXIII]
Lithographie de Pierre-Auguste LAMY
0,352 × 0,272

Paris, M.V.H.

661. Louis LACOMBE

Au pied d'un crucifix
[*Les contemplations*, III, IV]
Lithographie d'A. SOREL
0,349 × 0,272
Repr. p. 643

Paris, M.V.H.

662. Edouard LALO

Six mélodies
0,352 × 0,27

Paris, M.V.H.

663. B. LAURENT

Sara la baigneuse
[*Or.*, XIX]

Lithographie d'Antonin-Marie CHATI-
NIÈRE
0,355 × 0,27

Paris, M.V.H.

664. Auguste LEPEUDRY
Sara la baigneuse
[*Or.*, XIX]
Eau-forte de R. BACHELAY
0,345 × 0,27

Paris, M.V.H.

665. Alexandre MARCHAND

Les chansons des rues et des bois
[*Les chansons des rues et des bois*,
Sagesse, III]
Lithographie de Gustave STAAL
0,348 × 0,272
Repr. p. 646

Paris, M.V.H.

666. Jules MASSENET

(Etre aimé
[*Toute la lyre*, VI, XLIV]
Gravure sur bois de P. BORIE
0,352 × 0,275

Paris, M.V.H.

667. Hippolyte MONPOU

Les deux archers
[*O.B.*, ballade VIII]
Lithographie de Célestin NANTEUIL
0,347 × 0,265

Paris, M.V.H.

668. Hippolyte MONPOU

La chanson du fou de Cromwell
[*Cromwell*]
Lithographie de Célestin NANTEUIL
1835
0,268 × 0,172

Paris, M.V.H.

669. Hippolyte MONPOU
Sara la baigneuse
[*Or.*, XIX]
Lithographie de Célestin NANTEUIL
0,349 × 0,275
Repr. p. 636

Paris, M.V.H.

670. Hippolyte MONPOU
Chanson de Triboulet
[*Le roi s'amuse*]
Lithographie de Célestin NANTEUIL
0,338 × 0,248

Paris, M.V.H.

671. Hippolyte MONPOU

Gastibelza, le fou de Tolède
[*Les rayons et les ombres*, XXII]
Lithographie
0,327 × 0,25
Repr. p. 636

Paris, M.V.H.

672. Philippe MUSARD d'après Gaetano
DONIZETTI
Lucrezia Borgia
[*Lucrèce Borgia*]
Lithographie de Guillet d'après Célestin
NANTEUIL
0,26 × 0,32

Paris, M.V.H.

673. Louis NIEDERMEYER

La ronde du sabbat

[Or., ballade XIV]
Lithographie de Levasseur d'après Louis BOULANGER
0,36 × 0,25

Paris, M.V.H.

674. Louis NIEDERMEYER

L'océan
[*Les rayons et les ombres*, XLII]
Lithographie
0,348 × 0,27

Paris, M.V.H.

675. Jules PASDELOUP

L'aube naît ; Le don ! Ramez ! Dormez ! Aimez !
[*Les chants du crépuscule*, XXIII ; *Les voix intérieures*, XI ; *Les rayons et les ombres*, XXIII]
Lithographie de Gustave JANET
0,35 × 0,27

Paris, M.V.H.

676. Joanni PERRONNET

La nuit d'été
[*Les chants du crépuscule*, XXI]
Lithographie de P. BORIE
0,355 × 0,272

Paris, M.V.H.

677. Mario PERSICO

Rosemonde
[*Toute la lyre*, VII, XXIII, II]
Photogravure d'une photographie
0,348 × 0,27

Paris, M.V.H.

678. Auguste PILATI

Don César de Bazan
[*Ruy Blas*]
Lithographie de Victor COINDRE
0,251 × 0,341

Paris, M.V.H.

679. Georges PITER
Espoir en Dieu
[*Les chants du crépuscule*, XXX]
Lithographie d'Eugènes DAMBLANS
0,355 × 0,273
Repr. p. 643

Paris, M.V.H.

680. Henri REBER

Où ton cœur se pose
[*Les chants du crépuscule*, XXII]
Lithographie de Frédéric SORRIEU
0,35 × 0,27

Paris, M.V.H.

681. Camille SAINT-SAENS

L'enlèvement
[*L.S.*, XV]
Gravure sur bois et lithographie.
0,351 × 0,251

Paris, M.V.H.

682. Camille SAINT-SAENS

Chanson de grand-père (*L'Illustration*, 8 mars 1902, suppl.)
[*L'art d'être grand-père*, XVI]
Gravure sur bois de R. BARABANDY
0,298 × 0,202

Paris, M.V.H.

683. Camille SCHUBERT
La bohémienne de Paris
[*N.D.P.*]

Lithographie en couleurs
0,323 × 0,26
Repr. p. 636

Paris, M.V.H.

684. Paul SCUDO

La captive
[*Or.*, IX]
Lithographie de Jules-Joseph CHAL-LAMEL
0,352 × 0,268

Paris, M.V.H.

685. Paul SCUDO

La Baigneuse
[*Or.*, XIX]
Lithographie d'Eugène LEROUX
0,348 × 0,278
Repr. p. 636

Paris, M.V.H.

686. H. SUSTERMANS Jeune

Les soupirs de Claude Frollo
[d'après *N.D.P.*, paroles de Mme Pauline Systermans]
Lithographie de Menut ALOPHE
0,349 × 0,264

Paris, M.V.H.

687. Hippolyte VANNIER
La chanson de Fantine
[*Mis.*]
0,345 × 0,27

Paris, M.V.H.

V
Le cinéma

[Cette section comprend un montage d'extraits de films tirés des *Misérables* (voir ci-dessous la note de Michel Melot), des panneaux documentaires, et le choix suivant de documents originaux :]

**Lucrezia Borgia
(Gerolamo Lo Slavio, 1910)**

688. Maurice LALAU

Affiche
Lithographie en couleurs. 1,60 × 1,15

Paris, Cinémathèque Française, Musée du Cinéma

**Quatrevingt-treize
(Albert Capellani, 1914)**

689. *Scénario*
Feuillets dactylographiés avec quelques annotations, non reliés. 0,27 × 0,21

Paris, Cinémathèque Française, Musée du Cinéma

690. *Plaquette publicitaire*
0,27 × 0,18

Paris, Cinémathèque Française, Musée du Cinéma

Les misérables (Henri Fescourt, 1925)

691. *Plaquette publicitaire*
Livret typographié illustré de photogravures de photographies et de dessins.
0,178 × 0,27

Paris, Cinémathèque Française, Musée du Cinéma

Les misérables (Raymond Bernard, 1933)

692. *Scénario-dialogues*
Feuillets dactylographiés avec quelques annotations, reliés en cahier. 0,275 × 0,215 × 0,13 ; ouvert : 0,275 × 0,435

Paris, Cinémathèque Française, Musée du Cinéma

693. Jean PERRIER

Maquette de décor : barricades dans la rue aux Halles
Lavis d'encre brune et traces de crayon sur papier calque collé en plein sur carton. 0,338 × 0,395 ; support : 0,48 × 0,63

Paris, Cinémathèque Française, Musée du Cinéma

694. Jean PERRIER

Maquette de décor : procès Champmathieu
Lavis d'encre brune et traces de crayon sur papier calque collé en plein sur carton. 0,30 × 0,40 ; support : 0,48 × 0,63

Paris, Cinémathèque Française, Musée du Cinéma

695. Paul COLIN

Affiche pour la Ire partie
Lithographie en couleurs sur papier renforcé par un support de toile. 1,60 × 2,40

Paris, Cinémathèque Française, Musée du Cinéma

696. *Plaquette publicitaire en langue anglaise*
Livret typographié, illustré de photogravures de photographies. 0,312 × 0,25

Paris, Cinémathèque Française, Musée du Cinéma

Le roi s'amuse (Mario Bonnard, 1942)

697. *Plaquette publicitaire*
Livret typographié illustré de photogravures colorées. 0,235 × 0,315

Paris, Cinémathèque Française, Musée du Cinéma

**Notre-Dame de Paris
(Jean Delannoy, 1956)**

698. *Découpage technique*
Feuillets ronéotypés vierges d'annotations, reliés. 0,27 × 0,21 × 0,55 ; ouvert : 0,27 × 0,40

Paris, Cinémathèque Française, Musée du Cinéma

699. Anonyme

Affiche
Tirage sur papier d'une photographie en couleurs, renforcé par un support de toile. 1,60 × 1,20

Paris, Cinémathèque Française, Musée du Cinéma

**Les misérables
(Jean-Paul Le Chanois, 1957)**

700. J.P. PIMENOFF

Maquette de décor : entrée des égoûts
Dessin au fusain et craie verte sur papier

encollé en plein sur carton. 0,26 × 0,53 ; support : 0,495 × 0,64

Paris, Cinémathèque Française, Musée du Cinéma

701. J.P. PIMENOFF

Maquette de décor : intérieur des égoûts
Dessin au fusain sur papier encollé en plein sur carton. 0,25 × 0,60 ; support : 0,495 × 0,64

Paris, Cinémathèque Française, Musée du Cinéma

Note sur le montage des adaptations cinématographiques des Misérables **présenté dans l'exposition**

Pour évoquer la fortune cinématographique de Victor Hugo, l'exposition présente un mur d'images vidéo composé à partir de fragments de l'œuvre de Victor Hugo la plus filmée : *Les misérables*. On compte en effet plus de trente adaptations des *Misérables* au cinéma ou à la télévision. De plus, cette œuvre inspira le cinéma dès ses toutes premières productions : la plus ancienne version (après un essai intitulé « Le Chemineau » produit par Pathé en 1906) étant celle de Capellani, en 1911 (production Pathé, en quatre épisodes, avec Marie Ventura, Gabriel de Gravone, Mistinguett...) et continue de fasciner les cinéastes puisque la plus récente, réalisée par Robert Hossein en 1982 a été programmée sur une chaîne de télévision française en 1985 (production SFP).

Les misérables ont remporté le même succès à l'étranger et il en existe des versions filmées américaines (dès 1909), soviétique (1937), japonaise, mexicaine, égyptienne, italienne, indienne etc.

Parmi cette importante production, les extraits présentés ici sur plusieurs moniteurs de télévision proviennent des six principales adaptations françaises et recouvrent pratiquement toute l'histoire du cinéma avec Capellani (1911), Henri Fescourt (prod. Pathé, 1925), Raymond Besnard (prod. Pathé, 1934), Jean-Paul Le Chanois (prod. Pathé, 1958), Marcel Bluwal (réalisé pour la télévision française, 1972), Robert Hossein (1982). Elle permet d'avoir une vision simultanée des acteurs qui ont incarné à travers les temps Jean Valjean (Harry Baur, Jean Gabin, Lino Ventura...), Javert (Charles Vanel, Bernard Blier, Michel Bouquet...), Fantine, Cosette... et de courts extraits de scènes (M. Madeleine soulève la charrette qui écrase Fauchelevent ; Cosette va chercher de l'eau dans le bois de Montfermeil...) qui ont marqué l'imagination des innombrables lecteurs des *Misérables*.

Nous remercions la société Pathé-cinéma, productrice de la plupart de ces films, d'avoir rendu possible cette présentation.

Pour l'étude comparée de ces différents films, voir dans ce catalogue l'article de Jean Mitry sur le cinéma. — Michel Melot

VI
« Victor Hugo illustré »

Autour de 1830

702. Célestin NANTEUIL

Portrait de Victor Hugo. 1832
Frontispice pour *Han d'Islande*, Paris, E. Renduel, 1833
Eau-forte. 0,23 × 0,155
Repr. p. 526

Dijon, Musée des Beaux-Arts

703. Célestin NANTEUIL
Bug-Jargal. 1832
Frontispice pour *Bug-Jargal*, Paris, E. Renduel, 1832
Eau-forte. 0,22 × 0,16

Dijon, Musée des Beaux-Arts

704. Célestin NANTEUIL

Notre-Dame de Paris. 1832
Frontispice pour *Notre-Dame de Paris*, Paris, E. Renduel, 1832
Eau-forte. 0,228 × 0,16
Repr. p. 519

Dijon, Musée des Beaux-Arts

705. Célestin NANTEUIL
Le dernier jour d'un condamné. 1832
Frontispice pour *Le dernier jour d'un condamné*, Paris, E. Renduel, 1832
Eau-forte. 0,22 × 0,16
Repr. p. 569

Dijon, Musée des Beaux-Arts

706. *Hans of Iceland* (traduction anglaise de *Han d'Islande*), Londres, J. Robins and Co., 1825. In-16
Eaux-fortes de George CRUIKSHANK
Repr. pp. 548, 557

Paris, M.V.H.

707. Louis BOULANGER

La ronde du Sabbat. 1828
[*O.B.,* Ballade XIV]
Lithographie. 0,668 × 0,505
Repr. p. 502

Paris, B.N., Est.

708. Paul HUET

Paysage. Le soleil se couche derrière une vieille abbaye au milieu des bois
Exposé au Salon de 1831 avec l'épigraphe suivante :
« Trouvez moi, trouvez moi
Quelqu'asile sauvage...
Quelqu'abri d'autrefois.
...
Trouvez-le moi bien sombre,
Bien calme, bien dormant,
Couvert d'arbres, sans nombre,
Dans le silence et l'ombre
Caché profondément. »
[*O.B.,* Livre II, Ode XXV, « Rêves »]
Huile sur toile. 1,73 × 2,63
Repr. pp. 47, 509

Valence, Musée des Beaux-Arts

709. Paul HUET

Le cavalier. 1868
Gravure d'après « Un orage à la fin du jour », peinture exposée au Salon de 1831 avec l'épigraphe suivante :
« Voyageur isolé qui t'éloignes si vite
De ton chien inquiet, le soir, accompagné,

Après le jour brûlant, quant le repos t'invite
Où mènes-tu si tard ton cheval résigné ? »
[*O.B.,* Ballade X, « À un passant »]
Eau-forte et aquatinte. 0,17 × 0,255
Repr. p. 509

Paris, B.N., Est.

710. Louis BOULANGER
Le feu du ciel. 1831
[*Or.,* I]
Lithographie. 0,65 × 0,87
Repr. p. 503

Paris, B.N., Est.

711. Louis BOULANGER

Mazeppa. Vers 1839
[*Or.,* XXXIV]
Plume et encre brune. 0,444 × 0,537
Repr. p. 503

Villequier, Musée Victor Hugo

712. Louis BOULANGER
La charrette du condamné
[*D.J.C.,* XLVIII]
Crayon noir, plume et lavis d'encre brune. 0,446 × 0,589
Repr. p. 498

Paris, M.V.H.

713. François-Marius GRANET

Hernani reçoit de Charles Quint, son rival, l'ordre de la Toison d'Or et la main de Dona Sol, sa maîtresse
Étude pour la peinture exposée sous ce titre au Salon de 1838
[*Hernani*, Acte IV, sc. 4]
Plume et lavis d'encre brune.
0,133 × 0,217
Repr. p. 504

Paris, Musée du Petit-Palais

714. François-Marius GRANET

Hernani reçoit de Charles Quint, son rival, l'ordre de la Toison d'Or et la main de Dona Sol, sa maîtresse
Étude pour la peinture exposée sous ce titre au Salon de 1838
[*Hernani*, Acte IV, sc. 4]
Mine de plomb, plume et lavis brun.
0,20 × 0,265
Repr. p. 504

Paris, Musée du Louvre, Cabinet des Dessins

715. Louis Édouard RIOULT

Claude Gueux rapportant le pain volé. 1834
[Cf. *Claude Gueux*]
Huile sur toile. 0,41 × 0,33
Repr. p. 502

Paris, M.V.H.

716. Théophile-Evariste (?) FRAGONARD
Angelo tyran de Padoue
[*Angelo,* IIIe journée, IIe partie, sc. 4]
Huile sur toile. 0,405 × 0,322
Repr. p. 503

Bagnères-de-Bigorre, Musée Salies

717. Louis BOULANGER

Six personnages de Victor Hugo
[De haut en bas et de gauche à droite : Don Ruy Gomez *(Hernani)* ?, Don César de Bazan *(Ruy Blas)*, Don Salluste *(Ruy Blas)* ?, Hernani ?, Esméralda *(N.D.P.)*, le marquis de Saverny *(Marion de Lorme)* ?]

Huile sur toile. 0,325 × 0,41
Repr. pp. 51, 502

Dijon, Musée des Beaux-Arts

Le rêve du condamné

718. Louis BOULANGER

Le rêve d'un condamné. Vers 1830
[*D.J.C.,* XII]
Lithographie. 0,22 × 0,25
Repr. p. 569

Paris, B.N., Est.

719. Antoine RIVOULON

Le rêve d'un condamné. 1829
[*D.J.C.,* XII]
Lithographie. 0,432 × 0,394
Repr. p. 569

Paris, B.N., Est.

720. *Le dernier jour d'un condamné,* Paris,
J. Hetzel, 1855. In-4°
Gravures sur bois de Gérard d'après Paul
GAVARNI
Repr. pp. 499, 555

Coll. privée

721. Nicolas-François CHIFFLART

Le rêve du prisonnier
[*D.J.C.,* XII]
Eau-forte. 0,314 × 0,236
Repr. p. 522

Saint-Omer, Musée de l'hôtel Sandelin

722. *Le dernier jour d'un condamné,* édition
nationale, Paris, J. Lemonnyer, G. Ri-
chard (E. Testard), 1890. In-4°
Eaux-fortes de Jean-François RAF-
FAËLLI
Repr. p. 499

Paris, M.V.H.

Notre-Dame de Paris

Quelques éditions illustrées

723. *Notre-Dame de Paris,* Paris, E. Renduel,
1836. In-8°
Gravures sur acier d'E. Finden,
W. Finden, R. Staines, A. Lacour-Lestu-
dier, T. Phillibrocon, G. Périam, d'après
D. ROUARGUE, L. BOULANGER,
A. RAFFET, T. et A. JOHANNOT,
C. ROGIER
Repr. p. 588

Coll. privée

724. *Notre-Dame de Paris,* Paris, Perrotin,
1844. Gr. in-8°
Eaux-fortes et gravures sur bois
d'A. Garnier, Laisné, Rouget, Outwaite
d'après E. de BEAUMONT, L. BOU-
LANGER, Ch. DAUBIGNY, T. JOHAN-
NOT, F. de LEMUD, E. MEISSONIER,
C. ROQUEPLAN, L. de RUDDER,
L. STEINHEIL
Repr. p. 528

Paris, B.N., Imprimés

725. *Notre-Dame de Paris,* Paris, J. Hetzel et
A. Lacroix, 1865. Gr. in-8°
Gravures sur bois d'Edmond Yon et de
Perrichon d'après Gustave BRION
Repr. pp. 573, 576, 583, 585, 586, 590

Paris, B.N., Imprimés

726. *Notre-Dame de Paris,* Paris, E. Hugues
(1876-1877), 2 vol. gr. in-8°
Gravures sur bois d'après G. BRION,
H. SCOTT, J. FOULQUIER,
V. HUGO, A. RAFFET, D. VIERGE,
E. MORIN, Cl. MERYON, VIOLLET-
LE-DUC, E. THEROND ainsi que des
illustrations reprises de l'édition Perrotin,
1844 (n° 724)
Repr. p. 588

Paris, B.N., Imprimés

727. *Notre-Dame de Paris,* édition nationale,
Paris, J. Lemonnyer, G. Richard (E. Tes-
tard), 1889. 2 vol. in-4°
Eaux-fortes de Gery-Bichard d'après
Luc-olivier MERSON
Repr. pp. 531, 544, 559

Paris, B.N., Imprimés

**Tableaux à scènes multiples
et suites d'estampes**

728. L.-Ch. A. COUDER

Scènes tirées de Notre-Dame de Paris.
Salon de 1833
De haut en bas et de droite à gauche :
Louis XI ; Victor Hugo ; Olivier de
Daim ; la chute de Claude Frollo
[*N.D.P.,* XI, II, « La creatura bella
bianco vestita »] ; Esméralda, Phœbus et
Claude Frollo [*N.D.P.,* VII, VIII
« Utilité des fenêtres qui donnent sur la
rivière »] ; l'assaut de Notre-Dame par
les truands [*N.D.P.,* X, IV, « Un mala-
droit ami »] ; la Sachette et Esméralda
[*N.D.P.,* XI, I, « Le petit soulier »] ;
Quasimodo et Esméralda morte [*N.D.P.,*
XI, IV, « Mariage de Quasimodo »] ; la
Sachette dans sa cellule [*N.D.P.,* VI, III,
« Histoire d'une galette au levain de
maïs »]
Polyptyque. Huile sur toile avec impor-
tant cadre doré. Ensemble : 1,65 × 1.30
Repr. p. 518

Paris, M.V.H.

729. Anonyme

Scènes de Notre-Dame de Paris
De haut en bas et de droite à gauche :
Esméralda chez Mme de Gondelaurier
[*N.D.P.,* VII, I, « Du danger de confier
son secret à une chèvre »] ; Le jugement
d'Esméralda [*N.D.P.,* VIII, II, « Suite de
l'écu changé en feuille sèche], ou
[*N.D.P.,* VIII, VI, « Trois cœurs
d'homme faits différemment »] ; Esmé-
ralda et Quasimodo [*N.D.P.,* IX, III,
« Sourd »] ; mort d'Esméralda [*N.D.P.,*
XI, I, « Le petit soulier »]
Huile sur toile. 0,65 × 0,545
Repr. p. 570

Paris, M.V.H.

730-734. Louis BOULANGER

Sujets tirés de Notre-Dame de Paris.
Salon de 1833
1. *Enlèvement d'Esméralda*
[*N.D.P.,* II, IV, « Les inconvénients de
suivre une jolie femme le soir dans les
rues »]
Aquarelle, rehauts d'or et de blanc.
0,33 × 0,258
Repr. p. 521

2. *Claude Frollo et Esméralda*
[*N.D.P.,* VIII, IV, « Lasciate ogni
speranza »]
Aquarelle. 0,226 × 0,28

3. *L'amende honorable*
[*N.D.P.,* VIII, VI, « Trois cœurs
d'homme faits différemment]
Aquarelle, rehauts de blanc.
0,305 × 0,279
Repr. p. 520

4. *La Sachette, Esméralda et Claude
Frollo.* 1831
[*N.D.P.,* XI, I, « Le petit soulier »]
Aquarelle, rehauts de blanc.
0,33 × 0,258
Repr. p. 520

5. *La Sachette défendant Esméralda*
[*N.D.P.,* XI, I, « Le petit soulier »]
Crayon noir, aquarelle, rehauts de blanc.
0,315 × 0,29
Repr. p. 520

Paris, M.V.H.

735-738. *Suite de quatre lithographies parues
dans* l'Artiste. 1831

1. Tony JOHANNOT
« *Au meurtre ! au meurtre, criait la malheureuse bohémienne* » (Enlèvement
d'Esméralda)
[*N.D.P.,* II, IV, « Les inconvénients de
suivre une jolie femme le soir dans les
rues »]
Lithographie. 0,153 × 0,129
Repr. p. 572

2. Charles-Jérôme BECŒUR
« ᾽ΑΝΆΓΚΗ » (Claude Frollo dans sa
cellule)
[*N.D.P.,* VII, IV, «᾽ΑΝΆΓΚΗ »]
Lithographie de Jules Lion.
0,131 × 0,168
Repr. p. 590

3. Charles-Jérôme BECŒUR
« *Je te dis qu'il est mort* » (Esméralda en
prison)
[*N.D.P.,* VIII, IV, « Lasciate ogni
speranza »]
Lithographie de Jules Lion. 0,131 × 0,17
Repr. p. 572

4. Alfred JOHANNOT
« *Sire ! Vous êtes un auguste Monarque,
ayez pitié d'un pauvre homme honnête* »
(Gringoire et Louis XI)
[*N.D.P.,* X, V, « Le retrait où dit ses
heures Monsieur Louis de France »]
Lithographie. 0,17 × 0,13

Paris, B.N., Est.

739. Nicolas MAURIN

Place Notre-Dame. 1841
[*N.D.P.,* II, III, « Besos para
golpes »]
Lithographie. 0,243 × 0,185
Repr. p. 571

Paris, B.N., Est.

740-745. Nicolas MAURIN

Suite de six lithographies sur Notre-Dame
de Paris, Paris, Bulla, 1834
1. *La Esméralda et Phœbus*
[*N.D.P.,* II, IV, « Les inconvénients de
suivre une jolie femme le soir dans les
rues »]
Lithographie. 0,414 × 0,25
Repr. p. 571

2. *La Esméralda et Gringoire*
[*N.D.P.,* II, VII, « Une nuit de noces »]
Lithographie. 0,318 × 0,249
Repr. p. 571

3. *Esméralda et Quasimodo*
[*N.D.P.,* VI, IV, « Une larme pour une goutte d'eau »]
Lithographie. 0,312 × 0,247

4. *La Esméralda, Phœbus et Claude Frollo*
[*N.D.P.,* VII, VIII, « Utilité des fenêtres qui donnent sur la rivière »]
Lithographie. 0,314 × 0,25
Repr. p. 571

5. *La Esméralda, Claude Frollo et Gudule*
[*N.D.P.,* XI, I, « Le petit soulier »]
Lithographie. 0,311 × 0,252
Repr. p. 571

6. *Mort de la Esméralda*
[*N.D.P.,* XI, I, « Le petit soulier »]
Lithographie. 0,311 × 0,252

Paris, B.N., Est.

746-750. Jean-Baptiste MADOU

Suite de cinq gravures sur Notre-Dame de Paris
1. *Assassinat de Phœbus*
[*N.D.P.,* VII, VIII, « Utilité des fenêtres qui donnent sur la rivière »]
Gravure sur bois de R. Hart.
0,097 × 0,118
Repr. p. 572

2. *Esméralda et sa chèvre*
Gravure sur bois. 0,073 × 0,078
Repr. p. 572

3. *Esméralda et Quasimodo*
[*N.D.P.,* IX, III, « Sourd »]
Gravure sur bois de Elwall.
0,085 × 0,095
Repr. p. 572

4. *Louis XI*
[*N.D.P.,* X, V, « Le retrait où dit ses heures Monsieur Louis de France »]
Gravure sur bois de Bougon.
0,096 × 0,113

5. *Quasimodo entrant chez Esméralda*
[*N.D.P.,* IX, III, « Sourd »]
Gravure sur bois. 0,104 × 0,076

Paris, M.V.H.

751-754. Anonyme

Suite de quatre lithographies sur Notre-Dame de Paris, Paris, Dubreuil, 1842
1. *Phœbus délivre la Esméralda*
[*N.D.P.,* II, IV, « Les inconvénients de suivre une jolie femme le soir dans les rues »]
Lithographie. 0,199 × 0,29
Repr. p. 551

2. *Quasimodo au pilori*
[*N.D.P.,* VI, IV, « Une larme pour une goutte d'eau »]
Lithographie. 0,201 × 0,292

3. « *Frollo assassine Phœbus* »
[*N.D.P.,* VII, VIII, « Utilité des fenêtres qui donnent sur la rivière »]
Lithographie. 0,203 × 0,286
Repr. p. 551

4. « *Mort de la Esméralda* »
[*N.D.P.,* XI, I, « Le petit soulier »]
Lithographie. 0,25 × 0,315
Repr. p. 551

Paris, B.N., Est.

Quasimodo

755. Célestin NANTEUIL

Décors pour le bal d'Alexandre Dumas.
1833
En bas à droite : Quasimodo apparaissant lors du concours de grimaces
[*N.D.P.,* I, V, « Quasimodo »]
Eau-forte publiée dans *L'Artiste.*
0,154 × 0,219
Repr. p. 575

Dijon, Musée des Beaux-Arts

756. Anonyme

Alphabet comique. 1862
[À la lettre Q : Quasimodo]
Lithographie. 0,33 × 0,433
Repr. p. 577

Paris, B.N., Est.

757. Anonyme

Quasimodo
[Gravure sur bois anonyme dans *Album des grotesques*]
Repr. p. 575

Paris, B.N., Imprimés

758. Anonyme

Alphabet de l'enfance. 1857
[À la lettre Q : Quasimodo]
Gravure sur bois. 0,342 × 0,30
Repr. p. 577

Paris, B.N., Est.

759. Anonyme

Alphabet récréatif. 1840
[À la lettre Q : Quasimodo]
Gravure sur bois. 0,343 × 0,282
Repr. p. 577

Paris, B.N., Est.

760. José CARDONA

Quasimodo
Plâtre polychrome. 0,25 × 0,102 × 0,10
Repr. p. 574

Paris, M.V.H.

761. Théophile GAUTIER

Esméralda et Quasimodo dans une tour de Notre-Dame
[*N.D.P.,* IX, III, « Sourd »]
Aquarelle. 0,125 × 0,089
Repr. p. 575

Paris, Musée Carnavalet

762. Antoine WIERTZ

Quasimodo. 1839
Huile sur toile. 1,12 × 0,95
Repr. p. 503

Bruxelles, Musée Antoine Wiertz (Musées royaux des Beaux-Arts de Belgique)

Esméralda

763. Antoine WIERTZ

Esméralda. 1839
Huile sur toile. 1,12 × 0,95
Repr. p. 513

Bruxelles, Musée Antoine Wiertz (Musées royaux des Beaux-Arts de Belgique)

764. Charles de STEUBEN

La Esméralda. Salon de 1839
[Cf. *N.D.P.,* IX, III, « Sourd »]

Repr. pp. 49, 578

Nantes, Musée des Beaux-Arts

765. Charles de STEUBEN

La Esméralda. 1840
Lithographie de Jazet d'après le n° 764.
0,595 × 0,462
Repr. p. 512

Paris, B.N., Est.

766. Charles de STEUBEN

La Esméralda. 1841
[*N.D.P.,* II, III, « Besos para golpes »]
Lithographie de Jazet d'après la peinture de Charles de Steuben exposée au Salon de 1841 avec l'épigraphe suivante : « À son réveil, elle donne une leçon de danse à sa chèvre Djali. » 0,597 × 0,47
Repr. p. 578

Paris, B.N., Est.

767. William GALE

La leçon de lecture (Esméralda et sa chèvre)
[Cf. *N.D.P.,* VII, I, « Du danger de confier son secret à une chèvre »]
Huile sur bois. 0,35 × 0,268
Repr. pp. 50, 579

Sydney (Australie), Art Gallery of New South Wales

768. Achille DEVÉRIA

Esméralda
Lithographie. 0,12 × 0,094

Paris, B.N., Est.

769. Pierre-Étienne PERLET

La Esméralda
[Cf. *N.D.P.,* VII, I, « Du danger de confier son secret à une chèvre »]
Lithographie d'Auguste Bouquet, d'après la peinture de Pierre-Étienne Perlet exposée au Salon de 1833 : *La Esméralda confiant son secret à sa chèvre Djali.* 0,124 × 0,15

Paris, M.V.H.

770. Héloïse LELOIR

Esméralda
Lithographie de E. Desmaisons dans une série intitulée « Les femmes célèbres »
0,359 × 0,196
Repr. p. 580

Paris, M.V.H.

771. Gustave BRION

Esméralda. Salon de 1877
[Dessin gravé dans *Notre-Dame de Paris,* Paris, E. Hugues (1876-1877)]
Crayon noir et fusain. 0,615 × 0,402
Repr. p. 581

Paris, M.V.H.

772. ALOÏSE

Esméralda
Ektachrome d'après un dessin aux crayons de couleur. Original : 0,21 × 0,15
Repr. p. 581

Lausanne, collection de l'art brut

773. Gaston SAINT-PIERRE

Esméralda enfant. Avant 1882
Huile sur toile. 1,00 × 0,70

Repr. p. 579

Marseille, Musée des Beaux-Arts

774. Mlle Elisa Victorine (?) HENRY

Quasimodo sauvant la Esméralda des mains de ses bourreaux. 1832 (Salon de 1833)
[*N.D.P.*, VIII, VI, « Trois cœurs d'homme faits différemment »]
Huile sur toile. 0,80 × 0,63
Repr. p. 502

Paris, M.V.H.

775. Narcisse-Virgile DIAZ DE LA PENA

Claude Frollo et Esméralda (?). Vers 1835
Lithographié sous le titre *Le Moine* par Jules Laurens dans *Trente-deux planches pour l'école moderne,* Paris, Peyrol, 1857-1860
[*N.D.P.*, VIII, IV, « Lasciate ogni speranza »]
Papier marouflé sur bois. 0,27 × 0,174
Repr. p. 504

Montpellier, Musée Fabre

776. Jules-Théophile SCHULER

Esméralda en prison. 1847
[*N.D.P.*, VIII, IV, « Lasciate ogni speranza »]
Plume et encre noire. 0,258 × 0,195
Repr. p. 581

Strasbourg, Cabinet des Estampes et des Dessins

777. Nicolas-François CHIFFLART

Esméralda et Phœbus
[*N.D.P.*, VII, VIII, « Utilité des fenêtres qui donnent sur la rivière »]
Huile sur toile. 0,55 × 0,45
Repr. p. 580

Saint-Omer, Musée de l'hôtel Sandelin

778. Auguste RAFFET

Assassinat de Phœbus
[*N.D.P.*, VII, VIII, « Utilité des fenêtres qui donnent sur la rivière »]
Eau-forte d'A. Lacour-Lestudier dans *Notre-Dame de Paris,* Paris, E. Renduel, 1836. 0,11 × 0,079
Repr. p. 551

Paris, M.V.H.

779. François FLAMENG

Assassinat de Phœbus. 1885
[*N.D.P.*, VII, VIII, « Utilité des fenê-tres qui donnent sur la rivière »]
Eau-forte de H. Lefort dans *Illustration des Œuvres complètes de Victor Hugo (édition définitive Hetzel-Quantin) : suite de 100 dessins de François Flameng…*
Paris, L. Hébert (s.d.) 0,127 × 0,087
Repr. p. 581

Paris, M.V.H.

780. Achille DEVÉRIA

Claude Frollo, Esméralda et la Sachette
[*N.D.P.*, XI, I, « Le petit soulier »]
Crayon, plume et encre brune. Mise aux carreaux. 0,145 × 0,215
Repr. p. 503

Coll. privée

781. NUMA DE LALU

La Esméralda ou Notre-Dame de Paris. Almanach nouveau pour l'année 1843

[*N.D.P.*, XI, I, « Le petit soulier »]
Gravure sur bois. 0,189 × 0,375
Repr. p. 552

Paris, M.V.H.

782. Anonyme

La Esméralda. Pendule d'après la pein-ture de Charles de STEUBEN (n° 764)
Lithographie d'Ad. Bilordeaux.
0,54 × 0,38
Repr. p. 512

Paris, M.V.H.

783. *Papier peint à l'effigie d'Esméralda*

Impression à la planche. 18 couleurs, poudre dorée. 2,00 × 0,54
Repr. p. 580

Paris, Bibliothèque Forney

784. *Papier peint à l'effigie d'Esméralda et de Phœbus*

Impression à la planche, fond lissé, 31 couleurs, poudre dorée. 0,37 × 0,53
Repr. p. 580

Paris, Bibliothèque Forney

785. *Deux tapisseries au petit point*

1. *Phœbus*
2. *Esméralda*
Ensemble : 0,678 × 0,692

Paris, M.V.H.

786. *Boîte à bonbons à l'effigie d'Esméralda*
[cf. *N.D.P.*, VII, I, « Du danger de confier son secret à une chèvre »]
Métal peint. Diam. : 0,168
Repr. p. 510

Paris, M.V.H.

787. *Bouton à l'effigie d'Esméralda*
Métal. Diam. : 0,036

Coll. J. Seebacher

788. *Étiquette à l'effigie d'Esméralda*
Chromolithographie. 0,075 × 0,10

Paris, Bibliothèque Forney

789. *Étiquette pour « Cognac Esméralda »*
Chromolithographie. 0,14 × 0,10
Repr. pp. 48, 511

Paris, Bibliothèque Forney

790. *Étiquette pour « The Esmeralda Velvet »*
Chromolithographie. 0,30 × 0,20
Repr. p. 511

Paris, Bibliothèque Forney

791. T. BONENFANT

Assiette à l'effigie d'Esméralda
Décor peint sur plat décoratif en faïence fine de Bordeaux (Manufacture de Jules Vieillard). Diam. : 0,43

Bordeaux, Musée des Arts décoratifs

792. Bernard HILDEBRAND

Camée à l'effigie d'Esméralda. Salon de 1895
Cornaline. 0,06 × 0,08 × 0,006
Repr. p. 579

Paris, Musée d'Orsay

793. *Notre-Dame de Paris,* Paris, C. Marpon et E. Flammarion (1888). 2 vol. in-16
Reliure en cuir avec plaquette en bronze,

d'après Alexandre FALGUIÈRE, *Esmé-ralda dansant.* 0,104 × 0,058
Repr. p. 537

Paris, B.N., Imprimés

794. *Carte publicitaire à l'effigie d'Esméralda, de Quasimodo et de Victor Hugo pour la manufacture de chaussures « À la pointe Saint-Eustache ».* 1886

[*N.D.P.*, IX, III, « Sourd »]
Photogravure. 0,085 × 0,116

Paris, M.V.H.

La procession du pape des fous, la Cour des Miracles et « Vive la joie ! »

795. Louis BOULANGER

La procession du pape des fous
[*N.D.P.*, II, III, « Besos para golpes »]
Aquarelle, rehauts de gouache.
0,256 × 0,349
Repr. p. 582

Paris, M.V.H.

796. Louis BOULANGER

La procession du pape des fous
[*N.D.P.*, II, III, « Besos para golpes »]
Eau-forte de William Finden d'après le n° 795, pour *Notre-Dame de Paris,* Paris, E. Renduel, 1836. 0,09 × 0,118
Repr. p. 582

Paris, B.N., Est.

797. Louis BOULANGER

La Cour des Miracles
[*N.D.P.*, II, VI, « La cruche cassée »]
Crayon, plume et lavis d'encre brune.
0,446 × 0,567
Repr. p. 584

Paris, M.V.H.

798. Célestin NANTEUIL

La Cour des Miracles
[*N.D.P.*, II, VI, « La cruche cassée »]
Aquarelle. 0,233 × 0,348
Repr. p. 584

Paris, M.V.H.

799. Gustave DORÉ

La Cour des Miracles. 1859
[*N.D.P.*, II, VI, « La cruche cassée »]
Crayon, plume et encre noire, rehauts de blanc. 0,59 × 0,81
Repr. p. 585

Coll. privée

800. Gustave DORÉ

Les truands. 1859
[*N.D.P.*, VI, « La cruche cassée »]
Gravure sur bois de Paul Riault publiée dans *L'Univers Illustré,* 16 avril 1859.
0,36 × 0,46
Repr. p. 585

Paris, M.V.H.

801. Gustave DORÉ

La Cour des Miracles. 1882
[*N.D.P.*, II, VI, « La cruche cassée »]
Crayon, lavis brun, aquarelle, rehauts de blanc. 0,66 × 0,895
Repr. pp. 52, 585

Coll. privée

802. Louis BOULANGER

« Vive la joie. » Salon de 1866
[*N.D.P.*, X, III, « Vive la joie »]

Huile sur toile. 0,90 × 1,30
Repr. p. 506

Dijon, Musée des Beaux-Arts

Le pilori

803. Tony JOHANNOT

Quasimodo au pilori
[*N.D.P.*, VI, IV, « Une larme pour une goutte d'eau ». Cf. la gravure de Rouget d'après Louis-Henri de RUDDER dans *Notre-Dame de Paris,* Paris, Perrotin, 1844]
Crayon, lavis d'encre noire.
0,212 × 0,153
Repr. p. 587

Paris, M.V.H.

804. Alcide ROUBAUDI

Le pilori. Salon de 1877
[*N.D.P.*, VI, IV, « Une larme pour une goutte d'eau »]
Huile sur toile. 1,53 × 2,05
Repr. p. 587

Nice, Musée des Beaux-Arts Jules Chéret

805. Luc-Olivier MERSON

Esméralda donnant à boire à Quasimodo au pilori. Étude pour la peinture de 1903
[*N.D.P.*, VI, IV, « Une larme pour une goutte d'eau »]
Plume, encre bleue, gouache. 0,252 × 0,16
Repr. p. 587

Paris, Musée du Louvre, Cabinet des Dessins

806. Anonyme (Alcide ROUBAUDI ?)

Esméralda donnant à boire à Quasimodo
[*N.D.P.*, VI, IV, « Une larme pour une goutte d'eau »]
Crayon noir, plume et lavis d'encres brune et noire, rehauts de blanc.
0,265 × 0,355

Dijon, Musée des Beaux-Arts

Claude Frollo

807. Eugène DELACROIX

Claude Frollo dans sa cellule (?)
[Dessin traditionnellement intitulé : *L'alchimiste*]
[*N.D.P.*, VII, IV, « 'ANAΓKH »]
Plume et lavis d'encre brune. 0,44 × 0,44 (avec cadre)
Repr. p. 590

Coll. privée

808. Gustave DORÉ

La chute de Claude Frollo
[*N.D.P.*, XI, II, « La creature bella bianco vestita »]
Fusain, rehauts de blanc. 0,527 × 0,407
Repr. p. 506

Paris, M.V.H.

Notre-Dame

809. Nicolas-François CHIFFLART

Attaque de Notre-Dame de Paris
[Dessin gravé dans *Notre-Dame de Paris,* Paris, E. Hugues (1876-1877)]
[*N.D.P.*, X, IV, « Un maladroit ami »]
Gouache, rehauts d'aquarelle

0,38 × 0,254
Repr. p. 589

Paris, M.V.H.

810. *Pendule représentant Notre-Dame de Paris, offerte à Victor Hugo par Eugène Renduel*

À l'intérieur du socle une étiquette avec le texte suivant : « Notre-Dame pendule unique en bronze oxydé, commandé par Eugène Renduel pour le Maître Victor Hugo, l'immortel auteur de *Notre-Dame de Paris,* en 1836 »
Bronze. Haut. : 0,75
Repr. p. 588

Villequier, Musée Victor Hugo

Sara et autres belles

Sara la baigneuse

811. Louis BOULANGER

Sara la baigneuse. 1830
[*Or.,* XIX]
Lithographie. 0,293 × 0,232
Repr. p. 591

Paris, B.N., Est.

812. Louis BOULANGER

Sara la baigneuse. 1830
Étude pour le n° 811
[*Or.,* XIX]
Plume et lavis d'encre brune.
0,251 × 0,20
Repr. p. 591

Paris, B.N., Est.

813. Louis BOULANGER

Sara la baigneuse
[*Or.,* XIX]
Lithographie. 0,274 × 0,215
Repr. p. 591

Paris, B.N., Est.

814. Louis BOULANGER

Baigneuse (Sara la baigneuse ?)
[*Or.,* XIX]
Plume et encre brune. 0,25 × 0,35
Repr. p. 592

Coll. privée

815. Alexandre-Marie COLIN

Sara la baigneuse. 1837
Peinture gravée dans *Les orientales,* Paris, Furne, 1840
[Or., XIX]
Huile sur bois. 0,39 × 0,26
Repr. p. 592

Nîmes, Musée des Beaux-Arts

816. J.-B.-C. COROT

Femme dans un hamac (Sara la baigneuse ?)
[*Or.,* XIX]
Mine de plomb. 0,188 × 0,152
Repr. p. 592

Paris, coll. privée

817. Paul DELAROCHE

Jeune fille à la balançoire (Sara la baigneuse ?). 1845
[*Or.,* XIX]
Huile sur bois. 0,69 × 0,52
Repr. p. 592

Nantes, Musée des Beaux-Arts

818. Émile SIGNOL

Sara la baigneuse. Salon de 1850
[*Or.,* XIX]
Huile sur toile. 0,82 × 1,28
Repr. p. 592

Tours, Musée des Beaux-Arts

819. Octave TASSAERT

Sarah la baigneuse (sic)
[*Or.,* XIX]
Lithographie de Pierre-Auguste Lamy d'après la peinture d'O. Tassaert exposée à l'Exposition Universelle de 1855.
0,25 × 0,18
Repr. p. 592

Paris, B.N., Est.

820. Henri FANTIN-LATOUR

Sara la baigneuse. 1884 ?
[*Or.,* XIX]
Huile sur toile. 1,02 × 0,88
Repr. p. 592

Buenos Aires, Museo nacional de Bellas Artes

821. Henri FANTIN-LATOUR

Sara la baigneuse
[*Or.,* XIX]
Fusain, rehauts de blanc. 0,383 × 0,292

Autun, Musée Rollin

822. Henri FANTIN-LATOUR

Sara la baigneuse (2e planche, 1er état). 1892
[*Or.,* XIX]
Lithographie. 0,346 × 0,265

Paris, B.N., Est.

823. Jean-Jacques HENNER

Sara la baigneuse. Vers 1902
[*Or.,* XIX]
Huile sur toile. 0,648 × 0,505
Repr. p. 594

Paris, M.V.H.

824-826. Jean-Jacques HENNER

Trois études pour le n° 823. 1902
1. Fusain, rehauts de blanc.
0,29 × 0,261
2. Fusain, rehauts de blanc.
0,205 × 0,157
3. Fusain, rehauts de blanc.
0,197 × 0,272
Repr. p. 594

Paris, Musée National Jean-Jacques Henner

Autres belles

827. Achille DEVERIA

La Sultane favorite
[*Or.,* XII]
Lithographie aquarellée. 0,11 × 0,14
Repr. p. 503

Paris, M.V.H.

828. Louis BOULANGER

La Captive. 1830
[*Or.,* IX]
Lithographie. 0,19 × 0,23
Repr. p. 501

Paris, M.V.H.

829. Paul GAVARNI

Les Orientales. Vignette à la page-titre de *Les Artistes anciens et modernes,* 6e vol.,

Paris, Bertaut, 1842
Lithographie. 0,15 × 0,15

Paris, B.N., Est.

830. Paul GAVARNI

La Captive. 1843
[*Or.,* IX]
Lithographie publiée dans *Les Beaux-Arts,* 1843. 0,18 × 0,17
Repr. p. 503

Paris, B.N., Est.

831. Alexandre CABANEL

Albaydé. 1848
[*Or.,* XXVI « Les tronçons du serpent »]
Huile sur toile. 0,98 × 0,80
Repr. pp. 53, 512

Montpellier, Musée Fabre

832. Jean LECOMTE DU NOUŸ

L'Esclave blanche. 1888
[Cf. *Or.,* IX « La Captive »]
Huile sur toile. 1,495 × 1,183
Repr. p. 501

Nantes, Musée des Beaux-Arts

833. J.-A.-D. INGRES

Odalisque à l'esclave. 1858
Mine de plomb, lavis gris, rehauts de blanc. 0,345 × 0,475
Repr. p. 501

Paris, Musée du Louvre, Cabinet des Dessins

834. Henri MATISSE

Lisette au fauteuil turc. 1931
Plume et encre. 0,283 × 0,38

Paris, Musée National d'Art Moderne, Centre Georges Pompidou

Cosette

835. Gustave BRION

Fantine. 1862
Dessin gravé dans *Les misérables,* Paris, J. Hetzel et A. Lacroix, 1865
[*Mis.,* I, III, III, « Quatre à quatre »]
Fusain. 0,596 × 0,415
Repr. p. 500

Mulhouse, Musée des Beaux-Arts

836. Gustave BRION

Jean Valjean et Cosette. 1862
Dessin gravé dans *Les misérables,* Paris, J. Hetzel et A. Lacroix, 1865
[*Mis.,* III, VI, II, « Lux facta est »]
Fusain. 0,67 × 0,492
Repr. p. 595

Mulhouse, Musée des Beaux-Arts

837. Émile BAYARD

Cosette balayant
Dessin gravé en frontispice du livre IV, « Confier, c'est quelquefois livrer » de la 1re partie de *Les misérables,* Paris, Eugène Hugues (1879-1882)
[*Mis.,* I, IV, III, « L'alouette »]
Fusain, rehauts de blanc et de gris. 0,434 × 0,27
Repr. p. 595

Paris, M.V.H.

838. Jean GEOFFROY

Jean Valjean et Cosette
[*Mis.,* II, III, *VII,* « Cosette côte à côte

dans l'ombre avec l'inconnu »]
Huile sur bois. 0,55 × 0,46
Repr. p. 599

Paris, M.V.H.

839. Adolphe-Léon WILLETTE

Victor Hugo et la jeune République
Caricature publiée dans *La Plume,* 15 juillet 1893
[Cf. *Mis.,* II, III, VII, « Cosette côte à côte dans l'ombre avec l'inconnu »]
Lithographie. 0,258 × 0,19
Repr. p. 599

Paris, M.V.H.

840. François POMPON

Cosette. 1888
Esquisse pour la sculpture exposée sous ce titre au Salon de 1888
Plâtre. 0,08 × 0,04 × 0,025
Repr. p. 597

Saulieu, Côte d'Or, Musée

841. Émile BAYARD

Enlèvement de Cosette
Dessin gravé en frontispice de la 2e partie *Cosette* de *Les misérables,* Paris, Eugène Hugues (1879-1882)
[*Mis.,* II, III, X, « Qui cherche le mieux peut trouver le pire »]
Fusain, rehauts de blanc. 0,53 × 0,40
Repr. p. 598

Paris, M.V.H.

842. Léon COMERRE

Cosette et sa poupée. 1883
[*Mis.,* II, III, VIII, « Désagrément de recevoir chez soi un pauvre qui est peut-être un riche »]
Huile sur toile. 1,20 × 0,80
Repr. pp. 60, 598

Ville de Trélon

843. Marthe LA FIZELIERE-RITTI

Cosette. Salon de 1902
[*Mis.,* II, III, VIII, « Désagrément de recevoir chez soi un pauvre qui est peut-être un riche »]
Plâtre patiné. 1,35 × 0,735 × 0,90
Repr. p. 598

Besançon, Musée des Beaux-Arts et d'Archéologie

Les pauvres gens

844. *Victor Hugo de la jeunesse : Petit Paul ; Les Pauvres gens ; La Légende du beau Pécopin ; L'Épopée du lion,* Paris, C. Marpon et E. Flammarion (1889). Gr. in-8°
Gravures sur bois de F. Méaulle d'après A. BRUN

Paris, B.N., Imprimés

845. *La légende des siècles,* Paris, G. Charpentier, 1891-1892. 4 vol. In-32

Eaux-fortes de Jeanniot et de Desmoulin d'après Maurice ELIOT et LAURENT-DESROUSSEAUX

Paris, B.N., Imprimés

846. Théophile-Alexandre STEINLEN

Les pauvres gens. 1903
[*L.S.,* LII, X]

Huile sur toile. 0,795 × 0,99
Repr. p. 600

Paris, M.V.H.

847-850. Théophile-Alexandre STEINLEN

Dessins gravés dans cinq poèmes : Booz endormi, Bivar, Ô soldats de l'an deux !, Après la bataille, Les pauvres gens, Paris, E. Pelletan, 1902
1. *Les pauvres gens*
[*L.S.,* LII, X]
Gravure sur bois de E.-M. (?)
0,11 × 0,99
Repr. p. 507

2. *Les pauvres gens*
[*L.S.,* LII, VIII]
Gravure sur bois de E.-M. (?)
0,10 × 0,10

3. *Les pauvres gens*
[*L.S.,* LII]
Gravure sur bois de E.-M. (?)
0,90 × 0,101

4. *Les pauvres gens*
[*L.S.,* LII, I]
Gravure sur bois de E.-M. (?)
0,111 × 0,101

Paris, M.V.H.

851. Louis-Hippolyte MOUCHOT

Petit-Paul
Dessin gravé dans *La légende des siècles,* Paris, E. Hugues, 1885
[*L.S.,* LVII, II, « Petit Paul »]
Plume, encre de Chine, lavis gris et rehauts de blanc. 0,291 × 0,222
Repr. p. 601

Besançon, Musée des Beaux-Arts et d'Archéologie

852. *La légende des siècles,* Paris, E. Hugues, 1895. Gr. in-8°
Gravures sur bois d'après Ed. RIOU, Victor Hugo, N.-F. CHIFFLART, F. FREMINET, L. MOUCHOT, Ed. ZIER, E. BAYARD et L. MÉLINGUE

Paris, B.N., Imprimés

853. Jean GEOFFROY

Petit Paul
[Une lithographie d'après cette peinture figure au Salon de 1910]
[*L.S.,* LVII, II, « Petit Paul »]
Huile sur bois. 0,545 × 0,40
Repr. p. 601

Paris, M.V.H.

854. Joseph-Paul ALIZARD

Chose vue un jour de printemps. 1900
[*Cont.* III, XVII, « Autrefois »]
Huile sur toile. 1,40 × 2,00
Repr. p. 600

Langres, Musées

Les travailleurs de la mer

855. *The Toilers of the Sea* (traduction anglaise de *Les travailleurs de la mer*), London, Sampson, Low, son and Manston, 1867. In-8°
Gravures sur bois d'après Gustave DORÉ

Coll. privée

856. *Les travailleurs de la mer,* Paris, J. Hetzel et A. Lacroix, 1869. Gr. in-8°

Gravures sur bois d'après Nicolas-François CHIFFLART

Coll. privée

857. *Les travailleurs de la mer,* Paris, Librairie illustrée, 1876. Gr. in-8°
Gravures sur bois d'après Daniel VIERGE

Paris, B.N., Imprimés

858. *Les travailleurs de la mer,* (Paris, E. Hugues, 1882). Gr. in-8°
Gravures sur bois d'après Victor HUGO, Nicolas-François CHIFFLART et Daniel VIERGE
Repr. p. 488

Coll. privée

859-870. *Douze feuilles titres de* Les travailleurs de la mer *(Paris, E. Hugues, 1882) :*
Texte imprimé et gravures sur bois, chaque feuille : 0,275 × 0,189
1. *Frontispice,* par Daniel VIERGE
[*Tr.M.,* II, II, IV]
Repr. p. 522

2. Page 155 : « *Les vieilles villes normandes* », par Victor HUGO
[*Tr.M.,* I, V]

3. Page 159 : *La Jacressarde,* par Nicolas-François CHIFFLART
[*Tr.M.,* I, V]
Repr. p. 523

4. Page 275 : *La Durande après le naufrage,* par Victor HUGO
[*Tr. M.,* II, I]
Repr. p. 611

5. Page 351 : « *Il se mit à scier la chaîne* » par Daniel VIERGE
[*Tr.M.,* II, II]
Gravure sur bois de Vesnel

6. Page 362 : *Le brise-lames,* par Nicolas-François CHIFFLART
[*Tr.M.,* II, II]
Gravure sur bois de Joliet

7. Page 363 : « *L'esprit de la tempête devant Gilliatt* » par Victor HUGO
[*Tr.M.,* II, II]

8. Page 374 : *Le vent du sud-ouest,* par Daniel VIERGE
[*Tr.M.,* II, III]
Gravure sur bois de Bellenger

9. Page 376 : *La horde des nuées* par Daniel VIERGE
[*Tr.M.,* II, III]
Repr. p. 611

10. Page 401 : « *Les doubles fonds de l'obstacle* », par Victor HUGO
[*Tr.M.,* II, IV]
Repr. p. 522

11. Page 417 : *Combat dans le gouffre,* par Nicolas-François CHIFFLART
[*Tr.M.,* II, IV]
Repr. p. 522

12. Page 446 : « *Les rues étaient des serpents* », par Daniel VIERGE
[*Tr.M.,* III, I]
Repr. p. 524

Coll. privée

871. E.-J.-N. CARLIER

Gilliatt et la pieuvre. Salon de 1890
[*Tr.M.,* II, IV]

Marbre. 2,20 × 1,20 × 0,83
Repr. p. 610

Villeurbanne, Centre nautique, dépôt de l'État

872. *La pieuvre,* Buenos-Aires, édité par les soins de Roger Caillois, 1944.
0,305 × 0,235
[*Tr.M.,* II, IV]
Dessins d'André MASSON

Coll. privée

L'Homme qui rit : Hugo « illustrateur » de lui-même

873. Victor HUGO

Dessin sans titre, dit *Le vieux phare.* 1866
[Cf. *H.Q.R.,* I, II, XI]
Plume, lavis de sépia. 0,89 × 0,47
Repr. pp. 55, 609

Coll. privée

874. Victor HUGO

Dessin sans titre, dit *L'ourque en mer.* Vers 1866
[Cf. *H.Q.R.,* I, II]
Plume et lavis d'encre. 0,265 × 0,495
Repr. p. 608

Coll. privée

Les chevaliers errants

875. Emmanuel FRÉMIET

Chevalier errant. Vers 1878
Esquisse pour la sculpture exposée au Salon de 1878 avec l'épigraphe suivante : « Farouches ils étaient les chevaliers de Dieu. »
[*L.S.,* XV]
Plâtre. 0,42 × 0,355 × 0,135
Repr. p. 506

Paris, Musée d'Orsay

876. P.-A.-P. LEHOUX

La fureur de Roland
[*L.S.,* X, « Le mariage de Roland »]
Crayon, rehauts de blanc. 0,505 × 0,35
Repr. p. 604

Pontoise, Musée Tavet

877. Nicolas-François CHIFFLART

Le Combat de Roland et d'Olivier
Dessin gravé dans *La légende des siècles* (Paris, E. Hugues), 1885
[*L.S.,* X, « Le mariage de Roland »]
Fusain, rehauts de blanc. 0,595 × 0,445
Repr. p. 603

Paris, M.V.H.

878. Eugène-Samuel GRASSET

Eviradnus
[*L.S.,* XV, « Eviradnus », XVII, « La massue »]
Huile sur toile. 1,60 × 1,202
Repr. p. 604

Paris, M.V.H.

879. Albert MAIGNAN

Les Grandes œuvres littéraires : Eviradnus. 1890
Esquisse pour les écoinçons du Salon des Lettres à l'Hôtel de Ville de Paris
[*L.S.,* XV, « Eviradnus »]
Huile sur toile. 0,43 × 0,86

Paris, Ivry-sur-Seine, Dépôt des œuvres d'art de la Ville de Paris

880. *Eviradnus,* Paris, L.-H. May (1901). Gr. in-8°
[*L.S.,* XV, « Eviradnus », XVI, « Ce qu'ils font devient plus difficile à faire »]
Gravures sur bois de P. Gusman d'après P.-M. RUTY
Repr. pp. 532, 602

Paris, B,N., Imprimés

881. Nicolas-François CHIFFLART

Le Petit roi de Galice
Dessin gravé dans *La légende des siècles* (Paris, E. Hugues), 1885, Gr. in-8°
[*L.S.,* XV, « Le petit roi de Galice », XI, « Ce qu'a fait Ruy le subtil »]
Fusain, rehauts de blanc. 0,595 × 0,445
Repr. p. 603

Paris, M.V.H.

882. Emmanuel FRÉMIET

L'aigle du casque
Dessin gravé dans *La légende des siècles* (Paris, E. Hugues), 1885
[*L.S.,* XVII, « L'aigle du casque »]
Crayon noir, fusain, rehauts de blanc. 0,407 × 0,295
Repr. p. 603

Paris, M.V.H.

883. *L'aigle du casque* (Besançon), « Les Bibliophiles comtois », 1928. In-4°
[*L.S.,* XVII, « L'aigle du casque »]
Texte gravé. Eaux-fortes de Richard BRUNCK DE FREUNDECK
Repr. p. 603

Paris, B.N., Est.

Booz endormi

884. Alexandre CABANEL

Ruth et Booz
Esquisse pour *Le Repos de Ruth,* 1868
[*L.S.,* II, « Booz endormi »]
Huile sur toile. 0,53 × 0,96
Repr. p. 515

Montpellier, Musée Fabre

885. Lorenz FRÖLICH

Ruth et Booz. Vers 1890
[*L.S.,* II, « Booz endormi »]
Huile sur toile. 0,80 × 1,20
Repr. p. 606

Coll. Kai Stage

886. Pierre PUVIS DE CHAVANNES

Le sommeil
Esquisse pour la peinture exposée sous ce titre à l'Exposition universelle de 1867
[Cf. *L.S.,* II, « Booz endormi »]
Huile sur toile. 0,55 × 0,81
Repr. p. 605

Lille, Musée des Beaux-Arts

887. Frédéric BAZILLE

Ruth et Booz. 1870
[*L.S.,* II, « Booz endormi »]
Huile sur toile. 1,38 × 2,02
Repr. pp. 56, 605

Coll. privée

888. Louis-Auguste GIRARDOT

Ruth et Booz
Esquisse pour la peinture exposée sous ce titre au Salon de 1887, avec l'épigraphe suivante : « L'ombre était nuptiale, auguste et solennelle »

[*L.S.*, II, « Booz endormi »]
Huile sur toile. 0,38 × 0,645
Repr. p. 606

Troyes, Musée des Beaux-Arts

889. Eugène CARRIERE

Booz endormi. 1900
Peinture gravée dans *Cinq poèmes,* Paris,
E. Pelletan, 1902
[*L.S.*, II, « Booz endormi »]
Huile sur toile. 0,34 × 0,42
Repr. p. 607

Coll. privée

Le satyre

890. Lorenz FRÖLICH

Hercule et le satyre. 1889-1904
[*L.S.*, XXII, « Le satyre »]
Huile sur toile. 0,95 × 1,18
Repr. p. 515

Maribo (Danemark), Musée des Beaux-
Arts de Lalande-Falster, don de la Fondation Néo-Carlsberg

891. Lorenz FRÖLICH

Le satyre chante pour les dieux. Vers 1890
[*L.S.,* XXII, « Le satyre », II, « Le
noir »]
Huile sur toile. 0,38 × 0,63
Repr. p. 516

Coll. Kai Stage

La conscience

892. CORMON Fernand

Caïn. 1880
Peinture exposée au Salon de 1880 avec
l'épigraphe suivante :
« Lorsque avec ses enfants couverts de
peaux de bêtes,
Échevelé, livide au milieu des tempêtes,
Caïn se fut enfui de devant Jehova..... »
[*L.S.*, II, « La conscience »]
Huile sur toile. 3,84 × 7,00
Repr. pp. 58, 626

Paris, Musée d'Orsay

893. Lorenz FRÖLICH

Caïn et l'œil de Dieu. 1888-1894
[*L.S.*, II, « La conscience »]
Huile sur toile, cadre dessiné par
L. Frölich. 1,16 × 1,22
Repr. p. 506

Coll. Kai Stage

L'année terrible

894. *L'année terrible,* Paris, Michel Lévy
frères, 1873. In-8°
Gravures sur bois d'après Léopold FLA-
MENG et Victor HUGO

Coll. privée

895. *L'année terrible,* Paris, Michel Lévy
frères, 1874. Gr. in-8°
Gravures sur bois d'après Léopold FLA-
MENG, Daniel VIERGE et Victor
HUGO
Repr. p. 542

Coll. privée

896-899. *Fumés tirés de* L'année terrible,
Paris, E. Hugues, 1879
1. *Les peuples devant Paris,* par Daniel
VIERGE

[*A.T.,* « Juillet »]
Gravure sur bois de F. Méaulle.
0,136 × 0,212
Repr. p. 614

2. *La ville assassinée,* par Émile
BAYARD
Gravure sur bois de Georges Perrichon.
0,19 × 0,124
Repr. p. 613

3. *Les forts,* par Daniel VIERGE
[*A.T.,* « Décembre », VI]
Gravure sur bois. 0,129 × 0,218
Repr. p. 525

4. *À qui la victoire,* par Daniel VIERGE
[*A.T.,* « Décembre », IX]
Gravure sur bois. 0,128 × 0,216
Repr. p. 614

Paris, M.V.H.

900. François LIX

La libération du territoire
Dessin gravé en frontispice de *La libération du terriroire,* supplément à *L'année
terrible,* Paris, E. Hugues, 1879
Crayon gras, rehauts de blanc.
0,60 × 0,37
Repr. p. 613

Paris, M.V.H.

901. Charles MOREAU-VAUTHIER

Joseph Barra mort. 1880
Reproduit dans *Le Livre d'or de Victor
Hugo,* Paris, H. Launette, 1883
[Cf. *A.T.,* « Juin », XVII]
Huile sur toile. 0,80 × 1,45
Repr. p. 508

La Roche-sur-Yon, Ecomusée de la
Vendée (dépôt de la mairie de Nérac)

902. Pierre PUVIS DE CHAVANNES

*La Ville de Paris investie confie à l'air son
appel à la France*
Esquisse pour la peinture de 1870 portant
ce titre, gravée dans *Le Livre d'or de
Victor Hugo,* Paris, H. Launette, 1883
Huile sur carton. 0,463 × 0,31
Repr. p. 507

Paris, Musée Carnavalet

Quatrevingt-treize

903. Gustave BRION

Cimourdain. 1875
Dessin gravé dans *Quatrevingt-treize,*
Paris, E. Hugues, 1876, en frontispice de
III, VII, « Féodalité et révolution »
Crayon noir, fusain, rehauts de blanc.
0,597 × 0,444
Repr. p. 525

Paris, M.V.H.

904. Gustave BRION

Lantenac. 1875 (Salon de 1876)
Dessin gravé dans *Quatrevingt-treize,*
Paris, E. Hugues, 1876
[*Q.T.,* I, IV, V, « Signé Gauvain »]
Crayon noir, fusain. 0,595 × 0,445
Repr. p. 623

Paris, M.V.H.

905. Gustave BRION

Gauvain. 1875
Dessin gravé dans *Quatrevingt-treize,*
Paris, E. Hugues, 1876

[*Q.T.*]
Crayon noir, fusain. 0,595 × 0,445
Repr. p. 623

Paris, M.V.H.

906. Diogène MAILLART

Le cabaret de la rue du paon
Dessin gravé dans *Quatrevingt-treize,*
Paris, E. Hugues, 1876
[*Q.T.,* II, II, II, « Magna testantur voce
per umbras »]
Fusain, rehauts de blanc. 0,45 × 0,36
Repr. p. 622

Paris, M.V.H.

907. Diogène MAILLART

*Le marquis de Lantenac sauvant les
enfants de Michelle Flechard*
Dessin gravé dans *Quatrevingt-treize,*
Paris, E. Hugues, 1876
[*Q.T.,* III, V, III, « Où l'on voit se
réveiller les enfants qu'on a vus se
rendormir »]
Fusain, rehauts de blanc. 0,558 × 0,358
Repr. p. 624

Paris, M.V.H.

Souvenir de la nuit du 4

908. Henri GERVEX

Souvenir de la nuit du 4. Salon de 1880
Peinture gravée par F. Méaulle dans *Les
châtiments,* Paris, E. Hugues, 1884
[*Ch.,* II, III, « Souvenir de la nuit du 4 »]
Huile sur toile. 2,605 × 2,005
Repr. p. 616

Saint-Étienne, Musée d'Art et d'Industrie

909. Pierre LANGLOIS

Souvenir de la nuit du 4. Salon de 1880
[*Ch.,* II, III, « Souvenir de la nuit du 4 »]
Huile sur toile. 2,10 × 1,70
Repr. pp. 59, 616

Thionville, Musée (dépôt de l'État)

910. Louis-Ernest BARRIAS

Souvenir de la nuit du 4
Haut-relief provenant du socle du monu-
ment de Victor Hugo de la place Victor
Hugo à Paris, inauguré en 1902
[*Ch.,* II, III, « Souvenir de la nuit du 4 »]
Bronze. 1,28 × 1,98 × 0,29
Repr. p. 315

Calais, Musée des Beaux-Arts (dépôt de
la Ville de Paris)

De Doré à Gallé

911. Hippolyte BELLANGÉ

*Les Cuirassiers à Waterloo, passage du
chemin creux.* Salon de 1865
[Le livret du Salon donne en épigraphe
une longue citation de : *Mis.,* II, I, IX,
« L'inattendu »]
Huile sur toile. 1,05 × 2,15
Repr. p. 500

Bordeaux, Musée des Beaux-Arts

912. Gustave DORÉ

L'Énigme. 1871
Figure au catalogue de la vente Gustave
Doré de 1885 avec l'épigraphe suivante :
« Ô spectacle ; ainsi meurt ce que les peu-
ples font !

Qu'un tel passé pour l'âme est un gouffre profond ! »
[*Les voix intérieures,* IV, « À l'Arc de triomphe », VIII]
Huile sur toile. 1,30 × 1,955
Repr. pp. 57, 508

Paris, Musée d'Orsay

913. Alphonse OSBERT

Les chants de la nuit. Salon de 1896
[Cf. la peinture d'A. Osbert exposée au Salon de 1897, sous le titre « *Chant du crépuscule* »]
Huile sur toile. 0,76 × 1,23
Repr. p. 505

Paris, coll. Yolande Osbert

914. Jules DALOU

Les châtiments
[Le bronze correspondant figure sous ce titre au Salon de 1890]
Plâtre. 0,345 × 0,242 × 0,077
Repr. p. 508

Paris, Musée d'Orsay

915. Jules DALOU

Les châtiments. Étude pour le n° 914
Plume et encre brune. 0,198 × 0,13

Paris, coll. privée

916. Jean-Paul LAURENS

La chute de Satan
Dessin gravé dans *La fin de Satan,* Paris, E. Hugues, 1887
[*F.S., Hors de la terre,* I, *Et nox facta est*]
Fusain et pastel. 0,577 × 0,458
Repr. p. 507

Paris, M.V.H.

917. Georges-Antoine ROCHEGROSSE

Nemrod
Dessin gravé dans *La fin de Satan,* Paris, E. Hugues, 1887
[*F.S., Hors de la terre,* I, *Nemrod*]
Crayon, fusain, lavis d'encre noire, rehauts de blanc. 0,643 × 0,492
Repr. p. 507

Paris, M.V.H.

918. Georges-Antoine ROCHEGROSSE

L'Ange Liberté
Dessin gravé dans *La fin de Satan,* Paris, E. Hugues, 1887
[*F.S., Hors de la terre,* III, *l'Ange Liberté*]
Crayon noir, rehauts de blanc, lavis d'encre noire. 0,36 × 0,491
Repr. p. 517

Paris, M.V.H.

919-923. Jean-Paul LAURENS

Cinq eaux-fortes pour Le Pape, Paris, A. Quantin, 1885
1. Planche placée au début de *Un grenier*
0,176 × 0,135
Repr. p. 560

2. Planche placée au début de *On construit une église*
0,183 × 0,128
Repr. p. 561

3. Planche placée au début de *En voyant une nourrice*
0,184 × 0,132
Repr. p. 561

4. Planche placée au début de *Un échafaud*
0,182 × 0,13

5. Planche placée vers la fin de *Un échafaud*
0,183 × 0,13
Repr. p. 561

Coll. privée

924. Medardo ROSSO

Gavroche. Salon de 1886
Bronze. 0,25 × 0,21 × 0,15
Repr. p. 506

Torino, Galleria d'arte moderna

925. Auguste RODIN

Groupe d'hommes (cercle de damnés ?)
[Ce dessin comporte les inscriptions suivantes : *Les contemplations…/les châtiments* (?)*/Hugo*]
Plume et lavis d'encre brune, rehauts de gouache. 0,103 × 0,147
Repr. p. 508

Paris, Musée Rodin

926. Auguste RODIN

Couple enlacé. Vers 1880
[Ce dessin comporte notamment les inscriptions suivantes : *Françoise/Paolo/Virgile et Dante/Contemplations/l'amour profond comme les tombeaux/Baudelaire*]
Mine de plomb, plume et lavis brun. 0,102 × 0,102

Paris, Musée Rodin

927. Émile GALLÉ

Commode
[Comporte l'inscription suivante : « Prenez garde à la sombre équité, prenez garde… »]
[*L.S.,* XXXIII, I, « Liberté »]
Marqueterie de bois précieux et bois sculpté. 0,84 × 0,84 × 0,51
Repr. p. 628

Coll. privée

928. Émile GALLÉ

Vase « Les Iris. » 1896
Comporte l'inscription suivante :
« Vous m'avez vu cent fois dans la vallée obscure [Les contemplations, III, XXIV, '' Aux arbres '']/Questionner tout bas vos rameaux palpitants. Victor Hugo »
Cristal ciselé. 0,50 × 0,15
Repr. p. 628

Paris, Musée du Petit Palais

929. Émile GALLÉ

Vase « Puisque voici la saison des pervenches ». 1891
[Comporte les inscriptions suivantes : « Puisque voici la saison des pervenches », et : « Nous habitons chez les pervenches/Des chambres de fleurs à crédit/Quand la fougère a, sous les branches/Une idée, elle nous la dit. »]
[*Les chansons des rues et des bois,* II, IV, IV « Clôture », III, « Le poète est un riche »]
Verre améthysté gravé. 0,124 × 0,13
Repr. p. 629

Paris, Musée d'Orsay

930. Émile GALLÉ

Vase « Les bleuets ». Vers 1900

[Comporte l'inscription suivante : « Les bleuets la trouvaient belle. Victor Hugo »]
[*Toute la lyre,* IV, « L'idylle de Floriane »]
Verre soufflé et moulé, décor de verre appliqué et gravé. 0,258 × 0,136
Repr. pp. 61, 629

Philadelphia, Museum of Art

931. Antonin DAUM

Vase « J'aime l'araignée et j'aime l'ortie ». 1910
[Comporte l'inscription suivante : « J'aime l'araignée et j'aime l'ortie parce qu'on les hait/Et que rien n'exauce et que tout châtie leur morne souhait. »]
[*Les contemplations,* III, XXVII]
Verre soufflé à plusieurs couches, appliqué et gravé. 0,47 × 0,13
Repr. p. 505

Suwa (Japon), Musée Kitazawa

932. Henri JACQUIER

Après la bataille
Peinture exposée au Salon de 1909 avec l'épigraphe suivante : « Donne-lui tout de même à boire, dit mon père »
[*L.S.,* XLIX, « Après la bataille »]
Huile sur toile. 2,66 × 3,52
Repr. p. 507

Vienne, Musée des Beaux-Arts et d'Archéologie

Supplément

933. Jean-Paul LAURENS
Eau-forte pour Le Pape (cf. cat. 919-923)
0,182 × 0,13

Coll. privée

établi par Georges Vigne
et Jonas Storsve

Index des noms d'artistes

Cet index renvoie, d'une part, aux numéros des pièces originales (cat.), d'autre part aux pages où sont reproduites les œuvres des artistes recensés (ill.). Il ne mentionne les graveurs que pour les gravures originales.

ADAM Victor (1801-1866) : ill. p. 112
ADELINE Jules (1845-1909) : cat. 317
ALBERT Alfred : cat. 414-416, 419, 420, 432 ; ill. pp. 703, 708
ALEXIS : ill. pp. 564, 576
ALGIS : cat. 323
ALIZARD Joseph-Paul (1867-1948) : cat. 854 ; ill. p. 600
ALLAR André (1845-   ) : ill. p. 315
ALOISE (Aloïse CORBAZ, dite) (1886-1964) : cat. 772 ; ill. p. 581
ALOPHE (Marie-Alexandre, dit Menut) (1812-1883) : cat. 28, 686 ; ill. p. 67
ANCOURT Edward : cat. 325 ; ill. p. 200
ANDERSEN Hans Christian (1805-1875) : ill. p. 138
ANDREU Mariano (1901-   ) : cat. 459 ; ill. p. 718
ANDRIOLLI (?) : ill. p. 112
ANONYMES : ill. pp. 67, 73, 78, 81, 83
ANTOINE André (1858-1943) : ill. p. 773
APPERT Eugène (1814-1867) : cat. 89
ARNOUX Albert d' : voir BERTALL
ASTRUC Zacharie (1835-1907) : cat. 4 ; ill. pp. 4, 272
AUBÉ Paul (1837-1920) : ill. p. 596.
AUTIN R. : cat. 93
AVRIL (Edouard Henri, dit Paul) (1849-   ) : ill. p. 6
BACHELAY R. : cat. 664
BACOT Edmond : cat. 73
BADIGARD : ill. p. 441
BARABANDY R. : cat. 682
BARBIZET : cat. 650 ; ill. p. 641
BAREAU Georges (1866-   ) : ill. 276
BARIC Jules Jean Antoine (1830-1905) : ill. pp. 444, 464, 466, 471
BARRIAS Louis Ernest (1841-1905) : cat. 910 ; ill. pp. 278, 314, 315
BAYARD Emile-Antoine (1837-1891) : cat. 837, 841, 852, 897 ; ill. pp. 595, 596, 598, 613, 624, 707
BAZILLE Frédéric (1841-1870) : cat. 887 ; ill. pp. 56, 605
BEAUCÉ Jean Adolphe (1818-1875) : ill. pp. 535, 558, 562
BEAUMONT Edouard de (1821-1888) : cat. 724 ; ill. pp. 529, 583
BECOEUR Charles Jérôme (1807-1832) : cat. 736, 737 ; ill. pp. 572, 590
BECQUET Just (1829-1907) : cat. 224-226 ; ill. pp. 279, 316, 317
BELLANGÉ Hippolyte (1800-1866) : cat. 911 ; ill. pp. 500, 545
BENJAMIN (Benjamin ROUBAUD, dit) (1811-1847) : cat. 33, 35, 37 ; ill. pp. 88, 128, 392
BENJAMIN-CONSTANT Jean Joseph (1845-1902) : ill. p. 506
BENNETEAU : ill. p. 325
BENOIS Alexandre (1870-1960) : cat. 446 ; ill. p. 714
BÉRAUD Jean (1849-1936) : cat. 127 ; ill. p. 221
BERNAND (agence) : cat. 458, 460, 481, 485, 487, 488, 491, 493, 494, 499 ; ill. pp. 725, 726, 730, 768

BERNARD Raymond (1891-1978) : ill. pp. 770, 776
BERNE-BELLECOURT Étienne (1838-1910) : ill. p. 122
BERTALL (Albert d'ARNOUX, dit) (1820-1882) : cat. 42, 76, 85 ; ill. pp. 78, 111, 117, 202, 248, 442, 443, 445, 450
BESNARD Paul Albert (1849-1934) : cat. 239, 373 ; ill. p. 313
BETBEDER Faustin : voir FAUSTIN
BETOUT Charles : cat. 447, 448 ; ill. p. 715
BISSON-COTTARD : ill. p. 120
BLASS J. : cat. 121 ; ill. pp. 93, 252
BODMER Karl (...) : ill. p. 621
BOGINO F. L. : ill. p. 70
BOMBLED Louis Charles (1862-1927) : cat. 358 ; ill. p. 339
BONENFANT T. : cat. 791
BONNAT Léon (1834-1923) : cat. 96, 236, 278, 292, 312, 336 ; ill. pp. 8, 9, 37, 101, 148, 311
BORIE P. : cat. 247, 666, 676 ; ill. p. 154
BORIONE Bernard : ill. p. 477
BORREL Alfred (-1927) : cat. 140
BOUCHARD Henri (1875-1960) : cat. 15, 164, 229 ; ill. pp. 5, 279, 324
BOUCHER Jean (1870-1939) : cat. 227 ; ill. p. 108
BOULANGER Gustave (1824-1888) : ill. p. 501
BOULANGER Louis (1806-1867) : cat. 17, 29, 376, 379, 385-393, 406-408, 532-539, 549, 550, 673, 707, 710-712, 717, 718, 723, 724, 730-734, 796, 797, 802, 811-814, 828 ; ill. pp. 42, 51, 70, 104, 192, 194, 498, 501-503, 520, 534, 550, 569, 582, 584, 591, 592, 668, 669, 680, 681, 693, 695, 746, 747
BOURGAIN G. : ill. pp. 622, 624
BOURGEVIN A. : cat. 107 ; ill. pp. 134, 265
BRABANT Jean-Claude : cat. 492 ; ill. p. 730
BRACQUEMOND Félix (1833-1914) : ill. p. 604
BRAUN et Cie : ill. pp. 8, 9
BRÉ O. du : ill. p. 189
BRICAGE Cl. : cat. 495-497, 524, 526 ; ill. pp. 733, 734
BRIDEL : cat. 440 ; ill. p. 707
BRIGANDAT : cat. 261 ; ill. p. 77
BRION Gustave (1824-1877) : cat. 725, 726, 771, 835, 836, 903-905 ; ill. pp. 500, 506, 525, 535, 536, 541, 554, 563, 573, 576, 581, 583, 585, 586, 590, 595, 596, 623
BRUN A. : cat. 844
BRUNCK de FREUNDECK Richard : cat. 883 ; ill. p. 603
BUDAUX Henri : ill. p. 290
BÜRDE, Paul (1819-1874) : ill. p. 751
BUHOT Félix (1847-1898) : cat. 231 ; ill. p. 91
BULEWSKI Louis : ill. p. 80
BULIO Jean (1827-1911) : cat. 242
CABANEL Alexandre (1824-1889) : cat. 831, 884 ; ill. pp. 53, 514, 515
CABOCHE : ill. p. 739
CAIN eorges (1856-1919) : ill. p. 622
CAMBON Charles Antoine (1802-1875) : cat. 375, 404, 405, 529-531 ; ill. pp. 662, 748, 749
CAMEP (agence) : cat. 527
CAMI Robert (1900-   ) : cat. 333
CAPELLANI Albert (1870-1931) : ill. p. 772
CAPELLE Alfred Eugène (1834-1887) : cat. 93
CARAN D'ACHE (Emmanuel POIRÉ, dit) (1858-1909) : ill. p. 401
CARDONA José : cat. 760 ; ill. p. 574

CARJAT Étienne (1828-1906) : cat. 68, 88 ; ill. pp. 668, 701, 740

CARLIER Eugène Joseph Nestor (1849-1927) : cat. 871 ; ill. p. 610

CARRÉ Georges Henri (1878-1945) : cat. 253 ; ill. p. 134

CARRIÈRE Eugène (1849-1906) : cat. 889 ; ill. pp. 507-607

CASSIEN-BERNARD Marie Joseph (1848-) : cat. 218 ; ill. p. 275

CHAINEUX Désiré (1851-) : cat. 554-562 ; ill. p. 712

CHALLAMEL Jules Joseph (1813-) : cat. 684

CHAM (Amédée Charles Henri, comte de Noé, dit) (1819-1879) : ill. pp. 122, 247, 441, 700

CHAMPOLLION Eugène (1848-1901) : ill. p. 80

CHAPERON Philippe Marie (1823-1907) : cat. 125, 418 ; ill. pp. 308, 703

CHAPLAIN Jules Clément (1839-1909) : cat. 161

CHARTRAN Théobald (1849-1907) : cat. 131, 174 ; ill.pp. 98, 291

CHÂTILLON Auguste de (1813-1881) : cat. 27, 380-384, 400-402 ; ill. pp. 121, 677, 685

CHATINIÈRE Antonin Marie (1828-) : cat. 663

CHELMONSKI : ill. p. 188

CHENAY Paul (1818-1906) : ill. p. 80

CHERET Jules (1836-1933) : cat. 354, 357 ; ill. pp. 101, 339, 340

CHEVALIER Sulpice Guillaume : voir GAVARNI

CHIFFLART Nicolas François (1825-1901) : cat. 426-431, 721, 777, 809, 852, 856, 858, 861, 864, 869, 877, 881 ; ill. pp. 86, 100, 522-524, 580, 589, 603, 610, 611, 705, 741

CHOUBRAC Léon : voir HOPE

CICERI Pierre Luc Charles (1792-1868) : cat. 374 ; ill. p. 668

CLAIRIN Georges (1843-1919) : cat. 575 ; ill. p. 741

CLERGET Hubert (1818-1899) : ill. p. 273

CLOT A. : cat. 364 ; ill. p. 139

COINDRE Victor : cat. 678

COLIN Alexandre Marie (1798-1873) : cat. 815 ; ill. pp. 502, 592

COLIN Héloïse Suzanne : voir LELOIR

COLIN Paul (1892-1985) : cat. 695

COLLODION Victor : ill. p. 103

COLOMB B. : voir MOLOCH

Comédie-Française (atelier de confection des costumes) : cat. 568-570, 576, 587-592

COMERRE Léon (1850-1916) : cat. 445, 842 ; ill. pp. 60, 598, 709

CONVERS Louis (1860-1919) : ill. p. 597

CONTINI Massimiliano (c. 1850-) : ill. p. 276

CORBAZ Aloïse : voir ALOISE

CORMON (Fernand PIESTRE, dit Fernand) (1845-1924) : cat. 892 ; ill. pp. 58, 313, 626

COROT Jean-Baptiste Camille (1796-1875) : cat. 816 ; ill. p. 592

COUDER Louis Charles Auguste (1790-1873) : cat. 728 ; ill. p. 518

COURBOIN Eugène : ill. p. 7

COURTRY Charles (1846-1897)

CRESPON Adolphe Louis Charles (1859-) : cat. 132 ; ill. p. 290

CRUIKSHANK George (1792-1878) : cat. 706 ; ill. pp. 548, 557

DALOU Jules (1838-1902) : cat. 12, 166, 167, 222, 914, 915 ; ill. pp. 5, 97, 277,508

DAMBLANS Eugène (1865-) : cat. 679 ; ill. pp. 112, 643

DANTAN Edouard (1848-1897) : ill. p. 600

DANTAN Jean Pierre (1800-1869) : cat. 20, 21 ; ill. pp. 4, 110

DARBEFEUILLE Paul (1855-1930) : ill. p. 276

DAUBIGNY Charles François (1817-1878) : cat. 724 ; ill. p. 540

DAUM Antonin (1864-1931) : cat. 931 ; ill. p. 505

DAUMIER Honoré (1808-1879) : cat. 36, 40, 41, 44, 45, 86 ; ill. pp. 114, 125-127, 196, 203, 249, 696

DAVID Adolphe (1828-1895) : ill. p. 76

DAVID D'ANGERS (Pierre Jean DAVID, dit) (1788-1856) : cat. 3, 7-9, 22 ; ill. pp. 5, 76, 78, 191

DEBÉBRICON : ill. p. 7

DELACROIX Eugène (1798-1863) : cat. 371, 807 ; ill. pp. 43, 590, 660

DELAROCHE (Hippolyte, dit Paul) (1797-1856) : cat. 817 ; ill. p. 593

DELOYE Gustave (1848-1899) : cat. 10, 220 ; ill. pp. 5, 106, 271

DELOYOTI G. : cat. 80 ; ill. p. 209

DEMARE Henri (1846-1888) : cat. 120, 187, 433 ; ill. pp. 7, 93, 96, 135, 703

DENIS L.

DESMAZIÈRES Erik : cat. 573

DESMOULIN Fernand (1853-1914) ; ill. p. 307

DESTREM Casimir (1844-) : ill. p. 606

DEVAMBEZ André (1867-1943) : cat. 310 ; ill. pp. 41, 110, 133

DEVÉRIA Achille (1800-1857) : cat. 24, 378, 393, 652, 768, 780, 827 ; ill. pp. 66, 503, 546, 549, 550, 643, 668, 674, 681

DEVÉRIA Eugène (1805-1865) : ill. p. 72

DEVRED Alfred : cat. 435

DIAZ de la PENA Narcisse Virgile (1807-1876) : cat. 775 ; ill. p. 504

DIDIER Adrien (1838-1924) : ill. p. 80

DIETERLE Wilhelm (1893-1972) : ill. p. 777

DIEUDONNÉ Ch. (?) de : ill. p. 100

DOCHY (révérend) : ill. p. 9

DOL H.A. : ill. p. 95

DOLLET Jean François Victor (1815-) : cat. 552 ;ill. p. 697

DONJEAN : cat. 324 ; ill. pp. 81, 306

DORÉ Gustave (1832-1883) : cat. 799-801, 808, 855, 912 ; ill. pp. 52, 57, 506, 508, 585, 610

DRUET Daniel : cat. 2

DUBOIS Maurice : ill. p. 280

DUBUFE Guillaume (1853-1909) : cat. 234 ; ill. p. 100

DUPAIN E. : ill. p. 100

DUPUIS Géo ou Georges (1875-) : cat. 360 ; ill. p. 341

DUSEIGNEUR Jean-Bernard (1808-1866) : cat. 70 ; ill. p. 65

DUSINO Henry : ill. p. 576

EDMUS : cat. 259 ; ill. p. 307

EFFEL Jean : ill. p. 136, 231, 254, 255, 607

ELIOT Maurice (1864-1945) : cat. 845

ENGUERAND : cat. 521-524 ; ill. pp. 736, 737

ENGUERAND Brigitte : cat. 514

ENGUERAND Marc : cat. 498, 501, 502, 504, 505 ; ill. pp. 718, 725

ERDMANN Albert : cat. 241

FALGUIÈRE Alexandre (1831-1900) : cat. 1, 221, 793 ; ill. pp. 272, 290, 305, 537

FANTIN-LATOUR Henri (1836-1904) : cat. 233, 820-822 ; ill. p. 593

FARIA : cat. 321 ; ill. p. 116

FAUJOUR Jacques : ill. pp. 157, 263, 264, 266, 269, 299, 338, 581

FAUSTIN (Faustin BETBEDER, dit) (1847-) : cat. 100 ; ill. pp. 117, 122

FÉRAT Jules (1829-) : ill. pp. 699, 762

FESCOURT Henri (1880-1966) : ill. p. 775

FILDES Sir Luke (1844-) : ill. p. 619

FLAMENG François (1856-1923) : cat. 355, 779 ; ill. pp. 581, 615

FLAMENG Léopold (1831-1911) : cat. 894, 895 ; ill. pp. 613, 615

FLAUNET : cat. 303 ; ill. p. 146

FOSSÉ Athanase (1851-1923) : ill. p. 616

FOUCHER Paul : ill. p. 758

FOULQUIER Jean (1822-1896) : cat. 726 ; ill. pp. 529, 554, 557

FRAGONARD Théophile Evariste (1806-1876) : cat. 716 ; ill. p. 503

FRANCE Jacques » : ill. p. 618

FRÉMIET Emmanuel (1824-1910) : cat. 875, 882 ; ill. pp. 506, 603

FREMINET F. : cat. 852

FROMENT Eugène (1844-1900) : ill. pp. 478, 535

FRÖLICH Lorenz (1820-1908) : cat. 885, 890, 891, 893 ; ill. pp. 506, 516, 517, 606

GAILLARD M. : cat. 257

GALE William (1823-1909) : cat. 767 ; ill. pp. 50, 579

GALLÉ Émile (1846-1904) : cat. 927-930 ; ill. pp. 61, 628, 629

GALLOT Charles : cat. 94 ; ill. p. 68

GARNIER Arsène : cat. 77, 78, 87 ; ill. p. 74, 486

GARNIER Charles (1825-1898) : cat. 124 ; ill. p. 309

GARNIER Jules Arsène (1847-1889) : cat. 439 ; ill. pp. 250, 537, 700

GAUGUIN Paul (1848-1903) : ill. p. 500

GAUTIER Théophile (1811-1872): cat. 761 ; ill. pp. 575, 592

GAVARNI Paul (Sulpice Guillaume CHEVA-LIER, dit) (1804-1866) : cat. 394, 720, 829, 830 ; ill. pp. 499, 503, 555, 680

GEOFFROY : ill. p. 597

GEOFFROY Jean, dit GÉO (1853-1924) : cat. 838, 853 ; ill. pp. 599, 601

GÉRARD Jean Ignace Isidore : voir GRAND-VILLE

GERLIER (1826-) : cat. 322 ; ill. p. 761

GÉROME Jean Léon (1824-1904) : ill. p. 506

GERVAIS Eugène : ill. p. 80

GERVEX Henri (1852-1929) : cat. 908 ;ill. pp. 311, 616

GILBERT-MARTIN Charles (1839-1905) : cat. 106, 112, 117 ; ill. pp. 117, 208, 215

GILL André (1840-1885) : cat. 79, 101-104, 109, 110, 113, 119, 185, 262, 409, 411 ; ill. pp. 82, 89, 102, 109, 113, 118, 129, 190, 209, 212, 399, 406, 444, 457, 698, 699

GIRARDOT Louis Auguste (1858-1933) : cat. 888 ; ill. p. 606

GIROLAMI : cat. 165 ; ill. p. 97

GISCHIA Léon (1903-) : cat. 593-598

G.L.V. : cat. 118

GODDÉ Jules : ill. p. 539

G.R. : ill. p. 129

GRANDVILLE (Jean Ignace Isidore GÉRARD, dit) (1803-1847) : cat. 34 ; ill. pp. 38, 92, 193, 668

GRANET François Marius (1775-1849) : cat. 713, 714 ; ill. p. 504

GRASSET Eugène Samuel (1841-1917) : cat. 878 ; ill. p. 604

GRÉVIN Musée : ill. p. 70
GRIPP Carlo : cat. 412
GRIPPU A. : cat. 111
GROBET H. : cat. 252 ; ill. p. 133
GUAY Gabriel : ill. p. 597
GUIAUD Georges-François (1840-1893) : ill. p. 288
GUIMIER : ill. p. 138
GUMERY Adolphe (1861-1943) : cat. 128 ; ill. p. 221
HADOL Paul (1835-1875) : ill. p. 441
HEIM François Joseph (1787-1865) : cat. 30 ; ill. p. 71
HEM H. de : ill. p. 611
HÉNARD E. (?) : ill. p. 305
HENNER Jean-Jacques (1829-1905) : cat. 823-826 ; ill. p. 594
HENRY Elisa Victorine (active c. 1825) : cat. 774 ;ill. p. 502
HILDEBRAND Bernard (-1903) : cat. 792 ; ill. p. 579
HOPE (Léon CHOUBRAC, dit aussi) (1847-1885) : cat. 363 ; ill. p. 767
H.U. : ill. p. 7
HUET Paul (1803-1869) : cat. 708, 709 ; ill. pp. 47, 509
HUGO Charles (1826-1870) : cat. 55-64, 66-68 ; ill. pp. 72, 75, 76, 80, 106, 107, 114, 206, 207
HUGO Jean (1894-1984) : cat. 449-456 ; ill. pp. 45, 717
HUGO Victor (1802-1885) : cat. 433, 482, 484-491, 542-548, 645, 646, 726, 852, 858, 860, 862, 865, 868, 873, 874, 894, 895 ; ill. pp. 55, 90, 522, 608, 609, 612, 621, 658, 676, 686, 690, 694, 695
HUMBERT Jacques Ferdinand (1842-1934) : cat. 574 ; ill. p. 744
HUREY Paul : cat. 130 ; ill. p. 288
HUTTON T. B. : cat. 75 ; ill. p. 74
INGRES Jean Auguste Dominique (1780-1867) : cat. 833 ; ill. p. 501
INJALBERT Jean Antoine (1845-1933) : cat. 14, 228 ; ill. pp. 5, 72, 280
INTERPRESS (agence) : cat. 506, 507 ; ill. p. 726
ISORE L. : cat. 123 ; ill. p. 219
JACOTIN Charles : ill. p. 766
JACQUES Nicolas (1780-1844) : ill. p. 585
JACQUIER Henry (1878-1921) : cat. 932 ; ill. p. 507
JAMBON Marcel (1848-1908) : ill. p. 710
JAM-HER : ill. p. 101
JANET Gustave (1829-) : cat. 675
JASSET Victorin (1862-1913) : ill. p. 771
JEANNIOT Georges : ill. p. 615
J. M. : cat. 155
JOHANNOT Alfred (1800-1837) : cat. 723, 738 ; ill. p. 674
JOHANNOT Tony (1803-1852) : cat. 723, 724, 735, 803 ; ill. pp. 76, 528, 533, 540, 565, 572, 574, 586, 587
JUBERT Jacques : cat. 334
JULIEN Bernard (1802-1871) : cat. 26 ; ill. p.76
KAUFFMANN Paul (1849-) : ill. p. 480
KERBRAT Philippe : cat. 503
KOKKOS Yannis : cat. 515-520, 528
LABADIE Georges : voir PILOTELL
LACAUCHIE Alexandre : ill. p. 667
LAFFARGUE H. : cat. 605, 606 ; ill. p. 751
LA FIZELIÈRE-RITTI Marthe (1865-après 1936) : cat. 843 ; ill. p. 598
LAFOSSE Jean-Baptiste (c. 1810-1879) : cat. 39 ; ill. p. 113

LALANNE Maxime (1827-1886) : cat. 173 ; ill. p. 98
LALAU Maurice (1881-) : cat. 688
LAMY Pierre Auguste (1827-) : cat. 660
LANÇON Auguste (1836-1887) : ill. p. 601
LANGLOIS Pierre : cat. 909 ; ill. pp. 59, 618
LANGLUME : ill. p. 399
LAURENS Jean Paul (1838-1921) : cat. 235, 916, 919-923, 933 ; ill. pp. 312, 507, 560, 561, 606
LAURENS Jules (1825-1901) : cat. 172 ; ill. pp. 80, 98
LAURENT-DESROUSSEAUX Henri Alphonse Louis (1862-1906) : cat. 845
LAWSON E. W.: ill. p. 624
LEBŒUF Joseph (-1867) : cat. 70 ; ill. p. 65
LE CHANOIS Jean-Paul (1909-1985) : ill. p. 778
LECLER : cat. 377
LECOCQ Adrien (1832-1887) : cat. 604 ; ill. p. 755
LECOMTE DU NOUY Jean (1842-1923) : cat. 832 ; ill. pp.106, 501
LECORNEY Nicolas (?) : ill. p. 596
LEFORT Henri-Émile (1852-) : ill. p. 80
LEGENISEL Alexandre (c. 1860-) : ill. p. 7
LEGER-LARBOUILLAT : cat. 374
LEHOUX Pierre Adrien Pascal (1844-1896) : cat. 876 ; ill. p. 604
LELOIR Héloïse, née COLIN (1820-1873) : cat. 770 ; ill. p. 580
LEMERCIER Charles (1797-1859) : ill. p. 694
LEMOT A. : cat. 413 ; ill. p. 452
LEMUD François de (1817-1887) : cat. 724 ; ill. p. 590
LENI Paul (1885-1929) : ill. p. 774
LEPÈRE Auguste (1848-1918) : ill. p. 98
LE PETIT Alfred (1841-1909) : cat. 105, 108, 116, 154, 186, 263 ; ill. pp. 96, 103, 136, 140, 208, 251, 708, 759
LE PIC ou LEPIC Ludovic Napoléon, vicomte (1839-1889 ou 1890) : cat. 610-616 ; ill. pp. 753, 754
LEPRIS (ou ZEPRIS ?) : cat. 122 ; ill. p. 219
LEROUX Eugène (1807-1863) : cat. 685 ;ill. p. 636
LESAGE Louis Ernest : voir SAHIB
LÉVEILLÉ Auguste (1840-1900) : ill. p. 124
LÉVY Charles : cat. 366
LIPNITZKI : cat. 457, 484, 486, 489, 490 ; ill. p. 716, 730, 732
LIX François : cat. 900 ; ill. p. 613, 704
LOEVY Edward (1857-1911) : cat. 147 ; ill. p. 472
LOYE Charles Auguste : voir MONTBARD
LUDOVIC : ill. p. 217
MADOU Jean Baptiste (1796-1877) : cat. 746-750 ; ill. p. 572
MAES : cat. 72 ; ill. p. 74
MAIGNAN Albert (1845-1908) : cat. 232, 879 ; ill. p. 91
MAILLARD Auguste (1864-) : ill. p. 280
MAILLARD Diogène (1840-1926) : cat. 906, 907 ; ill. pp. 622, 624
MAILLET Jacques (1823-1895) : cat. 240 ; ill. p. 105
MAILLY Hippolyte (1829-) : ill. p. 120
MALEUVRE : ill. pp. 667, 679, 683
MANTELET Martine : ill. p. 156
MANUEL Henri : cat. 578-586 ; ill. p. 743
MARCELLIN : ill. pp. 109, 115, 406, 558
MARÉE-BREYER P. : cat. 500
MARIE Adrien (1848-1891) : cat. 98 ; ill. pp. 124, 617, 707, 759
MARQUESTE Laurent (1848-1920) : cat. 13, 223 ; ill. p. 5, 105

MARQUET Georges : cat. 416 ; ill. p. 111
MARTINET Chantal : ill. p. 156, 268
MARTINEZ : ill. p. 80
MARVY Alfred
MARZOLF : ill. p. 325
MASSARD Léopold (1868-) : ill. p. 8
MASSON André (1896-) : cat. 872
MATISSE Henri (1869-1954): cat. 834
MAURIN Antoine (1793-1860) : cat. 23 ; ill. p. 67
MAURIN Nicolas (1799-1850) : cat. 739-745 ; ill. p. 571
M.D. : cat. 32 ; ill. p. 88 (?)
MÉAULLE Louis Fortuné (1844-) : cat. 646
MEISSONIER Jean Louis Ernest (1815-1891) : cat. 724
MÉLANDRI A. : ill. pp. 123, 740
MELINGUE Lucien (1841-1889) : cat. 852
MERCIÉ Antonin (1845-1916) : cat. 11 ; ill. p. 5
MERSON Luc Olivier (1846-1920) : cat. 727, 805 ; ill. pp. 530, 544, 575, 587
MERWART Paul (1855-1902) : ill. pp. 189, 286
MÉRYON Charles (1821-1868) : cat. 726 ; ill. p. 505
MESPLES Eugène (1849-1924) : cat. 316
MEUNIER Georges (1869-) ; ill. p. 83
MEYER Henri : ill. p. 757
MICHAUX : cat. 72 ; ill. p. 74
MICHELE A. : ill. p. 124
MICHEL-LANÇON Edouard (1854-1931) : cat. 126 ; ill. p. 308
MIGETTE C. (1804-1884) : ill. pp. 530, 531
MOISAN : ill. p. 255
MOLOCH (B. COLOMB, dit) (1849-1909) : ill. p. 112
MONCHABLON Xavier Alphonse (1835-1907) ¨ cat. 97 ; ill. p. 114
MONGIARDINO Renzo : cat. 477-480 ; ill. p. 716
MONTBARD (Charles Auguste LOYE, dit) (1841-1905) : cat. 82, 83 ; ill. pp. 93, 108
MOREAU : ill. p. 124
MOREAU-VAUTHIER Charles : cat. 901 ; ill. p. 508
MOREL-RETZ Louis : voir STOP
MORIN Edmond (1824-1882) : cat. 726 ; ill. pp. 702, 704
MORIN Louis : ill. p. 176
MORLAND Valère (1846-) : ill. pp. 440, 445
MOTTEZ Victor (1809-1897) : cat. 31 ; ill. p. 104
MOTZ E. : ill. p. 120
MOUCHOT (Louis Hippolyte, ou Ludovic) (1846-1893) : cat. 99, 361, 851, 852 ; ill. pp. 100, 122, 210, 349, 601
MOYNET Jean Pierre (1819-1876) : cat. 553 . ill. p. 697
NADAR (Félix TOURNACHON, dit) (1820-1910) : cat. 49, 54, 74, 90, 91, 95, 265, 266 ; ill. pp. 68, 69, 86, 93, 132, 137, 144, 186, 204, 249, 705, 742, 762
NANTEUIL (de son vrai nom NANTEUIL-LEBOEUF) Célestin (1813-1873) : cat. 395-397, 403, 540, 639, 649, 651, 657, 668-670, 672, 702-705, 755, 799 ; ill. pp. 517, 526, 528, 540, 569, 575, 584, 632, 636, 643, 682, 686, 745
NEUVILLE Alphonse de (1835-1885) : ill. p. 500
NOBILI Lila de : cat. 477-480 ; ill. p. 716
NOBLE Julien Laurent (1834-1878) : ill. p. 120
NOËL Léon (1807-1884) : cat. 25 ; ill. p. 67

NUMA DE LALU : cat. 781 ; ill. p. 552
Opéra de Paris (atelier des décors) : cat. 607-609
OSBERT Alphonse (1857-1939) : cat. 913 ; ill. p. 505
OULEVAY Henri Charles : cat. 84
OUVRÉ Achille (1872-1951) : cat. 330-332
PALLEZ Lucien (1853-) : ill. pp. 276, 279, 325
PATERSON H. : ill. p. 620
PERLET (Pierre Etienne, dit Petrus) (1804-1843) : cat. 769
PERNOT A. J. : ill. p. 588
PERRACHON André-Benoit (1828-1909) : cat. 230 ; ill. p. 413
PERRAULT Léon (1832-1908) : ill. p. 593
PERRIER Jean : cat. 693, 694
PESCHEUX : ill. p. 401
PETIT Pierre (1900-) : cat. 71 ; ill. pp. 94, 119
PHELIPPES Charles François (-1867) : cat. 647 ; ill. p. 643
PICASSO Pablo (1881-1973) : ill. p. 239
PIEL Jules (1882-) : cat. 329
PIESTRE Fernand : voir CORMON
PIGEON Jean Marie : cat. 16
PILOTELL Georges (Georges LABADIE, dit) (1844-1918) : cat. 81 ; ill. pp. 39, 116, 410, 413
PIMENOFF J. P. : Cat. 700, 701
POILPOT Théophile : ill. p. 292
POIRÉ Emmanuel : Voir CARAN D'ACHE
POMPON François (1855-1933) : cat. 840 ; ill. p. 597
POUBLON : ill. p. 125
PROTAT Hugues : ill. p. 592
PUVIS DE CHAVANNES Pierre (1824-1898) : cat. 237, 238, 886, 902 ; ill. pp. 78, 313, 507, 605
QUESNAY DE BEAUREPAIRE Alfred (1830-) : ill. p. 188
QUILLENBOIS (Charles Marie de SARCUS, dit) (1821-) : cat. 43, 46-48, 50-53 ; ill. pp. 115, 126, 129, 203, 205, 247, 249
QUINET André : ill. p. ?
RAFFAELLI Jean François (1850-1924) : cat. 722 ; ill. p. 499
RAFFET Auguste (1804-1860) : cat. 723, 726, 728 ; ill. pp. 551, 585
RAIMBAUD : ill. p. 202
RAJON Paul (1843-1888) : ill. p. 9
RATTIER Antoine ? : ill. p. 80
RECHOVSKY Jean : ill. p. 589
RÉGNIER : ill. p. 98
REY F. (Félix REGAMEY, dit aussi) (1844-1907) : cat. 115 ; ill. pp. 128, 469
RIGOBERT : ill. p. 246
RIOU Edouard (1833-1900) : cat. 852 ; ill. pp. 529, 554, 555
RIOULT Louis Edouard (1790-1855) : cat. 715 ; ill. p. 502
RIVOULON Antoine (1810-1864) : cat. 719 ; ill. p. 569
ROBERT Paul : ill. p. 616
ROBERT-FLEURY Tony (1837-1912) : ill. p. 121
ROCHEGROSSE Georges Antoine (1859-1938) : cat. 356, 917, 918 ; ill. pp. 507, 602
RODIN Auguste (1840-1917) : cat. 5, 188-214, 925, 926 ; ill. pp. 4, 65, 68, 84, 85, 280, 318,-323, 502
ROGIER Camille (au Salon de 1833 à 1848) : cat. 723
ROQUEPLAN Camille (1803-1855) : cat. 724
ROSAMBEAU F. : ill. p. 212
ROSSO Medardo (1858-1928) : cat. 924

ROTY Oscar (1846-1911) : cat. 141
ROUARGUE D. : cat. 723 ; ill. p. 588
ROUBAUD Benjamin : voir BENJAMIN : ill. p. 68
ROUBAUDI Alcide : cat. 804-806 ; ill. p. 587
ROUVEYRE André (1879-1962) : cat. 571, 572
ROZET René (1859-) : cat. 162, 243
RUBE Auguste Alfred (1815-1899) : cat. 418 ; ill. p. 703
RUDDER Louis Henri de (1807-1881) : cat. 724, 803 ; ill. pp. 573, 574
RUTY P. M. (1868-) : cat. 880 ; ill. pp. 532, 602
SAHIB (Louis Ernest LESAGE, dit) (1847-1919) : ill. pp. 177, 402, 445
SAINT-PIERRE Gaston (1833-1916) : cat. 773 ; ill. p. 579
SALATE Fernand : ill. p. 89
SAMUEL : ill. p. 136
SARCUS Charles Marie de : voir QUILLENBOIS
SAUVAGE : cat. 255 ; ill. p. 133
SCHOENEWERK Alexandre (1820-1885) : ill. p. 272
SCHULER Jules Théophile (1821-1878) : cat. 776 ; ill. pp. 543, 581, 617
SCHULZ : ill. p. 325
SCOTT Georges (1873-) : ill. p. 710
SCOTT Henri (1846-1884) : cat. 726 ; ill. pp. 556, 704
SÉGUIN Gérard (1805-1875) : ill. pp. 529, 562, 576, 586
SIGNOL Émile (1804-1892) : cat. 818 ; ill. pp. 504, 593
SINIBALDI Paul (1857-1909) : cat. 129 ;ill. p. 287
SMEETEN-TILLY : ill. p. 80
SOREL A. : cat. 661 ; ill. pp. 445, 643
SORRIEU Frédéric (1807-) : cat. 680
SORRIEU J. : cat. 658
STAAL Pierre Gustave Eugène (1817-1882) : cat. 114, 665 ill. pp. 121, 113, 646
STEICHEN Edward (1899-1973) : cat. 215 ; ill. p. 405
STEINHEIL Louis Charles Auguste (1814-1885) : cat. 724 ; ill. p. 576
STEINLEN Théophile Alexandre (1859-1923) : cat. 133, 846-850 ; ill. pp. 62, 118, 507, 600, 601
STEUBEN Charles, baron de (1788-1856) : cat. 764-766, 784 ; ill. pp. 49, 512, 578
STEVENS Alfred (1823-1906) : ill. p. 311
STOP (Louis MOREL-RETZ, dit) (1825-1899) : cat. 618 ; ill. p. 755
SWAIN : ill. p. 211
TALP : ill. p. 94, 95
TASSAERT Octave (1800-1874) : cat. 819 ; ill. p. 593
TAUZIN Louis : cat. 359
TAYLOR William : ill. p. 542
TEYSSONNIÈRES Pierre Salvy Frédéric (1834-) ill. p. 94
Théâtre National Populaire (atelier de confection des costumes) : cat. 593-598
THÉO : ill. p. 739
THEROND Émile (1821-) : cat. 726
THOMAS Maxime de : cat. 419, 420, 436, 437 ; ill. pp. 44, 703, 708
TIM : ill. p. 434, 437
TOUDERT B. : cat. 605, 606
TOULOUSE-LAUTREC Henri de (1864-1901) : ill. p. 531
TOURNACHON Félix : voir NADAR
TOUSSAINT Henri (1849-1911) : ill. p. 707

TREATT Nicolas : cat. 508-513 ; ill. pp. 726, 732
TRENTANOVE Gaetano (1858-1937) : ill. p. 105
TRICHON Auguste (1814-) : ill. p. 9
URRABIETA ORTIZ Y VIERGE Daniel : voir VIERGE
VACQUERIE Auguste (1819-1895) : cat. 65, 68 ; ill. p. 106
VALÉRY Charles Jean Baptiste (actif au Salon de 1833 à 1850) : cat. 92
VALETTE Maurice (1852-) : ill. p. 9
VALLET Louis (1856-) : cat. 441-444
VALLOTTON Félix (1865-1925) : ill. p. 86
VALNAY Jacques (fils) : cat. 434 ; ill. pp. 699, 704
VAN GOGH Vincent (1853-1890) : ill. p. 505
VARDA Agnès (1928-) : cat. 461-476 ; ill. pp. 719-723
VASSEUR Louis : ill. p. 597
VEILHAN Michel : cat. 482, 483 ; ill. p. 731
VENOT Cyprien François (1808-1886) : cat. 6 ; ill. p. 5
VERHOEVEN : ill. p. 280
VIERGE Daniel (URRABIETA ORTIZY VIERGE Daniel, dit) (1851-1904) : cat. 726, 857-859, 863, 866, 867, 870, 895, 896, 898, 899 ; ill. pp. 212, 283, 522, 524, 525, 542, 612, 614, 699, 705
VILAIN Victor (1818-1899) : ill. p. 5
VIOLLET-LE-DUC Eugène Emmanuel (1814-1879) : cat. 726 ; ill. p. 588
VIONNOIS Félix (1841-1902) : cat. 219 ; ill. p. 274
VISCONTI Ludovico Tullius Joachim (1791-1853) : cat. 217 ; ill. p. 271
VLADICA : cat. 256
VOGEL Henri : ill. p. 173
VOGEL Herman : ill. p. 115
WIERTZ Antoine (1806-1865) : cat. 762, 763 ; ill. pp. 503, 513
WILLETTE Adolphe Léon (1857-1926) : cat. 216, 839 ; ill. pp. 95, 176, 226, 599
WORSLEY Wallace : ill. p. 773
YVES : cat. 158
YVON Adolphe (1817-1893) : cat. 617
ZIEGLER Jules (1804-1856) : ill. p. 73
ZIER Edouard (1856-1924) : cat. 852

Composé par la Société Traitext à Dijon-Quetigny
Achevé d'imprimer sur les presses de l'Imprimerie Darantiere
à Dijon-Quetigny en septembre 1985

N° d'imprimeur : 429
Dépôt légal : 3e trimestre 1985